JÉSUS-CHRIST

I

JÉSUS-CHRIST

SA VIE, SA DOCTRINE, SON ŒUVRE

PAR

FERDINAND PRAT, S. J.

I

SEIZIÈME ÉDITION
REVUE ET CORRIGÉE

Beau·Chesne·Croit

BEAUCHESNE ET SES FILS
PARIS, RUE DE RENNES, 117
MCMXLVII

NIHIL OBSTAT

Lutetiae, die 31 Maii 1933.
J. Lebreton, S. J.

IMPRIMATUR

Lutetiae Parisiorum, die 14 Junii 1933
V. Dupin, v. g.

AVANT-PROPOS

Les Vies de Jésus-Christ ne se comptent pas : qui voudrait en dresser la liste, rien que pour notre langue, serait bien sûr d'en omettre. Celles qui ont paru en France, dans ces derniers temps, sont de nature à satisfaire les goûts les plus divers et les esprits les plus exigeants. L'ouvrage que nous publions aujourd'hui n'a pas la prétention de rivaliser avec elles, encore moins de les remplacer ; il ne s'adresse ni aux débutants ni aux maîtres, mais à cette classe moyenne de lecteurs qui, possédant déjà une connaissance sérieuse de l'Évangile, ont le désir d'en apprendre un peu davantage. On n'avait pas, Dieu merci, à guerroyer contre les derniers partisans du mythe de Jésus, ni à démontrer la possibilité de la révélation et du miracle, ni même à prouver l'autorité et la valeur de nos Évangiles : ces notions élémentaires sont censées acquises. Replacer la vie du Christ dans son milieu historique et social, situer les événements dans le temps et l'espace, élucider en peu de mots les idées et les locutions qui paraissent obscures et qui le sont en effet pour nous, parce qu'elles reflètent des mœurs et des institutions d'un autre âge, ou trahissent l'empreinte et le génie d'une langue étrangère, comparer attentivement les évangélistes entre eux et mettre à profit les renseignements que chacun d'eux nous offre, mais sans vouloir les emboîter de force l'un dans l'autre : tel a été notre but.

Afin de rester dans les limites restreintes tracées d'avance, il fallait renoncer aux réflexions pratiques et aux considérations morales que le texte sacré suggère de lui-même et qu'on trouvera d'ailleurs dans une foule d'excellents ouvrages dont le pieux Ludolphe le Chartreux a fourni le modèle. Pour les questions controversées d'exégèse, d'histoire ou

*d'archéologie, accessoires sans doute, mais qu'il n'est pas
permis d'ignorer tout à fait, il nous a semblé préférable, au
lieu d'en encombrer le texte, de les renvoyer à des notes
complémentaires, que chacun sera libre de négliger.*

*Au risque d'alourdir le récit, nous avons cru devoir repro-
duire textuellement les discours du Sauveur, en les accompagnant, quand c'était nécessaire, d'une courte explication
et en les distinguant du reste par le caractère typographique.
Une vie de Jésus-Christ n'est pas un commentaire. Les
commentateurs, dit Bossuet dans sa lettre au cardinal de
Bouillon,* « *se farcissent de beaucoup de choses superflues
et ils ont peut-être raison, parce que les esprits sont fort
différents et par conséquent les besoins* ». *Mais l'historien
de Jésus n'a pas à discuter toutes les opinions émises avant
lui; il lui suffit d'exposer le sentiment qui lui paraît le plus
solide et le plus sûr, sans lui donner toutefois plus de
certitude qu'il n'en comporte.*

*En général, nous avons été sobre de références. Pour être
complètes, les listes bibliographiques doivent contenir forcément un grand nombre de non-valeurs; elles sont inutiles à
ceux qui ont fait une étude spéciale du sujet et elles ris-
quent d'égarer les autres, si l'on ne fait suivre chaque nom
d'un jugement motivé. Mieux vaut, croyons-nous, renvoyer
aux auteurs qui ont traité la question avec le plus de com-
pétence et qui donneront tous les renseignements désirables.*

*Nous avons évité, autant que possible, d'abréger le titre
des ouvrages cités, à part quelques sigles connus :*

R. B. = Revue biblique (depuis 1892).

B. Z. = Biblische Zeitschrift (1903).

J. T. S. = Journal of Theological Studies (1899).

Z. N. T. W. = Zeitschrift der neutest. Wissenschaft (1900).

T. U. = Texte und Untersuchungen (1882).

D. B. = Dictionnaire de la Bible de Vigouroux, ou Dictionary of the Bible de Hastings.

Le mot Recherches *signifie* Recherches de science religieuse. *Les autres références aux livres ou aux périodiques,
pour être parfois un peu abrégées, n'offrent pas de difficulté
sérieuse.*

AVIS POUR LA SEPTIÈME ÉDITION

Malgré le nombre d'excellentes Vies de Jésus-Christ, *publiées dans ces derniers temps, le public ne fit pas à cet ouvrage un mauvais accueil. M. Beauchesne reçut bientôt quinze ou seize demandes de traduction en diverses langues. Aucune ne fut agréée, un peu par crainte du trop véridique proverbe :* Traduttore traditore, *et surtout parce que l'auteur se proposait, non pas de refondre en entier son œuvre, mais de l'améliorer de son mieux. Les circonstances ne l'ont pas permis. On s'est donc borné à quelques modifications ou rectifications jugées nécessaires. Voici les principales.*

1. Sur la demande de plusieurs lecteurs, on a ajouté une table des textes expliqués au cours de l'ouvrage : travail ingrat dont un charitable collègue a bien voulu se charger.

2. La table alphabétique des matières, un peu trop sommaire, a été complétée.

3. Les deux premiers chapitres du second livre (t. I, p. 224-246) ont été modifiés quelque peu, pour faire mieux concorder les faits avec la chronologie.

4. Enfin, il a paru utile de donner un aperçu des miracles opérés en bloc par le Sauveur (t. I, p. 557).

Du reste, il n'y a eu récemment ni publication ni découverte qui oblige à reviser les résultats acquis. Les fouilles pratiquées à Jérusalem, dans le couvent des Dames de Sion, n'ont fait que confirmer nos vues sur le site du Prétoire, à l'Antonia. La question est importante : tout l'itinéraire de la Passion en dépend.

Paris, le 25 mars 1938.

AVERTISSEMENT POUR LA SEIZIÈME ÉDITION

L'avertissement pour la septième édition, *écrit par le P. Prat quelques mois avant sa mort, laisse voir avec évidence que, si Dieu lui en eût laissé le temps, il aurait fait encore à son ouvrage des retouches d'une certaine importance. Elles auraient sans doute été utiles, accomplies par lui. Mais elles n'étaient pas nécessaires, l'auteur étant de ceux qui ne consentent pas à livrer au public un travail non* fini[1]. *Et, dans le cas présent, il serait téméraire à quiconque de vouloir perfectionner l'œuvre en prenant la place de l'ouvrier.*

Notre tâche a été plus modeste : diminuer le nombre des fautes d'impression — il en reste toujours ; — ajouter quelques rares indications bibliographiques (signées J. C.), corriger une distraction manifeste relevée par un lecteur spécialement attentif, aux pages 21 et 23. A la p. 21, on trouve, transcrits synoptiquement, le récit de la résurrection de la fille de Jaïre et le récit intercalé de la guérison de l'hémorroïsse. Par on ne sait quel accident, le v. 22 de saint Matthieu, c. 9, y a été omis. A la p. 23, le P. Prat en conclut par mégarde que Mt. n'a pas signalé la guérison de l'hémorroïsse. La rectification n'était pas malaisée à faire.

Nous aurions inscrit sans doute ci-dessus les simples mots : Edition revue *si l'on n'était si habitué à y voir accolé :* et corrigée.

Jean CALÈS, S. J.

Vals, près Le Puy (Haute-Loire). En la fête de saint Martin, 11 novembre 1946.

1. Voir *Un Maître de l'exégèse contemporaine, le P. Ferdinand Prat,* p. 81, Paris. Beauchesne, 1943.

INTRODUCTION

L'Évangile est le livre de tous : les âmes les plus frustes, comme les esprits les plus affinés, y trouvent leur aliment; mais, pour en exprimer le suc et en goûter le charme, il y faut une initiation. Ce livre divin, écrit par des hommes et pour des hommes d'un autre âge, produit d'une époque et d'une civilisation lointaines, reflète des mœurs, des coutumes, des institutions, des manières de penser et de dire fort différentes des nôtres. La révélation divine, avant de nous atteindre, a traversé des milieux dont elle a pu prendre la coloration. Souvent, pour en saisir l'esprit, il faut essayer de revivre ce passé et d'en respirer l'atmosphère. Assurément, rien ne remplace le contact direct avec l'Évangile. Prétendre y suppléer par des dissertations et des commentaires serait conduire l'adorateur autour du temple dont on lui fermerait l'entrée. Les fidèles s'en rendent bien compte. Aussi parmi les vies de Jésus-Christ, qui se distinguent toutes par quelque mérite, l'érudition, le style, la piété, l'éloquence, celles-là retiennent le plus longtemps la faveur du public qui ne veulent être qu'une simple introduction à la lecture du livre sacré et en serrent de plus près le texte.

Les Évangiles ne sont pas, à proprement parler, des biographies. Ils nous présentent des aspects variés de la figure du Christ Jésus, avec les traits suffisants pour l'imposer à notre foi comme Fils de Dieu, révélateur du Père, lumière et salut du monde, mais tout y est fragmentaire et lacuneux; des périodes considérables de la vie publique du Sauveur ne sont que des pages blanches; la chronologie et la topographie, ces deux yeux de l'histoire, n'y sont qu'ébauchées. Pourtant si nous comptions sur les auteurs profanes, les écrits rabbiniques et les apocryphes, pour combler ces vides, nous serions bien déçus.

I. Nos sources, en dehors des Évangiles.

Les auteurs profanes, jusqu'au milieu du deuxième siècle, ne nous offrent que des renseignements brefs et des allusions fugitives. Il fallait s'y attendre. Tacite, Suétone, Pline le Jeune, l'empereur Adrien [1], ne soupçonnant pas la miraculeuse expansion du christianisme, l'envisageaient comme une des sectes qui pullulaient alors dans le monde gréco-romain.

Tacite raconte avec un dédaigneux laconisme, comme un simple fait divers, l'atroce persécution dont les chrétiens furent l'objet, l'an 64, à la suite de l'incendie de Rome. Il ajoute négligemment : « Ce nom (de chrétiens) leur vient de Christ, livré au supplice par le procurateur Ponce Pilate, sous le principat de Tibère. Cette détestable superstition, réprimée sur le moment, perçait de nouveau, non seulement en Judée, où le mal avait pris naissance, mais encore dans Rome, où tout ce qu'il y a d'affreux et de honteux dans le monde afflue et trouve une nombreuse clientèle. »

Suétone mentionne en passant les supplices infligés aux chrétiens, « cette race d'hommes adonnés à une superstition nouvelle et malfaisante », ainsi que l'expulsion des Juifs, perpétuels fauteurs de discorde, « sous l'impulsion de Chrestus », qui ne peut guère désigner que le Christ.

1. Tacite, *Annales,* xv, 44. Sur les sources de Tacite, cf. Corssen dans *Z. N. T. W.* 1914, t. XV, p. 114-141 et Batiffol, *Orpheus et l'Évangile,* 1910, p. 46-49.

Suétone, *Néron,* 16 : « Afflicti suppliciis christiani, genus hominum superstitionis novae et maleficae. » — *Claude,* 26 : « Judaeos, impulsore Chresto assidue tumultuantes Roma expulit. » On convient aujourd'hui que *Chrestus* est *Christus.* Cf. Preuschen dans *Z. N. T. W.* 1914, t. XV, p. 96. On trouve aussi souvent *chrestiani* pour *christiani.*

Pline le Jeune, *Épist.* x, 96. Réponse de l'empereur Trajan. *Ibid.* x, 97. Cf. Allard, *Le christianisme et l'empire romain*[6], 1903, p. 31-40 (*Le rescrit de Trajan*) et 289-311 (*Choix de textes relatifs aux rapports des empereurs avec les chrétiens jusqu'au règne de Constantin*).

Adrien à Fundanus, dans Eusèbe, *Hist. eccles.* iv, 9. S. Justin y fait allusion dans sa première apologie, LXXIV.

Cf. Kurt Linck, *De antiquissimis veterum quae ad Jesum Nazarenum spectant testimoniis,* Giessen, 1913. Du reste le judaïsme ne fut guère mieux compris des païens que le christianisme naissant. Voyez Th. Reinach, *Textes d'auteurs grecs et romains relatifs au judaïsme,* Paris, 1895. L'exposé historique du grave Tacite sur l'origine du peuple d'Israël contient presque autant d'erreurs que de lignes (*Hist.* v, 2-5).

La lettre écrite, l'an 112, à l'empereur Trajan par Pline le Jeune, gouverneur de Bithynie, et celle qu'adressait, quelques années plus tard, l'empereur Adrien à Fundanus, proconsul d'Asie, si précieuses pour l'histoire de l'Église primitive, dont elles montrent le développement rapide, n'ont qu'un faible intérêt pour l'historien de Jésus.

Ces documents, si pauvres d'informations sur la vie du Christ, suffisent amplement à fermer la bouche aux fantaisistes champions du mythe de Jésus; ils nous prouvent que, dès l'an 64, le christianisme était une puissance capable d'inspirer la haine et la crainte, qu'au début du deuxième siècle il contrebalançait, dans certaines provinces, le culte des idoles, que la persécution sanglante inaugurée par Néron pour l'étouffer au berceau se perpétua dans la suite, à l'état plus ou moins aigu, sans qu'il fût besoin d'un nouvel édit, enfin que, dès cette époque, le Christ était adoré comme Dieu. C'est peu et c'est beaucoup.

Le texte bien antérieur de Josèphe, s'il était authentique, aurait plus de valeur : « En ce temps parut Jésus, homme sage, si toutefois il faut l'appeler un homme : car il fut l'artisan d'œuvres étonnantes, le maître de ceux qui reçoivent avec joie la vérité; et il entraîna beaucoup de Juifs et beaucoup de gens venus de l'hellénisme. Il était le Christ. Dénoncé par les notables de notre nation, et condamné par Pilate à être crucifié, ceux qu'il avait d'abord conquis ne cessèrent pas de l'aimer, car il leur apparut le troisième jour, comme nos divins prophètes l'avaient prédit de lui, avec une foule d'autres choses merveilleuses. La secte des chrétiens, qui tire son nom de lui, subsiste encore maintenant[1]. »

La tradition diplomatique est favorable à l'authenticité du texte, mais il faut observer que, pour cette partie de l'œuvre de Josèphe, nous ne possédons que trois manuscrits, dont le plus ancien est du onzième siècle[2]. Peut-on raisonnablement attribuer à l'historien juif les phrases suivantes : « Si toutefois

---

1. Josèphe, *Antiq.* XVIII, III, 3. — Sur ce texte on peut voir L. de Grandmaison, *Jésus-Christ*, 1928, t. I, note A et Tricot, *Revue apol.*, avril-mai 1922. On y trouvera la bibliographie du sujet.

2. Eusèbe cite deux fois le texte (*Hist. eccles.*, I, 11 et *Demonstr. evang.*, III, 3); mais Origène paraît bien l'ignorer, puisqu'il affirme que Josèphe ne croyait pas que Jésus fût le Christ (*In Matth. series*, X, 17;

il faut l'appeler homme... Il était le Christ... Il ressuscita le
troisième jour comme l'avaient prédit nos prophètes »? Et si,
avec la plupart des tenants de l'authenticité, nous considérons
ces phrases comme interpolées, que reste-t-il du fameux
témoignage qu'une mention incolore et sèche? Josèphe, qui
fait systématiquement le silence sur les tentatives messianiques, à partir du moment où Rome annexa la Judée, a dû
observer la même consigne à l'égard de Jésus. Son rival et
contemporain, Juste de Tibériade, n'avait pas suivi une autre
tactique [1]. Si Josèphe a raconté le meurtre du Baptiste et le
martyre de Jacques, frère du Seigneur, c'est qu'il n'avait pas
les mêmes raisons de se taire, ni l'un ni l'autre n'ayant émis
des prétentions messianiques [2].

Ainsi ni les auteurs païens ni les historiens juifs, dans le
siècle qui suivit la mort de Jésus, ne nous apprennent rien
sur sa personne. Serons-nous plus heureux en compulsant le
Coran et le Talmud?

Plusieurs surates du Coran contiennent d'assez longs passages sur la Vierge et son Fils [3]; mais, pour juger de leur
valeur historique, il suffit de noter que Mahomet confond la
mère de Jésus avec Marie, sœur de Moïse et d'Aaron. Tout ce
qu'il sait du Sauveur, de sa naissance virginale, de ses miracles, de sa mission divine, lui vient des apocryphes, de l'*Évangile arabe de l'enfance* ou d'un écrit similaire; ou bien des
traditions qui circulaient alors oralement parmi les chrétiens
de Médine et de la Mecque. S'il défend avec tant d'insistance
la perpétuelle virginité de Marie et même, d'après les paroles
que des commentateurs lui prêtent, sa conception immaculée,
ce ne peut être qu'un fidèle écho de la croyance chrétienne à
cette époque reculée. Du reste, les miracles qu'il attribue au

cf. *Contra Cels.*, I, 47). Du moins ne le lisait-il pas tel que nous l'avons
maintenant.

1. Photius, *Bibliotheca*, cod. 33.
2. L'authenticité des textes de Josèphe, *Antiq.*, XVIII, v, 2 (sur Jean-
Baptiste) et *Antiq.*, XX, IX, 1 (sur Jacques) n'est plus guère contestée.
Pourtant Schürer (*Geschichte* [4], t. I, p. 581) émet des doutes sur ce dernier passage.
3. Coran, *Surates* 2, 3, 4, 5, 19, 43, 57, 61, etc. Voir Hughes, *Dict. of
Islam* [2], 1896, article *Jesus-Christ*, ou Flemming dans Hennecke, *Handbuch
zu den neutest. Apokryphen*, 1904, p. 165-171. Voir surtout l'art. ʿIsa, etc

fondateur du christianisme ont tous quelque chose de fan-
tastique et de puéril. Jésus parle au berceau pour justifier sa
mère; il façonne de ses mains des oiseaux d'argile qu'il anime
de son souffle; il fait descendre du ciel une table chargée de
mets. Voilà pour le Coran.

Dans l'énorme compilation du Talmud, Notre-Seigneur tient
fort peu de place. La *Mishna*, rédigée vers la fin du deuxième
siècle, la *Tosefta*, qui vint au siècle suivant compléter ce code
de droit judaïque, les trois premiers *Midrashim*, qui peuvent
remonter à la même époque, font à peine mention de Jésus[1].
On dirait la conspiration du silence. Et pourtant nous savons
par saint Justin et par Origène que les Juifs menaient alors
contre lui une savante campagne de diffamation. Ils ne contestaient pas ses miracles, trop notoires pour être niés, mais
ils les attribuaient à la magie, comme leurs pères en avaient
fait honneur au prince des démons. Ils ne contestaient pas
davantage le tombeau trouvé vide; mais ils soutenaient que
les apôtres, ou Judas, ou le jardinier, avaient enlevé subrepti-
cement le cadavre. Ils s'attaquaient surtout à sa descendance
du sang de David, pour le disqualifier comme Messie. Sa
mère, disaient-ils, était une pauvresse, que son mari avait
répudiée, après l'avoir convaincue d'adultère. La misère
l'ayant obligée de se réfugier en Égypte, avec son fils illégitime, celui-ci apprit en ce pays l'art des prodiges, où les
Égyptiens excellent et, de retour chez lui, fort de sa puissance
thaumaturgique, voulut se faire passer pour Dieu. Voilà ce
qu'on disait partout dans le monde juif, mais on attendit pour
l'écrire le Talmud de Jérusalem, composé vers la fin du quatrième siècle et le Talmud de Babylone, qui vit le jour deux
siècles plus tard. Nous ne parlerons pas d'un factum ignoble,
intitulé *Toledoth Jesu* et mis en circulation après l'époque de
Charlemagne. Ce pamphlet — tout le monde en convient
aujourd'hui — est « une pure pasquinade, dont certains passages soulèvent le dégoût ».

Les Israélites eux-mêmes ont la loyauté de n'attacher
aucune valeur historique à de pareilles élucubrations : « Beau-

1. On ne cite guère qu'un texte de la Mishna, *Yebamoth*, iv, 13 et une
Tosefta, *Chullin*, ii, 22-23.

coup de ces légendes, écrit l'un d'eux, sont des créations de la théologie. La polémique faisait aux Juifs un devoir d'insister sur la naissance illégitime de Jésus, pour combattre la descendance davidique soutenue par les chrétiens. La magie peut lui avoir été attribuée pour détruire l'effet des miracles racontés dans l'Évangile: et les légendes relatives à son sort ignominieux, avant et après sa mort, sont peut-être dirigées contre les récits de sa résurrection et de son ascension ».[1] Le Talmud de Babylone raconte en effet que Jésus, fils d'une coiffeuse et d'un soldat nommé Pandira, séduisit le monde par ses prestiges, fut excommunié pour crime d'hérésie et condamné à mort à Lydda. Pendant quarante jours, on lui chercha des témoins à décharge, mais nul ne s'étant présenté, il fut exécuté la veille de la Pâque et pendu à un gibet. De pareils contes pouvaient alimenter la polémique mais n'ont rien à voir avec l'histoire.

Il est difficile d'imaginer chose plus dénuée d'esprit critique que l'ensemble hétérogène appelé Talmud. On dit que dans ce bourbier l'on trouve des perles; je le crois, mais pour les découvrir il faut longtemps remuer la fange. Les lieux, les temps, les personnages y sont outrageusement confondus et défigurés. L'élève des écoles primaires qui faisait vivre ensemble Charlemagne, Jeanne d'Arc et Napoléon, ne commettait pas des anachronismes plus étourdissants. Aucun souci de la vraisemblance, aucune notion des distances et des nombres. Quelques exemples cueillis entre mille. Séphoris, ville voisine de Nazareth, aurait eu cent quatre-vingt mille places publiques. A Bettar (aujourd'hui Bittir), dernier refuge des Juifs révoltés, le sang des hommes massacrés par les Romains formait des torrents qui allaient se précipiter dans la mer, éloignée de quinze lieues, et en rougissaient les eaux jusqu'à six kilomètres des côtes. Les trompettes du Temple

---

1. Samuel Krauss dans la *Jewish Encyclopedia,* 1904, t. VII, p. 170. Du même auteur, *Das Leben Jesu nach jüdischen Quellen,* Berlin, 1904. On peut consulter aussi Laible, *Jesus Christus,* Berlin, 1891, avec, en appendice, les textes du Talmud par Dalman; R. Travers Herford, *Christianity in Talmud and Midrash,* 1904, résumé dans le *Dict. of Christ and the Gospels,* 1909, t. II, p. 877-882; A. Mayer, *Jesus im Talmud* dans Hennecke, *Handbuch der neutest. Apokr.,* 1904, p. 47-71; le rabbin J. Klausner, *Jesus of Nazareth,* Londres, 1923, p. 18-54.

s'entendaient de Jéricho et l'encens brûlé sur l'autel des parfums, à l'intérieur du sanctuaire, faisait éternuer les chèvres
paissant sur les montagnes de Moab. On ne souffrait à Jérusalem, ni fourneaux, à cause de la fumée, ni jardins, par
crainte de la mauvaise odeur, ni gallinacés, de peur qu'en
grattant la terre ils ne vinssent à déterrer des ossements
humains. Arrêtons-nous; la litanie serait monotone. Tout
n'est pas de ce style; mais il y en a plus qu'il ne faut pour
justifier le sévère jugement d'un Israélite des plus érudits :
« Ces abondantes discussions juridiques et théologiques,
entremêlées de toutes sortes de digressions, ne laissent
échapper que bien peu de renseignements historiques. D'abord
presque aucun sur les Juifs de la Diaspora, mais quant à ceux
relatifs à la Palestine, quelle ignorance, quelle fantaisie dans
les récits !... En aucun cas, les données ne sont certaines[1]. »

Ce qu'on pouvait attendre de cette littérature, ce sont des
notions plus précises sur le milieu évangélique et quelque
lumière sur le cadre de la vie du Christ. Les meilleurs
exégètes des temps passés n'ont pas négligé cette source
d'informations; et comme le contact direct avec les écrits
rabbiniques requiert une initiation qu'il n'est pas donné à tous
d'acquérir, de patients érudits — tels que Lightfoot, Schoettgen,
Meuschen, Wetstein, Wuensche, Edersheim et autres — ont
fourni aux profanes des matériaux tout préparés. Ces estimables travaux sont maintenant dépassés et supplantés par
l'ouvrage en quatre forts volumes de Strack et Billerbeck, qui
ont fait, sur des éditions plus récentes et plus correctes, avec
un soin admirable et un inlassable labeur, le dépouillement
des textes du Talmud et des Midrashim pouvant servir à
éclairer, par comparaison ou par contraste, les livres du
Nouveau Testament. D'ailleurs la source principale, la

---

1. J. Juster, *Les Juifs dans l'empire romain*, 1914, t. I, p. 23. L'appré-
ciation de Neubauer, en matière de géographie, n'est guère plus
favorable. L'étendue de la Palestine, d'après le Talmud, était de
160.000 *parsas* carrées, soit 4.800.000 kilomètres carrés (plus de huit fois
la superficie de la France). Neubauer remarque (*Géographie du Talmud*,
1868. p. 4) : « Ces exagérations sont familières aux talmudistes. » Cf.
Farrar, *Life of Christ*, excursus XII, qui résume ainsi son jugement :
« Anything more utterly unhistorical than the Talmud cannot be con-
ceived. »

Mishna, a toujours été accessible aux biblistes et il existe
maintenant une traduction française du Talmud de Jérusalem [1].
Il ne faudrait pourtant pas s'exagérer l'importance de ces
ressources. Les écrits rabbiniques sont muets systématiquement sur une foule de choses qui nous intéressent. La glorieuse
époque des Asmonéens, si féconde pour l'évolution du judaïsme,
est presque totalement passée sous silence. Les exploits de
Judas Macchabée et de ses frères semblent ignorés. A propos
de la fête de la Dédicace, on ne mentionne que leur père Mat-
tathias. Le règne d'Hérode est, pour ainsi dire, non avenu.
Nous ne trouvons dans le Talmud presque rien sur la ville
même de Jérusalem, rien sur ses murailles, sur ses édifices
qui faisaient l'admiration du monde. Le Temple est décrit
d'après Ezéchiel, plutôt que d'après la réalité.

Comme le souvenir des mœurs et des usages s'altère moins
vite que la tradition orale des événements, nous pouvons espérer
trouver dans le Talmud, qui est le *corpus juris* du judaïsme,
une image fidèle des coutumes sociales et des institutions
religieuses en vigueur au temps de Jésus-Christ. Mais, ici
encore, il y a des réserves à faire. Le Talmud, œuvre exclusive du parti pharisien, traite le reste du peuple comme presque
inexistant et fait le silence sur les périodes où les pharisiens
ne furent pas au pinacle. Tout le passé est considéré sous
l'angle du pharisaïsme. Le sanhédrin, tel qu'il existait à la
fin du deuxième siècle, est transposé aux temps antiques, de
sorte que le grand prêtre, non seulement ne le préside pas,
mais n'y joue aucun rôle. On ne peut concevoir une déforma-
tion plus audacieuse d'un des faits historiques les mieux
attestés. Le Talmud est la tradition d'une école — et d'une
école très fermée — qui, après la catastrophe de l'an 70, émigra
successivement à Iamnia, à Séphoris, à Tibériade, colportant
partout avec elle son esprit étroit et particulariste. Les Tan-
naïtes et les Amoraïm du deuxième et du troisième siècle
codifièrent une législation artificielle, en partie théorique et

1. Strack et Billerbeck, *Kommentar zum neuen Testament aus Talmud
und Midrasch,* Munich, 1922-1928. Le quatrième volume contient les
Exkurse. Une édition critique de la Mishna avec traduction en allemand
et commentaires est en cours de publication à Giessen. La traduction
française du *Talmud de Jérusalem* par Schwab est bien connue (Paris,
1878-1889).

inapplicable, qu'ils supposent avoir été toujours en vigueur. On est surpris de voir des historiens de Jésus, d'ailleurs très estimables, vouer une foi aveugle à ces élucubrations. Si nous n'avions que le Talmud, il serait bien difficile de dire ce qu'était la société palestinienne au temps de Jésus-Christ.

Heureusement nous avons Josèphe. On a reproché à l'auteur des *Antiquités judaïques* et de la *Guerre des Juifs* sa servilité à l'égard de Rome, son acharnement à disculper le peuple qu'il avait trahi, ses exagérations et ses vantardises. On a dit assez justement qu'il « n'avait pas le compas dans l'œil » et l'on aurait pu ajouter qu'il n'avait pas non plus une notion bien exacte des nombres. Quand il décrit les lieux de mémoire ou qu'il évalue les foules en gros, il se trompe souvent, tantôt en plus, tantôt en moins; mais lorsqu'il donne des mesures ou des chiffres précis, on peut s'en rapporter à lui. En ce cas, on ne l'a pas convaincu de mensonge, quoiqu'il puisse donner aux choses un tour favorable à sa thèse. Du reste, ce n'est pas ce genre de détails que nous cherchons dans son œuvre; c'est l'image d'institutions religieuses et sociales, que sa naissance, ses fonctions et son rang dans la classe sacerdotale le mettaient à même de connaître mieux que personne; c'est la peinture du milieu où il a vécu et du pays qu'il a eu occasion de parcourir en tous sens. A cet égard, la lecture répétée de la *Guerre des Juifs* et des derniers livres des *Antiquités* est la préparation indispensable à une étude scientifique des Évangiles.

Plusieurs livres apocryphes du Nouveau Testament, l'*Évangile selon les Hébreux*, l'*Évangile de Pierre*, l'*Évangile de Thomas*, le *Protévangile de Jacques* remontent au milieu du iie siècle et sont antérieurs aux écrits rabbiniques les plus anciens : mais, en fait d'histoire véridique, ils ne leur sont guère supérieurs [1].

Les deux premiers racontaient la vie du Sauveur depuis le

1. Principaux ouvrages à consulter sur les Évangiles apocryphes : Tischendorf, *Evangelia apocrypha*[2], Leipzig, 1876; Hennecke, *Handbuch der neutest. Apokryphen*, Tubingue, 1904 (traduction allemande et notices); Variot, *Les Évangiles apocryphes* (histoire littéraire, forme primitive, transformations), Paris, 1878; James, *The apocryphal New Testament* (excellentes notices et traduction anglaise), Oxford, 1924; Frey, dans le *Supplément* au *D. B.*, t. I, 1926, col. 475-483.

baptême jusqu'à la résurrection. Une heureuse découverte
nous a rendu quelques pages de l'*Évangile de Pierre* sur la
passion du Christ [1]. Elles n'ajoutent rien à ce que nous savions
et nous y trouvons clairement la tendance docétique qui fit
proscrire ce livre par Sérapion, évêque d'Antioche, après un
sérieux examen. L'auteur s'applique à disculper Pilate, en
rejetant tout l'odieux de la condamnation de Jésus sur les
Juifs et le tétrarque Hérode. L'*Évangile selon les Hébreux*
devait être orthodoxe, puisque saint Jérôme, qui l'avait traduit en grec et en latin, inclinait à le regarder comme l'original de saint Matthieu. Il était plus court que notre Évangile canonique d'environ un quart, d'après la stichométrie de
Nicéphore; il en différait notablement, si l'on s'en rapporte
aux citations des Pères. Les fragments parvenus jusqu'à nous
n'en donnent pas une bien haute idée [2].

Les autres évangiles apocryphes se proposaient de compléter le peu que nous savons sur les premières années
du Sauveur et sur les jours qui suivirent sa résurrection. Le
Protévangile de Jacques relate la naissance miraculeuse et
l'enfance, plus miraculeuse encore, de la vierge Marie, jusqu'au jour où elle mit au monde son fils unique. L'auteur, qui
montre une insigne ignorance des mœurs juives et de la
législation mosaïque, s'attache à prouver par les faits la virginité de Marie, avant, pendant et après l'enfantement du
Sauveur; et cette thèse éminemment orthodoxe lui valut la
faveur des Pères de langue grecque. L'épisode, si répugnant
pour nous, des sages-femmes amenées pour constater la virginité de Marie, choquait moins les anciens. Ce n'est pas à
dire qu'il ne s'y rencontre çà et là quelques traits historiques
tels que les noms des parents de la Vierge et la naissance de
Marie à Jérusalem; mais cela n'enrichit guère notre fonds [3].

1. Le fragment trouvé à Akhmin (Egypte) en 1884 est divisé par
Robinson en 14 sections, par Harnack en 60 versets. Cet évangile est
cité par Origène (*In Matthaeum*, lib. x, n° 17) et par Eusèbe (*Hist. eccl.*,
vi, 12) qui raconte l'histoire de Sérapion. Texte, avec traduction française et notice, *R. B.*, 1894, p. 522-560. L'étude si complète de Vaganay
(*L'Évangile de Pierre,* 1930) dispense de tous les travaux antérieurs.
    2. Cf. Lagrange, *R. B.*, 1912, p. 161-181 et 321-349; L. de Grandmaison,
Jésus Christ, 1928, t. I, note D, p. 210-215.
    3. Amann, *Le Protévangile de Jacques et ses remaniements latins*
(texte, traduction et commentaire), Paris, 1910.

Quant à l'*Évangile de Thomas,* c'est un écrit inepte, où Jésus
est dépeint comme un enfant capricieux, fantasque, vindicatif,
frappant de mort ses compagnons d'âge, s'ils ont le malheur
de déranger ses jeux, insupportable aux voisins et justement
réprimandé par Joseph et par Marie elle-même. On ne conçoit pas comment un factum si niais et si blasphématoire a
pu traverser les siècles et comment il s'est trouvé quelqu'un
pour songer à le transcrire, même en vue d'en atténuer le
venin.

L'Église latine, avec saint Augustin et saint Jérôme, fut
toujours sévère aux apocryphes. Le pape Innocent Ier mande
à saint Exupère, évêque de Toulouse, qu'il faut non seulement
rejeter mais réprouver les livres portant faussement les noms
de Matthias, de Jacques le Mineur, de Pierre, de Jean, d'André ou de Thomas. On put croire que le décret de Gélase
leur donnerait le coup de grâce; mais un habile faussaire leur
rendit la vogue en fabriquant une prétendue correspondance
entre saint Jérôme et ses amis, les évêques Héliodore et Chro-
matius. Ceux-ci disaient avoir appris qu'une histoire écrite de
la propre main de saint Matthieu était détenue par le solitaire
de Bethléem. Jérôme leur répondait qu'il avait en effet ce
volume, destiné à rester secret; mais comme les manichéens
l'avaient publié en le falsifiant, il leur en envoyait une traduction fidèle. Ainsi naquit l'*Évangile de l'enfance*, ou du pseudo-
Matthieu, qui eut tant d'influence sur les arts plastiques et la
littérature dévote du moyen âge. C'est un amalgame du *Protévangile de Jacques,* de l'*Évangile de Thomas* notablement
dégrossi et d'un recueil de miracles d'origine incertaine sur
le voyage et le séjour de la Sainte Famille en Égypte [1].

Un inconnu, qui pourrait bien être un moine du temps de
Charlemagne, retravailla le *Protévangile de Jacques*, en
ayant soin d'omettre les circonstances les plus choquantes :
le premier mariage de saint Joseph et son âge avancé au moment où il s'unit à la Vierge, l'épreuve invraisemblable des
eaux amères et l'épisode des sages-femmes. De là sortit la

1. Michel, *Protévangile de Jacques. Pseudo-Matthieu, Évangile de
Thomas* (textes annotés et traduits), Paris, 1911 ; P. Peeters, *L'Évangile
de l'enfance, rédactions syriaques, arabe et arméniennes traduites et an-
notées*, Paris, 1914. Voir aussi Charles, *The apocr. New Testament*, 1924,
p. 70-79.

Nativité de Marie, écrite en un style assez pur pour l'époque
et animée d'une tendre dévotion pour la reine du ciel. Elle a
passé presque tout entière dans la *Légende dorée*[1].

Nous ne dirons qu'un mot des *Agrapha*, ces paroles de
Jésus non consignées dans nos Évangiles canoniques. Saint
Paul en cite une dans son discours aux anciens d'Éphèse et
deux ou trois autres, au moins pour le sens, dans ses Épîtres.
On a catalogué des centaines de ces épaves, patiemment re-
cueillies dans les manuscrits bibliques, les écrits des Pères,
les papyrus exhumés des sables égyptiens, même dans le Coran et le Talmud. Très peu résistent à l'examen critique;
une douzaine tout au plus paraissent dignes de Jésus. Nous
n'oserions guère citer avec quelque confiance que les trois
suivantes : « Soyez de bons changeurs de monnaie, rejetant
ce qu'il faut rejeter et retenant ce qui est bon. » — « Demandez les grandes choses et les petites seront ajoutées par surcroît. » — « N'ayez de joie que lorsque vous regardez votre
frère avec amour[2]. »

Comme on le voit, en dehors de nos livres canoniques, il y
a très peu de chose à glaner pour l'historien de Jésus. C'est
donc à nos quatre Évangiles qu'il faut revenir pour connaître
la vie et la doctrine du Sauveur; mais il importe, avant de se
s'en servir, d'en étudier le but, le caractère et le style.

II. L'Évangile quadriforme.

Papias, au dire d'Eusèbe, tenait des anciens la tradition suivante : « Matthieu mit en ordre les oracles (du Seigneur) en
langue hébraïque et chacun les interpréta comme il put[3]. »

1. Le livre *De nativitate Mariae* faussement attribué à saint Jérôme
et dont le plus ancien manuscrit connu est du XIᵉ siècle, peut remonter deux ou trois siècles plus haut. L'opuscule est en substance dans
la *Légende dorée*, au 8 septembre.
2. Sur les *Agrapha* on peut consulter Ropes dans le *Dict. of the Bible*
de Hastings, t. IV, 1904, p. 343-352 ; Hennecke dans *Realencycl. f. prot.
Theol.*³, 1913, t. XXIII, p. 16-25. Vaganay dans *D. B. Suppl.*, t. I, 1926,
col. 159-198 (abondante bibliographie).
3. Eusèbe, *Hist. eccl.*, III, 39 (Migne, XX, 300) : Ματθαῖος μὲν Ἑβραΐδι
διαλέκτῳ τὰ λόγια συνετάξατο, ἡρμήνευσεν δ' αὐτά, ὡς ἦν δυνατός, ἕκαστος. —
Papias, évêque d'Hiérapolis en Phrygie, vers l'an 125, avait composé un

Cette courte phrase, malgré son laconisme, nous oriente assez
bien sur le but, l'objet et le caractère du premier Évangile.
Puisque saint Matthieu écrivait en *hébreu*, c'est-à-dire en
araméen, la langue alors en usage chez les Juifs de Palestine,
il s'adressait spécialement à ses compatriotes palestiniens et
l'on est en droit de penser que son œuvre portera l'empreinte
du génie sémitique et répondra aux préoccupations de ses
lecteurs.

Pour tout Juif placé en face de l'Évangile, la question capitale était : Jésus de Nazareth est-il oui ou non le Messie ? On
s'accorde à reconnaître que l'évangéliste se propose de montrer le bien-fondé de la réponse affirmative, en prouvant que
Jésus est le Messie promis par les prophètes, le fils et l'héritier de David, l'espoir et le salut d'Israël. Voilà pourquoi les
témoignages des prophètes reviennent si souvent sous sa
plume. Il ne cite pas moins de vingt-deux passages, qui n'ont
pas tous, il est vrai, la même force probante. Les uns sont
pris au sens littéral, d'autres au sens typique, quelques-uns
au sens accommodatice. Ce dernier sens, pour n'avoir pas la
valeur d'une preuve, n'était pas négligeable. « La facilité avec
laquelle les traits de la conduite de Dieu sur le peuple élu et
ses prophètes pouvaient être transposés dans la vie du Christ
montrait, ou du moins suggérait, aux Juifs, très accessibles à
ces sortes de rapprochements, que le même esprit, qui jadis
veillait sur Israël, avait aussi guidé Jésus pendant sa vie terrestre [1]. »

ouvrage en cinq livres intitulé *Explication des Oracles du Seigneur*
(Λογίων κυριακῶν ἐξήγησις). Il s'intéressait aux *oracles* (c.-à-d. aux paroles,
aux discours) de Jésus plus qu'aux faits évangéliques et ces discours il
les trouvait surtout dans S. Matthieu. Ce n'est pas que S. Matthieu eût
composé un livre appelé Λόγια — comme on l'a quelquefois soutenu —
mais il avait réuni et *mis en ordre*, les λόγια (discours) du Sauveur. Tel
est en effet le sens du mot employé par Papias, selon la vraie leçon
adoptée par les critiques (συνετάξατο, édit. Schwartz, Berlin, 1903, p. 292),
au lieu de l'ancienne leçon fautive συνεγράψατο. Le verbe συντάσσεσθαι signifie *disposer, mettre en ordre, ranger* (une armée, une flotte), *arran-
ger, organiser, composer avec art* (un discours, un livre), en veillant à
l'ordre et au bel agencement des parties. C'est bien là un des caractères
les plus saillants du premier évangile.

1. J. Huby, dans *Études*, t. CLVIII (1919), p. 13. — Assez souvent (8
fois) la prophétie est alléguée sans formule de citation. Ailleurs (14 fois)
les formules de citation répondent à trois types : 1° *Car il est écrit* dans
le prophète. — 2° *Ainsi s'accomplit* la parole du prophète. — 3° *Cela*

Précisons davantage. Jésus, d'après saint Matthieu, n'est pas le Messie tel que se le représente l'imagination populaire, exaltée par des visions apocalyptiques, mais tel que l'ont décrit les prophètes : mélange ineffable d'abaissement et de grandeur. Le royaume qu'il vient fonder n'est pas celui des nationalistes et des zélotes; c'est un royaume terrestre par les éléments dont il se compose, spirituel par sa nature, sa tendance et sa destination finale. La réprobation dont Jésus a été l'objet de la part de son peuple ne prouve rien contre sa mission divine, car elle tient à l'aveuglement volontaire de ceux qui n'ont pas su le reconnaître. Le dessein de saint Matthieu est donc à la fois dogmatique, polémique et apologétique.

L'éloge que Papias lui décerne d'avoir mis en ordre les oracles du Seigneur est parfaitement juste. Il a eu soin, en effet, de réunir les paroles prononcées sur le même thème et d'en composer cinq grands discours, qui définissent les divers aspects du royaume de Dieu et qui forment, pour ainsi dire, l'ossature de son Évangile :

1. Sermon sur la montagne, programme du royaume.
2. Discours aux Douze, programme de l'apostolat.
3. Paraboles dogmatiques, essence et nature du royaume.
4. Organisation du royaume et rapports de ses membres.
5. Consommation du royaume au moment de la Parousie.

Cette structure n'est pas accidentelle; elle est voulue par l'auteur, d'une volonté réfléchie, car il met à chacun de ses discours un point final par une formule uniforme : « Quand Jésus eut fini de parler, la foule fut frappée d'admiration » ; ou bien : « Ayant achevé de parler, il s'en alla ailleurs [1]. »

---

arriva *afin que* (ἵνα ou ὅπως) fût accomplie la parole du prophète. Mais il faut observer que, dans le Nouveau Testament, ἵνα peut se traduire assez fréquemment par *de sorte que.*

Sur les diverses manières dont une prophétie s'accomplit, cf. Maldonat à propos de Mt. 2¹⁵ : « Dicitur prophetia, quantum observare potui, quatuor modis adimpleri : primum, cum ipsum fit de quo proprie et litterali sensu intelligebatur... Secundo, cum fit non id, de quo proprie intelligebatur prophetia, sed id quod per illud significabatur... Tertio, cum nec fit id, de quo proprie intelligitur prophetia, nec id quod per illud significatur, sed quod illi simile est et omnino ejusmodi, ut prophetia non minus apte de eo, quam de quo dicta est, dici potuisse videatur... Quarto, cum idipsum quod per prophetiam aut Scripturam dictum erat, quamvis jam factum fuerit, tamen magis ac magis fit. »

1. Mt. 7²⁸ ; 11¹ ; 13⁵⁴ ; 19¹ ; 26¹.

C'est ainsi que s'explique naturellement le phénomène des doublets, fréquents dans saint Matthieu. Après avoir encadré une parole du Sauveur dans un discours d'un thème analogue, il la répète dans l'épisode dont elle fait partie et où il est impossible de l'omettre sans troubler le sens du récit[1].

Le sémitisme du premier Évangile n'a pas besoin d'être démontré; il éclate à la surface, non pas précisément dans le lexique et la syntaxe qui sont le fait du traducteur, assez maître de sa langue pour l'écrire correctement et avec une certaine aisance, mais dans le tour de la pensée et dans la manière de concevoir et d'exprimer les choses. Le parallélisme biblique et d'autres procédés de composition, familiers aux Hébreux, s'y rencontrent presque à chaque page. L'auteur a conscience de s'adresser à des lecteurs au courant des coutumes et des institutions judaïques, qu'il juge inutile de leur expliquer. Qu'on lise, à ce point de vue, le Sermon sur la montagne ou le réquisitoire dressé contre les scribes et les pharisiens.

Saint Marc, en présence de pareils sujets, qui seraient inintelligibles pour ses lecteurs, ou les omet simplement ou a soin de les expliquer. C'est que, d'après une tradition très ferme, il écrivait en première ligne pour les Gentils ou les Juifs hellénistes. Ici encore nous avons le témoignage de Papias : « Marc, interprète de Pierre, écrivit avec exactitude, mais non pas en ordre, les faits et dits du Seigneur dont il avait gardé la mémoire; car il n'avait pas été le compagnon

---

1. La meilleure étude sur les doublets de S. Matthieu est celle de Hawkins, *Horae Synopticae*, Oxford, 1909, p. 80-99.

2. Eusèbe, *Hist. eccl.*, III, 39 (Migne, XX, 300; édit. Schwartz, Leipzig, 1903, p. 290) : Μάρκος μὲν ἑρμηνευτὴς Πέτρου γενόμενος, ὅσα ἐμνημόνευσεν ἀκριβῶς ἔγραψεν, οὐ μέντοι τάξει, τὰ ὑπὸ τοῦ κυρίου ἢ λεχθέντα ἢ πραχθέντα· οὔτε γὰρ ἤκουσεν τοῦ κυρίου οὔτε παρηκολούθησεν αὐτῷ· ὕστερον δέ, ὡς ἔφην, Πέτρῳ, ὃς πρὸς τὰς χρείας ἐποιεῖτο τὰς διδασκαλίας, ἀλλ' οὐχ ὥσπερ σύνταξιν τῶν κυριακῶν ποιούμενος λογίων, ὥστε οὐδὲν ἥμαρτεν Μάρκος οὕτως ἔνια γράψας ὡς ἀπεμνημόνευσεν· ἑνὸς γὰρ ἐποιήσατο πρόνοιαν, τοῦ μηδὲν ὧν ἤκουσεν παραλιπεῖν ἢ ψεύσασθαί τι ἐν αὐτοῖς.

Papias se réfère ici au témoignage d'un personnage qu'il appelle l'*Ancien* (ὁ πρεσβύτερος). Zahn, Schmiedel, Lagrange et d'autres pensent que Papias reprend la parole à ces mots οὔτε γὰρ ἤκουσεν. En effet, ὡς ἔφην serait bien étrange dans la bouche de l'informateur. D'ailleurs ce qui suit paraît être un commentaire de Papias sur le défaut d'ordre attribué par l'*Ancien* à Marc.

ni l'auditeur de Jésus ; mais, comme je l'ai dit, il s'attacha plus tard à Pierre, qui faisait ses instructions selon le besoin et non pas en vue de former un tout suivi des paroles du Seigneur. Ainsi Marc n'est pas en faute s'il a écrit certaines choses (ou certaines paroles) comme il se les rappelait. Il n'avait qu'un souci, c'est de n'en rien omettre et de n'y rien mêler de faux. »

Si ce témoignage est véridique — et il n'est pas douteux qu'il le soit, puisqu'il est confirmé par la tradition unanime de l'antiquité — le but de saint Marc, en écrivant son Évangile, dut être identique à celui de saint Pierre quand il prêchait à Rome. Or, pour faire accepter Jésus-Christ à un auditoire polythéiste en grande partie, il fallait le présenter, non pas comme un homme supérieur, ni comme un être surhumain, ni même simplement comme fils de Dieu, car les païens connaissaient une infinité de générations divines, mais comme le Dieu souverain, élevé sans comparaison au-dessus des divinités païennes. Et c'est bien ainsi que saint Marc le présente. Il ne l'appelle pas Dieu, mais il le fait agir en Dieu, comme arbitre suprême de la création et comme souverain Seigneur de ces puissances spirituelles à qui les païens rendaient les honneurs divins. Le second Évangile, le plus court de beaucoup, raconte presque autant de prodiges que les autres Synoptiques et il en rapporte deux que les autres ne mentionnent pas[1], sans compter tous ceux qu'il signale en bloc et avec insistance. Il s'applique à noter les circonstances de temps, de lieu, de personnes, qui mettent en relief la toute-puissance du Thaumaturge, ainsi que l'impression d'étonnement, d'admiration, de stupeur, d'effroi, que ces miracles produisent sur l'âme des spectateurs. La foule, en le voyant, ne peut s'empêcher de s'écrier : « Il fait bien toutes choses ; il rend l'ouïe aux sourds et la parole aux muets... Nous n'avons jamais rien vu de pareil. »

Marc n'est pas l'abréviateur (*breviator*) de Matthieu, ni son suivant et, pour ainsi dire, son valet de pied (*pedisequus*), comme le veut saint Augustin. Il a son allure bien personnelle. On peut, avec saint Jérôme, l'appeler l'interprète de Pierre (*interpres*), en ce sens qu'il en reproduit fidèlement la catéchèse. Certains critiques le nient, sous prétexte que la per-

---

1. Le sourd-bègue (7^{32-37}) et l'aveugle de Bethsaïde (8^{22-26}) (J. C.).

sonne de Pierre est moins bien traitée dans le second Évangile
que dans les autres; mais, sans qu'ils y songent, leur objection se tourne en preuve. Voudraient-ils que saint Pierre eût
profité de sa prédication pour se mettre sur le pinacle? Il parlait de lui-même modestement, comme il convient, et passait
volontiers sous silence ce qui lui fait le plus d'honneur. Et
c'est, justement, ce qu'on remarque dans le récit de son
interprète.

Le manque d'ordre que Papias lui reproche, nous étonne un
peu; mais il faut s'entendre. L'ordre chronologique pour
Papias, comme pour plusieurs de ses contemporains, était du
désordre. Il aurait voulu que les *Oracles du Seigneur* fussent
groupés suivant les sujets. Il regrette la belle et savante
ordonnance de Matthieu. Il excuse Marc par la raison
que « Pierre faisait ses instructions selon le besoin et non pas
en vue de former un tout suivi des paroles du Seigneur »;
mais Marc n'a pas besoin d'excuse et nous lui faisons un
mérite de ce que Papias considère comme un défaut[1].

Au premier destinataire de son Évangile, saint Luc expose
clairement ses visées et son plan : « Comme plusieurs ont
entrepris de composer une relation des choses qui se sont
accomplies parmi nous, d'après la tradition de ceux qui, dès
le début, furent les témoins oculaires et les ministres de la
Parole; j'ai cru bon, moi aussi, qui me suis appliqué à tout
connaître exactement depuis l'origine, de t'en faire un récit
suivi, illustre Théophile, afin que tu saches quelle est la cer-

---

1. Dans une œuvre oratoire ou littéraire, les anciens rhéteurs distin-
guaient trois choses : l'invention (εὕρησις), l'ordre ou la disposition (τάξις),
le style ou la diction (λέξις ou φράσις). L'ordre ainsi compris était l'harmonieux arrangement des parties. L'invention seule produit un corps
informe; c'est l'ordre qui l'embellit (Lucien, *De conscrib. histor.*, 48).
Denys d'Halycarnasse reproche à Thucydide de suivre trop strictement
l'ordre chronologique, car sa division par hivers et par étés lui fait mettre
le commencement du siège de Platées au second livre et la fin au livre
suivant. Papias trouve que l'Évangile de Marc n'est pas une *œuvre d'art*
comparable à celle de Matthieu, parce qu'il ne fait que reproduire la
catéchèse de Pierre sans s'inquiéter de *mettre en ordre*, de grouper
ensemble, *les discours* du Sauveur, auxquels Papias s'intéresse surtout.
L'ordre logique, qui fait le mérite de S. Matthieu, laisse quelquefois à
désirer chez S. Marc. Cf. Colson, Τάξει *in Papias* dans *J. Th. St.*, oct. 1912,
t. XIV, p. 62-69 et Wright, *Ibid.*, p. 298-300.

18 — INTRODUCTION

---

18 INTRODUCTION

titude des enseignements que tu as reçus [1]. » Si Luc s'adresse directement à un catéchumène, ou plus probablement à un

---

1. Lc. 1[1-4] Ἐπειδήπερ πολλοὶ ἐπεχείρησαν ἀνατάξασθαι διήγησιν περὶ τῶν πεπληροφορημένων ἐν ἡμῖν πραγμάτων, καθὼς παρέδοσαν ἡμῖν οἱ ἀπ' ἀρχῆς αὐτόπται καὶ ὑπηρέται γενόμενοι τοῦ λόγου, ἔδοξε κἀμοὶ παρηκολουθηκότι ἄνωθεν πᾶσιν ἀκριβῶς, καθεξῆς σοι γράψαι, κράτιστε Θεόφιλε, ἵνα ἐπιγνῷς περὶ ὧν κατηχήθης λόγων τὴν ἀσφάλειαν.

a) Ἐπιχειρεῖν n'a pas un sens défavorable et n'indique pas l'effort avorté. *Conari* dit trop; il faudrait plutôt *aggredi*, « entreprendre, prendre en main ». S. Luc ne blâme pas ses devanciers et ne laisse pas entendre qu'ils n'ont pas réussi. Il se propose de les imiter : ce qu'ils ont fait, il peut le faire aussi (ἐπειδήπερ... κἀμοί).

b) Ἀνατάσσεσθαι est un mot très rare. On ne cite guère que S. Irénée (*Haeres.* III, xxi, 2) où il est traduit en latin par *rememorare*, et Plutarque (*De solertia animalium*, 12) où le sens paraît être « repasser, répéter une leçon ». En S. Luc, le sens serait « retracer » (*recolere*), ou simplement « composer »; mais ce n'est pas « mettre en ordre » (συντάσσεσθαι). Le travail auquel se sont livrés S. Luc et ses devanciers n'est point un travail d'invention, de création, mais de répétition, de reproduction.

c) Πληροφορεῖν n'est qu'un synonyme plus expressif de πληροῦν, qui signifie « remplir, accomplir, compléter ». La seconde acception convient seule ici. Si l'on supposait, avec Zahn, Loisy et d'autres, que le prologue sert de préface commune à l'Évangile et aux Actes, on pourrait entendre : « les choses qui se sont accomplies *parmi nous* (ἐν ἡμῖν) *chrétiens* »; sinon il faut prendre ἐν ἡμῖν en un sens plus général : « à notre époque » (comme dans S. Justin, *Dialog.* 81).

d) S. Luc distingue deux classes d'hommes : ceux qui *transmettent* (παρέδοσαν) la Parole évangélique, dont ils ont été les *témoins* oculaires (αὐτόπται) ou les *ministres* (ὑπηρέται) et ceux qui la *reçoivent*. Et il se range dans cette dernière catégorie (ἡμῖν).

e) Il énumère ses titres d'historien : Il a *suivi tous les événements* (παρηκολουθηκότι πᾶσιν), non pas en spectateur mais en observateur qui interroge les témoins oculaires et les documents écrits; il les a suivis *avec diligence* (ἀκριβῶς) et cela ἄνωθεν. Ce mot peut signifier « depuis longtemps » (Lagrange, Dibelius, Klostermann, etc.), ou bien « depuis l'origine » (Schanz, Loisy, Plummer, etc.). Des deux manières, l'auteur est qualifié pour écrire l'Évangile.

f) Il l'écrira καθεξῆς « en ordre »; mais ce n'est pas nécessairement l'ordre chronologique : « C'est surtout un enchaînement de cause à effet, une histoire qui se tient, dont le début fait pressentir le terme, où tout est cohérent, où chaque chose, chaque personne est à sa place » (Lagrange, *Saint Luc*, 1921, p. 6). L'ordre d'une histoire est certainement l'ordre chronologique; mais « il ne faut pas exagérer et croire que Luc veut écrire des annales ou un journal » (Schanz). S. Luc montre au contraire une certaine indifférence pour les questions de date et ses formules de transition sont des plus vagues. Sur ce point, nous partageons tout à fait l'avis de Maldonat, auquel nous renvoyons le lecteur (explication des mots *ex ordine scribere*).

La comparaison du prologue avec le début du traité *De materia medica* du médecin Dioscoride est intéressante, mais ne prouve pas, à notre

néophyte de noble naissance ou de condition élevée, il vise
par delà son premier lecteur tous les nouveaux chrétiens de
langue grecque, issus comme lui de la gentilité, pour les
confirmer dans la foi. Il déclare sans ambages n'avoir pas été
témoin oculaire des faits qu'il va raconter, mais il s'est soigneusement informé auprès des témoins immédiats et des
hérauts officiels de la prédication évangélique; il a étudié avec
diligence et suivi avec attention le cours des événements
depuis l'origine; il en possède une connaissance exacte et
détaillée; il remplit donc les trois conditions exigées d'un
historien véridique et personne n'a le droit de récuser sa
déposition. Plusieurs autres, étrangers comme lui aux événements, n'ont pas laissé de les raconter. Il ne blâme ni ne
juge leur entreprise, il se borne à la constater pour s'autoriser
de leur exemple. Ce qu'ils ont fait, il peut bien le faire.
Impossible d'afficher moins de prétention.

Il ne dit pas ce qu'il trouve à redire à ses devanciers, il
n'insinue pas que leur œuvre laisse à désirer; il se contente
d'exposer ce qu'il se propose de faire lui-même. Parmi les
essais antérieurs, il en était sans doute de très fragmentaires;
d'autres, comme saint Marc, débutaient *ex abrupto* et jetaient
le lecteur *in medias res;* lui, remontera jusqu'à l'origine et
donnera un récit suivi de la vie du Christ, depuis la naissance
jusqu'à la glorieuse ascension. Non pas que la chronologie
soit envahissante chez lui; aucun autre évangéliste ne paraît
aussi indifférent aux questions de temps et de dates. Il n'a pas
l'intention qu'on lui prête parfois de corriger saint Marc, du
moins pour l'ordre du récit; on dirait plutôt qu'il le suit pas
à pas et, dans les deux cas où il s'en écarte, les critiques préfèrent en général l'ordre de son devancier. D'ailleurs une
suite chronologique exacte, nécessaire chez un chroniqueur
et un annaliste, est une qualité secondaire chez un historien.

On a voulu faire de saint Luc un peintre. Théodore le
Lecteur, écrivain du sixième siècle, raconte que l'impératrice

avis, une imitation ni même une réminiscence directe de S. Luc. Cf.
Lagrange, *Saint Luc,* p. 2; ou Zahn, *Lucas,* 1920, p. 40-41.
    Voir aussi Cadbury, *Commentary on the Preface of Luke,* dans *The
Beginnings of Christianity,* 1re partie, t. II, Londres, 1922, p. 489-510.
Nombre d'exemples et de rapprochements instructifs, mais thèse sujette
à caution.

Eudoxie découvrit à Jérusalem un tableau de la Vierge peint par l'auteur du troisième Évangile. C'était une œuvre beaucoup plus récente, comme il était facile de le voir; mais si saint Luc n'a pas manié le pinceau, il a suscité des chefs-d'œuvre de peinture et sa plume a tracé des tableaux qui ont inspiré les plus grands artistes : l'annonciation, la visitation, l'adoration des bergers, Jésus parmi les docteurs, la pécheresse repentante, l'enfant prodigue, le bon Samaritain, le Christ pleurant sur Jérusalem, les disciples d'Emmaüs et tant d'autres scènes inoubliables.

Bien que traitant le même sujet, les trois Synoptiques ne se ressemblent guère. Pour saisir leurs caractères distinctifs, il n'y a qu'à les comparer dans les passages où ils se rencontrent. Qu'on prenne par exemple, comme terme de comparaison, la résurrection de la fille de Jaïre, avec la guérison de l'hémorroïsse qui en est inséparable.

S. Matthieu 9[18-26]	S. Marc 5[21-43]	S. Luc 8[40-56]
[18] Comme il disait cela,	[21] Et Jésus ayant regagné l'autre rive dans la barque, une foule nombreuse se réunit de nouveau près de lui et il était au bord de la mer.	[40] Or il arriva qu'au retour de Jésus la foule l'accueillit; car tous l'attendaient.
voici qu'un chef se prosternait devant lui, disant : Ma fille vient de mourir, mais venez lui imposer les mains et elle vivra.	[22] Et un chef de la synagogue, nommé Jaïre vient et, en le voyant, tombe à ses pieds. [23] Et il le prie instamment disant : Ma fille est à l'extrémité; venez lui imposer les mains, pour qu'elle soit sauve et qu'elle vive.	[41] Et voici que vint un homme appelé Jaïre, qui était chef de la synagogue et, tombant aux pieds de Jésus, il le priait d'entrer dans sa maison, [42] parce qu'il avait une fille unique, âgée d'environ douze ans, qui se mourait;
[19] Et se levant il le suivait avec ses disciples.	[24] Et il alla avec lui; et une foule nombreuse le suivait; et ils le pressaient.	Et pendant qu'il y allait, les foules l'étouffaient.
[20] Et voici qu'une femme, hémorroïsse depuis douze ans,	[25] Et une femme atteinte d'une perte de sang depuis douze ans, [26] qui avait beaucoup souffert de la part de beaucoup de médecins et avait dépensé tous ses biens sans être en rien	[43] Et une femme, atteinte d'une perte de sang depuis douze ans, qui avait dépensé tout son avoir en médecins et n'avait pu être guérie par aucun,

²¹ étant venue der-rière, touche la frange de son manteau;

²¹ car elle se disait : Si seulement je touche son manteau je serai sauvée.

²² Mais Jésus, se re-tournant et la voyant, (lui) dit : « Aie con-fiance, (ma) fille, ta foi t'a guérie ». Et la femme fut guérie en ce moment même.

soulagée mais allant plutôt de mal en pis,

²⁷ ayant entendu par-ler de Jésus et étant venue dans la foule par derrière, toucha son manteau;

²⁸ car elle disait : Si je touche seulement son manteau, je serai sau-vée.

²⁹ Et aussitôt son flux de sang fut desséché et elle sentit dans son corps qu'elle était gué-rie de son infirmité.

³⁰ Et aussitôt Jésus, conscient de la vertu sortie de lui, dit en se tournant vers la foule : Qui m'a touché le man-teau?

³¹ Et ses disciples lui disaient : Vous voyez la foule qui vous presse et vous demandez qui vous a touché?

³² Et regardant autour de lui il avisa celle qui avait fait cela.

³³ Mais la femme ef-frayée et tremblante, sachant ce qui lui était arrivé, vint se proster-ner devant lui et lui avoua toute la vérité.

³⁴ Il lui dit : Ma fille, ta foi t'a sauvée; va en paix et sois guérie de ton mal.

³⁵ Pendant qu'il par-lait encore, on vient dire au chef de la syna-gogue : votre fille est morte; pourquoi impor-tuner plus longtemps le Maître?

³⁶ Mais Jésus, enten-dant ces paroles, dit au chef de la synagogue : Ne craignez pas; croyez seulement.

⁴⁴ s'étant approchée par derrière, toucha la frange de son manteau. et sur le champ son flux de sang s'arrêta.

⁴⁵ Et Jésus dit : Qui m'a touché? Comme tous niaient, Pierre et ses compagnons lui dirent : Maître, les fou-les vous pressent et vous étouffent.

⁴⁶ Mais Jésus dit : Quelqu'un m'a touché, car j'ai senti une vertu sortir de moi.

⁴⁷ Mais la femme, se voyant découverte, vint en tremblant se pros-terner devant lui et lui déclara devant tout le peuple pourquoi elle l'avait touché et com-ment elle avait été guérie instantanément.

⁴⁸ Il lui dit : Ma fille, ta foi t'a sauvée, va en paix.

⁴⁹ Pendant qu'il par-lait encore, on vient dire au chef de la syna-gogue : votre fille est morte; n'importunez plus le Maître.

⁵⁰ Mais Jésus, ayant entendu cela, répondit : Ne craignez pas; croyez seulement et elle sera sauvée.

²³ Et Jésus étant arrivé à la maison du chef et voyant les joueurs de flûte et la foule bruyante dit :

²⁴ Retirez-vous ; car la jeune fille n'est pas morte, mais elle dort. Et ils se moquaient de lui.

²⁵ Quand la foule fut jetée dehors,

il entra et prit sa main

et la jeune fille se leva.

²⁶ Et le bruit s'en répandit dans tout le pays.

³⁷ Et il ne permit à personne de le suivre, si ce n'est Pierre, Jacques et Jean frère de Jacques.

³⁸ Et ils arrivent à la maison du chef de la synagogue et il voit le tumulte et les gens qui pleurent et se lamentent beaucoup.

³⁹ Et entrant il leur dit : Pourquoi ce vacarme et ces pleurs ? L'enfant n'est pas morte mais elle dort.

⁴⁰ Et ils se moquaient de lui. Mais lui, les mettant tous dehors, prend le père et la mère de l'enfant et ceux qui étaient avec lui et se dirige vers le lieu où était l'enfant.

⁴¹ Et prenant la main de l'enfant, il lui dit : *Talitha coumi;* ce qui veut dire : Jeune fille, je te l'ordonne, lève-toi.

⁴² Et aussitôt la jeune fille se leva et elle marchait. Elle était âgée de douze ans. Et aussitôt ils furent frappés d'une grande stupeur.

⁴³ Et il recommanda avec insistance que personne ne sût cela. Et il les avertit de lui donner à manger.

⁵¹ Étant arrivé à la maison, il ne laissa entrer avec lui que Pierre, Jean et Jacques, avec le père et la mère de l'enfant.

⁵² Et tous pleuraient et la déploraient.

Il dit : Ne pleurez pas ; elle n'est pas morte mais elle dort.

⁵³ Et ils se moquaient de lui, sachant qu'elle était morte.

⁵⁴ Lui ayant pris la main, il lui dit : Enfant, lève-toi.

⁵⁵ Et son esprit revint en elle et elle se leva sur-le-champ. Et il ordonna qu'on lui donnât à manger.

⁵⁶ Et ses parents étaient hors d'eux-mêmes, mais il leur recommanda de ne dire à personne ce qui s'était passé.

Un seul épisode est une base bien étroite comme terme de comparaison ; néanmoins l'étude en est instructive.

Ce qui frappe partout, chez le premier évangéliste, c'est le contraste entre l'ampleur des discours et la brièveté des récits. L'épisode que nous venons de transcrire est deux fois plus long dans saint Luc et presque trois fois dans saint Marc. La condensation de saint Matthieu s'obtient de deux manières : en omettant les détails accessoires pour courir vite au dénouement et en attribuant à l'ensemble du groupe ce qui est le fait

des individus. C'est ce que nous pourrions appeler le procédé synthétique, pour l'opposer à la méthode analytique de saint Marc et de saint Jean. Le père de Jaïre dit en abordant Jésus : « Ma fille vient de mourir. » Il ne le saura que plus tard, mais cette mention anticipée dispense de réitérer la demande et abrège d'autant le récit[1]. Saint Matthieu ne signale que fort brièvement la guérison de l'hémorroïsse, et il ne croit pas nécessaire de nous avertir que Jésus se fit accompagner dans la chambre de la jeune fille par la mère, le père et trois disciples; ce détail, si intéressant pour nous, n'ajoute rien au miracle. Soit manque d'imagination, soit indifférence pour la physionomie des événements, il va droit au but sans s'attarder en route. Sa relation paraît quelquefois un peu terne, comparée aux descriptions si vivantes de saint Marc. Elle est schématique, si l'on donne au schéma sa définition ordinaire : un dessin dans lequel on n'a laissé que les parties essentielles de l'objet figuré, ce qui constitue en quelque sorte son squelette. Elle réalise le maximum de densité.

Dans la façon de narrer les faits, saint Marc est aux antipodes de saint Matthieu. Pourtant son récit chargé de détails, loin de languir, donne une impression de rapidité qui tient à trois causes : l'emploi très fréquent du présent historique, l'adverbe *aussitôt* répété à profusion, les petites phrases coordonnées, unies simplement par la conjonction copulative[2].

---

1. Jansénius de Gand remarque à ce sujet (Mt. 9[18]) : « Qui breviter aliquid narrare gaudet cogitur nonnunquam ob narrationis convenientiam aliquid aliter narrare quam quo modo gestum est, quod tamen facit sine falsitatis et mendacii nota, si modus ab ipso narratus in rei gestae ordine saltem comprehendatur. »

2. Il y a dans S. Marc 151 présents historiques (contre 78 dans S. Matthieu et 4 ou 6 seulement dans S. Luc). Cf. Hawkins, *Horae Synopticae*[2], 1909, p. 143-149. Le présent historique, fréquent chez Josèphe, était commun dans la langue populaire, si l'on en juge par les papyrus.

L'adverbe *aussitôt* (εὐθύς) revient 42 fois dans S. Marc et, en raison de sa fréquence, il perd beaucoup de sa force. Il n'est que 18 fois dans S. Matthieu et 10 fois dans S. Luc. Cf. J. Weiss, Εὐθύς *bei Markus*, dans *Z. N. T. W.*, 1910, p. 124.

S. Marc fait un usage assez restreint de la particule δέ (150 fois contre 496 dans Mt. et 508 dans Lc.). En revanche il affectionne la conjonction καί, que les autres Synoptiques s'accordent à remplacer par δέ dans 26 cas parallèles.

Les traits pittoresques abondent. Saint Marc a la mémoire
visuelle. Il excelle à décrire les gestes et le regard de Jésus,
l'attitude et les sentiments des interlocuteurs. C'est ce qui fait
à nos yeux le charme de son récit, le plus réaliste de tous [1].
L'art, il est vrai, est parfois un peu fruste et l'expression
moins littéraire; les pléonasmes et les redites ne manquent
pas; mais ces défauts sont bien rachetés par la fraîcheur de
l'image et la naïveté du ton. Quelle vivacité de coloris dans la
page transcrite plus haut! Les nombreux médecins consultés
par l'hémorroïsse, non contents de la tourmenter sans profit
et de la ruiner, ont encore aggravé son mal. Jésus, après
l'avoir guérie, promène autour de lui un regard scrutateur
qu'il finit par fixer sur elle. Grâce à saint Marc, nous connaissons les propres paroles prononcées par le Sauveur quand
il ressuscita la morte. En revanche, il y a bien quelques
légères négligences. L'ordre d'écarter la foule est répété deux
fois sans nécessité. L'âge de la jeune fille, au lieu d'être mentionné après la résurrection, serait mieux à sa place au moment
où le père intercède pour elle. Jésus, ayant rappelé la morte
à la vie, avertit les parents de lui donner à manger : le trait
est touchant; mais il semble qu'il devrait venir avant la
recommandation de ne rien dire à personne.

La narration de saint Luc est d'une tenue littéraire bien
supérieure. Les présents historiques sont remplacés par des
imparfaits, les petites phrases coordonnées s'arrondissent en
périodes; les pléonasmes sont évités. Il ne faudrait pas en
conclure que saint Luc a sous les yeux le texte de saint Marc
et qu'il le corrige. Il l'a lu sans doute — cela paraît certain —
mais il ne se borne pas à l'amender. Il y puise librement,
comme à ses autres sources, mais il raconte à sa manière les
faits qui lui sont parvenus par plus d'une voie. Ne faisons pas
de saint Luc un puriste. S'il écrit correctement et non sans
élégance la langue hellénistique, il ne vise pas à l'atticisme,

---

1. Sur les particularités du second Évangile voir Hawkins, *Horae Synopticae*, 1909, p. 114-153; Turner, *Marcan usage* (série d'articles publiés
dans le *J. Th. St.* d'octobre 1924 à octobre 1926); Swete, *The Gospel
according to St. Mark*[2], 1908, *Introduction;* Lagrange, *Saint Marc*[4], 1929,
p. LXVII-CVII : *Le style et la langue de Marc* et *Le caractère sémitique
de Marc.*

comme feront plus tard Lucien de Samosate et Clément
d'Alexandrie. Il ne craint pas d'employer des locutions vulgaires et des tournures sémitiques qu'il doit à la fréquentation
des Septante. Cependant ses deux livres sont les plus *litté-*
raires du Nouveau Testament : l'usage assez fréquent de
l'optatif, à peu près disparu de l'idiome parlé, en est la preuve.
Saint Luc a un style facilement reconnaissable; presque tous
les philologues — du moins parmi ceux qui comptent — conviennent aujourd'hui que le troisième Évangile et le livre des
Actes sont de la même plume [1]. On a essayé aussi d'établir
par le langage seul qu'ils sont l'œuvre d'un médecin. La démonstration n'est peut-être pas décisive; il suffirait d'admettre
que l'auteur, esprit cultivé, avait lu des ouvrages de médecine,
qu'il s'y intéressait et qu'il en avait retenu un certain nombre
de termes techniques. Saint Luc est un artiste [2]. S'il écrit en
style biblique les deux premiers chapitres de son Évangile, ce
fait ne prouve pas qu'il les traduit d'un document hébreu ou
araméen, mais qu'il est assez familier avec la version grecque
de la Bible pour en imiter la diction.

Quand on passe des Synoptiques au quatrième Évangile,
on croit entrer dans un monde nouveau : nous ne parlons pas
ici des discours mais de la manière de raconter les faits.
Westcott, le meilleur commentateur anglais de saint Jean,
démontre dans sa préface que l'auteur est un Juif, un Juif de
Palestine, un témoin oculaire, un des douze apôtres, le disciple
aimé de Jésus. Lu sans prévention et sans système arrêté
d'avance, saint Jean donne l'impression invincible d'un homme
qui raconte ce qu'il a vu. Les notations exactes de temps et de
lieu, chez les autres évangélistes, sont plutôt rares : saint Jean

---

1. Zahn, *Einleitung* [3], t. II, p. 431-446; Hawkins, *The linguistic simila-*
rity between Luke and Acts, dans *Horae Synopticae*, p. 174-189; Harnack,
Lukas der Arzt, der Verfasser des dritten Evangeliums und der Apostel-
geschichte, Leipzig, 1906; Stanton, *The Gospels as historical Documents,*
Cambridge, t. II, 1909, p. 240-260 et 276-322; aussi dans *J. Th. St.*, XXIV,
1923, p. 361-382. La thèse de l'unité d'auteur est admise sans hésitation
par Blass, Moulton, Deissmann, etc.

2. Hobart, *The medical language of St. Luke*, Dublin, 1882; Harnack,
Lukas der Arzt, Leipzig, 1901; plus brièvement dans Plummer, *The*
Gospel according to S. Luke [4], Edimbourg, 1906, p. LXIII-LXVII et La-
grange, *Saint Luc*, 1921, p. CXXV-CXXVII.

les prodigue. Une foule de détails concrets et précis sont semés en passant au cours du récit, sans appuyer d'ailleurs et selon que les circonstances s'y prêtent. En dehors de Pierre et des fils de Zébédée, les Synoptiques ne prononcent guère que le nom des apôtres; saint Jean, par contre, garde sur son frère et sur lui un silence évidemment voulu, mais il nous livre sur la plupart de ses collègues — Pierre, André, Thomas, Philippe, Jude et Barthélemy-Nathanaël — des traits caractéristiques qui les peignent au vif.

Dans la topographie et la chronologie, même souci d'exactitude. Il distingue avec soin les deux Béthanie, l'une au delà du Jourdain, l'autre à quinze stades de Jérusalem; il dit expressément Cana de Galilée et Bethsaïde de Galilée, pour que le lecteur ne les confonde pas avec deux villes plus connues du public : la Cana voisine de Tyr et la Bethsaïde de Philippe; il note qu'Ænon, où Jean baptisait en dernier lieu, était près de Salim, parce qu'Ænon, qui signifie les *Sources*, devait servir à désigner plusieurs localités. Sur la question de Sichar, où les critiques croyaient le prendre en défaut, les découvertes actuelles sont en train de lui donner raison. Mais c'est encore avec la topographie de Jérusalem que l'auteur du quatrième Évangile se montre le plus familier. Il est seul à nommer la piscine de Siloé, le portique de Salomon où Jésus enseignait l'hiver, le torrent du Cédron qu'il dut traverser pour se rendre à Gethsémani, la piscine aux cinq portiques, dont les fouilles récentes ont vérifié le site et la forme. Il sait que la place où Jésus fut jugé s'appelait en grec Lithostrotos et en araméen Gabbatha.

Même précision dans la notation des heures et des mesures. Les autres évangélistes s'en tiennent à la division vulgaire du jour en quatre parties, analogues aux quatre veilles de la nuit. Ils ne semblent connaître que le matin, midi, le soir, la troisième heure, la sixième et la neuvième. Saint Jean pousse plus loin les subdivisions. Il se souvient qu'il rencontra Jésus pour la première fois à la dixième heure du jour (quatre heures du soir) et que le fils de l'officier royal fut guéri de la fièvre à la septième heure (une heure après midi). Il n'omet pas de signaler que le Golgotha était proche de la ville et que le tombeau de Joseph d'Arimathie était tout près du Golgotha. Il

nous apprend que les urnes de Cana contenaient chacune deux ou trois métrètes; que la Béthanie de Lazare était à quinze stades de Jérusalem, que les apôtres, dans leur lutte contre la tempête, n'avaient avancé que de vingt-çinq ou trente stades; que Jésus ressuscité se tenait sur le rivage de Tibériade, à quelque deux cents coudées de la barque de Pierre.

Si l'on objecte que saint Jean, à l'âge où il écrivait son Évangile, ne pouvait pas avoir conservé des souvenirs si exacts et que ces détails doivent être l'invention d'un faussaire au courant des choses palestiniennes, on oublie que la mémoire d'un adolescent est d'une ténacité extraordinaire pour les faits qui ont vivement frappé son imagination. Qui de nous ne retrouve au fond de sa mémoire, même à la fin d'une vie bien longue, des passages d'auteurs jadis admirés mais qu'on n'avait pas eu depuis l'occasion de relire! Or le quatrième Évangile se compose d'un petit nombre d'épisodes inoubliables : le premier contact avec le divin Maître, la guérison du paralytique de Béthesda, la première multiplication des pains, les incidents de la fête des Tabernacles, la résurrection de Lazare, l'onction de Béthanie, l'histoire de la passion, l'apparition au bord du lac de Tibériade.

La reproduction de discours étendus, après tant d'années écoulées, offre une difficulté réelle dont nous ne disconviendrons pas. Observons cependant que l'apôtre les avait répétés des centaines de fois, probablement dans les mêmes termes et qu'ils étaient comme stéréotypés dans sa mémoire. D'ailleurs nous ne prétendons pas qu'il les récitât mot à mot, tels qu'il les avait entendus; il y a mis son style, trop personnel pour être méconnu; il y a mis peut-être son arrangement. Saint Matthieu, tout le monde le sait, ramène à cinq thèmes les enseignements du Sauveur, sans trop s'inquiéter de leur distribution topographique ou chronologique. Pourquoi refuser à saint Jean l'emploi du même procédé? Nous voyons en effet que lorsqu'il aborde un sujet, il ne le quitte pas sans l'avoir épuisé et qu'il n'y revient plus dans la suite. Jésus ne s'adresse aux apôtres qu'une seule fois, dans le long discours prononcé après la Cène. Il est possible que l'évangéliste y ait inséré des instructions et des recommandations données en des temps antérieurs. On pourrait peut-être en dire autant de

l'ensemble des discours adressés à la foule hostile, durant la
solennité des Tabernacles ou à la fête innommée du chapitre
cinquième. Qu'importe que ces discours soient ou non compo-
sites, s'ils nous transmettent la vraie pensée de Jésus, non pas
toujours telle que la comprirent alors les apôtres, dont l'esprit,
dit saint Luc, était couvert d'un voile, mais telle qu'ils la comprirent après la résurrection et la descente du Saint-Esprit.

Cessons de traiter les évangélistes comme des inculpés dont
tous les dires sont suspects. Quand l'un d'eux est seul à
affirmer une chose, certains critiques modernes, qui se pi-
quent d'indépendance, récusent son témoignage comme étant
isolé; quand plusieurs attestent le même fait, c'est qu'ils se
sont copiés l'un l'autre et leur témoignage n'y gagne rien.
Qu'on applique ces procédés radicaux aux écrivains profanes
et il faudra renoncer à écrire l'histoire.

III. Harmonie des Évangiles.

Que les évangélistes consignent dans leur livre un choix de
leurs souvenirs les plus chers, comme saint Jean; ou qu'ils
dépendent surtout et peut-être exclusivement de la tradition
orale, comme saint Marc; ou qu'ils se réfèrent à la fois à la
tradition orale et à des écrits antérieurs, comme saint Luc, ils
diffèrent beaucoup entre eux dans la présentation du sujet et
chacun suit sa voie. Comment tirer, de leur récit combiné, une
histoire suivie et concordante? Saint Augustin, le premier et
le seul des Pères de l'Église qui ait traité la question *ex professo*, a formulé sur ce sujet deux principes révélateurs qui
nous serviront de guides : l'un a trait à l'exposition divergente
d'un même thème, l'autre concerne l'ordre des événements.

1. *Les différences d'expression.* — Les auteurs inspirés,
en imprimant à leur œuvre le cachet de leur personnalité,
n'ont pas mêlé l'erreur à la révélation divine. Lorsque Érasme
émit l'hypothèse des *lapsus* de mémoire des évangélistes, les
catholiques le combattirent sans merci. Newman n'eut pas
plus de succès avec sa théorie des *obiter dicta*. Mais autre chose
est l'erreur, autre chose l'expression imparfaite d'une vérité.
Notre esprit n'embrasse d'un même coup d'œil qu'un horizon
restreint et ce point de vue limité n'est pas la mesure totale

de l'objet. Le langage humain fourmille d'à peu près, d'expressions inadéquates qui ne supportent pas l'analyse philosophique
et qu'excusent seulement l'usage, la nécessité et une sorte
de convention tacite. Dieu aurait pu certainement transformer
l'intelligence de ses interprètes et les élever à cette plénitude
de vision qui est l'apanage des bienheureux ; il aurait pu créer
exprès pour eux un langage plus juste ; mais il aurait fallu
un autre miracle pour rendre intelligible ce langage, plus
exact si l'on veut, mais inconnu du reste des hommes. Dieu
ne l'a pas voulu, car les hérauts de la révélation devaient parler aux hommes un langage humain.

Tout artifice de diction, tout genre littéraire, tout procédé
de composition en usage chez les écrivains profanes, est de
mise chez les auteurs sacrés. Depuis l'histoire la plus sévère
jusqu'aux récits fictifs, en passant par la poésie, qui tient le
milieu entre la fiction et l'histoire, rien n'est indigne de ceux
que Dieu a choisis pour être ses organes. Forme lyrique,
forme dialoguée, apologue, allégorie, cachant sous un voile
plus ou moins transparent une vérité dogmatique ou morale,
tout cela peut servir de véhicule à un enseignement religieux
et l'on doit s'attendre à le rencontrer dans la Bible. Le Cantique des cantiques n'est d'un bout à l'autre qu'une sublime
allégorie.

Le langage, miroir de la pensée, est impuissant à la reflé-
ter tout entière. Il en est l'image reconnaissable, mais non la
photographie. Il en dessine les principaux traits, sans en
rendre le fini des contours, le coloris, le mouvement, la vie.
Voilà pourquoi les grands écrivains luttent désespérément
contre la langue pour lui faire exprimer l'idéal qu'ils ont dans
l'esprit. Un langage parfait, instrument d'une intelligence
parfaite, exclurait les figures. Elles ne sont légitimées que par
l'usage, qui ramène le mot à sa valeur propre et relève ou
rabaisse le discours au niveau de l'idée. De ce fait le langage
figuré n'est pas abandonné à l'arbitraire ; il est réglé par une
sorte de convention tacite, mais impérative et obligatoire.
Pour signifier un nombre considérable et indéterminé, les
Grecs disaient *dix mille,* les Latins *six cents,* les Français, à
leur gré, s'arrêtent à *cent* ou montent jusqu'à *mille.* Les uns
et les autres traduisent exactement la même idée avec des

chiffres très différents. Tous parlent juste, de cette justesse
relative qui suffit aux hommes, et on ne pourra les accuser de
mensonge ou d'erreur que s'ils s'écartent de l'usage reçu de
leur temps et dans leur pays [1].

Les nombres ronds, les acceptions en désaccord avec l'étymologie, les façons de parler qui s'en tiennent aux apparences,
tout cela appartient aux imperfections nécessaires et partant
excusables du langage humain. Je dirai sans scrupule huit ou
quinze jours, pour signifier une ou deux semaines : l'usage
d'une autre langue pourrait l'interdire. Je nomme sans difficulté *Réforme* l'hérésie de Luther et de Calvin, *Philosophie* les
sophismes des encyclopédistes, *Église orthodoxe* le schisme
de Constantinople. En parlant ainsi j'emploie un langage,
inexact sans doute et condamné dans mon for intérieur, mais
autorisé par l'usage courant et, au besoin, corrigé par l'ironie.
Les mots isolés sont un lingot brut; les mots réunis en phrases
sont un métal monnayé au coin de l'usage, qui en détermine
le cours, sujet lui aussi aux fluctuations du change [2].

Il serait superflu de rappeler ces notions élémentaires, si
quelques exégètes ne se montraient pas trop enclins à les oublier, dès qu'il s'agit des Livres saints. Certains commentateurs ne se sont-ils pas crus obligés de vanter la tendresse maternelle de la cigogne, parce que son nom hébreu signifie la
pieuse (*hasidah*), ou de justifier le mot *firmament* (*raqiah*),
dont se sert l'auteur de la Genèse pour désigner la voûte des

---

1. C'est ce que S. Augustin rappelle à Fauste qui lui objecte les divergences des évangélistes (*Contra Faustum*, XXXIII, 7 ; Migne, XLII, 516) :
« Quid ergo? Cum legimus obliviscimur quemadmodum loqui soleamus ?
An Scriptura Dei aliter nobiscum fuerat quam nostro more locutura ? »
Que quelqu'un de ces ergoteurs essaie de raconter deux fois la même
chose, exactement de la même manière; il n'y parviendra pas : « Utrum
non aliquid plus minusve diceret, aut praepostero ordine, non verborum
tantum, sed etiam rerum; aut utrum non aliquid ex sua sententia diceret,
tanquam alius dixerit, quod eum dixisse non audierit, sed voluisse atque
sensisse plane cognoverit; aut utrum non alicujus breviter complecteretur
sententiae veritatem, cujus rei antea quasi expressius articulos explicas-
set ? » etc. (*Ibid.* XXXIII, 8).
2. Un théologien aussi sûr que le P. Pesch ne craint pas d'écrire (*De
inspiratione S. Scripturae*, p. 520, note) : « Nihil obstat quominus hagio-
graphus utatur notionibus geographicis tunc sparsis etsi forte minus cor-
rectis ; at ea quae in his notionibus falsa sunt non potest ipse ut vera affir-
mare. » Sans doute; mais pourquoi limiter cela aux *notions géographi-
ques répandues dans le public?*

cieux? A ce compte, on serait réduit au silence. On ne pourrait plus nommer Dieu, ni le ciel, ni l'âme, ni l'esprit, ni
aucune des choses immatérielles dont l'étymologie est fondée
sur une conception primitive fausse ou peu exacte; il ne serait
plus permis de dire que le soleil se lève et se couche, qu'il
monte et descend à l'horizon, qu'il s'arrête aux solstices et ré-
trograde vers l'équinoxe. En tout cela l'usage est un guide sûr
et s'il m'était prouvé qu'au premier siècle de notre ère les Grecs
avaient coutume d'appeler démoniaques les malades atteints
d'épilepsie ou de toute autre affection nerveuse, je ne m'ap-
puierais plus sur ce vocable, pour démontrer la réalité de la
possession diabolique, pas plus que je n'admets l'influence de
la lune à cause du sens étymologique du mot *lunatique*.

Saint Jérôme nous avertit que les évangélistes, en citant
l'Ancien Testament, s'attachent au sens plutôt qu'aux mots[1].
Nous devons faire de même en les interprétant. A propos de
la tempête apaisée, saint Augustin se demande de quelles
paroles se servirent les apôtres, pour réveiller Jésus endormi.
Est-ce : « Maître nous périssons », ou : « Seigneur, sauvez-
nous, nous périssons », ou bien : « Maître, n'avez-vous pas
cure de ce que nous périssons »? Et la réponse du Sauveur
est-elle : « Où est votre foi? » ou bien : « Pourquoi craignez-
vous, hommes de peu de foi? » ou bien : « Pourquoi craindre;
n'avez-vous pas encore la foi? » Peu importe, au gré de saint
Augustin, qu'ils aient dit ceci ou cela, ou quelque chose
d'équivalent, qu'aucun évangéliste n'a relaté, puisque le sens
est le même. Dans un autre endroit, le saint docteur formule à
ce sujet un principe général : « L'emploi que font les évangélistes d'expressions diverses mais non contraires, pour désigner les mêmes choses, nous donne une leçon très utile et très
nécessaire. C'est qu'il faut considérer l'intention et non les
mots et que ce n'est pas mentir de rapporter les propos d'un
autre en termes différents de ceux dont il s'est lui-même servi.
Sans cela, misérables éplucheurs de syllabes, nous attache-
rions la vérité, en quelque sorte, à des fioritures de lettres,

---

1. S. Jérôme, *Epist. ad. Pammachium* (Migne, XXII, 576): « Ex quibus
universis perspicuum est apostolos et evangelistas, in interpretatione
Scripturarum, sensum quaesivisse non verba, nec magnopere de ordine
sermonibusque curasse, dum intellectui res pateret. »

au lieu qu'il faut chercher le sens de celui qui parle non seulement dans ses paroles mais dans les autres signes de sa
pensée[1]. »

On peut quelquefois, il est vrai, rendre compte des différences en supposant qu'un fait ou un discours, identique pour
le fond, s'est répété plusieurs fois ; mais cette explication n'est
pas toujours possible. Les paroles de la consécration n'ont
été prononcées qu'une fois ; le Seigneur n'a pas enseigné
deux fois le *Pater* et les meilleurs commentateurs conviennent
que les deux versions du Sermon sur la montagne sont en
réalité le même discours.

Nul n'ignore avec quelle libéralité les historiens de la Grèce
et de Rome mettaient leur éloquence au service de leurs héros.
Les discours qu'ils leur prêtaient n'étaient le plus souvent
qu'un thème à rhétorique. S'agit-il de déclarer la guerre ou
de signer la paix, de marcher au combat ou de battre en
retraite, d'étouffer une révolution ou de renverser une tyrannie,
il est entendu que les grands hommes doivent pérorer et ils
pérorent, en style élégant et fleuri, ou sobre et nerveux,
soigné toujours et digne de servir de modèle aux générations
futures. Cet usage étrange nous a valu les chefs-d'œuvre du
Conciones. La question de savoir s'il restait du discours
quelque document ou quelque souvenir, si même il avait été
réellement prononcé, était tout à fait accessoire et les historiens classiques ne paraissent pas s'en préoccuper. Seul
Thucydide, par une exception qui fait son éloge, a l'honnêteté
de nous avertir qu'à défaut du vrai absolu il s'en est tenu à la
vraisemblance. Faute de certitude, l'historien doit se contenter
souvent de probabilités ; et le lecteur prévenu ne saurait s'en
plaindre.

A Dieu ne plaise que nous réclamions pour les écrivains
sacrés les licences des auteurs profanes. Le tendre souvenir

---

1. S. Augustin, *De consensu Evang.*, ɪɪ, 28, nº 67 (Migne, XXXIV, 1111) :
« Quae cum ita sint, per hujusmodi evangelistarum locutiones varias sed
non contrarias, rem plane utilissimam discimus et pernecessariam, nihil
in cujusque verbis nos debere inspicere nisi voluntatem, nec mentiri
quemquam si aliis verbis dixerit quid ille voluerit cujus verba non dicit ;
ne miseri aucupes vocum apicibus quodammodo litterarum putent li-
gandam esse veritatem, cum utique non in verbis tantum sed etiam in ceteris omnibus signis animorum non sit nisi animus inquirendus. »

des paroles du Maître, le respect pieux qui les grava dans
leur mémoire, sans même parler de l'inspiration, les garan-
tissait contre des libertés abusives. Mais il est de toute évidence que la fidélité à les reproduire concerne le sens et non
le mot à mot du discours. Or un sens identique se prête à une
grande diversité d'expression, surtout dans le style figuré,
dans les locutions proverbiales et plus encore dans l'apologue
et la parabole. En parlant du Sauveur, Jean-Baptiste a-t-il
dit : « Je ne suis pas digne de porter sa chaussure », comme
le veut saint Matthieu, ou : « Je ne suis pas digne de défaire
les liens de sa chaussure », comme l'affirme saint Luc après
saint Marc? Question oiseuse, répond saint Augustin ; ces deux
locutions reviennent au même ; par deux métaphores équiva-
lentes, Jean se déclare indigne d'être le serviteur du Christ et
d'en remplir les fonctions.

Comparez la parabole des Talents, dans saint Matthieu, à
celle des Mines, dans saint Luc. Les ressemblances sautent
aux yeux : voyage du maître, dépôt confié aux serviteurs pour
éprouver leur fidélité, reddition des comptes à son retour,
même réponse des serviteurs laborieux et même réplique du
serviteur négligent, même moralité de la parabole. Mais les
divergences ne sont pas moindres. Ici, le maître confie une
seule mine à chacun de ses dix serviteurs, dont le premier
décuple et le second quintuple le dépôt reçu ; le maître, à son
retour, confie le gouvernement de cinq villes à celui-ci, de
dix villes à celui-là, auquel il attribue en outre la mine du
serviteur oisif. Là, au contraire, le maître, au lieu de mines,
distribue des talents : dix à l'un, cinq à l'autre, un seul au
troisième ; les deux premiers, par leur industrie, doublent
leur avoir et sont également récompensés ; le troisième, pour
avoir laissé son talent improductif, en est privé et sévèrement
puni. Malgré ces différences, Maldonat estime que ces deux
paraboles sont identiques et il ajoute que c'était le sentiment
commun de ses contemporains. Ils avaient raison. Qu'importe
au but de la parabole la valeur du dépôt? Dans le style allégorique et parabolique, les mines et les talents peuvent fort bien
désigner une même chose. Qu'importent le nombre des serviteurs, le gain opéré, la nature de la récompense? Cela ne
change rien au fond ; car autre est la vérité d'un fait réel,

autre la vérité d'une fiction, que ce soit une parabole ou une allégorie.

Plusieurs signes, naturels ou conventionnels, complètent parfois et précisent la pensée d'un orateur : le geste, le ton de voix, les antécédents, les circonstances de temps et de lieu, les dispositions et les préoccupations de l'auditoire. En ce cas, le narrateur consciencieux n'a que deux partis à prendre : ou bien mentionner les incidents qui modifient la portée des paroles, ou bien faire subir aux paroles un léger changement qui leur restitue leur véritable valeur. Nous lisons dans saint Marc une sentence omise par les autres Synoptiques : « Toute femme qui répudie son mari et en prend un autre se rend coupable d'adultère. » Une femme répudiant son mari eût paru bien étrange devant un auditoire juif. Marc, écrivant dans un milieu où la loi accordait à la femme l'initiative du divorce, a-t-il ajouté cette clause explicative, en guise de commentaire authentique ? C'est possible, s'il ressortait des circonstances ou des enseignements antérieurs que, dans le mariage, les devoirs et les droits des époux sont égaux et réciproques. La clause serait alors virtuellement contenue dans le verset reproduit par les trois Synoptiques. Pour épargner une erreur à ses lecteurs romains, saint Marc dédoublerait l'idée, analyserait le concept, sans y ajouter rien de son cru, mais en modifiant l'expression matérielle[1].

2. *Les différences dans l'ordre des faits*. — Tous ceux qui ont fait des Évangiles une étude attentive savent que l'ordre

---

1. S. Augustin condense sa doctrine à ce sujet dans une phrase de plus de vingt lignes (*De cons. evang.*, II, 12, n° 28; Migne, XXXIV, 1090-1). Il n'y a pas fausseté (*mendacium*): 1° Si plusieurs témoins oculaires ou auriculaires rapportent le même fait de diverse manière, et en termes différents et dans un autre ordre, pourvu qu'ils sauvegardent le sens. — 2° S'ils omettent des choses soit par oubli, soit pour abréger, soit parce qu'ils les jugent virtuellement contenues dans ce qu'ils expriment. — 3° Si celui qui a autorité pour cela ajoute non pas au sens mais aux paroles afin d'éclairer et de mieux expliquer la pensée (sive ad illuminandam declarandamque sententiam, nihil quidem rerum verborum tamen aliquid addat, *cui auctoritas narrandi concessa est*). — 4° Si, quoique possédant bien son sujet, il n'arrive pas, malgré ses efforts, à reproduire intégralement de mémoire les paroles qu'il a entendues (sive rem bene tenens non assequatur, quamvis id conetur, memoriter etiam verba quae audivit ad integrum enuntiare).

chronologique n'y est pas toujours observé. Le manque d'ordre
dans une histoire se concilie fort bien avec le respect du vrai.
C'est, si l'on veut, une négligence, un défaut de composition ;
ce n'est pas une défaillance morale, encore moins une trahison
de la vérité. D'ailleurs l'ordre ne répond pas à une conception
unique. A côté de l'ordre des temps, le plus digne de l'histoire,
il y a l'ordre logique et l'ordre psychologique, régi par l'association des idées et la succession des souvenirs. L'ordre de
Tacite et de Thucydide, où le retour périodique des années et
des saisons règle la marche du récit, n'est pas celui de Salluste
et de Polybe, où l'enchaînement des effets et des causes, la
peinture des situations et des caractères, les points de vue
d'ensemble se développent librement à travers le temps et
l'espace, et ne ressemble en rien à la méthode plus populaire
d'Hérodote, de Suétone et de Plutarque, simple recueil
d'anecdotes, sans autre lien que l'identité du héros.

Si les historiens profanes adoptent à leur gré l'un ou l'autre
de ces trois ordres, pourquoi les auteurs sacrés ne le pour-
raient-ils pas? L'inspiration ne les assujettit point à un genre
littéraire déterminé. Dieu, qui dirige leur plume et les préserve
de l'erreur, leur laisse le libre jeu de leur esprit, le libre
choix de leurs procédés, la libre recherche de leurs matériaux. Il en est de l'inspiration comme de la grâce : elle ne
violente ni l'intelligence ni la volonté de l'homme et elle
accomplit souvent les desseins de Dieu par ce que les païens
appelaient le hasard et que les chrétiens qualifient mieux de
providence surnaturelle.

Maldonat répète plus de vingt fois dans son commentaire :
« J'ai déjà dit qu'il ne faut pas chercher trop anxieusement
chez les évangélistes la suite des pensées, car ils ne se proposent pas de rapporter les paroles et les actions du Christ
dans l'ordre où elles ont lieu. Cela est vrai surtout pour les
discours... Les évangélistes, non plus que les autres écrivains
sacrés, n'ont pas coutume d'observer, dans leurs récits, l'ordre
chronologique[1]. » On trouvera peut-être que le grand exégète
généralise un peu ; mais l'évêque d'Hippone est de son avis.

---

1. Maldonat sur Mt. 7^1. Autres textes semblables à propos de Mt. 4^5 ;
18^{21} ; Lc. 1^{56} ; 12^1 ; 14^1 ; 16^{15} ; Mc. 9$^{41-42}$ etc., etc.

Saint Augustin revient constamment sur ce principe, auquel il attache une importance extrême pour la solution des antilogies. A propos de la visite de Jésus à Nazareth, qu'il regarde comme évidemment transposée dans saint Luc, il écrit ceci : « De là nous pouvons inférer — ce qui est de très grande conséquence, pour le problème de l'accord des évangélistes entre eux — que parfois ils omettent des faits volontairement, ou que, ne sachant pas dans quel ordre chronologique les événements se sont passés, ils suivent dans leur récit l'ordre de leurs souvenirs[1]. » Et il en donne ailleurs une raison psychologique très intéressante. La guérison de la belle-mère de Pierre n'est pas rapportée par saint Luc et par saint Matthieu dans les mêmes circonstances; mais cela ne fait rien, car « de ce qu'un fait est rapporté après un autre il ne s'ensuit pas nécessairement qu'il soit postérieur ». Ainsi, « qu'un évangéliste laisse un fait à sa place chronologique, ou qu'il le mentionne ailleurs, par anticipation ou pour réparer un oubli, peu importe, pourvu qu'il ne contredise ni son propre récit ni celui des autres. Comme il n'est au pouvoir de personne, si bien qu'il possède son sujet, de s'en souvenir à point nommé — car la succession de nos pensées ne dépend pas de notre volonté mais de la façon dont Dieu nous l'accorde — il est probable que chaque évangéliste a cru devoir raconter les choses au moment même où Dieu les rappelait à leur mémoire, mais dans les cas seulement où l'ordre, quel qu'il soit, ne lèse ni l'autorité ni la vérité de l'Évangile ». Conclusion : « Par conséquent, si l'ordre n'apparaît pas, il ne faut pas s'en inquiéter; s'il apparaît et qu'il semble constituer une antilogie, il faut examiner le problème et en chercher la solution[2]. »

---

1. *De consensu evangel.*, II, 42, n° 89-90 (Migne, XXXIV, 1121).
2. *De cons. evang.*, II, 21, n° 51-52 (Migne, XXXIV, 1102). Les textes semblables abondent (*Ibid.*, II, 39, n° 86; Migne, XXXIV, 1119) : « Quis non videat superflue quaeri quo illa ordine Dominus dixerit, cum et hoc discere debeamus per evangelistarum excellentissimam auctoritatem non esse mendacium si quisquam non hoc ordine cujusquam sermonem digesserit quo ille a quo processit, cum ipsius ordinis nihil interest ad rem sive ita sive ita sit. » — (*Quaestiones* XVII *in Matth.*, qu. 15; Migne, XXXV, 1374 : « Nonnunquam alius evangelista contexit quod diversis temporibus alius indicat. Non enim omnimodo secundum rerum gestarum ordinem, sed secundum quisque suae recordationis facultatem narrationem quam exorsus est ordinavit. »

Le cas se présente lorsque les évangélistes affirment en propres termes qu'une chose s'est passée *avant* ou *après* une autre, ou *simultanément;* mais cela n'est pas très commun. En général, ils se servent d'une formule vague — comme *alors, ensuite, en ce temps-là, en parlant ainsi,* etc. — qui peut n'avoir que la valeur d'une transition. Ce sujet ne comporte pas de règle applicable à tous les cas et chaque texte est à considérer à part.

Avec les seuls Synoptiques, il nous serait bien difficile de tracer un tableau suivi de la vie publique du Christ. Nous ne pourrions dire ni combien de temps elle a duré, ni dans quel ordre se sont déroulés les événements : tout se réduirait presque à une série d'anecdotes. L'herbe verte qui tapisse le théâtre de la première multiplication des pains, d'après saint Marc, nous fait penser au printemps; les épis arrachés par les apôtres pour apaiser leur faim nous reportent au commencement de l'été; mais, comme notation de temps, chez les Synoptiques, c'est à peu près tout; car le sabbat *second-premier* de saint Luc est probablement interpolé et, s'il est authentique, personne n'a jamais su ce qu'il signifie.

Il en est autrement de saint Jean. Nous savons par lui que Jésus inaugure son apostolat à Jérusalem durant la Pâque, trois mois environ après son baptême, et que cet événement a lieu la quarante-sixième année depuis la reconstruction du Temple : date que les synchronismes de l'histoire profane nous permettent de déterminer. Vers le mois de mai de cette même année, le Sauveur retourne en Galilée, où saint Jean le laisse pour ne pas empiéter sur le terrain des Synoptiques. Les quatre évangélistes se rencontrent enfin dans le récit de la première multiplication des pains que saint Jean place expressément aux environs de Pâques. Puis vient la fête des Tabernacles, six mois avant la Passion et, dès ce moment, le quatrième Évangile nous permet de suivre tous les mouvements de Jésus. Voilà un cadre chronologique très ferme et l'incertitude ne tombe plus que sur les détails [1].

---

1. Nous nous réservons d'examiner les faits et de discuter les dates dans une note spéciale sur la *Chronologie de la vie du Christ* et dans un appendice sur l'*Harmonie des Évangiles.*

LIVRE PREMIER

LES ANNÉES DE PRÉPARATION

CHAPITRE PREMIER

LE MYSTÈRE DE NAZARETH

I. Le message de Gabriel (Luc, i, 26-38).

La petite ville de Nazareth, où s'est accompli, dans la personne de Jésus, le mystérieux hymen du ciel et de la terre, n'était alors qu'une bourgade ignorée dont le nom apparaît pour la première fois sous la plume des évangélistes. Elle devait l'avantage de n'avoir pas d'histoire plus encore à son site isolé qu'à son peu d'importance. Les grands chemins de communication qui reliaient les capitales du monde antique passaient à ses pieds, le long du massif montagneux où elle se cache, mais sans la traverser ni la voir. Blottie au fond d'une vallée qu'enserre de toutes parts une ceinture de collines, elle évoque au printemps l'image d'une fleur solitaire qui s'épanouit dans son verdoyant calice.

En cet asile du recueillement et de la prière, vivait, cinq ou six ans avant l'ère chrétienne, une jeune fille appelée Marie, orpheline de père et de mère. Nous savons aujourd'hui qu'en elle la grâce avait devancé la nature, qu'aucun souffle impur ne l'avait jamais effleurée, que seule des enfants d'Adam, par un miracle de préservation rédemptrice, elle avait échappé à la contagion originelle, que Dieu semblait avoir épuisé les trésors de sa toute-puissance pour embellir son corps et son âme, que la fidélité parfaite de la Vierge bénie, multipliant sans cesse les avances du ciel, avait accru ses mérites hors de toute mesure et fait d'elle la plus belle, la plus noble, la plus sublime, des œuvres sorties des mains du Très-Haut. Mais ses compatriotes ne s'en doutaient pas et quand elle allait, le soir, remplir sa cruche à l'unique fontaine du village, elle ne se distinguait du groupe de ses com-

pagnes que par sa douceur, sa modestie et par je ne sais quel air de majesté simple qui imposait le respect. C'était la perle précieuse dédaignée des hommes et dont seul l'artiste divin, qui l'avait choisie entre toutes, connaissait le prix.

Une tradition respectable veut que ses pieux parents, Anne et Joachim, l'aient eue à un âge avancé et elle semble les avoir perdus de bonne heure, car l'Évangile n'en fait pas mention. Ils l'avaient appelée Mariam, nom autrefois très rare, puisqu'il n'est porté dans l'Ancien Testament que par la sœur de Moïse, mais devenu très commun aux approches et au début de notre ère. On ne compte pas moins de cinq Maries dans la maison d'Hérode.

Comme Dieu attribue souvent aux saints personnages, dont il veut faire les instruments de sa justice ou de sa miséricorde, un nom symbolique, en rapport avec leur rôle ou leur destinée, les dévots de Marie ne se résignent pas à croire qu'il ait moins fait pour la mère de son Fils. On a beaucoup écrit sur le sens mystérieux de ce nom, mais sans aboutir, il faut l'avouer, à des résultats bien satisfaisants. Après tout, le nom de la première Marie, comme celui de ses frères Aaron et Moïse, pourrait être d'origine égyptienne et alors on obtiendrait le sens « Aimée de Jéhovah »; mais cette hypothèse reste trop douteuse pour qu'il soit utile de s'y arrêter davantage. En tout cas les étymologies tirées de l'hébreu (*mer d'amertume, myrrhe de la mer* et les autres) ou ne signifient rien ou se heurtent à des difficultés philologiques insurmontables. L'appellation si répandue *Étoile de la mer* paraît être l'effet d'une méprise. Peut-être ne faut-il pas songer à une étymologie rigoureuse. Il est certain qu'à cette époque, où la langue vulgaire était l'araméen, le nom de Marie, qu'on prononçait Mariam, éveillait dans l'esprit l'idée de seigneurie et de souveraineté. Cette dérivation populaire, peu conforme aux règles d'une stricte philologie, justifierait le mot de saint Jérôme : « En syriaque, Marie signifie Dame. » Et c'est justement sous le nom de Notre-Dame que la piété chrétienne aime à l'invoquer[1].

---

1. Sur le sens et l'étymologie du nom de Marie, nous renvoyons à Bardenhewer (*Der Name Maria,* Fribourg-en-B., 1895, dans la collection *Biblische Studien,* I, 1). L'auteur écarte comme impossibles les mots

D'ailleurs il n'est dit nulle part — sauf dans des écrits apocryphes de basse époque et d'autorité plus basse encore — que Dieu soit intervenu pour choisir un nom à la Vierge prédestinée. Il a fait pour elle sans comparaison plus que pour aucune autre créature et l'attribution d'un nom alors si répandu, qui ne la distinguerait pas de tant d'homonymes, n'ajouterait rien à ses grandeurs.

Malgré son jeune âge, Marie était fiancée à un parent nommé Joseph, issu comme elle de la tribu de Juda et de la famille de David. Chez les Hébreux, les fiançailles n'étaient pas comme chez nous une simple promesse de mariage; c'était un mariage effectif, avec ses droits et ses devoirs mutuels et toutes ses conséquences juridiques. « Les fiançailles, écrit Philon, contemporain de Jésus, ont la même valeur que le mariage[1]. » Dans le Deutéronome, comme dans l'Évangile, l'accordée est appelée *femme* du fiancé, parce qu'elle l'est réellement. Si elle est infidèle, elle subit la peine des adultères; si son fiancé vient à mourir, elle est considérée comme veuve et bénéficie de la loi du lévirat, qui oblige le

---

composés de deux substantifs (*mar-yam = myrrhe de la mer*), ou d'un adjectif et d'un substantif (*mar-yam = amarum mare*), ou d'un substantif et d'un suffixe (*mari-am — leur révolte*). Il regarde la terminaison *am* comme uné formation nominale et ne retient que les deux racines *marah* (être rebelle) et *mara'* (être gras) : la première donnerait assez correctement l'adjectif *miriam* (rebelle), et la seconde, plus malaisément, *mir'iam* (gras, doué d'embonpoint). Il ajoute qu'en Orient l'embonpoint, chez une femme, est considéré comme un indice de richesse et comme un élément de beauté et qu'ainsi *Miriam* (de *mara'*) convient parfaitement comme nom féminin. C'est tout le résultat de cette docte monographie.

L'hypothèse de l'origine égyptienne est du P. Zorell, S. J. (*Lexicon graecum N. T.*). En égyptien, le participe *meri* (aimé) est fréquent dans les noms théophores : Meri-Ra, Meri-Phtah, etc. ; d'un autre côté, *Iam* se trouve à la fin des mots pour le nom divin *Iahvé* ou *Iahu* (abrégé en *Iaw* puis en *Iam*). Ainsi *Abiyahu* est le même nom que *Abiyam*. Nombreux exemples dans Schrader, *Die Keilinschriften und das A. T.*[3], 1902, p. 466-7. Le P. Zorell est aujourd'hui moins affirmatif.

S. Jérôme propose deux fois l'étymologie *stella maris* (*De nomin. hebr.* sur Ex. 15[20] et Mt. 1[15]); mais beaucoup soupçonnent qu'il faut lire *stilla* au lieu de *stella*. En effet aucun mot hébreu de la forme *mor, mar, mir*, ne signifie *étoile* (*stella*), tandis que *mar* signifie *goutte d'eau* (*stilla*). S. Jérôme ajoute : « *Maria, sermone syro, Domina nuncupatur.* » Nous disons de même *Notre-Dame* et les Italiens *Madonna* (mia donna).

1. Philon, *De special. legibus* (Mangey, II, 811). Il en était de même chez les Egyptiens.

frère du défunt mort sans enfants à la prendre pour femme.
Elle ne peut être répudiée qu'avec les formalités exigées pour
l'épouse légitime. Seulement, la cohabitation était en général
différée durant un laps de temps qui pouvait atteindre et
même dépasser une année, soit pour permettre au mari de
remplir les clauses onéreuses stipulées dans le contrat, soit
pour laisser mûrir dans la maison paternelle la vierge, d'ordinaire fiancée très jeune. Alors avaient lieu les réjouissances
des épousailles, qui variaient suivant la condition des personnes, mais qui étaient toujours aussi solennelles que le
permettaient le rang et la fortune des conjoints[1].

Marie, nous le verrons tout à l'heure, avait voué à Dieu sa
virginité ; et le mariage d'une vierge consacrée à Dieu a quelque chose de si étrange qu'il réclame une explication. La
seule plausible qu'on ait pu trouver jusqu'ici, en dehors des
secrets desseins de la providence, qui arrive à ses fins par
des voies insoupçonnées, est l'obligation imposée par la loi
de Moïse aux héritières d'épouser un de leurs proches, pour
empêcher leur patrimoine de passer dans une maison étrangère. Si pauvres qu'on les suppose, les parents de Marie
devaient posséder une maison avec quelque lopin de terre ;
c'est ce modeste héritage que Marie était tenue de conserver
à la tribu de Juda et à la famille de David. Voilà pourquoi il
fut convenu qu'elle serait fiancée à Joseph son parent[2].

D'après les apocryphes, jaloux de suppléer au silence des
Évangiles, la scène fut bien plus dramatique. Lorsque Marie,
élevée à l'ombre du sanctuaire et nourrie par les anges, eut
atteint sa douzième année, le grand prêtre Zacharie, ayant
consulté le Seigneur, résolut de la fiancer. Il fit convoquer à
son de trompe, dans toute la Palestine, les hommes en état
de veuvage. Ceux-ci vinrent nombreux, portant à la main
leur bâton, selon l'ordre qu'ils avaient reçu. Pendant qu'ils
étaient réunis, le bâton de Joseph fleurit et de la fleur

---

1. On trouvera dans Billerbeck (*Kommentar*, t. II, p. 303-398) les renseignements fournis par le Talmud sur l'obligation du mariage, l'âge et
le choix des fiancés, la cérémonie des fiançailles, la célébration du
mariage, etc. Il s'agirait seulement de savoir si les élucubrations du
Talmud sont applicables aux temps évangéliques : ce que beaucoup
d'historiens de Jésus supposent trop facilement.
2. Num. 36 6-12 (filles de Selphaad). Cf. Num. 27 1-6.

s'échappa une colombe qui, après avoir voltigé quelque temps dans les airs, vint se reposer sur sa tête. Alors le grand prêtre lui dit : « C'est toi que le sort désigne pour prendre sous ta garde la vierge du Seigneur. » Mais le saint homme s'excusait disant : « Je suis vieux et j'ai des enfants ; si je prenais pour compagne cette jeune fille, je serais la risée du monde. » En effet, à en croire ces ineptes légendes, Joseph avait alors quatre-vingt-dix ans et son fils aîné Jacques en avait quarante. Cependant, menacé par le pontife de la malédiction divine, il finit par consentir à tout. Il la prit donc dans sa demeure, mais il s'éloigna bientôt d'elle, je ne sais sous quel prétexte, et ne revint que six mois après l'annonciation [1].

Si nous avons résumé ce récit, ce n'est pas pour lui accorder la moindre créance, mais pour expliquer pourquoi Joseph est souvent représenté comme un vieillard à cheveux blancs par des peintres trop enclins à s'inspirer de contes aprocryphes. Le gardien et le protecteur de la Vierge, le père nourricier et le défenseur de Jésus, celui qui l'accompagnera en Égypte, le ramènera à Nazareth et le fera vivre du fruit de son travail, ne pouvait pas être un vieillard décrépit. Il est des convenances qui s'imposent et il semble que Dieu n'aurait pas permis une union si disproportionnée, qui aurait voué au ridicule la sainte Famille. Tout porte à croire que Joseph était dans la force de l'âge : assez jeune pour remplir son rôle, assez mûr pour inspirer le respect.

Les fiançailles se concluaient quelquefois par un acte écrit, mais plus souvent de vive voix. En présense de deux témoins, le fiancé offrait à son accordée un léger cadeau, tel qu'une pièce de monnaie, en lui disant : « Tu m'es fiancée par ce gage. » L'acceptation du présent était la réponse de la future. Le pacte était scellé d'ordinaire par un repas intime

---

1. *Protévangile de Jacques, Histoire de Joseph le Charpentier, Livre de la nativité de Marie, Évangile du Pseudo-Matthieu.* D'après le premier des ces écrits, Joseph s'excuse sur sa *vieillesse* (IX, 2, Tischendorf, p. 18) ; d'après le second (XIV et XV, trad. du copte et de l'arabe (Peeters, S. J., Paris, 1911, p. 208-9) il est alors âgé de 90 ans et il vit encore 21 ans. D'après le troisième (VIII, Tischendorf, p. 118) il est simplement *grandaevus.* Dans le dernier (VIII, Tischendorf, p. 69), Joseph dit, comme dans la *Protévangile de Jacques* : « Senex sum et filios habeo. »

chez le père de la jeune fille; ensuite les nouveaux époux remettaient la cohabitation à une date plus ou moins éloignée?

C'est dans l'intervalle entre la conclusion et la célébration du mariage, qu'eut lieu l'événement rapporté par saint Luc en termes si divinement simples : *L'ange Gabriel fut envoyé de Dieu dans une ville de Galilée nommée Nazareth, à une vierge fiancée à un homme appelé Joseph, de la maison de David. Le nom de la vierge était Marie. Étant entré chez elle, l'ange lui dit : Salut, pleine de grâce, le Seigneur est avec vous (vous êtes bénie entre toutes les femmes). Mais elle, troublée par ces paroles, se demandait ce que pouvait signifier cette salutation.*

Le choix du messager nous fait prévoir la nature et l'importance du message. Gabriel avait été chargé d'expliquer au prophète Daniel [1] le secret des soixante-dix semaines d'années qui devaient aboutir aux jours du Messie. Maintenant que les temps sont révolus, c'est à lui qu'il appartient d'en porter la nouvelle et de concourir à l'exécution du plan rédempteur. On le figure quelquefois fendant les airs avec ses grandes ailes, comme un volatile géant. Gabriel dut apparaître sous les traits d'un jeune homme, sans rien d'effrayant ni de monstrueux, avec quelque chose de céleste et de surhumain. Mieux inspirés sont les artistes qui représentent Marie en prières, méditant la prophétie d'Isaïe sur la Vierge qui devait enfanter. Dans l'ignorance où l'Évangile nous laisse à ce sujet, quelle autre attitude supposer à la Vierge-mère, à un moment si décisif pour elle et pour le monde [2]?

Salut, pleine de grâce. Les Grecs, en s'abordant, se souhaitaient la joie; les Latins, la santé; les Sémites, autrefois

1. Dan. 8[16] 9[21]. Sur l'archange Gabriel dans la théologie juïve, voir Billerbeck, t. II, p. 89-98.

2. Le *Protévangile de Jacques* (XI, 1-2) prétend que Marie, allant puiser de l'eau à la fontaine, entendit une voix qui disait : « Salut pleine de grâce, le Seigneur est avec vous. » Effrayée, elle se hâta de rentrer à la maison. L'ange l'y rejoignit pour lui dire : « Ne craignez pas, Marie », etc. Sur la foi de cet apocryphe, les Grecs séparés ont bâti une église, sous le vocable de saint Gabriel, à l'endroit où jaillit la source un peu au delà de la fontaine actuelle. Mais cette tradition contredit formellemnt la texte de S. Luc, d'après lequel l'ange *entra* chez Marie et dit : « Salut, pleine de grâce. »

comme aujourd'hui, la paix : souhait que nous exprimons en
notre langue par le mot *Salut*. Plusieurs personnages illustres de l'Ancien Testament — Abraham, Josué, David, Isaïe,
Jérémie, d'autres sans doute — avaient reçu l'assurance du
secours d'en haut et d'une protection particulière de Dieu;
et c'était toujours pour leur confier une mission glorieuse
ou pour les préparer à de grands sacrifices. Mais jamais créature humaine ne s'était entendu appeler « pleine de grâce ».
Marie se demandait avec inquiétude ce que pouvait signifier
une salutation tellement insolite, surtout si, comme il est
probable, elle avait déjà deviné la présence d'un ange. Quel
sens mystérieux fallait-il attacher à ces paroles? En y son-
geant, elle était remplie de trouble et de confusion.

De pieux auteurs conjecturent que sa pudeur était alarmée.
« C'est le propre d'une vierge, dit saint Ambroise, de trembler
à la seule approche et à la vue d'un homme. » Mais Dieu
aurait-il permis que le maintien recueilli et l'attitude modeste
du messager inspirât à Marie quelque défiance? D'ailleurs
l'Évangile n'est pas équivoque : *Quae cum audisset, turbata
est in sermone ejus.* Ce n'est pas ce qu'elle voit, mais ce
qu'elle entend, qui la trouble; c'est l'humilité qui s'émeut et
non la pureté que rien ne menace. Qu'a-t-elle fait pour mériter
cet éloge et d'où lui vient ce comble d'honneur? Plus elle y
réfléchit, moins elle arrive à comprendre qu'il s'agisse d'elle.
Il y a bien de quoi puisque toutes ses prérogatives — maternité divine, conception immaculée, pureté sans tache — sont
contenues en germe dans ce titre « pleine de grâce[1] ».

Gabriel la rassure, en l'appelant cette fois par son nom :
*Ne craignez pas, Marie, car vous avez trouvé grâce
devant Dieu. Voici que vous concevrez et vous enfanterez un
fils et vous lui donnerez le nom de Jésus. Il sera grand et on*

---

1. Lc. 1²⁶⁻²⁹. Les mots « Vous êtes bénie entre toutes les femmes »
manquent ici dans les meilleurs manuscrits grecs. La plupart des critiques (même Vogels) les croient empruntés au v. 42, où ils sont adressés
à Marie par Élisabeth.

« Pleine de grâce » (κεχαριτωμένη). Les verbes en όω marquent tou-
jours l'abondance et la plénitude. Origène (*Homil.* VIII *in Lucam,* Migne,
XIII, 1816) a raison de dire : « Soli Mariae haec appellatio servatur. »
Personne avant elle, ni homme ni femme, ne l'avait entendue.

Au lieu de *cum audisset,* plusieurs manuscrits de la Vulgate ont *cum
vidisset,* qui ne répond nullement au texte original.

l'appellera le Fils du Très-haut. Le Seigneur notre Dieu lui donnera le trône de David son père; il régnera à jamais sur la maison de Jacob et son règne n'aura point de fin [1].

Familiarisée avec la lecture des Livres saints, Marie ne pouvait se méprendre sur le sens de ces paroles, qui reproduisent les prophéties relatives à la naissance et au règne éternel du Messie. Isaïe avait chanté la Vierge qui enfanterait l'Emmanuel, le Dieu avec nous; le Psalmiste avait annoncé que ce fils occuperait le trône de David son père et Daniel que son règne durerait toujours. Dès lors, pas de doute possible : à la vierge de Nazareth est réservé l'honneur d'être la mère du nouveau David, du Messie, du Fils de Dieu, de l'Emmanuel.

Marie ajoute une foi pleine et entière à l'envoyé de Dieu. Elle ne demande pas un signe comme Zacharie et ne s'attire pas les reproches de l'ange; elle mérite l'éloge qu'Élisabeth, sous l'inspiration divine, lui décernera : « Bienheureuse êtes-vous d'avoir cru. » Ce qu'elle ne comprend pas et ce qu'elle a droit de savoir, c'est comment sa maternité future pourra se concilier avec sa volonté de rester toujours vierge, volonté qu'elle sait agréée de Dieu. Tel est le point sur lequel, respectueusement, elle sollicite une explication : *Comment cela se fera-t-il, puisque je ne connais point d'homme* [2] ? Ni

---

1. Luc. 1³⁰⁻³². Les allusions à l'Ancien Testament sont nombreuses et faciles à reconnaître. Cf. Is. 7¹⁴; 9⁶; Ps. 88 (89⁴⁻⁵); Dan. 7¹⁴, etc.

2. Quelques dévots de Marie interprètent sa question un peu différemment. D'après eux, il faut admettre qu'elle comprenait parfaitement la prophétie d'Isaïe sur la Vierge mère « sous peine de la mettre au-dessous des docteurs juifs »; elle comprend aussi « clairement que l'ange lui propose d'être cette vierge mère »; mais « toutes les autres circonstances du prodige demeurent obscures à ses yeux » et c'est sur cela qu'elle interroge. Cf. Médebielle, *Annonciation*, dans *Dict. de la Bible*, Supplément, t. I, col.280-281.

La prophétie d'Isaïe était moins claire avant l'événement et avant le travail de la théologie catholique. Billerbeck (t. I, p. 75) et Edersheim (*Life and Times*, t. II, p. 724) ne trouvent pas à citer *un seul docteur juif* qui l'ait entendue au sens messianique. Les Septante traduisent bien *almah* par παρθένος, mais rien ne prouve qu'ils entendissent « la vierge enfantera » *in sensu composito*. Si Marie était si bien instruite des desseins de Dieu, *avant l'explication de l'ange*, elle n'avait qu'à prononcer aussitôt son *fiat*, sans questionner sur des circonstances accessoires. A tout prendre, nous préférerions encore l'exégèse de saint Bernard, d'après lequel Marie serait disposée à sacrifier sa virginité si

Sara, ni la femme de Manué, ni la mère de Samuel, ni aucune des femmes à qui Dieu promettait un fils, n'avaient jamais songé à poser cette question. Si Marie n'eût pas été fiancée, au moment de l'annonciation, sa demande pourrait passer pour simplement naïve et s'interpréter ainsi : « Vivant dans la solitude, je ne vois personne à qui joindre ma destinée. » Mais Marie est déjà unie à Joseph par un lien qui est un vrai mariage et sa parole serait absolument dépourvue de sens, si elle n'exprimait la volonté de rester toujours vierge. Les écrivains hétérodoxes, que les noms de vœu et de virginité offusquent, peuvent n'y voir qu'un cri de surprise à peine conscient, arraché à une jeune fille si troublée par la nouveauté de l'annonce qu'elle ne sait plus trop ce qu'elle dit ; le sens commun s'insurge contre une interprétation si violente et si injurieuse à la Mère de Dieu. C'est une vaine argutie d'alléguer qu'elle emploie le présent et non pas le futur, car nous exprimons tous de cette manière les choses que nous sommes décidés à faire ou à omettre et comme il s'agit d'un fait à venir, « Je ne connais point d'homme » ne peut pas se limiter au moment présent.

Cette conséquence, qui choque et scandalise les protestants, paraît toute naturelle aux Pères de l'Église. Écoutons saint Augustin : « Marie ne parlerait pas de la sorte si elle n'avait pas voué à Dieu sa virginité. C'est parce que les mœurs des Israélites le voulaient ainsi qu'elle s'est fiancée à un homme juste qui, loin de lui ravir la virginité, en sera le gardien [1] . » Idée que Bossuet développera avec tant de

telle était la volonté de Dieu, quoique, à vrai dire, elle nous paraisse un peu réaliste. Cf. Knabenbauer, *In Lucam*, p. 69.

1. S. Augustin, *De virginitate*, IV (Migne, XL, 898); S. Grégoire de Nysse, *In diem natalem Christi* (Migne, XLVI, 1140). Ce discours, donné dans Migne comme douteux, porte tous les caractères d'authenticité. Cf. Bardenhewer, *Geschichte der altchristl. Liter.*, 1912, t. III, p. 208. Le texte de S. Bernard est connu de tous. S. Thomas (Summa, p. III, qu. XXVIII, a. 4) pense qu'avant le mariage ce ne fut pas un vœu absolu mais une résolution subordonnée au vouloir divin : « Postmodum vero, accepto sponso, secundum quod mores illius temporis exigebant, simul cum eo votum virginitatis emisit. » Il y a des exemples de cette conduite dans les vies des saints; mais nous croirions plutôt que Marie n'aurait pas accepté la main de Joseph sans s'être assurée, *au préalable*, de son consentement. On peut seulement discuter sur le nom de *vœu, promesse, ferme résolution*.

magnificence, dans son panégyrique de saint Joseph. De même saint Grégoire de Nysse : « Comme il fallait conserver intacte et sans souillure une chair consacrée à Dieu, Marie semble dire (à l'envoyé divin) : Quoique tu sois un ange, quoique tu viennes du ciel, quoique ton apparence soit surhumaine, il ne m'est pas permis d'approcher d'un homme. Et comment serais-je mère sans le concours d'un homme ? »

Ainsi éclate, avec une entière évidence, le dessein arrêté qu'avait formé Marie ; et ce vœu lui était si cher, qu'elle aurait hésité peut-être s'il eût fallu payer du sacrifice de sa virginité l'honneur d'être mère de Dieu. Si l'on y réfléchit, on ne pourra s'empêcher de penser que Joseph connaissait, approuvait et partageait sa résolution. Marie lui eût-elle engagé sa foi, sans lui révéler son secret et sans être sûre de son agrément ? Dirait-elle « Je ne connais point d'homme », s'il pouvait être question, entre elle et son époux, d'un commerce charnel ?

Il n'y avait, dans la question de Marie, ni défiance injurieuse ni curiosité indiscrète. Elle ne demandait que ce qu'il fallait qu'elle sût, pour se conformer au vouloir divin. Aussi l'ange, loin de l'en reprendre, s'empresse de l'éclairer : *Le Saint-Esprit descendra sur vous et la vertu du Très-Haut vous couvrira de son ombre. C'est pourquoi l'enfant né (de vous) sera saint ; il sera appelé Fils de Dieu.* Marie n'a rien à craindre pour sa virginité. Déjà pleine de grâces, elle en recevra une infusion nouvelle au moment où Dieu l'enveloppera de sa vertu créatrice. La présence divine, dans son sein, sera beaucoup

---

Zahn fait une objection ridicule, à laquelle nous venons de répondre : « Si elle avait fait vœu de virginité, elle l'aurait violé en épousant Joseph. » Comme si le mariage était incompatible avec la virginité ! Les protestants — anglicans compris — s'en tirent comme ils peuvent. Le vœu paraît *peu naturel* à Plummer ; pour Grotius, la question de Marie n'est qu'un cri d'*admiration ;* pour Godet, c'est le cri d'*étonnement* d'une conscience pure. Machen (*The Virgin Birth of Christ*, 1930) qui défend avec conviction et talent la virginité de Marie *ante partum,* opine que S. Luc se serait exprimé plus clairement s'il avait voulu parler d'un vœu, mais il avoue qu'alors la question de Marie n'est pas *très logique* (p. 148). Je crois bien. Bengel (*Gnomon*, Stuttgart, 1892, p. 220) est peut-être l'auteur protestant qui se rapproche le plus de l'exégèse catholique. Il ne veut entendre parler ni de vœu, ni de promesse ; mais il accorde que « Je ne connais pas », regardant l'avenir, équivaut à « Je ne connaîtrai pas » et que Marie comprend, à la réponse de l'ange, que sa virginité sera respectée.

plus réelle qu'autrefois sur l'arche d'alliance, quand la nuée lumineuse ombrageait le Tabernacle. Ce qui naîtra d'elle, sans le concours de l'homme et par la seule opération du Saint-Esprit, sera vraiment le Fils de Dieu.

Gabriel a terminé son message et n'attend plus que l'assentiment de Marie. Ce consentement, elle ne peut pas le refuser; mais, dans l'ordre actuel de la providence, il est nécessaire qu'elle le donne. Il faut en effet que le genre humain, pour n'être pas sauvé malgré lui, accepte son libérateur; et il l'accepte dans la personne de la Vierge-mère. Il convenait aussi qu'une femme coopérât à notre relèvement, comme une femme avait contribué à notre ruine. Enfin il était juste de respecter la liberté de Marie et de lui laisser le mérite d'une obéissance qui devait être pour elle la source de nouvelles grâces. *Voici la servante du Seigneur; qu'il me soit fait selon votre parole. Fiat mihi secundum verbum tuum.* Puissance ineffable de ce *fiat!* Comme le prêtre, au nom du Pontife éternel, fait descendre le Fils de Dieu sur l'autel par cinq paroles d'autorité, Marie, au nom de l'humanité qu'elle représente, le fait descendre en son sein par cinq paroles d'obéissance.

La promesse faite par Dieu à son peuple, plus de sept siècles auparavant, vient de s'accomplir : « La vierge concevra et enfantera un fils, auquel on donnera le nom d'Emmanuel [1] (ce qui veut dire Dieu avec nous). » Cette prophétie, les Juifs ne l'avaient pas comprise; et peut-être, dans la pénombre de la révélation antique, ne pouvaient-ils pas la comprendre. Du moins auraient-ils dû y soupçonner un mystère que l'avenir éclaircirait; car il était évident que l'Enfant, célébré en termes si magnifiques, ne pouvait être ni le fils d'Achaz, ni le fils d'Isaïe : « Un enfant nous est né, un fils nous est donné. Il porte sur son épaule la souveraineté. Il s'appelle Conseiller, Admirable, Dieu-fort, Père de l'éternité, Prince de la paix. » L'événement a mis ce texte mystérieux en pleine lumière. Le Fils que la Vierge enfantera sera réellement *Dieu-avec-nous.* Qu'importe que l'hébreu *Almah* puisse signifier *jeune fille* et même *jeune femme?* Son sens le plus naturel est celui

---

1. Is. 7¹⁴. Cf. J. Calès, *Le sens de Almah en hébreu* dans *Recherches,* t. I, 1910, p. 161.

de *vierge,* que lui donne la version des Septante avant notre Vulgate. Aussi tous les Pères, depuis l'origine, ont-ils vu dans le mystère de l'incarnation l'accomplissement de la prophétie d'Isaïe.

II. Le verbe fait chair (Jean, I, 1-14)[1].

Tandis que saint Luc déroule à nos yeux le drame auguste de Nazareth, le disciple bien-aimé entr'ouvre devant nous le ciel et nous fait contempler la vie intime du Fils de Dieu qui va devenir le Fils de Marie.

> *Au commencement était le Verbe*
> *et le Verbe était auprès de Dieu*
> *et le Verbe était Dieu.*
> *Il était dès le principe auprès de Dieu.*
> *Tout a été fait par lui*
> *et rien de créé n'a été fait sans lui* [2].

En trois mots d'une singulière énergie, saint Jean nous révèle l'éternité, le caractère personnel et la divinité du Verbe.

Si, de principe en principe, nous remontons à l'origine du premier être sorti des mains de Dieu, nous trouvons le Verbe au delà. Il n'est pas lui-même tiré du néant, il ne reçoit pas l'être comme les choses que le temps mesure ; il est sans commencement, parce qu'il était au commencement ; il est donc éternel.

Il n'était pas seulement *en* Dieu, comme sont en Dieu la sagesse et la bonté qui s'identifient avec sa substance ; il était

1. On sait que trois des plus illustres Pères — S. Chrysostome, S. Augustin et S. Cyrille d'Alexandrie — ont commenté le quatrième Évangile. Des trente-deux livres d'Origène, neuf seulement, dont les deux premiers, sont parvenus jusqu'à nous. Il y a une admirable homélie de S. Basile sur le premier chapitre. Le meilleur commentaire patristique et théologique est probablement celui de Tolet, publié en 1587 avec un privilège de Sixte-Quint. Naturellement il est aujourd'hui à compléter et, au besoin, à contrôler, par des travaux plus modernes.

2. Ces versets n'offrent d'autre difficulté que celle qui est inhérente à la profondeur du mystère. On remarquera seulement l'insistance avec laquelle S. Jean place le Verbe *en dehors de la catégorie des êtres créés* et le met *auprès, à côté du Père* (πρὸς τὸν Θεόν et non pas ἐν Θεῷ), ὁ Θεός désignant le Père, principe de la divinité.

auprès de Dieu, comme le fils auprès de son père, tourné *vers* Dieu, comme une vivante image égale à son archétype et pourtant distincte de lui, car nommer le fils et le père c'est nommer deux personnes distinctes.

« Et le Verbe était Dieu. » Il n'était pas le Père — ce serait une contradiction manifeste — mais il possédait la nature de Dieu et partageait pleinement la divinité du Père.

Puisque la nature est commune aux deux, l'opération le sera aussi nécessairement; le Fils ne fera rien sans le Père ni le Père sans le Fils. En effet tout ce qui existe en dehors de Dieu, tout ce qui est sujet au devenir, est l'œuvre du Fils agissant de concert avec le Père et appelant avec lui les êtres à l'existence par une opération identique.

Élevé à ces désespérantes hauteurs, le Verbe n'est-il pas placé hors des atteintes de l'humanité et reste-t-il encore capable d'être Médiateur entre Dieu et les hommes? Ne sera-t-il pas pour nous comme ces soleils perdus dans l'immensité de l'espace, dont les rayons ne parviendront jamais jusqu'à nos regards? Philon, jaloux de maintenir à son Logos le rôle de médiateur, en fait un dieu de second ordre, tenant le milieu entre le créateur et la créature, et plus apte par là même à servir de messager, d'interprète et de lieutenant du Dieu souverain. Le Verbe de saint Jean, tout Dieu qu'il est, égal à son Père, est notre Médiateur parce qu'il est la Vie et la Lumière du monde et qu'il nous apporte la vie et la lumière puisées au sein du Père.

> *En lui était (la) Vie*
> *et la Vie était la Lumière du monde*
> *et la lumière luit dans les ténèbres*
> *et les ténèbres ne l'ont pas saisie*[1].

Le Verbe est la Vie par essence et le principe de toute vie naturelle; mais ce n'est pas ce que l'évangéliste veut nous faire entendre en disant que dans le Verbe était la Vie. Pour saint Jean, la Lumière et la Vie sont toujours la lumière de la foi et la vie de la grâce, qui nous rendent participants à la vie

---

1. Jn. 1⁴. Voir la note C : *Le Verbe Vie et Lumière.*

même de Dieu. Dans les arcanes des divins conseils, le Verbe qui avait assumé la tâche de relever l'homme en se faisant homme, est pour l'humanité déchue la source unique de cette vie surnaturelle. Toutes les grâces dérivent de lui, puisqu'elles ne sont données qu'en vue de sa médiation rédemptrice et voilà pourquoi elles lui sont rapportées par anticipation, dès avant son apparition sur la terre. Comprise de la sorte, la pensée avance et progresse. Nous avons vu le Verbe au sein du Père, dans le mystère de sa vie divine; puis dans ses rapports avec le monde auquel il donne l'être; nous le voyons maintenant en relation avec les hommes auxquels il apporte la lumière qui leur confère la vie. Entre la lumière et les ténèbres il y a un antagonisme radical; mais il ne faut pas craindre que les ténèbres triomphent de la lumière. La lumière finira par les dissiper.

Quand parut saint Jean-Baptiste, dans l'auréole de sa jeune gloire, des disciples enthousiastes purent croire qu'il était le soleil destiné à illuminer le monde; mais il n'était pas le soleil, il n'était que l'aurore; il avait été suscité de Dieu pour être le témoin et l'avant-coureur de la Lumière.

Elle existait, la vraie Lumière
qui éclaire tout homme venant au monde.
Il était dans le monde
et le monde a été fait par lui
et le monde ne l'a point connu.
Il est venu dans son domaine
et les siens ne l'ont pas reçu;
mais à ceux qui l'ont reçu
il a donné le pouvoir de devenir enfants de Dieu[1].

1. Jn. 1⁹⁻¹² : Ἦν τὸ φῶς τὸ ἀληθινόν, ὃ φωτίζει πάντα ἄνθρωπον ἐρχόμενον εἰς τὸν κόσμον. Les Pères ont remarqué que cette première phrase de la seconde partie est ambiguë. Le participe ἐρχόμενον peut être au nominatif neutre et se rapporter à τὸ φῶς, ou à l'accusatif masculin et se rapporter à τὸν ἄνθρωπον. La Vulgate a pris parti pour la seconde alternative, qu'adoptent également la plupart des commentateurs tant grecs que latins. En effet, il est naturel de faire rapporter le participe « venant en ce monde » au mot le plus rapproché, c'est-à-dire à « tout homme ». Explétif en soi, le complément peut ajouter quelque chose à l'emphase : la lumière du Verbe est destinée à tous; aucun homme, absolument aucun, n'en est exclu si ce n'est par sa faute, comme le soleil, de sa nature, illumine tout, si bien qu'il faut fermer les yeux pour se priver

Depuis le *fiat lux*, le Verbe était dans le monde et il n'y
était pas inactif. Son acte créateur se perpétuait dans la conservation des êtres. Il se manifestait par ses œuvres aux créatures raisonnables et si les hommes, au lieu de se perdre dans
leurs vaines pensées et de prostituer à la créature la gloire due
au Créateur, avaient mis à profit la lumière de la raison, le
Verbe attentif à les sauver ne leur aurait pas refusé la vraie
lumière de la foi, qui leur aurait conféré un gage de vie éternelle.
Mais, dans ce premier stade de l'humanité, on peut bien dire
que le monde ne l'a connu ni comme Verbe ni comme Dieu.

Cependant la présence du Verbe dans le monde n'avait pas
été tout à fait stérile. Noé, Enoch, Abraham, Isaac, Jacob,

de sa lumière. L'autre traduction (qui éclaire tout homme *en* venant
au monde) laisserait entendre que le Verbe n'éclaire les hommes qu'en
se faisant homme; or cette assertion est contredite par la phrase suivante.

Cette objection ne toucherait guère ceux qui rapportent toute la
suite à l'action illuminative du Verbe après l'incarnation. D'après eux,
saint Jean piétinerait sur place et ne présenterait que divers aspects
d'une même phase d'illumination. Mais il paraît bien évident que les
mots « Il était dans le monde » nous reportent à une phase antérieure
à son apparition dans un corps mortel. Tous les Pères et tous les
anciens commentateurs l'ont ainsi compris. Maldonat, qui s'efforce de
rendre probable l'opinion contraire, est obligé d'en convenir; mais le
texte, considéré sans parti pris, lui donne tort. Il y a clairement une
gradation, une succession de phases qui se distinguent par l'action
du Verbe, le théâtre où elle s'exerce et le résultat obtenu :

1ʳᵉ phase (v. 10) : *Présence* du Verbe dans le *monde* aboutissant à
un *échec.*

2ᵉ phase (v. 11) : *Venue invisible* du Verbe *chez les siens* avec un
demi-succès.

3ᵉ phase (v. 14) : *Apparition* visible du Verbe *au milieu de nous,*
avec *plénitude* (v. 16).

Pour l'état de l'humanité dans le premier stade, avant la révélation
mosaïque ou en dehors d'elle, il faut comparer S. Paul (Rom. 1¹⁸⁻³²)
et le Livre de la Sagesse (13¹⁻¹⁹). S. Jean ne dit pas que les païens
devaient connaître le Verbe en tant que Verbe, mais il fait entendre
qu'ils auraient dû le connaître et l'honorer comme Dieu et le désirer
comme Sauveur. D'ailleurs les hommes n'étaient pas alors abandonnés
à eux-mêmes; il y avait derrière eux la révélation primitive; il y avait
des grâces, surnaturelles ou naturelles, qui, mises à profit, les conduisaient, indirectement mais infailliblement, à la justification dont le
Verbe incarné est l'auteur et la cause méritoire.

Dans le second stade, l'action du Verbe devient plus énergique. Il
habite au milieu de *son* peuple; néanmoins le succès est médiocre et
l'on peut dire en général que *les siens ne l'ont pas reçu.* Mais, dans
la masse infidèle, il conserva toujours un *reste fidèle.* C'est à ce noyau
de fidèles qu'il « donne le pouvoir de devenir enfants de Dieu. »

Adam lui-même et tous les justes antérieurs à la révélation du Sinaï, furent éclairés de sa lumière. Pour se rapprocher davantage de l'humanité, le Verbe vient vers ce peuple qu'il ne cesse dans l'Écriture d'appeler son bien, sa propriété, son héritage, son domaine; il le tire d'Égypte, le guide au désert, l'établit dans la terre promise, lui donne un législateur. Mais ce peuple, dans son ensemble, le méconnaît aussi : les objurgations des prophètes en sont la preuve. Seulement, parmi l'apostasie générale, un *reste* subsiste toujours, ce noyau fidèle d'où germera le salut. A ces vrais fils d'Israël, le Verbe a donné le pouvoir de devenir enfants de Dieu.

La plénitude des temps arrive enfin. Voici le jour où le Verbe ne parlera plus au monde par la voix de la création, ni par l'organe des prophètes, mais par sa propre bouche :

> *Et le Verbe s'est fait chair*
> *et il a planté sa tente au milieu de nous*
> *et nous avons vu sa gloire,*
> *gloire telle que la reçoit d'un père un fils unique*
> *plein de grâce et de vérité* [1].

1. Le Verbe s'y prend à trois fois, en quelque sorte, pour dissiper les ténèbres de l'ignorance et de l'erreur. Sa présence dans le monde païen avait été un échec; sa venue au milieu du peuple élu n'avait été qu'un demi-succès; alors « le Verbe se fit chair », il habita parmi nous, chrétiens (ἐσκήνωσεν, « il planta sa tente » parce que son séjour parmi nous devait être passager), il nous manifesta sa gloire, la gloire qui convient au Fils unique de Dieu (δόξαν ὡς μονογένους παρὰ πατρός = une gloire telle qu'un fils unique doit la recevoir de son père). Alors l'œuvre d'illumination est complète :
« Et nous avons tous reçu de sa plénitude
et grâce par dessus grâce;
car (si) la loi a été donnée par Moïse,
la grâce et la vérité (nous) est venue par Jésus-Christ. »
Le Verbe incarné possède deux plénitudes : l'une incommunicable du fait même de son union hypostatique; l'autre communicable, c'est la plénitude de grâces que la sainte humanité du Christ tient de son union avec le Verbe et de ses propres mérites.
Il est indifférent d'entendre χάριν ἀντὶ χάριτος comme nous l'avons fait « grâces sur grâces » (il y a en grec des exemples de ce sens (Chrysost., *De sacerdotio*, IV, 13; Migne, XLVIII, 692 : σὺ δέ με ἐκπέμπεις ἑτέραν ἀνθ' ἑτέρας φροντίδα ἐνθείς), ou bien, comme Tolet : « gratiam nos accepimus pro gratia Christi » (qua Christus plenus est). Moïse n'a donné que la *loi* (avec les *figures prophétiques* de la grâce future), le Christ seul confère la *grâce* et donne la *vérité* (c.-à-d. *réalise les types pro-*

Ses deux premières manifestations, par l'activité créatrice et par la révélation surnaturelle, n'ayant pas eu l'effet désiré, le Verbe fait un pas de plus; il prend une chair semblable à la nôtre, ou plutôt il se revêt de notre propre chair. Dans l'ordre actuel de la providence, la rédemption devait se faire selon le principe de la solidarité, l'humanité se relevant et réparant elle-même l'offense divine, grâce au chef qui la représente et la résume, comme Adam représentait et résumait le genre humain sorti de ses flancs. Voilà pourquoi le corps du nouvel Adam n'est pas tiré du néant ni formé du limon de la terre, comme celui du premier homme; car, en ce cas, il ne serait ni notre frère, ni notre chef, ni notre pontife. N'étant pas de notre race, il nous serait étranger et nous n'aurions point de part à la satisfaction offerte pour nous.

Au lieu de « le Verbe s'est fait chair », l'évangéliste aurait pu dire « le Verbe s'est fait homme »; dans l'Écriture ces deux termes sont synonymes. S'il dit « le Verbe s'est fait chair », c'est pour mettre en contraste ces deux extrêmes : le Verbe, Dieu de Dieu et égal au Père, et la chair, symbole de ce qu'il y a en nous de faible, d'impuissant, de caduc et de périssable.

Le plus grand événement de l'histoire venait de s'accomplir et le monde, absorbé par ses préoccupations mesquines, ne s'en doutait pas. Peu auparavant, Auguste avait fermé pour la troisième fois le temple de Janus, indiquant par ce geste que tout l'univers subissait la paix romaine et que rien ne résistait plus à la puissance de César. Il avait vaincu les Dalmates, les Pannoniens, les Sicambres, les montagnards des Alpes. Poètes et prosateurs chantaient à l'envi ses louanges; partout s'élevaient en son honneur des trophées, des temples, des arcs de triomphe, avec de fastueuses inscriptions de ce style : « César, maître des mers et des continents, nouveau Jupiter, tenant de Jupiter son père le titre de libérateur, astre qui se lève sur le monde avec l'éclat de Jupiter

---

phétiques qui préfiguraient la grâce). Cf. Bover, dans *Biblica*, 1925, p. 454-460. Le P. Joüon s'inspire de cet article pour traduire (*L'Évangile de N.-S.-J.-C.*, 1930, p. 463): « C'est de sa plénitude que nous avons tous reçu, à savoir : une grâce répondant à sa grâce. »

Sauveur. » Jamais l'adulation des peuples n'était allée si loin ni tombée si bas.

En Palestine, Hérode achevait dans la démence du crime et de la débauche son triste règne de trente-trois ans. Il venait de mettre à mort deux de ses fils, Alexandre et Aristobule, et il était en instance auprès de l'empereur pour obtenir la permission d'en faire mourir un troisième, Antipater. Tous ses sujets tremblaient pour leur vie et les tentatives de révolte étaient aussitôt noyées dans le sang. Ni Auguste, dans sa maison du Palatin, ni Hérode, dans son palais de Jéricho, ne soupçonnaient que le roi du ciel et de la terre était descendu parmi nous.

Aucun endroit du monde ne devrait nous être plus cher que celui où s'accomplit le mystère d'un Dieu fait homme. Longtemps il fut interdit aux disciples du Christ de le vénérer et même de le visiter. Après la ruine totale de leur Temple et de leur nation, les Juifs qui avaient échappé aux massacres, expulsés de Jérusalem et des environs, vinrent se réfugier en Galilée et y apportèrent leur fanatisme farouche, exaspéré par la défaite et le malheur. Des villes dont ils réussirent à se rendre maîtres, ils chassèrent tous les étrangers sans distinction. Saint Épiphane nous apprend que ni païen, ni Samaritain, ni chrétien, n'était toléré dans quatre villes galiléennes : Tibériade, Capharnaüm, Séphoris et Nazareth. Cette dernière était devenue cité sacerdotale et servait de siège à l'une des vingt-quatre sections de prêtres lévitiques [1]. Tout changea avec le triomphe du christianisme. On n'usa pas de représailles contre les Juifs, mais les chrétiens reconquirent leur liberté. L'an 359, saint Épiphane rencontra à Scythopolis un Juif converti, le comte Joseph de Tibériade, chargé par Constantin de bâtir des églises dans les villes de Galilée où s'était déchaînée avec le plus de fureur l'intolérance de ses anciens coreligionnaires [2]. Nul doute qu'il ne faille assigner à cette époque la première église de l'Incarnation, que les Croisés rebâtirent plus tard. C'était une grande basilique à trois nefs, dont les fouilles récentes ont révélé non seulement l'ordonnance générale mais les princi-

1. Dalman, *Orte und Wege Jesu*, 1924, p. 65.
2. S. Épiphane, *Haeres.* xxx, 11-12 (Migne, XLI, 425-8).

paux éléments architecturaux. Les fils de saint François travaillent à relever ce monument digne du lieu trois fois saint où le Verbe se fit chair [1].

III. L'ange Gabriel et Zacharie (Luc, i, 5-25).

Six mois avant sa visite à la vierge de Nazareth, l'archange Gabriel avait été chargé d'un autre message pour un prêtre appelé Zacharie, marié à une femme du nom d'Élisabeth, qui était issue comme lui du sang d'Aaron. Bien qu'ils fussent l'un et l'autre d'une piété exemplaire, Dieu leur avait refusé la bénédiction promise aux fidèles observateurs de la Loi : ils étaient sans enfants et avaient perdu toute espérance d'en avoir, car Élisabeth était stérile et ils étaient tous deux avancés en âge.

Les prêtres juifs, au nombre d'une vingtaine de mille, étaient divisés en vingt-quatre classes qui faisaient à tour de rôle, pendant une semaine entière, le service du Temple. Quand vint le tour de la huitième, celle d'Abia à laquelle appartenait Zacharie, il se rendit à Jérusalem pour être à son poste au temps voulu, un peu avant l'ouverture du sabbat. Afin d'éviter les compétitions et les brigues, on tirait au sort chaque jour les rôles les plus honorables qui étaient aussi, naturellement, les plus convoités. Or, cette année-là, le privilège d'offrir l'encens sur l'autel des parfums échut à Zacharie. C'était la première fois qu'il remplissait ce ministère et ce devait être la dernière, car cet honneur ne se réitérait jamais et celui qui l'avait une fois reçu ne participait plus aux chances du sort.

1. L'ancienne basilique, mesurant 75 mètres sur 30 était beaucoup plus grande que l'église actuelle (25 mètres sur 17). Elle était orientée normalement, tandis que l'église du XVIIe siècle, sans style et sans caractère, l'est du sud au nord. Voir Prosper Viaud, O. F. M., *Nazareth et ses deux églises de l'Annonciation et de Saint-Joseph d'après les fouilles récentes*, Paris, 1910. Diagrammes dans *Revue bibl.*, 1901, p. 490 et *Dict. de la Bible*, t. IV, 1535.

A 100 ou 150 mètres de la basilique existait une autre église, qui marquerait, dit-on, l'emplacement de la maison de saint Joseph et que les Franciscains ont rebâtie. C'est un édifice élégant et assez vaste (28 mètres sur 16 m. 50). Le grand couvent des Franciscains relie cette église à la nouvelle basilique.

L'offrande de l'encens qui se faisait deux fois par jour, avant le sacrifice du matin et après le sacrifice du soir, était le point culminant de la liturgie quotidienne. Ce ne fut donc pas sans une émotion vive que Zacharie, tenant à la main une cassolette d'or pleine d'encens, pénétra dans le sanctuaire et s'avança vers l'autel des parfums, ayant à sa gauche le grand candélabre à sept branches et, à sa droite, la table des pains de proposition. Il venait d'étendre l'encens sur les charbons ardents préparés d'avance et un nuage de fumée odorante remplissait le sanctuaire lorsque, levant les yeux, il vit l'ange du Seigneur, debout devant l'autel, à côté du candélabre d'or. Les apparitions célestes jetaient toujours l'épouvante dans l'âme des Hébreux ; aussi Zacharie, à la vue de l'ange, demeura figé de terreur. L'ange le rassura :

Ne crains pas, Zacharie, car ta demande est exaucée. Ta femme Élisabeth te donnera un fils que tu appelleras Jean. Ce sera pour toi un motif d'allégresse et beaucoup se réjouiront à sa naissance, car il sera grand devant le Seigneur. Il ne boira ni vin ni boisson fermentée ; il sera rempli du Saint-Esprit dès le sein de sa mère ; il convertira un grand nombre d'enfants d'Israël au Seigneur leur Dieu ; il marchera devant lui dans l'esprit et la force d'Élie ; il réconciliera les cœurs des pères avec leurs fils et ramènera les rebelles à la sagesse des justes, de manière à préparer au Seigneur un peuple bien disposé.

Que de grandeurs accumulées sur la tête de cet enfant du miracle ! Comme Samuel, il mènera la vie pénitente des naziréens ; comme Jérémie, il sera marqué pour l'apostolat dès le sein de sa mère ; comme Élie, il préparera le monde à la venue du Sauveur ; il aura de plus qu'eux d'être rempli du Saint-Esprit dès avant sa naissance et, par un privilège unique — si l'on excepte la Vierge Marie, qu'il faut toujours mettre à part quand il s'agit de grâces — l'Église fêtera dans la joie le jour de sa nativité.

Autrefois, Zacharie avait ardemment désiré un fils ; mais il est probable qu'il n'y pensait plus et que ses prières avaient maintenant un autre objet. Avec tout le peuple qu'il représente, il demande à Dieu de hâter l'avènement du

Messie. Dieu exauce en même temps ses vœux de jadis et ceux d'aujourd'hui, en lui promettant un fils qui fraiera les voies au Libérateur d'Israël et au Sauveur du monde.

L'annonce était si imprévue et si extraordinaire que Zacharie, ne se possédant plus et craignant d'être le jouet d'un rêve, osa demander un signe qui lui en garantît l'accomplissement : « Comment saurai-je qu'il en sera ainsi, car je suis vieux et ma femme est avancée en âge ? » Cette question, excusée en partie par le trouble et l'inadvertance, impliquait cependant un doute injurieux au ciel. La réponse de l'ange fut sévère : *Je suis Gabriel, celui qui se tient devant la face de Dieu. J'ai été envoyé pour te communiquer cette bonne nouvelle; et voici que tu seras muet, incapable de prononcer une parole, parce que tu n'as pas cru à ma promesse qui s'accomplira en son temps.* En pareil cas, Abraham, Moïse, Gédéon, Ézéchias, avaient aussi demandé un signe qui ne leur avait pas été refusé; mais nous sommes au seuil de l'Évangile et Dieu réclame maintenant des hommes une foi plus prompte et plus entière. Zacharie obtient un signe qui est en même temps un châtiment et une faveur : un châtiment pour sa foi imparfaite et une faveur pour les autres qui ne pourront plus douter de la mission providentielle de Jean.

Le dialogue de l'ange et du prêtre n'avait pas pris plus de temps qu'il n'en faut pour le raconter; mais déjà au dehors le peuple était inquiet; car, d'ordinaire l'offrande de l'encens durait peu et l'on était impatient d'entonner le chant joyeux des hymnes. Lorsque Zacharie parut enfin, on comprit, à son air et à ses gestes, qu'un événement extraordinaire, dont personne ne pouvait deviner la nature, avait causé ce retard[1].

---

1. Nous supposons, avec la plupart des auteurs, que la scène se passe au sacrifice quotidien du matin, le plus solennel des deux. Dès la pointe du jour, on tire au sort celui qui offrira l'encens dans le Saint. Zacharie est désigné et il choisit deux parents ou amis pour lui préparer l'autel des parfums. L'un retire la cendre du jour précédent, l'autre étend les charbons ardents sur l'autel ; cela fait, ils se retirent et Zacharie entre *seul ;* mais il attend, pour répandre l'encens sur le brasier, qu'un signal lui soit donné du dehors. Pendant ce temps, tout le peuple prie en silence. Le rite accompli, le prêtre sort *immédiatement* et la flamme de l'autel des sacrifices consume l'holocauste, immolé d'avance, au bruit des chants et des instruments de musique. La cérémonie est décrite dans la Mishna, traité *Tamid.* On peut voir aussi Billerbeck, t. II, p. 71-79, ou Edersheim, *Life and Times*, t. I, p. 133-143.

La semaine achevée, Zacharie rentra dans son village et quelque temps après Élisabeth sentit qu'elle serait mère. Ivre de joie et de reconnaissance, elle resta cinq mois confinée dans sa demeure, disant : « Voilà donc ce que le Seigneur m'a fait, quand il lui a plu de lever l'opprobre qui pesait sur moi devant les hommes. »

Plusieurs attribuent la réclusion volontaire d'Élisabeth à la honte et à la crainte de cette espèce de ridicule qui s'attache, aux yeux des mondains, à une fécondité tardive. Mais si elle avait obéi à ce sentiment mesquin, c'est vers la fin de sa grossesse et non pas au début qu'elle se fût dérobée aux regards. Ne voulait-elle pas plutôt tenir dans l'ombre le don céleste et garder pour elle un secret que Marie, instruite par révélation divine, devait être la première à connaître ? Nul doute que Zacharie ne partageât son isolement. Son mutisme le séquestrait de la société des hommes et il n'avait aucun désir de satisfaire une curiosité importune. Les deux époux vécurent donc dans la retraite jusqu'au jour où la visite inopinée de la Vierge vint les tirer de leur solitude[1].

IV. Marie chez Élisabeth (Luc. i, 39-55).

L'un des sentiments les plus purs et des plaisirs les plus délicats du cœur humain est la joie du bonheur d'autrui et le besoin de s'y associer, surtout quand il s'agit de personnes unies par l'amitié ou la communauté du sang. Chez Marie, l'inspiration du ciel avait devancé l'inclination naturelle. En apprenant la faveur dont sa parente avait été l'objet, son premier mouvement fut d'aller la féliciter[2]. Ce qui la pressait

---

1. Lc. 1[24-25] : « Quelque temps après, Élisabeth conçut et *elle se tenait cachée durant cinq mois*, disant », etc. On se tromperait fort si l'on croyait que la réclusion volontaire a cessé après le cinquième mois. Cette date n'est là que pour amorcer le récit de l'annonciation, selon l'habitude bien connue de S. Luc, dans l'Évangile et dans les Actes.

2. Lc. 1[39] : « En ces jours-là, Marie partit en toute hâte pour la montagne, vers une ville de Juda. » Le grec μετὰ σπουδῆς (en diligence, sans perdre de temps) est un peu moins fort que le latin *cum festinatione* et le complément circonstanciel « en ces jours-là » (ἐν ταῖς ἡμέραις ταύταις), après le récit de l'annonciation, laisse une certaine latitude.

Les mots « vers la *montagne* » (εἰς τὴν ὀρεινήν) peuvent se prendre au sens général « vers le massif montueux de Judée » ou au sens spécial

de partir, ce n'était pas la curiosité ni l'envie de constater la
véracité du message céleste, dont elle ne doutait pas, mais le
désir de remplir un devoir de charité et la perspective de se
rendre utile. Elle ne pouvait pas entreprendre seule un si
long voyage. Elle dut attendre qu'un de ses proches consentît
à l'accompagner ou qu'une caravane de pèlerins se mît en
marche pour Jérusalem. La date traditionnelle de l'Annonciation, vers la fin de mars et aux environs de la Pâque,
cadre bien avec la seconde hypothèse.

Quelle parenté unissait Élisabeth, fille d'Aaron et de la
tribu de Lévi, à Marie, issue de David et de la tribu de Juda?
Était-elle sa tante maternelle? Leur différence d'âge le ferait
supposer. Ou bien leurs mères étaient-elles sœurs? C'est
possible encore, car rien n'interdisait à une femme de la famille
d'Aaron d'épouser un membre de la tribu de Juda. Que Marie
fût la nièce ou la cousine d'Élisabeth, elle était toujours sa
proche parente : c'est tout ce que saint Luc affirme et tout ce
qu'il nous importe de savoir[1].

Dix localités ont revendiqué la gloire d'avoir abrité le
berceau du Précurseur[2]; et l'Évangile, qui se borne à mentionner une *ville située dans les montagnes de Judée*, ne nous
aide guère à faire notre choix; car toute la Judée, depuis
Béthel jusqu'à Hébron, est un pays de montagnes. Mais le
seul emplacement qu'une sérieuse tradition désigne est le
village d'Aïn-Karim, dans le massif des monts de Juda, à une
lieue et demie de Jérusalem. La tradition, quoique déjà vieille

« vers le district appelé *la Montagne* dont Jérusalem était la capitale ».
   Les mots « vers une ville de Juda » (εἰς πόλιν Ἰούδα) pourraient signifier à la rigueur « une ville appelée Juda »; mais si S. Luc avait voulu
dire cela, il se serait exprimé autrement pour éviter l'équivoque. Il
faut donc entendre « une ville de Juda » que S. Luc s'abstient de
nommer à cause de son peu d'importance ou parce qu'il en ignore le
nom.
   1. Un écrivain du VIIᵉ ou VIIIᵉ siècle, Hippolyte de Thèbes, dit que
Marie et Élisabeth étaient cousines germaines, étant nées de deux filles
du prêtre Mathan. Mais que vaut un témoin si tardif? La citation de
Nicéphore Calliste, qui le prend pour Hippolyte de Porto, ne lui ajoute
aucune valeur nouvelle.
   2. Le P. Buzy (*S. Jean-Baptiste*, 1922, p. 54) nomme « Machéronte,
Sébaste, Bethléem, Jérusalem, Hébron, Juttah, Juda de Nephtali, Beit-
Skaria, Beit-Cha'an, Aïn-Kârem ». Aucune de ces localités, sauf la
dernière, n'a de vrais titres à produire.

au temps des croisades, ne serait pas décisive si elle était contre-balancée par une tradition rivale ; mais ce n'est pas le cas et le village d'Aïn-Karim, répondant bien aux données du texte sacré, doit évidemment l'emporter sur des compétiteurs sans titres [1].

La rencontre de Marie et d'Élisabeth a souvent inspiré le pinceau des artistes chrétiens. Quel saisissant effet de contraste que cette matrone au front ridé s'inclinant avec respect devant la rayonnante jeunesse de la Vierge très pure ! Les peintres ont coutume d'animer la scène par la présence de quelques témoins et sans doute ont-ils raison, car Marie ne venait pas seule et l'arrivée d'un étranger dans un village d'Orient attire en général plus d'un visiteur. Au son de la voix de Marie, Élisabeth sentit tressaillir l'enfant qu'elle portait dans son sein. Elle-même fut remplie du Saint-Esprit et l'on voit par ses paroles que le mystère de l'incarnation lui fut révélé. Dans un élan d'enthousiasme prophétique, elle s'écria :

---

1. Aïn-Karim, gros village appelé par les chrétiens Saint-Jean-in-Montana, est situé à sept kilomètres ouest de Jérusalem, dans un gracieux vallon, au pied de verdoyantes collines. Il doit son nom a sa belle *source* (*Aïn*) et aux vignobles qui l'entourent (*kerem* en hébreu, *karm* en arabe, signifie *vigne*).

La tradition en faveur d'Aïn-Karim est ferme à partir du XIIe siècle, mais elle remonte beaucoup plus haut. Le pèlerin Théodose (vers 530) place la maison d'Élisabeth à cinq milles de Jérusalem, ce qui est la vraie distance d'Aïn-Karim. Le moine Épiphane (IXe siècle) en indique la distance et la direction « à six milles à l'ouest de Jérusalem ». L'higoumène russe Daniel (vers 1110) en donne la description et y signale la présence d'une église.

D'après S. Luc, Élisabeth habitait au *pays montagneux* (1[39] et 1[65] : ἐν τῇ ὀρεινῇ). Or, dans la division de la Judée en dix (Pline) ou onze (Josèphe) toparchies, le *pays montagneux* (ἡ ὀρεινή) désignait les environs de Jérusalem : « Orine in qua fuere Hierosolyma » (Pline, *Hist. nat.*, v, 14 ; cf. Josèphe, *Bellum*, IV, VIII, 1). Nouvelle confirmation en faveur d'Aïn-Karim. L'église de Saint-Jean, rendue aux Franciscains grâce à l'intervention de Louis XIV et restaurée par eux est, dans ses parties anciennes, antérieure aux croisades.

Depuis Reland (1714) un certain nombre d'auteurs traduisent εἰς πόλιν Ἰούδα par « vers une ville *appelée Iouda*, et pensent qu'il s'agit de Ioutta (Josué, 15[55] ; et 21[16]), ville sacerdotale, qu'ils identifient avec un village situé sur une colline assez élevée, à une dizaine de kilomètres au sud d'Hébron. Mais Ἰούδα ne peut pas être la transcription de Ioutta (notez le *t* emphatique et le redoublement ; les Septante transcrivent Ἰεττά). La prononciation actuelle du village en question est *Iaththa*. Ajoutez l'absence de tradition et l'affaire de Ioutta est réglée.

Bénie êtes-vous entre toutes les femmes et béni soit le fruit de vos entrailles! D'où me vient cette grâce que la mère de mon Seigneur daigne venir à moi? Dès que votre salutation a frappé mon oreille, l'enfant, dans mon sein, a tressailli de joie. Bienheureuse celle qui a cru ce qui lui était annoncé de la part du Seigneur[1]!

Mystérieux tressaillement, où la mère inspirée d'en haut reconnaît un sursaut d'allégresse. La joie implique la conscience; voilà pourquoi beaucoup de Pères sont d'avis que le Précurseur eut un éclair d'illumination prophétique en présence de celui dont il devait un jour préparer les voies. Quelques-uns même sont disposés à croire que l'intelligence de l'enfant, éveillée au moment de la visitation, ne connut plus d'éclipse; mais ni l'Écriture ni la tradition ne nous autorisent à les suivre aussi loin et peut-être convient-il de réserver à la Vierge seule un privilège si extraordinaire[2].

Ce que l'Écriture et la tradition permettent d'inférer avec assurance, c'est que le Précurseur fut investi de la grâce sanctifiante avant de voir la lumière. Le cas de saint Paul, prédestiné à l'apostolat, et celui de Jérémie, *sanctifié* dès le sein de sa mère, sont tout différents. La prédestination à l'apostolat ne confère pas la grâce sanctifiante; et la sanctification, dans l'Ancien Testament, n'est souvent qu'une consécration au service de Dieu, tandis que la plénitude du Saint-Esprit rend toujours l'âme sainte ou la suppose telle. Aussi, bien que l'Église n'ait rien défini sur ce point, la sanctification du Baptiste avant sa naissance est un sentiment commun dont on ne s'écarterait pas sans témérité.

---

1. Lc. 1[42-45]. Les meilleurs manuscrits de la Vulgate, conformément au texte grec, ont « Beata quae *credidit* quoniam perficientur ea quae dicta sunt *ei.* » C'est Marie qui est visée mais dans une maxime générale. Elle est bienheureuse d'avoir cru *parce que* s'accomplira, etc. ou mieux : « elle est bienheureuse d'avoir cru *que* s'accomplira ». ὅτι (*quoniam*) comporte les deux sens, mais le second est préférable.

2. Lc. 1[15] : « Il sera rempli du Saint-Esprit étant encore dans le sein de sa mère » (ἔτι ἐκ κοιλίας). Sur le cas de Jérémie, voir Condamin, *Recherches*, 1912, p. 446-7. Sur l'opinion des Pères concernant ces questions, voir Buzy, *S. Jean-Baptiste*, 1922, p. 64-96. S. Ambroise, Origène et plusieurs bons théologiens seraient d'avis « que la raison, comme la grâce, lui a été accordée d'une manière permanente » dès avant sa naissance.

En présence de tous ces prodiges, Marie sent son âme déborder d'enthousiasme et elle entonne le *Magnificat* :

Mon âme glorifie le Seigneur et mon esprit exulte en Dieu mon sauveur, parce qu'il a jeté les yeux sur la bassesse de sa servante. Voici que toutes les générations m'appelleront bienheureuse, car le Tout-puissant a fait en moi de grandes choses, lui dont le nom est saint.

Sa miséricorde s'étend d'âge en âge sur ceux qui le craignent. Il a déployé la force de son bras; il a dispersé les superbes; il a renversé de leur trône les puissants et exalté les faibles; il a comblé de biens les affamés et renvoyé les riches les mains vides.

Il a pris soin d'Israël son serviteur, en souvenir de sa miséricorde, selon la promesse faite à nos pères, en faveur d'Abraham et de sa race, à jamais [1].

L'hymne de Marie n'est ni une réponse à Élisabeth, ni proprement une prière à Dieu; c'est une élévation et une extase. Les réminiscences bibliques s'y pressent. La plupart des idées sont empruntées aux prophètes et aux psaumes. Deux ou trois expressions rappellent le cri de reconnaissance d'Anne, mère de Samuel, et le cri de joie de Lia, mère adoptive d'Aser. Mais quel son différent rendent les paroles d'Anne et de Lia dans la bouche de la Vierge immaculée !

Les improvisations poétiques n'étaient pas rares chez les anciens Hébreux et il en est encore aujourd'hui dans le monde sémitique comme en ces temps reculés [2] : « La poésie est le langage des impressions véhémentes et des idées sublimes.

---

1. Lc. 1[46-55]. La thèse de Harnack, Loisy et autres, qui attribuaient le *Magnificat* à Élisabeth, n'a plus guère qu'un intérêt historique. Voyez Durand, dans *R.B.*, 1898, p. 74-77 ou Lagrange, *Saint Luc*, p. 44-45.

Plummer (dans son *Commentary*, 1996, p. 30-31) donne en tableau synoptique le *Magnificat* avec les allusions à l'Ancien Testament. Il n'est pas un verset qui ne contienne une ou plusieurs réminiscences.

On n'est pas d'accord sur la division strophique et pour cause. Plusieurs distinguent quatre strophes (Schanz, Plummer, etc.) ; d'autres en trouvent sinq (Grimm et Zorell, dans leur traduction en hébreu du *Magnificat*). Nous préférons couper le texte d'après les *trois* sentiments exprimés, sans nous inquiéter de la division strophique par trop incertaine.

2. Didon, *Jésus-Christ*, 1891, p. 112.

Chez les peuples d'Orient, elles jaillissent d'inspiration. »
L'âme chante surtout aux moments de crise nationale ou d'exaltation religieuse. C'est ainsi que les héroïnes d'Israël avaient
su trouver des accents lyriques pour célébrer le secours divin,
le salut de leur patrie et leurs propres exploits : Marie, sœur
de Moïse, au passage de la mer Rouge; Débjra, après la défaite
des Cananéens dont le Cison roulait les cadavres; Anne,
mère de Samuel, quand Dieu, miraculeusement, l'eut rendue
mère du prophète; Judith, à la mort d'Holopherne tombé sous
son poignard. Au souffle de l'inspiration, leur chant revêtait
une forme rythmée et cadencée, sans toutefois s'assujettir
aux lois d'une métrique gênante. Marie, elle, chante la puissance du bras de Dieu et la libération de son peuple, en
s'oubliant elle-même, si ce n'est pour proclamer sa bassesse.
Elle donne un libre cours aux trois sentiments qui rem-
plissent son âme : l'humble gratitude au souvenir des grandes
choses que Dieu vient d'opérer en elle; l'admiration pour la
sagesse et la miséricorde de Celui qui abaisse les puissants
et exalte les faibles; enfin la joyeuse assurance que Dieu se
prépare à remplir ses promesses, en envoyant à son peuple
un libérateur

V. Naissance et circoncision du Précurseur
(Luc, i, 57-80).

Marie demeura environ trois mois dans la maison d'Élisabeth[1]. Cette indication sommaire ne nous permet pas
d'affirmer qu'elle y attendit la naissance et la circoncision de
l'enfant. S'il nous fallait trancher la question par voie d'autorité, l'embarras serait extrême, car les autorités se balancent.
Mais comment supposer qu'après un si long voyage entrepris pour assister sa parente et après toute une saison passée
avec elle, Marie l'abandonne brusquement, juste à l'heure
où son état réclamera plus de soins, à la veille du jour
où les deux familles seront en fête, au moment où va naître le
Précurseur du Verbe incarné? Hésiterions-nous s'il s'agissait d'une autre femme et faut-il prêter à Marie moins de
souci des obligations de famille et des convenances sociales[1]?

1. Lc. 1⁵⁶ : « Marie demeura avec elle environ trois mois et elle retourna
dans sa maison. » Cette courte note est placée avant la naissance de
Jean, parce que S. Luc veut conclure tout ce qui a trait à la visitation.

A la naissance de l'enfant, parents et amis vinrent en
foule féliciter la mère. Le concours fut encore plus grand le
huitième jour, lorsqu'il s'agit de circoncire le nouveau-né et
de lui imposer un nom. Les parents assemblés proposaient
de l'appeler Zacharie. Ce n'était guère l'usage de donner à un
fils le nom de son père; mais on supposait sans doute que
Zacharie, vieux et infirme, n'avait pas longtemps à vivre et
que l'enfant hériterait bientôt d'un nom honoré. Élisabeth au
contraire soutenait avec force qu'il devait s'appeler Jean. On
avait beau lui représenter que personne dans la parenté ne
s'appelait ainsi, elle persistait dans son sentiment, soit qu'elle
fût inspirée d'en haut, soit que son mari lui eût fait connaître
l'ordre formel de l'archange. On interrogea alors le père par
signes, car il était — ou on le croyait — frappé de surdité
aussi bien que de mutisme. Il se fit apporter un poinçon et
une tablette enduite de cire et y traça ces mots : « Jean est
son nom. » L'accord du père et de la mère à choisir un nom
étranger aux membres de la famille surprit tous les assistants,
car personne n'en pouvait deviner la cause; mais la surprise
se changea en stupeur quand on entendit Zacharie, célébrer
en termes prophétiques les louanges de Dieu.

*Béni soit le Seigneur, Dieu d'Israël, de ce qu'il a visité et
racheté son peuple, en nous suscitant un sauveur puissant
dans la maison de David, son serviteur. C'était la promesse,
promulguée jadis par ses saints prophètes, de nous sauver de
nos ennemis, de nous arracher aux mains de nos persécuteurs, de faire miséricorde à nos pères, de se souvenir de son
alliance sainte. Car il avait juré à notre père Abraham
que, délivrés de nos adversaires, nous pourrions le servir
sans crainte, dans la sainteté et la justice, tous les jours de
notre vie.*

*Et toi, petit enfant, tu seras appelé prophète du Très-Haut,
tu marcheras devant le Seigneur pour préparer ses voies,
pour donner la science du salut à son peuple par la rémission des péchés. C'est un effet de la miséricordieuse bonté*

Il ne s'ensuit pas que Marie soit partie avant la naissance du Précurseur. Les tenants des deux opinions sont énumérés par Knabenbauer,
les raisons pour et contre discutées par Maldonat.

de notre Dieu, qui d'en haut a fait jaillir sur nous sa
lumière, pour éclairer ceux qui étaient assis dans les
ténèbres et à l'ombre de la mort, pour diriger nos pas dans
le chemin de la paix[1] *!*

Le *Benedictus* de Zacharie, rythmé comme une hymne, à
l'égal du *Magnificat*, est tissu de passages empruntés aux
psaumes et surtout aux prophètes. On peut, si l'on veut, y
distinguer cinq strophes, dont les trois premières chantent
la réalisation des promesses, faites jadis par Dieu sous la
foi du serment, de venir délivrer son peuple et de lui donner
un Sauveur issu de David; les deux dernières prédisent le
glorieux avenir de l'enfant qui vient de naître. Il marchera
devant le Seigneur pour lui préparer les voies en disposant
les hommes à le recevoir; il sera l'aurore du soleil de justice et de sainteté qui va se lever sur le monde, pour illuminer le genre humain, comme l'avaient annoncé les prophètes.
   Laissons maintenant l'enfant du miracle « croître et se
fortifier en esprit » et revenons avec Marie à Nazareth où
l'attend une cruelle épreuve.

VI. L'anxiété de Joseph (Matthieu, i, 18-25).

   Nous avons dit que chez les Hébreux les fiançailles équi-
valaient au mariage et n'en différaient que par la cohabitation
des nouveaux époux. D'autre part, la réponse de Marie à
l'ange : « Je ne connais point d'homme », exclut évidemment,
pour l'avenir comme pour le passé, tout rapport conjugal.

---

1. Lc. 1[68-79]. — Plummer (*Commentary*, p. 39) met en regard du
texte les passages parallèles de l'Ancien Testament. Il signale *six* réminiscences des psaumes et *sept* des prophètes; un seul verset est sans
parallèle (la rémission des péchés).
   Le langage *biblique* offre quelques obscurités. Ainsi les *Pères* sont
les patriarches, les gens *assis à l'ombre de la mort* sont les païens plongés
dans une ignorance mortelle, *une corne de salut* (*cornu salutis*) désigne
un sauveur puissant, *le serment fait à Abraham* est une allusion à Gen.
22[16] ;Ex. 2[24], etc.
   La division en deux parties est claire (68-75 et 76-79). La plupart
des auteurs y comptent *cinq strophes*; mais Grimme (*Die Oden Salomos*,
p. 112) y découvre *sept* distiques. Le mieux est de s'en tenir à la division marquée par le sens.

Il faut donc supposer entre les deux fiancés, une entente expresse ou tacite, antérieure au contrat d'union, en vertu de laquelle Joseph se constitue le fidèle gardien de la virginité de Marie, de sorte que celle-ci n'ait plus rien à redouter sous un tel patronage.

Les sentiments des Juifs sur le mariage et la continence avaient évolué au cours des siècles. On n'en était plus au temps où la fille de Jephté allait, inconsolable, pleurer sur les montagnes sa virginité consacrée à Dieu par un père imprudent. Élie, Élisée, Jérémie, d'autres saints personnages, avaient vécu dans le célibat. Au début de notre ère, les esséniens l'observaient en masse; ainsi que les thérapeutes, s'ils ne sont pas un produit de l'imagination créatrice de Philon. La continence du Baptiste trouvait alors des imitateurs et le veuvage était universellement honoré. Le mutuel engagement de Marie et de Joseph n'a donc rien d'invraisemblable en soi : sans compter qu'il ne faut pas mesurer à notre aune les saints favorisés de grâces extraordinaires, ni appliquer nos idées étroites à ceux que Dieu a placés sur un haut piédestal, pour servir de modèle ou d'idéal au reste des hommes.

Au moment de l'annonciation, les deux époux, bien qu'unis par un véritable mariage, n'habitaient pas encore sous le même toit. Dans ces conditions, il n'est pas probable que Joseph ait accompagné Marie auprès d'Élisabeth. S'il avait assisté à leurs entretiens, il aurait connu le mystère de l'incarnation et son épreuve même montre assez qu'il l'ignorait. La Vierge n'avait pas jugé à propos de lui communiquer le message de l'ange, soit qu'elle fût retenue par une réserve instinctive et un sentiment de pudeur virginale, soit plutôt qu'elle ne crût pas devoir divulguer le secret divin, dont elle était seule dépositaire, jusqu'à ce que le ciel en eût disposé autrement.

Or, peu de temps après son retour à Nazareth, les premiers signes de la maternité apparurent en elle et frappèrent les regards de Joseph, comme ceux de tout son entourage. L'angoisse du saint patriarche fut inexprimable. Il connaissait la vertu de Marie et sa résolution de rester toujours vierge. Convaincu de son innocence, il se trouvait en présence d'un

mystère troublant, dont rien ne l'aidait à soulever le voile. Aurait-elle été victime de quelque violence durant son double voyage et son séjour prolongé auprès d'Élisabeth? Son silence obstiné s'expliquerait bien dans cette hypothèse. Peut-être aussi l'idée d'un miracle et d'une conception virginale vint-elle à l'esprit de Joseph. Quoi qu'il en soit, il se demanda si sa place était désormais auprès de Marie et s'il avait le droit de servir de père au fils qui naîtrait d'elle. Mais comment rompre le lien qui les unissait, sans porter atteinte à sa réputation?

Le problème qui lui paraissait insoluble était de rendre à Marie sa liberté tout en sauvegardant son honneur. Il est des circonstances dans la vie où il est plus facile de faire son devoir, si pénible soit-il, que de le discerner clairement. *Comme Joseph son époux était juste et qu'il ne voulait pas la décrier, il forma le dessein de la renvoyer secrètement*[1].

1. Mt. 1 [18-20]. Il importe d'envisager les divers aspects de ce petit drame, rendu obscur par la concision extrême du récit.

A) *La condition de Marie.* — Elle était la *fiancée* ou, si l'on veut, *l'accordée* de Joseph (μνηστευθείσης τῷ 'Ιωσήφ), mais cela doit s'entendre d'un véritable mariage, à la manière juive. Voilà pourquoi Joseph est appelé son *époux* (ἀνὴρ αὐτῆς) et elle-même est appelée *femme* de Joseph (Μαρίαν τὴν γυναῖκά σου).

B) *Le moment de la crise.* — C'était *avant* la cohabitation des nouveaux époux (πρὶν ἢ συνελθεῖν αὐτούς). Plusieurs entendent συνελθεῖν (*convenirent*) des rapports conjugaux; mais ce sens est improbable, car l'évangéliste ajoute aussitôt que Marie avait conçu du Saint-Esprit et l'ange commande à Joseph de *prendre avec lui* sa femme (παραλαβεῖν), c'est-à-dire évidemment de la prendre dans sa demeure, d'inaugurer la cohabitation. S. Matthieu exprime les rapports conjugaux par un autre verbe (non *cognoscebat eam*, οὐκ ἐγίνωσκεν).

C). *La découverte de la grossesse de Marie.* — Elle eut lieu après son retour à Nazareth, environ quatre mois après l'annonciation, et par les indices naturels que Joseph dut remarquer comme les autres. *Inventa est in utero habens de Spiritu Sancto* (εὑρέθη ἐν γαστρὶ ἔχουσα) : « *On la trouva* enceinte » ou mieux peut-être : « *Il se trouva* qu'elle était enceinte. » Joseph n'est pas mis spécialement en cause et peu de gens souscriront à l'opinion particulière de S. Jérôme : « Non ab alio inventa est nisi a Joseph, qui paene licentia maritali futurae uxoris omnia noverat. »

D) *L'état d'esprit de Joseph.* — Il ignorait le mystère de l'incarnation, les paroles de l'ange montrent assez qu'il fallait l'en instruire. *Parce qu'il était juste* (δίκαιος ὤν), *il ne voulait pas* (μὴ θέλων) *décrier* son épouse (δειγματίσαι); il *songeait* donc (ἐβουλήθη) à la *renvoyer secrètement* (ἀπολῦσαι λάθρᾳ). — Le mot δειγματίζειν, très rare, a le même sens que παραδειγματίζειν, « faire un exemple, un affront ». Dans un papyrus

Le difficile était de le réaliser. Pour annuler les fiançailles, tout comme pour dissoudre le mariage, il fallait un acte public, passé devant témoins, qui permît à la femme répudiée de contracter une nouvelle union. Peut-être une longue absence, motivée par des raisons plausibles, répondrait le mieux au but désiré. Ce n'était là sans doute qu'un expédient précaire ; mais il faisait gagner du temps et le temps éclaircit bien des situations. Des divers partis à prendre, Joseph voyait surtout les inconvénients et il ne savait à quoi se résoudre. Au demeurant, rien n'était encore décidé ; tout était en suspens. S'il l'avait crue coupable, son devoir — ou du moins son droit — était de lui mettre en main le livret de divorce, quelles qu'en pussent être les conséquences. La sachant innocente, il cherchait vainement le moyen de concilier son désir de la rendre libre avec le souci de ne pas la déshonorer.

Dans une telle perplexité, l'homme sage recourt à la prière. Ainsi dut faire le juste Joseph. Il leva les yeux au ciel pour implorer l'aide d'en haut. Dieu eut enfin pitié de lui et le tira de sa détresse : *L'ange du Seigneur lui apparut en songe et lui dit : « Joseph, fils de David, ne crains pas de prendre avec toi Marie ton épouse ; ce qui est conçu en elle est l'œuvre du Saint-Esprit, mais elle enfantera un fils que tu appelleras Jésus, parce qu'il doit sauver son peuple de ses iniquités*[1]. »

Sur ce pénible incident, les sentiments des Pères sont très

égyptien, δειγματισμός est accolé à λοιδορία. Cf. Moulton-Milligan, *Vocabulary*, p. 137-8. L'affront fait à Marie serait de l'exposer aux bavardages, aux caquetages féminins. C'est ce que Joseph *veut* éviter (μὴ θέλων) à tout prix. Il *délibère* (ἐβουλήθη) sur le parti à prendre. Βούλεσθαι n'est pas synonyme de θέλειν. Il signifie « désirer, projeter » ; et Platon, dans le Protagoras, se moque agréablement d'un sophiste qui trouvait une nuance entre βούλεσθαι et ἐπιθυμεῖν. D'ailleurs le sens est expliqué plus bas : « Pendant qu'il *réfléchissait,* qu'il songeait à cela » (ταῦτα αὐτοῦ ἐνθυμηθέντος). Aucune résolution ferme n'est encore prise.

1. Mt. 1 [20-21]. — L'ange apparut κατ' ὄναρ (*in somnis*), expression chère au premier évangéliste qui l'emploie cinq autres fois (2 [12-13. 19-22]; 27 [19]). De sa nature le rêve est trompeur mais κατ' ὄναρ ne signifie pas « en rêve » ; il est opposé à ὕπαρ, comme dans Platon (*Théétète*, 158B) : ὄναρ τε καὶ ὕπαρ = en état de *sommeil* et en état de *veille.* Dieu peut parler à l'âme durant le sommeil et lui donner ensuite la certitude qu'il a parlé (Gen. 20 [3-6]; Num. 12 [6]; Deut. 22 [4]; Job. 33 [15-16], etc.).

partagés. D'après les uns, Joseph connaissait par révélation
le mystère du Verbe incarné et il comprit la conception virginale de Marie aux premiers symptômes de sa maternité.
Chez lui, pas d'anxiété douloureuse, mais un violent assaut
d'humilité à la pensée de jouer auprès d'elle un rôle dont il
se croyait trop indigne. Opinion séduisante, si elle était moins
dénuée de preuves et plus conforme au texte évangélique.
D'autres, assez nombreux, pensent que Joseph douta réellement de l'innocence de Marie. Mais alors tout devient incompréhensible dans sa conduite. Un homme sage fonde-t-il des
résolutions graves sur un simple soupçon et son premier
devoir n'est-il pas d'éclaircir son doute ? Si contraire que ce
sentiment nous paraisse à l'honneur de Jésus, de sa mère et
de Joseph lui-même, nous l'embrasserions sans balancer si
l'Évangile nous y invitait; mais l'Évangile, étudié de près, ne
suggère rien de pareil. Peut-être le moyen terme proposé
par saint Jérôme ralliera-t-il tous les suffrages : « Comment
Joseph est-il appelé *juste* s'il cache le crime de son épouse ?
Ce qui témoigne précisément en faveur de Marie, c'est que
Joseph, connaissant sa chasteté et admirant ce qui est arrivé,
ensevelit dans le silence une chose dont il ignore le mystère[1]. »

1. Voyez, pour l'exégèse de ce passage, Patrizi (*De Evangeliis*,
Dissert. XV, t. II, p. 122-135); pour l'exposé des opinions diverses, le
commentaire de Knabenbauer.
  La plupart des Pères dont on connaît le sentiment (S. Justin, S. Hilaire, S. Ambroise, S. Chrysostome, S. Augustin et d'autres plus récents)
admettent chez Joseph *un soupçon véritable* et même, s'ils sont logiques,
plus qu'un soupçon. Ils sont suivis, encore de nos jours, par beaucoup
d'exégètes. Ainsi Fouard (*Vie de N.-S. J.-C.*, t. I, p. 44) : « Joseph
n'hésita pas à répudier une fiancée que l'honneur ne lui permettait pas
de garder. » De même Schanz et Fillion, quoique avec moins de
crudité.
  Salmeron, au contraire, croit que *Joseph connaissait le mystère de
l'incarnation et qu'il voulait s'éloigner de Marie par pure humilité.* Il
cite, en faveur de son opinion, Origène et S. Basile (mais les textes
allégués par lui ne sont pas de ces deux auteurs) et un certain nombre
de théologiens du xvie siècle, sans parler de sainte Brigitte.
  L'explication que nous avons adoptée, d'après S. Jérôme et *l'Opus
imperfectum* attribué faussement à S. Chrysostome, compte aujourd'hui
de nombreux partisans. Maldonat l'approuve : « Sententia (haec) nec a
veritate nec a pietate discedit. » Le P. Durand semble vouloir la concilier avec la première (*Saint Matthieu*, 1927, p. 8) : « Traiter Marie en
fiancée infidèle, il ne s'en sentait pas le droit, tant sa vertu la mettait
au-dessus de tout soupçon : et, d'autre part, il ne voulait pas s'exposer

Il se tait, car il ignore tout, sauf la vertu de Marie ; il ne s'arrête à aucun projet, sauf à mettre à couvert l'honneur de la Vierge, jusqu'à ce que le ciel ait parlé. Alors il s'empresse d'obtempérer à l'injonction reçue. Il prend Marie dans sa demeure avec le cérémonial accoutumé. Tous les deux se prêtent aux réjouissances d'usage et solennisent leur union autant que le permettent leurs modestes ressources et l'humilité de leur condition. Rien ne doit les distinguer au dehors des époux ordinaires. Chargé de donner un nom à l'enfant, Joseph assume le rôle de chef de famille. Puisque le mystère de la conception virginale ne peut pas être encore révélé aux hommes, mal préparés à le recevoir, il faut que tout se passe sous le voile du mariage et la présence de Joseph à Nazareth est indispensable pour sauvegarder l'honneur de la Vierge-mère et celui de l'Enfant divin.

Elle l'est aussi pour une autre raison. Les prophètes avaient prédit que le Sauveur serait le descendant de David et son successeur sur le trône d'Israël. C'est grâce à Joseph, son père légal, qu'on reconnaîtra l'héritier de David, car sa mère n'a pas qualité pour lui transmettre les droits à la couronne. Voilà pourquoi les deux évangélistes qui ont raconté brièvement l'enfance de Jésus font aboutir l'un et l'autre sa généalogie, non pas à Marie, mais à Joseph[1].

VII. L'héritier de David.

Les Sémites attachaient à leur lignage une importance telle que, chez les Arabes, toute biographie de guerrier, de poète ou de savant, commence par une longue liste d'ancêtres. Les Hébreux avaient un intérêt supérieur à conserver le souvenir

à violer la Loi, en devenant le complice d'une faute. » Le Camus (*Vie de N.-S. J.-C.*, 1921, t. I, p. 180) est plus net ; mais il suppose que Marie n'était unie à Joseph que « par une simple promesse de mariage, par un simple lien verbal », facile à rompre sans étonner personne. La formule du P. Lagrange (*L'Évangile de J.-C.*, 1928, p. 27) nous paraît meilleure : « Dans son anxiété, le parti le plus prudent lui parut être de rendre à Marie sa liberté, avec tant de discrétion que personne ne pût la soupçonner d'une faute. » Mais il faut bien noter qu'aucune résolution n'était prise encore.

1. Voir la note D : *La double généalogie de Jésus.*

et les titres de leur descendance. On sait qu'au retour de la captivité plusieurs prêtres furent exclus de la caste sacerdotale, faute de pouvoir démontrer, pièces en main, qu'ils étaient issus du sang d'Aaron; et des particuliers furent privés du droit de cité, pour n'avoir pas pu établir leur qualité d'Israélites. Cette preuve était nécessaire à tous pour rentrer en possession de leurs biens de famille, à l'époque du jubilé. Deux tribus surtout devaient tenir à leur arbre généalogique : la tribu sacerdotale de Lévi et la tribu souveraine de Juda. Admettrait-on, sur la foi de Jules Africain, qu'Hérode à son avènement ait fait détruire les registres contenant la généalogie des familles nobles, pour dissimuler la bassesse de son origine, cette mesure ne pouvait atteindre que les archives publiques et les documents privés y auraient échappé; mais tout porte à croire que le fait est controuvé. En effet Josèphe, dans son autobiographie, voulant prouver la noblesse et l'ancienneté de sa race, se réfère aux archives du Temple et y renvoie les lecteurs qui douteraient de ses dires. Il nous apprend ailleurs avec quel soin les prêtres, même en Égypte et à Babylone, se gardaient de toute mésalliance. Les membres de la famille royale de David devaient y être plus attentifs encore. Aussi quand Domitien ordonna de mettre à mort les descendants de David, on n'eut pas de peine à les reconnaître ; et nous savons par Hégésippe que des parents éloignés de Jésus ne durent leur salut qu'à la médiocrité de leur fortune.

Les évangélistes purent donc aisément se procurer une généalogie du Sauveur. Celle que reproduit saint Matthieu descend d'Abraham à Jésus et comprend trois séries de quatorze noms chacune, aboutissant : la première à David, la seconde à la captivité et la troisième à Joseph, père légal de Jésus. Cette distribution n'est pas accidentelle mais voulue, comme le prouve le résumé final : *Somme des générations; d'Abraham à David, quatorze générations; de David à la captivité de Babylone, quatorze générations; de la captivité de Babylone au Christ, quatorze générations.* Le nombre fatidique de quatorze est un artifice commode pour aider la mémoire et fermer la porte aux additions et aux soustractions frauduleuses; il est possible également qu'il soit symbolique, les lettres du nom de David, selon leur valeur numérique,

donnant en hébreu un total de quatorze. Pour ne pas le dépasser, saint Matthieu omet quelques noms dans chaque série.

Saint Luc ne remonte pas seulement jusqu'à Abraham mais
jusqu'au père du genre humain. Aux deux extrémités de sa
liste généalogique figurent Adam et le Christ, ces deux termes
opposés du plan rédempteur, se répondant l'un à l'autre
comme le type à l'antitype, comme l'ébauche au chef-d'œuvre.
Tous les deux représentent l'humanité, l'un pour la perdre,
l'autre pour la sauver; et à côté d'eux se trouvent deux
femmes, dont l'une provoque la chute et l'autre coopère au
relèvement. Tous les deux aussi échappent à la loi commune
de la génération naturelle et sortent immédiatement des mains
du Créateur : Adam est tiré du limon de la terre et animé par
le souffle de Dieu ; Jésus est formé du sang d'une vierge, fécondée par le Saint-Esprit.

Pour dresser leur tableau généalogique, jusqu'à la captivité
de Babylone, les évangélistes n'avaient qu'à transcrire les
listes de la Bible. A partir de ce point, il fallait s'en rapporter aux documents transmis de mémoire ou consignés dans les
archives de famille. Ces documents, ils n'avaient pas le moyen
de les contrôler et ils ont dû les copier tels quels, comme font
les livres d'Esdras et des Paralipomènes, sans s'inquiéter de
les harmoniser. Les anciens, en fait de généalogie, étaient
moins exigeants que nous. Dans saint Matthieu, Joram *engendre* Ozias, qui n'est que son arrière-petit-fils. Il est possible
que la liste de saint Luc, avec une expression beaucoup plus
vague, comporte encore plus de latitude et que la relation ne
soit pas toujours de père à fils, au moins dans l'ordre de la
descendance naturelle.

En comparant les deux listes, une grave divergence saute aux
yeux. A partir de David, tous les noms diffèrent, sauf Salathiel
et Zorobabel : ce qui, loin d'atténuer la difficulté, l'aggrave.
Un grand nombre d'auteurs modernes, tant protestants que
catholiques, se sont ralliés à une solution très simple en
apparence. D'après eux, Matthieu nous donnerait la généalogie de Joseph par Salomon et Luc celle de Marie par Nathan,
fils aîné de David. Le texte de saint Luc se prête malaisément
à cette hypothèse; et comment se fait-il qu'avant le seizième
siècle aucun Père de l'Église, aucun commentateur digne de

ce nom, ne se soit avisé d'un expédient qui trancherait si aisément le nœud gordien. C'est qu'ils avaient tous le sentiment
très vif qu'une généalogie sémitique ne peut pas aboutir à une
femme. « Nous nous demanderions, dit saint Ambroise, pourquoi saint Luc donne la généalogie de Joseph et non celle de
Marie, si nous ne connaissions l'usage de l'Écriture qui trace
toujours la généalogie des hommes. » Saint Augustin va plus
loin : Jésus-Christ, dit-il en substance, est beaucoup plus le
fils de Joseph que si celui-ci l'avait adopté, car il est le fruit du
virginal — mais très réel — mariage de Joseph avec sa sainte
mère; « c'est pourquoi, prouverait-on que Marie n'est point
issue du sang de David, le Christ n'en serait pas moins le fils
de David, par cette raison que Joseph est à juste titre appelé
son père [1] ». D'ailleurs l'hypothèse est inadmissible, comme le
grand docteur se hâte de le déclarer, car Jésus est « de la
semence de David selon la chair, il est sorti de ses flancs ». Ces
fortes expressions manqueraient de justesse, si le sang de
David ne coulait dans les veines de la Vierge-mère [2].

C'était, dès le deuxième siècle, au temps de saint Ignace et
de saint Justin, un dogme indiscuté [3]. D'autres Pères le concluent du mariage même de Joseph et de Marie. Comme nous
l'avons dit plus haut, le mariage d'une vierge, qui veut rester
vierge, ne se comprend que par l'obligation de s'unir, en qualité d'héritière et de fille unique, à un membre de sa famille;
et même, d'après l'interprétation en vigueur chez les Juifs, à
son plus proche parent [4]. Ainsi la généalogie de Joseph est,
par le fait même, la généalogie de Marie.

1. S. Ambroise, *In Lucam*, lib. III, n° 3 (édit. Schenkl, p. 99); S. Augustin, *De consensu Evang.* lib. II, nᵒˢ 3 et 4 (Migne, XXXIV, 1072).

2. Rom. 1³ : *ex semine David secundum carnem.* — Act. 2³⁰ : *de fructu
lumbi ejus sedere super sedem ejus.*
Nous n'alléguerons pas Lc. 1²⁷ : « Gabriel fut envoyé à une vierge
fiancée à un homme de la maison de David. Et le nom de la vierge
était Marie. » S. Chrysostome fait rapporter les mots « de la maison de
David » à la vierge; d'autres les font rapporter à la fois à Joseph et
à Marie; mais la grammaire veut qu'ils qualifient seulement le mot le
plus rapproché, Joseph. Si S. Luc les appliquait à la vierge, il
n'ajouterait pas : le nom *de la vierge* était Marie », mais « *son* nom
était Marie ».

3. S. Ignace, *Ad Ephesios*, 18; S. Justin, *Dial. c. Tryph.*, 100.

4. Moïse avait décidé que les filles de Selphaad, mort sans enfant mâle,
devaient hériter de lui (Num. 27¹⁻¹¹); mais la famille de Galaad, dont

Selphaad faisait partie, lui ayant fait remarquer que si elles épousaient des étrangers, son patrimoine passerait à d'autres familles, contrairement à une loi antérieure, il fut stipulé qu'elles s'uniraient à des hommes de la même tribu qu'elles. En conséquence, elles épousèrent *les fils de leur oncle paternel* (Num. 36[1-12]), donc *leurs plus proches parents*. C'était bien l'esprit de la loi. L'ange Gabriel dit au jeune Tobie : « Il y a ici un de tes parents nommé Raguel... Il n'a pas de fils et il n'a qu'une fille unique. Il faut que tu l'épouses » (Tob. 6[11-12]). Raguel est le *frère* du vieux Tobie (Tob. 7[2-4]). Il accorde volontiers sa fille en disant au jeune Tobie : « Tu es son frère et elle est à toi... *selon la loi de Moïse*, prends-la et amène-la à ton père » (7[11-12]). D'après le contexte c'est la parenté la plus proche.

CHAPITRE II

LE MYSTÈRE DE BETHLÉEM

I. Le recensement de Quirinius.

*En ce temps-là, parut un édit de César-Auguste qui pres-
crivait un dénombrement de tout l'univers : ce premier
dénombrement eut lieu sous Quirinius, gouverneur de Syrie.
Tous allaient se faire inscrire, chacun dans sa cité d'origine.
Joseph, étant de la maison et de la famille de David, monta
donc de la ville de Nazareth en Galilée, à la ville de David
appelée Bethléem, en Judée, pour se faire inscrire avec
Marie, son épouse, qui était enceinte* [1].

Ce texte de saint Luc a longtemps essuyé le feu de la critique rationaliste. On soutenait qu'un décret d'Auguste, ordonnant un recensement de tout l'univers, était un pur mythe;
que ce décret eût-il existé, n'atteignait pas un royaume indé-
pendant, comme était alors la Palestine du vivant d'Hérode;
qu'un recensement, fait par les Romains et à la romaine,
n'exigeait pas la présence à Bethléem de Joseph, ni surtout
de Marie ; qu'en tout cas ce prétendu recensement n'a pas pu
se faire sous Quirinius, devenu gouverneur de Syrie seulement
neuf ou dix ans après la mort d'Hérode. Les recherches
des érudits contemporains ont dissipé bien des nuages et

---

1. Lc. 2¹⁻² : ἐξῆλθεν δόγμα ἀπογράφεσθαι πᾶσαν τὴν οἰκουμένην. — On sait
que *tout l'univers* (πᾶσα ἡ οἰκουμένη : toute la terre habitée) désigne couramment l'empire romain. Il s'agit d'une ἀπογραφή (dénombrement des
personnes et fixation de l'état civil) et non d'une ἀποτίμησις (déclaration
et estimation des biens en vue de l'impôt), mais cette distinction n'est
pas toujours observée. — Notez que le dénombrement se fit *sous* Quirinius et non *par* Quirinius. — Joseph vint à Bethléem pour se faire inscrire, mais il n'est pas dit que cette obligation incombât à Marie.

projeté quelque lumière sur le seul point qui reste encore obscur.

Comme tous les grands administrateurs, Auguste avait la passion des statistiques. Dès son avènement, il s'occupa de procéder au cadastre de tout l'empire, commencé par Jules César, vaste opération qui exigea vingt-cinq années de travaux. Il fit à trois reprises le compte exact de tous les citoyens romains, disséminés dans le monde entier, et en consigna le résultat dans son autobiographie. A sa mort, on trouva écrit de sa main un mémoire ou, comme s'exprime Suétone, un *Breviarium totius imperii*, contenant « l'inventaire des ressources de l'empire, le nombre des citoyens et des alliés en armes, l'état des tributs et des revenus, des dépenses nécessaires et des libéralités[1] ». C'est un fait maintenant avéré qu'en certains pays, tels que l'Égypte, il avait établi un recensement périodique revenant tous les quatorze ans et tenant lieu d'état civil. On a même des raisons de croire que cette mesure était générale[2].

Dire que la Palestine en était exempte, à titre de royaume autonome, serait ne rien comprendre à la vraie situation des souverains qui, sous le nom d'alliés, n'étaient en réalité que les vassaux d'Auguste. Tous ces fantômes de rois, créés ou maintenus par César, étaient les agents dociles de la politique romaine et n'avaient d'autre indépendance que celle que Rome voulait bien leur laisser. Strabon et Suétone affirment expressément que tous les rois et autres princes de toute dénomination faisaient partie intégrante de l'empire et relevaient de l'empereur[3]. Il ne leur était loisible ni de faire la guerre, ni

1. Tacite, *Annales*, i, 12. Cf. Suétone, *Auguste*, 101 et Dion Cassius, *Hist.*, lvi, 31. D'après ce dernier, le *libellus* contenait « le nombre des soldats, l'état des ressources et des dépenses publiques, les sommes déposées au trésor, enfin tout ce qui intéresse le bon gouvernement ».

2. Pour l'Égypte, voir Mitteis et Wilcken, *Papyruskunde*, 1re partie, 1912, p. 192-196. Pour le reste du monde, Ramsay, *Bearing of recent discovery on the trustworthiness of the N. T.*[4], 1920, p. 255-274. Ramsay, soutient : 1° que la période de 14 ans fut la même partout ; 2° que les dénombrements étaient simultanés ; 3° que le système fut inauguré l'an 8 avant J.-C. Ces trois points sont discutables.

3. Strabon, *Géographie*, XVIII, iii, 25 fin : « Tous les états gouvernés par les rois, des dynastes, des décarques, relèvent de l'empereur seul et n'ont jamais dépendu que de lui » (trad. Tardieu). Suétone, *Auguste*, 48 : « Nec aliter universos (reges socios) quam membra partesque impe-

de prendre une décision importante, ni même de se réunir, sans l'agrément de leur suzerain. Hérode, vers la fin de sa vie, était tenu en laisse encore plus étroitement que les autres, Auguste lui ayant déclaré que si jusque-là il l'avait traité en ami, il le traiterait désormais en sujet. Il ne put exécuter la sentence portée contre son fils Antipater sans recourir à Rome, ni faire un testament valide sans le soumettre à César [1]. Dans cet état de servage, pouvait-il se refuser au recensement de son royaume, si Auguste en donnait l'ordre ou en exprimait le désir ? Auguste avait déjà pris une mesure bien autrement impopulaire et vexatoire, en exigeant que tous les Juifs lui prêtassent le serment de fidélité [2].

Pour rendre son joug moins pesant, Rome avait soin de respecter les coutumes locales et de ménager les susceptibilités des peuples soumis, surtout quand ils n'étaient pas encore officiellement annexés à l'empire. C'est ainsi qu'en Égypte le recensement périodique ramenait tous les quatorze ans chaque citoyen à son pays d'origine. Ce système avait le double avantage d'être conforme aux traditions nationales et d'obvier en quelque mesure au fléau de l'émigration qui dépeuplait les campagnes. Nous savons qu'on l'appliquait à d'autres contrées et il est naturel qu'il en fût de même en Palestine lors du premier dénombrement [3]. Voilà pourquoi Joseph dut se

rii curae habuit. » Par exemple, il donnait des tuteurs aux fils des rois alliés et s'occupait de leur éducation.

1 Tous ces faits sont bien connus. On trouvera les textes de Josèphe et de beaucoup d'autres dans Schürer, *Geschichte* [4], 1901, t. I, p. 401-4; 525-9.

2. Josèphe, *Antiq.*, XVIII, II, 4. Six mille Pharisiens, qui refusèrent alors de prêter serment à Auguste, furent frappés d'une amende. Tacite (*Annales*, VI, 41) raconte un fait tout semblable arrivé chez un *roi allié* de Rome, Archélaüs. Il fallut qu'un général romain allât étouffer la révolte.

3. Vibius Maximus, préfet d'Égypte, décrète : « Comme le dénombrement par maisons va commencer (τῆς κατ' οἰκίαν ἀπογραφῆς), il est nécessaire que tous ceux qui, pour une raison quelconque sont absents de leur nome, reviennent chacun dans son foyer (ἐπανελθεῖν εἰς τὰ ἑαυτῶν ἐφέστια), pour y accomplir les formalités usuelles du dénombrement. » Phototypie du document et bibliographie du sujet dans Deissmann, *Licht vom Osten* [4], 1923, p. 234. Autres textes dans Mitteis et Wilcken, *Papyruskunde*, 1ʳᵉ partie, t. I, 1912, p. 235-6.

Le cas n'est pas spécial à l'Égypte. Les habitants de Mesembria, en Thrace, furent sommés de se rendre dans leurs villes respectives pour

rendre à Bethléem, la cité de ses ancêtres. Marie l'y accompagna, soit à titre d'héritière, soit pour ne pas quitter son saint époux au moment de devenir mère, soit par une inspiration du ciel, qui désignait Bethléem comme le berceau du Messie.

Les critiques les plus résolus à prendre saint Luc en faute, doivent s'incliner devant ces faits. Ils soutenaient autrefois que Luc avait inventé ce dénombrement pour amener Joseph à Bethléem [1]; ils conviennent maintenant d'assez mauvaise grâce qu'un dénombrement prescrit par les Romains peut avoir eu lieu en Palestine du vivant d'Hérode ; mais, comme on dit, le diable n'y perd rien. Ils prétendent que Luc s'est servi de ses connaissances historiques pour rendre vraisemblable le voyage de Joseph à Bethléem et ils se retranchent derrière une objection qu'ils jugent inexpugnable : c'est que Quirinius n'était pas gouverneur de Syrie au moment de la naissance du Christ. Ils doivent cependant savoir que Quirinius gouverna deux fois la Syrie en qualité de légat d'Auguste : une fois après la mort d'Archélaüs, quand il fit le recensement rapporté par l'historien Josèphe, et à une époque antérieure qui reste à déterminer. C'est une simple question de date, qui réclame un examen minutieux dont ce n'est pas ici la place [2].

II. La nuit de Noël (Luc, ii, 6-7).

Joseph et Marie s'acheminèrent donc vers Jérusalem. Ces quatre journées de marche, au fort de la saison pluvieuse, durent paraître bien longues aux pieux pèlerins, surtout dans l'état où se trouvait la Vierge.

Jérusalem n'est qu'à deux lieues de Bethléem. Sur la hauteur qui les sépare, ils purent un instant les contempler ensemble [3]. Derrière eux, la capitale déployait le faste de ses

s'y faire inscrire *suivant la loi et la coutume* (Cagnat, *Inscript. graecae ad res romanas pertinentes*, t. I, p. 204).

1. Loisy, *Évangiles synoptiques*, 1907, t. I, p. 346.
2. Voir la note E : *La question de Quirinius.*
3. L'altitude moyenne de Jérusalem et de Bethléem est à peu près la même (750 ou 775 mètres), mais la colline qui les sépare les domine d'une cinquantaine de mètres. Le point où l'on aperçoit à la fois les deux villes sur la route actuelle est au kil. 5.5, en venant de Jérusalem. L'ancienne route passait plus à l'ouest.

constructions neuves : son Temple au faîte doré, éblouissant
sous les feux du soleil, les longues colonnades de ses portiques et plus loin, près de la roche nue où devait se dresser
un jour la croix du Sauveur, le somptueux palais d'Hérode,
flanqué de hautes tours. Devant eux, l'humble village de
Bethléem s'étalait tout en longueur sur un éperon qui se
détache de l'arête centrale des monts judéens. L'air est si
transparent qu'on croirait y toucher; mais, avant de l'atteindre, il faut contourner deux profonds ravins et passer à côté
du tombeau de Rachel, où bifurque la route d'Hébron.

On était en hiver. L'hiver de ces contrées n'est pas la mort
de la nature. Si la vigne et le figuier ont perdu leur feuillage,
si la teinte pâle de l'olivier s'est encore assombrie, des
bosquets d'arbres toujours verts égaient le paysage; la végétation, activée par les pluies d'automne, tapisse déjà le flanc
des coteaux et quelques fleurs hâtives, dans les endroits plus
abrités, commencent à poindre. La neige, les années où elle
fait son apparition, dure très peu de temps; la gelée, beaucoup plus rare, dure moins encore. Cependant les gens pauvres, en leurs maisons mal closes, ressentent vivement la
froidure des nuits d'hiver[1].

Joseph avait certainement à Bethléem des parents ou des
connaissances. Pourquoi n'alla-t-il pas frapper à leur porte?
En Orient, aucune porte ne se ferme devant l'étranger, à plus
forte raison devant des amis ou des proches. Les habitants de
Bethléem n'étaient pas des monstres. On parle de l'affluence
des gens venus pour se faire inscrire; mais, quel que fût
l'encombrement, il y aurait toujours eu place pour deux hôtes
si peu exigeants. Qu'on songe aux énormes foules qu'abritait
Jérusalem durant les fêtes pascales. Il faut chercher ailleurs
le mot de l'énigme.

Les maisons des villageois d'alors devaient ressembler
beaucoup à celles des paysans palestiniens de nos jours : une

---

1. A Jérusalem, dont le climat diffère peu de celui de Bethléem, il y
a des hivers sans neige et sans gelée. Cependant on a vu 30 centimètres
de neige en mars 1892 et en février 1911; et même 46 centimètres en
décembre 1879. Le thermomètre peut descendre à — 5° et même à — 7°.
Mais il est rare que la neige ou la gelée durent plusieurs jours de suite:
cela n'arrive que tous les dix ans environ. Cf. Vincent-Abel, *Jérusalem
antique*, 1912, p. 107.

seule pièce, servant à la fois de salon, de cuisine, de réfectoire et de dortoir pour toute la famille, quelquefois aussi d'étable pour les animaux domestiques, auxquels un espace en contrebas est réservé près de l'entrée. La nuit venue, on étend sur le sol de légers matelas ou de simples nattes : c'est le lit où les habitants du logis et les hôtes de rencontre dorment ensemble tout habillés, à la lueur d'une veilleuse [1]. Pour un Européen, il est peu de supplices comparables à ce perpétuel tête à tête, sous des regards, bienveillants peut-être, mais trop souvent curieux, lorsqu'on n'a pas la ressource, pour y échapper, de se réfugier sur les toits en terrasse. Telle est l'hospitalité que Marie et Joseph auraient pu trouver dans quelque maison du village; mais ils ne semblent pas l'avoir sollicitée; du moins l'Évangile n'en dit rien [2]. Dans l'état où était Marie, s'ils ne cherchaient pas le bien-être, ils souhaitaient la solitude.

Comme Bethléem était un lieu de passage assez fréquenté, il y avait à l'extrémité orientale, un peu en dehors du village, une hôtellerie qui existait déjà du temps de Jérémie [3]. Les gens qui venaient du pays des Philistins pour se rendre au delà du Jourdain ou réciproquement y faisaient halte, avant de s'engager dans le désert de Juda ou quand ils en sortaient. L'hôtellerie antique, analogue au moderne caravansérail, était un carré entouré de hautes murailles et percé d'une porte unique, où voyageurs et bêtes de somme étaient sûrs de trouver de l'eau et un asile pour la nuit. Les animaux campaient à ciel ouvert dans la cour centrale et les personnes prenaient place sur une espèce d'estrade, ménagée sur un ou plusieurs côtés du carré. En dehors de la grande salle commune, il y avait souvent de petites cellules particulières qu'on louait à prix modique. C'est là que Joseph et Marie espéraient trouver l'isolement désiré; mais toutes les cellules

---

1. Description réaliste mais très conforme à la vérité dans J. Neil, *Everyday Life in the Holy Land*, 1913, p. 67-73 (avec planche coloriée).
2. Il n'y a pas dans le récit évangélique la moindre trace de la recherche d'un logis en dehors de l'hôtellerie.
3. Jer. 41[17]. L'*hôtellerie* (גְּרוּת) était située *à côté* du village (אֵצֶל) et non dans le village même qui ne descendait pas alors jusqu'à l'emplacement actuel de la basilique. Son existence s'imposait pour des raisons topographiques.

étaient retenues et la salle commune offrait tous les inconvénients des maisons privées et de pires encore. Il n'y avait
donc pas de place *pour eux* dans l'hôtellerie.

Ils découvrirent — ou on leur indiqua — une de ces exca-
vations naturelles, si communes dans le terrain calcaire de
Judée, où les gens du pays mettent leur bétail et quelquefois
se logent eux-mêmes. On y voyait, pour tout mobilier, une
mangeoire mobile, suspendue au mur ou déposée à même le
sol, pour recevoir la pâture des animaux. *Et il advint, pendant qu'ils étaient là, que s'accomplit le temps où Marie
devait enfanter. Et elle enfanta son fils premier-né et elle
l'enveloppa de langes et elle le coucha dans la crèche.*

Une étable, voilà le palais du fils de David ; une crèche,
voilà le trône du Fils de Dieu ! Celui qui a voulu nous
ressembler pour mieux compatir à nos misères, non seulement
s'égale à nous, mais se met au-dessous de nous. Cependant
si l'on y fait réflexion, quelle grandeur dans cet abaissement !
Jésus-Christ ne vient pas au monde comme les autres hommes
et la malédiction qui frappe toutes les autres filles d'Ève
n'atteint pas sa mère. Marie, qui l'a enfanté sans douleur,
n'a besoin du secours de personne. Joseph n'a pas plus de
rôle dans le mystère de la nativité que dans celui de l'incarnation. Il n'est pas question de lui dans le récit de saint Luc.
C'est Marie qui prend elle-même le nouveau-né, l'entoure de
langes et le couche dans la crèche de ses propres mains. Jésus
est sorti de son sein sans porter la moindre atteinte à sa
virginité ; tel qu'il sortira un jour du sépulcre sans en rompre
les sceaux : « Il sort comme un trait de lumière, comme un
rayon de soleil ; sa mère est étonnée de le voir paraître tout à
coup ; cet enfantement est exempt de cris comme de violence ;
miraculeusement conçu, il naît encore plus miraculeusement ;
et les saints ont trouvé encore plus étonnant d'être né que
d'être conçu d'une vierge [1]. »

Saint Luc indique l'enfantement virginal avec une admirable
délicatesse ; puis il se tait, comme s'il était impuissant à rien
ajouter, ou s'il voulait nous laisser méditer et savourer l'ineffable mystère. A ce respectueux silence, les apocryphes ont

---

1. Bossuet, *Elévations sur les mystères*, xvie sem., 3e élév.

substitué un puéril et inconvenant bavardage. Comparées à la simplicité de l'Évangile, combien fades et froides paraissent leurs inventions, sans même parler de l'épisode si répugnant des sages-femmes que Joseph est allé quérir [1] !

La grotte où la Vierge mit au monde son divin Fils fut chère dès le principe à la piété des fidèles. Le soin que prit l'empereur Adrien, en 135, de la consacrer au culte d'Adonis, pour en écarter les chrétiens, ne servit qu'à mieux l'authentiquer [2]. Vers le milieu du deuxième siècle, saint Justin, né en Palestine, atteste que Jésus est né dans une grotte près de Bethléem [3]. Au début du siècle suivant, Origène écrit : « On montre à Bethléem la grotte où Jésus est né. Le fait est no-

---

1. Pseudo-Matthieu, *La naissance de Marie et l'enfance du Sauveur*, XIII-XV. L'apocryphe en sait beaucoup plus que l'évangéliste : « Le troisième jour après la naissance du Seigneur, Marie sortant de la grotte, entra dans une étable et plaça l'enfant dans la crèche où le bœuf et l'âne l'adorèrent. Alors s'accomplit ce qu'avait prédit le prophète Isaïe : *Le bœuf connaît son Maître; et l'âne, la crèche de son Seigneur.* Les deux animaux, ayant au milieu d'eux l'enfant, l'adoraient sans cesse. Alors s'accomplit ce qu'avait prédit le prophète Habacuc : *Tu te manifesteras au milieu de deux animaux.* Joseph et Marie restèrent deux jours en ce lieu et le sixième jour ils entrèrent à Jérusalem. »
Les deux textes cités par l'apocryphe signifient littéralement : « Le bœuf connaît son propriétaire et l'âne connaît la crèche de son maître ; mais Israël est sans discernement, mon peuple est sans intelligence » (Is. 1³).
— « Ton œuvre, dans le cours des âges, fais-la connaître » (Hab. 3²). Ou, comme traduit la Vulgate : *Domine, opus tuum, in medio annorum, manifesta illud.* Mais les Septante avaient traduit : ἐν μέσῳ δύο ζῴων γνωσθήσῃ, « tu seras connu au milieu de deux animaux » (ou peut-être ἐν μέσῳ δύο ζωῶν, « au milieu de deux vies ») : ce qui favorisait la légende du bœuf et de l'âne. Au demeurant il est fort possible que dans la grotte servant d'étable il y eut un âne et un bœuf (ou plutôt une vache). On trouve assez souvent ces deux animaux, avec ou sans une chèvre, dans la demeure des fellahs.
2. S. Jérôme, *Epist. ad Paulinum* (Migne, XXII, 581) : « Depuis Adrien jusqu'à Constantin, pendant 180 ans, les païens vénéraient l'image de Jupiter sur le lieu de la résurrection, la statue en marbre de Vénus sur le lieu du Calvaire. Bethleem nunc nostram lucus inumbrabat Thamuz, id est Adonidis, et in specu ubi quondam Christus parvulus vagiit, Veneris amasius plangebatur. »
3. S. Justin, *Dial. c. Tryph.* 78 : ἐν σπηλαίῳ τινὶ σύνεγγυς τῆς κώμης (dans une certaine grotte voisine du bourg). Ce précieux texte nous apprend : 1° que Bethléem n'était pas alors une ville mais un bourg ou un village (κώμη); 2° que le lieu de la nativité était une grotte (σπήλαιον, S. Jérôme dit *specus, spelunca;* Eusèbe l'appelle quelquefois ἄντρον); 3° que la grotte n'était pas dans le village, mais tout près (σύνεγγυς).

toire dans tout le pays. Les païens eux-mêmes savent que dans cette grotte est né un certain Jésus adoré des Nazaréens [1]. » Aussi lorsque Constantin et sa pieuse mère voulurent bâtir une basilique sur le lieu de la nativité du Sauveur, comme ils l'avaient fait au Calvaire et au mont des Oliviers, ils n'eurent qu'à suivre la tradition locale, fidèlement transmise depuis l'origine. « Hélène embellit la sainte grotte d'une décoration riche et variée. Peu après, l'empereur lui-même, surpassant la magnificence de sa mère, l'orna d'une manière vraiment royale, prodiguant l'or, l'argent et les tentures somptueuses [2]. » Le superbe édifice élevé par ses soins était debout en 333, quand le pèlerin de Bordeaux visita Bethléem. En dépit des restaurations plus ou moins heureuses et des ravages du temps, il excite encore l'admiration [3].

On peut regretter que les architectes de Constantin aient jugé à propos d'agrandir la grotte et de la rendre plus régulière. Nous aimerions à la contempler dans sa nudité primitive, sans les marbres et les draperies qui la cachent, telle enfin qu'elle était en cette nuit de Noël et telle que la virent les bergers, ces premiers adorateurs de l'Enfant-Dieu. Malgré tout, bien douce est l'émotion qui remplit l'âme, en pénétrant dans ce lieu béni; et l'on est heureux de penser que ce sanctuaire incomparable est gardé aujourd'hui par une population presque entièrement chrétienne et en majorité catholique [4].

1. Origène, *Contra Celsum*, I, 51.
2. Eusèbe, *Vie de Constantin*, III, 43. La basilique est mentionnée en 333 par le pèlerin de Bordeaux.
3. La basilique était à cinq nefs, avec une abside unique au fond de la nef centrale (les deux absides aux extrémités du transept sont postérieures à l'édifice qu'elles défigurent). Les dimensions, d'après le marquis de Vogüé, étaient les suivantes : 1° basilique elle-même, 50 m. 50 sur 26 m. 30 (dans œuvre); 2° porche ou narthex, 26 m. 30 sur 6 ; 3° atrium (disparu), 40 mètres sur 30. L'atrium occupait le site de la place actuelle. Pour une étude détaillée, consulter la superbe monographie des PP. Vincent et Abel O. P., *Bethléem. Le sanctuaire de la nativité*.
4. Bethléem a beaucoup souffert pendant la grande guerre. Sa population est tombée de 11 000 à 7.000 habitants, dont 4.000 catholiques. Il y a 150 protestants, autant d'arméniens, quelques musulmans. Le reste est grec orthodoxe

III. Les Bergers à la Crèche (Luc, ii, 8-20).

Dans les environs de Bethléem, des bergers passaient la nuit aux champs, veillant à la garde de leurs troupeaux[1].
Il y avait en Palestine des troupeaux de moutons et de chèvres qu'on laissait dehors toute l'année; c'était ce qu'on appelait les troupeaux du désert. Mais, comme nous l'avons dit plus haut, le désert de Juda n'était pas éloigné de Bethléem. A une ou deux lieues à peine, du côté de l'Orient, toute culture cesse. Dans ces solitudes, où pousse une maigre végétation, les bergers du désert, hiver comme été, promenaient leurs troupeaux. Souvent ils se réunissaient pour les défendre contre les incursions des maraudeurs et les attaques des bêtes fauves. Quand la nuit s'annonçait froide, ils les abritaient dans les cavernes ou sous les saillies des rochers et se rapprochaient au besoin des habitations les plus voisines.

Cette race d'hommes était fort méprisée des Israélites dévots. Vivant en nomades et presque en sauvages, loin du Temple et des synagogues, il leur était impossible de se conformer aux observances légales. Abba Gorion avait coutume de dire : « Gardez-vous de choisir pour vos fils les métiers d'ânier, de chamelier, de barbier, de batelier, de mercier et de berger : ce sont des métiers de voleurs[2]. » Les bergers du désert étaient surtout soupçonnés de ne pas respecter suffisamment la propriété d'autrui. Un pharisien se serait fait scrupule de leur acheter de la laine ou du lait, de peur de coopérer à un vol. Ils étaient assimilés aux publicains et leur témoignage n'était pas valable en justice.

Et pourtant, dans ces déshérités de la fortune, dans ces corps rudes et frustes, il y avait des âmes droites et des cœurs purs. C'est à eux que l'enfant de la crèche, qui s'est fait humble et petit pour attirer à lui les petits et les humbles, réserve son premier appel. Un groupe de ces pauvres gens campait alors à peu de distance de Bethléem, sur la limite

---

1. Sur les troupeaux du désert, cf. Mishna, traité *Betsa*, v, 7. Pour la coutume actuelle, voir Dalman, *Orte und Wege Jesu*, 1924, p. 52-53.
2. Mishna, traité *Qiddoushim*, iv, 14. Cf. traité *Baba qamma*, x, 9.

entre le désert et les dernières cultures. Suivant l'usage, ils
veillaient à tour de rôle durant toute la nuit.

Quelle ne fut pas leur surprise et leur frayeur quand ils se
virent subitement entourés de lumière et qu'un ange leur
apparut soudain! L'ange leur dit : « Ne craignez point, car
je viens vous annoncer une grande joie, pour vous et pour
tout le peuple. Il vous est né aujourd'hui dans la cité de
David un Sauveur, le Christ Seigneur; et ceci vous servira
de signe[1] : vous trouverez un petit enfant enveloppé de langes
et couché dans une crèche. » Le signe ne suffisait pas pour
découvrir le nouveau-né dans la bourgade de Bethléem et
l'ange dut ajouter quelque indication plus précise; mais il
suffisait pour le distinguer de tous les autres et pour le faire
reconnaître, dès qu'on l'aurait trouvé. A peine l'ange avait-il
parlé qu'une multitude d'esprits célestes se joignirent à lui
pour entonner ce chant d'espérance :

> *Gloire à Dieu au plus haut des cieux*
> *et paix sur la terre aux hommes de bon vouloir*[2].

L'hymne est courte, mais combien consolante! Que le *bon*

---

1. Lc. 2^{10-12} : « Ceci vous servira de *signe* », expression fréquente
(1 Reg. 10^2; Is. 37^{30}, etc.) pour confirmer une promesse divine. Ici le
signe est à la fois *distinctif* (pour reconnaître l'enfant) et *confirmatif*
(pour savoir que l'ange a dit vrai).

2. Lc. 2^{14} : Plusieurs Pères grecs et beaucoup de manuscrits lisent
ἐν ἀνθρώποις εὐδοκία, ce qui donne le tercet :

> Gloire à Dieu au plus haut des cieux
> et sur la terre paix;
> parmi les hommes, bon vouloir (εὐδοκία).

Mais les meilleurs manuscrits ont εὐδοκίας, au génitif, comme la Vulgate;
et cette leçon est adoptée à bon droit par les éditeurs critiques. En
effet : 1° Le tercet a une allure très gauche; la conjonction étant placée
devant le second membre au lieu de l'être, selon l'usage, devant le dernier. — 2° Le parallélisme est rompu ; car *gloire* est parallèle à *paix*,
Dieu à *hommes*, *ciel* à *terre*. On a donc le distique :

> (*a*) Δόξα (*b*) ἐν ὑψίστοις (*c*) Θεῷ
> (*b*) καὶ ἐπὶ γῆς (*a*) εἰρήνη (*c*) ἐν ἀνθρώποις εὐδοκίας.

Le mot εὐδοκία peut signifier la *bonne volonté* des hommes, ou le
bon plaisir, *la bienveillance* de Dieu. La plupart des commentateurs
catholiques le prennent en ce dernier sens. Voir cependant les objections du P. Lagrange, *Saint Luc*, p. 77-78.

Il y a dans le grec « parmi les hommes » et non pas « aux hommes »,
comme dans la Vulgate actuelle. Mais S. Jérôme avait mis *in hominibus*
(cf. l'édition de Wordsworth-White). La nuance de sens est négligeable.

vouloir soit la bienveillance de Dieu ou la bonne volonté des hommes, au fond cela revient à peu près au même; car la bienveillance de Dieu à l'égard des hommes est universelle et il ne tient qu'aux hommes de mettre leur volonté à l'unisson des desseins bienveillants de Dieu. Ainsi le souhait des anges ne comporte aucune restriction; il s'adresse à tout le monde; il énonce seulement une condition essentielle, déjà existante de la part de Dieu et toujours réalisable de la part des hommes.

La disparition des anges fut instantanée, comme leur apparition. Les bergers, un peu revenus de leur frayeur, se concertèrent : *Allons,* disaient-ils, *jusqu'à Bethléem et voyons ce qui est arrivé, ce que le Seigneur nous a fait connaître.* Ceux d'entre eux que ne retenait pas la garde des troupeaux coururent au village, pour voir l'enfant miraculeux chanté par les anges.

Ils s'y rendirent en toute hâte et trouvèrent Marie et Joseph, ainsi que le petit enfant couché dans la crèche. Ce que voyant, ils constatèrent la vérité de ce qui leur avait été dit au sujet de cet enfant. Et tous ceux qui entendirent le récit des bergers en étaient dans l'admiration. Or Marie observait avec soin toutes ces choses, les méditant dans son cœur.

Un petit enfant jeté dans une crèche, comme un objet de rebut, et néanmoins entouré de la sollicitude de ses parents et des soins attentifs d'une mère, c'est une chose si étrange qu'elle ne saurait être l'effet du hasard; c'était bien le signe promis et la marque certaine que la parole de l'ange était véridique. Les bergers saluèrent donc dans ce faible enfant le Maître du monde et le Sauveur des hommes. Ils n'avaient pas de trésors à lui offrir, comme les mages, mais ils se prosternèrent devant lui en signe d'adoration. L'on peut bien croire aussi que Marie et Joseph leur en apprirent plus long que ce que dit l'Évangile; car, au sortir de la grotte, non seulement ils bénissaient Dieu et célébraient ses louanges, mais ils racontaient à tout venant ce qu'ils avaient vu et entendu et tout le monde en était dans l'admiration[1].

---

1. S. Jérôme affirme que le lieu où retentit le cantique des anges était Migdal-Eder, nom qui signifie la Tour du troupeau (*De nominibus*

Tels furent les premiers adorateurs du Verbe fait chair.
Marie gravait tout cela au fond de son cœur et en méditait la
signification profonde. Quatre fois, saint Luc fait allusion aux
sentiments intimes de la Vierge, durant l'enfance de son
divin Fils : à Bethléem, quand les bergers l'adorent; à Jérusalem, quand le vieillard Siméon le prend dans ses bras; au
Temple, quand elle le retrouve au milieu des docteurs; à
Nazareth, quand elle le voit grandir en taille et progresser en
sagesse, plein d'égards et de soumission pour elle et saint
Joseph. L'évangéliste ne nous a pas dit à quelle source il
puisait ses renseignements; mais ce n'était pas nécessaire.
Comment aurait-il pu décrire les mouvements les plus secrets
du cœur de Marie, s'il n'avait reçu les confidences de la
Vierge elle-même ou des personnes qui avaient joui de ses
entretiens familiers?

hebraicis; Migne, XXIII, 879 et *Epist. ad Eustochium,* CVIII, 10; Migne,
XXII, 885-6). Jusqu'au milieu du siècle dernier, on conduisait les pèlerins,
désireux de visiter le Champ des Pasteurs, à une excavation souterraine, située au milieu du champ dit de Booz et où l'on descendait par
une vingtaine de marches. Rien de plus invraisemblable que cette localisation. En 1858, des fouilles bien dirigées firent découvrir, à un quart
d'heure au nord de cet endroit, un emplacement beaucoup plus acceptable. C'est une vaste grotte que les gens du pays appellent Siar-el-
Ghanem (l'Enclos-aux-brebis) et qu'ils utilisent encore parfois pour
abriter leurs moutons et leurs chèvres.
La lettre de Guarmani, annonçant sa découverte, se trouve *in extenso*
dans Mislin, *Les saints Lieux*[3], 1877, t. I, p. 687-693. En voici les points
essentiels : 1° L'endroit est à 2 kilomètres E.-N.-E. de Bethléem.
S. Jérôme dit *un mille* (1.480 mètres), mais il ne compte jamais les
fractions de mille. — 2° Le site est connu dans le pays sous le nom de
Siar-el-Ghanem (enclos à moutons, bergerie). — 3° La tour de garde,
au sommet de la colline, avait *cinq* mètres de côté; la base, d'environ
un mètre de haut, est taillée à même le roc. — 4° Au S.-O. de la tour,
s'ouvre une grotte de 19 mètres sur 15, où l'on entre de plain-pied. —
5° Au nord de la tour, fondation d'une église orientée et à trois nefs,
mesurant 26 mètres sur 24. — 6° Au S.-O. de l'église, grotte funéraire
ronde, contenant *trois* tombeaux creusés dans le roc, qui paraissent
avoir été l'objet d'une certaine vénération et que mentionnent d'anciens
pèlerins. Ainsi Arculfe, en 670, trouve à *un* mille de Bethléem, du côté
de l'Orient, une église où il vénère le tombeau des *trois* Bergers. Bernard le Sage en 865, signale le monastère des *saints Pasteurs.* Pour
plus de détails, Guérin, *Judée,* t. I, 1868, p. 214-225.

IV. Jésus et Marie au Temple (Luc, ii, 21-39).

L'obligation imposée aux Israélites de circoncire leurs fils
le huitième jour après la naissance était si rigoureuse qu'elle
primait le repos sacré du sabbat. Sauf le cas de force majeure
ou la débilité d'un enfant dont la vie eût été mise en danger,
aucun motif n'autorisait à différer la cérémonie[1].

La pratique de la circoncision n'est pas spéciale au peuple
hébreu. Elle existait en Arabie avant Mahomet et en Égypte
avant Abraham. On l'a rencontrée dans des tribus sauvages
d'Amérique et d'Australie, sans parler de l'Afrique centrale,
où l'on pourrait soupçonner l'influence de l'Islam. Mais, nulle
part ailleurs, elle n'a un caractère religieux marqué; c'est
seulement un signe distinctif de clan ou de race, ou bien un
préservatif contre certaines maladies des régions tropicales,
ou encore un moyen vrai ou imaginaire d'accroître la fécondité : tels sont précisément les avantages qu'allègue Philon
pour la justifier aux yeux des païens[2].

Il en était autrement chez les Juifs. La circoncision était
pour eux le signe sensible de l'alliance conclue entre Abraham
et Dieu, l'incorporation effective du nouveau-né à la nation
sainte, l'acceptation tacite des droits et des devoirs qui en
résultaient[3]. C'était un rite religieux au premier chef; et Jésus
voulut s'y soumettre, comme aux autres injonctions de la loi
mosaïque, « pour racheter ceux qui étaient sous la loi ». Il
fut donc circoncis le huitième jour. Lui, qui venait verser tout
son sang pour le salut du monde, veut en verser une goutte
dès sa naissance, pour inaugurer sa vie d'abaissements et
de douleurs.

A cette époque, on ne portait l'enfant ni au Temple ni à la
synagogue. La cérémonie avait lieu dans l'intimité familiale,

---

1. Mishna, *Sabbat,* xix, 5. Curieux exemples de casuistique rabbinique
(Billerbeck, t. IV, p. 23-26).

2. Philon, *De circumcisione* (Mangey, t. II, p. 211). D'après Philon, la
circoncision : 1° immunise contre un mal douloureux et presque incurable
(l'anthrax); 2° contribue à l'hygiène et à la propreté ; 3° surtout augmente
la fécondité (τὴν πρὸς πολυγονίαν παρασκευήν, ou plutôt κατασκευήν).

3. Gen. 17⁹⁻¹⁴. Dans ce passage *alliance* ou *signe de l'alliance* revient
six fois. S. Paul, appelle la circoncision d'Abraham « le sceau de sa
foi justifiante » (Rom. 4¹¹).

mais avec le plus d'éclat possible. Devant toute la parenté réunie, on imposait un nom au nouveau-né. On n'eut pas à choisir celui de Jésus qui avait été intimé à Marie, au moment de l'annonciation, et à Joseph, à l'occasion de sa terrible épreuve[1].

D'après saint Épiphane, la circoncision, aurait encore eu lieu dans la grotte; mais il n'y a pas de raison de croire que la sainte Famille y ait séjourné plus longtemps. Quand les étrangers regagnèrent leurs foyers respectifs, Bethléem reprit sa physionomie habituelle et les saints époux n'avaient plus les mêmes motifs de désirer la solitude. Est-il vraisemblable que les Bethléémites aient laissé languir dans son misérable abri un compatriote et un concitoyen dont ils ne pouvaient ignorer la présence?

Joseph ne vivait pas en reclus; il avait besoin de sortir pour gagner son pain; car, pouvant travailler, il aurait rougi de vivre d'aumônes. La saison pluvieuse et le bas âge de l'enfant ne lui permettant pas de retourner encore à Nazareth, il resta à Bethléem jusqu'au jour où il se rendit à Jérusalem pour les relevailles de Marie et l'offrande à Dieu de Jésus.

« Toute femme, ayant conçu et enfanté un garçon, disait la loi des relevailles, sera (légalement) impure pendant sept jours. Après la circoncision de l'enfant, elle se tiendra encore à la maison durant trente-trois jours. Elle ne touchera à aucune chose sainte et elle n'ira pas au sanctuaire. Dès que le temps de la purification sera accompli, elle présentera au prêtre, à l'entrée du Tabernacle, un agneau d'un an en holocauste et un jeune pigeon ou une tourterelle en sacrifice pour le péché. Si elle n'a pas de quoi se procurer un agneau, qu'elle offre deux tourterelles ou deux jeunes pigeons. Le prêtre fera pour elle l'expiation et elle sera pure[2]. » La Vierge immaculée, fécondée par le Saint-Esprit et devenue mère sans aucune atteinte à sa virginité, ne tombait pas sous le coup de la loi qui frappait les autres filles d'Israël. Si elle s'y soumit, ce fut pour imiter son Fils et pour ne pas scan-

---

1. Pour Marie, Lc. 1[31]; pour Joseph, Mt. 2[41].
2. Lev. 12[2-8]. Si la mère avait mis au monde une fille, ces chiffres étaient doublés; la purification n'avait lieu qu'au bout de 80 jours.

daliser son entourage, qui ne savait rien et ne devait rien savoir de sa maternité virginale.

Les premiers-nés appartenaient au Seigneur au double titre de prémices et de chefs de famille. Dans les sociétés patriarcales, les chefs de famille exercent une sorte de sacerdoce; c'est à eux que revient le droit d'offrir des sacrifices et le devoir de veiller au maintien du culte divin. Il est vrai qu'en Israël la tribu sacerdotale de Lévi leur avait été substituée, mais ils n'en continuaient pas moins à être consacrés à Dieu et ils devaient se racheter à prix d'argent[1]. Le paiement du rachat, dû dès le trentième jour après la naissance, incombait au père de l'enfant; mais il n'était pas nécessaire pour cela de se rendre au Temple et l'on pouvait s'acquitter n'importe où.

La présence à Jérusalem de la mère, pour la cérémonie des relevailles, n'était pas non plus requise et il lui était loisible d'offrir son sacrifice par procuration. Cependant les Juifs pieux, qui n'habitaient pas trop loin de la Ville sainte, se faisaient un devoir de paraître personnellement devant le Seigneur; et c'est bien ce que suppose l'évangéliste. *Lorsque le temps de leur purification fut révolu selon la loi de Moïse, ils portèrent l'Enfant à Jérusalem pour le présenter à Dieu, comme il est écrit dans la loi : Tout enfant mâle qui ouvre le sein de sa mère sera consacré au Seigneur* [2].

1. Num. 3[12-13] : « J'ai mis à part les enfants de Lévi du milieu d'Israël, pour tenir la place de tout premier-né qui ouvre le sein de sa mère. Depuis le jour où j'ai frappé tous les premiers-nés du pays d'Égypte, je me suis consacré les premiers-nés d'Israël, tant des hommes que des animaux. Ils sont à moi » Cf. Num. 8[16-17]; Ex. 13[12-16]; 34[19-31].

2. Lc. 2[22-24]. Le texte de la Vulgate offre peu de difficulté, *dies purificationis ejus* pouvant se rapporter à Marie, quoique Marie ne soit nommée qu'au v. 19. Mais le texte grec adopté par tous les éditeurs critiques (même Vogels) porte τοῦ καθαρισμοῦ αὐτῶν, « leur purification ». Cela ne peut pas se rapporter à Marie *et* à Joseph (comme le veulent Godet, Meyer-Weiss, Plummer, etc.), aucune loi de purification ne concernant le père. Le mot *leur* ne semble pas non plus pouvoir viser la mère *et* le fils; cependant Lagrange (*Saint Luc,* p. 82) pense que καθαρισμός, appliqué au fils, peut signifier « son rachat », car on trouve souvent dans les papyrus « libre, quitte (καθαρός) d'une dette » (Deissmann, *Neue Bibelst.* p. 24); en ce cas, le mot καθαρισμός serait pris dans un sens différent selon qu'il s'agit de la mère ou du fils.

Certains disent que αὐτῶν se rapporte aux Juifs, quoique les Juifs ne soient pas nommés dans ce passage. Ce n'est pas impossible; on trouverait des exemples analogues dans S. Luc.

Nous croirions plutôt que *leur* est collectif et se rapporte aux deux

Evidemment cette loi n'atteignait pas plus Jésus que sa mère. Appartenant à Dieu d'un droit inaliénable, il n'avait point à être racheté.

C'est donc volontairement que Joseph et Marie, portant dans leurs bras le petit enfant, partirent pour Jérusalem. Joseph venait payer pour lui les cinq sicles du rachat : somme considérable eu égard aux modiques ressources de l'humble famille [1] ; et Marie tenait à offrir en personne les sacrifices des pauvres : deux tourterelles ou deux petits pigeons. Il lui fut facile de se les procurer. De tout temps, la vallée du Cédron, à l'est de Bethléem, a nourri des milliers de ces volatiles. Du reste on en vendait aussi sur l'esplanade du Temple et il suffisait d'en déposer le prix dans l'un des treize troncs placés à cet effet au parvis des femmes.

Pendant que la sainte Famille s'acquittait ponctuellement des prescriptions légales [2], survint un habitant de Jérusalem nommé Siméon, homme juste et craignant Dieu qui espérait fermement la prochaine venue du consolateur d'Israël. Il avait reçu du Saint-Esprit l'assurance de ne pas mourir avant d'avoir vu l'Oint du Seigneur, le Messie promis aux patriarches et annoncé par les prophètes. C'était aussi par une inspiration secrète ou un instinct surnaturel qu'il était monté au Temple,

parents comme ne faisant qu'un. Ce sens est confirmé par ce qui suit immédiatement : « *Ils* portèrent l'enfant à Jérusalem. » La purification, à parler strictement, ne regarde que Marie, mais l'affaire *leur* est commune. Ce sens collectif n'est pas rare dans l'Évangile ; il est signalé par Harnack comme un défaut du style de Luc.

1. Le sicle valait 3 fr. 90 de notre ancienne monnaie (environ 20 francs de la monnaie actuelle). Les cinq sicles seraient 100 francs de nos jours, avec cette différence que le pouvoir d'achat de l'argent était alors beaucoup plus considérable.

Les Juifs entendaient l'expression *omne masculinum aperiens vulvam* d'une manière très réaliste. Ainsi : 1° Si un homme épouse une femme ayant eu des enfants, il n'est plus tenu au rachat de son premier-né ; 2° s'il épouse simultanément ou successivement plusieurs vierges, il est tenu au rachat du premier enfant de chacune d'elles, si c'est un garçon ; 3° en cas de fausses-couches ou de l'enfantement d'un mort-né, l'enfant qui vient après est le premier-né pour l'héritage, mais il n'est pas soumis à la loi du rachat.

2. Nous ignorons quel était le cérémonial usité à cette époque, quand la mère venait au Temple en personne. Il n'avait rien de commun avec celui du judaïsme moderne. Voir, si l'on veut, Edersheim, *Life and Times*, t. I, p. 194-197.

où ne l'appelaient pas ses fonctions, car il n'était pas prêtre, comme on l'a parfois supposé. Plusieurs l'ont pris pour ce Siméon qui fut fils du grand Hillel et père de Gamaliel, maître de saint Paul; mais il semble n'avoir eu que le nom de commun avec l'illustre docteur qui mérita le premier le titre honorifique de Rabban. Quoi qu'il en soit, l'inconnu prenant dans ses bras l'Enfant divin donna cours à son allégresse dans ce cantique d'action de grâces :

> *Maintenant, ô Maître, laissez votre serviteur*
> *s'en aller en paix, selon votre parole;*
> *car mes yeux ont vu le salut* (le Sauveur)
> *destiné par vous à toutes les nations :*
> *Lumière pour éclairer les Gentils*
> *et Gloire de votre peuple Israël* [1].

Siméon n'attendait pour rendre le dernier soupir que la réalisation des espérances d'Israël et l'accomplissement des promesses divines. Ce langage dénonce un homme avancé en âge et la tradition ne doit pas se tromper en le qualifiant de vieillard. Il dit comme le vieux Jacob retrouvant son Joseph : « Je puis mourir maintenant, puisque j'ai vécu assez pour revoir ton visage. » Siméon a vu plus et mieux qu'un fils bien-aimé; il a vu Celui dont tant de saints personnages avaient désiré en vain de contempler la face. Pareil aux anciens Voyants d'Israël qui sondaient l'horizon, pour signaler au monde l'approche du Messie, Siméon l'a vu et montré du doigt. Maintenant sa tâche est finie et il demande à être relevé de sa garde.

Marie et Joseph étaient dans l'admiration. Le vieillard les bénit, soit en les félicitant de leur sort, soit en appelant sur eux les bienfaits du ciel; puis il dit à la mère : *Cet Enfant est pour la chute et le relèvement d'un grand nombre en*

---

1. Lc. 2[29-32]. « Siméon se représente lui-même sous l'image d'une sentinelle que son maître a placée en un lieu élevé, avec la mission d'attendre l'apparition d'un astre et de l'annoncer au monde. Cet astre désiré, il le voit, il publie son lever et il demande à être relevé du poste occupé par lui si longtemps. C'est ainsi qu'à l'ouverture d'Agamemnon, dans Eschyle, la sentinelle placée pour observer l'apparition du feu qui doit annoncer la prise de Troie, contemplant enfin ce signal impatiemment attendu, chante à la fois et la victoire de la Grèce et sa propre délivrance » (Godet, *Saint Luc* [2], 1872, t. I, p. 171).

*Israël; il sera un signe de contradiction et un glaive trans-
percera votre âme. Ainsi seront dévoilées les pensées d'un
grand nombre de cœurs.* La destinée du Sauveur est en effet
de mettre à nu le secret des cœurs et de révéler les bonnes
et les mauvaises dispositions des hommes, c'est par là qu'il
sera un signe de contradiction et de discernement; pierre
d'achoppement où plusieurs s'aheurteront par leur faute,
occasion de chute pour ceux qui refuseront de le recevoir,
mais source de gloire pour tous ceux qui l'accueilleront : car,
s'il veut les sauver, il ne veut pas les sauver malgré eux ni
sans eux.

La prophétie de Siméon — on vient de le voir — rattache
intimement les douleurs de Marie aux persécutions dont son
Fils sera l'objet. La passion de Jésus et la compassion de
Marie vont toujours de pair et ont leur point culminant au
Calvaire. Les douleurs de Marie auront pour cause unique ou
principale les souffrances de Jésus et le martyre le plus cru-
cifiant de Jésus sera de contempler au pied de la croix la
douleur de sa Mère; mais comme Jésus sauve le monde par
ses souffrances, Marie doit au glaive qui transperce son cœur
d'être associée à l'œuvre rédemptrice.

Au vieillard Siméon succède Anne la prophétesse, fille de
Phanuel de la tribu d'Aser [1]. Depuis la perte de son mari,
mort après sept ans d'union, elle avait vécu dans le veuvage
jusqu'à l'âge de quatre-vingt-quatre ans. Elle servait Dieu
nuit et jour dans le jeûne et la prière et ne quittait pour ainsi
dire pas le Temple. Son rôle, dans le récit évangélique, est
des plus effacés; il n'est même pas dit qu'elle ait abordé la
sainte Famille; mais cela ne fait pas de doute, puisqu'elle
« bénissait Dieu avec transports et parlait de l'Enfant à tous
ceux qui attendaient la délivrance de Jérusalem ».

V. Les Mages de l'Orient (Matthieu, II, 1-12).

Jésus étant né à Bethléem de Juda, au temps du roi

---

1. Le don de prophétie n'était pas l'apanage exclusif des hommes. Les
rabbins comptent quarante-huit prophètes et sept prophétesses : Sara,
Marie sœur de Moïse, Débora, Anne mère de Samuel, Abigaïl, Holda
contemporaine de Josias, Esther libératrice des Juifs.

*Hérode, des Mages vinrent d'Orient à Jérusalem disant :
Où est le roi des Juifs qui vient de naître ? Nous avons vu
son astre à l'Orient et nous sommes venus l'adorer* [1].

Que de menus problèmes — et de problèmes insolubles —
soulèvent ces paroles de saint Matthieu! Les Mages étaient-ils
des rois ou de simples particuliers? Étaient-ils Persans,
Chaldéens ou Arabes? Quelle était la nature de l'astre qui les
guida et comment comprirent-ils son muet langage? Arri-
vèrent-ils à Bethléem treize jours après la Noël ou à une date
plus tardive? « Qui pourrait le dire, écrit Bossuet, et que sert
aussi que nous le disions? N'est-ce pas assez de savoir qu'ils
vinrent du pays de l'ignorance, du milieu de la gentilité, où
Dieu n'était pas connu, ni le Christ attendu et promis? On
croit vulgairement qu'ils étaient trois à cause des trois présents
qu'ils ont offerts. L'Église ne le décide pas et que nous
importe [2] ? »

Le nom de *mages* décèle une origine orientale. Si haut que
nous remontions au cours de l'histoire, les mages nous apparaissent comme une tribu mède qui possédait l'art ou le secret
d'interpréter les songes. C'étaient aussi les sacrificateurs
attitrés, sans lesquels on n'immolait aucune victime [3]. A l'avènement du Persan Cyrus, qui supplantait sur le trône la dynastie
des Mèdes, ils conservèrent leur crédit et leurs fonctions.
Quand Darius introduisit le culte de Zoroastre et même quand
s'implanta le culte nouveau de Mithra, les mages restèrent
toujours la caste sacerdotale [4]. Ils s'occupaient alors beaucoup

---

1. Mt. 2[2] : « Nous avons vu son astre *à l'Orient* (ἐν ἀνατολῇ) » et 2[9] :
« l'astre qu'ils avaient vu *à l'Orient* ». — L'expression ἐν ἀνατολῇ peut
avoir trois sens : 1° « pendant que nous étions *en Orient* »; — 2° « nous
avons vu l'astre *du côté de l'Orient* »; — 3° « nous avons vu l'astre *à
son lever* ». — Le premier sens est insignifiant, car il va de soi que les
Mages ont vu l'astre *chez eux*, avant de se mettre en route. Le troisième
est possible et conviendrait bien, car c'est le *lever* des astres que les
astrologues observent avec le plus d'attention. Cependant le deuxième
est le plus naturel et c'est celui que nous adoptons. Les Mages ont vu
l'astre se lever *du côté de l'Orient;* mais nous verrons plus loin qu'il
change de direction.
2. Bossuet, *Élévations sur les mystères*, XVIIe semaine, 3e élév.
3. Hérodote, I, 101, 107, 120, 128, 132; VII, 19.
4. Strabon, XV, III, 1 ; XVI, II, 39. Cf. Hérodote, VII, 131. — Xénophon

d'astrologie, de nécromancie et de divination par l'inspection
des coupes. On finit par qualifier de mages tous ceux qui cul-
tivaient les sciences occultes; on parlait des mages de Chaldée,
d'Égypte, d'Arménie, d'Éthiopie, des Gaules [1]. Simon,
l'adversaire de saint Pierre à Rome, Elymas, l'adversaire
de saint Paul à Chypre, étaient des mages. Saint Jérôme
a raison de dire que, dans le langage usuel, mage signifiait
magicien [2]. En effet, dès le début de l'ère chrétienne, les mots
mages, devins, sorciers, astrologues, chaldéens, mathémati-
ciens, tireurs d'horoscope et diseurs de bonne aventure,
faiseurs d'incantations, de charmes et de maléfices, étaient à
peu près synonymes; mais il est évident que saint Matthieu
ne prend pas ce nom au sens péjoratif; il lui laisse le sens
favorable qu'il avait autrefois. Pour lui, comme pour Strabon,
les mages sont des sages et des savants, « zélés observateurs
de la justice et de la vertu », curieux explorateurs des phénomènes célestes et, selon le mot de Philon [3], « scrutant les
secrets de la nature pour arriver à la connaissance de la
vérité ».

Les anciens documents de l'art et de la littérature chrétienne
ne nous apprennent rien de plus et les peintures des catacombes offrent la plus déconcertante diversité [4]. L'une d'elles,
qui remonte au début du IIe siècle, représente Marie, coiffée à
la mode des grandes dames romaines de ce temps-là et tenant
dans ses bras l'Enfant emmaillotté. Les Mages s'avancent
vers elle tête nue, portant à la main leurs présents; rien ne
trahit leur nationalité ni leur qualité de rois. Dans les autres
fresques, ils se distinguent par une grande variété d'accoutre-
ment : tantôt vêtus d'une tunique courte, tantôt affublés d'un

(Cyropédie, VIII, I, 23) croit à tort qu'ils furent constitués prêtres par
Cyrus; ils l'étaient auparavant.
1. Pline, Hist. nat., XXV, v, 4 et xcv, 1 (Druides); XXX, I, 16 (mages
d'Arménie).
2. S. Jérôme, In Daniel. 2³ : « Consuetudo et sermo communis magos
pro maleficis accipit. »
3. Strabon, Géographie, XV, III, 6; Philon, Quod omnis probus liber
(Mangey, t. II, p. 456). S. Jérôme (In Daniel. 2²) appelle les Mages philosophes.
4 Cf. Wilpert, Le pitture delle catacombe Romane, 1923, p. 176-186.
Treize représentations des Mages, du IIe au IVe siècle, sont encore visibles
en tout ou en partie. Sur les sarcophages et les mosaïques, voir Rohault
de Fleury, L'Évangile. Études iconographiques, 1874, p. 56-74.

long manteau traînant et coiffés du bonnet phrygien, Quand
la Vierge occupe le milieu de la scène, ils se distribuent à
droite et à gauche en nombre pair, sans doute par raison de
symétrie, autrement ils sont toujours au nombre de trois.
Soit simplification du tableau, soit dessein prémédité de
l'artiste, saint Joseph n'apparaît jamais. Nous observons la
même diversité dans les sarcophages du IVe et du Ve siècle,
ainsi que dans les mosaïques des temps postérieurs. Seulement, dans ces dernières, saint Joseph se montre quelquefois
et les Mages commencent à porter la couronne. Tout cela
prouve que ces antiques représentations sont conventionnelles
et que, sur aucun point, il n'existait de tradition véritable.

Les Mages n'étaient pas des rois. Autrement, saint Matthieu
n'aurait pas manqué de le dire et Hérode leur aurait réservé
un meilleur accueil. Si, à partir du VIe siècle, on transforma
les Mages en rois, ce fut pour marquer l'accomplissement
littéral d'une prophétie mal comprise : « Les rois de Tharsis
et des Iles offriront des présents, les rois d'Arabie et de Saba
paieront un tribut ; tous les rois de la terre l'adoreront [1]. »

D'où venaient-ils ? Leur nom fait penser à la Médie ou à la
Perse. Mais comment des Persans, qui parlaient une langue
indo-européenne, si différente de l'araméen, auraient-ils pu
se faire comprendre en Palestine et qui leur aurait servi
d'interprète ? Faute d'indications plus claires, c'est en Arabie
que nous placerions la patrie des Mages. La nature de leurs
présents nous y invite, car l'encens et la myrrhe venaient
surtout d'Arabie, célèbre aussi par sa richesse en or. Les
Juifs appelaient Orient les pays situés au delà du Jourdain et
de la mer Morte. Là se trouvait le royaume des Nabatéens,
connu sous le nom de royaume arabe, dont la capitale était
Pétra et qui s'étendait alors jusqu'à Damas. Les Juifs y rési-
daient nombreux ; les relations entre les deux peuples étaient
fréquentes et les idiomes qu'ils parlaient étaient moins deux

---

1. Ps. 71 (72)[10]. — D'après Patrizi (*De evangeliis*, t. II, p. 321), aucun
auteur antérieur au VIe siècle n'affirme expressément que les Mages
étaient rois, bien que plusieurs citent à leur occasion le texte des
Psaumes. Le premier serait peut-être S. Césaire-d'Arles, dans un sermon
faussement attribué à S. Augustin.

langues différentes que deux dialectes d'une même langue.

Voyant un astre nouveau se lever à l'Orient, ils en avaient conclu que le roi des Juifs était né. Cet astre ne pouvait pas être une étoile ordinaire. Saint Jean Chrysostome remarque très bien que les étoiles servent aux astrologues à tirer l'horoscope des nouveau-nés, mais qu'elles n'annoncent pas leur naissance [1]. La difficulté serait moindre, mais réelle encore, s'il s'agissait de ces étoiles passagères qui s'allument tout à coup dans le firmament et s'éteignent de même, après avoir brillé quelque temps d'un très vif éclat. Il fallait un phénomène extraordinaire qui attirât l'attention et parût présager un grand événement.

Plusieurs ont pensé à un corps lumineux très différent des autres, créé par Dieu tout exprès et conduit par un ange : explication fort simple qui semble couper court aux difficultés. Certes, rien n'est impossible à Dieu ; mais il observe d'ordinaire, même dans le miracle, une certaine économie de moyens et se plaît à mettre en jeu les causes secondes, quand elles peuvent servir à ses fins. Aussi l'hypothèse d'une création nouvelle n'a-t-elle plus aujourd'hui beaucoup d'adhérents.

Celle de Kepler jouit longtemps d'une grande vogue. Le 21 mai de l'an de Rome 747, trois ans avant la mort d'Hérode, la planète Jupiter entrait en conjonction avec Saturne et, le 15 février suivant, Mars venait rejoindre Jupiter, alors que Saturne n'en était pas encore éloigné. Le rapprochement de ces trois planètes offrit au monde un spectacle tout à fait remarquable et ce qui dut frapper le plus les observateurs c'est que, peu de temps après, elles disparurent ensemble, perdues dans la lumière du soleil levant. Les dates concorderaient assez bien ; mais une objection fatale à cette hypothèse, c'est que le mot employé par saint Matthieu ne signifie jamais ni une constellation, ni un signe du zodiaque, ni un groupe sidéral quelconque, mais toujours un astre isolé : planète, étoile, comète ou autre météore céleste [2].

1. S. Jean Chrysostome, *In Matthaeum*, *hom.* VI, 1 (Migne, LVII, 62-3).
2. Boll, *Der Stern der Weisen* (dans *Z. N. T. W.*, 1917, p. 40-48), l'a prouvé d'une façon péremptoire. Ἄστρον peut se dire d'un groupe d'astres ou d'un astre isolé, mais ἀστήρ (employé dans saint Matthieu) ne se dit jamais d'un groupe. Les anciens lexiques l'avaient déjà fait remarquer.

C'est pourquoi l'on revient de plus en plus à l'hypothèse d'Origène, qui se prononçait en faveur d'une comète [1]. Ces corps lumineux, à la marche capricieuse, aux formes bizarres, aux dimensions variables, n'ont jamais manqué de frapper l'imagination des hommes. On leur attribuait un sens prophétique. Il est vrai qu'ils passaient le plus souvent pour des signes de mauvais augure, présageant des cataclysmes, des catastrophes ou des révolutions; mais parfois aussi ils étaient censés prédire des naissances illustres. La venue au monde de Mithridate et le règne d'Auguste furent annoncés par une comète [2]. Il arrive aussi que ces astres fantasques, après s'être cachés quelque temps, reparaissent au bout de plusieurs mois à l'horizon opposé; et alors l'admiration des observateurs n'en est que plus grande. Disons cependant que si l'étoile des Mages fut une comète, ce ne fut certainement pas, comme on l'a cru parfois, la célèbre comète de Halley, car celle-ci brilla douze ans avant notre ère, trop longtemps avant la naissance du Sauveur.

Si l'apparition d'un nouvel astre, signe bien vague en soi, fit songer au roi des Juifs plutôt qu'à un autre, c'est que l'attente d'un Messie-roi était alors générale en Palestine et que cette attente n'était pas ignorée des peuples voisins. Nous ne citerons ni les auteurs profanes ni les apocalypses juives [3]. Un fait plus révélateur, c'est qu'à la mort d'Hérode, trois faux Messies surgirent presque en même temps. L'un d'eux, Judas le Galiléen, réussit à s'emparer de Séphoris, ville voisine de Nazareth, et terrorisa longtemps toute la région. Un autre, ancien esclave d'Hérode, remarquable par sa belle prestance, mit à feu et à sang la vallée du Jourdain et finit par trouver la mort dans un engagement. Le troisième, nommé Athrongès, était un simple berger doué d'une force hercu-

---

1. Origène, *Contra Celsum*, I, 58 (éd. Koetschau, p. 109). Le mot κομήτης est un adjectif, ordinairement joint à ἀστήρ ou pris substantivement. C'est l'astre *chevelu* (de κόμη, chevelure). Il y a des comètes *barbues* (πωγωνίαι), ou affectant la forme d'une *planche* (δοκίδες), d'un *tonneau* (πίθοι), etc.

2. Justin, *Histor.*, XXXVII, 2 (pour Mithridate); Servius sur l'Énéide, X, 272 (pour Auguste).

3. Tacite, *Hist.*, V, 13; Suétone, *Vespasien*, 4. Pour les apocalypses juives, voir Edersheim, *Life and Times*. t. I, p. 172-179.

léenne; il fut vaincu par les Romains qu'il avait osé provoquer. Tous les trois — Josèphe l'affirme expressément — aspiraient au trône de Judée et avaient ceint la couronne [1]. Outre ces trois imposteurs, il y eut beaucoup d'autres prétendants dont l'histoire n'a pas conservé le nom [2].

Pour les Juifs, la venue du Messie réalisait la prophétie de Balaam : « Une étoile sort de Jacob et un sceptre s'élève d'Israël [3]. » C'est le Messie, il est vrai, qui est l'Étoile; mais de là à dire qu'une étoile annoncerait le Messie, il n'y avait qu'un pas et ce pas avait été franchi par les rabbins. Le chef de la dernière insurrection des patriotes juifs, sous l'empereur Adrien, dut une bonne partie de son étonnant succès à son surnom de Fils de l'Étoile (Bar-Chokébas).

La prophétie de Balaam, avec ses commentaires, fut-elle connue des Mages? Non, évidemment, s'ils habitaient la Perse ou la Médie lointaine; mais s'ils venaient du royaume arabe des Nabatéens, limitrophe de la Palestine, le fait n'a rien d'invraisemblable, tant les langues étaient voisines et les relations fréquentes. Nous n'excluons pas pour autant la révélation intérieure : du moment que Dieu les appelait auprès du berceau de son Fils, il sut bien trouver le moyen de leur faire entendre son appel.

La capitale de la Judée étant connue de tous, ils n'eurent pas besoin de l'étoile pour les y conduire. Leur arrivée mit en émoi la ville entière. Hérode, averti par sa police que ces étrangers cherchaient un roi des Juifs autre que lui, prit peur; mais il avait échappé à tant de complots et déjoué tant d'intrigues, par ruse ou par violence, qu'il espérait bien se défaire encore de ce compétiteur secret.

Il convoqua les princes des prêtres, gardiens attitrés des

---

1. Josèphe, *Antiqu.*, XVII, v, 4-8 et *Bellum*, II, IV, 1-3. D'après ces passages, Judas le Galiléen se donnait pour roi et se faisait traiter comme tel; Simon avait ceint le diadème et se faisait appeler roi; le berger Athrongès, lui aussi, fut proclamé roi et ceignit la couronne.

2. Ces aspirants à la royauté étaient *nombreux* d'après Josèphe (*Bellum*, II, IV, 1 : συχνοὺς βασιλειᾶν ὁ καιρὸς ἀνέπειθεν).

3. Num. 24[17] : Les targums d'Onkelos et de Jérusalem traduisent :
> Un *roi* sortira de Jacob
> et le *Messie* dominera sur Israël.

Sur l'exégèse juive, voyez Billerbeck, t. I, p. 76-77 et Edersheim, t. I, p. 111-112.

traditions religieuses, avec les scribes, interprètes autorisés de l'Écriture. Ce n'était pas l'assemblée plénière du sanhédrin, dont il redoutait l'influence et s'était toujours appliqué à diminuer le crédit, mais une réunion de conseillers de son choix, qui sauraient bien lui dire où le Messie attendu devait naître. Ils répondirent sans hésiter : « A Bethléem de Juda, car il est écrit : Et toi, Bethléem, pays de Juda, tu n'es pas le moindre des princes de Juda, car de toi naîtra un chef qui gouvernera mon peuple Israël [1]. » Hérode savait maintenant ce qu'il voulait savoir. Soupçonneux par caractère et par habitude, il fit appeler secrètement les Mages pour apprendre d'eux à quel moment précis l'astre leur était apparu. Il les congédia en disant : « Allez à Bethléem et tâchez de découvrir l'enfant; et quand vous l'aurez trouvé revenez me le dire, afin que j'aille l'adorer à mon tour. »

Ils partirent sur cette assurance et voici que l'astre, vu par eux en Orient, les précédait jusqu'au-dessus du lieu où était l'enfant. En voyant l'étoile, ils furent remplis d'une grande joie. Étant entrés dans la maison, ils trouvèrent l'enfant avec Marie sa mère et, tombant à genoux, ils l'adorèrent. Ensuite, ouvrant leurs trésors, ils lui offrirent leurs présents : de l'or, de l'encens et de la myrrhe [2].

1. Mich. 5[1-2]. L'hébreu est un peu différent :

> Et toi, Bethléem Ephratha,
> petit entre tous les clans de Juda,
> de toi me proviendra
> Celui qui dominera sur Israël.

S. Matthieu modifie le texte, soit qu'il le cite d'après les scribes consultés par Hérode, soit qu'il suive une variante inconnue de nous, soit qu'il l'accommode aux circonstances : Bethléem, en soi si humble, ne l'est plus dès qu'on le considère comme la patrie du Messie.

2. Mt. 2[9-10]. Notez les détails : 1° *Voici que* (καὶ ἰδού) marque la surprise. Ils ne s'y attendaient pas; de là leur joie; 2° « Ils avaient vu l'astre en Orient » ou « à l'Orient » (ἐν ἀνατολῇ), mais ils ne l'avaient pas revu depuis; car rien ne prouve qu'il les ait guidés ou suivis à Jérusalem; 3° « L'étoile les précède » ou « les conduit » (προάγειν peut signifier *précéder* ou *conduire*), mais le premier sens est plus naturel, car, de Jérusalem, la route de Bethléem est facile à trouver; 4° « L'astre s'arrêta (ἐστάθη) au-dessus de l'endroit où était Jésus ». Schanz (*Matthäus*, 1879, p. 105) remarque : « Comme Bethléem est au sud de Jérusalem et qu'aucun astre ne se meut vers le sud, la marche et l'arrêt de l'étoile tiennent du miracle. » 5° « Ils entrent dans *la maison*. » On ne pourrait donner à la grotte le nom de *maison* (οἰκία) que si l'on était sûr que la sainte Famille y était encore; mais rien n'est moins

Les Mages n'arrivaient pas les mains vides, car les Orientaux ne rendent guère visite à un supérieur sans lui offrir des présents. Ils apportaient ce que leur pays avait de plus précieux. L'encens et la myrrhe sont en effet les principaux produits de l'Arabie [1]. Il en venait d'autres régions, comme l'Inde et l'Égypte, mais les Arabes en avaient l'entrepôt; et c'est grâce à ce lucratif commerce que l'or abondait chez eux, au point de s'échanger à des prix dérisoires. Aux présents, ils joignirent les hommages dus à un souverain et à un Dieu. On se prosternait bien, en signe de respect et de vénération, devant un simple mortel; mais la plupart des Pères voient dans le geste des Mages une adoration véritable, un acte de latrie. Seraient-ils venus de si loin pour rendre hommage à un homme, qui ne les touchait en rien; et la nature de leurs présents ne fait-elle pas soupçonner qu'ils voulaient honorer en lui un être surhumain? Chez presque tous les peuples, l'encens était réservé à la divinité et on ne l'offrait qu'avec une certaine parcimonie. On raconte que Léonide, précepteur d'Alexandre le Grand, voyant son élève jeter l'encens à pleines mains sur l'autel de ses dieux, l'avertit d'en être moins prodigue, jusqu'au jour où il aurait conquis le pays qui le produit. Les Hébreux accompagnaient d'une oblation d'encens tous leurs sacrifices, sauf le sacrifice pour le péché; ils en brûlaient aussi deux fois par jour dans le sanctuaire, sur l'autel des parfums.

Le symbolisme de ces présents est si naturel qu'on ne s'étonne pas de le rencontrer chez les auteurs ecclésiastiques les plus anciens. Le poète Juvencus lui a donné ce tour lapi-

---

prouvé. 6° « Ils trouvèrent l'enfant et Marie sa mère ». Les bergers avaient trouvé dans la grotte « l'enfant, Marie et Joseph » (Lc. 2¹⁶). Les Mages, venus pour Jésus, ne s'inquiètent pas de Joseph; ou peut-être Joseph était-il alors absent, occupé à ses travaux. 7° « Tombant à genoux ils adorent (ou vénèrent) l'enfant » (πέσοντες προσεκύνησαν αὐτῷ). Nous donnons la préférence au premier sens.

Comme les écrivains sacrés ont coutume de décrire les phénomènes naturels d'après leurs apparences sensibles, certains commentateurs estiment qu'il en est de même en cette occasion; mais il est malaisé d'entendre ainsi les paroles de l'évangéliste sans leur faire violence. La marche et l'arrêt de l'étoile semblent bien avoir un caractère miraculeux.

1. Sur l'encens et la myrrhe dont les Arabes ont le monopole, Pline, *Hist. natur.*, XII, 30-35. Sur l'encens, la myrrhe et l'or de l'Arabie, Strabon, *Geogr.*, XVI, 18-19.

daire : « Ils offrent l'or, l'encens, la myrrhe, au roi, au Dieu, à l'homme. » Saint Irénée dit avec moins de concision : « Ils offrent de la myrrbe à celui qui doit mourir ; de l'or à celui dont le règne ne finit point ; de l'encens au Dieu des Juifs qui se manifeste maintenant aux Gentils [1]. » La myrrhe était surtout employée à l'ensevelissement des morts. Les Juifs en saupoudraient les cadavres ; les Égyptiens, pour embaumer les corps des riches, les bourraient de myrrhe, mêlée à d'autres substances, dont ils excluaient toujours l'encens [2]. Les Mages, en offrant à Jésus ce que leur patrie avait de meilleur, n'y mettaient pas sans doute une intention aussi raffinée ; mais l'esprit de Dieu qui guidait leur main et celle de l'évangéliste a très bien pu vouloir nous suggérer ce sens figuratif.

Hérode avait espéré tromper les Mages par ses hypocrites déclarations. Aucun scrupule ne l'aurait arrêté pour se débarrasser d'un rival et l'idée d'un massacre général des nouveau-nés de Bethléem n'était pas pour l'effrayer ; mais il préférait éviter une tuerie qui l'aurait rendu encore plus odieux ; et il comptait sur les Mages pour lui désigner la seule victime à frapper. Le ciel intervint pour sauver l'Enfant. Comme ils se disposaient à reprendre le chemin de Jérusalem, un ange les avertit de rentrer chez eux par une autre voie. La chose était facile. En sept ou huit heures de marche, ils gagneraient le Jourdain qui fait suite au Cédron ; et quand Hérode s'apercevrait de leur fuite, ils seraient hors de ses atteintes. Ils durent partir la nuit même sans attendre l'aurore, afin de moins éveiller les soupçons.

Leur séjour à Bethléem n'avait pas été long : le défiant Hérode se fût vite inquiété d'un délai suspect. Au reste nous n'avons pas plus de données sur leur départ que sur leur venue. Saint Augustin pensait qu'ils étaient arrivés treize jours après la nativité, parce que l'Église célèbre l'Épiphanie à

---

1. Juvencus, I, 285 ; S. Irénée, *Haereses*, III, 10. S. Justin, S. Cyprien, Tertullien, Origène et d'autres écrivains plus récents exposent un symbolisme analogue. Les vers de Prudence sont bien connus (hymne de Laudes pour la fête de l'Épiphanie).

2. Hérodote, II, 86 : « Le corps est rempli de myrrhe concassée, de cannelle et d'autres parfums, *dont l'encens seul* est exclu. »

cette date; mais les mystères commémorés par l'Épiphanie
ne se sont pas tous accomplis le même jour et il est inadmissible que la sainte Famille ait séjourné à Bethléem et soit
montée au Temple de Jérusalem, pour l'offrande de l'Enfant
et les relevailles de la Mère, un mois après le départ des
Mages.

V. La fuite en Égypte et le massacre des Innocents.

*Un ange apparut en songe à Joseph et lui dit : Lève-toi,
prends l'enfantelet et sa mère, fuis en Égypte et restes-y
jusqu'à nouvel avis de ma part ; car Hérode va chercher
le petit enfant pour le faire mourir* [1].

Comme chef de la sainte famille, c'est Joseph qui reçoit
le message et qui est chargé de l'exécuter. Joseph se lève aussitôt et réveille Marie. L'ordre est formel et le péril presse;
il n'y a pas un instant à perdre. Les préparatifs ne sont
pas longs : des hardes, des outils, quelques provisions de
bouche à mettre ensemble. Avant l'aube, les fugitifs étaient
déjà sur la route de Gaza ou d'Hébron. Quatre ou cinq journées de marche leur suffisaient pour atteindre Rhinocolure,
sur la frontière égytienne. Là, ils étaient en sûreté et ils
avaient chance d'y rencontrer des compatriotes, car l'Égypte
fut toujours le lieu de refuge des Juifs persécutés [2]. De là, ils
pourraient se joindre à une caravane, pour continuer leur
voyage.

Les évangiles apocryphes en font une perpétuelle idylle.
Les dragons et les léopards se prosternent devant le petit
Jésus; les arbres se baissent pour couvrir Marie de leur
ombre; les lions guident bénévolement la bête de somme qui
porte leur humble bagage. On trouverait à ces légendes une

---

1. Mt. 2[13-14]. Le départ est très précipité. S. Joseph est averti en
songe ou plutôt « durant son sommeil » (κατ᾽ ὄναρ) et il part « nuitamment » (νυκτός), évidemment la même nuit que les Mages. Il faut se
rappeler que Bethléem n'est qu'à huit ou neuf kilomètres de Jérusalem
et qu'Hérode pouvait être averti d'un moment à l'autre de la fuite des
Mages.

2. Jéroboam s'y était réfugié (1 Reg. 11[40]), ainsi que le fils du grand
prêtre Onias III (Josèphe, *Antiqu.*, XII, IX, 7). Il y avait alors en Égypte,
d'après Philon, un million de Juifs.

certaine grâce naïve, si l'on pouvait oublier la bassesse de
leur origine. En voici une qui a tenté le pinceau des primitifs. Marie, fatiguée par la marche et l'ardeur du soleil,
se reposait sous un palmier dont la cime était chargée de
fruits. « Je voudrais bien, dit-elle, si c'était possible, goûter
des fruits de cet arbre. » — « Pour moi, répondit Joseph,
c'est le manque d'eau qui m'inquiète, car nos outres sont
vides. » Alors Jésus dit au palmier : « Courbe-toi et donne
de tes fruits à ma mère. » L'arbre s'inclina jusqu'aux pieds de
Marie et, quand ils en eurent cueilli les dates, Jésus reprit :
« Redresse-toi maintenant et ouvre tes racines, pour livrer
passage à l'eau qu'elles recèlent. » L'arbre obéit à l'instant et
de ses racines jaillit une eau fraîche et limpide. Quand les
pèlerins se remirent en route, le sentier disparaissait derrière
eux comme par enchantement. Arrivés sur le territoire
d'Hermopolis, dans une ville appelée Satine, où ils ne connaissaient personne, ils entrèrent dans un temple contenant
trois cent soixante-cinq idoles, qui toutes tombèrent à terre
et furent réduites en pièces. Ainsi s'accomplit la prophétie
d'Isaïe : « Le Seigneur viendra sur une nuée légère, il
entrera en Égypte et tous les ouvrages des Égyptiens trem-
bleront devant sa face [1]. »

L'histoire a moins de poésie que la légende. Avant la
construction de la voie ferrée, qu'on doit à la grande guerre,
le trajet de Palestine en Égypte n'avait rien d'attrayant.
Qu'on en juge par la relation d'un religieux du dix-septième
siècle, qui se défend de pousser sa peinture au noir, pour
ne pas décourager les futurs pèlerins : « Il faut se résigner
à rester vingt-trois jours monté sur un chameau, exposé à
la rosée des nuits et à la chaleur excessive du sable allumé
par les plus fortes ardeurs du soleil. Pendant cent lieues au
moins que dure le voyage, on ne rencontre pas une pierre, ni
un cours d'eau, ni une source... Pas un buisson de la hauteur du doigt, pas un brin d'herbe de la grosseur d'un che-
veu. » Et le pieux pèlerin de conclure : « On supporte patiemment toutes ces incommodités, puisque la sainte Famille en

---

1. Pseudo-Matthieu, *Livre de la naissance de Marie et de l'enfance du
Sauveur*, chap. XX-XXIII (très abrégé). L'apocryphe est du VI° siècle.

a souffert davantage [1]. » Il est possible que le bon franciscain ne fût pas encore suffisamment acclimaté ou qu'il ait mal choisi le temps du voyage, mais en toute saison le trajet de Jérusalem au Caire dut être fort pénible et d'une accablante monotonie.

Sur le séjour de la sainte Famille en Égypte, la tradition est vague et incertaine. Actuellement, on montre au Vieux-Caire, dans la chapelle copte, l'endroit qui lui aurait servi de refuge. Dès le cinquième siècle, on la faisait aller jusqu'à Hermopolis, ville de la Haute-Égypte voisine d'Antinoé. La légende du sycomore et de la source de Matarieh, près de l'antique Héliopolis, ne semble pas remonter au delà du treizième siècle [2].

La sainte famille n'était pas encore loin de Bethléem, lorsque Hérode s'aperçut qu'il avait été joué par les Mages. Ce barbare à peine dégrossi avait des rages d'épileptique. Il envoya aussitôt ses sbires massacrer tous les enfants mâles de Bethléem et des environs, au-dessous de deux ans. Cette mesure atroce ne paraîtra pas incroyable, si l'on songe que le cruel despote avait successivement fait périr le vieux roi Hyrcan son beau-père, sa première femme Mariamne qu'il aimait éperdument, sa belle-mère Alexandra, son beau-frère Costobar, ses fils Alexandre et Aristobule, et qu'il n'attendait que la permission d'Auguste pour faire exécuter un troisième fils, Antipater. Josèphe raconte que le sanguinaire tyran avait enfermé dans le théâtre de Jéricho cinq mille notables, avec ordre exprès de les tuer, dès qu'il aurait

1. J. Goujon, *Histoire et voyage de la Terre Sainte,* Lyon, 1670, p. 291-3. La distance indiquée par l'auteur (cent lieues) n'est pas exagérée, car entre Jérusalem et le Caire, il y a bien 500 kilomètres. Mais si désespérante que soit la lenteur du chameau, on se demande comment il a pu mettre « vingt-trois jours, à raison de quatorze ou quinze heures par jour », pour franchir cette distance.

2. Le Vieux-Caire est un peu au sud du Caire actuel. — Matarieh est à sept ou huit kilomètres au nord-est du Caire et près de l'obélisque d'Héliopolis. Le sycomore et la source sont très bien décrits par le P. Jullien (*L'arbre de la Vierge à Matarieh*, Le Caire, 1904). Matarieh est mentionné dans l'*Evangile arabe de l'enfance*, xxv ; mais le P. Peeters a prouvé que le passage était interpolé (*Evangiles apocryphes*, t. II, p. xxvii). L'arbre de la Vierge vient de disparaître et la source se perd maintenant dans les infiltrations du Nil.

rendu lui-même le dernier soupir, afin d'empêcher le peuple
de se réjouir à sa mort. La vie humaine, en Judée comme
ailleurs, comptait alors pour bien peu de chose. A Rome,
on vit un jour quatre cents esclaves conduits ensemble au
supplice, parce que leur maître avait été trouvé mort dans
sa demeure : ainsi le voulait une implacable loi. La vie d'un
nouveau-né valait moins encore : le père était libre d'en
disposer à son gré. Suétone rapporte qu'un prodige étant
survenu avant la naissance d'Auguste fit croire qu'un roi de
Rome allait bientôt naître. Pour conjurer ce malheur, le
sénat aurait ordonné la mise à mort de tous les enfants
mâles qui naîtraient dans l'année ; mais, grâce à de puissantes
interventions, le sénatus-consulte ne fut pas inséré aux archives et resta lettre morte. L'anecdote est controuvée sans
doute, mais il suffit pour notre but qu'elle ait paru croyable
aux contemporains. Plus tard, à l'apparition d'une comète
qui jeta l'effroi dans Rome, l'astrologue de Néron déclara
que, pour conjurer ce mauvais présage, des meurtres éclatants étaient nécessaires. En conséquence, Néron fit périr un
grand nombre de nobles, dont les fils furent empoisonnés
ou massacrés avec leurs précepteurs. Hérode valait bien
Néron et le meurtre de quelques enfants, trente ou quarante
peut-être, n'était pas pour l'épouvanter.

La fête des saints Innocents — ces fleurs des martyrs tran-
chées, au matin de leur vie, par le fer du tyran, comme des
roses à peine écloses sont fauchées par l'orage — fut de
bonne heure populaire. L'Église la célèbre aujourd'hui
avec un mélange touchant de joie et de tristesse. Elle
exulte avec les anges accueillant au ciel des élus, innocents
comme eux ; elle pleure avec les mères inconsolables, parce
qu'elles sont inconscientes de leur bonheur.

> « Une voix s'est fait entendre à Rama,
> des cris et des lamentations sans fin :
> c'est Rachel qui pleure ses enfants ;
> elle est inconsolable, car ils ne sont plus [1]. »

---

1. Mt. 2[17-18], citant Jer. 31[15]. Rachel, mère de Benjamin et de Joseph
père d'Ephraïm, fut enterrée sur le chemin d'Ephratha-Bethléem (Gen.
35[19]). Elle pleure sur la hauteur de Rama, au centre de la tribu de
Benjamin, les calamités d'Ephraïm, dont Rama dominait le territoire.

Jérémie déplorait en ces termes l'extermination des tribus du Nord ; mais ses lamentations étaient d'actualité dans toutes les catastrophes nationales et même dans les désastres particuliers. Le prophète avait dépeint Rachel gémissant à Rama, au centre de la tribu de son fils Benjamin, sur le sort calamiteux d'Ephraïm, autre fils de Jacob. L'évangéliste, par une sublime prosopopée, la représente se levant de sa tombe, aux portes de Bethléem, pour s'associer au désespoir des mères. En laissant subsister le nom de Rama, saint Matthieu montre bien qu'il n'entend pas faire de ce texte une application littérale.

Le massacre des Innocents fut un des derniers crimes d'Hérode : la patience de Dieu était lasse. Le tyran venait d'apprendre que l'héritier présomptif du trône complotait sa mort. Antipater, impatient de régner, trouvait que son père vivait trop longtemps. Des dénonciations spontanées et des tortures savamment choisies firent tout découvrir. Hérode réunit un tribunal extraordinaire qui prononça la peine de mort contre ce fils dénaturé et une ambassade fut envoyée à Rome pour obtenir de l'empereur la confirmation de la sentence.

Sur ces entrefaites, le vieux roi fut attaqué d'un mal si étrange que tout le monde y vit un châtiment du ciel. Un feu intérieur, qui ne se trahissait au dehors par aucune élévation de température, le dévorait lentement. Les entrailles étaient ulcérées, tous les muscles endoloris, les pieds et le ventre enflés et sanguinolents. Les parties naturelles tombaient en pourriture et engendraient des vers. On eût dit un cadavre en putréfaction.

Malgré tout, le malade s'accrochait désespérément à la vie. Des empiriques ou des astrologues, dont il suivait aveuglément les ordonnances, lui prescrivirent les eaux de Callirrhoé. Cette source fameuse était située à l'est de la mer Morte, au pied de la montagne que domine la forteresse de Machéronte. Il s'y fit transporter de Jéricho; mais ces eaux miraculeuses ne lui procurèrent aucun soulagement; un bain d'huile tiède faillit l'étouffer. Ramené en hâte au palais de Jéricho, le bruit de sa mort imminente suscita

partout des révoltes. Deux docteurs célèbres, suivis d'une
véritable armée de disciples, s'enhardirent au point d'arracher en plein jour l'aigle d'or qu'il avait fait placer au
fronton du Temple, au mépris de la loi mosaïque. Le sombre
monarque ne savait quel supplice inventer pour punir cet
affront : finalement, il fit brûler vifs les deux chefs, Judas
et Matthias, avec une cinquantaine de leurs affidés. Peu de
temps après, il eut encore une heure de triste consolation :
la réponse de Rome était favorable et Auguste lui permettait d'exécuter la sentence de mort portée contre son fils
Antipater. Il mourait lui-même cinq jours après.

Par son testament, il attribuait la Judée, la Samarie et
l'Idumée, avec le titre de roi, à son fils Archélaüs, qu'il
avait eu de Malthacé la Samaritaine : il partageait ses
autres états entre Antipas et Philippe, avec la qualité de
tétrarques; mais il avait stipulé que le testament ne serait
valable qu'après l'approbation d'Auguste.

On était aux premiers jours d'avril de l'an 4 avant notre
ère. Archélaüs fit transporter le corps de son père à Héro-
dium, près de Bethléem, et lui fit de magnifiques funérailles.
La semaine de deuil passée, il se présenta devant le peuple
assemblé en grand nombre à Jérusalem pour la célébration de la Pâque. Sans prendre encore le titre de roi,
il s'en arrogea le pouvoir. Du haut d'un trône doré, il faisait droit aux requêtes, accordait grâces et faveurs, con-
sentait au dégrèvement des impôts; mais quand la foule,
trompée par son air débonnaire, osa réclamer à grands
cris la mort de ceux qui avaient trempé dans le meurtre
légal des docteurs Judas et Matthias, il trouva l'exigence
excessive et lança contre les mutins ses gardes du corps
qui en massacrèrent un grand nombre [1].

Il partit pour Rome sous ces fâcheux auspices. Antipas
et d'autres membres de sa famille l'y accompagnèrent, soit

1. Josèphe, non sans quelque exagération sans doute, dit *trois mille*
(*Antiqu.*, XVII, IX, 3). L'histoire des derniers jours d'Hérode et de l'avènement d'Archélaüs est très bien résumée par Schürer (*Geschichte*[4],
t. I, p. 411-424), d'après Josèphe qui est à peu près notre unique source
dans ses *Antiquités judaïques* et sa *Guerre des Juifs*. On peut voir aussi
F. de Saulcy (*Histoire d'Hérode roi des Juifs*, 1867, p. 334-380), qui
raconte très longuement le procès et la condamnation d'Antipater.

pour marcher sur ses brisées, soit pour travailler sous
main à leur propre avancement. Leur départ fut le signal de
séditions et de tueries nouvelles. Un délégué d'Auguste
chargé, disait-il, de mettre sous séquestre les trésors
d'Hérode, se vit assiégé dans le palais royal par le peuple
ameuté. Il fallut que Varus, gouverneur de Syrie, celui-là
même qui devait périr un jour si misérablement dans les
forêts de la Germanie, vint le délivrer à la tête de ses légions.
Varus vainqueur fit crucifier deux mille des insurgés les
plus compromis.

Cependant Archélaüs, secondé par un habile avocat,
Nicolas de Damas, aurait peut-être gagné complètement sa
cause au tribunal de César, si une députation de Jérusalem,
appuyée par les huit mille Juifs de Rome, n'était venue
prier l'empereur d'écarter Archélaüs du trône et d'annexer
la Judée à la province de Syrie. Auguste, après de longues
hésitations, finit par confirmer le testament d'Hérode, à la
réserve d'un seul point. Archélaüs reçut la Judée, la Samarie
et l'Idumée, mais sans la couronne royale qu'il ambitionnait
et que son père lui avait destinée; il dut se contenter du
titre d'ethnarque. Antipas et Philippe se partagèrent les
autres états d'Hérode, moins les villes de Gaza, d'Hippos et
de Gadara, qui firent retour à la Syrie. Antipas obtenait la
Galilée et la Pérée; Philippe occupait les régions demi-
païennes du nord : la Batanée, la Gaulanitide, l'Auranitide,
la Trachonitide et une partie de l'Iturée.

Telle était la situation de la Palestine, à l'automne de
l'an 4 avant notre ère, lorsqu'Archélaüs rentra à Jérusalem.

CHAPITRE III

LE MYSTÈRE DE LA VIE CACHÉE

I. Les récits de la sainte enfance.

La catéchèse apostolique commençait au baptême du Christ pour finir à son ascension : c'est dans ce cadre que se renferme le second Évangile, le type le plus exact de la catéchèse primitive. Mais bientôt la piété des fidèles désira remonter aux origines et savoir d'où venait Jésus et ce qu'il était avant l'inauguration de sa vie publique. C'est à ce besoin que répondent les deux chapitres, placés par saint Matthieu et saint Luc en tête de leur Évangile, comme une sorte d'avant-propos. Leurs récits ont nécessairement en commun les traits généraux qui forment la trame de cette histoire : le chaste mariage de Joseph et de Marie, la conception virginale de Jésus et sa naissance à Bethléem, le retour à Nazareth de la sainte Famille; mais ils diffèrent pour tout le reste et l'on voit bien que, s'ils exploitent les mêmes sources, ils y puisent indépendamment l'un de l'autre et n'en retiennent que les éléments qui vont au but de chacun.

L'attention de saint Matthieu se porte de préférence sur saint Joseph, héritier de David, père légal de Jésus, chef et représentant de la sainte Famille. Les moyens d'information ne lui manquaient pas, car il avait vécu en compagnie de Jacques, frère du Seigneur, et des neveux de Joseph, Simon et Jude, fils de Cléophas. Tout son récit pivote autour de Joseph. C'est à Joseph que Dieu s'adresse pour lui enjoindre de prendre Marie dans sa demeure et de servir de père au fils qu'elle enfantera. C'est Joseph que l'ange avertit de fuir

incontinent en Égypte, pour sauver la vie de l'enfant. C'est encore à lui que le messager céleste vient annoncer la mort du tyran, quand arrive le moment de quitter son exil. Joseph, chef responsable, a partout l'initiative de la décision.

Saint Luc, tout au contraire, fait converger le récit de l'enfance vers Marie, mère de Jésus. Il note non seulement ses actes et ses paroles, mais ses impressions et ses pensées les plus intimes : on dirait qu'il lit dans son cœur. Il nous décrit son trouble en entendant la salutation élogieuse de l'ange, son admiration en écoutant l'adieu à la vie du vieillard Siméon; deux fois, à l'étable de Bethléem et dans la maison de Nazareth, il nous la représente recueillant en son cœur le souvenir des merveilles qui s'accomplissaient devant elle, comme pour les mettre en réserve et en nourrir son âme : *Maria conservabat omnia verba haec conferens in corde suo.*

Évidemment, on n'a pu connaître ce qui s'était passé dans le tête à tête de Nazareth et dans le secret de l'étable, le jour de l'annonciation et la nuit de Noël, que par les confidences de la Vierge. C'est à cette source, tout le monde en convient, que saint Luc, directement ou indirectement, a dû puiser ses informations. Nous savons avec quel soin il avait coutume de se renseigner auprès des témoins oculaires. Il n'avait probablement pas fréquenté la Vierge elle-même, quoique ce ne soit pas impossible; car ni la date de la mort de Marie, ni celle de la conversion de l'évangéliste n'est connue avec certitude. Mais il avait pu être en rapports avec plusieurs de ses compagnes et des autres membres de sa famille. On a remarqué l'intérêt spécial qu'il semble porter à ce groupe de femmes généreuses qui mettaient au service du Christ leur dévouement et leurs ressources. Il nous apprend qu'elles étaient nombreuses; quelques-unes de ces héroïnes — comme Jeanne, femme de Chusa, et Suzanne — ne nous sont connues que par lui.

Il a pu disposer aussi de documents écrits. Nous pensons que le *Benedictus* et le *Magnificat* étaient de ce nombre. Le ton biblique du récit de l'enfance inclinerait à croire qu'il est une traduction de l'hébreu ou de l'araméen; mais c'est peut-être un procédé choisi par l'auteur pour adapter la naïveté du style à la grâce du sujet.

Qu'il emprunte ses matériaux à la tradition orale ou à des documents écrits, saint Luc ne les exploite pas sans y mettre son cachet d'artiste. Ces deux chapitres sont un diptyque, où Jésus et Jean sont placés en face l'un de l'autre, avec Marie pour centre et trait d'union. Le parallélisme se poursuit constamment, mais avec des couleurs différentes, ainsi qu'il convenait. Message de Gabriel à Zacharie, message de Gabriel à la Vierge; conception miraculeuse de Jean, conception virginale de Jésus; naissance du Précurseur, joie de la famille, circoncision de l'enfant, cantique de Zacharie; naissance de Jésus, adoration des bergers, présentation au Temple, cantique du vieillard Siméon; enfin croissance du Précurseur jusqu'à sa retraite au désert, développement physique, intellectuel et moral de Jésus, sous le regard de sa mère, heureuse et émerveillée. Mais, à y regarder de près, la plupart des rapprochements se changent en contrastes. Pouvait-il en être autrement, quand les deux membres du parallèle étaient Jean et Jésus?

Dans saint Luc comme dans saint Matthieu, les récits de l'enfance ont toujours fait partie intégrante de l'Évangile : il ne peut exister à cet égard de doute raisonnable. La négation *a priori* du miracle et la phobie du surnaturel ont pu seules en faire contester le caractère historique[1].

---

1. On lira avec profit la monographie du P. Durand, *L'enfance de J.-C.*, Paris, 1908.
   J. Gresham Machen, *The Virgin Birth of Christ*, Londres, 1930, consacre plus de la moitié de son remarquable ouvrage à l'examen des questions suivantes : authenticité, intégrité, caractères, origine et crédibilité des récits de S. Luc et de S. Matthieu ; rapports entre les deux récits. L'auteur regarde comme plus probable, dans S. Luc, l'utilisation d'une source écrite, soit grecque, soit araméenne, au moins pour certaines parties. C'est aussi le sentiment le plus commun ; cependant le P. Médebielle (*D. B.*, *Suppl.*, t. I, col. 268), sans repousser absolument l'hypothèse des documents, est d'avis que rien n'en prouve l'emploi. Nous serions moins affirmatif, au moins pour le *Magnificat* et le *Benedictus*. Dalman (*Die Worte Jesu*[2], 1930, p. 31) admet comme possible que le *style hébraïsant* des deux premiers chapitres de S. Luc provienne de Luc lui-même. Le début des Actes offre un phénomène analogue.
   L'explication de Godet (*L'Evangile de saint Luc*[2], 1872, t. I, p. 202-203) mérite d'être citée. « Les deux cycles de récits émanent de deux foyers différents ; l'un du cercle dont la personne de Joseph fut le centre et que nous pouvons nous représenter par Cléopas, son frère... Les récits conservés dans ce milieu-là pouvaient facilement arriver à l'oreille de l'auteur du premier évangile. Mais un cycle de récits avait

II. Le retour à Nazareth.

*Après la mort d'Hérode, un ange du Seigneur apparut
en songe à Joseph, en Égypte, et lui dit : « Lève-toi, prends
l'enfant et sa mère et retourne au pays d'Israël ; car ils sont
morts ceux qui en voulaient à la vie de l'enfant. » Joseph se
leva donc, prit l'enfant et sa mère et revint au pays d'Israël. Mais, ayant appris qu'Archélaüs régnait en Judée, à
la place d'Hérode son père, il craignit de s'y rendre. Averti
en songe, il se retira dans la région de Galilée et vint
habiter une ville appelée Nazareth. Ainsi s'accomplit la
parole des prophètes : « Il sera appelé Nazaréen [1]. »*

Joseph obéit aux ordres du ciel avec la même promptitude
que la première fois et ses préparatifs ne furent pas plus
longs au retour qu'au départ. Il lui fallut traverser de nouveau
le désert qui sépare l'Égypte de la Palestine ; mais la joie de
revoir bientôt la terre natale lui faisait supporter allègrement
la faim, la soif et la fatigue. Il semble que son intention fût
d'aller se fixer à Bethléem. Puisque, par une disposition providentielle, l'héritier de David y était né, n'était-ce pas se
conformer aux desseins de Dieu que d'y établir le séjour de
la maison royale, d'où le Messie devait sortir ? Plusieurs
supposent, non sans vraisemblance, qu'après la purification
de Marie et la présentation de Jésus au Temple, la sainte
Famille avait repris le chemin de Nazareth, non pour y rester
à demeure, mais pour mettre en ordre ses affaires et trans-

dû se former aussi autour de Marie, dans la retraite où elle finit sa
carrière. Ces récits devaient avoir un caractère plus intime et pénétrer
bien plus avant sous l'enveloppe des faits. Ce sont sans doute ceux
qu'a recueillis et conservés Luc. »

1. Mt. 2[19-23]. A noter : *a)* « Hérode étant mort, *voici que* (ἰδού) » semble
marquer la simultanéité : « *Aussitôt* qu'Hérode fut mort ». En effet, après
la mort d'Hérode il n'y avait plus de raison de rester en Égypte. —
b) « *Ils* sont morts *ceux* ». C'est ce que les grammairiens appellent le
pluriel d'espèce, pour désigner le seul Hérode. — *c)* « Prends l'enfant et
sa mère et reviens au pays d'Israël », comme dans Ex. 4[19], où il est question de Moïse revenant de Madian en Egypte. — *d)* « Archélaüs *régnait* »
C'est ainsi qu'on disait vulgairement ; en réalité, comme nous l'avons vu,
il n'était qu'ethnarque.

férer son domicile à Bethléem, où elle aurait été de retou
avant l'arrivée des Mages.

En foulant de nouveau le sol de la Judée, Joseph appri
qu'Archélaüs en était le maître. De tous les fils d'Hérode —
si l'on excepte Antipater, vrai démon incarné — nul n'avai
une réputation aussi détestable. Il tenait de son père l₁
cruauté farouche, l'amour effréné du plaisir, l'astuce et l₁
fourberie. Joseph ne se sentit pas en sûreté dans le voisinag₁
de ce monstre, qui partageait peut-être les craintes supersti
tieuses de son père, avec la hantise du péril messianique, ₁
un moment où la Palestine était bouleversée par l'apparitio₁
de tant de faux Messies. Ce fut probablement à Gaza qu₁
Joseph apprit ces nouvelles. Au lieu donc de continuer s₁
route sur Bethléem, dont il n'était plus qu'à deux petite₁
journées de marche, il se dirigea vers le nord, par Ascalon
Asdod et Césarée. De là, une voie directe le conduisait ₁
Nazareth, par le défilé de Mageddo et la plaine d'Esdrelon.

Impossible de dire avec quelque assurance combien d₁
temps avait duré son exil. Pourtant les événements s'étaien₁
tellement précipités qu'il peut n'avoir passé en Égypte qu₁
quelques mois ou seulement quelques semaines. Nous n'en-
trons pas ici dans le détail de discussions chronologiques,
aussi complexes que fastidieuses. Il suffit de savoir qu'un
ensemble de preuves touchant à la certitude fait fixer la mor₁
d'Hérode au printemps de l'an 750 de Rome (an 4 avant l'èr₁
chrétienne). Diverses considérations nous induisent à place₁
la naissance du Sauveur vers la fin de l'an de Rome 748 (an ₆
avant notre ère). C'est donc dans cet intervalle d'environ
quinze mois qu'auraient eu lieu la purification de Marie, la
visite des mages, la fuite en Égypte et le retour à Nazareth.
S'il en est ainsi, le séjour en Égypte n'aurait point dépassé
une année et serait probablement plus court. En tout cas, la
durée de sept ans, soutenue par plusieurs, est dénuée de toute
vraisemblance.

Le séjour en Égypte et le retour à Nazareth vérifiaient,
d'après saint Matthieu, deux paroles prophétiques. On peut
dire qu'une prophétie s'accomplit non seulement lorsqu'elle
se vérifie au sens littéral ou au sens typique, mais aussi
quand arrive un événement contenu dans l'énonciation géné-

rale du prophète et même, au sens large, quand survient un événement tout à fait semblable. Osée, parlant au nom de Dieu, avait dit : « J'ai rappelé mon fils d'Égypte. » Il s'agit du peuple hébreu, qui, collectivement, est fils de Dieu au sens théocratique. Mais Israël était la figure du Messie, ou du moins le Messie en était l'expression la plus haute. Voilà pourquoi saint Matthieu lui applique, en un sens plus excellent, la parole d'Osée.

Jésus vint habiter Nazareth pour accomplir ce qu'ont dit les prophètes : « Il sera appelé Nazaréen. » Cela n'est écrit nulle

1. *Ex Ægypto vocavi filium meum.* Mt. 2²³ citant Os. 11¹, d'après l'hébreu. Les Septante traduisent : « J'ai rappelé d'Egypte *ses* enfants (τὰ τέχνα αὐτοῦ, les enfants d'Israël). S. Matthieu ne pouvait rien tirer du texte grec, même au sens typique.

2. Mt. 2²³ : *Quoniam Nazaraeus vocabitur* (ὅτι Ναζωραῖος κληθήσεται). A) *Orthographe du mot Nazareth.* — Il s'écrivait certainement par un *tsade* (נצרת) et non par un *zaïn*. Ce qui le prouve c'est la prononciation arabe actuelle (par un *s* emphatique), l'usage rabbinique et musulman, la transcription dans les versions syriaques et l'assertion formelle de S. Jérôme (*Liber interpret. nomin. hebr.*) : « Scribebatur non per z litteram sed per hebr. sade. » La seule raison de douter serait la forme grecque, le *zéta* répondant en général au *zaïn* et le *sigma* au *tsade*. Mais on trouve Ζόγαρα pour צער (Gen. 13¹⁰ ; Jer. 48²⁴). Cf. Dalman, *Orte und Wege Jesu*, 1924, p. 61-64.

B) *Forme du mot Nazaréen.* — On trouve tantôt Ναζαρηνός (Mc. 4 fois, Lc. 2 fois), tantôt Ναζωραῖος (toujours dans Matthieu, Jean et les Actes). Ναζαρηνός est le *gentilice* régulier, comme Γαδαρηνός, Μαγδαληνός, etc. La terminaison αῖος suggère plutôt un nom de secte, comme serait φαρισαῖος, σαδδουκαῖος, etc. Je croirais donc que Jésus fut d'abord appelé Ναζαρηνός de son lieu d'origine et ne fut appelé Ναζωραῖος que lorsque ses disciples commencèrent à être qualifiés ainsi (Act. 24⁵ ; τῆς τῶν Ναζωραίων αἱρέσεως). Le titre fut d'abord un sobriquet, comme χριστιανός (Act. 11²⁶), mais il fut accepté par les disciples de Jésus et dès lors toute distinction entre Ναζαρηνός et Ναζωραῖος disparut.

C) *Comment Jésus sera-t-il appelé Nazaréen?* — Il faut d'abord écarter le sens de *naziréen* (qui a fait vœu de naziréat), parce que : *a)* Jésus n'était pas naziréen : *b)* il n'est nulle part appelé naziréen ; *c)* naziréen (נזיר) s'écrit par un *zaïn* et n'a rien de commun avec Nazaréen.

Plusieurs se réfèrent à Is. 11¹.

« Un rameau sortira de la tige de Jessé
et un rejeton (נצר) poussera de ses racines. »

Le prophète appelle le Messie *Netser*, nom de même racine que Nazareth ; mais ce jeu de mots suffit-il pour vérifier une prophétie ? C'est comme si l'on disait : « Il sera appelé *Lyonnais* parce qu'on l'a comparé à un *lion.* » Si S. Matthieu se référait à Isaïe il emploierait le singulier (*le* prophète) et non le pluriel (*les* prophètes). Aucun autre prophète n'a appelé le Messie *Netser* (rejeton) ; le mot germe (*tsemach*)

part dans la Bible et il est tout à fait arbitraire de supposer
que l'évangéliste cite un livre perdu ou un apocryphe ignoré,
Le fait d'alléguer les prophètes en général montre bien qu'il
n'entend pas en citer un en particulier et qu'il reproduit l'esprit plutôt que la lettre des prophéties messianiques. C'est
la remarque pénétrante de saint Jérôme. Or les prophètes
avaient prédit que le Messie serait dédaigné et méprisé, en
butte aux insultes et aux dérisions : et tout cela commence à
se réaliser quand il vient habiter un village obscur d'une
province assez mal famée. Son origine nazaréenne sera inscrite
sur sa croix. Ses ennemis le qualifieront de Galiléen et donneront à ses disciples le sobriquet de Nazaréens, qui deviendra,
qui reste encore, leur désignation habituelle chez les Juifs et
les musulmans. Bien qu'il soit né à Bethléem, berceau de
ses ancêtres, bien que, durant sa vie publique, il ait fixé à
Capharnaüm le centre de son apostolat, Nazareth est sa vraie
patrie. C'est là qu'il fait ses premiers pas, qu'il bégaie ses
premiers mots d'enfant; c'est là qu'il grandit sous l'œil de sa
mère, qu'il travaille comme un ouvrier à côté de son père
putatif. Il est et on l'appelle le charpentier de Nazareth.

Aucune ville palestinienne n'a subi de transformations aussi
radicales. Sa population a plus que triplé depuis cinquante
ans et elle s'est agrandie dans des proportions telles que les
anciens pèlerins ont peine à la reconnaître. Autrefois elle
n'avait pour horizon que le cercle de ses coteaux; aujourd'hui,
hôtels, couvents, écoles, orphelinats, hospices, avec leurs
vastes enclos, escaladent les pentes et, de là belle église salé-
sienne, qui couronne le sommet du Neby-Saïn, le regard
s'espace à dix lieues à la ronde [1]. Pour retrouver une image
du passé, il faut s'engager à l'intérieur du vieux quartier, et
gravir les ruelles en escalier, bordées de petites maisons

(צמח) qu'on trouve dans Jérémie (24[5] ; 33[15]) et dans Zacharie (3[8] ; 6[12]) est
tout différent.
   Au contraire Jésus a été en fait qualifié de Nazaréen et les prophètes
donnent la raison de cette appellation dérisoire en décrivant son état
d'abaissement et d'humiliation.
   1. En 1852, Robinson (*Palestine*[2], t. II, p. 339) évaluait la populationt
à 3.000 âmes; Mislin, en 1868 (*Lieux saints*[3], t. III, p. 525) à 3.470;
Guérin en 1880 (*Galilée*, t. I, p. 99) à 4.950. Le recensement de 1922 a
donné 9.510 habitants, dont 3.0r0 musulmans. Mais la ville continue à
s'accroître rapidement. Ce qui change surtout sa physionomie, ce sont

basses et à toit plat, adossées à la colline, au sein de laquelle elles se prolongent souvent.

Nazareth faisait pauvre figure à côté des cités hérodiennes de Tibériade et même de Séphoris, qui n'en était éloignée que d'une lieue et demie. Ses deux voisines, Yafa et Iksal, qui défendaient au sud l'entrée du massif montagneux où elle se cache, ont laissé des ruines plus importantes. Cana même — la boutade de Nathanaël en fait foi — ne souffrait pas de lui être comparé. Maintenant qu'elle est reliée à Jérusalem, à Tibériade et à Caïpha par des routes carrossables, à Séphoris et au Thabor par d'assez bons chemins, on peut se la représenter comme un lieu de passage. Il en était jadis autrement. La route d'Orient en Égypte bifurquait à deux ou trois lieues avant d'atteindre Nazareth, près d'un endroit appelé Loubieh. Là, un embranchement se dirigeait vers le littoral, par la plaine d'Asochis ; l'autre, plus fréquenté, passait entre le Thabor et le massif de Nazareth, traversait la plaine d'Esdrelon et bifurquait encore : la gauche menant à Jérusalem par la Samarie, la droite en Égypte par la trouée de Mageddo et le rivage méditerranéen. Nazareth restait à l'écart.

La vie de Jésus dans sa retraite de Nazareth, jusqu'à sa douzième année, est ainsi résumée par saint Luc : « L'enfant croissait et se fortifiait, rempli de sagesse ; et la grâce de Dieu était sur lui[1]. » Puisque le Fils de Dieu a voulu ressembler en tout à ses frères adoptifs, son petit corps s'accroît peu à peu comme le nôtre ; ses organes s'affermissent graduellement ; bientôt, soutenu par Marie, il risque ses premiers pas, prononce en bégayant les mots qu'elle lui suggère ; plus tard, il rendra à sa mère quelque léger service, maniera,

les nombreux établissements européens. Pour ne citer que les religieux catholiques, on trouve à Nazareth des Franciscains, des Frères de Saint-Jean-de-Dieu et des Écoles chrétiennes, des Salésiens de don Bosco, des Pères de Bétharram, des Dames de Nazareth, des Sœurs de charité, des Clarisses, des Carmélites et des sœurs de Saint-Joseph.

1. Lc. 2[40]. A noter : 1° « Il croissait et se fortifiait » concerne le seul développement physique. — 2° « Rempli de sagesse » rend imparfaitement πληρούμενον, qui n'est ni un adjectif, ni un participe passé passif, mais un participe présent moyen « se remplissant (graduellement) de sagesse ». — 3° Il n'y a pas « la grâce de Dieu était en lui » mais « une grâce de Dieu (divine) était sur lui ».

comme en se jouant, les outils de Joseph. « Aimable enfant, dit Bossuet, heureux ceux qui vous ont vu hors de vos langes, développer vos bras, étendre vos petites mains, caresser votre sainte mère, et le saint vieillard qui vous avait adopté, ou à qui plutôt vous vous étiez donné pour fils... Je vous adore, cher enfant, dans tous les progrès de votre âge, soit que vous suciez la mamelle, soit que par vos cris enfantins vous appeliez celle qui vous nourrissait, soit que vous vous reposiez sur son sein et entre ses bras[1]. » Il faudrait la plume naïve et charmante d'un François de Sales pour décrire la joie de Marie en suivant le lent progrès de cette croissance et en voyant s'épanouir sur le visage de son Fils bien-aimé un sourire où se lisait chaque jour un peu plus d'intelligence et de tendresse.

Dieu aurait pu façonner le corps du second Adam comme celui du premier, l'envoyer au monde dans la maturité de l'âge et la plénitude du développement physique; mais alors le Christ, n'étant pas de notre race, ne serait pas non plus notre représentant naturel. Il fallait qu'il naquît d'une femme, comme les autres membres de la famille humaine, et qu'il parcourût successivement les phases de notre existence, pour servir de modèle à tous les âges de la vie. Il convenait, cependant, que son corps formé par l'opération du Saint-Esprit dans le sein très pur d'une vierge, et hypostatiquement uni au Verbe, eût une perfection qui répondît à sa dignité suréminente. S'il était sujet, comme le nôtre, à la faim, à la soif, à la fatigue, à la douleur causée par l'intempérie des saisons et les mauvais traitements des hommes, il était exempt des infirmités qui sont la suite des passions, de l'imprudence ou d'une hérédité morbide. Non pas qu'il dût avoir la vue la plus perçante, l'ouïe la plus fine, les membres les plus robustes, les organes les plus déliés et les plus souples qui furent jamais. Sa perfection ne consistait pas dans l'exagération anormale des facultés sensorielles, mais dans l'équilibre harmonieux des fonctions organiques. S'il ne connaissait ni la propension au mal, ni la prédominance des sens sur la raison, il nous ressemblait en tout ce qui ne

---

1. Bossuet, *Élév. sur les mystères,* 20ᵉ semaine, 1ʳᵉ élév.

dérogeait pas à sa dignité morale et son organisme plus
délicat le rendait plus accessible que nous à la joie comme à
la souffrance.

Ainsi s'écoula, dans le recueillement et le silence, la première enfance de Jésus. Les bruits du dehors ne troublaient
pas la solitude de Nazareth et pourtant de tragiques événements ébranlaient alors l'univers. Après avoir accumulé sur
sa tête tous les titres honorifiques — tant de fois consul, tant
de fois *Imperator,* souverain pontife, dieu sauveur, fils de
Jupiter — l'empereur Auguste payait la rançon de sa gloire
par une suite ininterrompue de malheurs domestiques et de
calamités nationales. Il avait dû reléguer dans l'île Pandataria
sa fille unique, coupable d'inconduite. Ses deux petits-fils, les
césars Caïus et Julius, étaient morts coup sur coup à la fleur
de l'âge. Il ne restait comme héritier que le fils de Livie, sa
troisième femme, ce Tibère, dont le caractère ombrageux et
sournois n'était pas sans l'inquiéter beaucoup. En même
temps la famine désolait Rome; les dépenses excessives de
l'État nécessitaient la création de nouveaux impôts, onéreux
et impopulaires; le Temple de Janus, fermé pour la troisième
fois depuis la fondation de Rome, deux ou trois ans avant la
naissance du Christ, n'avait pas tardé à se rouvrir; les barbares, jaloux de secouer le joug de l'empire et profitant de ce
moment de crise, s'agitaient sur le Rhin et le Danube; les
expéditions victorieuses n'amenaient qu'une paix éphémère et
Varus, que nous avons vu réprimer si brutalement une sédi-
tion des Juifs, allait bientôt s'ensevelir avec ses légions dans
les forêts de Germanie.

En Palestine, la situation n'était pas meilleure. Archélaüs,
furieux de n'avoir rapporté de Rome que le titre d'ethnarque,
méditait de tirer une atroce vengeance des sujets qui l'avaient
desservi auprès de César. A force d'exactions et de cruautés,
il réussit à faire regretter le règne d'Hérode son père. Son
gouvernement de neuf ou dix ans ne fut qu'arbitraire et
tyrannie. Nous n'en connaissons pas le détail; mais nous
savons qu'à la fin les Juifs exaspérés envoyèrent à Rome
demander sa destitution. Auguste ne daigna pas lui écrire;
il le fit mander comme un valet et, après l'avoir entendu et
confronté avec ses accusateurs, il l'exila pour toujours à

Vienne, dans les Gaules. La Judée, la Samarie et l'Idumée, annexées à la province de Syrie, furent désormais régies par des procurateurs, dont le premier fut Coponius. Le gouverneur de Syrie, Quirinius, qui avait déjà fait un dénombrement sous Hérode, dix ou douze ans auparavant, fut chargé de faire un second recensement des biens et des personnes dans ce pays nouvellement incorporé à l'empire. Tel était l'état du monde au moment où Jésus atteignait sa douzième année.

III. Jésus perdu et retrouvé (Luc, II, 41-52).

Aux termes de la loi mosaïque, les Israélites adultes avaient à paraître trois fois par an devant l'Éternel, pour lui offrir leurs adorations et leurs sacrifices. Sauf le cas d'empêchement légitime, tous ceux qui n'étaient pas éloignés de Jérusalem de plus d'une journée de marche devaient y célébrer la Pâque, la Pentecôte et la fête des Tabernacles. Pour les Juifs de la Dispersion et les habitants des contrées lointaines, l'usage tempérait la rigueur d'un précepte dont l'observation littérale était pratiquement impossible. Les Galiléens pouvaient-ils déserter en masse leurs campagnes à la veille de la Pentecôte, au moment où les travaux de la moisson étaient le plus urgents? Mais tous les Juifs de Palestine se faisaient un devoir d'aller passer à Jérusalem les fêtes pascales et, naturellement, le juste Joseph était de ce nombre.

Aucune obligation légale n'y astreignait les femmes et les enfants. Cependant nous voyons dans l'Évangile que Marie avait l'habitude d'accompagner son saint époux et que Jésus, à l'âge de douze ans, se joignit à eux[1]. Dans ces pays de soleil, où le développement physique est plus précoce, un enfant de treize ans était considéré comme un homme. Dès lors, il devenait *sujet de la loi* et il était tenu de l'observer intégralement, même pour les préceptes réputés

---

1. Lc. 2⁴¹ On remarquera : 1° Que Joseph *et Marie* allaient chaque année (κατ' ἔτος) à Jérusalem; 2° qu'ils y allèrent avec Jésus quand il eut douze ans *selon la coutume* (κατὰ τὸ ἔθος) des gens pieux; l'obligation stricte ne touchait pas Marie et n'atteignait pas encore Jésus; 3° qu'ils passèrent à Jérusalem toute la semaine pascale (τελειωσάντων τὰς ἡμέρας).

pénibles, tels que le jeûne annuel du jour de l'Expiation et le pèlerinage à Jérusalem. Mais les parents pieux avaient soin d'accoutumer leurs enfants à devancer un peu le terme prescrit par la Loi et saint Luc, en datant de la douzième année de Jésus sa présence au Temple au milieu des docteurs, semble bien faire entendre que c'était son premier pèlerinage à la Ville sainte.

De Nazareth à Jérusalem, par le chemin direct à travers la Samarie, la distance ne dépasse pas cent dix ou cent vingt kilomètres [1] et un bon piéton la franchirait aisément en trois journées de marche; mais les pèlerins, voyageant en caravane et obligés de s'attendre mutuellement, ne pouvaient guère compter moins de quatre étapes. La première était la plus riche en souvenirs bibliques. Quand on était descendu des collines de Nazareth dans la grande plaine d'Esdrelon, on laissait à gauche le mont Thabor et on longeait le petit Hermon, puis les hauteurs de Jesraël, séjour abhorré d'Achab et de sa digne compagne, enfin le Gelboé, témoin de la fin tragique de Saül et de Jonathan. A droite, s'étendait à perte de vue la plaine qu'arrose le Cison, immortalisé par le chant de victoire de Débora. Le Carmel, à jamais fameux par les miracles du prophète Élie, fermait l'horizon du côté du sud. La frontière de Galilée marquait la fin de la première étape. Les pèlerins faisaient en sorte de ne passer qu'une seule nuit sur territoire samaritain. Ils laissaient à distance la capitale de la Samarie et arrivaient le lendemain à Sichem, où les souvenirs de Jacob et de Joseph auraient suffi à les attirer. Le soir du troisième jour les trouvait déjà en Judée, dont la limite septentrionale passait un peu au nord de l'antique Silo, qui avait abrité pour un temps l'arche d'alliance. Dès lors ils cheminaient à travers la petite tribu de Benjamin et au milieu de noms familiers aux lecteurs de la Bible : Béthel, Bééroth, Rama, Gabaon, Machmas, Anathot, Gabaath-Saül. Au terme de la quatrième journée de marche, ils saluaient enfin les hautes tours et les murs crénelés de Jérusalem.

La plupart des pèlerins, ceux surtout qui venaient de loin,

1. La route carrossable actuelle a près de 150 kilomètres; mais elle zigzague dans les montées et les descentes et va contourner Samarie, au lieu d'aller droit du puits de Jacob à Djénin.

y restaient tout le temps des fêtes, tant pour satisfaire leur
dévotion que pour prendre un repos nécessaire entre deux
voyages assez fatigants : La clôture des fêtes avait lieu le
21 Nisan, chômé à l'instar d'un sabbat, et l'on se remettait
généralement en marche dès le lendemain. Il faut avoir assisté
au départ d'une nombreuse caravane, pour avoir une idée du
désordre et de la confusion qui y règnent. Parents, amis et
voisins, se cherchent et s'attendent pour cheminer de conserve; mais bientôt les accidents de la route et la vitesse inégale des piétons ont bouleversé les rangs et mêlé les groupes
en un inextricable chaos. On ne se retrouvera que le soir, au
lieu du rendez-vous commun.

D'après une tradition assez vraisemblable, la sainte Famille
aurait fixé la première halte à El-Bireh (l'antique Bééroth) [1].
On voyait là les ruines d'une église à trois nefs bâtie par les
croisés sur l'emplacement d'un édifice antérieur. El-Bireh
paraîtra peut-être trop rapproché de Jérusalem pour représenter une journée de marche; mais on sait que le départ
d'une caravane est sujet à bien des retards et que la première
étape est généralement la plus courte.

Quand les groupes se reformèrent, par villages et par
familles, pour le repas du soir et le repos de la nuit, quelle
ne fut pas la désolation de Marie et de Joseph de constater
l'absence de Jésus! Ils ne s'en étaient pas inquiétés durant
le trajet, le croyant avec des voisins; et maintenant il
était trop tard pour courir à sa recherche. Nuit d'angoisse
et d'insomnie!

Le lendemain, dès l'aube, tandis que leurs compagnons de
voyage poursuivaient leur route, ils reprirent le chemin de
Jérusalem. Mais ils eurent beau interroger tous les passants,
parcourir tous les carrefours de la ville, frapper à toutes les
portes amies, la journée entière s'écoula sans apporter le moindre indice. Enfin le troisième jour, ils montèrent au Temple,
plus sans doute pour confier à Dieu leur peine et implorer ses
lumières que dans l'espoir d'y trouver Jésus.

1. El-Bireh, village d'un millier d'habitants, à 15 kilom. de Jérusalem
sur une hauteur (893ᵐ). Les restes de l'église du XIIᵉ s. qui mesurait
43 mètres sur 22, ont été démolis en 1916.

Or il était là, au milieu des docteurs, occupé à les écouter et à les interroger. L'enseignement des rabbins était familier et sans apparat. Ils autorisaient les auditeurs à les questionner sur les points obscurs et les invitaient même volontiers à dire leur sentiment. Ils trouvaient à cette méthode l'avantage de soutenir l'attention, d'éveiller la réflexion, d'aiguiser l'esprit et de combattre la passivité. On cite même un rabbin qui se faisait interroger par ses élèves pour avoir l'occasion de donner à un collègue une leçon jugée nécessaire.

Jésus assistait donc à une de ces réunions où les docteurs faisaient assaut d'érudition et de subtilité. Il n'était pas assis sur une haute estrade dans l'attitude arrogante que certains artistes lui prêtent, il ne cherchait pas à éblouir l'auditoire par les problèmes les plus abstrus de la métaphysique ou les arcanes de l'astrologie, comme le veulent les apocryphes [1] ! Cela ne convenait ni à son caractère ni à son âge. Il se contentait d'écouter, d'interroger et de répondre, quand il était questionné. Il réalisait l'idéal de l'étudiant modèle, selon la doctrine des rabbins : interroger à propos, répondre sans hâte et sans trouble, résoudre les questions par ordre, ne rien dire de plus que ce qu'on a conscience de savoir [2]. Ses questions comme ses réponses, sur des points de religion et de morale, étaient si sensées et si justes, que les docteurs en étaient dans l'admiration et se demandaient d'où pouvait venir, un enfant de cet âge, tant de science des choses célestes.

Témoins de cette scène, Marie et Joseph s'étonnaient eux aussi, n'ayant encore jamais vu leur fils manifester cette sagesse divine, dont ils n'ignoraient pas la source. Quand la séance prit fin et que les assistants se dispersèrent, Marie s'approcha de Jésus et lui dit doucement : *Mon fils, pourquoi avez-vous agi ainsi envers nous ? Votre père et moi nous vous cherchions depuis trois jours.* C'est le cri spontané d'un cœur maternel ; gardons-nous de le soumettre à une froide analyse. Quelle autre chose pouvait dire une mère en pareille occurrence ? Plainte amoureuse ou affectueux reproche, la parole de Marie s'inspirait surtout du désir d'apprendre le motif d'une conduite si contraire aux habitudes d'un fils toujours

1. *Évang. arabe de l'enfance*, chap. LI et LII.
2. Mishna, traité *Aboth*, V, 7.

plein de respect et de soumission, toujours attentif à leur
éviter le moindre déplaisir. Jésus répondit : *Pourquoi me
cherchiez-vous ? Ne saviez-vous pas que je me dois tout entier
aux choses de mon Père*[1] *?* Ils n'avaient pas tort de le chercher
avec sollicitude et Jésus ne les en blâme point; mais, le con-
naisssant comme ils le connaissaient, ils auraient pu se
souvenir que ce fils ne leur appartenait pas tout entier et
qu'il se devait avant tout aux intérêts de son Père céleste.
Cette pensée aurait calmé leurs craintes et modéré leur inquiétude.

Telle est l'explication communément admise aujourd'hui;
mais plusieurs Pères de l'Église, peut-être avec raison, en
préfèrent une autre : « Ne saviez-vous pas que je dois être
chez mon Père? » Du moment qu'il les quittait sans les prévenir, il ne pouvait être qu'au Temple, dans la maison de
son Père; c'est là qu'ils l'auraient trouvé sans se donner la
peine de le chercher ailleurs. La réponse ainsi entendue est
moins sublime de prime abord, mais combien plus naturelle
dans la bouche d'un enfant, qui l'accompagne d'une caresse
et d'un sourire.

De toute façon, la parole avait un sens mystérieux dont ses
parents ne sondèrent pas alors toute la profondeur[2]. Si éclairé que fût leur esprit de lumières surnaturelles, il ne pénétrait
que peu à peu le pourquoi et le comment du plan rédempteur,
car la vision prophétique, même chez les voyants les plus
favorisés, garde toujours des obscurités et des ombres. Jésus
venait-il d'inaugurer son œuvre; allait-il les quitter, pour
s'adonner tout entier au service de son Père céleste? Et si te

---

1. Lc. 2[48]-[49]. Jésus est retrouvé « après trois jours » (*post triduum*,
μετὰ τρεῖς ἡμέρας) : ce qui doit s'entendre, d'après la manière de compter
des anciens, du *surlendemain*, le premier et le dernier jour compris,
l'intervalle entre les deux étant seulement d'une journée.

La réponse de Jésus « in his quae Patris mei sunt » (ἐν τοῖς τοῦ πατρὸς
μου), peut se prendre en deux sens : 1° « dans les affaires, dans les
intérêts de mon Père, dans ce qui a trait à sa gloire », c'est l'explication vulgaire ; 2° « dans la maison de mon Père, dans le Temple »
(Origène, S. Épiphane, S. Augustin, S. Cyrille d'Alexandrie, etc.)

2. Lc. 2[50] : « Eux ne comprirent pas la parole. » Quelques interprètes
scandalisés croient qu'il s'agit des assistants ; mais il est évident que
le mot *eux* se rapporte aux parents de Jésus. D'autres veulent qu'en
vertu de la figure appelée synecdoque le pluriel soit pour un singulier et concerne le seul Joseph. Subtilités sans objet.

était son dessein, ne pouvait-il pas l'exécuter sans briser le cœur d'une mère ? C'est ce que Joseph et Marie ne saisirent pas tout d'abord ; et peut-être ne songeaient-ils pas que l'acte de Jésus visait moins leur instruction que la nôtre. Il nous apprend que le service de Dieu prime les affections les plus légitimes ; et combien de parents se disant chrétiens ne le comprennent point, même après la leçon que leur donne ici le Sauveur ?

IV. Vie d'obéissance et de progrès

L'histoire de Jésus à Nazareth, depuis sa douzième année jusqu'au début de son apostolat, se résume en trois phrases : *Il croissait en sagesse et en taille et en grâce, devant Dieu et devant les hommes... Il était soumis à Joseph et à Marie... Sa mère observait toutes ces choses dans son cœur*[1].

Descendu du ciel pour nous apprendre l'obéissance, il devait en être le parfait modèle. Aussi, dès le premier instant de sa conception, dit-il à son Père : « Vous avez rejeté victimes et oblations mais vous m'avez façonné un corps ; les holocaustes et les sacrifices vous ont déplu, mais me voici, Seigneur ; je viens, ô mon Dieu, faire votre volonté, comme il est écrit de moi en tête du Livre[2] ». Il obéira donc à tous ceux qui détiennent une parcelle de l'autorité divine ; il se fera obéissant jusqu'à la mort de la croix et l'Apôtre pourra dire qu'il a appris l'obéissance à l'école de la douleur.

A Nazareth, l'obéissance est toute sa vie : *Et erat subditus illis*. Quel étrange renversement de rôles ! Celui à qui tout obéit, au ciel et sur la terre, obéit et ne commande pas. Marie, la plus sublime des créatures, commande et obéit tour à tour ; mais elle commande à son créateur et elle obéit à un homme dont elle éclipse de loin les mérites. Joseph, tout conscient qu'il est de l'infinie dignité de Jésus et de la sainteté incomparable de Marie, commande à l'un et à l'autre et n'obéit qu'à Dieu. Il y avait en tout cela pour la Vierge un sujet d'inépuisables méditations. Elle scrutait le mystère de

---

1. Lc. 2⁵¹⁻⁵². La croissance physique et morale est déjà signalée plus haut (Lc. 2⁴⁰).
2. Hebr. 10⁵⁻⁷ ; citant Ps. 39 (40)⁷⁻⁹. Cf. Hebr. 5⁸ ; Phil. 2⁸.

la vie cachée, sans pouvoir en sonder l'abîme; et elle ado-
rait en silence ce qui passe la compréhension humaine.

On craint de profaner le sanctuaire de Nazareth, en y
jetant un regard curieux; on ose à peine considérer le détail
de ces occupations quotidiennes, dont la vulgarité a quelque
chose qui offusque notre délicatesse. Tel préférerait peut-être
contempler Jésus nourri par des anges et Marie absorbée
dans une extase d'amour que rien ne viendrait troubler; mais
il ne faut pas reculer devant la réalité plus austère.

Dans toute maison juive, le premier soin de la femme était
de moudre la quantité de blé nécessaire à la consommation
journalière et le bruit strident de la meule, maniée par elle,
retentissait dès l'aurore. Puis elle pétrissait la farine, allumait
le fourneau mobile et cuisait son pain sur des pierres chauffées
à blanc. La préparation du repas n'était point laborieuse, car
le menu était simple et peu varié : des œufs, du laitage, du
miel, des olives et autres fruits, quelquefois du poisson. Ces
devoirs remplis, la maîtresse de maison ne demeurait pas
inactive. Comme la femme forte du Livre des Proverbes :

> « Elle prenait la laine et le lin
> et travaillait d'une main joyeuse;
> elle saisissait la quenouille
> et ses doigts tournaient le fuseau. »

Aujourd'hui le chanvre et le lin ne sont plus cultivés en
Galilée; et le tissage de la laine, du coton et de la soie, est
l'affaire des hommes. Chez les Juifs d'alors, comme de nos
jours sous la tente des nomades, ce travail était dévolu aux
femmes et l'on ne peut guère douter que la robe sans couture
de Jésus ne fût l'ouvrage de sa mère.

L'Enfant divin rendait à Marie tous les petits services com-
patibles avec la faiblesse de son âge. Quand les forces le lui
permirent, il alla rejoindre Joseph dans son atelier. Autrefois
comme aujourd'hui, l'atelier était toujours séparé de l'habitation commune. On ménageait ainsi la paix et le repos de la
famille en lui épargnant le dérangement continuel, les commé-
rages et les marchandages des clients et des visiteurs, souvent
grossiers et peu discrets. Nous savons du reste que telle était
aussi la coutume dans le monde gréco-romain.

Joseph était ouvrier en bois. Charpentier ou menuisier? Sans doute l'un et l'autre; car la division du travail n'était pas encore arrivée au point de distinguer entre ces deux métiers qui portent toujours en arabe le même nom[1]. Bien que le dogme de l'immuable Orient soit sujet à caution, une visite à l'atelier d'un charpentier galiléen nous en apprendra plus que tous les discours. Que voyons-nous chez ces artisans? Une ou deux scies, une hache, un marteau, un maillet, un rabot; souvent pas d'établi ni de chevalet : en somme, l'outillage le plus primitif[2]. Cela leur suffit pour fabriquer les objets courants : des portes, des châssis pleins pour les fenêtres, des coffres servant d'armoires, des fourches à vanner le blé, des traîneaux armés de pointes de silex pour dépiquer les gerbes sur l'aire, surtout des jougs et des charrues de la forme la plus antique. Quand on bâtit une maison nouvelle, on appelle le charpentier pour équarrir grossièrement les poutres de peuplier ou de sycomore qui supporteront le toit de feuillage et la couche plus ou moins imperméable de terre battue. Les voûtes, maintenant communes en Judée, étaient rares en Galilée jusqu'à ces derniers temps.

L'humble situation de Joseph n'avait rien d'avilissant aux yeux de ses compatriotes. La plupart des rabbins illustres avaient travaillé de leurs mains. Parmi les cinq devoirs principaux d'un père de famille, figurait la maxime de Rabbi Juda : « Qui n'apprend pas un métier à son fils lui enseigne le vol. » Ce n'était pas seulement pour honorer le travail, mais aussi pour fuir le désœuvrement qui est le plus dangereux des vices. « Auriez-vous cent servantes, disait Rabbi Eliézer,

---

1. Il était τέκτων (Mt. 3[56]) et Jésus aussi (Mc. 6[3]). Τέκτων signifie à la fois *charpentier* et *menuisier*, quelquefois *artisan* en général, rarement *ouvrier en métaux*. Le latin *faber* désigne tout ouvrier travaillant le bois, le fer, ou la pierre ; il faut une épithète pour distinguer les spécialités : *faber lignarius, ferrarius*, etc. En hébreu le *naggar*, comme le *najjar* arabe, est en même temps charpentier et menuisier. La tradition qui fait de Joseph un ouvrier en bois est parfaitement établie. Dès le deuxième siècle, le *Protévangile de Jacques* (IX, 1) le représente avec une hache (IX, 1) et S. Justin (*Dial. c. Tryph.* 88) dit qu'il fabriquait des jougs et des charrues. C'est une bizarrerie de la part de Schneller (*Kennst du das Land?* 1920, p. 58) de prétendre qu'il était maçon.
2. Il y a toujours à Nazareth la rue des cordonniers, des forgerons mais nous n'y avons pas vu de rue des menuisiers ou charpentiers.

il faudrait les obliger toutes à filer la laine; car l'oisiveté est
la mère de l'inconduite. » Saint Paul, un rabbin lui aussi,
invoquait un motif plus noble : « Travaillez de vos mains à
quelque ouvrage honnête, afin d'avoir de quoi donner à ceux
qui sont dans le besoin[1]. »

Tout en se livrant à ces humbles travaux à côté de son père
nourricier, Jésus « croissait en sagesse, en taille et en grâce
devant Dieu et devant les hommes ». Au développement
physique, répondait un développement moral et intellectuel
analogue. Le premier était réel et tangible; l'autre n'aurait-il
été qu'une simple apparence? Comme le soleil, avec une
chaleur et une lumière constantes, darde ses rayons avec
plus d'intensité à mesure qu'il s'élève sur l'horizon, le progrès
intellectuel et moral de Jésus ne serait-il qu'une manifestation graduée d'une perfection immuable? Dans une page
admirable que nous regrettons de ne pouvoir citer en
entier, saint Cyrille d'Alexandrie dit en substance : « Le
Verbe incarné a permis librement aux lois de l'humanité
de garder en lui toute leur valeur, pour nous ressembler
davantage; car une croissance subite aurait eu quelque chose
de monstrueux[2]. » Il est facile de comprendre comment Jésus
croissait graduellement en taille et en grâce; mais comment
expliquer l'accroissement en sagesse ou en science?

Il ne faut pas se représenter les deux natures du Christ
comme deux vases communicants, dont l'un déverserait dans
l'autre le trop-plein de son onde, ni comme deux appartements
contigus éclairés par la même source de lumière. Ces
comparaisons boiteuses, appuyées sur une fausse théologie,
ne font qu'obscurcir le mystère. L'union hypostatique par elle-
même laisse les deux natures sans confusion et sans mélange
et n'ajoute à la nature humaine que la personnalité divine;
mais Jésus-Christ, Fils de Dieu, a droit aux biens de son Père,
c'est-à-dire à la grâce sanctifiante et à la lumière de gloire qui
en est le couronnement. Ce droit, il l'avait dès l'instant de sa

---

1. Eph. 4[27-28]. Pour les rabbins, voir Billerbeck, t. II, p. 10-11 et 745-6.
2. S. Cyrille, *quod unus sit Christus*, Migne, LXXV, 1332. L'auteur
conclut : Nous disons qu'il croît en taille et en grâce comme nous disons
qu'il a faim et qu'il est fatigué ou autres choses semblables.

conception ; et si sa mission rédemptrice s'opposait à ce que la gloire de l'âme rejaillît sur le corps pour le spiritualiser, il n'y avait aucune raison de différer à l'âme elle-même la possession effective de la vision bienheureuse. Ainsi l'âme de Jésus, contemplant Dieu face à face, voyait dans le Verbe tout ce que produit l'activité créatrice du Verbe. C'est là une vérité assez clairement indiquée dans l'Évangile et tellement consacrée par l'enseignement catholique qu'on ne saurait plus la révoquer en doute. Mais il convenait aussi que l'instituteur, le législateur et le juge suprême du genre humain, celui qui venait révéler au monde les secrets et les volontés de son Père, fût pourvu d'une science plus proportionnée à son rôle de rédempteur et de second Adam. C'est ce qu'on appelle la science infuse, dont on est libre de discuter les limites, mais dont on ne pourrait nier l'existence sans aller à l'encontre du sentiment commun des théologiens[1]. La science béatifique et la science infuse, si parfaites qu'on les suppose, ne sont pas infinies, puisqu'elles sont l'apanage d'une nature créée ; cependant ni l'une ni l'autre n'est susceptible d'accroissement, car elles sont conférées, dès le principe, dans toute la mesure prévue et décrétée par Dieu. Le progrès de Jésus ne peut donc être que selon la science acquise ou expérimentale.

Il en est qui répugnent à l'admettre. On a peur de diminuer l'humanité du Christ en accordant qu'elle acquiert une perfection nouvelle ; on ne veut pas qu'elle puisse être taxée d'ignorance dans quelque ordre de connaissance que ce soit. On a donc imaginé une science infuse des choses naturelles, que Dieu déposerait toute faite dans l'âme de Jésus, dont le rôle, en présence des objets sensibles, serait simplement de les reconnaître. Saint Thomas, qui avait d'abord partagé ces craintes, finit par les dissiper en formulant ce principe de sens commun : « Il faut dire qu'il y a dans le Christ une science acquise, conforme à la manière humaine de connaître. »

---

1. Suarez (*In 3ᵃᵐ part. Disp.* xxv, *sect.* 1) dit à propos de la vision béatifique du Christ : « Existimo opinionem contrariam erroneam et proximam haeresi esse. » Il parlerait ainsi, à plus forte raison, après le décret du Saint-Office du 5 juin 1918. Pour la science infuse, les théologiens ne la donnent pas comme un dogme mais comme une conclusion théologique. Voir Vigué, *Quelques précisions concernant l'objet de la science acquise du Christ*, dans *Recherches*, janvier-mars, 1920.

La faculté que possède notre intelligence de former des idées à l'aide des images perçues par les sens resterait-elle chez lui inerte et sans objet? Ce serait une façon curieuse de comprendre la perfection de son humanité. Disons donc hardiment avec le docteur angélique : « Comme l'opération de l'intellect agent est successive, le Christ, dès le principe, ne connut pas toute chose selon cette science... qui était toujours parfaite relativement à son âge, bien qu'elle ne le fût pas absolument en elle-même et qu'ainsi elle demeurât susceptible d'augmentation [1]. » Voilà qui met d'accord les Pères, dont les sentiments paraissent diamétralement opposés. Quand on leur demandait si le Christ, comme homme, ignorait quelque chose, les uns répondaient : *Non* et les autres : *Oui.* Ils avaient tous raison. On peut dire en effet que le Christ, même en tant qu'homme, n'ignore rien, si l'on prend sa science humaine dans toute son ampleur ; et l'on peut avouer qu'il ne connaît pas tout, si l'on s'arrête à cette science inférieure, acquise à l'aide des impressions sensibles.

La science acquise ne fait pas double emploi avec la science infuse et la vision béatifique. Ce sont des ordres de connaissance absolument distincts. Pour la vision béatifique, c'est de toute évidence ; il faut en dire autant de la science infuse. Semblable à la science des purs esprits, elle se forme sans le secours des images sensibles et s'exerce sans le recours à ces mêmes images. Ornement habituel de l'âme du Christ, elle est à sa disposition pour s'en servir quand il veut et dans la mesure qu'il veut. Selon l'heureuse formule d'un éminent théologien moderne : « Jésus proportionnait la manifestation de sa science supérieure au progrès de la science acquise ; et de la sorte sa croissance en sagesse était à la fois apparente et réelle : apparente, eu égard à la science infuse qui ne saurait croître ; réelle, eu égard à la science acquise, susceptible d'un progrès indéfini [2]. »

L'âme de Jésus, hypostatiquement unie au Verbe, était assurément la plus parfaite qui fût jamais. Rien n'égalait la

---

1. S. Thomas, *Summa theol.* p. III, qu. XII, a. 2 ad 1ᵘᵐ et qu. IX, a. 4 : « Quamvis aliter alibi scripserim. » L'opinion contraire était soutenue dans le commentaire des *Sentences,* p. III, qu. III, a. 3.

2. Billot, *De Verbo incarnato* ³, 1900, p. 221. S. Thomas, *Summa,* p. III, qu. XI, a. 5.

pénétration de son intelligence, la promptitude de sa percep-
tion, la ténacité de sa mémoire, la rectitude de son jugement, la sûreté de ses déductions. Aucune tare héréditaire
n'obnubilait son esprit; aucun nuage de passion ne s'inter-
posait entre lui et la vérité. Il voyait les effets dans les causes
et les causes dans les effets, les conséquences dans les principes et les principes dans les conséquences. Aussi, en peu
de temps, put-il s'enrichir d'un trésor immense de connaissances. Nous ne disons pas qu'il mania les théorèmes de méca-
nique céleste mieux que Laplace, qu'il parla plus de langues
que Mezzofanti, qu'il sut mieux appliquer la théorie des ondes
sonores et lumineuses qu'Edison. Pour parcourir le cercle
entier des sciences humaines, il faudrait mille vies; et il est
absolument impossible de tout savoir. On hésite parfois à
croire que, même selon la science expérimentale, le Christ ait
ignoré quoi que ce soit et qu'il ait été obligé d'apprendre.
Cependant il faut être logique. Il est des choses qu'aucune
pénétration d'intelligence ne nous fera jamais découvrir sans
guide et sans maître : tels sont les signes conventionnels qui
nous servent à donner un corps à notre pensée par le langage
et l'écriture. Personne ne devinera la valeur des lettres d'un
alphabet ou la signification des mots d'un idiome sans quelque
indication préalable. Jésus apprit les éléments du vocabulaire
araméen sur les genoux de sa mère, il apprit de Joseph la
pratique de son métier; il apprit à lire le texte de la Bible, soit
au foyer domestique soit à l'école du village; il apprit le
reste dans le livre de la nature ou au contact de la vie.

C'est par l'usage habituel de la science acquise que le
Christ nous paraît vraiment homme et que nous fraternisons
avec lui; car elle est pour lui comme pour nous la source des
sentiments et des émotions. Cette science se traduit instincti-
vement dans sa conduite et son langage. Ses paroles et ses
discours familiers reflètent l'azur du ciel palestinien et nous
font respirer les senteurs des collines galiléennes; et voilà
ce qui en fait le charme. Plusieurs de ces délicieux tableaux
sont des scènes *vécues*, comme on dit aujourd'hui. Impossible
de bien saisir l'allégorie du Bon Pasteur, la parabole du
Semeur, la comparaison de l'Ami importun — pour ne citer

que quelques exemples — sans être au fait des coutumes locales.

L'usage de la science acquise nous révèle aussi les délicatesses du cœur de Jésus. S'il a pleuré sur le tombeau de Lazare, ce n'est pas en vertu de la vision béatifique ni de la science infuse; c'est au souvenir de l'accueil empressé et des attentions touchantes dont il était l'objet dans l'hospitalière maison de Lazare, qu'il aimait comme un ami dont le commerce est agréable, l'affection sûre et le dévouement éprouvé. Il s'émeut en voyant la veuve de Naïm sangloter sur le cercueil de son fils unique, comme nous aurions eu le cœur serré en présence d'un pareil spectacle. Il est touché de compassion à la vue des foules qui errent à l'aventure comme des brebis sans pasteur; il prend la défense de la pécheresse publique accusée par le pharisien; il protège la malheureuse adultère poursuivie par les Juifs. Et ce ne sont pas seulement les misères morales qui l'émeuvent; il s'apitoie sur toutes les souffrances; il ne résiste pas aux supplications des aveugles, des paralytiques et des lépreux qui implorent son aide; par deux fois il fait un miracle pour apaiser la faim du peuple qui le suit. Tous ses mouvements de pitié, de crainte, de dégoût, de tristesse et de joie procèdent du même principe. Ils ont leur explication dans la science acquise du Christ.

« Jésus-Christ, lit-on dans l'Épître aux Hébreux, apprend l'obéissance par ce qu'il a souffert[1]. » Il en connaissait, mieux que personne, la nature et la valeur morale; mais il apprend, à l'école de la douleur, quelle en est la difficulté, le mérite et le prix : c'est une connaissance expérimentale.

Non seulement Jésus croissait en sagesse, de la manière que nous avons dit, mais il gagnait de plus en plus la faveur de Dieu et des hommes : *Proficiebat gratia apud Deum et homines*. S'il s'agissait de la grâce sanctifiante, il ne saurait être question de progrès, puisqu'il a reçu, dès le premier instant de l'incarnation, la plénitude de grâce que Dieu lui destinait de toute éternité. Saint Luc a dit plus haut que « la grâce de Dieu était sur lui »; la faveur de Dieu reposait sur lui

---

1. Heb. 5[8] : *Didicit ex iis quae passus est obedientiam.* Nécessité de cette épreuve pour devenir pontife accomplit : Hebr. 2[47]; 4[15].

comme sur son Fils unique, objet de toutes ses complaisances. En disant maintenant qu'il « croissait en grâce devant Dieu et devant les hommes [1] », l'évangéliste exprime une idée différente et fait penser à ce mot du Livre des Proverbes :

> « Garde toujours la bonté et la fidélité,
> attache-les à ton cou, grave-les dans ton cœur;
> alors tu acquerras faveur (grâce) et bon renom
> aux yeux de Dieu et aux yeux des hommes. »

Tel était l'Enfant de Nazareth. Manifestant de plus en plus, à mesure qu'il grandissait, les trésors de son cœur, il excitait toujours davantage l'admiration et la sympathie. Doux, modeste, docile, serviable, sans aucun des défauts qui ternissent les grâces de l'enfance, il plaisait à tous ceux qui avaient occasion de le voir et de l'entendre. Il gagnait aussi de plus en plus, selon notre manière de parler, les complaisances de son Père, non point par un accroissement de grâces et de dons spirituels, mais par l'accumulation des actes de vertu. Ces actes multipliés ne pouvaient qu'être agréables à son Père et saint Paul nous apprend qu'ils méritaient une récompense.

V. La parenté de Jésus [2].

Dans le sanctuaire de Nazareth, nous ne cherchons jamais que les trois personnes de la trinité terrestre : Joseph fidèle à sa mission de chef de famille, Marie ne vivant que pour son divin Fils, Jésus plein d'égards et de tendresse pour sa mère, de reconnaissance et de soumission pour son père putatif. Nous souffrons à la seule pensée qu'ils aient dû subir le contact journalier de parents incapables de les comprendre; volontiers nous chasserions ces intrus qui viennent troubler la charmante solitude et le délicieux tête-à-tête de la sainte Famille.

---

1. Lc. 2⁴⁰ : χάρις Θεοῦ ἦν ἐπ' αὐτῷ. Notez : 1° χάρις sans article; 2° ἐπ' αὐτῷ (sur lui) et non pas ἐν αὐτῷ (en lui). La différence d'expression et de sens est visible dans Lc. 2⁵³ : προέκοπτεν... χάριτι παρὰ Θεῷ καὶ ἀνθρώποις. Dans l'Ancien Testament, χάρις, toujours sans article, signifie *faveur* et s'emploie surtout dans les expressions *trouver, acquérir grâce* (faveur) *devant* (ἐναντίον), ou, comme ici, *auprès de* (παρά) ou *aux yeux de* quelqu'un. Cf. Prov. 3³⁴, cité plus bas.

2. Voir la note J : *La parenté de Jésus.*

Il faut pourtant subordonner nos désirs à la réalité. L'Évangile nous apprend que Jésus avait des frères et que sa Mère avait une sœur, appelée Marie comme elle, qui se tenait à côté d'elle au pied de la croix. Quand le Sauveur, après une assez longue absence, revint prêcher dans la synagogue de Nazareth, ses concitoyens étonnés se disaient l'un à l'autre : *N'est-ce pas le fils du charpentier ? N'appelle-t-on pas sa mère Marie et ses frères Jacques, Joseph, Simon et Jude ? Et toutes ses sœurs ne vivent-elles pas au milieu de nous ?* Jésus passait donc pour avoir quatre frères énumérés nommément et au moins trois sœurs, dont le nom n'est pas indiqué. Ses frères le suivirent à Capharnaüm, après les noces de Cana : plus tard, inquiets de son activité, ils tentèrent de le ramener chez lui ; six mois avant la passion ils ne croyaient pas encore d'une foi pleine à sa mission divine. Cependant, après la résurrection, nous les trouvons au Cénacle, avec Marie, les apôtres et les saintes femmes. Dès lors leur prestige fut grand dans l'Église naissante et saint Paul dit qu'il pourrait s'autoriser de leur exemple pour se permettre des choses dont il préfère s'abstenir.

Essayons, à l'aide de la tradition et de l'Écriture, de débrouiller l'écheveau passablement emmêlé de cette parenté.

Tout d'abord les frères et les sœurs de Jésus ne sont pas les enfants de Marie. S'il est un dogme qui n'ait pas subi un moment d'éclipse, c'est bien celui de la perpétuelle virginité de la Mère de Dieu, avant, pendant et après son enfantement. Lorsque, vers la fin du quatrième siècle, un moine ignorant, Helvidius, bientôt suivi par deux comparses sans célébrité — Jovinien, encore un moine, et Bonose, évêque de Sardique en Illyrie — osèrent le révoquer en doute, ce fut dans la chrétienté un cri d'indignation et d'horreur. Saint Jérôme prit la plume pour réfuter le novateur audacieux et sa réfutation fut si péremptoire que les apologistes venus après lui n'ont guère fait qu'emprunter des armes à son arsenal de preuves. Helvidius alléguait en faveur de sa thèse Tertullien et saint Victorin de Pettau. Saint Jérôme lui abandonne Tertullien — trop facilement peut-être — mais il proteste avec vigueur que jamais Victorin n'a donné dans cette hérésie. Il faut l'en

croire, car il savait lire; s'il avait voulu en imposer, les écrits
de Victorin étaient là pour le confondre.

Les frères et les sœurs de Jésus seraient-ils donc les enfants
de saint Joseph? Les évangiles apocryphes — surtout le *Protévangile de Jacques* qui jouit dans l'Église primitive d'un
crédit immérité — faillirent égarer sur ce point la tradition
catholique, en faisant des frères du Seigneur des fils de
Joseph, nés d'un premier mariage. Les Pères des quatre
premiers siècles ne virent pas grand inconvénient à sacrifier
la virginité de Joseph, pourvu que le dogme de la perpétuelle
intégrité de Marie restât sauf. Clément d'Alexandrie, Origène,
Eusèbe, saint Hilaire, l'Ambrosiaster, saint Épiphane, saint
Cyrille d'Alexandrie et même, par moments, saint Augustin
et saint Jean Chrysostome, embrassèrent, avec plus ou moins
d'hésitation, l'hypothèse des apocryphes. Les deux derniers,
qui paraissaient d'abord se désintéresser de la question, se
rallièrent bientôt à la thèse de saint Jérôme. Celui-ci ne
fut pas toujours aussi affirmatif que lorsqu'il apostrophait
ainsi Helvidius : « Tu prétends que Marie n'est pas restée
vierge; et moi je soutiens que Joseph, lui aussi, a été vierge
à cause de Marie[1]. » Il aurait pu poursuivre ses avantages et
l'occasion paraissait bonne; mais il n'insiste pas, car il lui
suffit pour son but d'avoir vengé la virginité de la Mère de Dieu.

Une étude plus attentive de l'Évangile et de la tradition
nous permet aujourd'hui d'affirmer sans l'ombre d'un doute
que les frères de Jésus n'étaient que ses cousins. Le mot
frère, dans la Bible, a une signification beaucoup plus étendue que dans notre langue; il se dit non seulement, au sens
figuré, des compatriotes et des coreligionnaires, mais aussi, au
sens propre, des parents rapprochés. Lot est dit frère d'Abraham et il est son neveu; Laban est dit frère de Jacob et il est
son oncle; les fils d'Oziel et d'Aaron, les fils de Cis et les
filles d'Éléazar sont qualifiés de frères et ils sont seulement
cousins[2]. La raison de cet usage c'est que, l'araméen et l'hé-

---

1. *Adv. Helvidium*, nº 19 (Migne, XXXIII, 203). Cf. nº 18 (XXXIII, 190).
2. Gen. 13⁸; 14¹⁴·¹⁶ (Lot); Gen. 29¹⁵ (Laban); 1 Paral. 23²¹·²² (fils de Cis
et filles d'Éléazar); Lev. 10⁴ (fils d'Oziel et d'Aaron). Il est probable
qu'il faut en dire autant des quarante-deux *frères* d'Ochozias (2 Reg.
10¹³·¹⁴), de *tous* les frères et sœurs de Job (42¹¹).

breu n'ayant pas de terme spécial qui signifiât *cousin,* si l'on voulait désigner en bloc un groupe de parents appartenant à diverses familles, il fallait nécessairement les appeler frères, sous peine de recourir à des périphrases d'une intolérable longueur. C'était justement le cas pour les frères du Seigneur : deux d'entre eux, Jacques et Joseph, étaient fils d'une sœur de la sainte Vierge, et les deux autres, Simon et Jude, étaient fils de Cléophas, frère de saint Joseph.

Nous devons nos renseignements sur Cléophas à une autorité de premier ordre. Hégésippe, originaire de Palestine, terminait ses *Souvenirs* sous le pape Éleuthère (175-189), à un âge avancé. Il était né dans le premier quart — peut-être tout à fait au début — du iie siècle et saint Jérôme n'exagère pas quand il le dit voisin du temps des apôtres. Il s'intéressait spécialement à la famille du Sauveur, dont il avait pu interroger quelques membres, puisqu'il en existait encore au temps de Trajan. En valeur historique, il a peu de rivaux. On l'a parfois surnommé le père de l'histoire ecclésiastique et il aurait peut-être plus de droits à ce titre qu'Eusèbe lui-même, si son ouvrage était parvenu entier jusqu'à nous.

Hégésippe est donc mieux qualifié que personne pour nous parler des parents de Jésus. Ce qui augmente notre confiance, c'est qu'il ne puise pas ses renseignements dans l'Évangile mais dans son information personnelle et qu'il nous les livre tels quels, sans en composer un système et sans essayer de les harmoniser : ce souci nous le rendrait suspect.

Que nous apprend ce témoin hors ligne ? Trois choses d'une extrême importance, qu'il nous donne pour des faits notoires. C'est premièrement que Cléophas (ou Klopas) était frère de saint Joseph, époux de la Vierge Marie; en second lieu, que Siméon (ou Simon) qui succéda à son cousin Jacques sur le siège de Jérusalem, était fils de ce même Cléophas; enfin que Jacques, premier évêque de Jérusalem, connu partout sous le nom de *Frère du Seigneur,* était de race sacerdotale et qu'il était un *autre cousin* de Jésus, sans être comme Siméon fils de Cléophas. Il oublie de nous dire de qui descen-

dait Jacques lui-même; mais l'Évangile, si nous le lisons avec attention, supplée à son silence.

Tout près de la croix de Jésus, écrit saint Jean, *se tenait sa mère et la sœur de sa mère, Marie de Cléophas, et Marie Madeleine.* Fidèle à son habitude de supprimer tout ce qui le regarde lui et les siens, Jean omet ici de mentionner sa propre mère, mais il tient à signaler la présence d'une autre Marie qu'il appelle Marie de Cléophas. Tandis que les hommes sont d'ordinaire distingués de leurs homonymes par le nom de leur père, les femmes le sont en général par celui de leur mari ou d'un fils devenu célèbre. Il est donc très probable que Marie de Cléophas était la femme et non la fille de Cléophas. Or, d'après les autres évangélistes, cette Marie, présente au Calvaire avec la Vierge et Madeleine, était précisément la mère de Jacques le Mineur et de José, deux des frères du Seigneur. Comme femme de Cléophas, elle était belle-sœur de la sainte Vierge; mais tout porte à croire qu'il y avait entre elles un lien de parenté plus étroit, dont nous ignorons l'origine. L'insistance avec laquelle son fils Jacques est appelé *le frère du Seigneur* par antonomase, semble bien montrer qu'il n'était pas seulement son cousin par alliance.

Nous connaissons donc la mère de deux frères de Jésus : c'est Marie de Cléophas, sœur de la sainte Vierge. Nous connaissons aussi le père d'un troisième, Simon ou Siméon : c'est Cléophas, frère de saint Joseph. Quant au dernier, Jude, comme il est toujours rapproché de Simon et qu'il est comme lui de la famille de David, il est tout naturel de lui donner aussi pour père Cléophas.

Tous les points qui restent obscurs s'éclairciraient, à notre avis, si l'on osait risquer une double hypothèse. Marie, sœur de la Vierge, ayant eu d'une première union deux fils, Jacques et José, aurait épousé en secondes noces Cléophas, frère de saint Joseph, qui avait aussi d'un premier lit deux fils, Simon et Jude[1]. Le mariage d'un veuf et d'une veuve,

1. Le R. P. Lagrange objecte : Dans cette hypothèse, Jacques « ne lui serait rien du tout (à Jésus), n'aurait avec lui aucun lien de parenté, même d'alliance » (*R. B.* 1928, p. 297). Assertion surprenante. Marie de

ayant l'un et l'autre des enfants, n'est pas chose extraordinaire, eu égard aux mœurs de ce pays et de cette époque. Il faudrait supposer en outre que la sœur de la Vierge avait eu pour premier mari un homme de la tribu de Lévi, appelé Alphée.

On résoudrait de la sorte neuf ou dix problèmes. On s'expliquerait : pourquoi Jacques, José, Simon et Jude sont toujours énumérés dans cet ordre, comme frères du Seigneur ; pourquoi Jacques et José d'un côté, Simon et Jude de l'autre, forment deux groupes distincts ; pourquoi Marie, sœur de la Vierge, est appelée mère de Jacques et de José et non pas mère de Simon et de Jude ; pourquoi, d'après Hégésippe, Simon et non pas Jacques est fils de Cléophas ; pourquoi, d'après le même, Simon et Jude sont de la famille de David ; pourquoi, d'après la tradition, Jacques était de race sacerdotale ; pourquoi l'opinion commune des catholiques identifie Jacques, fils de Marie sœur de la Vierge, avec l'apôtre Jacques, fils d'Alphée ; pourquoi Marie de Cléophas est appelée dans l'Évangile sœur de la Vierge, dont elle est réellement la belle-sœur, comme femme du frère de saint Joseph ; enfin pourquoi, après la mort de Joseph et de Cléophas, les deux sœurs unissent leurs familles, qui désormais semblent n'en faire qu'une ?

VI. Mort de Joseph et de Cléophas.

Au moment où Jésus allait inaugurer son ministère apostolique, son père nourricier n'était déjà plus. Ce fidèle serviteur ayant terminé sa tâche, sa présence à Nazareth n'avait plus de raison d'être[1]. Il convenait même que le père adoptif s'effaçât pour laisser paraître le vrai Père. Lui mort, Jésus n'est plus désigné comme le fils du charpentier et le

---

Cléophas, belle-sœur de la sainte Vierge, d'après la définition du Dict. de l'Académie (la femme du frère du mari), ne lui est-elle rien ? Et si la Vierge est quelque chose à sa belle-sœur, pourquoi le Fils de la Vierge ne serait-il *rien* au fils de sa belle-sœur ? D'ailleurs nous n'excluons pas — nous admettons même expressément, ainsi qu'il a été dit plus haut — un lien de parenté plus étroit, mais qu'il nous est impossible de déterminer, entre la sainte Vierge et Marie de Cléophas.

1. Cf. De la Broise, *La sainte Vierge* (collection *Les Saints*), p. 144.

fils de Joseph, mais comme le charpentier tout court et comme
le fils de Marie. Si Joseph vivait encore, nous le verrions
apparaître ici ou là dans l'histoire évangélique. Or il n'assiste
point aux noces de Cana, il ne descend pas à Capharnaüm
avec le reste de sa famille, il n'est pas avec Marie et ses
neveux, quand ils essaient de rejoindre Jésus qui, tout entier
à sa mission divine, semble les oublier.

La mort de Joseph fut obscure comme sa vie. Nous n'en
connaissons ni le temps ni les circonstances. Respectons le
silence des Évangiles, sans aller remuer, pour y suppléer,
le fatras des apocryphes. Pourtant, dans un de ces écrits,
parmi des détails puérils et souvent ridicules, nous rencon-
trons par hasard une note émue : Joseph mourant dit à
Jésus qui se tient debout à son chevet : « Les douleurs et les
craintes de la mort m'environnent; mais mon âme a retrouvé
le calme dès que j'ai entendu votre voix, Jésus mon défenseur, Jésus mon sauveur, Jésus mon refuge, Jésus dont le
nom est doux à ma bouche et au cœur de tous ceux qui vous
aiment[1]. » Mourir dans les bras de Jésus et de Marie, quel
privilège insigne! Tel fut, à n'en pas douter, le partage du
juste Joseph et c'est à bon droit que l'Église a fait de lui le
patron de la bonne mort.

Selon toute apparence, son frère Cléophas l'avait précédé
dans la tombe; car, lui non plus, ne joue aucun rôle dans
la vie publique du Sauveur, à côté de sa femme et de ses
enfants. Il semble qu'alors les deux familles, privées de leur
protecteur et de leur chef, se rapprochèrent et en vinrent
peut-être à vivre sous le même toit. Ce qui le fait conjecturer,
c'est qu'après les noces de Cana, lorsque Jésus émigra à
Capharnaüm, « sa mère, ses frères et ses disciples » l'y
accompagnèrent; mais ses sœurs, établies à Nazareth, ne les
suivirent pas. Ce rapprochement des deux familles était de
nature à resserrer les liens de parenté. La Vierge et Marie de
Cléophas se traitaient de sœurs, comme Jésus et ses cousins

---

1. *Histoire de Joseph le Charpentier*, XVIII. C'est Jésus-Christ lui-
même qui est censé raconter cette histoire à ses apôtres. Selon cet apocryphe, traduit en français par P. Peeters (Paris, 1911, d'après les versions coptes et arabe), Joseph avait 90 ans quand il s'unit à la sainte
Vierge et il mourut à l'âge de 111 ans (chap. XIV et XXIX).

se traitent de frères; et c'est le nom que l'Évangile et la tradition leur ont conservé.

Les frères du Seigneur, au moins plusieurs d'entre eux, furent lents à reconnaître sa mission divine. Ils ne contestaient pas ses miracles, dont ils étaient les témoins assidus; mais ils ne croyaient pas à sa qualité de Messie. Bientôt cependant leurs yeux se dessillèrent et le jour de l'ascension les trouva croyants. Ce n'est pas ici le lieu d'esquisser leur histoire : un mot seulement pour n'y plus revenir.

Joseph ou José dut mourir jeune; après la brève mention des évangélistes, nous n'entendons plus parler de lui.

Simon ou Siméon succéda à son beau-frère Jacques sur le siège de Jérusalem. Accusé d'être chrétien et de la famille de David, il souffrit le martyre sous Trajan, dans une extrême vieillesse.

Jude était comme Simon fils de Cléophas, frère de saint Joseph. Il est l'auteur de l'Épître catholique qui porte son nom et où il se réclame de son beau-frère Jacques, beaucoup plus célèbre que lui. Deux de ses petits-fils furent poursuivis sous Domitien, comme membres de la famille de David; mais quand l'empereur apprit qu'ils ne possédaient ensemble, par indivis, qu'une propriété estimée neuf mille deniers, il jugea qu'il n'avait rien à craindre de si petites gens et les laissa en paix. Des descendants de Jude vivaient encore sous Trajan.

Le plus illustre sans comparaison des cousins de Jésus, celui qu'on appelait par excellence le *Frère du Seigneur*, était Jacques, surnommé le Mineur ou le Petit, soit à cause de sa taille exiguë, soit pour le distinguer de son homonyme, le fils de Zébédée. Telle était sa réputation de sainteté, que la rigueur de son ascétisme devint bientôt légendaire. « Jacques, disait-on, ne buvait ni vin ni boisson enivrante et ne mangeait rien qui eût eu vie. A lui seul il était permis d'entrer dans le sanctuaire, car ses habits n'étaient pas de laine mais de lin. On le trouvait toujours dans le Temple, demandant pardon pour le peuple. La peau de ses genoux était devenue dure comme celle des chameaux, à force de se tenir prosterné en adoration[1] ». Il occupa jusqu'à la mort le siège épiscopal de

1. Hégésippe, dans Eusèbe, *Hist. eccles.* II, XXIII, 5-6.

Jérusalem que les apôtres lui avaient confié. Fidèle observateur de la loi mosaïque, c'est lui qui conseillera à saint Paul
d'offrir certains sacrifices dans le Temple, en compagnie des
naziréens, afin d'édifier les milliers de néophytes de Jérusalem, tous zélés pour la Loi[1]. Les Juifs qui le détestaient,
à cause de ses conquêtes apostoliques, profitèrent de l'absence
du procurateur pour se saisir de lui et ils le précipitèrent
dans la vallée du Cédron du haut de l'esplanade du Temple.
Comme il respirait encore, on l'acheva à coups de bâton[2].
Mais ce crime ne resta pas impuni. L'invasion de la Palestine
par Vespasien et les malheurs qui suivirent furent regardés
par plusieurs comme un châtiment du ciel pour le meurtre
de Jacques le Juste[3].

VII. L'extérieur de Jésus[4].

Toute âme contemplative aimerait à savoir ce qu'était la
physionomie de Jésus, son air de visage, l'expression de son
regard, son maintien, sa démarche, sa façon de parler et
d'agir. Sur tous ces points, il fallait s'attendre au silence des
Évangiles. Les historiens de l'antiquité, si attentifs à décrire
les sentiments et le caractère de leurs héros, n'en retracent
guère l'apparence physique. Suétone et Plutarque furent les
premiers à descendre à ces menus détails, dont nous sommes
si friands aujourd'hui, mais que les anciens jugeaient indignes
de l'histoire.

La tradition n'a pas conservé davantage le souvenir des
traits de Jésus et la réflexion de saint Augustin reste toujours
vraie : « Les représentations du Christ selon la chair varient
à l'infini et peut-être l'idée qu'en forme notre esprit est-elle
très éloignée de la réalité... Nous ne savons pas non plus

---

1. Act. 21[18-26]. La scène est significative.
2. Le martyre était mentionné par Clément d'Alexandrie au sixième
livre des *Hypotyposes* (Eusèbe, II, i, 3 et II, xxiii, 3) et raconté tout au
long par Hégésippe (Eusèbe, II, xxiii, 7-18). Il eut lieu en l'an 62, après
la mort subite du procurateur Festus et avant l'arrivée de son successeur Albinus.
3. Eusèbe (*Hist. eccles.* II, xxiii, 19-20) cite à l'appui un témoignage
de Josèphe qui ne se trouve plus dans les écrits de cet historien et qui était
sans doute interpolé.
4. Voir la note J : *Les portraits du Christ.*

quelle était la figure de la Vierge Marie[1]. » Ce n'est pas que les images du Christ fissent alors défaut. Au début du IVe siècle, on montrait à Césarée de Philippe un groupe en bronze qui représentait, disait-on, Jésus tendant la main à l'hémorroïsse agenouillée devant lui. Eusèbe assure avoir vu des peintures du Christ et des apôtres qui dès lors passaient pour anciennes; mais il ne dit pas qu'elles fussent ressemblantes[2].

On sait que l'Église primitive ne favorisa guère la vénération des images; elle avait pour en agir ainsi d'excellentes raisons. Elle craignait que les recrues de la gentilité ne rendissent aux statues des saints les mêmes honneurs que les païens rendaient à ces idoles de bois, de pierre ou de métal, contre lesquelles se déchaînaient avec tant de force les apologistes du IIe siècle. De leur côté, les Juifs convertis avaient peu de goût pour des pratiques si contraires à leurs habitudes et il est possible que l'interdiction portée par la loi mosaïque de reproduire la figure humaine n'ait pas été sans influence sur les milieux chrétiens. Il faut tenir compte également d'une réaction contre les gnostiques. La secte perfide des Carpocratiens se vantait de posséder des images du Christ faites de son vivant et les honorait publiquement, avec celles de Platon, d'Aristote et de Pythagore[3]; comme plus tard l'empereur Alexandre Sévère offrira de l'encens et des sacrifices aux statues de Jésus-Christ, d'Abraham, d'Orphée et d'Apollonius de Tyane, placées côte à côte dans son oratoire[4].

Après le triomphe du christianisme, le danger n'était plus le même. Il était facile d'expliquer aux néophytes que le culte rendu aux images ne fait que « passer par elles, pour remonter à leur prototype », comme s'exprime saint Basile[5]. Néanmoins certains Pères ne les voyaient pas de très bon œil. Saint Épiphane raconte lui-même comment, ayant rencontré

---

1. *De Trinitate*, VIII, 4-5, n° 7 (Migne, XLII, 951-952).
2. Eusèbe, *Hist. eccles.* VII, XVIII, 4.
3. S. Irénée, *Haereses*, I, 25; S. Epiphane, *Haereses*, XXXVII, 6.
4. Lampride, *Histoire Auguste, Alexander Severus*, 29.
5. Cité par S. Jean Damascène, *De fide orthodoxa*, IV, 16 (Migne, XCIV, 1169).

dans un village de Palestine, aux environs de Béthel, une toile où était peinte la figure du Christ ou d'un saint — il ne savait plus lequel — il l'avait déchirée de ses propres mains et fait remplacer par une toile sans peinture[1]. Quand l'impératrice Constantia, sœur du grand Constantin, pria Eusèbe de lui procurer une image authentique du Christ, l'évêque de Césarée accueillit très froidement sa requête[2].

D'image authentique du Christ, il n'en existe point. N'espérons pas en trouver dans les fresques des catacombes, dont quelques-unes remontent au début du deuxième siècle et même à la fin du premier. Les représentations du Christ ne sont pas des portraits et ne veulent pas l'être; ce sont des figures idéales, très différentes les unes des autres, presque toutes d'aspect juvénile, sans doute pour symboliser l'éternelle jeunesse du Fils de Dieu.

Ce qui prouve qu'il n'y eut jamais de tradition fixe, c'est non seulement la variété infinie des types iconographiques, mais le fait qu'on put soutenir, dans les premiers siècles, la thèse étrange de la laideur physique du Christ. On invoquait à l'appui le texte d'Isaïe sur le Messie souffrant :

Sans grâce et sans éclat pour attirer les regards
et sans beauté pour plaire...
devant qui on se voile la face;
méprisé et, à nos yeux, néant[3].

Clément d'Alexandrie, prenant à partie les esthètes de son temps, beaucoup trop occupés des soins du corps et de la toilette, leur oppose l'exemple du Christ qui a voulu « être laid de visage », suivant Isaïe. Tertullien, avec l'outrance ordinaire de sa rhétorique, croit prouver la laideur du Christ par ce singulier argument : « S'il avait été beau, on n'eût pas osé le toucher du bout du doigt. Si on lui crache au visage, c'est qu'il le mérite par sa laideur. »

On ne trouve rien de pareil chez aucun autre Père. Cependant l'un ou l'autre avance, sur la foi des apocryphes, que Jésus changeait parfois d'aspect et paraissait beau ou laid

1. Traduction de S. Jérôme, *Epist.* LI, 9 (Migne, XXII, 522).
2. *Epist. ad Constantiam*, dans Pitra, *Spicil. solesm.* 1852, t. I, p. 383.
3. Isaïe, 53²⁻³ (trad. Condamin).

selon le mérite ou le démérite des spectateurs. Plusieurs accordent qu'il était laid selon la chair, non point par comparaison avec les autres hommes, mais parce que toute créature, si parfaite soit-elle, est vile, méprisable et laide, comparée à son créateur. Saint Paul n'a-t-il pas dit que l'union du Verbe à la nature humaine est pour lui une déchéance, une sorte d'anéantissement? D'ailleurs les Pères les plus illustres, en particulier saint Jean Chrysostome, opposent à la prophétie d'Isaïe sur le Messie souffrant les paroles du Psalmiste sur le Messie vainqueur :

« Tu es le plus beau des enfants des hommes;
la grâce est répandue sur tes lèvres. »

Mais à saint Augustin revient l'honneur d'avoir suggéré l'argument le plus topique : ce qui prouve que Jésus était beau, c'est que personne ne fut jamais plus aimé que lui.

Sa puissance d'attraction était extraordinaire. Un jour qu'il traversait le lac pour s'entretenir familièrement avec ses apôtres, plus de cinq mille personnes le devancèrent sur la rive opposée et l'écoutèrent jusqu'au soir, sans souci de la faim et de la fatigue. La nuit venue, la foule enthousiaste voulait le proclamer roi et il n'y échappa que par la fuite. Or nous savons que tous les faux messies dont l'histoire a conservé le nom ou le souvenir, durent la plus grande partie de leur prestige à leur belle prestance et à leurs avantages physiques.

Quelques faits significatifs. Pendant qu'il parlait à Capharnaüm, une femme du peuple s'écria : « Heureux le ventre qui vous a porté et les mamelles qui vous ont allaité! » Ce n'était pas le discours lui-même, qu'elle écoutait à peine et auquel elle n'aurait pas compris grand chose, qui lui arrachait ce cri d'admiration. Aucune mère ne s'y trompera.

Tous les petits enfants accouraient à Jésus pour se faire bénir. Les apôtres impatientés avaient beau les écarter par gestes et par menaces; ils revenaient sans cesse plus nombreux et plus obstinés. Il y avait donc en lui un charme indéfinissable que ces petits, incapables de raisonner, étaient déjà capables de percevoir et de sentir, ou qu'ils subissaient d'instinct.

Les yeux sont le flambeau du corps et le miroir de l'âme.
'Evangile, qui nous laisse ignorer les traits du Sauveur,
ous décrit souvent son regard. A Nazareth, à Jérusalem, ce
·gard paralyse le bras d'ennemis acharnés; à Gethsémani, il
it tomber à la renverse les valets du pontife. Ce même
·gard qui plonge au fond du cœur de Nathanaël, s'abaisse
·ec amour sur le jeune homme aspirant à la perfection, fait
·embler l'hémorroïsse, remplit de joie l'âme de Zachée, fait
ndre en larmes Pierre coupable, se voile de pleurs sur le
·mbeau de Lazare, se charge d'indignation en face des blas-
·émateurs et des hypocrites. Concluons avec saint Jérôme
·'il y avait dans l'aspect et surtout dans le regard de Jésus
·elque chose de surhumain, qui était comme un reflet de sa
vinité. L'art sera toujours impuissant à rendre l'expression
·une face où transparaît une âme divine. Beaucoup s'y sont
sayés sans y réussir tout à fait. Même le Beau Dieu
Amiens, avec son heureux alliage « de sérénité pensive,
autorité, de noblesse et de douceur », ne réalise pas entière-
·ent l'idéal rêvé.

Les représentations figurées du Christ suivirent une évolu-
·n régulière dont il est possible de marquer les phases.
·est le type jeune et imberbe qui régna d'abord aux cata-
·mbes, et qui persista longtemps après que les Antonins
rent remis la barbe en honneur. Le Christ est toujours
·présenté ainsi quand il fait des miracles. Au type imberbe,
·ccède le type barbu et chevelu. Il apparaît dès le iii° siècle
·se généralise au iv°, surtout dans les fresques représentant
·Christ docteur et juge. Dans la catacombe des saints Pierre
·Marcellin, on le voit au milieu des deux grands apôtres,
·ilement reconnaissables, l'un à sa barbe en pointe et à son
·nt dénudé, l'autre à sa large face et à sa barbe courte et
·ue. La tête de Jésus, pour la première fois peut-être, est
·tourée d'un nimbe; ses longs cheveux bouclés sont partagés
· milieu du front; sa main se lève pour bénir et sa bouche
·uvre comme pour parler; le regard est d'une expression
·isissante. Un type analogue se rencontre souvent dans les
·saïques du v° et du vi° siècle; l'air est grave et majestueux,
·is sans raideur. Puis vient le type byzantin, où le Christ
·raît plus âgé, avec un visage encadré d'une barbe noire

plus ou moins longue. « Si le Christ du cycle évangéliqu
garde dans sa maturité du charme et de la grâce, de plus e
plus le Dieu tout-puissant, maître du monde, prendra u
aspect sévère jusqu'à la tristesse et à la dureté[1]. »

Le type qu'on pourrait appeler moderne provient des des
criptions légendaires qui eurent cours, en Occident comm
en Orient, à partir du VIIe siècle et que nous ont transmise
André de Crète, le moine Épiphane, les trois patriarche
orientaux dans leur lettre à l'empereur iconoclaste Théophil
le faux Lentulus et Nicéphore Calliste. Les traits caract
ristiques sont les suivants : taille au-dessus de la moyenn
cheveux châtains partagés au milieu de la tête et retomba
en boucles sur les épaules, front serein sans ride ni tach
teint naturel un peu bronzé, air de visage majestueux et dou
barbe de la couleur des cheveux, assez fournie mais pas tr
longue et finissant en double pointe. Le moine Épiphane ajou
un trait touchant et d'ailleurs très vraisemblable chez cel
qui n'avait pas de père ici-bas, c'est que Jésus était le portra
vivant de sa mère, dont il avait, en particulier, le visage ova
et le teint légèrement coloré.

---

1. Diehl, *Manuel d'art byzantin*, t. I, 1925, p. 324-325.
Pour les catacombes, voir l'ouvrage monumental de Wilpert,
pitture delle catacombe romane, Rome, 1903, avec nombreuses gravur
et un atlas de 263 planches. La fresque que nous signalons est repr
duite pl. 187, n° 3 et en plus grand pl. 253. Pour le moyen âge, on pe
consulter Kraus, *Dict. of Christ and the Gospels*, t. I, p. 214.

CHAPITRE IV

JÉSUS ET JEAN

I. La prédication du Précurseur.

L'histoire des premières années de Jean est encore plus
ourte que celle de Jésus. Elle tient en deux lignes : *L'enfant
randissait et se fortifiait en esprit et il vivait au désert
usqu'au jour de sa manifestation à Israël.* Pour Jean comme
our Jésus, la croissance physique va de pair avec le progrès
ntellectuel et moral. Tous les deux vivent dans la retraite,
ais l'adolescence de l'un s'écoule au foyer domestique, tandis
ue l'autre la passe au désert dès l'âge le plus tendre : sans
oute depuis le jour où l'enfant put se suffire sans l'assistance
e ses parents [1].

Ce qu'on montre aujourd'hui sous le nom de désert de
aint Jean est une solitude très relative. De la grotte qui lui
urait servi d'ermitage, l'œil embrasse un horizon peuplé de
illages dont l'un au moins n'est pas distant de plus d'une
emi-lieue. Mais le vrai désert n'était pas bien loin. Si, sur
ne carte de Palestine, vous tracez une ligne partant de Béthel
our aboutir à Hébron, en passant par Jérusalem et Bethléem,
ette ligne suit à peu près l'arête des monts de Judée. Du côté

---

1. *Teneris sub annis,* chante l'Église. Les uns disent « à deux ou
ois ans », d'autres « à sept ou huit »; disons plutôt « à dix ou douze ».
ur le vêtement et la nourriture de Jean, voyez Buzy, *Saint Jean Bap-
ste*, 1912, p. 97-103 ou Lagrange, *Saint Marc*[4], 1929, p. 7-8. Le P. La-
ange pense que la ζωνή était « un pagne de peau »; le P. Buzy tient
ur la « ceinture de cuir » (*Recherches*, 1934, p. 589-598).

de l'Orient, le sol s'incline d'abord en pente douce, puis, à
une ou deux lieues à peine, s'affaisse brusquement, forman
un chaos d'arides rochers, coupés de ravins abruptes, au fon
desquels mugissent en hiver d'impétueux torrents, qui roulen
de précipice en précipice jusqu'au gouffre de la mer Morte
Pas d'habitation en vue; nulle trace d'activité humaine, à par
quelques bergers menant paître leurs brebis et leurs chèvre
parmi les arbustes épineux et les plantes odoriférantes qu
résistent aux chaleurs torrides de cet enfer. Les Hébreu
désignaient ce désert d'un nom qui dans leur langue signifi
désolation.

Avant de prêcher aux autres la pénitence, Jean alla
donner au monde le spectacle d'une austérité sans exemple
Les anfractuosités des rochers et les grottes de ce sol tour
menté lui servaient d'abri. Le vêtement qui le couvrait étai
fait de ce grossier tissu de poil de chameau dont les nomade
fabriquent leurs tentes. Il portait autour des reins, au lieu d
ces soyeuses et brillantes ceintures que les Orientaux affec
tionnent, une simple bande de cuir. Il se nourrissait du mie
que les abeilles sauvages déposent dans les fissures de
rochers et des sauterelles qui abondent dans ces parages e
toute saison. Quoique les indigènes n'aient pas pour ce
insectes la répugnance qu'ils nous inspirent, et que le
bédouins les mangent, bouillis dans l'eau salée et séchés a
soleil, ou rôtis sur la braise et saupoudrés de sel, les plu
pauvres des habitants sédentaires de Palestine s'accommode
raient mal d'un pareil régime.

Cette vie d'anachorète édifiait les contemporains sans le
offusquer. L'ascèse était alors en honneur parmi les Juifs
les pharisiens se glorifiaient de jeûner deux fois par semaine
les réchabites s'interdisaient l'usage du vin; les naziréen
s'abstenaient de toute boisson fermentée. Josèphe racont
que dans sa jeunesse il s'était mis sous la conduite d'un soli
taire appelé Banous, vêtu d'écorce et de feuillage et vivar
au désert des produits spontanés du sol. Ce personnage, d
vingt ans postérieur au Baptiste, n'était pas son devancie
mais tout au plus son disciple ou son émule. Cependant
existait, dès cette époque, des ascètes authentiques. Pour n
rien dire des thérapeutes, créés peut-être ou fortement embelli

r l'imagination apologétique de Philon, il y avait, près du
sert de Jean, un groupe de cénobites qui appartiennent à
istoire. Il nous faut bien dire un mot de ces étranges
rsonnages, puisqu'on a prétendu que le Baptiste et Jésus
i-même s'étaient formés à leur école.

Les esséniens, au nombre d'environ quatre mille, étaient
sséminés sur divers points de la Palestine, mais leur éta-
issement principal, nous allions dire leur maison-mère,
ait situé près d'Engaddi. Pline l'Ancien les signale comme
a phénomène unique au monde : « A l'occident de la mer
orte, assez loin du rivage pour en éviter les exhalaisons
éphitiques, vit un peuple solitaire, merveille sans égale dans
ut l'univers; un peuple où personne ne naît et qui dure
ujours [1]. » Les esséniens pratiquaient le célibat et la com-
unauté des biens. Se défiant des entraînements et de
nconstance de la jeunesse, ils n'admettaient guère dans
ur société que des hommes d'un âge mûr. Après un an de
oviciat et deux autres années d'épreuve, les postulants
engageaient par vœu à observer la piété envers Dieu, la
stice envers les hommes, la fidélité envers tous. Ils étaient
ors initiés à des doctrines ésotériques, contenues dans des
vres secrets, qu'ils promettaient de ne pas divulguer, fût-ce
a péril de leur vie. Deux fois par jour, interrompant le tra-
ail assigné à chacun, les esséniens prenaient un bain d'eau
oide, revêtaient des habits blancs et se réunissaient pour
a repas d'un caractère sacré, où nul profane n'était admis
où l'on gardait un silence impressionnant [2].

A considérer ce tableau, ne dirait-on pas un couvent de
oines chrétiens ? Et pourtant rien n'était plus opposé que
essénisme à l'esprit de Jésus et de Jean. Les esséniens
aient une secte juive et une secte schismatique. Eux qui se
rguaient d'observer scrupuleusement la loi de Moïse,

---

1. Pline, *Hist. natur.* v, 17 : « Incredibile dictu, gens aeterna in qua
emo nascitur. »
2. Josèphe, *Bellum.* II, VIII, 2-13; *Antiqu.* XIII, v, 9; XV, x, 4-5; XVIII,
5. — Cf. Philon, *Quod omnis probus liber,* 12-13 (Mangey, II, 457-9) et
agment conservé par Eusèbe, *Praepar. evangel.* VIII, 11 (Mangey, II,
2-4).

condamnaient les sacrifices sanglants. Nous ignorons en
vertu de quelle exégèse ils éludaient les textes du Penta
teuque qui prescrivent et règlent l'immolation des victimes.
Par ailleurs, leur formalisme dépassait de loin celui des
pharisiens; ils se croyaient souillés non seulement au contac
d'un païen mais à celui de tout individu étranger à leur
secte. Les restrictions alimentaires qu'ils s'imposaien
étaient si rigoureuses que si, pour un motif quelconque
ils venaient à être exclus de la communauté, ils étaien
réduits à vivre de racines et de fruits sauvages ou à mouri
de faim. On ne découvre chez eux aucun vestige de prosé
lytisme ni d'espérances messianiques. Leur mysticism
n'aspirait qu'au salut individuel, par l'affranchissement de
l'âme des liens de la matière. Tout Juifs qu'ils étaient, l
dualisme oriental paraît les avoir gagnés. Leur vénératio
pour le soleil, qu'ils invoquaient à son lever et dont il
craignaient de souiller les rayons par une tenue peu décente
a quelque chose d'inquiétant. « Ils pensent, dit Josèphe, qu
si les corps sont périssables, les âmes sont immortelles e
que, descendues de l'éther le plus subtil et attirées dans l
prison du corps par une sorte de charme instinctif, elles
vivent enchaînées, jusqu'au jour où, délivrées enfin des lien
de la chair, elles s'envolent joyeuses vers les espaces célestes
D'accord avec les Grecs, ils assurent que les âmes des juste
émigrent au delà des mers, en un lieu où règne un éterne
printemps, tandis que les âmes des méchants sont plongée
dans un gouffre ténébreux et glacial. »

Dans ce système étroit et hybride, il n'y a place ni pou
la création, ni pour la résurrection, ni pour un rédempteu
universel, ni même pour un Messie national. Satisfaits de
Champs élyséens rêvés par l'imagination hellénique, le
esséniens n'étaient pas les candidats naturels du royaum
de Dieu. Auraient-ils entendu le Sermon sur la montagne o
les paraboles du règne, leur mysticisme n'y eût rien compri
Ils ont pu se survivre dans certaines sectes gnostiques, mai
nous ne lisons pas qu'ils aient jamais fourni des recrues
l'Église. Prétendre, comme on l'a fait parfois, que Jea
Baptiste et que Jésus lui-même étaient affiliés à des gen
qui s'enveloppaient de mystère et qui professaient l'excl

visme le plus intolérant, n'est pas seulement un audacieux
paradoxe; c'est le comble de la déraison[1].

Le temps était venu pour le Précurseur de quitter son désert.

L'an 15 de l'empire de Tibère César, Pilate étant gouver-
neur de la Judée, Hérode tétrarque de la Galilée, Philippe
son frère tétrarque de l'Iturée et de la Trachonitide, Lysa-
nias tétrarque d'Abilène, sous les grands prêtres Anne et
Caïphe, la parole de Dieu se fit entendre à Jean, fils de
Zacharie, dans le désert; et il parcourut toute la région du
Jourdain, prêchant un baptême de pénitence pour la rémis-
sion des péchés, comme il est écrit au livre du prophète Isaïe :

> *Voix de celui qui crie dans le désert :*
> *Préparez la voie du Seigneur,*
> *rendez droits ses sentiers*[2].

L'apparition du Baptiste, préludant à celle de Jésus, est un
événement capital dans l'histoire évangélique. Elle serait
un grand secours pour la chronologie de la vie du Christ,
si nous pouvions en fixer la date avec certitude. Malheureusement, les synchronismes fournis par saint Luc ne
mènent pas à un résultat précis. Pilate fut pendant dix ans
procurateur de Judée et Caïphe garda seize ans le souverain
pontificat; ils ne tombèrent l'un et l'autre qu'au printemps
de l'an 36 de notre ère. Les deux fils d'Hérode le Grand,
Antipas et Philippe, conservèrent leur tétrarchie, celui-ci

1. Sur les esséniens et l'essénisme, cf. Schürer, *Geschichte*[4], t. II,
651-680 (copieuse bibliographie et discussion des textes). — La
dissertation de Lightfoot, ajoutée en appendice au commentaire des
Colossiens (3e édit. 1879, p. 348-419) est encore très instructive. L'auteur
examine longuement l'étymologie du nom, réfute Frankel (qui répudie
l'autorité de Josèphe et de Philon) et étudie les rapports, présumés ou
réels, entre l'essénisme et le christianisme. Il est d'avis que l'essénisme
ne doit rien ni au bouddhisme (Hilgenfeld) ni au pythagorisme (Zeller
et l'école de Tubingue), mais il admet l'influence du parsisme. Il prouve
que l'essénisme n'a exercé aucune influence sur le christianisme naissant, mais bien sur certaines sectes gnostiques du IIᵉ siècle. — On ne
pourrait faire le même éloge du long article de Bugge : *Zum Essäerpro-*
blem (dans *Z. N. T. W.*, 1913, p. 147-174). Plus récemment, cf. Lagrange,
Judaïsme avant J.-C. p. 307-330; Bonsirven, *Le Judaïsme palesti-*
nien au temps de J.-C. (Voir références au mot *Esséniens*, t. 2, p. 338.
C.). — Les divers dictionnaires de la Bible (celui de Vigouroux dans
Supplément, t. II, col. 1109-1132) donnent l'essentiel sur les esséniens,
dont l'histoire reste obscure.

2. Lc. 3¹⁻⁴. Voir la note B : *Chronologie de la vie du Christ*.

jusqu'en 34, celui-là jusqu'en 39. Quant à Lysanias, nou
savons maintenant qu'il fut vers cette époque tétrarqu
d'Abilène, mais sans pouvoir marquer le commencement
la fin de son gouvernement. Enfin la quinzième année d
Tibère peut se compter de plusieurs façons, avec un écart d
deux ou trois ans. Ce n'est pas ici le lieu d'entrer dans
détail de ces controverses: il nous suffira de dire qu'au se
timent le plus autorisé l'apparition du Baptiste se repor
aux derniers mois de l'an 779 de Rome, correspondant à l'a
26 de l'ère chrétienne.

L'année sabbatique venait de s'ouvrir[1]. Elle commença
au début de l'année civile, après la vendange et la cueillet
des fruits d'automne (septembre-octobre de notre calendrier
Pendant douze mois, les travaux agricoles étaient suspendu
Il n'y avait plus ni labours, ni semailles, ni récoltes,
taille de la vigne et des arbres fruitiers. A une époque d
l'on ne connaissait ni engrais chimiques ni assolements,
terre avait besoin de ce repos périodique, sous peine d'êt
épuisée bientôt. Les champs demeuraient donc en friche
les fruits que le sol produisait spontanément étaient aba
donnés aux pauvres et aux voyageurs ou partagés avec eu
mais il fallait les consommer sur place et il était interdit d'
faire provision. Les Juifs, pendant ce temps, complétaie
leur outillage, bâtissaient des maisons et se livraient
d'autres occupations. C'était le repos de la terre et non p
des hommes. Tacite les calomnie quand il dit qu'ils cons
craient à l'oisiveté chaque septième année. Cependant l
travaux pressaient alors moins qu'à l'ordinaire et les ge
avaient tout le loisir d'aller entendre au désert le Précu
seur de Jésus.

On sait que les souverains orientaux, dans leurs déplac
ments, se faisaient précéder de pionniers chargés de répar
et d'élargir les routes. Ainsi fit Vespasien dans sa marc
sur la Ville sainte; et l'on n'a pas encore oublié à Jérusale
les travaux de voirie exécutés lors de la visite du kais

---

1. Nous connaissons la date de trois années sabbatiques : 164-163
38-37 avant J.-C. et 68-69 après J.-C. Cf. Schürer, *Geschichte*[4], t.
p. 35-37. Si l'année 68-69 après J.-C. fut une année sabbatique, l'ann
26-27 (42 ans auparavant) dut l'être aussi.

allemand. Tel était le rôle de Jean : préparer les voies au roi
du ciel, qui allait se manifester au monde, et disposer les
cœurs à le recevoir. Il ne cessait de répéter : « Faites
pénitence, car le royaume des cieux est proche. »

Il employait pour cela deux rites dont la signification
n'était pas obscure : le baptême et la confession des péchés.
Dans tous les temps et chez tous les peuples, les ablutions
corporelles ont symbolisé la purification de l'âme. On connaît
assez le bain préparatoire imposé aux prosélytes du judaïsme
et aux initiés des mystères païens. Les prêtres de toutes les
religions se purifiaient avant d'offrir leur sacrifice, comme
les esséniens avant leur repas, qui était pour eux une sorte
d'acte liturgique. Quant à la confession des péchés, par les
sentiments qu'elle exprime et qu'elle suppose, elle est le
signe sensible et la condition naturelle d'un repentir sincère.

En général le menu peuple, mu par un élan de piété simple,
ne songeait qu'à mettre à profit ce moyen de salut. Beaucoup de gens, subissant l'entraînement de l'exemple, se prêtaient sans répugnance, comme sans enthousiasme, à des
rites tout au moins inoffensifs s'ils n'étaient efficaces. Mais
quelques-uns, poussés par le désir d'espionner les faits et
gestes du Baptiste, n'apportaient à son baptême que feinte
et ostentation. C'étaient surtout les pharisiens et les sadducéens. Jean leur disait : *Race de vipères, qui vous a donné
le secret d'échapper à la colère prête à fondre sur vous?
Faites de dignes fruits de pénitence et ne dites pas : « Nous
avons pour père Abraham... » La cognée est déjà appliquée
à la racine des arbres; tout arbre infructueux sera coupé
et jeté au feu* [1]. La vipère, caractérisée par son venin et
ses tortueux replis, est l'image des pharisiens, dont le Sauveur a si souvent stigmatisé l'hypocrisie et la malice. Leur
parenté avec les patriarches ne les sauvera pas. Un bref
délai leur est accordé pour faire pénitence; s'ils le laissent
passer, ils auront le sort de l'arbre stérile. En Palestine, on
ne cultive les arbres que pour leurs fruits; tout olivier et

1. Mt. 3 7-10; Lc. 3 7-9. Au lieu des *pharisiens* et des *sadducéens*,
S. Luc dit « les foules ». Pour le reste, les variantes sont à peu près
insignifiantes.

tout figuier improductifs sont immédiatement coupés pour servir d'aliment au feu.

Sévère aux orgueilleux et aux hypocrites, Jean n'avait qu'indulgence et mansuétude pour les cœurs droits et dociles, qui ne demandaient qu'à bien faire. Il leur disait : « Si vous avez deux tuniques, donnez-en une aux pauvres qui n'en ont point. » L'aumône était chez les Juifs la pratique de piété le plus en honneur. « Rachetez vos péchés par l'aumône », écrivait le prophète Daniel; car, ajoute l'auteur de l'Ecclésiastique, « elle efface le péché comme l'eau éteint la flamme. »

Quand les publicains, si méprisés et si détestés, allaient le trouver, il ne leur prescrivait pas de renoncer à leur profession, périlleuse sans doute mais compatible avec l'observation de la justice; il leur recommandait seulement de « ne rien exiger en plus des tarifs ». Qu'ils se maintiennent dans les limites du droit, qu'ils évitent de majorer arbitrairement les taxes, et de se faire payer des complaisances coupables, et le royaume de Dieu ne leur est pas fermé.

Aux soldats du tétrarque Hérode Antipas, chargés de l'ordre et de la police, que leurs multiples fonctions exposaient aux connivences intéressées, au chantage, aux dénonciations mensongères, aux vexations de toute sorte, il se bornait à dire : « Ne molestez, n'accusez faussement personne ; contentez-vous de votre solde [1]. » Ainsi le Baptiste, sur les bords du Jourdain, tenait à chacun un langage approprié à son état et à ses devoirs.

II. Le baptême de Jésus.

Le fleuve qui coupe en deux la Palestine dans toute sa longueur est un des plus rapides et des plus sinueux du monde. Contemplé des hauteurs voisines, il apparaît comme un long ruban de verdure qui serpente au fond de la tranchée creusée aux temps géologiques par une puissante commotion terrestre. Ce fourré de tamaris, de saules et de peupliers enguirlandés

---

1. Lc. 3 10-14. Textes particuliers à S. Luc. Trois sortes de personnes demandent conseil : a) les foules (le menu peuple); b) les publicains; c) les soldats. Ces derniers ne sont pas des Grecs ou des Samaritains au service du procurateur, mais des Juifs à la solde du tétrarque, dont le territoire avoisinait le Jourdain.

de lianes était jadis le repaire des lions, des léopards et des
sangliers. On l'appelait la gloire ou l'orgueil du Jourdain. Sur
une grande partie de son cours, les bords du fleuve restent incul-
tes, ses hautes berges le rendant impropre à l'irrigation et les
torrents qui tombent des collines environnantes ne faisant que
raviner davantage ce sol marneux, sans le féconder. Cependant au sortir du lac de Tibériade et aux approches de la mer
Morte, la vallée se dilate, les sources jaillissent abondantes
et le désert fleurit. Au nord de la mer Morte, la plaine qui
s'étend des deux côtés du fleuve, sur une largeur totale d'une
vingtaine de kilomètres, présente l'aspect d'un vaste amphithéâtre, auquel les Hébreux donnaient le nom de Cercle ou
Cirque du Jourdain [1].

Il y avait là au temps du Christ, une forêt de palmiers et un
bois de baumiers qui faisaient la fortune de la contrée. Les
historiens, païens et juifs, ne se lassent pas de vanter ces
fabuleux jardins d'Hérode. Pourtant les environs immédiats
de la mer Morte sont tellement imprégnés de sels qu'ils se
prêtent difficilement à la culture et tous les endroits où
n'arrivait pas l'eau des sources demeuraient stériles.

C'est à Béthanie, au delà du Jourdain, que Jean baptisait
d'ordinaire; c'est là aussi qu'il rendit à Jésus son triple
témoignage; mais il ne s'ensuit pas qu'il l'y ait baptisé, car
il changeait souvent de place, selon l'exigence des saisons et
la commodité des visiteurs. En tout cas, depuis le quatrième
siècle, le lieu du baptême est montré sur la rive droite du
fleuve, à sept ou huit kilomètres au nord de la mer Morte.
Une église, rebâtie au siècle dernier, en conserve le souvenir [2].

Comme la prédication enflammée de Jean, le miracle de sa
vie pénitente et le prestige qui l'environnait suggéraient à

1. Mt. 3⁵; Lc. 3³ : περίχωρος τοῦ Ἰορδάνου (en hébreu כֹּכֹּר הירדן). La
comparaison d'amphithéâtre est déjà dans Strabon (*Geogr.* XVI, 41).
Strabon donne aux jardins d'Hérode une longueur de 100 stades
(18 kilomètres et demi); Josèphe leur donne 70 stades de long sur 20 de
large (12 kilomètres 750 sur 3 kilomètres 700).
2. Le pèlerin de Bordeaux, en 333, compte cinq milles entre la mer
Morte et le lieu du baptême (Geyer, *Itinera Hieros.* 1898, p. 34). Cinq
milles romains font sept kilomètres et demi, c'est bien la distance du
lieu traditionnel. Depuis, la tradition n'a varié ni chez les Grecs ni chez
les Latins.

plusieurs l'idée qu'il pourrait bien être le Messie, il s'en défendait énergiquement :

Moi, disait-il, *je baptise dans l'eau, pour disposer à la pénitence; mais il vient après moi un plus puissant que moi, dont je ne suis pas digne de porter les chaussures; celui-là vous baptisera dans l'Esprit-Saint et le feu. Il tient en main la pelle à vanner pour nettoyer son aire et recueillir son blé dans son grenier; quant à la paille, il la brûlera au feu inextinguible*[1].

Pour tout habitant de Palestine, la figure est parlante. Lorsque les gerbes entassées sur l'aire ont été triturées sous les pieds des bœufs ou sous les traîneaux armés de pointes, le maître de la moisson prend sa pelle ou sa fourche à vanner et lance au vent le mélange de paille et de grain. Le grain plus lourd retombe à ses pieds; la paille, emportée par la brise, ne sera ramassée que pour alimenter le feu. C'est l'image de ce qui se passera au temps du Messie, lorsqu'il viendra opérer la séparation des bons et des méchants. Les Juifs, pour échapper à la condamnation, auront beau invoquer alors leur qualité de fils d'Abraham. Qu'ils ne s'y trompent point; s'ils sont trouvés trop légers, ils seront la proie d'un feu qui ne s'éteint pas.

Un jour d'hiver, le charpentier de Nazareth, encore ignoré de tous, se présenta sur les bords du Jourdain, mêlé à la foule des pénitents. Chose étrange et pourtant certaine, son cousin Jean ne le connaissait pas personnellement. Vivant au désert depuis sa tendre enfance, il n'avait pas eu occasion de rencontrer Jésus, qui ne quittait sa solitude de Nazareth que pour le pèlerinage de Jérusalem. Certes, Jean avait pleinement conscience de son rôle de précurseur, il savait qu'il préparait les voies au Messie, dont l'apparition était imminente, et une révélation l'avait averti qu'il le reconnaîtrait en voyant le Saint-Esprit descendre sur lui sous forme de colombe; mais

---

1. Mt. 3[11-12]. Cf. Mc. 1[7-8]; Lc 3[15-18]. S. Marc et S. Luc disent : » Je ne suis pas digne de délier les courroies de ses chaussures » au lieu de « Je ne suis pas digne de porter ses chaussures ». Deux expressions figurées d'une pensée identique : « Je ne suis pas digne d'être son serviteur.»

quand Jésus s'avança pour recevoir de sa main le baptême,
une lumière surnaturelle l'éclaira subitement, sans attendre
le signe annoncé. Tel Samuel, cherchant parmi les fils de
Jessé le futur roi d'Israël, à la vue du jeune David qu'il ne
connaissait pas, entendit une voix intérieure qui lui disait :
« C'est lui. »

Quand Jésus, laissant passer la foule, se trouva seul en face
de Jean et le pria de le baptiser, celui-ci s'en défendit de toutes
ses forces : « C'est moi, disait-il, qui aurais besoin d'être
baptisé par vous et vous venez à moi ! » Il savait à merveille,
pour l'avoir très bien défini, ce qu'était son baptême et celui
de Jésus : le baptême de l'eau n'est qu'une ablution extérieure, symbole de pénitence; le baptême du feu et du Saint-
Esprit, au contraire, atteint jusqu'à l'âme et la vivifie, comme
le feu pénètre les molécules des corps et leur communique ses
propriétés. C'est ce baptême que lui, Jean, est impuissant à
conférer et qu'il voudrait recevoir. Mais le Sauveur lui dit :
« Laissez faire pour le moment; il convient que nous accom-
plissions ainsi toute justice. » Il ne dit pas : « Il faut », mais :
« Il convient ». En effet aucune prescription légale ne l'y
obligeait : le baptême de Jean n'étant pas une institution de
la loi ancienne, mais une œuvre de surérogation librement
embrassée. Jésus sait seulement que cet acte est agréable à
Dieu, parce qu'il est propre à édifier les hommes et de nature
à honorer la personne du Précurseur.

Aussitôt après son baptême, sans s'attarder comme les
autres à confesser des péchés dont il se savait innocent, Jésus
sortit du Jourdain pour se mettre en prières. Tout à coup, le
ciel s'entr'ouvrant, le Saint-Esprit descendit sur lui sous la
forme d'une colombe et, du haut du ciel, une voix retentit :
Celui-ci est mon Fils bien-aimé en qui je me suis complu [1].
La théophanie n'était pas pour lui seul. Jean, à qui elle était

---

1. Mt. 3[16-17]. — S. Marc 1[11] et S. Luc 3[23] font adresser les paroles
du Père à celui qu'elles concernent : « Tu es mon Fils bien-aimé en qui
je me suis complu. » Variantes de redaction sans conséquence. Quelques manuscrits de S. Luc ajoutent : « Tu es mon Fils, je t'ai engendré
aujourd'hui », citation textuelle du Ps. 2[7]. — Sur les divagations des
apocryphes (*Evang. selon les Hébreux, Evang. des Nazaréens, Evang. des
Ebionites*) à propos du baptême de Jésus, cf. Lebreton, *La vie et l'enseignement de J.-C.* 1931, t. I, p. 75-76.

promise, y eut part sans aucun doute et probablement aussi, quoique l'Évangile ne le dise pas, quelques-uns de ceux qui se trouvaient présents. Ainsi s'expliquerait mieux l'empressement que les premiers disciples mirent à suivre le Sauveur, quand ils le revirent quarante jours plus tard.

Il nous est maintenant facile de reconnaître dans cette scène la manifestation des trois personnes divines; mais les spectateurs en sondèrent-ils alors le mystère et saisirent-ils toute la portée de cette parole : Celui-ci est mon Fils bien-aimé? Jean lui-même fut-il alors plus éclairé que les apôtres après de longs mois passés dans l'intimité du Seigneur? Il est permis d'en douter. Du moins ceux qui virent la colombe se reposer sur Jésus et entendirent les paroles tombées du ciel durent comprendre que l'objet d'une faveur si extraordinaire n'était pas un homme comme les autres, qu'il était supérieur au Baptiste lui-même, qu'il fallait lui prêter foi et obéissance comme à un messager divin. Ainsi nous apparaît le but providentiel du baptême du Christ : Dieu voulait, sur les bords du Jourdain, en présence de Jean et de ses disciples, authentiquer solennellement la mission de son Fils, mais non pas, comme l'ont prétendu certains exégètes, lui en donner la conscience à lui-même.

III. Le jeûne et la tentation du Christ.

En face et à l'ouest de l'antique Jéricho, se dresse à pic la montagne de la Quarantaine, dont le nom rappelle le jeûne et la tentation du Sauveur. Les nombreuses grottes qui s'étagent sur ses flancs, habitées jadis par des anachorètes, sont devenues d'un accès difficile et parfois périlleux, parce que les degrés creusés dans le roc, de distance en distance, étant maintenant brisés ou fort dégradés, le moindre faux pas jetterait dans un précipice l'ascensionniste imprudent. C'est dans une de ces grottes que Jésus se serait retiré au sortir du Jourdain, d'après une tradition qui remonte au moins au viie siècle et qui n'a pas de rivale [1]. Avant d'inaugurer son apostolat effectif, il sentait le besoin d'un long tête-à-tête avec Dieu. Les plus illustres Pères de l'Église — les Jérôme, les Basile,

---

1. Cf. Guérin, *Samarie,* t. I, p. 41.

les Grégoire de Nazianze, les Jean Chrysostome — ainsi que les fondateurs d'ordre — saint Benoît, saint François d'Assise, saint Ignace et combien d'autres — sont allés à son exemple chercher dans la solitude des inspirations et des forces, avant d'entreprendre les grandes choses qu'ils méditaient d'accomplir pour la gloire de Dieu.

Un dessein providentiel y dirigeait le Sauveur. Saint Marc, qui n'a pas voulu raconter en détail la tentation du Christ, en donne ce raccourci : *Aussitôt* (après le baptême) *l'Esprit le pousse au désert; et il y était pendant quarante jours, tenté par le démon; et il vivait au milieu des bêtes sauvages; et les anges le servaient* [1]. Autrefois les lions et les léopards, quittant les repaires du Jourdain, escaladaient parfois l'abrupte montagne; mais on n'y entend plus guère aujourd'hui que le glapissement des chacals et, de temps à autre, le grognement des hyènes.

Comme Moïse au Sinaï, comme Élie sur le chemin de l'Horeb, Jésus observa un jeûne absolu durant quarante jours et quarante nuits; mais il était si absorbé en Dieu, si perdu dans l'extase, que la vie naturelle en était presque suspendue et qu'il semble n'avoir senti l'aiguillon de la faim qu'au terme de son jeûne. Le démon profita de cette défaillance physique pour le tenter. Peut-être cependant, à prendre à la lettre les expressions de saint Marc, n'avait-il pas attendu jusqu'alors [2].

Il convenait que le Sauveur, descendu du ciel pour ruiner l'empire de Satan, se mesurât dès l'abord avec le prince de ce monde, le grand adversaire du genre humain, et remportât sur lui un triomphe signalé. Il fallait aussi, dans le plan actuel de la rédemption, qu'il fût éprouvé de toute manière, à l'exclusion du péché, pour mieux compatir à nos faiblesses. « Ses souffrances et ses tentations, dit l'Apôtre, l'ont rendu capable de venir en aide à ceux qui sont tentés [3]. » Ce n'est pas seule-

---

1. Mc. 1[12-13]. Cf. Mt. 4[1]. L'Esprit qui le *pousse* (ἐϰϐάλλει, Mc.) ou simplement le *conduit* (ἀνήχθη Mt; ἤγετο, Lc.) au désert est évidemment l'Esprit-Saint; et il l'y conduit *pour* y être tenté par le diable (Mt. πειρασθῆναι ὑπὸ τοῦ διαϐόλου).

2. Mt. 4[2] : « Finalement il eut faim » semble supposer que la faim ne vint qu'au bout du jeûne. D'autre part S. Marc dit (1[12]) : « Il était quarante jours dans le désert, tenté par le démon ».

3. Hebr. 2[18]; 4[15] etc.

ment pour nous servir de modèle dans la lutte contre les
démons et nous apprendre à les vaincre; car il y a en lui trop
de choses qui défient toute imitation. Tandis que nous por-
tons en nous-mêmes la source principale de nos tentations
et que, quand elles nous viennent du dehors, elles sont sûres
de trouver en nous des complicités et des connivences, Jésus
ne connaît point le penchant au mal et sa raison, d'une droiture parfaite, règne en maîtresse sur les facultés inférieures.
Dans les tentations qui nous assaillent, il y a toujours une
part de surprise, d'ignorance ou d'erreur; dans Jésus, au
contraire, nul obscurcissement, même passager, de l'intelligence. Tel est l'équilibre de ses facultés spirituelles et sensibles, qu'il nous est difficile de comprendre, non pas qu'il ait
vaincu les tentations, mais qu'il les ait éprouvées.

Le mot *tenter*, dans l'Écriture, est équivoque. Dieu *tente*
quelquefois les justes pour les éprouver, pour les rendre
conscients de leur faiblesse ou leur fournir une occasion de
mérites. L'homme peut *tenter* Dieu par la pusillanimité de sa
défiance ou par l'orgueil de sa présomption. Le démon *tente*
les hommes pour les séduire et les perdre.

Que se proposait-il donc et qu'espérait-il en s'attaquant au
Christ? Selon l'heureuse formule de saint Ambroise : « Il le
tente pour l'éprouver et il l'éprouve pour le tenter. » Il voit
en Jésus un homme extraordinaire; il soupçonne qu'il pourrait bien être le Messie et le Fils de Dieu. S'il en était sûr,
il n'irait pas de gaîté de cœur au-devant d'une défaite certaine.
Il veut en faire l'épreuve. S'il réussit à le séduire, il saura
qu'il n'a plus rien à craindre de lui; s'il n'y parvient pas, il
compte du moins le forcer à se déclarer : dans un cas comme
dans l'autre, il apprendra ce qu'il ignore et la certitude lui
paraît préférable au doute.

Le tentateur apparut-il sous une forme humaine, comme on
le croit communément et comme semble bien l'indiquer le
texte évangélique; ou demeura-t-il invisible et agit-il à l'égard
de Jésus comme il a coutume de faire avec les autres hommes?
Questions insolubles et recherches vaines[1]. Mieux vaut nous

---

1. Maldonat à propos de Mt. 4³ : « Quomodo aut qua forma accesserit,
Evangelistae non dicunt. Potuit aut invisibiliter accedere, sicut nos

n tenir à la lettre du récit inspiré et nous efforcer d'en com-
rendre la signification, sans nous inquiéter d'en scruter le
10de.

*Au bout de quarante jours et de quarante nuits de jeûne,
ésus eut faim. Et le tentateur s'approchant lui dit : Si tu es
ls de Dieu, dis à ces pierres de se changer en pains.*

*Mais lui de répondre : L'homme ne vit pas seulement de
ain, mais de toute chose qui vient par l'ordre de Dieu[1].*

Le premier assaut du Malin n'est pas proprement une ten-
ation de gourmandise. Le terme fixé au jeûne vient d'expirer
t il n'y a ni acte de sensualité ni imperfection quelconque à
ouloir apaiser sa faim quand on est torturé par elle et que
en d'ailleurs n'oblige à l'abstinence. Le désordre consiste-
ait à user d'un pouvoir miraculeux sans nécessité et sur
ne suggestion dictée par la curiosité ou la malice. Faire un
iiracle pour prouver qu'on est thaumaturge serait osten-
ation pure ; l'opérer uniquement pour satisfaire un besoin
ersonnel serait une marque de défiance envers Dieu. Il faut
lors s'en remettre à la providence, qui pourvoira à nos
esoins par des moyens insoupçonnés. Tel est le sens de la
éponse. Les Hébreux, dans le désert, réclamaient à grands
·is du pain ; Dieu fait pleuvoir sur eux la manne qu'ils
attendaient pas, « afin de leur prouver, leur dit Moïse, que

1otidie tentare solet, aut sumpta aliqua visibili forma... quod est valde
obabile. »

1. Mt. 4[2-4]. — S. Luc (4[3-4]) a le même texte avec trois variantes : *a)* Il
net « s'approchant ». — *b)* Il met « dis à cette pierre », comme si Satan
ndiquait du doigt : ce qui est plus pittoresque. — *c)* Il écourte la cita-
·n du Deutéronome et la réduit à « l'homme ne vit pas seulement de
in ». Dans S. Matthieu, la citation, faite d'après les Septante, contient
ux hébraïsmes qui en rendent l'intelligence difficile. L'hébreu porte :
l'homme ne vit pas seulement de pain, mais *de tout ce qui provient
la bouche de Dieu* », c'est-à-dire *de tout ce qui vient par son ordre*
mme la manne. Dans le grec ἐπὶ πάντι ῥήματι ἐκπορευομένῳ διὰ στόματος
 οῦ, le mot ajouté ῥήματι doit se prendre au sens de דבר « chose », et
ὰ στόματος signifiera « par son ordre ».

Quelques-uns pensent que Jésus donne au texte un sens accommoda-
·e : « L'homme ne vit pas seulement de pain, parce qu'il y a pour
l une autre vie, et cette vie s'alimente de la parole de Dieu » (Lagrange,
Matthieu, p. 60). Ce serait en effet possible si Jésus avait cité la Bible
·grec, d'après la version des Septante ; mais il la citait en hébreu ou
l araméen et il est difficile de croire qu'il se soit écarté du sens littéral.

l'homme ne vit pas seulement de pain, mais de toute autre chose qui vient par l'ordre de Dieu ».

Double échec pour Satan. Il espérait mettre à profit l'état d'inanition où se trouvait Jésus après son long jeûne, pour l'engager à faire un miracle inutile et hors de propos. Il est déçu. Il voulait savoir si Jésus était fils de Dieu et avait conscience de l'être. Il ne saura rien; Jésus garde son secret.

Alors le diable l'entraîna vers la Cité sainte et, le plaçant sur le pinacle du Temple, il lui dit : Si tu es fils de Dieu, jette-toi en bas, car il est écrit : Dieu t'a recommandé à ses anges, qui te porteront dans leurs mains pour empêcher ton pied de heurter contre la pierre.

Jésus dit : Il est écrit également : Tu ne tenteras pas le Seigneur ton Dieu[1].

Ce tableau déconcerte l'imagination et confond la pensée. Peut-on se figurer le diable saisissant Jésus à bras le corps et le transportant ainsi dans l'espace jusqu'au Temple, à la stupéfaction de tous les spectateurs? D'autre part, on répugne à se figurer le Sauveur cheminant côte à côte avec le démon, pendant les sept ou huit lieues qui séparent Jérusalem du mont de la Quarantaine. Ne faudrait-il pas plutôt dire avec quelques Pères — si l'on repousse le système de la vision — que le Sauveur répond librement et spontanément au défi de son antagoniste? Comme un athlète sûr de la victoire, il laisse à son adversaire le choix des armes; il accepte le terrain choisi par lui et se rend, de son plein gré, au lieu du combat[2].

1. Mt. 4⁵⁻⁷. — Les différences de Lc. 4⁹⁻¹² sont négligeables, sauf que S. Luc intervertit les deux dernières tentations. L'ordre observé par S. Matthieu est généralement préféré par les exégètes, comme présentant une gradation plus naturelle, surtout parce que Satan n'a pas dû revenir à la charge après cette apostrophe : « Loin d'ici, Satan! » où il s'est senti démasqué. Aussi S. Luc a-t-il omis ces mots dans sa seconde tentation, qui est la troisième de S. Matthieu.

2. Origène (*In Lucam hom.* XXXI, Migne, XIII, 1879) : « Sequebatur ut athleta ad tentationem sponte proficiscens », cité et approuvé par S. Thomas, *Summa*, P. IIIᵃ, qu. XLI, a. 1 ad 2. Voir, dans le même sens, S. Chrysostome, *In Matth. hom.* VIII, 2, Migne, LVII, 210 (comparaison du maitre d'escrime).

Un auteur du XIIᵉ siècle, Ernaldus abbé de Bonneval, dans un ouvrage qu'on attribuait jadis à S. Cyprien (*De cardinalibus virtutibus Christi*, v. Migne, CLXXXIX, 1637) émet l'hypothèse que Jésus, sans changer de

Le pinacle du Temple n'était pas le pylône, haut de cent coudées, qui se dressait entre le sanctuaire et le parvis des prêtres, mais plutôt le point de jonction du portique Royal et du portique de Salomon, à l'angle sud-est du périmètre extérieur. Ce point, qui surplombait la vallée du Cédron, était une sorte de belvédère, d'où la vue plongeait sur les montagnes de Moab, par-dessus le gouffre de la mer Morte. Quand on se penchait sur la balustrade qui en garnissait le rebord, pour regarder au fond du ravin, on était pris de vertige. C'est de là, suivant la tradition, que fut précipité saint Jacques le Mineur.

Comme la première fois, Satan débute par une formule dubitative qui est une sorte de défi : « Si tu es fils de Dieu, jette-toi en bas. » Si tu es vraiment ce que tu prétends être, tu n'as rien à craindre; les anges te recevront dans leurs mains; Dieu lui-même t'en donne l'assurance. Le grand Menteur cite à faux l'Écriture : le texte qu'il invoque n'est pas messianique; d'ailleurs, si Dieu promet sa protection aux justes qui ont confiance en lui, il ne s'engage pas à faire des miracles en faveur des présomptueux. Le piège en lui-même était grossier. Cependant un éclatant miracle, opéré au point culminant de l'esplanade du Temple, devant tout le peuple assemblé, paraissait un moyen efficace et prompt de conquérir les foules et de s'épargner de longs et pénibles retards; mais en prenant ce chemin de traverse, le Christ déviait de la ligne qui lui était tracée par le plan rédempteur. Tel paraît être l'objet véritable de la seconde tentation, que le Seigneur déjoue comme la première par un texte de l'Écriture pris au sens littéral.

De nouveau le diable l'entraîna sur une haute montagne, d'où il lui montra tous les royaumes du monde et toute leur

place, s'était transporté en esprit au Temple, comme Ezéchiel se crut transporté à Jérusalem, sans quitter les rives du Chobar. C'est probablement à lui que S. Thomas fait allusion (*Summa*, P. III*, qu. xli, a. 2, ad 3) : « Quidam dicunt quod Christus ductus est in sanctam civitatem non realiter sed secundum imaginariam visionem. » De nos jours cette opinion a été reprise : Le récit flotte « entre la réalité extérieure, assez difficile à admettre, et la réalité psychologique et intérieure, qui suffit d'ailleurs à maintenir toute l'importance de l'enseignement moral donné par Jésus » (Le Camus, *Vie de J.-C.* 1921, t. I, p. 276).

gloire en lui disant : Je te donnerai tout cela si, tombant à terre, tu me rends hommage...

Jésus lui dit : Loin d'ici, Satan, car il est écrit : Tu adoreras le Seigneur ton Dieu et ne serviras que lui seul[1].

La tradition, sans doute bien inspirée, n'a pas cru devoir placer le théâtre de la troisième tentation de Jésus sur la cime du grand Hermon, qui dresse, au nord de la Palestine, sa tête majestueuse; elle lui assigne le sommet du mont de la Quarantaine, où se voient aujourd'hui les ruines d'un oratoire chrétien. L'horizon qu'on embrasse de ce point n'est pas immense, car le mont des Oliviers cache même Jérusalem; mais serait-on sur la plus haute pointe de l'Himalaya et jouirait-on de la vue la plus perçante qui fut jamais, on ne verrait pas à ses pieds tous les royaumes de la terre. L'évangéliste le sait aussi bien que nous et lorsqu'il dit que Satan montra à Jésus tous les royaumes du monde, il veut nous indiquer que par ses prestiges il en fit passer l'image devant son esprit.

Ce fut l'affaire d'un moment. Saint Luc nous avertit que cette fantasmagorie ne dura qu'un clin d'œil; et que le tentateur eut soin d'ajouter : « Tout cela m'a été livré et je le donne à qui je veux. » Le père du mensonge se vante : il n'en est pas le maître absolu pour en disposer à son gré; « la terre et tout ce qu'elle contient appartient au Seigneur ». Cependant, depuis le péché, le démon y a ses entrées libres; il y réside comme dans son fief et il a quelque droit à s'appeler le prince de ce monde. Il le donnera, dit-il, à qui se prosternera devant lui pour lui rendre hommage, comme un sujet à son roi ou un vassal à son suzerain. Il se sert à dessein d'un mot ambigu, qui signifie à la fois adoration et hommage, pour ne pas révolter trop violemment la cons-

---

1. Mt. 4⁸⁻¹⁰. La version de S. Luc (4⁵⁻⁸) diffère assez pour être transcrite en entier : « L'ayant conduit en haut (ἀναγαγών), le démon lui montra tous les royaumes de l'univers en un clin d'œil (ἐν στιγμῇ χρόνου) et lui dit : Je te donnerai toute leur puissance et leur gloire, car cela m'a été livré et je le donne à qui je veux. Donc, si tu te prosternes devant moi (ἐὰν προσκυνήσῃς ἐνώπιον ἐμοῦ) cela t'appartiendra. Jésus lui répondit : Il est écrit : Tu adoreras le Seigneur ton Dieu et tu ne serviras que lui seul. »

S. Luc omet : a) la haute montagne; b) l'apostrophe « Loin d'ici Satan ». En revanche, il ajoute quelques menus détails.

cience d'un homme dont il connaît la vertu. Néanmoins l'artifice est tellement naïf qu'on se l'explique à peine. Ou bien,
étourdi par sa double défaite, le tentateur ne se possède plus
et marche à l'aveugle, risquant son va-tout, comme un joueur
échauffé par la malchance; ou bien il a cessé de croire à la
messianité de Jésus et pense avoir affaire à un simple mortel
que la perspective des grandeurs ne manquera pas d'éblouir.
Et en effet cette fois il n'a pas dit, comme dans les deux tentations précédentes : « Si tu es fils de Dieu ».

Le Sauveur le repousse par la profession de foi solennelle
du monothéisme hébreu : « Tu adoreras le Seigneur ton
Dieu et ne serviras que lui seul »; ajoutant, pour couper
court à toute nouvelle attaque : « Loin d'ici, Satan. »

Le démon se retire vaincu mais non découragé. Il ne quitte
Jésus que pour un temps, nous dit l'Évangile[1]. Il espère
encore prendre sa revanche. Nous le retrouverons à Gethsémani et au Calvaire; mais alors sa déroute sera complète
et définitive.

C'est trop simplifier les choses que de réduire l'attaque du
démon à une triple tentation de gourmandise, de vaine gloire
et d'ambition. Ce n'est là, pour ainsi dire, que l'envers de la
tentation et le but du Malin est bien plus complexe, comme
on aura pu le voir par ce bref exposé.

Le jeu du tentateur est assez facile à saisir. Ce qui l'est
beaucoup moins, c'est de comprendre comment la suggestion
purement extérieure dont Jésus a été l'objet de la part de
Satan, peut s'appeler une tentation. Chez nous, quand nous
sommes tentés, la volonté est tiraillée en deux sens contraires; un combat s'engage entre l'attrait du mal et l'appel
de la conscience. En Jésus, rien de pareil; la proposition du
mal ne peut provoquer en lui qu'un sentiment d'aversion et
d'horreur. Et cependant; même chez lui, il peut y avoir
quelquefois lutte et par conséquent victoire et mérite. Sa
volonté ne reste pas un instant suspendue entre le bien et le
mal; mais le sentier du devoir, tout tracé qu'il est devant la
raison, est souvent pénible et dur à la nature : « Toute la vie

1. Mt. 4¹¹ : « Tunc reliquit eum diabolus. » S. Luc (4¹³) ajoute *usque
ad tempus* (ἄχρι καιροῦ), « jusqu'à une *occasion* » propice.

du Christ, dit l'auteur de l'Imitation, fut une croix et un martyre. » Elle exigea donc un effort et un combat, quoique l'issue n'en fût pas douteuse. N'eût-il pas été désirable pour l'humanité du Christ d'apaiser sa faim par un miracle dont il avait le pouvoir ; d'échanger une vie de privations, d'humiliations et de souffrances, contre une existence tranquille et glorieuse; de procurer le salut du monde par des coups d'éclat, au lieu de le payer au prix de son sang ?

Sa soumission aux désirs du Père et son acceptation généreuse du plan rédempteur reçurent aussitôt leur récompense. Le démon ayant disparu, les anges s'approchèrent pour le servir Lui-même ne tarda pas à redescendre dans la plaine, où le Précurseur l'attendait pour lui rendre son témoignage.

IV. Le témoignage de Jean.

Il était venu comme témoin,
pour rendre témoignage à la Lumière,
afin que tous crussent par lui.
Il n'était pas la Lumière,
mais le témoin de la Lumière.

Et voici quel fut le témoignage de Jean, quand les Juifs envoyèrent vers lui de Jérusalem des prêtres et des lévites pour lui demander : « Qui êtes-vous [1] ? »

Les foules, remuées par sa parole ardente et inspirée, le regardaient comme un nouveau prophète et n'étaient pas éloignées de voir en lui le Messie. Les chefs du sacerdoce voulurent s'assurer s'il n'encourageait pas sous main les idées messianiques qui couraient sur son compte. Il prêchait un baptême étranger à la législation mosaïque et aux tra-

---

1. Jn. 1[6-7. 19]. Il n'est ici question que de *prêtres* et de *lévites*. Mais plus loin (1[24]) on lit : καὶ ἀπεσταλμένοι ἦσαν ἐκ τῶν φαρισαίων. Ce que la Vulgate traduit : *Et qui missi fuerant erant ex pharisaeis*. Il est invraisemblable que tous les envoyés fussent pharisiens, car la plupart des prêtres appartenaient au parti sadducéen. Comme ἀπεσταλμένοι n'a pas l'article défini, on doit entendre : « Parmi les envoyés il y avait des pharisiens ». — Ils étaient envoyés « par les Juifs », par l'autorité compétente, plus probablement par le sacerdoce. — La question qu'ils finissent par poser est précisément celle que les Athéniens posaient à Socrate : Σὺ οὖν τίς εἶ ; (*Dissertations d'Épictète,* III, I, 22, dans Arrien).

ditions des scribes; et cette innovation était d'autant plus suspecte aux autorités religieuses que sa ressemblance avec le bain des prosélytes paraissait assimiler les enfants d'Abraham aux recrues de la gentilité[1].

Une délégation partit donc de Jérusalem pour examiner l'affaire. Le sacerdoce, spécialement intéressé aux questions religieuses, en avait eu l'initiative, plutôt que le sanhédrin, ce tribunal suprême auquel ressortissaient les causes majeures, surtout en matière criminelle. Composée de prêtres et de lévites, parmi lesquels se trouvaient quelques pharisiens, elle avait pour mandat de tirer au clair les intentions et les prétentions du Baptiste et allait ainsi, sans le vouloir, lui fournir une magnifique occasion de rendre témoignage au Christ.

Tenant à se montrer courtois, pour ne pas offenser publiquement un homme si vénéré du peuple, les délégués ne lui demandèrent point : « Êtes-vous le Messie? » ils auraient eu l'air de croire qu'il s'arrogeait ce titre. Ils lui dirent simplement, comme autrefois les Athéniens à Socrate : « Qui êtes-vous? » Mais lui, répondant à leur pensée secrète plutôt qu'à leur demande expresse, leur déclara hautement : « Non, moi je ne suis pas le Christ. » Et peut-être, en accentuant ce *non* veut-il faire entendre que le Messie, dont ils s'inquiètent, est au milieu d'eux et qu'il ne tient qu'à eux de le connaître.

Les députés, rassurés sur ce point capital, poursuivent leur enquête : « Êtes-vous donc Élie? » L'histoire merveilleuse d'Élie s'était auréolée de mille légendes, qui en faisaient sans contredit le plus populaire des prophètes. On l'attendait alors d'un moment à l'autre et, aujourd'hui encore, à la table du festin pascal, un verre lui est réservé, pour le cas de son retour inopiné. Or, Jean avait tout l'extérieur d'Élie : son manteau rugueux, sa ceinture de cuir, son aspect inculte et demi-sauvage. Il aurait pu se donner pour Élie, puisqu'il en réalisait le type prophétique et en remplissait les fonctions, mais, ne l'étant pas en personne, il répond résolument : « Non, je ne le suis point. »

1. Cela résulte de Lc. 3[15] : « Tous se demandaient en leur cœur si Jean n'était pas le Messie. »

« Alors, reprirent les délégués, seriez-vous *le* prophète »,
ce prophète pareil à Moïse qu'on devra écouter sous peine
d'encourir le courroux divin? Il s'agit dans le Deutéronome
du prophète en général, de la série des prophètes qualifiés
pour parler au nom de Dieu et reconnaissables à certains
signes; mais on entendait souvent ce texte d'un prophète plus
grand que les autres, d'un prophète égal à Moïse; et c'est
bien ainsi que paraissent le prendre les délégués, puisqu'ils
lui demandent non pas s'il est prophète mais s'il est *le*
prophète. A la question ainsi posée, Jean répond par un *non*
brusque et sec [1].

Les Juifs insistent : *Qui donc êtes-vous? Car enfin il nous
faut rendre réponse à ceux qui nous ont envoyés. Que dites-
vous de vous-même? — Je suis, selon le mot du prophète
Isaïe, celui qui crie dans le désert : Aplanissez la voie
du Seigneur.*

Il y avait, parmi les envoyés, des pharisiens, esprits subtils
et retors, peu faciles à contenter. Ils objectèrent : « Pourquoi
donc baptisez-vous, si vous n'êtes ni le Messie, ni Élie, ni
le prophète? » Certains passages de la Bible pouvaient faire
croire que le baptême était une fonction messianique ou du
moins connexe à l'œuvre du Messie; mais ces textes devaient
s'entendre d'une abondante effusion de la grâce, qui est en
effet un des caractères des temps messianiques. Jean n'a pas
la prétention de conférer la grâce : *Moi*, dit-il, *je baptise
dans l'eau*, pour disposer à la pénitence; *mais il est quelqu'un au milieu de vous que vous ne connaissez pas, quelqu'un qui vient après moi et dont je ne suis pas digne de
dénouer les courroies de la chaussure.* Celui-là vous donnera
le baptême du feu et du Saint-Esprit. Ce premier témoignage
du Précurseur est si important aux yeux du disciple bien-aimé,
qu'il a cru devoir en indiquer le lieu précis : « Cela se passait
à Béthanie, au delà du Jourdain, où Jean baptisait » alors [2].

1. Sur Elie, dans les écrits rabbiniques, cf. Billerbeck, t. IV, p. 764-
798. Les talmudistes n'entendaient pas au sens messianique Deut. 18[15];
mais, comme la prophétie était depuis longtemps muette, le premier
qui, en la faisant revivre, vérifierait la promesse du Deut. 18[15] (*Jéhovah
ton Dieu te suscitera un prophète tel que moi*) devait être un personnage
extraordinaire, comparable à Moïse.
2. Jn. 1[28]. Au lieu de Béthanie, des manuscrits ont la leçon Betha-

Le lendemain du jour où les envoyés des grands prêtres étaient repartis pour Jérusalem, Jésus descendit du mont de la Quarantaine, après son jeûne et sa tentation, et vint retrouver le Baptiste sur les bords du Jourdain. Jean le voyant arriver dit à son entourage : *Voici l'Agneau de Dieu ; voici celui qui ôte les péchés du monde. C'est lui dont je disais :*

> *Un homme vient* APRÈS *moi,*
> *qui a passé* DEVANT *moi,*
> *parce qu'il était* AVANT *moi.*

Et moi je ne le connaissais pas ; mais je suis venu baptiser dans l'eau pour qu'il fût manifesté à Israël[1].

bara, due probablement à l'influence d'Origène. Cf. *R. B.* 1895, p. 510-512. Béthanie signifie *maison du bac ;* Bethabara signifie *maison du passage ;* le sens est presque le même.

Le P. Féderlin (*Béthanie au delà du Jourdain*, 1908) place Béthanie à Tell-el-Medesh, dans l'estuaire du Ouady-Nimrin, à 3 kilomètres au nord du pont actuel, à 15 kilomètres au nord de la mer Morte. Cf. Barrois, article *Béthanie* dans *D. B. Suppl.* t. I, col. 968-970.

Le P. Buzy (*Béthanie au delà du Jourdain,* dans *Recherches,* 1931, p. 444-462) tient pour Sapsas, dans le Ouady-el-Kharrar, en face du lieu traditionnel du baptême du Christ et par conséquent à 7 ou 8 kilomètres seulement au nord de la mer Morte. *Adhuc sub judice lis est.*

Le premier témoignage de Jean, raconté en détail dans le quatrième Évangile (Jn. 1 19-28), est postérieur au baptême de Jésus, comme le prouve la suite (Jn. 1 29-35 : *le lendemain*). Il a son parallèle abrégé dans les Synoptiques (Mt. 3 11; Mc. 1 7-8; Lc. 3 16) qui le placent *avant* le baptême et ne parlent pas de la délégation des Juifs. Il faut dire ou que les Synoptiques se rapportent par anticipation, ou que Jean avait spontanément rendu le même témoignage devant les foules, avant de le rendre devant les délégués.

1. Jn. 1 29-32. Cf. 1 15 et 1 27.

Οὗτός ἐστιν ὑπὲρ οὗ ἐγὼ εἶπον·	Hic est de quo dixi :
Ὀπίσω μου ἔρχεται ἀνήρ	*Post* me venit vir
ὃς ἔμπροσθέν μου γέγονεν	qui *ante* me factus est
ὅτι πρῶτός μου ἦν.	quia *prior* me erat.

Grammaticalement, dans ces trois incises, les deux adverbes (ὀπίσω, ἔμπροσθεν, *post, ante*) et le superlatif πρῶτος (pour le comparatif πρότερος, *prior*) peuvent se prendre soit au sens temporel (après, avant), soit au sens local (derrière, devant), ou bien marquer une relation morale d'infériorité et de supériorité. Mais il est évident que, dans la première, ὀπίσω a le sens temporel (celui qui vient *après* moi, soit par sa naissance, soit par le début de son ministère) ; au contraire, dans le second membre, ἔμπροσθεν doit marquer la supériorité, sous peine de former

L'Agneau de Dieu, ou simplement l'Agneau, est une expression favorite de l'apôtre saint Jean. C'est, dans l'Apocalypse, l'Agneau immolé dont le sang lave toutes les souillures, qui mène les élus au combat et à la victoire, qui conduit le chœur des vierges, qui siège sur un trône à la droite de Dieu et dont tous les bienheureux célèbrent les noces éternelles. Mais que peut-il signifier sur les lèvres du Baptiste et dans l'esprit de ses auditeurs? Les prophètes comparent bien le Messie à un agneau, plein de douceur et de patience, qui se laisse tondre et mener à la boucherie sans faire entendre une plainte; mais ce n'est là qu'une comparaison. D'autre part, les agneaux immolés selon le rituel mosaïque, tout en étant en général une figure du sacrifice offert par le Christ sur la croix, ne sont pas des sacrifices expiatoires. L'agneau pascal n'avait pas de relation spéciale avec le péché; et l'agneau, sacrifié matin et soir dans le sanctuaire, était un holocauste, un sacrifice de louanges. Que peut donc signifier *Voici l'Agneau de Dieu* dans la bouche de Jean?

L'agneau est un symbole d'innocence; or Jésus, qui s'était présenté au baptême sous la livrée du péché, confondu avec les pécheurs, est l'Innocence même. Ce serait là peut-être ce que le Baptiste veut faire entendre : Voici le Saint, l'Innocent, qui loin d'avoir rien de commun avec le péché, est capable d'effacer les péchés du monde. Nous savons aujourd'hui qu'il les a lavés dans son sang — la prédication des apôtres après la résurrection nous a familiarisés avec cette doctrine — mais il n'est pas nécessaire de prêter au Précurseur une théorie de la mort rédemptrice, à laquelle ses auditeurs n'auraient certainement rien compris. Jean, sans craindre de se répéter, disait encore :

J'ai vu l'Esprit descendre du ciel sous forme de colombe et se reposer sur lui. Et moi je ne le connaissais pas; mais celui qui m'a envoyé baptiser dans l'eau m'a dit : Celui sur qui tu verras l'Esprit descendre et demeurer, c'est lui qui

---

une tautologie avec le troisième (il m'a surpassé en dignité ou dans l'estime des hommes, c'est-à-dire est *devenu* supérieur à moi; remarquez γέγονεν). Dans le troisième, πρῶτος marque manifestement l'antériorité (il existait *avant* moi; notez le ἦν opposé à γέγονεν).

baptise dans l'Esprit-Saint. Voilà ce que j'ai vu et j'ai rendu témoignage qu'il est le Fils de Dieu[1].

Cette colombe fendant les airs pour s'arrêter sur la tête du Sauveur, la voix du ciel qui le proclame Fils bien-aimé du Père, la rencontre des trois personnes divines qui donne une expression sensible au mystère de la trinité sainte, tout ce spectacle grandiose n'était pas pour Jésus, mais pour les assistants et surtout pour le Précurseur. Laissons dire aux rationalistes que, d'après les premiers chrétiens, « Jésus avait été investi de la dignité messianique le jour de son baptême, par la venue de l'Esprit-Saint en lui et par une déclaration céleste qui lui avait été signifiée à lui-même[2] ». N'accordons pas davantage aux protestants qu'il reçut alors, « dans sa conscience la plus intime, la révélation de sa relation personnelle avec Dieu, de sa dignité éternelle de Fils et, par là même, de l'immensité de l'amour divin envers lui et envers l'humanité, à laquelle est accordée un tel don[3] ». Le Verbe incarné n'avait besoin ni de cette investiture ni de cette révélation ; mais le Précurseur, lui, avait besoin de ce surcroît de lumière, pour reconnaître en Jésus le Messie, proclamer sa filiation divine et préparer ainsi sa manifestation prochaine.

1. Jn. 1³²⁻³⁴. — *a*) « J'ai *vu* l'Esprit (τεθέαμαι). » Ce mot, chez S. Jean, s'entend d'une *vision sensible ;* nous savions d'ailleurs par S. Luc (3²²) que l'Esprit-Saint apparaît sous *une forme corporelle* (σωματικῷ εἴδει). — *b*) S. Jean dit avec insistance (v. 32 et 33) que la colombe *demeura* quelque temps sur Jésus. D'après les *Odes de Salomon* (xxiv), elle *battait des ailes ;* d'après S. Justin et Tertullien (cf. Bernard, *St. John,* p. 50), elle *voletait* ou *voltigeait* sur lui. Cette idée semble être un souvenir de *l'esprit de Dieu se mouvant au-dessus des eaux* (Gen. 1²).

2. Loisy, *Les Évangiles synoptiques,* 1907, p. 407.

3. Godet, *L'Évangile de saint Jean,* t. II, p. 145.

CHAPITRE V

LA MANIFESTATION GRADUELLE DU CHRIST

I. Les premiers adhérents (Jean, I, 35-51).

Le lendemain du jour où il avait rendu au Sauveur son solennel témoignage, Jean se tenait, avec deux disciples, sur les bords du Jourdain, quand il vit Jésus passer à quelque distance. Il fixa sur lui un long regard attendri et ne prononça que ces mots : « Voici l'Agneau de Dieu ». Aussitôt les deux disciples, s'éloignant de lui pour toujours, se mirent à la poursuite de Jésus. L'un des transfuges était André, frère de Simon Pierre; l'autre était certainement l'évangéliste lui-même; on le reconnaît aisément, d'abord au soin qu'il prend de garder l'anonyme et surtout à l'allure de son récit qui trahit partout le témoin oculaire. Comment et pourquoi cette parole : « Voici l'Agneau de Dieu », qu'ils avaient entendue la veille, les ébranle-t-elle aujourd'hui? Est-ce le ton pénétré du Précurseur et l'expression de son regard qui les a remués, ou le travail silencieux de la grâce qui, juste à ce moment, est arrivé à son point de maturité? Mystère des voies divines.

Jésus, se sentant suivi, se tourna vers eux et leur dit : « Qui cherchez-vous? — Rabbi (Maître), où demeurez-vous? répondirent-ils. — Venez et voyez. »

Sa demeure était probablement une de ces huttes de roseaux et de feuillage, que les voyageurs dressaient à la hâte pour s'abriter contre la rosée des nuits et la fraîcheur des matinées de printemps. Ils l'y accompagnèrent et passèrent avec lui le reste du jour et sans doute aussi la nuit suivante. Saint Jean tient à nous apprendre le moment précis de cette rencontre, qui marque une date décisive dans l'orientation de sa vie. « C'était à peu près la dixième heure », quatre heures du soir,

selon notre manière de compter. Que ne nous a-t-il laissé une brève esquisse de l'entretien qui remplit la fin de cette journée mémorable!

Tous les deux en sortirent enflammés d'un ardent esprit de prosélytisme. André le premier, ayant rencontré son frère Simon[1], lui dit : « Nous avons trouvé le Messie, le Christ. » Il le conduisit à Jésus qui lui dit, en jetant sur lui un regard pénétrant : « Tu es Simon, fils de Jean ; tu t'appelleras Céphas » (ce qui veut dire Pierre[2]). Ce n'était qu'un nom prophétique, comme l'indique le verbe au futur. Simon ne prendra le nom de Pierre que le jour où il sera désigné pour être le Rocher sur lequel le Christ a fondé son Église. Ce que fit de son côté l'auteur du quatrième évangile, il nous le laisse ignorer, comme on pouvait s'y attendre ; mais il y a lieu de croire qu'il amena aussi à Jésus son frère Jacques, toujours rangé, dans la liste des apôtres, parmi les premiers adhérents.

Le lendemain, le Sauveur résolut de retourner en Galilée. Ayant rencontré Philippe, qui était comme Pierre et André de Bethsaïde, il lui dit : « Suis-moi! » Sur cet appel, qu'il fut le premier à entendre, Philippe s'empressa d'aller dire à son ami Nathanaël : « Nous avons trouvé celui dont parlent Moïse et les prophètes, Jésus de Nazareth, fils de Joseph. » Nathanaël répliqua d'un ton dédaigneux : « De Nazareth peut-il venir quelque chose de bon ? » C'était un de ces lardons que les

1. Jn. 1[41] : « André *d'abord* (πρῶτον) trouva son frère Simon » semble bien indiquer que son compagnon anonyme chercha et trouva quelqu'un. L'indication serait à peu près certaine si, au lieu de πρῶτον, on lisait πρῶτος (le premier), avec Tischendorf.

2. Jn. 1[43] : Simon *fils de Jean* (ὁ υἱὸς Ἰωάνου) ; de même Jn. 21[13,16,17] (Σιμὼν Ἰωάνου). Au contraire Mt. 16[47] : *Simon Barjona* (בר יונא‎, héb. יונה‎) « fils de Jonas ou fils de la Colombe », selon qu'on prend יונה‎ comme nom propre (4 Reg. 14[25]) ou comme appellatif. Le père de Simon aurait-il porté deux noms ou bien Ἰωνᾶ, dans S. Matthieu, serait-il l'abrégé de Ἰωάνου? Cf. *R. B.* 1922, p. 339.

Le vrai nom de Pierre était Syméon (en grec Συμεών), mais il ne lui est donné que par S. Jacques (Act. 15[14]) et dans le titre de la *secunda Petri*. Partout ailleurs c'est la forme grécisée Simon (Σίμων). — Les Synoptiques disent Pierre, excepté quand ils font parler Jésus ; et, même en ce cas, dans Lc. 22[34]. — S. Jean unit en général l'ancien nom au nouveau Simon-Pierre. — S. Paul se sert presque toujours du nom de Céphas (sauf Gal. 2[7-8]). — A partir de l'âge apostolique, le nom de Céphas tomba en désuétude.

paysans se renvoient volontiers d'un village à l'autre. Selon toute apparence, Nazareth était alors moins riche et moins peuplé que Cana; et Nathanaël, ayant peu d'estime pour les gens qui n'étaient que de Nazareth, s'étonnait que le Messie pût sortir d'un lieu si obscur. Son scepticisme ne découragea pas Philippe, qui se borna à répondre : « Viens et vois. » Formule très usitée pour signifier : « Ne te prononce pas à la légère; tu vas en juger par toi-même. » Nathanaël, plus docile que sa boutade ne l'eût fait espérer, se laissa conduire à Jésus.

Dès qu'il le vit, le Seigneur dit à ceux qui l'entouraient, assez haut pour être entendu de l'intéressé : « Voici un véritable Israélite, exempt de dol et d'artifice. » Le titre d'Israélite, propre aux enfants de Jacob, était en un sens plus honorable que celui de fils d'Abraham. Nathanaël, en réalisait l'idéal. Flatté du compliment, il devint plus traitable et ce court dialogue s'échangea entre lui et Jésus :

— *D'où me connaissez-vous ?*

— *Avant que Philippe t'appelât, quand tu étais sous le figuier, je t'ai vu.*

— *Rabbi (Maître), vous êtes le roi d'Israël.*

— *Parce que je t'ai dit :* « *Je t'ai vu sous le figuier* », *tu crois. Tu verras de plus grandes choses. En vérité, en vérité je vous le dis : vous verrez le ciel ouvert et les anges de Dieu montant et descendant sur le Fils de l'homme.*

Rien n'échappe aux regards de Jésus. Il a vu de loin Nathanaël former quelque noble projet ou prendre quelque résolution généreuse, lorsqu'il se croyait caché sous le figuier, à l'ombre duquel les rabbins aimaient à se retirer pour étudier ou méditer l'Écriture. Et ce secret, que nous ignorons, ne pouvait être que très honorable, puisqu'il sert à justifier l'éloge dont Nathanaël a été l'objet.

Mais quand lui et ses compagnons verront-ils « le ciel ouvert et les anges de Dieu monter et descendre sur le Fils de l'Homme » ? Les commentateurs aux abois ne savent où chercher l'accomplissement de cette promesse; ils pensent à la transfiguration, à la résurrection, à l'ascension, au jugement dernier. Mais les anges ne paraissent pas à la tranfiguration; à la résurrection, ils ne sont vus que des saintes femmes; à l'ascension, ils ne viennent qu'après la disparition

de Jésus; et le jugement dernier est d'une échéance bien lointaine, d'autant plus qu'alors les disciples ne verront pas les
anges plus que les autres élus. Le Sauveur fait évidemment
allusion à l'échelle mystérieuse qui reliait le ciel à la terre et
que les anges montaient et descendaient sans cesse, dans la
vision de Jacob endormi aux environs de Béthel. Il se passera
quelque chose d'analogue dans la vie du Christ et les apôtres
en seront les heureux témoins. Il y aura, entre le ciel et la
terre, un échange de communications merveilleuses; les anges,
ministres de Dieu, seront les intermédiaires de cet incessant
commerce et Jésus-Christ en sera le centre. Tel est, croyons-
nous, le sens de cette énigmatique promesse.

II. Les noces de Cana (Jean, ii, 1-12).

A lire les Synoptiques, on dirait que Jésus, après le jeûne
de quarante jours, suivi de près par l'arrestation du Baptiste,
revint aussitôt en Galilée pour inaugurer son apostolat. L'auteur du quatrième évangile — à dessein peut-être — remet
tout au point[1]. Il mentionne un double retour en Galilée et
intercale entre deux une longue série de faits que les Synoptiques ont passé sous silence : le premier miracle de Cana, le
transfert de domicile à Capharnaüm, la célébration de la Pâque
à Jérusalem, l'entretien avec Nicodème, la collation d'un
baptême analogue à celui de Jean, la traversée de la Samarie,
la rencontre de la Samaritaine au puits de Jacob, enfin l'arrivée de Jésus à Cana où il opère à distance un nouveau
miracle. C'est alors seulement qu'il faut placer le début du
ministère galiléen raconté par les Synoptiques.

Cana, témoin des deux premiers miracles de Jésus en
Galilée, n'est plus qu'un village d'un millier d'habitants
agréablement assis au flanc d'une colline. Une belle source
arrose ses jardins plantés de figuiers et de grenadiers qu'entourent de gigantesques haies de cactus. Le mot dédaigneux
de Nathanaël et les ruines qui s'étendent jusqu'au sommet du
coteau feraient croire qu'autrefois il avait beaucoup plus
d'importance. La chapelle qui perpétue le souvenir du pre-

1. Comparez Jn. 2¹-4⁵⁴ avec Mt. 4¹²-¹⁷; Mc. 1¹⁴-¹⁵; Lc. 4¹¹-¹⁵.

mier miracle occupe le site d'une église du temps des croisés,
bâtie elle-même sur l'emplacement d'un édifice du ivᵉ siècle.
La tradition est donc solide et le village actuel de Kefr-Kenna
garde ses droits à représenter la Cana évangélique, malgré
les raisons alléguées au siècle dernier en faveur d'une ruine
située à trois heures de marche au nord de Nazareth[1].

*Le troisième jour, il y eut des noces à Cana de Galilée. La
mère de Jésus y assistait, et Jésus y fut invité aussi avec ses
disciples*[2].

1. Le 18 juin 1838, l'explorateur américain Robinson, apercevant des
hauteurs de Nazareth des ruines lointaines qu'on lui désigna sous le
nom de Khirbet Qana, ruines qu'il ne visita que le 19 avril 1852, décida
que ce devait être la Cana évangélique. Trois raisons militaient en
faveur de cette identification : 1° Cana devait s'écrire en hébreu par
un *qof* (קנה), comme Qana, et non point par un *kaf* comme Kefr-Kenna.
— 2° S. Jean dit toujours Cana de Galilée (2¹.¹¹; 4¹⁶; 21²), comme pour
la distinguer de la Cana phénicienne; or on ne connaît historiquement
qu'une seule Cana en Galilée, celle qui se trouvait au nord de Nazareth,
vers l'endroit où l'on montre Khirbet Qana (Cf. Josèphe, *Vita*, 16-17).
Notons cependant que ces ruines ne s'appellent pas Qanat-el-Djalil
(Cana de Galilée), comme l'affirment Robinson et d'autres d'après lui.
— 3° Une tradition tardive (à partir du xiiiᵉ siècle).
Mais Kefr-Kenna (*kefr* signifie village) fait valoir, à notre avis, des
raisons meilleures. 1° *La distance*. Khirbet Qana est à 14 kilomètres au
nord de Nazareth, et ne mène à rien. Kefr Kenna n'est qu'à 6 ou 7 kilomètres sur la route de Capharnaüm et de Tibériade. On comprend
ainsi beaucoup mieux la présence de Marie aux noces et la visite de
Jésus à son retour de Judée. — 2° *Le site*. On n'a trouvé à Khirbet Qana
aucun vestige d'édifice chrétien; Kefr Kenna eut une église dès le
ivᵉ siècle et l'on y montre la belle source dont parlent les anciens
pèlerins, tandis que Khirbet Qana n'a que des citernes. — 3° *La tradition ancienne*. S. Jérôme écrit dans l'éloge de Paule (*Epist.* cviii, 13;
Migne, XXII, 889) : « Inde cito itinere percurrit *Nazareth, Cana, Caphar-
naum.* » Notez l'ordre des localités. Et dans la lettre de Paule et Eustochie
à Marcelle (*Epist.* xlvi, 12; Migne, XXII, 491) : « Haud procul inde (de
Nazareth) cernetur Cana, pergemus Ithabyrium (le Thabor). » Notez la
proximité de Cana et sa place entre Nazareth et le Thabor. Théodose
(en 530) met Nazareth et Cana à égale distance de Diocésarée (Séphoris);
l'anonyme de Plaisance (en 570), parti de Ptolémaïs (Saint-Jean-d'Acre),
va à Cana par Séphoris, qui n'en est, dit-il, qu'à trois milles. Tout cela
est vrai pour Kefr Kenna (quoique la distance de trois milles soit un
peu trop faible) mais très faux pour Khirbet Qana. On pourrait encore
citer dans le même sens S. Willibald (viiiᵉ siècle), Phocas et Jean de
Würzbourg (xiiᵉ siècle), etc.
Pour la description des lieux, voir Guérin, *Galilée*, t. I, p. 168-182, ou
Le Camus, *Dict. de la Bible*, t. II, col. 110-118.
2. Jn. 2¹ : « *Le troisième jour,* il y eut des noces à Cana. » Dans ce
contexte, il y a une série d'indications relatives au temps : 1²⁹ (le lende-

La majeure partie des auteurs supposent que Jésus, quittant Béthanie après son entretien avec Nathanaël, gagna Nazareth par la vallée du Jourdain et y arriva le soir du troisième jour. Ayant appris là qu'il aurait été invité aux noces de Cana, s'il eût été présent, il s'y serait rendu de suite avec ses disciples, d'autant mieux que l'un d'eux, Nathanaël, était de Cana. Comme Béthanie n'est guère, en ligne droite, qu'à une centaine de kilomètres de Nazareth et Nazareth à une lieue et demie de Cana, le voyage a bien pu se faire en trois jours. L'hypothèse est donc recevable.

Cependant il y a lieu d'en envisager une autre qui précipite moins les événements et paraît mieux répondre aux indications de l'évangéliste. Jésus aurait quitté Béthanie, comme il en avait l'intention, le lendemain de sa rencontre avec Pierre, pour aller à Bethsaïde, patrie de Pierre et d'André. C'est là qu'il aurait trouvé Philippe, qui en était aussi originaire, avec son ami Nathanaël, natif de Cana. En apprenant la présence de Jésus à Bethsaïde, on se serait empressé de lui envoyer une invitation, à laquelle il se serait rendu le troisième jour après sa conversation avec Philippe et Nathanaël [1].

Au moment où il parvint à Cana, tout le bourg était en liesse. Dans les sociétés patriarcales, surtout chez les Sémites,

---

main); 1^{35} (le lendemain); 1^{43} (le lendemain). Le *troisième jour* ne peut pas faire suite à toute la série, car ce serait le cinquième jour et non pas le troisième, ni au dernier membre de la série, car en grec comme en latin, le troisième jour, par rapport au lendemain est le *surlendemain*. Or il est moralement impossible que Jésus quittant Béthanie au delà du Jourdain pour se rendre à Cana y soit arrivé le jour d'après. Le *troisième jour*, sans relation avec les indications de temps qui précèdent, se rapporte donc à l'un des événements qui viennent d'être racontés. Il y en a deux : la rencontre de Jésus et de Philippe et l'entretien de Jésus avec Nathanaël; mais il n'est pas dit que ces deux faits se soient passés le jour du départ pour la Galilée ni qu'ils aient eu lieu le même jour.

1. Guérin évalue la distance du point de départ à Kefr Kenna à « 75 milles *romains* au moins, par la voie la plus courte et la plus directe » (*Galilée*, t. I, p. 172), soit environ 111 kilomètres, Westcott à 60 milles *anglais*, ce qui revient à peu près au même. Mais Guérin fait partir Jésus du lieu du baptême, et Béthanie était peut-être à 7 ou 8 kilomètres plus au nord. En allant droit de Scythopolis à Cana, sans passer par Nazareth, on gagnerait près d'une lieue, ce qui réduirait d'autant la distance.

la fondation d'un foyer n'est pas seulement une fête de famille, c'est un événement qui intéresse tout le clan ou toute la tribu. Aussi le mariage est-il célébré chez eux avec un éclat et une pompe extraordinaires. Récemment encore, dans certains villages de Palestine, les nouveaux époux recevaient un simulacre d'honneurs royaux. Assis sur une espèce de trône rustique, ils voyaient défiler devant eux tous leurs concitoyens qui leur rendaient hommage; puis on organisait en leur honneur, des chants, des danses et d'autres divertissements champêtres[1].

Les talmudistes veulent que les réjouissances durent sept jours pour une vierge et trois pour une veuve. On choisissait de préférence le mois de mars, la saison agréable entre toutes, sous le climat palestinien, par le réveil de la nature et les loisirs qu'elle laisse aux travailleurs agricoles. L'usage fixait au mercredi le commencement des fêtes, sans doute pour que la proximité du sabbat n'en gênât pas les préparatifs. Le mardi soir, parentes et amies de la jeune fille s'étudiaient à la parer. Et ce n'était pas une petite affaire, car la toilette d'une mariée ne comprenait pas moins de vingt-quatre articles. On lui mettait sur la tête une couronne, aux mains et aux pieds des anneaux et des bracelets, autour du cou un collier de clinquant ou de pierres précieuses, selon la fortune de la fiancée. Les joues et les lèvres étaient peintes en rose; les paupières enduites d'un collyre qui faisait paraître les yeux plus grands et plus brillants; les ongles et les cheveux recevaient la teinte dorée du henné. A la chute du jour, le fiancé, escorté de ses compagnons, venait la chercher en cérémonie. C'était le moment le plus solennel de la fête; tout le village y prenait part; les rabbins les plus rigoristes devaient interrompre leurs études pour se joindre au cortège. A la lueur des flambeaux et des torches, au son des instruments de musique, la procession s'avançait lentement, en suivant les plus longs parcours quand la distance était trop faible. Il est possible que dès cette époque les femmes fissent entendre, sur tout le trajet,

---

1. Sur les usages modernes, détails intéressants dans J. Neil, *Everyday Life in the Holy Land*, Londres, 1911, p. 223-260. Pour les coutumes anciennes on consultera de préférence Billerbeck, *Kommentar*, t. II, 1924, p. 372-400.

ces cris stridents, accompagnement obligé des funérailles
et des mariages, auxquels des oreilles européennes ont tant
de peine à s'accoutumer.

On suppose que Jésus et ses nouveaux disciples n'arrivèrent pas à Cana tout à fait au début des fêtes. Marie s'y
trouvait déjà, soit comme amie ou parente de l'un des
époux, soit comme une auxiliaire utile, dont on appréciait
les services et les conseils. Sa façon d'agir dans la suite
semble montrer qu'elle avait quelque part à l'ordonnance du
festin.

Aux pharisiens de leur temps, qui se scandalisaient de
voir le Sauveur et sa mère assis à un repas de noces, les
Pères de l'Église répondaient que Jésus, parfait modèle de
la vie commune, comme Jean l'avait été de la vie pénitente,
avait voulu autoriser par son exemple l'usage modéré des
plaisirs honnêtes et honorer la célébration du mariage,
qu'il se proposait d'élever à la dignité de sacrement.
D'ailleurs sa seule présence imposait à tous la décence et la
retenue.

Soit que l'ordonnateur du festin eût mal pris ses mesures,
soit que l'arrivée inopinée des six ou sept nouveaux convives
et de plusieurs autres qu'attirait la renommée naissante de
Jésus, dérangeât ses calculs, le vin fit défaut avant la fin du
repas. Marie fut la première à s'en apercevoir et, anxieuse
d'épargner cette confusion à ses hôtes, elle dit tout bas à son
Fils : « Ils n'ont plus de vin. » Ce n'était pas une prière
proprement dite, ni même l'expression formelle d'un désir,
mais le simple exposé d'une situation pénible, joint au secret
espoir qu'il saurait y remédier. Sa réponse nous paraît un
peu sèche : « Femme, que me voulez-vous ? Mon heure n'est
pas encore venue. » Non pas que le nom de *femme* ait en
soi rien d'irrespectueux : les tragiques grecs interpellaient
ainsi les princesses et les reines, et César Auguste s'en était
servi en parlant à Cléopâtre.

Il a seulement quelque chose de plus solennel et Jésus,
du haut de la croix, l'adressera une fois encore à sa mère. Ce
qui produit l'impression de brusquerie, c'est plutôt une formule très usitée en hébreu et qui n'a pas d'équivalent exact
dans nos langues, le sens dépendant du geste, du ton de voix

et de l'air de visage : *Quid mihi et tibi*[1] ? Elle exprime en
général la surprise, le déplaisir ou l'embarras causé par une
rencontre imprévue ou une démarche insolite. Traduire,
comme on fait souvent : « Qu'y a-t-il de commun entre
vous et moi ? » c'est en exagérer la portée et en fausser le
sens. La meilleure traduction, applicable à tous les cas,
serait : « Que me voulez-vous ? » ou bien : « Pourquoi me
demander cela ? »

Telle qu'elle est, la réponse implique, nous ne dirons pas
avec quelques Pères un reproche ou un blâme[2], mais un refus
momentané. Les expédients imaginés par certains exégètes
pour lui ôter ce caractère nous paraissent hors de propos.

1. La formule : מה לי ולך est dans Jud. 11[12]; 2 Reg. 16[10], 19[22]; 3 Reg.
17[18]; 4 Reg. 3[13] et 2 Paral. 35[21]. La formule grecque τί ἐμοὶ καὶ σοί;
est dans Mt. 8[29]; Mc. 1[24]; 5[7]; Lc. 4[34]; 8[28]; Jn. 2[4]. Il faut se garder de
confondre ces formules avec la formule arabe *ma lak (quid tibi?)*, « ne
t'inquiète pas de cela, ce n'est pas ton affaire » ou avec le grec τί κοινὸν
ἐμοὶ καὶ σοί; « qu'y a-t-il de commun entre moi et toi ».
2. S. Irénée, *Haereses*, III, xvi, 7; S. Athanase, *Contra Arianos*,
sermo III, n° 41; surtout, dans leurs commentaires sur ce passage,
S. Augustin (Miraculum exigebat mater. Recede a me, mulier) et S. Jean
Chrysostome (ἐπετίμησε... παιδεύων αὐτήν). Paroles excessives relevées par
S. Thomas.
Pour adoucir la dureté apparente de la réponse de Jésus, on a proposé diverses explications.
A) « Que nous importe à vous et à moi? Ce n'est pas notre affaire;
qu'ils s'arrangent comme ils pourront. » Paraphrase en vers de Nonnus
qui lit : τί ἐμοὶ ἠὲ καὶ σοί; On cite encore le Pseudo-Justin (Migne, VI,
1889) et Théodore de Mopsueste (Migne, LXVI, 539). Réponse peu charitable et peu digne du Sauveur.
B) Marie prévoit que le vin va bientôt manquer. Elle en avertit son
Fils qui répond : « Laissez-moi faire; mon heure n'est pas encore venue,
mais elle va venir tout à l'heure, quand le vin manquera tout à fait. »
Solution originale, longuement exposée par J. Bourlier, dans *R. B.* 1897,
p. 405-422. Malheureusement le texte porte : « Le vin ayant manqué »
(ὑστερήσαντος οἴνου) et : « Ils n'ont pas de vin » (οἶνον οὐκ ἔχουσι).
C) « Laissez-moi faire. Est-ce que mon heure n'est pas encore
venue? » avec un point d'interrogation. Ainsi Knabenbauer (commen-
taire), Durand, *Recherches*, 1912, p. 157-159. On cite comme autorités
Tatien arabe (dans Ciasca, *Diatessaron*, Rome, 1888) et S. Ephrem
qui, comme on sait, commente le *Diatessaron* de Tatien; de plus
S. Grégoire de Nysse (Migne, XLIV, 1308). Mais τί ἐμοὶ καὶ σοί ne signifie
pas : « Laissez-moi faire »; et l'interrogation est-elle naturelle?
Il y a d'autres systèmes moins satisfaisants; par exemple celui de
Schulz, dans *Bibl. Zeitschrift*, 1922, p. 93-96.
Nous nous en tenons à l'explication de S. Cyrille d'Alexandrie et de
S. Jean Chrysostome dans leur commentaire de ce passage.

D'après saint Jean Chrysostome, Jésus voulait montrer qu'il était maître de l'heure et éviter en même temps de faire rougir publiquement sa mère. Nous dirons mieux encore, avec saint Cyrille d'Alexandrie : « Le Christ nous enseigne ici quel honneur on doit aux parents, puisqu'il fait, par égard pour sa mère, ce qu'il n'aurait pas fait sans cela. »

L'heure de sa manifestation publique n'avait pas encore sonné dans les conseils de la Providence et voilà pourquoi le Christ n'aurait pas pris de lui-même l'initiative du miracle. C'est la muette supplication de sa mère, à laquelle il ne peut rien refuser, qui lui fait devancer son heure et déranger, en quelque sorte, le plan divin. Mais n'en est-il pas ainsi de toute prière persévérante? L'intercession de Moïse retient le bras de Dieu prêt à s'abattre sur son peuple prévaricateur; celle d'Abraham eût sauvé les villes coupables, s'il s'y fût trouvé seulement cinq justes; les instances de la Cananéenne finissent par triompher des refus formels de Jésus.

En entendant la réponse de son Fils, Marie crut si peu à un refus définitif, qu'elle se sentit au contraire exaucée d'avance. Elle enjoignit aussitôt aux serviteurs d'obéir aux ordres qu'il leur donnerait, comme si elle les connaissait déjà. « Faites tout ce qu'il vous dira de faire. »

Il y avait dans le vestibule six grandes urnes de pierre qui servaient aux ablutions des Juifs. Les serviteurs y puisaient sans cesse pour verser l'eau sur les pieds et les mains des convives et pour mouiller le vin qu'on ne buvait jamais pur. Comme on touchait à la fin du repas, elles étaient presque vides. Jésus ordonna de les remplir jusqu'aux bords. L'évangéliste nous apprend qu'elles contenaient chacune deux ou trois *mesures* (ce qui ferait ensemble de cinq à sept hectolitres)[1]. C'était beaucoup trop pour le besoin présent, mais, du moment que le Seigneur prenait la peine de faire un miracle, il fallait qu'il fût manifeste. Quand les urnes furent

1. On peut se demander si S. Jean veut parler de la mesure grecque appelée μετρητής ou de son équivalent hébreu *bath*. La contenance du *métrète* grec et du *bath* juif varie, suivant les diverses estimations des auteurs, entre 38 et 40 litres. Chacune des urnes ayant une capacité de deux ou trois mesures, contenait donc en moyenne un hectolitre environ.

remplies, il dit aux serviteurs : « Puisez-y maintenant et portez cela au maître du festin. »

Le personnage que nous désignons ainsi, faute d'un terme plus juste, n'était pas le roi du banquet des réunions grecques, ce président élu par les convives pour régler souverainement la force du vin à boire et le nombre des coupes à vider. Ce n'était pas davantage l'esclave de confiance des grandes maisons romaines, qui dirigeait le personnel subalterne et veillait à ce que rien ne manquât aux hôtes. C'était plutôt un ami ou un parent de la famille, qui se chargeait bénévolement d'organiser et de diriger le service, pour soulager le mari de ces soucis matériels[1]. Il avait certainement remarqué le fâcheux incident et il n'était pas sans s'en inquiéter; mais il espérait pouvoir atteindre sans encombre la fin de ce repas : plus tard on aviserait. Quand les serviteurs lui présentèrent l'eau changée en vin, l'ayant goûté et trouvé bon, il se demanda d'où venait cette aubaine. Peut-être, sans le prévenir, en avait-on emprunté aux voisins; ou bien quelque personne généreuse, mise au courant de la situation, l'avait-elle offert en cadeau, car les proches parents avaient coutume de contribuer en nature aux frais de la fête. Le maître du festin s'arrêta à l'idée bizarre que l'époux lui avait fait mystère de son meilleur vin, pour ménager une agréable surprise aux gens qui ne s'y attendaient plus. Il le prit donc à part et lui fit cette confidence qui n'était pas en effet destinée au public : « Tout homme (avisé) sert d'abord son meilleur vin et, quand les convives sont ivres, il leur sert le moins bon; vous au contraire vous avez gardé le meilleur jusqu'à ce moment », où le repas touche à sa fin.

---

1. Le *symposiarque* grec est appelé en latin *rex* ou *imperator convivii*, ou encore *arbiter bibendi*. Son rôle est très bien décrit par Plutarque (*Quaestiones conviviales*, I, 4). Il était élu par les convives (Eccli. 39[1-2] : *Rectorem te posuerunt*), ou désigné par le sort (Horace, *Odes*, I, IV, 18 : *Nec regna vini sortiere talis*).

Le *tricliniarque* (Pétrone, *Satyricon,* I, 22) était l'esclave préposé au service des tables. Cf. Marquardt, *Vie privée des Romains*, trad. Henry, t. I, p. 172.

Dans S. Jean, l'ἀρχιτρίκλινος (mot très rare qu'on ne trouve guère que dans Héliodore, *Æthiop.* VII, 27) n'est ni le symposiarque grec, ni le tricliniarque latin. C'est un homme libre qui se charge de la direction du festin, à titre de parent ou d'ami, ou qui est payé pour cela.

Piqué de n'avoir pas été prévenu, quoique heureux de l'aubaine, il se permet une plaisanterie assez plate, qu'autorisaient les circonstances et qui, dans sa pensée, pouvait passer pour un compliment. On aurait tort de prendre au sérieux sa boutade. La coutume de servir le vin le moins bon à la fin des banquets ne fut jamais commune et l'on n'en citerait pas un exemple dans toute l'antiquité païenne [1].

Tel fut *le premier signe* opéré par Jésus pour prouver sa mission divine; il fallait qu'il fût éclatant pour ne donner prise à aucun soupçon de fraude ou d'erreur. Voilà pourquoi le changement de l'eau en vin se fait dans des vases de pierre, exposés à tous les regards, trop lourds pour avoir été transportés d'ailleurs, qui n'ont jamais contenu de vin et que les serviteurs viennent ostensiblement de remplir d'eau jusqu'aux bords. Témoins de ce prodige, les disciples crurent en lui, non pas encore d'une foi parfaite, mais d'une foi assez vive pour s'attacher à sa personne et l'accompagner partout. On sait que dans saint Jean, la foi progresse, depuis les premières clartés jusqu'à la pleine lumière, par des degrés indéfinis.

Après cela Jésus descendit à Capharnaüm, avec sa mère, ses frères et ses disciples, mais il n'y resta que peu de jours, à cause de la proximité de la Pâque, qu'il voulait passer à Jérusalem [2].

On a supposé que son intention n'était pas de se fixer à Capharnaüm, mais d'y attendre la caravane, qui devait partir pour la Ville sainte. C'eût été un itinéraire bien singulier. Pour rejoindre une caravane, fallait-il reculer d'une journée de marche? Chaque bourgade galiléenne constituait son groupe de pèlerins et l'on sait par expérience que les bandes

---

1. Windisch (dans *Z. N. T. W.* 1913, p. 248-255) a pris la peine d'en chercher, sans réussir à en trouver de tout à fait pareils. Ce qu'on rencontre parfois, ce sont des amphitryons servant à leurs hôtes des mets et des vins d'une qualité inférieure à celle qu'ils se réservaient pour eux-mêmes (Martial, *Epigr.* III, 60; Pline le Jeune, *Epist.* II, 2; Pline l'Ancien, *Hist. nat.* XIV, 14).

2. Jn 2¹². *Après cela* n'indique pas en soi un départ immédiat, mais comme Jésus part avec ses nouveaux disciples, il est à croire qu'il ne tarda point. De Nazareth à Capharnaüm on *descend* de plus de 500 mètres.

trop nombreuses n'augmentent ni l'agrément, ni la commodité. Nous pensons donc que le départ pour Capharnaüm était définitif. Du moment que le Sauveur inaugurait sa vie publique — et il l'avait inaugurée par le miracle de Cana — il devait quitter Nazareth. Le peu d'importance de cette localité et les préjugés de ses habitants la rendaient impropre à être le premier foyer de l'Évangile. Les deux capitales de la Galilée, Tibériade et Séphoris, fondations d'Hérode Antipas, étaient à demi païennes. Capharnaüm, nous le verrons plus loin, réunissait des conditions meilleures. Il est vrai que saint Matthieu ne mentionne ce changement de domicile qu'après l'incarcération de saint Jean-Baptiste; mais pouvait-il faire autrement, puisqu'il omet toute la période qui s'écoule entre la tentation de Jésus et le commencement de sa vie publique? Sur ce point, comme sur bien d'autres, le quatrième Évangile précise et rectifie l'impression laissée par les Synoptiques.

III. La première Pâque à Jérusalem (Jean, ii, 13-23).

Les solennités pascales attiraient dans la Ville sainte une multitude de mercantis. Beaucoup de pèlerins préféraient acheter sur place les victimes destinées à l'immolation : agneaux et chevreaux du festin pascal, bœufs et moutons des holocaustes et des sacrifices pacifiques, colombes et tourterelles pour les relevailles des femmes pauvres, vin, huile, sel et farine, servant d'accompagnement obligé à certains sacrifices. Pour payer la capitation d'un demi-sicle, que tout Israélite adulte devait verser annuellement au trésor du Temple, il fallait s'adresser aux changeurs de monnaie, car cet impôt s'acquittait en monnaie de Tyr, dont le tétradrachme égalait en poids le sicle du sanctuaire.

Le Temple avec ses dépendances couvrait une immense superficie; mais tout cet espace n'était pas également saint. Autour du sanctuaire proprement dit, entouré d'une balustrade que les Israélites avaient seuls le droit de franchir, régnait une vaste cour rectangulaire, bordée sur les quatre côtés de portiques à colonnades. C'était ce qu'on appelait le parvis des Gentils, parce que les païens y avaient accès; mais

ce lieu n'était pas purement profane. Un passage bien connu de la Mishna défend d'y entrer avec un bâton, une bourse, un fardeau; et interdit de le traverser pour abréger sa route. Nous accordons un crédit médiocre à la législation artificielle du Talmud; mais il semble bien que cette prohibition était, dès le temps du Christ, obligatoire pour les Juifs, quoiqu'il fût naturellement impossible de l'imposer aux païens. Elle prouve que toute l'esplanade du Temple était regardée comme consacrée par le voisinage du sanctuaire. Or, à l'époque des fêtes, elle était envahie par les marchands, grâce à la connivence des prêtres qui tiraient profit de cette tolérance. Tout abus a tendance à s'enraciner et à s'étendre. Ne voit-on pas quelquefois chez nous les vendeurs d'objets de piété, tolérés d'abord sous le porche, pénétrer peu à peu dans la basilique? Laissez-les faire, ils s'avanceront bientôt jusqu'au pied de l'autel. Aux approches de la Pâque, les parvis du Temple de Jérusalem ressemblaient à un champ de foire, souillé par les excréments de milliers d'animaux. Aux moments les plus solennels de la liturgie sacrée, on entendait le bêlement des moutons, les mugissements des bœufs, les criailleries et les disputes des boutiquiers et des chalands.

C'était la première fois que Jésus entrait dans le Temple avec l'autorité d'un envoyé de Dieu. A la vue de cette profanation, sa colère éclata. D'un faisceau de cordes qui lui tomba sous la main il se fit un fouet, avec lequel il poussa devant lui pêle-mêle hommes et bestiaux, renversant sur son passage les petites tables qui servaient de comptoir aux changeurs de monnaie, ordonnant aux vendeurs de colombes d'emporter au plus vite les monceaux de cages empilées; « Enlevez tout cela et ne changez pas en marché la maison de mon Père. » Les disciples le suivaient du regard, non sans quelque appréhension peut-être, et ces paroles du Psalmiste leur revenaient à la mémoire : « Le zèle de votre maison, ô mon Dieu, me dévore [1]. »

Ce geste du Sauveur paraît à saint Jérôme un miracle plus

[1]. Jn. 2¹³⁻¹⁷. — Les Synoptiques rapportent le même fait ou un fait semblable durant la semaine de la passion : Mt. 21¹²⁻¹⁷; Mc. 11¹⁵⁻¹⁹; Lc. 9⁴⁵⁻⁴⁸. Cf. Lagrange, *Saint Jean*, p. 64-65.

grand que la guérison de l'aveugle-né, la résurrection de Lazare et la transfiguration même : « Il fallait, dit-il, que son œil lançât des flammes et que son visage rayonnât d'une majesté divine. » N'oublions pas cependant qu'en s'érigeant en justicier, pour extirper un intolérable abus, il était dans son droit et qu'il pouvait compter sur l'approbation de tous les gens de bien.

Les prêtres, à qui incombait la police du temple, déconcertés et comme étourdis par ce coup d'audace, ne semblent par être intervenus tout d'abord ; mais bientôt ils se ravisèrent : « Quel miracle nous montrez-vous pour agir de la sorte ? » Ils ne lui reprochent pas son acte lui-même, mais ils lui demandent à quel titre il s'est arrogé un pouvoir qui leur appartient. Puisqu'il se dit envoyé de Dieu, qu'il en fasse la preuve. Jésus répondit : « Détruisez ce temple et en trois jours je le relèverai [1]. » Il voulait parler du temple de son corps. Les Juifs ne le comprirent pas et ils ne pouvaient pas le comprendre, à moins qu'il ne se désignât lui-même d'un geste. Les disciples ne le comprirent pas alors davantage ; mais ils gardèrent respectueusement le silence et lorsque, après la résurrection, ils virent la prophétie s'accomplir, leur foi en fut accrue. Les Juifs, au contraire, sans chercher une explication que Jésus ne leur aurait pas refusée s'ils l'avaient demandée, préférèrent tourner ses paroles en ridicule. Ils haussèrent les épaules de pitié, comme s'ils venaient d'entendre les propos d'un fou : « On a mis quarante-six ans à construire ce temple et tu parles de le rebâtir en trois jours ! » quelle prétention extravagante !

Hérode avait commencé à construire le Temple l'an 20 avant notre ère, l'année même où Auguste visita la Syrie, et le gros œuvre du sanctuaire fut rapidement terminé, parce qu'on avait préparé les matériaux d'avance ; mais l'ornementation intérieure, les portiques à colonnades et l'ensemble de l'immense édifice ne furent achevés qu'à la veille de l'insurrection de l'an 66. On y travaillait depuis quarante-six ans au moment

---

1. Jn. 2¹⁹ : *Solvite templum hoc.* Cela équivaut à une proposition conditionnelle : « Si vous détruisez ce temple, je le *relèverai.* » Le mot grec (ἐγείρειν) signifie à la fois *relever* de ses ruines un édifice, Eccli. 49¹⁵, et *ressusciter* (un mort, Jn. 5²¹).

de la scène évangélique, ce qui nous reporte à l'an 27 de notre ère : renseignement précieux pour fixer la date de la naissance du Christ et celle de sa mort [1].

IV. Nicodème (Jean, III, 1-21).

Aux chefs du sacerdoce, le Sauveur avait refusé le signe qu'ils réclamaient impérieusement et s'était contenté de les renvoyer au miracle de sa résurrection. Il ne leur reconnaissait pas le droit d'exiger de lui des comptes et se réservait le choix des prodiges propres à authentiquer sa mission.

Cependant, au cours des fêtes, il en fit de si nombreux et de si éclatants que tous les témoins de bonne foi y virent le doigt de Dieu et que les Galiléens, plusieurs mois après, en avaient gardé la mémoire fraîche. Aussi beaucoup de gens crurent en lui, mais d'une foi timide et chancelante, incapable de résister au choc de l'intérêt ou de la passion.

Jésus savait tout cela. Il n'avait pas besoin d'apprendre ce qui se passait au fond des consciences car « il connaît bien ce qu'il y a dans l'homme ». C'est pourquoi « il ne se fiait point à eux » ; il ne leur confiait ni sa personne ni sa doctrine, prêt cependant à les instruire quand ils en manifesteraient le désir [2].

Parmi les gens que ses miracles avaient remués, sans toutefois opérer en eux une conversion complète, était un des hommes les plus considérables de Jérusalem par l'influence et la richesse. Nicodème était une des lumières du sanhédrin et une des colonnes du pharisaïsme. Il désirait vivement entrer en rapports avec le jeune docteur galiléen, mais il appartenait à la classe innombrable de ces âmes craintives,

---

1. Voir pour ces calculs la note B : *Chronologie*.
2. Jn. 2[23-24]. Les miracles eurent lieu durant l'octave de la solennité pascale (ἐν τῷ πάσχα, ἐν τῇ ἑορτῇ) ; le latin *in pascha in die festo* laisserait entendre que ce fut seulement le 15 Nisan, *jour* de la solennité.

Remarquez le jeu de mots (multi *crediderunt* in eum... ipse autem non *credebat* semetipsum eis) fondé sur le double sens de *credere* (πιστεύειν). « Beaucoup *croyaient* en lui, mais lui ne *croyait* pas en eux ». Faut-il entendre : « Il ne *se fiait* pas à eux » ou bien « Il ne *se confiait* pas à eux » ? Probablement l'un et l'autre : *se fier* concernant surtout la personne, et *se confier*, la doctrine.

L'impression produite par les miracles sur les Galiléens (Jn. 4[45]) et sur les pareils de Nicodème (Jn. 3[2]) fut durable et profonde.

inféodées à une secte ou à un parti, que paralysent l'esprit de
corps et le respect humain. Il s'avisa d'aborder nuitamment
Jésus, pour que sa démarche restât ignorée des membres de
sa caste. L'entrevue ne fut pas tout à fait secrète; quelques
disciples y assistaient et l'un d'eux nous en a laissé un récit
bien sommaire, puisqu'il tient en une page, tandis que l'entretien dut se prolonger assez avant dans la nuit. Rien d'étonnant à ce que cette concision extrême engendre quelque
obscurité.

Nicodème aborde le Sauveur avec déférence. Il le traite
comme un docteur à l'école duquel il désire se mettre :
« Rabbi, nous savons que vous venez de la part de Dieu pour
nous instruire, car personne ne peut faire les miracles que
vous opérez si Dieu n'est avec lui. » Il parle au pluriel, comme
s'il était l'interprète d'un groupe ; et peut-être en effet est-il
le porte-parole de gens peureux comme lui, qui voudraient
satisfaire leur curiosité sans risquer de se compromettre. Il
n'a pas énoncé le but de sa visite, mais on le devine aisément.
Il veut savoir quel est l'objet et la nature de ce royaume de
Dieu, dont Jean annonçait l'approche et dont Jésus prêche
maintenant la réalisation.

Le Christ qui lit au fond des cœurs répond à son interrogation tacite : *En vérité, en vérité, je vous le dis, personne
ne peut voir le royaume de Dieu à moins de naître de nouveau.*
La formule, d'une solennité voulue, invite à chercher un sens
spirituel sous cette enveloppe matérielle. Nicodème ne s'arrêta
pas sans doute à l'idée grotesque d'un nouvel enfantement ;
mais il feignit de s'y méprendre pour obliger son interlocuteur
à s'expliquer davantage : « Comment un vieillard pourrait-il
renaître ? Peut-il rentrer dans le sein de sa mère pour naître de
nouveau ? » Sans relever le ton frondeur de la question, Jésus
reprend avec gravité : *En vérité, en vérité, je vous le dis, nul
ne saurait entrer au royaume de Dieu s'il ne naît de l'eau et
du Saint-Esprit. Ce qui naît de la chair est chair et ce qui
naît de l'esprit est esprit.* Cette fois, sans ambiguïté, il s'agit,
non d'une naissance charnelle, mais d'une régénération spirituelle : création véritable qui exige l'intervention de l'Esprit.
A l'origine, le monde sensible sortit des eaux fécondées par
le souffle ou l'esprit de Dieu planant sur l'abîme ; désormais

l'homme naîtra à la vie surnaturelle dans l'eau du baptême vivifiée par l'Esprit de grâce.

L'action de l'Esprit, pour échapper à la vérification des sens extérieurs, n'en est pas moins réelle. Elle se manifeste par ses effets. Mettons-nous en doute l'existence du vent, que nous ne voyons pas et dont nous ne connaissons qu'imparfaitement l'origine et la marche? Pourquoi douterions-nous de la régénération surnaturelle à cause de son action mystérieuse? *Ne vous étonnez pas de m'entendre dire : Il faut que vous naissiez de nouveau. Le vent souffle où il veut* (sans que nous puissions l'empêcher ni le diriger) ; *vous entendez sa voix, mais vous ne savez ni d'où il vient ni où il va. Ainsi en est-il de tout homme né de l'Esprit.* Nous pouvons constater, dans l'âme régénérée, les effets de la grâce, sans en connaître la nature intime, comme nous constatons la présence du vent à l'agitation de l'air, au bruissement des feuilles, au soulèvement des flots.

« Comment cela peut-il se faire? » objecte Nicodème qui, affectant plus d'ignorance qu'il n'en peut avoir, s'attire cette mordante réplique : *Vous êtes le docteur d'Israël et vous ignorez cela! En vérité, en vérité, je vous le dis, nous parlons de ce que nous savons et nous témoignons de ce que nous avons vu et personne ne veut recevoir notre témoignage! Si, quand je vous parle de choses terrestres, vous ne me croyez pas, comment me croirez-vous quand je vous parlerai de choses célestes*[1]*?* Nicodème, docteur en Israël, devrait con-

---

1. Jn. 3[1-12]. La solennité de ce dialogue est accentuée par la formule trois fois répétée : « en vérité, en vérité, je vous le dis » (v. 3, 5 et 11).

A) *La régénération.* Est-ce « naître *d'en haut* » ou «naître *de nouveau*»? Le mot grec ἄνωθεν signifie l'un *et* l'autre. Mais, en araméen, l'ambiguïté n'était pas possible et Jésus a dû dire l'un *ou* l'autre, de sorte qu'il faut choisir. Préfèrent prendre ἄνωθεν au sens *d'en haut* (*desursum, caelitus*): Origène, S. Cyrille d'Alexandrie et S. Thomas d'Aquin, se référant à divers passages où ἄνωθεν a *ce* sens (Jn. 3[34] : 9[11.23]). Cependant l'autre acception « de nouveau » se recommande mieux, pour trois raisons : a) Nicodème n'aurait pas pu se méprendre ou feindre une méprise si Jésus avait dit : « Il faut naître *d'en haut* ». — b) La régénération est représentée comme une *seconde* naissance (Tit. 3[5], παλιγγενεσία, 1 Pet. 1[3.23]. ἀναγεννάω) dans l'Écriture et les Pères. — c) Les versions anciennes (latines, coptes, syriaques sauf la syro-palestinienne) supposent ce sens.

B) *L'action de l'Esprit.* — Spiritus ubi vult spirat... sic et omnis qui natus est ex Spiritu. Toujours en hébreu, et souvent en grec (πνεῦμα) et en latin (*spiritus*), le même mot signifie le *vent* et l'*esprit*. Dans le

naître l'effusion de grâces qui caractérise les temps messianiques et se souvenir de ces paroles d'Ezéchiel : « Je leur donnerai un cœur nouveau et je mettrai dans leur sein un esprit nouveau ; j'ôterai leur cœur de pierre pour leur donner un cœur de chair. » Qu'est-ce que tout cela, sinon une rénovation de l'être moral ?

Il ne convient pas au Sauveur d'instituer une discussion de textes qui n'aboutirait à rien. D'ailleurs, il ne s'agit pas ici de discuter mais de croire au témoignage de celui qui parle de ce qu'il a vu. Jusqu'ici il n'a encore enseigné que des choses dont la terre est le théâtre, — régénération spirituelle, efficacité de la grâce et des sacrements, — que sera-ce lorsqu'il révélera les mystères dont le ciel garde le secret, — trinité des personnes divines, génération éternelle du Verbe, procession du Saint-Esprit ?

Le Fils de Dieu a seul qualité pour enseigner ces choses, car il vient du ciel, il y demeure et il y retourne :

> *Personne n'est monté au ciel,*
> *sauf celui qui est descendu du ciel,*
> *le Fils de l'homme qui est dans le ciel.*

Il est descendu du ciel pour s'unir à la nature humaine ; il remonte au ciel, où il est toujours demeuré auprès de son Père. S'il est descendu du ciel, c'est pour y conduire les hommes, en les sauvant par le sang de la croix : *Comme Moïse éleva le serpent dans le désert, de même faut-il que le Fils de l'homme soit élevé, afin que quiconque croit en lui ait la vie éternelle.* Les Israélites qui jetaient un regard de confiance sur le serpent d'airain dressé par Moïse étaient guéris de leur mal incurable ; de même quiconque se tourne vers le Crucifié du Calvaire avec foi et amour s'acquiert un droit à la vie éternelle.

premier membre du texte cité, presque tous les modernes s'accordent à traduire : « Le *vent* souffle où il veut. » Ce n'est pas nous qui dirigeons sa marche et, si nous constatons sa direction actuelle, nous ne connaissons ni son point de départ ni son point d'arrivée. C'est une comparaison, une sorte de parabole applicable à l'Esprit-Saint dans l'homme régénéré. Si l'on entendait le premier membre du Saint-Esprit, comme beaucoup d'anciens auteurs, il n'y aurait plus de comparaison et pourtant la comparaison est formellement exprimée (οὕτως ἐστίν = ainsi en est-il).

Il n'est plus question de Nicodème et l'on se demande s'il est encore présent. Jésus continue toutefois à instruire ses disciples, à moins que l'évangéliste, commentant la doctrine du Maître, n'ajoute de son cru un bref et sublime exposé de tout le plan rédempteur.

Dieu, en effet, a tant aimé le monde qu'il a livré son Fils unique, afin que quiconque croit en lui ne périsse pas mais possède la vie éternelle.

Car Dieu n'a pas envoyé son Fils dans le monde pour condamner le monde, mais pour sauver le monde.

Celui qui croit en lui n'est pas condamné; celui qui ne croit pas en lui est déjà condamné, parce qu'il n'a pas cru au Fils unique de Dieu.

Or le jugement consiste en ceci : quand la Lumière est venue en ce monde, les hommes ont aimé les ténèbres plus que la Lumière parce que leurs œuvres étaient mauvaises.

Quiconque opère le mal hait la lumière et fuit la lumière, de peur que ses œuvres ne soient démasquées. Mais quiconque opère la vérité approche de la lumière, afin qu'il soit manifeste que ses œuvres sont faites en Dieu [1].

V. Les disciples de Jésus baptisent (Jean, III, 22-36).

L'animosité du sacerdoce lévitique, l'hostilité sourde des pharisiens, les dispositions équivoques du menu peuple, l'espèce de terrorisme exercé par le sanhédrin, tout concourait à montrer que Jérusalem n'était pas encore un terrain propice à la diffusion de l'Évangile. Il fallait laisser aux passions le temps de se calmer et aux bonnes volontés celui de s'affermir. Jésus quitta donc la capitale et alla s'établir sur un point de la Judée qu'il est impossible de déterminer. Un mot de saint Jean nous incline à croire qu'il ne s'éloigna pas trop de la Ville sainte et qu'il se tint près de la frontière septentrionale, en un lieu très accessible aux foules [2].

1. Jn. 3¹³⁻²¹. Ces beaux textes, riches de sens théologique, exigeraient de longues explications qui ne peuvent trouver place ici. On les lira dans les bons commentateurs, tels que Maldonat ou Tolet.
2. Pour aller de là en Galilée, il *fallait* (ἔδει, Jn. 4⁴) traverser la Samarie. On n'était donc pas sur les bords du Jourdain, mais peut-être à

Les adeptes secrets que paralysait le voisinage du san-hédrin vinrent l'y rejoindre et, pour se les attacher par un rite sensible, il institua un baptême qu'il chargea ses disciples de conférer en s'abstenant de l'administrer lui-même. Était-ce déjà le baptême chrétien, ou seulement le prélude et l'annonce du sacrement? Qui voudrait trancher la question par un appel au nombre resterait fort perplexe, car les autorités se balancent. Avouons cependant qu'il est bien difficile de reporter si haut l'institution du sacrement. Nous ne dirons pas que le baptême suppose la mort et la résurrection du Christ, dont il est d'après saint Paul le symbole efficace et la réalisation mys-tique: le sacrement pourrait en conférer les fruits par anticipation. Ce qui est décisif, c'est que les disciples ne connaissaient à cette date ni le mystère de la trinité, ni la divinité du Christ, ni même de façon bien nette sa dignité messianique. Si le sacrement fut institué de si bonne heure, comment se fait-il que les évangélistes n'y fassent pas la moindre allusion, au cours de la vie publique du Christ, et qu'on n'en découvre pas le plus léger indice avant la résurrection [1]? Cependant ce baptême préliminaire n'est pas à confondre avec le baptême de Jean : celui-ci ne faisait que préparer au royaume de Dieu, celui-là y introduit en quelque sorte, puisqu'il met en contact direct avec le chef et le fondateur du royaume.

Jean, de son côté, s'était transporté en un lieu appelé Ænon (les Sources), où abondaient les eaux courantes. Il est possible qu'en cette saison — on était au début d'avril — les gués du Jourdain, grossi par les dernières pluies d'hiver et par la fonte des neiges de l'Hermon, fussent peu praticables; mais il semble plutôt que le Baptiste, redoutant la trahison des pharisiens et la vengeance d'Antipas, sur le territoire duquel était située la Béthanie orientale, ait voulu pourvoir à sa sécurité, en s'établissant entre la Samarie et

Béthel (où l'on trouve un grand réservoir dans le village et deux sources copieuses dans les environs), ou sur quelque autre point bien pourvu d'eau de la Judée septentrionale.

1. Jn. 3²²⁻²⁴. Ce rite préludait au baptême comme l'onction conférée par les Douze (Mc. 6¹³) préludait à l'extrême-onction. Le concile de Trente (sess. VII, can. 1) laisse la question intacte et les exégètes les plus conservateurs (Schanz, Knabenbauer, après S. Jean Chrysostome) sont de notre avis.

a cité grecque de Scythopolis, à quelque dix ou douze kilomètres au sud de cette dernière ville. Il y avait là, dans un
rayon d'une demi-lieue, un groupe remarquable de sources,
dont quelques-unes donnent naissance à des ruisseaux qui
vont près de là grossir le Jourdain[1].

Aux yeux des malintentionnés, Jésus paraissait se poser
en rival du Baptiste et son baptême pouvait passer pour une
contrefaçon de celui de Jean. Un jour une dispute s'éleva
entre les disciples de ce dernier et un certain Juif « au sujet
de la purification ». Peut-être le Juif, comparant les deux
baptêmes, donnait-il la préférence à celui de Jésus. Telle est
au moins une explication vraisemblable de cet épisode obscur.
Les disciples de Jean, prenant fait et cause pour leur maître,
vinrent lui dire : « Rabbi, celui qui était avec vous au delà
du Jourdain, à qui vous avez rendu témoignage, le voilà qui
baptise à son tour et tout le monde court à lui. » A ces
informateurs trop zélés, que le dépit et la passion aveuglent,
Jean prêche la modération et le calme : *L'homme n'a rien
que ce qu'il tient du ciel. J'ai dit, vous m'en êtes témoins,
que je ne suis pas le Christ mais son avant-coureur. C'est
lui qui est l'Époux ; il faut qu'il croisse et que je diminue.*
Nobles paroles d'une âme que l'envie n'effleure pas ! Jean est
satisfait du rôle subalterne qui lui est dévolu. Il doit s'effacer
devant celui dont il n'est que le précurseur. C'est dans
l'ordre : l'étoile du matin s'éclipse au lever du soleil.

« Il faut qu'il monte et que je descende » : tel est le
dernier mot du Baptiste. Les réflexions qui suivent semblent être un commentaire, où le disciple bien-aimé a mis
son style et sa griffe :

*Celui qui vient de la terre est terrestre et son langage
aussi ; celui qui vient du ciel est au-dessus de tous ; il atteste
ce qu'il a vu et entendu, mais personne ne reçoit son témoignage : le recevoir, c'est confesser que Dieu est véridique.*

*L'envoyé de Dieu proclame les paroles de Dieu, car (Dieu)
ne lui donne pas l'Esprit avec mesure. Le Père aime le Fils
et il lui a mis en mains toutes choses. Celui qui croit au*

---

1. Pour l'identification et la description des lieux, lire Abel (*R. B.*
1913, p. 220-223) ou, avec plus de détails, Buzy, *Saint Jean-Baptiste*,
1922, p. 221-229.

*Fils a la vie éternelle; celui qui ne croit point au Fils ne
verra pas la vie : la colère de Dieu pèse sur lui.*

On reconnaît sans peine dans ces courtes phrases, char-
gées de sens et dépourvues de lien apparent, les idées
maîtresses de la théologie johannique. Le sujet du discours
est le Fils, élevé en dignité au-dessus de tout et mandataire
universel du Père qui l'aime. Venant du ciel, il nous parle
de ce qu'il a vu et entendu ; il délivre le message dont son
Père l'a chargé. Accepter son témoignage, c'est honorer le
Père et s'assurer une créance de vie éternelle. Le rejeter,
c'est perdre tout droit à la vie et encourir la colère de Dieu.
Ces énoncés théologiques revêtent la forme antithétique et
sententieuse ordinaire à saint Jean.

Tous les disciples du Baptiste n'imitaient pas son abnégation. Plusieurs souffraient de voir leur maître relégué au
second rang dans l'estime et la faveur du peuple. Ils ne
voyaient pas sans regret décroître le nombre de ses
adhérents et ils suivaient d'un œil jaloux les incessants
progrès du camp opposé. Jésus put se demander alors s'il
n'y aurait pas lieu de mettre fin à ce semblant de rivalité en
retournant en Galilée; mais avant qu'une décision fût prise,
survint un événement imprévu qui précipita le départ. Jean
venait d'être jeté dans les prisons de Machéronte. Voici dans
quelles circonstances.

Deux fils d'Hérode le Grand, Antipas et Philippe, gouver-
naient depuis trente ans, en qualité de tétrarques, celui-ci
l'Iturée et la Trachonitide, celui-là la Galilée et la Pérée.
Un troisième fils, appelé comme lui Hérode, mais que saint

---

1. Jn. 3[31-36]. Parmi les commentateurs modernes, Schanz, Knabenbauer
et Zahn pensent que le Baptiste continue à parler; Patrizi, Calmes,
Belser, Tillmann, Lagrange croient que ce sont les réflexions de l'évangéliste; avec raison, ce semble.

Le verset 34 est difficile : « Celui que Dieu envoie proclame les paroles
de Dieu, car *il* ne donne pas l'Esprit avec mesure. » Le pronom *il*
peut représenter « l'envoyé de Dieu, le Christ » qui transmet « sans
mesure », sans compter, tout le message reçu; ou bien Dieu, qui
communique « sans mesure » à son mandataire les dons de l'Esprit.
Nous préférons le dernier sens qui lie beaucoup mieux le verset 24 au
verset suivant : « Le Père aime le Fils et il lui a tout *donné* (remis en
mains). »

Marc nomme Philippe — probablement parce qu'il était connu du public sous ce nom — n'avait pas eu de part à l'héritage paternel et vivait en simple particulier, nous ne savons en quel endroit. Ce prince, suivant un usage très commun dans la famille des Hérodes, avait épousé sa nièce Hérodiade et en avait eu une fille, la trop fameuse Salomé. Un peu avant l'époque qui nous occupe, Antipas se rendant à Rome vint passer quelque temps chez son frère Hérode-Philippe. Il profita de ce séjour pour séduire sa femme Hérodiade et l'engager à s'unir à lui dès qu'il serait de retour de Rome. Hérodiade consentit à tout, en y mettant cependant une condition expresse : c'est qu'Antipas répudierait auparavant sa femme légitime, la fille d'Arétas, roi des Nabatéens. Celle-ci eut vent de l'affaire, mais elle se garda d'en rien laisser paraître, pour mieux échapper à l'affront qui la menaçait. Quand le tétrarque fut de retour, elle lui demanda la permission d'aller passer quelques jours à Machéronte, célèbre par la pureté de son air et par la vertu de ses eaux thermales. Antipas, ne soupçonnant rien, donna volontiers son assentiment; mais Machéronte était près de la frontière nabatéenne et la fille d'Arétas, une fois arrivée là, s'enfuit chez son père. Tout allait pour le mieux. Antipas était débarrassé de sa femme, sans avoir eu besoin de la répudier. Hérodiade, suivant les conventions, pouvait prendre la place vacante. Elle quitta donc son mari et avec sa fille Salomé, âgée d'environ quinze ans, elle vint résider à la cour d'Antipas, qui était en même temps son oncle et son beau-frère.

Quelque indulgente que fût l'opinion pour les déportements de la maison d'Hérode, cette union incestueuse, cyniquement affichée, ne pouvait manquer de soulever la réprobation universelle. Jean se fit l'interprète de la conscience publique et le défenseur de la morale outragée. Il déclara sans ambages au voluptueux tétrarque qu'il ne lui était pas permis de garder la femme de son frère. Il ne se contenta pas de dénoncer le scandale au peuple, ni d'envoyer une monition par intermédiaire; il se présenta lui-même devant Antipas, pour lui signifier le *non licet* de la loi mosaïque et de la loi naturelle. Il ne faut pourtant pas se le représenter dressé fièrement devant Hérode, comme Élie devant Achab; cette attitude théâtrale

ne pouvait qu'exaspérer le coupable et l'ancrer plus profondément dans son adultère. Les Hérodes, élevés à Rome pour la plupart et d'un parfait scepticisme en matière religieuse, évitaient avec soin de braver l'opinion populaire et respectaient même, autant que possible, les scrupules de leurs sujets. Il y avait donc quelque espoir de ramener le tétrarque au sentiment du devoir et de l'honneur [1].

Cette fois la courageuse protestation du Baptiste resta sans effet. Cependant le rusé tétrarque le laissa partir sans le molester. Il était trop fin politique pour paraître céder à un ressentiment personnel; il préférait cacher sa vengeance privée sous le masque de l'intérêt public, en faisant passer son accusateur pour un fougueux démagogue, un agitateur dangereux, qu'il fallait à tout prix empêcher de nuire. Telle est la version de l'historien Josèphe, complémentaire du récit des Évangiles : « Hérode, craignant que sa parole éloquente ne suscitât quelque révolte (car les gens suivaient en tout ses conseils), jugea préférable de prendre les devants et de le supprimer, pour prévenir une révolution possible dont il aurait plus tard sujet de se repentir. A cause de ce soupçon d'Hérode, Jean fut envoyé captif à Machéronte [2]. » Cette place, qu'on aperçoit par un temps clair du mont des Oliviers et des hauteurs de Bethléem, était un point stratégique de premier ordre. Antipas en avait fait une forteresse, un palais et une prison. Elle était située sur une montagne, à l'est de la mer Morte, qu'elle dominait de plus de mille mètres, et entourée de ravins profonds, sauf du côté de l'Orient, où un étroit passage, facile à défendre, la reliait au plateau de Moab.

Pour s'emparer de son prisonnier, Hérode dut recourir à la ruse. Jean n'était plus sur son territoire; il baptisait à Ænon entre la Samarie et la ville libre de Scythopolis. Les Synoptiques donnent clairement à entendre qu'il fut *livré* par ses

---

1. Mc. 6[18] : « Il ne t'est pas permis d'avoir la femme de ton frère. De même Mt. 14[4] : *Jean disait* cela à Hérode. S. Luc (3[19]) dit qu'Hérod « était *repris par Jean* au sujet d'Hérodiade ».

2. Josèphe, *Antiqu.* XXIII, v, 2. Machéronte est à peu près sur le parallèle de Bethléem. L'altitude au-dessus de la mer Morte est d'environ 1.130 mètres. En droite ligne, la mer Morte n'est pas à plus de 10 kilomètres (Josèphe dit 60 stades); mais, à cause des zigzags, il faut, pour l'atteindre, trois heures de marche.

ennemis, mais nous ignorons les détails de ce guet-apens. Quels étaient les ennemis du Baptiste? Nous n'en connaissons pas d'autres que les pharisiens; car la classe sacerdotale, après l'interrogatoire qu'elle lui avait fait subir, n'avait plus marqué d'animosité. Ceci nous aide à comprendre une parole du quatrième Évangile, qui de prime abord est énigmatique : « Le Seigneur, apprenant que les pharisiens avaient entendu dire qu'il attirait plus de disciples et faisait baptiser plus de monde que Jean, quitta la Judée et revint en Galilée [1]. » Si les pharisiens ont trahi le Baptiste et l'ont livré à Hérode, ne feront-ils pas à Jésus le même sort, maintenant qu'ils connaissent ses progrès et le nombre croissant de ses adeptes? Il était prudent d'échapper par la fuite à leurs manœuvres. Les Synoptiques mettent ce départ en relation avec l'arrestation du Baptiste; saint Jean, avec les soupçons et les craintes des pharisiens : ce sont moins deux motifs distincts que deux faces du même motif.

VI. La Samaritaine (Jean, iv, 1-45).

Pour se rendre en Galilée, « Jésus devait traverser la Samarie » [2]. Ceux qui le font venir des bords du Jourdain

1. Jn. 4[1]. La corrélation entre le départ de Jésus et l'émotion éprouvée par les pharisiens à l'annonce de ses progrès est très expressément marquée. On se souvient que les pharisiens étaient ceux qui avaient montré le plus d'animosité contre le Baptiste (Jn. 1[24,25]). Notez : a) « Dès qu'il eut appris » (ὡς ἔγνω) marque la relation de cause à effet. — b) « Il abandonna (ἀφῆκεν) la Judée », plus fort que « il quitta ». — c) « Il vint de nouveau (πάλιν) en Galilée » accentue le double retour négligé par les Synoptiques.
Il faut comparer le texte des Synoptiques : « Apprenant que Jean avait été livré (παρεδόθη) il se retira en Galilée » (Mt. 4[12]). « Après que Jean eut été livré (παραδοθῆναι) Jésus vint en Galilée. » On dit avec un complément « livrer au tribunal, aux juges, aux bourreaux, à la mort », mais livrer absolument signifie toujours « livrer par trahison ou par violence »; celui qui livre ainsi est le traître (ὁ παραδούς, ὁ παραδιδούς = Judas). C'est dans l'Évangile un sens technique, confirmé par plus de vingt exemples et dont il n'est pas permis de s'écarter sans raison. Il faut donc conclure que Jean fut livré à Hérode par ses ennemis.
2. Jn. 4[4] : Ἔδει δὲ αὐτὸν διέρχεσθαι διὰ τῆς Σαμαρίας... « Il fallait qu'il traversât la Samarie. » Chose curieuse, Josèphe (Vita, 52) se sert de la même expression · « Celui qui voulait se rendre vite de Galilée à Jérusalem devait nécessairement (πάντως ἔδει) traverser la Samarie. » Il donne ailleurs (Antiqu. XX, VI, 1) un renseignement trop négligé des

cherchent, sans y réussir, à expliquer un si long détour; mais ils pouvaient s'épargner ce souci. Rien ne suggère qu'il vienne du Jourdain et le texte de saint Jean suppose le contraire.

L'historien Josèphe affirme expressément que les pèlerins de Galilée, allant à Jérusalem, avaient coutume de traverser la Samarie, même aux temps des grandes fêtes juives. C'était le chemin le plus court et qui n'offrait aucun danger spécial. La Samarie, comme la Judée, dépendait alors directement de Rome; or, sous le gouvernement des procurateurs, surtout de Pilate, si jaloux du maintien de l'ordre, l'hostilité des Samaritains se traduisait très rarement en voies de fait. On cite bien deux ou trois exceptions, toujours les mêmes; mais ce sont des exceptions qui se produisirent à des époques troublées. Les Samaritains, paraît-il, s'amusaient à allumer des feux sur les hauteurs, afin de tromper les Juifs qui se servaient de ce signal pour annoncer les néoménies à leurs coreligionnaires des contrées lointaines; c'était une fort mauvaise plaisanterie, mais enfin il n'y avait pas mort d'homme. Une autre fois, profitant de l'interrègne qui suivit la déposition d'Archélaüs, ils s'enhardirent au point de répandre des ossements humains dans les parvis du Temple, le matin de la Pâque, pour empêcher la célébration de la fête. Le troisième cas est plus grave. L'an 52, il y eut une rixe entre Samaritains et Galiléens, près du bourg d'Engannim (Djenin), sur la limite des deux provinces. Les Galiléens perdirent un ou plusieurs des leurs et exercèrent plus tard sur les Samaritains de terribles représailles. Le gouverneur de Syrie eut tôt fait de rétablir l'ordre et le procurateur incapable qui n'avait pas su prévenir ou réprimer le conflit, fut destitué et envoyé en exil.

Les pèlerins juifs étaient exposés tout au plus à ce genre d'avanies que les voyageurs chrétiens essuyaient naguère en pays musulman. Tel village fanatique pouvait se fermer devant eux ou refuser de leur vendre des vivres. En géné-

---

exégètes : « C'était la *coutume* des Galiléens (ἔθος ἦν), *quand ils allaient à Jérusalem à l'occasion de leurs fêtes*, de faire route à travers la Samarie. » C'est à propos de la rixe mentionnée plus bas. D'après *Bellum*, II, xii, 3, il n'y aurait eu qu'un Galiléen tué.

ral, tout se réduisait à un accueil peu courtois et à des paroles désobligeantes. L'anecdote suivante, racontée de plusieurs façons dans les écrits talmudiques, en donnera une assez juste idée. Un jour, à Sichem, un Samaritain demandait à Rabbi Ismaël où il allait. « Je vais, répondit le Juif, adorer Dieu à Jérusalem. » — « Ne ferais-tu pas mieux, dit l'autre, en lui montrant le Garizim, d'adorer Dieu sur cette montagne sainte, au lieu d'aller l'adorer sur un tas de fumier ? » Il désignait par là Jérusalem. — « Vous autres, riposta Ismaël, vous ressemblez à des chiens qui font leurs délices d'une charogne; vous aimez le Garizim parce que Jacob y enterra les idoles de sa femme Rachel. » Après cette altercation, le rabbin jugea prudent de s'éloigner au plus vite et quitta Sichem nuitamment.

L'antagonisme dix fois séculaire des Juifs et des Samaritains remontait à la mort de Salomon. Quand les tribus du nord se séparèrent de la tribu de Juda, la scission politique se compliqua d'un schisme religieux. Jéroboam favorisa de tout son pouvoir la fréquentation des sanctuaires de Dan et de Béthel érigés par lui, pour détourner ses sujets d'aller au Temple de Jérusalem. Après la prise et la destruction de Samarie, en 722, Sargon, négligeant les paysans et le menu peuple, emmena en captivité vingt-sept mille Samaritains de la classe influente — artisans, prêtres et notables — et les remplaça par des colons babyloniens qui importèrent dans le pays leurs divinités nationales. Ces nouveaux venus se fondirent bientôt avec la population indigène et finirent par adopter le culte de Iahvé, non sans y mêler des superstitions de leur cru. De cet amalgame sortit une race mixte que les Juifs affectèrent d'appeler Cuthéens, du nom de la ville babylonienne de Cutha, dont plusieurs d'entre eux étaient originaires. L'animosité réciproque s'exaspéra quand les Juifs revenus de captivité refusèrent le concours des Samaritains pour la reconstruction du Temple de Jérusalem. Elle fut à son comble le jour où les Samaritains érigèrent sur le Garizim un sanctuaire rival. Jean Hyrcan eut beau le détruire de fond en comble, les Samaritains n'en continuèrent pas moins à sacrifier sur le Garizim et aujourd'hui encore la

petite communauté de Naplouse, réduite à moins de cent-
cinquante membres et près de s'éteindre, se transporte chaque année sur la sainte montagne pour l'immolation de
l'agneau pascal.

Les Samaritains étaient monothéistes aussi bien que les
Juifs. Ils tenaient Moïse en grande vénération et recevaient
le Pentateuque comme livre sacré. Au dire de Josèphe, ils
observaient la Thora encore plus strictement que les Juifs,
mais sans les additions et les interprétations dont les scribes
et les pharisiens l'avaient surchargée. Ce caractère hybride
des Samaritains, tant pour la religion que pour la race, explique la différence des relations, qu'on remarque, à diverses
époques, entre les deux peuples. Tantôt les Juifs traitent les
Samaritains en frères séparés, tantôt ils les assimilent aux
Goïm, objet de leur aversion et de leur mépris. Les Samaritains, de leur côté, se réclamaient volontiers de leur origine
israélite quand les affaires des Juifs allaient bien et, en cas
contraire, reniaient toute parenté avec eux : changement
d'attitude qui les a fait comparer à la chauve-souris de la
fable.

La traversée de la Samarie exigeait deux journées et Sichem
marquait en général la fin de la première étape. On était au
mois de mai et cette marche de sept ou huit heures, à travers une série de vallées, réverbérant les rayons d'un soleil
d'été, fut assez pénible. Les voyageurs, partis dès l'aube
pour faire halte avant les fortes chaleurs du jour, n'atteigni-
rent que vers midi l'entrée de la gorge qui sépare l'Hébal du
Garizim [1].

1. Jn. 4⁵⁻⁶ : « Il arrive à une ville de Samarie appelée Sichar, près du
champ que Jacob donna à son fils Joseph. Il y avait là la fontaine
de Jacob... C'était à peu près la sixième heure (midi). » On ne saurait demander plus de précision. On montre aujourd'hui le tombeau de
Joseph à cinq ou six minutes du puits de Jacob ; ce monument n'a rien
d'ancien ; mais, s'il n'est pas authentique, le vrai tombeau de Joseph
ne doit pas être loin car le puits de Jacob n'a pas changé de place.
Ce puits de Jacob a 32 mètres de profondeur ; il est creusé dans la
roche, mais la partie supérieure, qui va se rétrécissant jusqu'à l'orifice,
est en maçonnerie. Dès le IVᵉ siècle, on éleva là une église en forme de
croix grecque dont le puits occupait le centre ; elle fut remplacée, au
temps des croisés, par une église à trois nefs que les Grecs orthodoxes,
propriétaires du terrain, viennent de relever. Le puits se trouve actuel-

Près du chemin qui longe le pied du Garizim, était le puits de Jacob, dans le champ acheté par le patriarche aux enfants d'Hémor et légué par lui en héritage à son fils Joseph pour lui servir de tombeau. Le pèlerin est étonné de trouver là un puits si profond, lorsque, à un quart de lieue à la ronde, il y a au moins trois sources abondantes. Il est à croire que le patriarche l'avait fait creuser dans son domaine pour éviter toute contestation avec la population indigène, toujours ombrageuse et souvent hostile, parmi laquelle il séjournait. Le puits était couvert sans doute d'un petit édicule qui offrait au passant de l'ombre et une fraîcheur rela-

lement dans une crypte placée sous le maître-autel. Il est appelé tantôt *puits* (φρέαρ, Jn. 4¹¹⁻¹²), tantôt *fontaine* (πηγή, Jn. 4⁶ *bis*), parce qu'il est alimenté par une source souterraine. Les trois sources voisines les plus rapprochées sont, en allant du sud au nord : la fontaine de Dafneh, à cinq ou six minutes, au pied du Garizim ; la fontaine de Balata, à peu près à la même distance ; la fontaine d'Askar, à un quart d'heure, au pied de l'Hébal.

Jusqu'à ces derniers temps, on identifiait Sichar ou Sychar avec le misérable hameau d'Askar. Il y avait deux difficultés : 1° Askar en arabe s'écrit par un *aïn*, consonne très rude. On disait que le nom primitif avait été ainsi transformé pour lui donner un sens (*askar*, en arabe, signifie *soldat*). 2° Pourquoi une femme d'Askar, qui possède une bonne source, venait-elle puiser au puits de Jacob, en traversant encore le cours d'eau, auquel la fontaine de Balata donnait naissance? On répondait qu'on pouvait attribuer à l'eau du puits une vertu spéciale et qu'elle passe dans le pays pour plus digestive (Smith, *The hist. geogr. of the Holy Land*⁶, 1898, chap. XVIII, *The question of Sychar*, p. 367-379). Peut-être. Elle ne nous a paru ni plus fraîche ni meilleure que celle des sources voisines.

La question a depuis peu changé de face. On a retrouvé l'emplacement de l'antique Sichem. C'est un monticule isolé, à l'entrée orientale de la vallée qui sépare le Garizim de l'Hébal, à cinq ou six minutes seulement du puits de Jacob. Les fouilles intelligentes qu'on y a pratiquées, ces dernières années, ont fait constater que le tertre était habité deux mille ans avant l'ère chrétienne et entouré d'un rempart qui avait environ 750 mètres de tour. C'était assez pour une ville cananéenne comparable à Jéricho. Sous les Séleucides, Sichem se transporta à deux kilomètres vers l'ouest, à l'intérieur même de cette vallée très fertile et très riche en eau. La nouvelle ville reçut de Vespasien le nom de *Flavia Neapolis* qu'elle garde encore un peu transformé (Naplouse, en arabe *Nablous*). Mais il semble résulter des fouilles que le vieux site ne fut pas totalement déserté et qu'il était encore habité au temps de Jésus-Christ. Il parait en outre que Sichem s'appelait alors *Sichora* (cf. *Die Ausgrabungen von Sichem* dans *Zeitsch. d. deutschen Palästina-Vereins*, t. XLIX, 1926, p. 229-236 et 304-320). On revient ainsi à l'identification proposée par S. Jérôme : Sichar = Sichem. Et les difficultés tombent du même coup.

tive. Jésus, fatigué du voyage, y entra et s'assit sur la mar-
gelle du puits ou simplement s'accouda contre elle, tandis
que les disciples allaient s'approvisionner à la ville voisine
de Sichar.

Une visite imprévue troubla bientôt sa solitude. C'était
une femme de Samarie, non pas de la ville même, éloignée
de deux ou trois lieues, mais de la province de ce nom.
Elle arrivait, sa cruche posée sur la tête et son bras chargé
de l'attirail à puiser encore en usage dans ces contrées :
une longue corde en poil de chèvre au bout de laquelle
pendait un seau de cuir. Venait-elle d'Askar, comme on le
suppose généralement? En ce cas, elle aurait dû négliger la
belle fontaine de son village et traverser, sans s'y arrêter,
un autre cours d'eau qu'elle rencontrait en chemin. Cela
paraît peu vraisemblable, surtout à l'heure de la canicule.
Mais la question est entrée récemment dans une phase nouvelle et saint Jérôme, dont on jugeait la critique en défaut,
pourrait bien avoir raison lorsqu'il identifiait la Sichar de
saint Jean avec l'antique Sichem. Les fouilles pratiquées sur
un monticule couvert de ruines, situé à quelques minutes à
l'ouest du puits de Jacob, semblent avoir démontré que Sichem,
quoique bien déchue depuis la fondation de Naplouse, était
encore habitée au temps de Jésus-Christ et que son nom
s'était changé, on ne sait trop pour quelle cause, en celui
de Sichora. C'est de là — et non pas d'Askar — que viendrait la Samaritaine et sa descente au puits de Jacob
n'aurait plus rien de singulier.

Jésus, pressé par la soif, lui demanda à boire, léger service qu'on ne refuse jamais à un étranger. Sa soif était
réelle et non pas feinte; néanmoins cette démarche avait
quelque chose d'insolite, car les Juifs n'adressaient pas la
parole à une femme seule, surtout à une Samaritaine, sans
une extrême nécessité; et Jésus aurait pu attendre le retour
des apôtres. En amorçant cet entretien, il visait donc à conquérir une âme plutôt qu'à étancher sa soif.

Le dialogue qui s'engage entre lui et la Samaritaine perdrait de son charme, si l'on y changeait un mot ou si on
l'affadissait par un commentaire :

Jésus. — *Donnez-moi à boire.*

Elle. — *Quoi! Vous qui êtes Juif, vous me demandez à boire, à moi, femme de Samarie?*

Jésus. — *Si vous connaissiez le don de Dieu et si vous saviez qui est celui qui vous demande à boire, c'est vous peut-être qui l'en prieriez et il vous donnerait de l'eau vive.*

Elle. — *Seigneur, où prendriez-vous donc cette eau vive? Vous n'avez même pas de quoi puiser et le puits est profond. Etes-vous plus grand que notre père Jacob, qui nous a donné ce puits, dont il a bu, lui, ses fils et ses troupeaux?*

Jésus. — *Quiconque boira de cette eau aura encore soif; mais celui qui boira de l'eau que je lui donnerai n'aura plus jamais soif. Et l'eau que je lui donnerai deviendra en lui une source d'eau jaillissante pour la vie éternelle.*

Elle. — *Seigneur, donnez-moi de cette eau, pour que je n'aie plus soif et n'aie plus à venir puiser.*

Jésus. — *Allez, appelez votre mari et revenez ici.*

Elle. — *Je n'ai point de mari.*

Jésus. — *Ce que vous dites est tout à fait juste; car vous en avez eu cinq et celui que vous avez maintenant n'est pas votre mari.*

Elle. — *Seigneur, je vois que vous êtes prophète.*

La scène est d'un naturel exquis. La Samaritaine, qui a perdu depuis longtemps l'habitude de rougir, n'est pas gênée par ce tête-à-tête et la présence d'un Juif, qu'elle a reconnu à son costume ou à son accent, ne l'intimide pas. Son air est légèrement frondeur et son ton ironique; cependant elle affecte d'être polie et se sert du nom de Seigneur, en parlant à celui qu'elle sent bien n'être pas un homme du commun; mais elle ne prend pas au sérieux ses avances. Où trouvera-t-il de l'eau vive, lui qui n'a pas même l'attirail du puiseur? Une eau qui étancherait pour jamais la soif; c'est trop beau pour y croire. Aussi n'y croit-elle pas : sa réponse évasive, ne doit pas nous donner le change.

Entre l'élégant persiflage de la Samaritaine et la tranquille dignité de Jésus, le contraste est complet. Il a deviné dans cette âme un fonds naturel de sincérité et de droiture et il veut la gagner. Il pique d'abord sa curiosité par un langage

plein de mystère. Ah! si elle connaissait le don de Dieu; si elle savait qui lui parle! L'eau vive qu'il promet apaise la soif une fois pour toutes et rejaillit vers la vie éternelle. Son interlocutrice ne comprend pas et ne cherche pas à comprendre; elle tourne tout en plaisanterie. Alors il faut changer de tactique et frapper le grand coup. Lorsque la Samaritaine se sent démasquée et percée à jour, elle fait subitement volte-face. Il ne s'agit pas de ruser avec un homme qui lit au fond des cœurs et qui peut révéler les secrets les plus intimes. Elle s'écrie : « Vous êtes un prophète! » Ce n'est pas encore *le* prophète par excellence, le Messie, mais c'est du moins un envoyé du ciel, qualifié pour parler des choses du ciel. Le dialogue reprend alors sur un autre ton.

La Samaritaine. — *Seigneur, je vois que vous êtes un prophète. Nos ancêtres ont adoré* (Dieu) *sur cette montagne et vous dites que c'est à Jérusalem qu'il faut l'adorer.* (Qui a raison, de vous ou de nous?)

Jésus. — *Femme, croyez-moi, l'heure vient où on n'adorera le Père ni sur cette montagne ni à Jérusalem. Vous adorez ce que vous ne connaissez pas; nous autres, nous adorons ce que nous connaissons, car le salut vient des Juifs. Mais l'heure vient — elle est déjà là — où les vrais adorateurs adoreront le Père en esprit et en vérité; car le Père cherche de tels adorateurs. Dieu est esprit et ceux qui l'adorent doivent l'adorer en esprit et en vérité.*

La Samaritaine. — *Je sais que le Messie va venir. Quand il sera venu, il nous annoncera toutes choses.*

Jésus. — *C'est moi qui vous parle.*

Entre les Juifs et les Samaritains les choses ne sont pas égales. Le culte des Juifs est le seul légitime, le seul que Dieu sanctionne. Ils adorent en connaissance de cause, parce qu'ils gardent le trésor de la révélation, maintenu et enrichi par les prophètes que les Samaritains récusent. Le salut vient des Juifs, parce que le Messie doit sortir du milieu d'eux et la lumière de l'Évangile rayonner de Jérusalem. Voilà pour le passé. Mais, si l'on regarde l'avenir, les différences disparaissent avec les privilèges. Dieu ne sera pas plus adoré sur le Moriah que sur le Garizim ou en tout

autre endroit, car Dieu veut être adoré en esprit et en vérité.

La loi nouvelle, qui est esprit et vérité, doit remplacer l'ancienne, comme la lumière dissipe l'ombre et la réalité supplante la figure. L'esprit n'est pas enchaîné comme la matière aux limites étroites du temps et de l'espace. Ainsi le culte nouveau, le culte spirituel, ne sera pas une institution temporaire, changeante, provisoire, restreinte à une race et confinée à un lieu unique, mais une institution parfaite, absolue, définitive, embrassant toute l'humanité et s'étendant à tout l'univers, reflétant en quelque sorte l'immutabilité et l'immensité de Dieu qui est esprit.

La Samaritaine, maintenant domptée, écoutait attentivement, s'efforçant de comprendre, sans trop y réussir peut-être. Mais elle comptait sur le Messie pour expliquer ces mystères. Les Samaritains en effet attendent un Messie, qu'ils nomment *Taheb*, c'est-à-dire *Celui qui vient* ou le *Restaurateur*, car la signification du nom n'est pas plus fixe que le signalement de la personne : « Je sais, dit-elle, que le Messie doit venir. » — Le Messie? « c'est moi qui vous parle », répond Jésus. Comme il disait ces mots les disciples arrivaient. La femme, stupéfaite et comme affolée, s'enfuit en courant vers la ville, abandonnant près du puits son urne pleine et son attirail à puiser.

Les disciples, de leur côté, n'étaient pas peu surpris de voir leur Maître converser seul à seul avec une femme. Les pharisiens se faisaient scrupule d'aborder une étrangère et poussaient la circonspection jusqu'à s'abstenir de parler en public à leur propre femme. Dans les rapports avec l'autre sexe, Jésus lui-même avait toujours donné aux siens l'exemple d'une réserve extrême. Le respect qu'éprouvaient dès lors pour lui les disciples leur fermait la bouche et ils n'osèrent pas lui poser cette question qui aurait eu l'air d'un reproche : « Pourquoi parlez-vous à cette femme? » Mais lorsqu'ils le prièrent de faire honneur aux provisions qu'ils s'étaient procurées et que, tout absorbé par des pensées plus hautes, il leur répondit : « J'ai à manger une nourriture que vous ne savez pas », ils se demandaient si quelqu'un, durant leur absence, lui aurait porté à manger.

C'était invraisemblable. Il y avait donc là un mystère qui avait besoin d'être éclairci. Il le fut bientôt.

Ma nourriture est de faire la volonté de celui qui m'a envoyé, pour parfaire son œuvre. Ne dites-vous pas vous autres : « Encore quatre mois et la moisson vient » ? Et moi je vous dis : Levez les yeux et regardez ces campagnes ; elles blanchissent pour la moisson. Déjà le moissonneur reçoit son salaire et recueille son fruit pour la vie éternelle, afin que semeur et moissonneur se réjouissent ensemble. Le proverbe a ceci de vrai qu'autre est le semeur, autre le moissonneur. Je vous ai envoyés moissonner ce pour quoi vous n'avez pas peiné ; d'autres ont peiné et vous recueillez le fruit de leur labeur.

A son ordinaire, Jésus se sert des spectacles de la nature pour élever les esprits à l'intelligence des choses célestes. D'un geste large, il leur montre cette magnifique plaine de Makhné, qui se déroule sous leurs yeux à perte de vue, toute couverte de moissons déjà blanchissantes, ondulant sous la brise de midi avec des reflets d'argent. Dans nos pays plus froids, nous parlons de l'or des moissons ; mais, en Palestine, cette figure ne conviendrait guère qu'à l'orge ; le froment, sous les feux du soleil estival, prend ici une belle teinte argentée qui invite les moissonneurs à saisir leur faucille.

Jésus, — les disciples l'ont aisément compris, — veut parler d'une moisson différente de celle que son geste indique, d'une moisson d'âmes, « qui fructifie pour la vie éternelle ». Cette moisson déjà mûre, d'autres l'ont semée pour eux, mais ce sont eux qui sont appelés à la récolter. Quel est donc le Semeur ? N'est-ce pas le Semeur de la parabole, aidé, si l'on veut, des prophètes qui l'ont annoncé au monde et du Précurseur qui lui a frayé le chemin ? « Le Semeur, c'est le Fils de l'homme. » Justement il y a quatre mois que, baptisé sur les bords du Jourdain, il a commencé à répandre la bonne semence. Maintenant la semence arrive à maturité et réclame des moissonneurs. Les moissonneurs recevront la récompense qui leur est due et le Semeur se réjouira avec eux.

La plupart des auteurs jusqu'à Maldonat, qui s'inspire ici d'Origène, conçoivent la scène autrement. Ils supposent que

les disciples, pendant que le Sauveur leur expose la sublime doctrine d'une nourriture céleste, regardent les campagnes environnantes, au lieu d'écouter le Maître, et échangent à la cantonade cette réflexion banale : « Dans quatre mois, ce sera le temps de la moisson. » On serait donc au début de février ou à la fin de janvier. Sur cette hypothèse, ils construisent toute une chronologie de l'histoire évangélique pleine de difficultés, pour ne pas dire d'impossibilités.

Les semailles terminées, vers la fin de décembre, le paysan palestinien a devant lui quatre mois de repos, les travaux ne reprenant que vers la fin d'avril, pour la moisson de l'orge, et un mois plus tard, pour celle du froment. Il peut dire alors, en guise de proverbe : « Encore quatre mois et la moisson vient. » On objecte que l'existence de ce proverbe n'est pas démontrée historiquement. Mais il y a aujourd'hui en Palestine des centaines et des milliers de proverbes agricoles dont l'histoire n'aurait conservé aucun souvenir si un patient érudit n'avait passé sa vie à les colliger sur place[1].

D'autre part, il est difficile de croire que Jésus ait passé huit ou neuf mois en Judée, avec des disciples qu'il n'a pas encore appelés à l'apostolat, avant d'inaugurer son ministère galiléen que les Synoptiques rattachent si étroitement à son baptême. Lorsqu'il revient en Galilée, le souvenir des miracles opérés à Jérusalem, lors de la dernière Pâque, est encore tout frais dans la mémoire des gens. Cela suppose-t-il huit ou neuf mois d'absence? En plaçant ce retour dans le courant de mai, on s'explique beaucoup mieux la fatigue et la soif de Jésus, ainsi que la présence de la Samaritaine au puits de Jacob à une heure insolite. La parabole des moissons blanchissantes devient alors pleine d'actualité et son application est d'un saisissant à propos[2].

1. Dalman, *Arbeit und Sitte in Palästina*, 5 vol. dont 2 doublés. *Gütersloh*. 1928-1937.

2. Sur ce texte voir la note B : *Chronologie de la vie du Christ*.
En Palestine, les semailles ne peuvent avoir lieu que lorsque des pluies d'automne assez abondantes ont permis un premier labour. Ces pluies n'arrivent guère qu'en novembre et se font quelquefois attendre jusqu'au mois de décembre (en 1908, à Jérusalem, jusqu'au 18 décembre, Dalman, *Arbeit und Sitte in Palästina*, 1928, t. I, p. 201). Normalement les semailles commencent en novembre et peuvent se poursuivre jusqu'à la fin de décembre.
Sur la côte maritime et dans la vallée du Jourdain la moisson de l'orge commence vers le 15 avril et la moisson du froment a lieu en mai.

Cependant la Samaritaine ne restait pas inactive. Son état d'exaltation attroupait les gens autour d'elle. « Venez, disait-elle, venez voir un homme qui m'a dit tout ce que j'ai fait. Ne serait-il pas le Messie? » Elle n'ose pas le garantir, car il ne convient pas à une femme de dogmatiser; mais on voit à son accent qu'elle en est convaincue.

Ses compatriotes descendirent en foule au puits de Jacob. Nous ne savons pas ce que leur dit Jésus; mais ils en furent si satisfaits qu'ils le prièrent de rester au milieu d'eux. Il y demeura deux jours et beaucoup d'entre eux crurent en lui. Quand il les eut quittés, ils disaient à la Samaritaine : « Ce n'est plus seulement sur ton rapport que nous croyons. Nous l'avons entendu et nous savons qu'il est vraiment le sauveur du monde. »

Cette foi initiale reçut-elle dans la suite le complément qui lui manquait? Les bons germes semés par Jésus durant son court passage finirent-ils par se dessécher? Rien n'autorise une conjecture là où l'Évangile reste muet.

VII. Retour en Galilée (Jean, IV, 46-54).

Après les deux jours passés au milieu des Samaritains, Jésus revint en Galilée. Les Galiléens, témoins des miracles opérés par lui à Jérusalem, lors de la dernière Pâque dont la date n'était pas encore éloignée, le reçurent avec des transports de joie. Ils étaient fiers des exploits de leur jeune compatriote et, pour une fois, faisaient mentir le proverbe : Nul n'est prophète dans son pays.

On peut dire de tout homme qu'il a trois patries : la localité

A Jérusalem, à Bethléem, à Hébron, c'est quinze jours ou trois semaines plus tard. Le 12 mai 1838, Robinson trouva les gens de Jéricho occupés à dépiquer le grain; le 4 juin on commençait à Hébron la moisson du froment. Le 17 mai 1852 il lui fut impossible de trouver des guides à Beisan et dans la vallée de Jesraël, tout le monde étant occupé aux moissons (Robinson, *Biblical researches in Palestine* 1856, t. I, p. 431 et t. III, p. 336). Le 15 juin 1928 toutes les moissons étaient terminées en Samarie. Aux environs de Nazareth, nous vîmes ânes et chameaux porter les dernières gerbes sur les aires alors en pleine activité.

Dans l'épisode de la Samaritaine il s'agit de moissons *blanchissantes* qui ne peuvent désigner que le froment. On est donc au mois de mai; au plus tard au début de juin.

où il vit le jour, la province qu'il habite et la nation dont il est membre. En fait, les évangélistes donnent trois patries à Jésus : Bethléem, berceau de ses ancêtres et lieu de sa naissance ; Nazareth, son séjour habituel durant presque toute sa vie ; Capharnaüm, sa cité d'élection et le théâtre principal de son apostolat.

Saint Jean n'ignore pas que Jésus avait habité Nazareth et qu'il prêchait à Capharnaüm, mais il regarde Bethléem et la Judée comme sa vraie patrie [1]. C'est Jérusalem et la Judée qui eurent les prémices de sa prédication ; c'est là qu'il terminera sa carrière et c'est là qu'il serait demeuré plus longtemps sans les intrigues de ses ennemis. Les menées des pharisiens l'obligèrent à quitter la capitale et bientôt la Judée. Ainsi « Jésus revint en Galilée, car il a déclaré lui-même qu'un prophète n'est pas honoré dans sa propre patrie ». L'accueil que lui avaient fait les habitants de Jérusalem et ses compatriotes de Judée, malgré les miracles qu'il avait semés à profusion, en était la preuve.

Avant de gagner Capharnaüm, il s'arrêta quelques jours à Cana, nous ne savons pour quel motif. Le bruit de son retour ne tarda pas à se répandre dans toute la contrée et parvint aux oreilles d'un officier royal [2] dont le fils était très gravement malade.

Ce personnage, connaissant par ouï-dire les miracles de Jésus, partit aussitôt pour Cana dans l'espoir de le rencontrer. De Capharnaüm à Cana, il y a six ou sept heures de marche

1. Ceux qui, dans S. Jean, entendent de Nazareth la patrie de Jésus sont obligés d'ajouter ceci au texte de l'évangéliste : « Jésus vint en Galilée (MAIS NON PAS A NAZARETH), car il a dit que personne n'est honoré dans sa patrie. » Mais c'est précisément omettre le point capital, que rien n'invite à sous-entendre et qui motive l'application du proverbe.

2. Ce personnage est un βασιλικός, quelqu'un attaché à la personne ou au service du *roi,* du tétrarque Antipas, appelé roi par Mt. 14⁹ ; Mc. 6¹⁴, etc. L'auteur de la Vulgate traduit *regulus,* comme s'il avait lu βασιλίσκος. Cependant S. Jérôme écrit (*In Isaiam,* 65¹) : « Regulus, qui graece dicitur βασιλικός, quem nos de aula regis rectius possumus interpretari *palatinus.* » Au fond le βασιλικός peut être un *courtisan* (*palatinus* de S. Jérôme), ou un *parent* du roi (Lucien, *Dial. deor.,* 20), mais c'est plus probablement un *fonctionnaire* ou un dignitaire royal (Plutarque, *Solon,* 27). Civil ou militaire ? Nous ne savons.

pénible, à travers un défilé abrupte et rocailleux [1]. Dès son
arrivée, il s'empressa d'aller trouver Jésus, pour le prier de
descendre avec lui à Capharnaüm et d'y guérir son fils. Bien
que Juif de naissance et de religion, sa foi était moins vive et
moins éclairée que celle du centurion, dont les Synoptiques
nous racontent l'histoire ; il ne voyait en Jésus ni le Fils de
Dieu ni le Messie, mais un prophète et un thaumaturge et il
n'avait pas l'idée d'une guérison à distance, dont l'Ancien Testament offre fort peu d'exemples.

Pour éprouver et affermir sa foi, le Sauveur lui fit cette
réponse qui s'adressait moins à sa personne qu'à tous ses coreligionnaires : « Si vous ne voyez des signes et des prodiges,
vous ne croirez pas [2]. » La réponse, qui semblait contenir un
refus en même temps qu'un reproche, ne découragea pas le
père : « Seigneur, dit-il, descendez, de grâce, avant que mon
fils ne meure. » Ému de ce cri d'angoisse paternelle et touché
de cette foi, imparfaite encore mais sincère, Jésus lui dit :
« Allez, votre fils est vivant. »

C'était la septième heure du jour, une heure de l'après-midi.
Il était trop tard pour regagner Capharnaüm ; après la rude
étape du matin, bêtes et gens avaient besoin de repos.
D'ailleurs le père rassuré par le mot du Sauveur était maintenant tranquille et un départ trop précipité eût marqué de la
défiance. Il attendit donc au lendemain et fut rejoint en route
par des serviteurs, venus à sa rencontre pour lui annoncer la
bonne nouvelle. Naturellement, il leur demanda à quelle heure
son fils s'était trouvé mieux. Ils lui répondirent : « C'est hier,
à la septième heure, que la fièvre l'a quitté. » Or c'était précisément l'heure où Jésus lui disait : « Votre fils est vivant [3]. »

1. De Capharnaüm à Cana, il y a environ 33 kilomètres. Le chemin
par la vallée des Pigeons (*Wady el Hamam*) est presque impraticable
aujourd'hui.

2. Jn. 4⁴⁸ : ἐὰν μὴ σημεῖα καὶ τέρατα ἴδητε, οὐ μὴ πιστεύσητε. Les *signes*
(σημεῖα) sont les miracles faits pour confirmer une doctrine, une prophétie ; les *prodiges* (τέρατα) sont les miracles d'un caractère extraordinaire. Peut-être la phrase aurait-elle plus d'énergie et plus de naturel,
si on la faisait suivre d'un point d'interrogation ou d'exclamation : « A
moins de voir des signes et des prodiges vous ne croirez donc pas ! »

3. Le lieu de la rencontre est clairement indiqué. C'est l'endroit où
le chemin, ayant dépassé les Cornes d'Hattin, commence à *descendre*
dans la vallée des Pigeons (Jn. 4⁵¹ : ἤδη δὲ αὐτοῦ καταβαίνοντος). L'heure

Frappé de ce prodige et touché de la grâce, l'officier royal se convertit avec toute sa famille. De sa vie ultérieure, nous ne savons absolument rien. Plusieurs pensent que ce pourrait être Chusa, cet intendant d'Hérode Antipas dont la femme Jeanne accompagnait le Sauveur dans ses courses apostoliques. D'autres songent à Manahem, ce frère de lait ou ce compagnon de jeux du même Hérode, que les Actes représentent comme l'un des membres les plus influents de l'église d'Antioche. Comme il faut chercher l'inconnu dans l'entourage du tétrarque, chacune de ces hypothèses a une certaine vraisemblance.

« C'est là, dit saint Jean, un second miracle que Jésus opéra, en revenant de Judée en Galilée. » Si l'évangéliste tient à noter ce détail, oiseux en apparence, c'est peut-être parce que le récit des Synoptiques laisse l'impression qu'il ne s'est rien passé entre le baptême de Jésus et le commencement du ministère galiléen, inauguré par la vocation des quatre grands apôtres. Saint Jean remet les choses au point et nous avertit qu'avant de prêcher en Galilée le Sauveur avait déjà annoncé l'Évangile au centre de la théocratie judaïque, à Jérusalem et dans la Judée.

de la guérison aussi : c'est la *septième* heure (Jn. 4⁵²), une heure après midi.

1. Jn. 4⁵⁴. C'est *un* second miracle opéré par Jésus à son retour de Judée, mais non pas absolument *le* second. Il a fait de nombreux miracles à Jérusalem (Jn. 2²³) et peut-être ailleurs.

Il n'y a pas de raison sérieuse d'identifier ce miracle avec la guérison du serviteur du centurion (Mt. 8⁵⁻¹³; Lc. 7¹⁻¹⁰). Des deux côtés le malade est à Capharnaüm et le miracle s'opère à distance; mais tout le reste diffère. Dans S. Jean, c'est un *Juif,* un dignitaire royal (βασιλικός) qui vient en personne intercéder pour son *fils;* dans les Synoptiques, c'est un *païen,* un centurion qui envoie des gens prier Jésus de guérir son esclave ou serviteur (δοῦλος dans S. Luc, παῖς dans S. Matthieu, avec le même sens).

LIVRE DEUXIÈME

L'ÉVANGILE EN GALILÉE

CHAPITRE PREMIER

LE CHOIX DES APOTRES

I. Au lac de Tibériade.

Sur le point d'aller célébrer à Jérusalem la première Pâque de sa vie publique, après le miracle de Cana, Jésus était descendu à Capharnaüm, avec sa famille et ses nouveaux disciples. Nazareth, placé hors des grandes voies de communication, ne convenait guère comme centre d'apostolat. Les grossiers Nazaréens, habitués à voir le fils du charpentier partager leurs travaux et vivre de leur vie, avaient trop de préjugés à vaincre pour reconnaître en ce compatriote et ce compagnon de labeur un envoyé du ciel. D'autre part, les deux capitales de la Galilée, Séphoris et Tibériade, ces créations récentes d'Hérode Antipas, étaient à demi païennes; Tibériade, en particulier, bâtie sur une nécropole, inspirait aux Juifs une répulsion invincible.

Aussi, au retour de Jérusalem et de la Judée, où il avait passé quelques semaines — peut-être quelques mois — Jésus vint-il s'établir à Capharnaüm. Assise sur la rive septentrionale du lac de Génésareth, à quatre ou cinq kilomètres de l'embouchure du Jourdain, cette ville, aujourd'hui complètement déserte, était alors un marché assez actif et un lieu de passage très fréquenté, sur le chemin qui reliait Damas à l'Égypte et à la Méditerranée. Ce ne fut jamais — et ce ne pouvait pas être — une place forte; on n'a découvert dans ses ruines aucun vestige de tours ni de remparts. Aux pêcheurs et aux boutiquiers, qui formaient le fond de sa population hétérogène, se mêlaient des hommes d'affaires et des agents du fisc, avec une petite garnison de soldats d'Hé-

rode Antipas, pour surveiller la frontière, maintenir l'ordre
et venir en aide aux collecteurs d'impôts[1].

Isaïe avait prédit à ce coin du monde un avenir de gloire,
« La terre de Zabulon et la terre de Nephthali, la route de
la mer, l'autre rive du Jourdain, le district des nations »
devaient revoir des jours heureux, quand « une grande
lumière brillerait sur le peuple qui marchait dans les ténèbres
et l'ombre de la mort »[2]. Capharnaüm appartenait jadis à
la tribu de Nephthali. La petite tribu de Zabulon, dont faisait

1. On peut aujourd'hui considérer comme certain que *Tell-Houm*
marque l'emplacement de l'antique Capharnaüm : *a*) Il n'y a pas, dans
ces parages, de ruines aussi importantes; elles s'étendent au nord du
lac sur environ 800 mètres de long et 400 mètres de large. Au contraire,
à *Khan Minyeh*, où plusieurs placent Capharnaüm, il ne semble pas y
avoir de ruines antérieures à l'occupation arabe. — *b*) S. Jérôme dit que
Corozaïn était à *deux* milles romains de Capharnaüm (Eusèbe aussi,
dans l'édition critique de l'*Onomasticon* par Klostermann, 1904). Or
Corozaïn était certainement à *Kérazeh*, qui est en effet à deux milles
(trois kilomètres) de Tell-Houm. — *c*) Josèphe (*Vita,* 72), blessé sur la
rive orientale, près de Julias, fut transporté de l'autre côté du Jourdain
et rencontra Κεφαρνωμή, avant d'arriver aux Sept-Fontaines (*et-Tabigha*)
qui sont à l'est de *Khan Minyeh*. — *d*) Le pèlerin Théodose (vers 530)
venant de l'ouest, passa par les Sept-Fontaines, avant d'arriver à Capharnaüm.
  Les meilleures descriptions du site sont celles de Masterman, *Studies
in Galilee*, Chicago, 1909, ch. IV, p. 71-89 et de Dalman, *Orte und Wege
Jesu*, Gütersloh, 1924, ch. VIII, p. 142-171. Celle de Guérin, *Galilée*, t. I,
1880, p. 226-239 , très bonne pour l'époque, est antérieure aux fouilles.
  C'est l'explorateur américain Robinson qui a fait la fortune de *Khan
Minyeh*. Le 18 mai 1852, les ruines de Kérazeh, contemplées d'une hauteur voisine, lui parurent trop insignifiantes pour être celles de Corozaïn.
Il décida donc que Corozaïn devait être à *Tell Houm* et Capharnaüm à
Khan Minyeh. S'il s'était donné la peine de gravir la pente abrupte de
Kérazeh, il y aurait vu des ruines presque aussi étendues et les restes
d'une synagogue presque aussi grande qu'à Tell Houm. Son autorité a
entraîné plusieurs écrivains de langue anglaise (entre autres Sanday,
qui pourtant s'est rétracté depuis, *Dict. of Christ and the Gospels,* 1906,
t. I, p. 315) et quelques historiens français de Jésus (Fouard et Le
Camus; Fillion ne se prononce pas).
  Les protestants s'obstinent à écrire Kapernaüm : mais la véritable
orthographe du nom est bien Καφαρναούμ, comme le prouvent les plus
anciens textes et les versions. L'orthographe Καπερναούμ n'apparaît qu'à
partir du cinquième siècle.
  2. Mt. 4[15-16], citant Is. 9[1-2]. Le début du texte d'Isaïe, abrégé par
l'évangéliste, est ainsi conçu : « Dans le passé, il (Dieu) a humilié la
terre de Zabulon et la terre de Nephthali; dans l'avenir, il couvrira de
gloire la route de la mer, l'autre côté du Jourdain, le district des nations »
(trad. Condamin).

partie Nazareth, était serrée entre la plaine d'Esdrelon,
qu'occupait la tribu d'Issachar, et la côte méditerranéenne,
assignée à la tribu d'Aser. Ces quatre tribus constituaient la
province de Galilée, appelée quelquefois Galilée des Gentils,
parce qu'elle était cernée par des peuplades païennes.
Ensemble, elles ne dépassaient pas en étendue un dépar-
tement français de moyenne grandeur et l'apostolat de Jésus
ne devait en embrasser qu'une portion restreinte. Le lac de
Tibériade, avec sa ceinture de collines, fut le principal théâtre
de la prédication du royaume de Dieu; c'est aussi dans cet
horizon que s'accomplirent la plupart des miracles narrés
dans l'Évangile[1].

Le pèlerin moderne qui visite ces lieux croit rêver en reli-
sant sur place les descriptions dithyrambiques de Josèphe et
du Talmud. C'était, à les en croire, un pays de cocagne, un
séjour enchanté, un paradis terrestre. « Dieu, dit un vieux
rabbin, a créé sept mers, mais il s'est réservé pour lui celle
de Galilée. » Selon Josèphe, des villes et des bourgades sans
nombre — Hippos, Sennabris, Tarichée, Tibériade, Magdala,
Capharnaüm, Bethsaïde et d'autres moins célèbres — en
égayaient les rives. L'air y était plus pur que partout ailleurs,
les eaux plus limpides, le climat plus salubre. Les arbres
fruitiers de tous les pays s'y donnaient rendez-vous. Les
palmiers des tropiques dressaient leur tête au fond des vallées;
l'olivier, le figuier et la vigne des régions tempérées tapis-
saient le flanc des coteaux; le chêne et le noyer des contrées
du nord couronnaient le sommet des monts[2]. Aujourd'hui
cette splendeur n'est plus. Une seule ville, Tibériade, subsiste
encore, avec quelques misérables hameaux. Au lieu des centaines ou des milliers de voiles qui autrefois sillonnaient ces
eaux, on ne voit plus que quelques pauvres barques de pêche.
Sous le régime ottoman, les cimes ont perdu leur parure de
noyers et de chênes; et les collines, privées des murs de

_____

1. Le lac de Tibériade ou mer de Galilée a 21 kil. de longueur, 12 kil.
de largeur maxima et une soixantaine de kilomètres de pourtour. Sa
superficie est d'environ 170 kil. carrés; beaucoup plus que le lac de
Côme (110) et beaucoup moins que le lac de Garde (360).
Les anciens Hébreux, comme les Arabes, appelaient mer une surface
liquide d'étendue médiocre.
2. Josèphe, *Bellum jud.* III, x, 7-8.

soutènement et des jardins en terrasse, laissent percer le noir basalte ou le calcaire grisâtre. Plus de palmiers dans la plaine, où des buissons et des chardons gigantesques étouffent de maigres cultures. Puisse une administration intelligente et libérale faire refleurir un jour ce désert, sans rien lui ôter de son aspect religieux et de son caractère sacré!

Cependant le vandalisme et l'incurie des hommes n'ont pas réussi à tuer le charme de cette nature privilégiée. Le lac au gracieux ovale, où les Hébreux croyaient voir l'image d'une harpe, ce qui lui aurait fait donner le nom de *Kinnéreth*, reflète toujours le même ciel lumineux [1]. Ce miroir liquide, qu'on embrasse tout entier du regard et dont un bon piéton ferait le tour en douze heures de marche, l'air diaphane le rétrécit encore et l'on a l'illusion qu'on pourrait communiquer d'une rive à l'autre. L'impression de calme, d'apaisement et d'austère sérénité que ce panorama fait naître tient beaucoup sans doute aux souvenirs qu'il évoque ; mais si l'on a la bonne fortune de le contempler aux environs de Pâques, lorsque le printemps fleurit la plaine et verdit les collines, c'est un véritable enchantement. Le pèlerin peut en jouir comme le touriste, sans oublier toutefois qu'il ne vient pas chercher ici le gracieux et le pittoresque du paysage, mais la trace des pas du Maître adoré, dont chaque pli de terrain, chaque baie du rivage, lui remet en mémoire les miracles et les enseignements.

Ici, ce monceau de colonnes et de chapiteaux brisés marque l'emplacement de la synagogue où il promit à ses fidèles le don de l'eucharistie. Là, sous cet amas de décombres, tout ce qui reste de l'antique Capharnaüm, il ressuscita la fille de Jaïre, guérit l'hémorroïsse, la belle-mère de Pierre

1. Lortet (*La Syrie d'aujourd'hui,* dans le *Tour du monde,* 1882, t. I, p. 210-212) écrit : « L'eau du lac est ordinairement d'un très beau bleu... Pendant les orages, j'ai vu quelquefois ces eaux devenir d'un violet foncé. Le soir elles reflètent admirablement le ciel et sont d'un bleu saphir éclatant. Pendant le jour on remarque fréquemment des zones colorées diversement... dues à des courants ou à des vents légers qui rident les eaux et les font étinceler d'une façon spéciale... Presque partout le rivage est bordé de magnifiques touffes de lauriers-roses, qui forment d'énormes buissons, couverts de myriades de fleurs. Rien n'est riant comme cette ceinture rose qui se reflète dans les eaux bleues et transparentes et se projette sur l'azur de ce beau ciel. »

le paralytique porté par quatre hommes, un aveugle de naissance, un lépreux et une foule d'autres infirmes que l'Évangile ne mentionne qu'en bloc. Tout, sur le lac et le long du
rivage, nous rappelle les bienfaits du Sauveur : deux tempêtes
apaisées, trois pêches miraculeuses, une double multiplication
des pains, le démoniaque gérasénien délivré, l'aveugle de
Bethsaïde guéri. Sur le Thabor dont on aperçoit d'ici le
sommet, le Christ se transfigura et dans le bourg de Naïm,
que nous cache la sainte montagne, il rendit la vie au fils
de la veuve. Les deux tiers des miracles évangéliques eurent
pour théâtre cet horizon béni.

Le lac de Tibériade est extrêmement poissonneux. On voit
parfois des bancs de poissons nager à la surface en masses
si compactes qu'on les prendrait pour des écueils à fleur
d'eau. Aussi d'innombrables vols d'oiseaux pêcheurs — péli-
cans blancs, grèbes argentés et cormorans au plumage
sombre — viennent-ils s'abattre sur le lac, dont ils animent
les rives désertes. Aujourd'hui encore, on cite des coups de
filet qui paraîtraient fabuleux, s'ils n'étaient pas attestés par
des témoins dignes de foi[1].

1. La description la plus précise du lac, au point de vue du climat,
de la flore et de la faune, est celle de dom Biever, *Conférences de Saint-
Étienne*, 1910 et 1911. On lira aussi avec intérêt Lortet, *La Syrie d'aujourd'hui*, 1884, Masterman, *Studies in Galilee,* Chicago, 1909 et Dalman,
Itinéraires de Jésus, Paris, 1930.
On a compté en Galilée quarante-trois espèces de poissons : ceux qui
ont quelque importance pour le commerce appartiennent aux trois
familles des Chromidés, des Siluridés et des Cyprinidés (dont la carpe
est un genre). Les principaux poissons de table sont les Chromis (poisson
de saint Pierre), inconnus en Europe et caractérisés par une nageoire
dorsale garnie d'épines tranchantes qui causent des blessures assez
douloureuses aux pêcheurs imprudents ou inexpérimentés. Les arabes
le désignent sous le nom de *mousht* (peigne). Cet excellent poisson
atteint rarement 30 centimètres. Le poisson le plus curieux du lac est
un silure (le *Clarias macracanthus,* en arabe *barbout*) qui peut vivre
plusieurs heures hors de l'eau. Il pousse alors des cris qui ressemblent
à des miaulements, d'où son nom de poisson-chat. N'ayant pas d'écailles,
il est considéré par les Juifs comme impur; aussi se vend-il à bas prix.
Du reste le poisson était, naguère encore, d'un bon marché fabuleux.
Au début du siècle, on avait à Tibériade trois kilos de poisson pour
1 fr. 50. Naturellement, cela a bien changé depuis.

II. La prédication dans les synagogues.

Les trois Synoptiques ne font commencer la vie publique de Jésus qu'après l'arrestation de saint Jean-Baptiste. Auparavant, le quatrième évangéliste nous l'a montré chassant les vendeurs du Temple, instruisant Nicodème, baptisant en Judée, prêchant en Samarie, opérant à Cana un double miracle[1]. Mais tout cela n'était qu'un prélude et c'est seulement après son retour en Galilée qu'il inaugure et organise son apostolat effectif. Pourtant la lecture des Synoptiques laisse l'impression invincible que le Sauveur, avant de s'attacher définitivement les apôtres, prêcha seul dans les Synagogues galiléennes, d'où sa renommée se répandit dans tout le pays; et le récit de saint Jean n'y contredit pas[2].

Au prédicateur de l'Évangile, il fallait un auditoire. Il était sûr d'en trouver un tous les samedis dans les moindres synagogues, trois fois par semaine dans les localités plus importantes, tous les jours dans les villes assez populeuses pour assurer une assistance d'au moins dix fidèles au service divin. La synagogue n'était pas seulement une maison de prière, c'était aussi un lieu de réunion, servant d'école et de tribunal, mais c'était surtout un local destiné à la lecture et à l'explication de la Bible. Tout le monde pouvait y prendre la parole sur l'invitation ou avec l'agrément des chefs; et nous savons que les discours de ces prédicateurs bénévoles, parfois très prolixes, se prolongeaient assez avant dans la matinée.

Toutes les synagogues galiléennes, dont on a dans ces derniers temps exhumé les ruines, sont bâties sur un plan uniforme. Elles sont en pierres de taille, superposées sans ciment ni mortier, soigneusement dressées à l'extérieur et revêtues à l'intérieur d'une couche de stuc pour recevoir une

---

1. L'eau changée en vin; guérison du fils de l'officier royal (Jo, 2¹⁻¹¹ 4⁴⁶⁻⁵⁴).

2. Mc. 1¹³ : « Après que Jean fut livré (au tétrarque Antipas), Jésu vint en Galilée, prêchant l'Évangile du royaume de Dieu et disant : Le temps sont accomplis et le royaume de Dieu approche; faites pénitenc et croyez à l'Évangile. » S. Matthieu (4¹⁷) et S. Luc (4¹⁴) placent égale ment cette remarque entre l'emprisonnement du Baptiste et l'appel de quatre premiers apôtres. S. Jean omet entièrement la prédication e Galilée jusqu'à l'avant-dernière Pâque.

ornementation appropriée. Elles étaient divisées en trois nefs
par une double rangée de colonnes, et présentaient l'aspect
des basiliques païennes et chrétiennes ; mais elles différaient
de ces dernières par l'absence de chevet ou d'abside, et des
unes et des autres par le fait que les deux rangs de colonnes,
au lieu de partager l'édifice dans toute sa longueur, allaient se
rejoindre du côté opposé à l'entrée. Souvent cette colonnade
supportait, sur ses trois faces, une tribune ou galerie destinée
aux femmes. Sur la façade, s'ouvrait un large portail, surmonté d'un fronton richement décoré et flanqué de deux
portes latérales de moindre dimension [1].

La synagogue de Capharnaüm est la plus vaste et la plus
somptueuse de toutes celles qu'on a explorées jusqu'ici. Elle
se dressait sur un soubassement dominant les rues adjacentes
et sa triple porte d'entrée, tournée vers le sud, donnait de
plain-pied sur une terrasse, d'où le regard embrassait le
splendide panorama des villes riveraines et des collines qui
enserrent le lac. Tandis que pour les autres synagogues on
avait employé le noir basalte, commun en ce terrain volca-
nique, celle de Capharnaüm était entièrement bâtie en beaux
blocs de calcaire blanc, imitant le poli du marbre, qu'on
avait fait venir d'une distance considérable. Nous voudrions
être sûrs que ce magnifique édifice, auquel on ne peut guère
reprocher que le trop d'ornementation, existait déjà au temps
de Jésus ; mais de savants archéologues y voient une œuvre
de la fin du deuxième siècle ou du commencement du troisième. Sans récuser le verdict de juges compétents, nous
considérons comme hors de doute que le monument dont
nous admirons les restes occupe l'emplacement de la synagogue moins luxueuse où Jésus prononça ses premiers
sermons [2].

1. Dans le district qui fut le théâtre spécial de la prédication de
Jésus, on montre les ruines d'une douzaine de synagogues, dont aucune
n'est à plus de six heures de marche de Capharnaüm. Toutes offrent les
mêmes caractères architecturaux et plusieurs ont des inscriptions
hébraïques. Elles ont été fouillées par Kohl et Watzinger qui en donnent
une description détaillée (*Antike Synagogen in Galilaea*, Leipzig, 1916).
Très clair aperçu dans Masterman, *Studies in Galilee,* Chicago. 1909,
chap. VI.

2. Excellente monographie du regretté P. Orfali, O. F. M. sur les
fouilles exécutées sous sa direction de 1906 à 1921. (*Capharnaüm et ses*

Ce que le Sauveur prêchait là, au début de son ministère, ne différait pas beaucoup du message délivré par Jean sur les bords du Jourdain : « Faites pénitence, car le règne de Dieu est proche. » Jean disait cela en montrant du doigt le Messie et Jésus le répète en se montrant lui-même ; sa seule présence était une invitation au changement de vie, selon la parole du prophète :

> Observez le droit, pratiquez la justice ;
> car bientôt mon salut va venir
> et ma justice va se révéler [1].

Les contemporains du Christ savaient que la conversion du cœur était la meilleure préparation au salut messianique ; plusieurs même en faisaient une condition essentielle à l'apparition du Messie et à l'établissement du règne de Dieu [2]

Les expressions « règne de Dieu » et « règne des cieux » sont entièrement synonymes ; car « les cieux », chez les

---

ruines, Paris, 1922, avec de nombreuses gravures et 12 planches). Tout le terrain autour de l'antique synagogue appartient maintenant aux Franciscains qui l'ont clos d'un mur et y ont bâti un beau couvent. Il est désormais à l'abri du vandalisme et de la rapacité des indigènes qui se servaient des ruines comme d'une carrière.

La synagogue de Capharnaüm mesurait à l'intérieur 24 m. 40 sur 18 m. 65. La colonnade supportait une galerie à laquelle on accédait par un escalier extérieur. Les portes d'entrée regardaient le midi, comme celles de toutes les autres synagogues galiléennes, à l'exception d'Arbèle (*Irbid*), où la nature du sol imposait une autre orientation. Devant l'entrée, en face du lac, régnait un porche, auquel on montait par des degrés (quatre à l'ouest et quatorze à l'est). Ce porche qui était soutenu par des colonnes (comme on le constate à Kefr Berim), était une sorte de belvédère, d'où l'on jouissait d'un beau panorama.

Le P. Orfali pense que cette synagogue est bien celle que le centurion de Capharnaüm avait fait construire, « sans doute avec la main-d'œuvre militaire », pour la donner aux Juifs. Masterman (*op. cit.*, p. 76) dit qu'à son avis « rien dans l'architecture et l'ornementation ne rend *impossible* cette date », mais il la croit *peu vraisemblable* et c'est aujourd'hui le sentiment le plus commun. (Cf. *R. B.*, 1923, p. 317-318). Cependant personne ne contredira Masterman quand il ajoute : « Même si la plus grande partie du présent édifice appartient à une date postérieure, il est vraisemblable que le site et quelque partie de la construction remontent au temps de Jésus ; car il y a de clairs indices qu'un monument de grand style existait en cet endroit. »

Voir dans le *Supplément au Dict. de la Bible,* t. I, col. 1055-1063, l'article du P. Abel, O. P.

1 Is. 56[1]. Ici le salut messianique est offert à tous les peuples.

2. Billerbeck, *Kommentar,* t. I, p. 163-172.

Juifs, étaient un des noms propres de Dieu. Saint Matthieu
dit en général « règne des cieux », comme ses compatriotes
et aussi, probablement, comme Jésus lui-même ; les autres
Synoptiques préfèrent « règne de Dieu », plus intelligible à
leurs lecteurs peu au fait des coutumes juives [1].

En hébreu, en grec et en latin, un seul et même mot possède trois acceptions que le français distingue : *règne,
royaume* et *royauté*. Il exprime à la fois soit le pouvoir souverain de Dieu, soit l'exercice de ce pouvoir, soit le domaine
où il s'exerce. Notre langue ne pouvant pas rester dans le
vague, il faudra choisir entre ces trois sens et le choix sera
d'autant plus difficile que les idées sont connexes et que,
dans certains cas, elles se compénètrent jusqu'à se confondre [2].

Dieu est le roi de l'univers, le roi d'Israël et le roi des
cœurs : il règne au ciel, il règne à Sion et il doit régner sur
l'âme individuelle. Le monothéisme hébreu et le dogme de
la création impliquaient nécessairement la souveraineté de
Dieu sur le monde, œuvre de ses mains ; mais il ne s'ensuit
pas que cette souveraineté universelle dût s'exprimer dès
l'abord sous la figure d'un pouvoir royal et il semble bien
que le titre de roi d'Israël ait été appliqué à Dieu avant celui
de roi du monde. Il se lit pour la première fois dans le cantique de Moïse, au moment où Dieu vient « d'acquérir son
peuple », en le délivrant du joug égyptien.

> Tu les établiras sur la montagne de ton héritage,
> au lieu que tu as préparé pour ta demeure,
> au sanctuaire que tes mains, Seigneur, ont fondé.
> Iahvé régnera toujours et à jamais [3].

1. *Le royaume des cieux* (Mt. 33 fois) ; *le royaume de Dieu* (Mt. 3 fois ;
Mc. 14 fois ; Lc. 32 fois ; Jn. 2 fois). Mais il y a fréquemment *mon
royaume, le royaume de mon Père* et quelquefois le Royaume tout
court (Mt. 8[12] ; 13[32] : les fils du Royaume).
 Il faut remarquer : 1° que dans l'expression « royaume des cieux »
(*malkouth Shamaïm*), le mot SHAMAÏM n'a jamais l'article défini, parce
que c'est un nom propre, synonyme de Dieu ; 2° qu'en hébreu *Shamaïm*,
n'ayant pas de singulier, signifie simplement *ciel* et qu'il ne faut pas
songer à une pluralité de *cieux*.
2. *Regnum*, βασιλεία מלכות (*malkouth*). Le mot hébreu signifie bien,
royauté, règne et *royaume*, mais pour désigner le *territoire* on dira
plutôt ממלכה (*mamlakah*) et pour la *dignité royale* מלוכה (*meloukah*).
3. Ex. 15[17-18].

Lorsque, en vertu de l'alliance conclue sur le Sinaï, les enfants d'Israël devinrent le peuple élu, la race sacerdotale, le domaine de Iahvé, ils présentèrent cette singularité, parmi toutes les nations environnantes, qu'ils n'avaient pas d'autre roi que Dieu. C'était vraiment une théocratie, selon le mot si juste inventé par l'historien Josèphe[1]. Dieu gouvernait son peuple par l'intermédiaire de ses représentants : prophètes, juges, chefs suscités par lui. Isaïe rend admirablement cette situation :

> Iahvé est notre Juge,
> Iahvé est notre Chef,
> Iahvé est notre Roi[2].

L'institution de la royauté ne changea rien au régime théocratique. Le roi visible fut considéré comme le délégué, le lieutenant et, pour ainsi dire, la doublure du roi invisible. C'est ce que rappelle le roi David, dans sa harangue au peuple assemblé : « Le Dieu d'Israël m'a choisi dans toute la maison de mon père pour être roi d'Israël.. et *il a choisi mon fils Salomon pour s'asseoir sur le trône de la royauté de Iahvé*[3]. » Ainsi le trône de David et de Salomon est en réalité le trône royal de Dieu. Mais les rois de Juda, pas plus que les rois d'Israël, n'ayant répondu à cet idéal, toutes les espérances, toutes les aspirations des prophètes, se tournèrent vers un avenir meilleur. Un descendant, un héritier de David, aperçu par les voyants d'Israël dans une perspective plus ou moins lointaine, plus ou moins précise, réalisera l'idéal rêvé. Il régnera au nom de Dieu et son règne sera le règne de Dieu sur la terre.

Quand viendra le Messie, le descendant et l'héritier de David, l'Élu et l'Oint du Seigneur, Dieu ne le fera pas régner à sa place ; il régnera avec lui et par lui. Iahvé, dans les livres prophétiques et sapientiaux, était le roi de gloire, le roi du ciel et de la terre, le roi des nations, le roi des rois, le roi éternel : tel sera également le règne du Messie. La théocratie aura toujours pour centre Jérusalem, mais elle

---

1. Josèphe, *Contra Apion.* II, 16 : Moïse, *pour employer un mot nouveau*, θεοκρατίαν ἀπέδειξε τὸ πολίτευμα.

2. Is. 33[22].

3. 1 Paral. 28[5].

ne sera plus renfermée dans les limites étroites de la Palestine ; elle embrassera tous les peuples du monde et le règne du Fils de l'homme n'aura pas plus de bornes dans l'espace que dans la durée. Alors commencera l'ère de paix, de justice et de bonheur, chantée par Isaïe. Les siècles qui suivirent le long silence de la prophétie vécurent dans cette espérance et les apocryphes de l'Ancien Testament — le *Livre d'Hénoch,* le *Livre des Jubilés,* les *Oracles sibyllins,* l'*Apocalypse de Baruch,* les *Psaumes de Salomon,* — s'en firent l'écho. Le dix-septième *Psaume de Salomon* — n'était sa longueur — serait à citer en entier :

> « Seigneur, tu es notre roi toujours et à jamais...
> Seigneur, suscite-leur le fils de David, leur roi...
> Il aura les nations soumises à son joug...
> De partout les peuples viendront voir sa gloire.
> En son temps, il n'y aura plus parmi eux d'injustice,
> car tous seront saints : le Christ Seigneur est leur roi [1]. »

Ainsi la royauté de Dieu sur Israël et sur le monde s'affirme avec une égale énergie dans les écrits extra-canoniques et dans la Bible. Cependant l'expression même « règne de Dieu » n'apparaît que deux ou trois fois dans l'Ancien Testament [2] ; elle est rare dans les écrits antérieurs au christianisme et lorsqu'elle devient commune, chez les rabbins du deuxième siècle, elle ne répond plus guère à la notion évangélique. Prendre sur soi « le règne de Dieu » ou « le joug du règne de Dieu » veut dire alors s'engager à la pratique inté-

---

1. Texte grec dans Gebhardt (*Die Psalmen Salomos,* p. 128-135), reproduit par Lagrange, *Le messianisme,* p. 332-337.
L'étude du messianisme présente de très grandes difficultés, tant la conception en est variable chez les divers auteurs et aux différentes époques. On trouvera dans Schürer (*Geschichte* [4], t. II, p. 579-651) un exposé assez complet, avec une copieuse bibliographie jusqu'en 1907. Il faut maintenant ajouter : Lagrange, *Le messianisme,* 1909 et *Le judaïsme avant Jésus-Christ,* 1931; Billerbeck, *Kommentar,* t. IV, 1928, 799-1015 ; Gressmann, *Der Messias,* 1929 ; Bonsirven, *Le Judaïsme palestinien,* (Voir aux mots *Messianisme, Messie, Règne du ciel,* t. 2, 351 s., 365 s.).
2. Sauf 1. Paral. 28⁵ cité plus haut et trois ou quatre textes où Dieu dit « mon règne », l'expression complète « règne de Dieu » ne se trouve guère que dans Sap. 10¹⁰, avec un sens assez difficile à déterminer :
« Le Seigneur montra à Jacob le *règne de Dieu*
et lui fit connaître les choses saintes. »

grale de la Thora. C'est que, après les désastres et les déboires des deux grandes révolutions, qui, en 70 et en 135, amenèrent la ruine presque totale de la nation, les espérances messianiques avaient évolué. Le Juif dévot, se repliant sur lui-même, songeait moins désormais à une restauration nationale qu'au salut individuel; et le règne social du Messie le préoccupait moins que le règne de Dieu sur la conscience humaine. Déjà, avant la révolte de l'an 70, nombre de scribes et de pharisiens, refusant de s'associer aux agissements des patriotes forcenés, avaient été envoyés par Vespasien à Iabné et à Lydda, loin du théâtre des opérations militaires. On n'en était pas encore là au début de l'ère chrétienne; néanmoins ces tendances commençaient à se faire jour depuis l'occupation de la Judée par les Romains.

Il est donc très difficile de préciser ce que les auditeurs de Jésus avaient dans l'esprit en nommant ou entendant nommer « le règne de Dieu », d'autant plus que cette notion variait selon les aspirations de chacun. Faut-il s'en étonner et beaucoup de chrétiens seraient-ils capables de définir la portée exacte de la seconde demande du *Pater :* « Que votre règne arrive » ? Ce qu'on peut affirmer, c'est que les contemporains du Christ concevaient le règne de Dieu comme une intervention divine qui rendrait Israël digne de sa mission. Au début, Jésus n'en exposait pas encore la nature; ce sera l'affaire de la journée des paraboles et le principe des malentendus entre ses auditeurs et lui : il se bornait à le faire désirer et à y préparer les cœurs.

Grande fut l'impression produite sur les foules par ses premiers discours : « Elles étaient frappées d'admiration n'ayant jamais rien entendu de semblable; car il n'enseignait pas comme les scribes. » Ceux-ci, n'osant rien assurer d'eux-mêmes, se retranchaient toujours derrière un nom fameux et se perdaient le plus souvent dans un labyrinthe de questions subtiles ou dans les jeux puérils de la casuistique. Lui, au contraire, parlait avec l'autorité d'un prophète; abordait d'emblée les plus hauts problèmes de la morale, les tranchait en maître, sans alléguer d'autre autorité que la sienne.

III. Vocation des quatre grands apôtres.

Un matin, une foule encore plus dense qu'à l'ordinaire
se pressait autour du Sauveur, pour ne rien perdre de sa
parole. Non loin de là, amarrées à la rive, étaient deux barques dont les gens étaient descendus à terre et s'occupaient
à réparer ou à nettoyer leurs filets, après une infructueuse
pêche de nuit. L'une d'elles appartenait à Simon Pierre et
l'autre à Zébédée, père des futurs apôtres Jacques et Jean.
De tout temps la population riveraine vécut surtout de
la pêche[1]. Souvent plusieurs familles s'y livraient en commun,
car la manœuvre des engins dont on faisait usage exigeait
un grand nombre de bras. C'est ainsi que deux couples de
frères — Pierre et André, Jacques et Jean — étaient associés
quand ils entendirent l'appel du Seigneur. Gêné qu'il était
par la foule toujours croissante, Jésus monta sur la barque de
Pierre, en le priant de s'éloigner un peu du rivage. Là, assis
sur le banc des rameurs, il continua à instruire le peuple.
Quand il eut terminé, il dit à Pierre : « Avance au large et
jettez vos filets à l'eau pour la pêche. » — « Maître, répondit Pierre, nous avons travaillé toute la nuit sans rien prendre;
néanmoins, sur votre parole, je tendrai le filet. » Ce n'était
pas une petite affaire, vu les grandes dimensions du tramail
employé pour la pêche nocturne. Cet engin se compose de
trois filets d'égale longueur, qu'on suspend à une même
corde, maintenue à la surface par des flotteurs de liège. Quand

1. Autrefois la ville de Tarichée, au sud de Tibériade, préparait en
abondance ces conserves qu'on emportait au loin et qui constituaient,
à dire des anciens, un mets délicat. Tarichée devait son nom à cette
industrie, car le grec ταρίχεύειν signifie « saler du poisson ou de la
viande, préparer des conserves ». De nos jours encore on cite des pêches
merveilleuses. Lortet écrivait en 1884 (*La Syrie d'aujourd'hui*, p. 506) :
« Le lac est si peuplé que, dans l'espace de quelques minutes, nous avons
vu tous les jours notre barque remplie jusqu'au bord par des milliers
de poissons de toute grandeur. » En 1896, des pêcheurs de Tibériade
étant associés pour débarrasser la plage méridionale des gros blocs
qui l'encombraient, ramenèrent au rivage 4.200 kilos de poissons, à
l'aide de deux grands filets qu'ils avaient réunis. Quelques années plus
tard, sur la rive orientale, une pêche organisée par deux frères en
rapporta 1.800 kilos. Evidemment ces pêches sont exceptionnelles.
Cependant des coups de filet, ramenant trois cents kilos de poisson,
ne sont pas rares. (Biever, *Conférences de Saint-Étienne*, 1911, p. 291-
292). En est-il aujourd'hui de même ?

il est déployé en droite ligne, les pêcheurs en font plusieur
fois le tour, en frappant l'eau avec leurs rames, pour y rabat
tre le poisson. Celui-ci traverse aisément les deux filets exté
rieurs à larges mailles ; mais il est arrêté par le filet centra
à mailles serrées, et il s'empêtre d'autant plus dans ce
engin perfide qu'il fait plus d'efforts pour se dégager. Si l
première tentative ne réussit pas, on change le filet de plac
et l'on recommence la manœuvre jusqu'à l'aurore. Alors o
y renonce et l'on remet la pêche à une autre fois.

Pierre, qui avait exploré ces parages toute la nuit, s
croyait bien sûr qu'un nouvel essai ne donnerait rien, surtou
pendant le jour qui est moins favorable à ce genre de pêche
Humainement parlant, c'était un surcroît de fatigue inutile
Son acte de foi méritoire fut payé d'un prompt succès. À
peine le long filet était-il tendu, qu'on le vit fléchir au m
lieu et l'on put craindre qu'il ne se rompît sous la charg
des poissons capturés. Pierre et ses compagnons firent sign
à leurs associés de l'autre bateau de venir à leur aide pou
hisser le filet à bord ou le soulager peu à peu de son co
tenu. Tous y travaillèrent ensemble et les deux embarcatior
furent si remplies qu'elles menaçaient de couler à pic.

Un pareil résultat, obtenu à point nommé, dans un endro
vainement exploré quelques heures plus tôt, tenait éviden
ment du prodige. Pierre fut le premier à s'en rendre compt
Il avait vu d'autres miracles du Seigneur — tout au moir
celui de Cana — mais ces miracles l'avaient moins frapp
parce qu'ils ne le touchaient pas personnellement. Tomba
aux genoux de Jésus, il lui dit : « Seigneur, éloignez-vous de m
car je suis un homme pécheur. » Ce n'était pas cette espè
d'effroi religieux, inspiré souvent par une manifestation surn
turelle, qui le faisait parler ainsi ; mais le sentiment de son ind
gnité. À la vue de la merveilleuse capture, tous les assistant
en particulier Jacques et Jean qui montaient l'autre barqu
éprouvaient le même saisissement. Jésus dit à Pierre : « N
crains pas ; désormais tu seras pêcheur d'hommes. » Et l
associés, ramenant à terre les deux embarcations, quittère
toutes choses pour le suivre [1].

1. Lc. 5¹⁻¹¹. A noter : 1° *Le genre de pêche*. S. Luc emploie le ter
générique de *filet* (τὰ δίκτυα), mais il ne s'agit ni de l'*épervier* (ἀμφίβλ

Ce récit de saint Luc — on l'aura remarqué — réserve à
Pierre un rôle de premier plan. C'est à Pierre que Jésus
s'adresse, c'est lui qu'il appelle spécialement à sa suite.
Pourtant d'autres se sentent appelés comme lui et quittent
tout immédiatement pour suivre le Maître : preuve évidente
que l'appel ne s'adressait pas seulement à Pierre. On ne peut
guère douter qu'André ne fût alors dans la barque avec son
frère et qu'il n'ait été appelé en même temps que lui, quoique
saint Luc ne le dise point.

Les deux premiers évangelistes racontent autrement la
scène de la vocation :

*Jésus, se promenant sur les bords de la mer de Galilée, vit
deux frères, Simon surnommé Pierre et André, qui jetaient
leurs filets dans la mer, car ils étaient pêcheurs. Il leur dit :
Venez à ma suite et je vous ferai pêcheurs d'hommes. »
Aussitôt, laissant leurs filets, ils le suivirent.*

*Un peu plus loin, il vit deux autres frères, Jacques et Jean
fils de Zébédée, qui raccommodaient leurs filets dans la
barque, avec Zébédée leur père, et il les appela. Eux, laissant
leur père Zébédée dans la barque avec les serviteurs, le suivirent*[1].

ον) ni de la *seine* (σαγήνη) ; il s'agit du *tramail*. Ce qui le prouve c'est
que : *a*) On pousse au large, tandis que l'épervier se lance du rivage
tout près du bord. — *b*) On *mouille* le filet, on le fait descendre à
l'eau (χαλᾶν), tandis qu'on lance l'épervier. — *c*) On vide le filet sur les
barques en pleine mer, au lieu qu'on ramène la seine au rivage. —
Enfin il est question d'une pêche de nuit où ni l'épervier ni la seine
n'étaient employés.

Les trois filets du tramail ont chacun entre 100 et 200 mètres de long.
La manœuvre est bien décrite par Biever, *Conférences de Saint-Etienne*,
II, p. 305 et par Masterman, *Studies in Galilee*, 1909, p. 41.

2° *Le personnel*. — Il y a deux barques d'*associés* (v. 7 μέτοχοι, *socii* et
plus distinctement κοινωνοί v. 10, *socii Simonis*). La barque de Zébédée
était montée au moins par *cinq* personnes : le père, les deux fils et *les
mercenaires*. Simon Pierre n'était pas seul dans la sienne car Jésus lui
dit : « Pousse au large et *mouillez* (χαλάσατε au pluriel) *vos* filets. Il n'aurait pas pu exécuter la manœuvre tout seul. On ne peut donc pas douter
que son frère André, entre autres, ne fût avec lui.

1. Mt. 4[18-22] et Mc 1[16-20]. — La seule différence notable entre les deux
récits, c'est que d'après S. Marc, Jacques et Jean laissent *leur père
dans la barque avec les serviteurs*. Ceux-ci ne sont pas des domestiques
mais des journaliers, loués (μισθωτοί) à la journée ou à la semaine.

Pierre et André sont représentés jetant l'épervier (Mt. 4[18] : βάλλοντες
ἀμφίβληστρον, S. Marc a ἀμφιβάλλοντες, ce qui donne le même sens). Après

Les meilleurs commentateurs sont d'avis que, malgré des différences de rédaction qui sautent aux yeux, le récit des trois Synoptiques se rapporte au même fait [1]. Comment imaginer que les apôtres, après avoir tout quitté pour suivre Jésus-Christ, aient eu besoin d'un nouvel appel? Pour justifier la vocation réitérée, Cajetan suppose que la première fois les apôtres avaient quitté seulement leurs filets, leur barque et leur père; mais que la seconde fois ils quittent *absolument tout*. Cela n'a-t-il pas l'air d'une subtilité rabbinique et d'un subterfuge désespéré?

Libre à chacun, s'il le désire, d'harmoniser les deux récits par des combinaisons laborieuses, en distinguant par exemple deux tableaux successifs, dont l'un, celui de saint Luc, précéderait ou suivrait de près celui que nous ont tracé les deux autres Synoptiques. Peut-être vaut-il mieux dire avec saint Augustin que « Marc et Matthieu, en résumant brièvement l'histoire, ne tendent qu'au dénouement, tandis que Luc le développe et l'éclaire par le miracle de la pêche ». En d'autres termes, saint Luc écrit en historien, jaloux de montrer l'enchaînement des causes et des effets, au lieu que les autres parlent en catéchistes que les détails n'intéressent point.

L'empressement des disciples à suivre l'appel du Seigneur, quelque chose de surprenant. Pas la moindre résistance, pas une minute d'hésitation. A lire saint Marc et saint Matthieu, on pourrait croire que Jésus les rencontre ici pour la pre-

une pêche infructueuse au tramail, les hommes revenus à terre lancent quelquefois l'épervier, dans l'espoir d'être plus heureux.

Les deux autres frères *réparent* leurs filets (καταρτίζοντας). Après chaque pêche, on étale les filets sur la grève pour réparer les mailles rompues par les aspérités des rochers ou les nageoires tranchantes de certains poissons. On les nettoie aussi, en les débarrassant des cailloux, des morceaux de bois; et c'est l'opération que S. Luc signale (5[2] : ἔπλυνον δίκτυα).

1. A commencer par S. Jean Chrysostome et S. Augustin. Ce dernier écrit (*De consensu Evang.* II, 16, n° 37, Migne, XXXIV, 1095) : « Matthaeus et Marcus breviter haec perstringunt quemadmodum gestum sit, quamque Lucas apertius explicavit, commemorans ibi etiam miraculum super captura piscium. » Ce qui embarrasse un peu S. Augustin, c'est que Jésus dit à Pierre *dans la barque :* « Je te ferai pêcheur d'hommes », d'après S. Luc, tandis que, d'après S. Matthieu et S. Marc, Pierre et André sont appelés *sur le rivage.* Il répond : « Potuit utique prius hoc Petro dicere quod Lucas insinuavit; et ambobus postea quod illi duo commemorarunt. » Mais la première solution suffisait.

mière fois; mais saint Jean et saint Luc nous apprennent qu'ils avaient auparavant contemplé ses miracles, partagé ses fatigues et vécu dans son intimité; et dès lors leur promptitude à suivre son appel n'a plus rien de contraire aux lois de la psychologie[1].

Mais comment Jésus invite-t-il maintenant à le suivre ceux qui le suivent depuis si longtemps? Cette difficulté n'a pas échappé à la sagacité de saint Augustin, qui propose pour la résoudre, deux hypothèses de valeur inégale : ou bien les disciples qui suivaient Jésus à travers la Judée et la Samarie n'étaient pas les futurs apôtres, mais des comparses disparus sans laisser de trace, ou bien les apôtres avaient été appelés après le miracle de Cana, durant le premier séjour à Capharnaüm, quoique les Synoptiques, omettant toute la période antérieure, ne rapportent la vocation qu'après l'arrestation du Baptiste.

Pour souscrire à la première hypothèse, il faudrait des preuves bien fortes qui font entièrement défaut. Il ne viendra à l'esprit de personne que les compagnons de Jésus en Judée et en Samarie, ceux qui ont conféré le baptême en son nom et reçu de lui la promesse d'une riche moisson d'âmes, avec l'ordre de se préparer à la recueillir, soient des personnages inconnus, des associés de rencontre, abandonnés bientôt à leur vulgaire destin.

La seconde hypothèse nous avait souri tout d'abord. Le Sauveur aurait appelé les apôtres avant de partir pour Jérusalem, où il allait célébrer la première Pâque de sa vie publique. Les Synoptiques, ne faisant commencer la prédication de Jésus qu'après l'arrestation de Jean, auraient mentionné rétrospectivement un fait qu'ils n'avaient pas pu rapporter à sa place chronologique. Mais cette solution, satisfaisante à première vue, se heurte à une donnée positive de saint Luc et même à des indications assez claires des autres évangélistes. Jésus, au moment d'appeler les apôtres, est entouré d'une foule compacte, dont il a peine à se

---

1. Jn. 1³⁷⁻⁴⁴⁻⁵. — S. Luc raconte la délivrance du possédé de Capharnaüm et la guérison de la belle-mère de Pierre avant la vocation des apôtres. Certains traits de la pêche miraculeuse (5³⁻⁵) montrent bien que Pierre avait eu déjà des rapports avec le Sauveur.

délivrer : preuve évidente que la prédication de l'Évangile est déjà inaugurée; ce qui ressort d'ailleurs de plusieurs autres indices.

Il est donc préférable de s'arrêter à une autre combinaison qui concilie mieux les données divergentes. Les six premiers apôtres rencontrés par Jésus sur les bords du Jourdain — Pierre, André, Jacques, Jean, Philippe et Nathanaël ou Barthélemy — l'avaient accompagné partout depuis ce moment. Ce n'était pas encore un appel à l'apostolat, mais une sorte de noviciat ou de probation. Ce stage préliminaire serait bien long, s'il avait duré neuf ou dix mois, comme le veut l'opinion vulgaire; il paraîtra plus naturel s'il n'a duré que quelques semaines — ou deux mois tout au plus — comme nous croyons l'avoir démontré.

Après l'arrestation du Baptiste, Jésus ramena ses disciples en Galilée; mais, avant de les associer définitivement à son œuvre, il voulut préparer le terrain et, pendant un certain temps, il prêcha seul dans les synagogues, ainsi que l'attestent les Synoptiques[1]. C'est alors que les disciples d'hier retournèrent à leurs barques, d'où le Seigneur les retira pour les constituer pêcheurs d'hommes.

« Vous serez pêcheurs d'hommes. » Combien de fois, au cours des siècles, le même appel a-t-il retenti au cœur d'autres disciples qui, sans balancer, ont quitté tout, amis, parents, patrie, pour aller prêcher l'Évangile à des peuples barbares qui paieront peut-être leur dévouement par la persécution et le martyre. Après avoir tout sacrifié au service de leur Maître, joies du présent et rêves d'avenir, ils mourront heureux à la pensée que le témoignage du sang est le plus fécond des apostolats.

Nul emblème ne fut plus cher aux premiers chrétiens que ceux du pêcheur et du poisson. Dans les catacombes, le Christ apparaît souvent sous la figure d'un pêcheur et les fidèles sont les petits poissons nés dans l'eau du baptême. Quand on s'aperçut que le nom grec du poisson est formé des premières lettres de ces mots, Jésus-Christ, Fils de Dieu

1. Mt. 4¹²⁻¹⁷; Mc. 1¹⁴⁻¹⁵; Lc. 4¹⁴⁻¹⁵. Jésus prêche seul en Galilée, *avant* l'appel adressé aux apôtres; il enseigne dans les synagogues (Luc) et sa renommée se répand dans tout le pays (Luc).

Sauveur, les fidèles, pour confesser leur foi sans attirer l'attention des païens, prirent l'habitude de graver l'image du poisson sur les pierres tombales, les sarcophages, les anneaux servant de cachet, et aussi sur des morceaux de bois ou de métal, qu'on suspendait au cou en guise de tessère baptismale, ou qu'on emportait dans la tombe comme un symbole d'espérance[1].

IV. L'élection des Douze.

Entre l'appel et l'élection des apôtres, il y eut un temps d'épreuve dont nous ignorons la durée. Saint Matthieu dresse la liste des Douze à l'occasion de leur mission temporaire, mais il ressort de son propre récit qu'à cette date l'élection était déjà faite. Saint Marc et saint Luc la rattachent au Sermon sur la montagne, ou plutôt à la nuit de prières qui le précéda. Quelle heure mieux choisie pour mettre à part les hérauts de l'Évangile que celle où le Sauveur allait tracer dans ses grandes lignes le programme du royaume de Dieu !

Le bruit des miracles de Jésus attirait autour de lui les foules. Il en venait de la Judée et de la Galilée, de Jérusalem et de l'Idumée, des pays situés au delà du Jourdain et des environs de Tyr et de Sidon[2]. Presque toute cette multitude était juive de race ou de religion ; car l'Idumée avait dû, bon gré mal gré, accepter le judaïsme sous les princes asmonéens ; la Pérée, malgré ses enclaves grecques, était juive en

---

1. L'acrostiche de Ἰησοῦς Χριστὸς Θεοῦ Υἱὸς Σωτήρ est ΙΧΘΥΣ (poisson). S. Augustin écrit (*De civit. Dei*, XVIII, 23 ; Migne, XLI, 580) : « Graecorum quinque verborum... si primas litteras jungas erit Ἰχθύς, id est Piscis, in quo nomine mystico intelligitur Christus. » Sur le symbolisme, dans la littérature, la peinture et les arts plastiques de l'Église primitive, on pourra consulter l'ouvrage en cinq volumes de Doelger, Ἰχθύς, *Das Fisch-Symbol in frühchristlicher Zeit,* Münster-en-W. 1928-1932.

Le poisson, nourriture ordinaire des riverains de Tibériade, et figure du Christ, devint aussi l'emblème de l'Eucharistie, céleste aliment de nos âmes et participation réelle au corps de Jésus-Christ. Il suffit de rappeler les célèbres inscriptions d'Abercius et de Pectorius.

2. Mc. 3[7-10] ; Mt. 4[23-25] ; Lc. 6[11-17]. S. Marc signale ce grand concours de peuple la *veille* du Sermon sur la montagne ; S. Matthieu le mentionne *avant* et S. Luc *après* le Sermon. Divergences aisément conciliables : la foule ne se disperse pas en un moment.

majeure partie et la Phénicie, dont Tyr et Sidon étaient les
capitales, comptait de nombreuses colonies juives.

Jamais le Sauveur n'avait répandu les miracles d'une main
si prodigue. Un jour les infirmes et les possédés qu'il avait
guéris et ceux qui attendaient de lui leur guérison le pressaient avec tant de frénésie qu'il ordonna aux disciples de
tenir une barque prête pour s'y réfugier au besoin[1]. Il semble
bien pourtant qu'il n'eut pas à y monter alors et que la journée
s'acheva sans autre incident. Mais, le soir venu, désirant être
seul pour passer la nuit en prières, il gravit une des collines
qui enserrent le lac de Génésareth[2]. Les disciples, suivant
ses instructions, devaient l'y rejoindre le lendemain matin et
nous voyons, en comparant les Évangiles, qu'une grande
multitude les accompagna.

En ces jours-là, dit saint Luc, *Jésus se retira sur la
montagne pour prier et il y passa la nuit entière à prier
Dieu. Et quand le jour fut venu, il appela ses disciples et
il en choisit douze auxquels il donna le nom d'apôtres :
Simon qu'il surnomma Pierre et André son frère, Jacques
et Jean, Philippe et Barthélemy, Matthieu et Thomas,
Jacques (fils) d'Alphée et Simon appelé Zélote, Jude (frère)
de Jacques et Judas, qui devait le trahir.*

Cette liste, reproduite par les trois Synoptiques et par
l'auteur des Actes, avec quelques variantes dignes d'intérêt,
paraît suivre à peu près l'ordre de vocation des apôtres et
l'on y observe une certaine hiérarchie qui ne semble pas
l'effet du hasard. Les Douze sont toujours partagés en trois
groupes invariables de quatre membres, ayant respectivement
pour chefs de file Pierre, Philippe et Jacques d'Alphée. Pierre
est toujours en tête, avec la désignation expresse de *premier;*

1. D'après S. Marc, Jésus fait préparer la barque pour que la foule
ne l'écrase pas (ἵνα μὴ θλίβωσιν αὐτόν), car tous les malades *s'abattaient
sur lui* (ὥστε ἐπιπίπτειν αὐτῷ). S. Luc dit la même chose en style moins
imagé.
2. Mc. 3¹³; Lc. 6¹²; Mt. 5¹. Jésus gravit *la* Montagne; mais la Montagne (τὸ ὄρος) est l'ensemble des collines qui entourent le lac, soit à
l'Occident (Mt. 5¹; 8¹; 15²⁵; Mc. 3¹³; 5¹¹; 6⁴⁶; Lc. 6¹²; 8³²; 9²⁸⁻³⁷), soit à
l'Orient (Jn. 6³⁻¹⁵).
S. Luc ajoute qu'il y allait prier et qu'il passa toute la nuit en prières.
La retraite de Jésus sur *la* Montagne, à l'effet d'y prier, est signalée
ailleurs (Mt. 14²⁴; Mc. 6⁴⁶; Lc. 9¹⁶).

Judas toujours en queue, avec l'épithète infamante de *traître* [1].
Le nombre de *douze* est symbolique : il y aura douze fondements de l'Église, comme il y eut douze patriarches et
douze tribus d'Israël. Aussi, pour compléter le nombre fatidique, les apôtres s'empressèrent-ils, après la résurrection
du Sauveur, de remplir le poste laissé vacant par la défection
de Judas. Bien que qualifiés d'apôtres par Jésus, c'est sous le
nom des Douze que les évangélistes les désignent le plus
souvent, lorsqu'ils ne les confondent pas avec la masse des
disciples, dont le contexte seul permet alors de les distinguer [2].

On se figure volontiers les apôtres comme des gens
grossiers et frustes, dont l'ignorance n'avait d'égale que la
misère. Plus on les fait descendre sur l'échelle sociale, plus
on croit rehausser l'œuvre de Jésus, qui sut tirer parti d'élé-

1. Voici les quatre listes :

Matthieu, x, 2-4.	Marc, iii, 16-19.	Luc, vi, 14-16.	Actes, i, 13.
1 Simon dit Pierre	Simon Pierre	Simon appelé Pierre	Pierre,
2 et André,	et Jacques	et André,	et Jean,
3 Jacques	et Jean	Jacques	et Jacques,
4 et Jean,	et André	et Jean,	et André,
5 Philippe	et Philippe	Philippe	Philippe,
6 et Barthélemy,	et Barthélemy	et Barthélemy	et Thomas,
7 Thomas	et Matthieu	et Matthieu	Barthélemy,
8 et Matthieu,	et Thomas	et Thomas,	et Matthieu,
9 Jacques (fils) d'Alphée	et Jacques d'Alphée	et Jacques d'Alphée	Jacques d'Alphée,
10 et Lebbée(Thaddée),	et Thaddée	et Simon le Zélote,	et Simon le Zélote,
11 Simon le Cananéen	et Simon le Cananéen	et Jude de Jacques	et Jude de Jacques.
12 et Judas Iscariote.	et Judas Iscariote.	et Judas Iscariote.	

A noter : *a*) S. Matthieu, donnant la liste des apôtres à l'occasion de leur mission, les énumère par couples, peut-être dans l'ordre de leur envoi *deux à deux*.
Il a soin de se mettre le dernier de son groupe et, non content de placer S. Pierre
en tête de la liste, comme font les autres, il avertit expressément qu'il est le *premier* (πρῶτος). .

b) S. Marc et S. Matthieu au septième rang qui lui revient, et fait passer les
fils de Zébédée avant S. André, peut-être pour rapprocher les trois apôtres qui
semblent avoir joui d'une plus grande intimité avec le Seigneur.

c) S. Luc, dans l'Évangile, énumère par couples les apôtres du premier groupe.
Dans les Actes, Judas est omis, naturellement; Jean, devenu inséparable de Pierre,
après la résurrection du Sauveur, prend la seconde place et Thomas, mis en relief
par sa profession de foi, occupe la sixième.

2. Le mot *apôtre* ne se trouve qu'une fois dans S. Jean (13[16]) au sens
général d'*envoyé*. Les Douze ne sont appelés *apôtres* qu'une fois dans
S. Matthieu (10[2]), deux fois dans S. Marc (3[14]; 6[30]) et cinq fois dans
S. Luc. Généralement, ils sont désignés sous le nom des *Douze* (8 fois
dans Mt., 12 fois dans Mc., 7 fois dans Lc. et 5 fois dans Jn., de plus
dans Act. 6[2]; 1 Cor. 15[5]).

ments si médiocres et accomplir de si grandes choses à l'aide
d'instruments si vils. Le tort de cette peinture poussée au
noir est de contredire la réalité.

Pour n'être pas des scribes et des docteurs de la loi, les
apôtres n'étaient pas forcément des illettrés. Il est fort probable qu'ils savaient tous lire et écrire, car l'instruction était
alors beaucoup plus répandue chez les Juifs qu'on ne le croit
généralement. Chaque synagogue avait son école et il y avait
des synagogues dans tous les villages de quelque importance.
Le *hazzan* ou sacristain, à défaut d'autre maître, y faisait
fonction d'instituteur; et depuis les derniers rois asmonéens,
un demi-siècle avant l'ère chrétienne, tous les jeunes Israélites étaient tenus de suivre ses leçons. La décadence générale des études ne vint que plus tard, à l'époque des grands
troubles, avant et après la catastrophe de l'an 70. Pourquoi
supposer les Juifs contemporains du Christ plus ignorants
que les musulmans de nos jours?

Si les apôtres étaient pauvres, ils n'étaient pas indigents.
Ils travaillaient pour vivre, comme l'immense majorité de
leurs compatriotes; ils appartenaient à cette classe moyenne,
où la richesse était rare et la misère presque inconnue. Le
métier qu'exerçaient les quatre grands apôtres était assez
rémunérateur. Pierre et André purent se donner à Jésus
sans réduire leur famille au besoin; ils possédaient une
maison, une barque, des filets de pêche : beaucoup de riverains actuels n'en ont pas autant. Zébédée, père de Jacques
et de Jean, jouissait d'une certaine aisance, puisqu'il avait
des serviteurs à gages et que sa femme Salomé était au
nombre de celles qui assistaient le Sauveur de leur dévouement et de leurs ressources. Les apôtres du second groupe
paraissent avoir rempli des professions libérales : le fait est
certain pour Matthieu, qui était collecteur d'impôts, probable
pour Philippe, à qui s'adressent les Grecs désireux de parler
à Jésus; et il ne manque pas d'indices pour dire la même
chose de Thomas et de Barthélemy. Quant aux apôtres du
dernier groupe, Jacques et Jude n'étaient pas dépourvus
d'instruction, s'ils ont composé les Épîtres qui portent leur
nom; et Judas, chargé des humbles finances du collège apostolique, n'était pas sans quelque culture. Que conclure de

tout cela? C'est que l'ignorance et la pauvreté n'étaient ni un motif d'exclusion ni un titre particulier au choix du Sauveur.

Parmi les élus, quelle variété de goûts, quelle diversité d'aptitudes, quelle différence de caractères! Pierre, le premier de tous par la volonté expresse de Jésus, l'était aussi peut-être par les dons d'une riche nature. Primesautier, bouillant, loyal et dévoué, prompt à concevoir et ardent à exécuter, il semblait fait pour commander aux autres et mener à bien de vastes entreprises; mais son impétuosité, parfois irréfléchie, tournait facilement à la présomption et les déboires infligés à son optimisme par une expérience brutale l'exposaient au découragement et à la défiance. C'était la rançon de qualités supérieures. Jésus, en le voyant pour la première fois sur les bords du Jourdain, lui avait promis le nom symbolique de Céphas ou Pierre qui présageait sa grandeur future; il le lui donne en l'instituant apôtre; il le lui confirme au moment où il le désigne pour régir après lui son Église. Il met à le former une douceur tempérée de quelque sévérité et une patience que rien ne lasse. Pierre, après sa chute, sa pénitence et sa réhabilitation solennelle, prend en main son rôle de chef et le remplit sans le moindre embarras. Il parle, répond, interroge, décide et agit toujours en maître au nom de ses collègues et personne ne s'avise de lui contester la prééminence. Presque tout ce que l'Évangile nous apprend de lui nous vient de saint Jean et de saint Matthieu; saint Marc est celui qui en parle le moins; et jamais avec éloge. Les rationalistes s'en étonnent; mais c'est leur étonnement qui devrait plutôt nous étonner. La réserve de Marc n'est-elle pas naturelle si, comme le veut la tradition, il était l'interprète de Pierre? Voudrait-on que le chef des apôtres eût profité de la catéchèse pour faire son propre panégyrique?

André, frère de Pierre, est son vivant contraste[1]. C'est l'homme tranquille et modeste, sans ambition et sans prétention, s'effaçant volontiers derrière les autres et se faisant petit sans affectation et sans effort. Il a eu l'honneur, tant vanté par les Pères, d'avoir été le premier à chercher et à

1. Les Synoptiques racontent seulement la vocation et l'élection d'André. S. Jean ajoute trois traits caractéristiques Jn. 1 41-45; 6 8; 12 22.

trouver Jésus; il lui a conduit son frère Simon; néanmoins il ne joue dans l'Évangile qu'un rôle obscur; il se perd dans la foule et n'entre pas dans le petit cercle des apôtres privilégiés. André, c'est le sage, l'homme de bon conseil, auquel on recourt dans les cas difficiles; c'est lui qui, le jour de la première multiplication des pains, se charge de constater qu'il n'y a, en fait de provisions de bouche, que cinq pains d'orge et deux tout petits poissons; c'est à lui que Philippe s'adresse un jour pour dégager sa responsabilité. Mais, sous ce calme apparent, quel courage intrépide, quelle force indomptable! Dieu, qui se plaît à exalter les humbles, lui réserve le plus glorieux des martyres.

Si l'on excepte Pierre, qu'il faut toujours mettre à part, aucun apôtre n'entra plus avant dans l'intimité de Jésus que les fils de Zébédée[1]. Eux seuls, avec Pierre, sont admis à gravir la montagne de la transfiguration; seuls, ils sont introduits dans la chambre où la fille de Jaïre dort du sommeil de la mort; ils se tiennent seuls à quelques pas du lieu de l'agonie. S'il leur est refusé de siéger à la droite et à la gauche du Christ glorieux, selon l'ambitieux souhait de leur mère, il leur est donné de boire son calice. Un martyre prématuré mit fin à la vie de Jacques; Jean prolongea la sienne jusqu'à faire croire qu'il était immortel, mais cette vie même ne fut qu'un long martyre. On a tout dit sur Jean quand on a rappelé qu'il était le disciple aimé de Jésus, qu'il reposa sur sa poitrine durant la Cène et qu'il prit ensuite sa place auprès de sa mère. Gardien de la Vierge Marie, vierge lui-même, à lui revint l'honneur de révéler au monde les tendresses virginales du Cœur de Jésus. Jean est le héraut de la charité fraternelle et l'apôtre de l'amour divin. Mais, sous les traits efféminés et les airs langoureux

1. Vocation (Mt. 4[21]; Mc. 1[19-20]; Lc. 5[10]); chez la fille de Jaïre (Mc. 5[37]; Lc. 8[51]); sur la montagne de la transfiguration (Mt. 17[1] Mc. 9[2]; Lc. 9[28]); demande indiscrète de leur mère (Mc. 10[35-41]; Mt 20[20-24]); à Gethsémani (Mc. 14[33]); sur les bords du lac, après la résurrection (Jn. 21[2]). Les deux *fils du tonnerre* (Mc. 3[17]) demandent le châtiment des Samaritains inhospitaliers (Lc. 9[54]). C'est à peu près tout ce qui concerne les deux frères en commun. Le rôle de Jean à la Cène, pendant la passion et après la résurrection nous est connu par ce qu'il dit de lui-même à la troisième personne, sous le voile du disciple aimé de Jésus.

que lui prêtent certains artistes, je ne reconnais plus celui
que Jésus a surnommé le *fils du tonnerre*, celui qui appelait
les feux du ciel sur les Samaritains inhospitaliers et qui
lançait contre les hérétiques de son temps les foudres de
l'Apocalypse. Jean n'est devenu ce qu'il est qu'en changeant
de nature et en se modelant sur celui qui s'est proclamé doux
et humble de cœur.

En dehors des quatre grands apôtres, saint Matthieu est le
seul dont l'Évangile rapporte brièvement l'appel. Matthieu
ou Lévi, fils d'Alphée, était publicain. A Rome, on appelait
ainsi des personnages riches, appartenant en général à la
classe des chevaliers, analogues aux traitants ou aux partisans de l'ancien régime, qui affermaient le droit de lever les
impôts d'une ville ou d'une province. Mais on donnait par
extension le même titre à des employés subalternes, chargés
par les premiers de recueillir certaines taxes ou redevances.
Outre l'impôt foncier et la capitation, il y avait, comme
aujourd'hui, une foule de contributions indirectes : droits sur
les ventes et les achats, droits de douane et de mutation,
sans parler des droits de péage, pour l'usage des ponts et
des routes. Nous ne savons pas au juste comment était organisé le système fiscal dans les tétrarchies d'Antipas et de
Philippe, mais il est à présumer qu'il se modelait sur celui
de Rome. Comme les tarifs étaient souvent mal définis et le
recours contre l'arbitraire à peu près illusoire, les publicains
étaient exposés à commettre beaucoup d'injustices et de
vexations ; aussi étaient-ils partout abhorrés et, quoique Juifs
de race, assimilés aux païens.

Jésus passait sur la plage de Capharnaüm quand il aperçut
Matthieu assis à son bureau. Il ne lui dit que ce mot : « Suis-
moi » ; et aussitôt Matthieu, laissant là son argent, ses comptes
et ses registres, se leva pour le suivre. L'Évangile n'entre
dans aucun détail ; la seule chose qu'il juge à propos de nous
apprendre, c'est la prompte obéissance du publicain. Sa
détermination fut subite, mais non imprudente et irréfléchie.
Il connaissait certainement par ouï-dire les miracles de Jésus
et il en avait été peut-être témoin. Sans pouvoir fixer à cet
épisode une date précise, nous pensons qu'il remonte aux

premiers temps de la prédication du Sauveur[1]. En effet, dans la liste des apôtres, Matthieu vient immédiatement après les six qui assistèrent aux noces de Cana.

Dans le second groupe apostolique, comme dans le premier, on a cru remarquer une certaine hiérarchie d'honneur; du moins les rangs ne semblent-ils pas assignés au hasard[2]. Philippe, qui vient toujours en tête, avait rencontré le Seigneur immédiatement après les grands apôtres et entendu de sa bouche cet appel : « Suis-moi. » Tout fait supposer qu'il y obéit sans arrière-pensée. L'Évangile nous le dépeint comme un homme franc, positif et quelque peu timide. Il aime à se rendre compte des choses et son mot à Nathanaël : « Viens et vois », le caractérise. Interrogé par Jésus sur le moyen de nourrir plus de cinq mille personnes dans le désert, il calcule et demeure perplexe; et le Seigneur semble jouir de son embarras. Au Cénacle, il pose une question naïve, que le Maître relève avec enjouement. Quand les Gentils le prient de les conduire à Jésus, il n'ose pas prendre sur lui cette démarche sans consulter André.

Barthélemy, s'il est le même que Nathanaël, fut une conquête de Philippe, auprès de qui le place justement la liste des apôtres. L'identité du Nathanaël de saint Jean et du

1. Mt. 9[9]; Mc. 2[13-14]; Lc. 5[27-28]. Ce très court récit est identique chez tous les trois. Seulement le premier évangéliste donne au publicain le nom de *Matthieu* qui reparaît, à l'exclusion de tout autre, dans les listes apostoliques. S. Luc l'appelle *Lévi* et S. Marc *Lévi fils d'Alphée.*
Beaucoup de gens portaient deux noms, l'un grec, l'autre araméen; un double nom sémitique n'était pas rare non plus. Les cinq frères Macchabées avaient chacun deux noms araméens (1 Mac. 2[2-5]).
Il semble que l'appel de Matthieu ait eu lieu un peu en dehors de Capharnaüm, car après la guérison du paralytique porté par quatre hommes « Jésus *sortit* et vit Lévi » (Luc); « il *sortit vers la mer...* et, en passant, il vit Lévi » (Marc).
2. De Philippe, de Thomas, de Barthélemy-Nathanaël, de Jude, les Synoptiques ne livrent que le nom; tout ce que nous savons d'eux nous vient de S. Jean. — *Philippe :* Jn. 1[44-49] (son entretien avec Jésus et Nathanaël); Jn. 6[5-7] (il est questionné par Jésus); Jn. 12[21-22] (il consulte André au sujet des Gentils qui veulent voir Jésus); Jn. 14[8-9] (montrez-nous le Père). — *Thomas :* Jn. 11[16] (allons et mourons avec lui); Jn. 14[5] (nous ne savons pas où vous allez); Jn. 20[24-28] (incrédule, puis croyant); Jn. 21[2] (sur le lac de Tibériade). — *Nathanaël :* Jn. 1[45-49] (conduit à Jésus par Philippe); Jn. 21[2] (sur le lac avec un groupe d'apôtres). — *Jude :* Jn. 14[22] (question posée à Jésus après la Cène).

Barthélemy des Synoptiques résulte de plusieurs faits concordants, que n'infirme aucun indice contraire. Saint Jean, qui a quelque chose à raconter de presque tous les apôtres, ne mentionne même pas Barthélemy, pas plus que les Synoptiques ne mentionnent Nathanaël. En revanche, chaque fois qu'il parle de Nathanaël, il le met en compagnie des Douze. Barthélemy est un nom patronymique (fils de Tolmaï ou de Ptolémée) et celui qui le portait devait être connu sous un autre nom. Malgré sa gloriole d'être citoyen de Cana et son peu d'estime pour les gens qui n'étaient que de Nazareth, Nathanaël était un véritable Israélite, exempt de dissimulation et d'astuce. On ne peut rien ajouter à cet éloge du Sauveur.

Thomas, en hébreu, et Didyme, en grec, signifie *Jumeau*. Le trait saillant de son caractère semble avoir été une tendance au pessimisme. Quand Jésus parle de retourner en Judée pour ressusciter Lazare, Thomas croit marcher à la mort et dit, comme pour se donner du cœur : « Allons et mourons avec lui! » Il refuse obstinément de croire ses collègues, qui ont vu le Christ ressuscité. C'est trop beau, pense-t-il, pour être véritable; il est des bonheurs qui n'arrivent pas. Mais, une fois sa conviction faite, il se donne corps et âme au Sauveur, dans ce cri de foi et d'amour : « Mon Seigneur et mon Dieu. »

Trois des apôtres du dernier groupe portent le même nom que trois des cousins de Jésus; mais le fait est sans conséquence, car ces noms étaient si communs que chacun apparaît deux fois dans la liste des Douze. Nous exposons ailleurs les raisons de penser que Jacques, fils d'Alphée, est bien le Jacques qu'on appelait par excellence le frère du Seigneur et qui mourut martyr, après avoir gouverné plus de trente ans l'église de Jérusalem[1].

Dans l'incertitude où nous laisse la tradition sur Jude — appelé aussi Thaddée ou Lebbée — le mieux est de s'en tenir au sentiment commun de l'église latine qui voit en lui le demi-frère de Jacques le Mineur et l'auteur d'une des sept Épîtres catholiques.

1. Voir la note I : *La parenté de Jésus.*

Quand à l'apôtre Simon, il n'y a aucun motif de l'identifier avec Simon ou Siméon, cet autre cousin du Seigneur qui succéda à Jacques sur le siège de Jérusalem et souffrit le martyre sous Trajan. Son surnom de Zélote — ou de Cananéen, qui en hébreu a la même signification — ne prouve pas qu'il ait appartenu à la secte des révolutionnaires ainsi appelés. Il doit plutôt se prendre au sens de Zélé ou de Zélateur[2].

La présence de Judas, dans le collège apostolique, a de quoi nous surprendre. Jésus, prévoyant sa trahison, l'a-t-il choisi quand même pour tracer leur ligne de conduite aux supérieurs qui, faute de connaître l'avenir, doivent s'en rapporter aux dispositions actuelles des candidats? Il faut croire qu'au moment de son élection Judas n'était pas indigne. Ce fut le démon de l'avarice, de l'ambition et de l'envie, qui s'empara plus tard de son âme et qui, de chute en chute, le précipita dans l'abîme.

Le traître Judas a trouvé de nos jours des admirateurs et des apologistes. Quoi d'étonnant, puisque Satan a aussi les siens? On a dit que l'Iscariote, plus clairvoyant que ses collègues, sentant décliner la popularité de Jésus, avait voulu brusquer les événements, pour l'obliger à faire un coup d'éclat, lorsqu'il en était temps encore. Réhabilitation tardive et vaine! Judas a été jugé et condamné par le Juge infaillible : « Il vaudrait mieux pour lui qu'il ne fût jamais né. »

---

1. S. Luc dit Zélote (Lc. 6¹⁵; Act. 1¹³ : Ζηλωτής), S. Matthieu (10⁴) et S. Marc (3¹⁸) Cananéen (Καναναῖος).

CHAPITRE II

LA MISSION DIVINE DU CHRIST

I. Miracles sur miracles.

Tout messager extraordinaire de Dieu auprès des hommes doit produire ses lettres de créance : or le miracle est le scéau de Dieu. Jésus-Christ, après avoir inauguré son œuvre par le double miracle de Cana, sème partout sur son passage les faits miraculeux.

L'Évangile les nomme des actes de puissance (δυνάμεις), parce qu'ils exigent un pouvoir surnaturel et aussi des signes (σημεῖα) en tant qu'ils servent à authentiquer la mission du Sauveur qui, plus d'une fois, invoque leur témoignage irrécusable. Il guérit un paralytique pour prouver aux pharisiens qu'il a le pouvoir de remettre les péchés; et il répond aux disciples du Baptiste qui viennent lui demander au nom de leur maître, s'il est vraiment le Messie : « Allez dire à Jean ce que vous avez vu et entendu : les aveugles voient, les boiteux marchent, les sourds entendent, les lépreux sont purifiés, les morts ressuscitent et les pauvres sont évangélisés. »

Opérés ou non à distance, les miracles du Christ ont pour caractère commun de ne laisser aucune place au doute. Ni les disciples, ni les indifférents, ni les adversaires, n'en contestent la réalité. Dans les âmes bien disposées, ils engendrent spontanément la foi; chez les simples curieux, ils excitent la surprise, l'étonnement, la stupeur, une sorte d'effroi religieux et le sentiment instinctif que le doigt de Dieu est là; aux ennemis acharnés décidés d'avance à fermer les yeux à la lumière, ils inspirent la haine et la crainte. Ne pouvant les nier, les scribes et les pharisiens feignent de les prendre pour l'œuvre de Satan, tandis qu'au fond du cœur ils y voient un danger pour leur crédit et leur influence. « Cet homme,

disent-ils à leurs affidés, opère trop de miracles; qu'on le laisse faire et tout le monde accourra vers lui[1]. »

Un seul miracle parfaitement attesté, s'il est fait par le thaumaturge en preuve de sa mission, suffit à l'authentiquer; mais combien la démonstration gagne-t-elle en force probante, quand le même envoyé divin possède ce pouvoir surhumain pour s'en servir à son gré, à l'heure et aussi souvent qu'il le veut. C'est le cas pour les miracles de Jésus. Plusieurs fois, les évangélistes en signalent en bloc une multitude[2]. En laissant de côté ces mentions collectives et tous les faits prodigieux qui ont pour objet la personne même de Jésus — tels que la transfiguration, la résurrection, les apparitions du ressuscité — trente-trois nous sont racontés en détail. Dans ce nombre, on compte huit dérogations aux lois de la nature, six expulsions de démons, seize guérisons de maladies diverses et trois résurrections. Six de ces prodiges, sans parler du double miracle de Cana, appartiennent au début du ministère galiléen[3].

I. *Le démoniaque de Capharnaüm.* — Le premier miracle rapporté par les Synoptiques eut lieu un samedi dans la synagogue de Capharnaüm. Il y avait là un homme possédé d'un esprit impur qui ne cessait de crier d'une voix stridente : « Qu'y a-t-il entre nous et toi, Jésus de Nazareth? Tu es donc venu pour nous perdre. Je sais qui tu es : le Saint de Dieu. » Le démon, qui parlait par sa bouche, voulait-il simplement distraire la foule et l'empêcher de prêter l'oreille, ou bien forcer le Sauveur à se déclarer, en flattant son amour-propre, s'il n'était qu'un homme? Quel que fût son dessein, Jésus ne pouvait pas accepter du père du mensonge le titre honorifique de « Saint de Dieu ». Il lui impose silence : « Tais-toi et sors de cet homme. » Le démon, poussant un cri terrible, abandonna sa victime, après l'avoir violemment projetée sur le sol, sans toutefois lui faire aucun mal.

Les spectateurs que la vue fréquente des miracles n'avait

---

1. Jn. 11[48]. Cf. 12[19].
2. Mc. 1[32-34]; 6[56], etc.
3. Voir la note L : *Les miracles de l'Évangile.*

pas encore blasés, étaient dans la stupéfaction[1]. S'ils avaient quelquefois assisté à des exorcismes, ils n'avaient jamais rien vu de pareil. Les exorcistes juifs usaient de rites et de formules qu'ils prétendaient tenir du roi Salomon et où s'était mêlé à la longue beaucoup de superstition et de charlatanisme. Pour extraire le démon du corps du possédé, ils employaient une sorte d'anneau magique et la racine d'une plante appelée *baaras* et douée, disait-on, de vertus merveilleuses, qu'ils allaient cueillir aux environs de Machéronte[2]. Au lieu de ces simagrées, qui tournaient souvent au ridicule, Jésus n'avait prononcé qu'une seule parole de commandement : « Tais-toi et sors de cet homme. » Les témoins de la scène se disaient les uns aux autres : « Qu'est ceci? Voilà, certes, une parole puissante entre toutes; cet homme commande aux esprits impurs et ils lui obéissent. » Cette fois, il ne se trouva dans l'assistance aucun pharisien pour incriminer sa conduite et le bruit de l'événement se répandit dans toute la contrée.

2. *La belle-mère de Pierre*[3]. — En sortant de la synagogue, Jésus entra chez Simon Pierre, dont la belle-mère était en proie à une fièvre ardente. Quand on lui eut exposé la chose, avec l'insinuation discrète d'y porter remède puisqu'il le pouvait, il se pencha sur le lit de la malade, la prit par la main et gourmanda la fièvre, comme il avait fait tout à l'heure pour l'esprit impur. La malade se sentit guérie subitement sans rien éprouver de la prostration qu'un fort accès de fièvre laisse toujours après lui. Elle se leva aussitôt, s'occupa des soins du ménage et servit ses hôtes à table; car il était à peu près midi, heure à laquelle on avait coutume, les jours de sabbat, de prendre le premier repas, au sortir de la synagogue.

Ces deux prodiges, opérés coup sur coup, avaient mis en

1. Mc. 1[23-28]; Lc. 4[33-37].
2. Voir dans Josèphe (*Antiq.* VIII, II, 5) le récit d'un exorcisme solennel fait par Éléazar devant Vespasien et Titus. Sur la plante merveilleuse mise en usage, cf. Josèphe, *Bellum*, VII, VI, 3. Sur un exorcisme qui tourne mal, Act. 19[13-16]. S. Justin, *Dial. cum Tryph.* 85, mentionne quelques procédés des exorcistes juifs et leur peu de succès. Cf. *Apol.* II, 6.
3. Mc. 1[29-31]; Lc. 4[38-39]; Mt. 8[14].

émoi toute la ville. On s'en aperçut bien dès que prit fin le repos sabbatique : *Le soir venu, après le coucher du soleil, on lui amena tous les malades et les possédés du démon. Et toute la ville était assemblée à sa porte ; et il guérit beaucoup d'infirmes qui souffraient de diverses maladies et il expulsa beaucoup de démons* [1]. Il est possible que les évangélistes nous tracent un tableau d'ensemble de l'activité thaumaturgique du Sauveur, en la rapportant à une circonstance particulière. Ils nous ont habitués à ces raccourcis qui résument bien toute une situation et qu'autorisait le style de la catéchèse. Voilà pourquoi saint Luc, pour n'avoir pas à y revenir, prête ici aux démons un langage que saint Marc ne leur fait tenir que plus tard : *Les démons sortaient en criant : Tu es le fils de Dieu. Mais il ne les laissait point parler, parce qu'ils savaient qu'il était le Christ* [2]. Et saint Matthieu profite de l'occasion pour tirer la morale de ces guérisons nombreuses : « Ainsi s'accomplit la parole du prophète Isaïe :

« Il a pris sur lui nos souffrances,
il s'est chargé de nos douleurs [3]. »

Ce concours incessant ne laissait pas au Sauveur une heure de repos : *Un matin, avant l'aube, il s'était retiré dans un lieu solitaire pour s'entretenir avec Dieu. Simon Pierre et ses compagnons coururent à sa poursuite et, l'ayant découvert, lui dirent : « Tout le monde vous cherche. » Il répondit : « Allons dans les bourgades voisines pour y prêcher aussi, car je suis venu pour cela. » Et il s'en allait par toute la Galilée prêchant dans leurs synagogues et chassant les démons* [4].

3. *Le lépreux.* — Un des miracles les plus sensationnels

1. Mc. 1³²⁻³⁴. Cf. Mt. 8¹⁶ ; Lc. 4⁴⁰.
2. Lc. 4⁴¹ ; cf. Mc. 3¹⁰⁻¹¹.
3. Mt. 8¹⁷ citant Is. 53⁴ : « L'intérêt de la citation est qu'elle peut s'appliquer littéralement à la situation, dans des termes qui contiennent une pensée plus profonde. En assumant la peine, le Serviteur (de Iahvé) expiait aussi la faute, de sorte qu'il lui était donné d'affranchir ses frères des deux. C'est cet affranchissement que Jésus commençait en expulsant les démons et en guérissant les malades. » (Lagrange, *Saint Matthieu*, 1923, p. 169).
4. Mc. 1³⁵⁻³⁹ ; Lc. 4⁴²⁻⁴⁴.

de cette période initiale fut la guérison instantanée d'un malheureux atteint de la lèpre, mal horrible, autrefois commun en Palestine et qui n'y est pas encore très rare[1]. On comprenait alors sous le nom de lèpre diverses affections cutanées qui n'ont pas toutes la même malignité. La vraie lèpre, peu contagieuse de sa nature, au moins par simple contact, s'est montrée jusqu'ici rebelle à toutes les cures, bien qu'elle subisse parfois des temps d'arrêt prolongés, qui font croire à une guérison radicale. La plus ordinaire s'attaque d'abord aux extrémités, rongeant peu à peu le nez, les oreilles, les lèvres, les doigts des pieds et des mains ; puis elle envahit le reste du corps qu'elle couvre d'ulcères purulents et fétides, pourrit les chairs, dénude les os, désarticule les jointures. Le visiteur d'une léproserie garde longtemps comme un cauchemar le souvenir de ces loques humaines, à l'aspect hideux et repoussant. Le pauvre lépreux voit s'opérer en lui, de son vivant, la décomposition de la tombe et n'a d'autre espoir que la mort après une lente agonie.

Le lépreux était exclu de la société des hommes par la loi de Moïse. Il devait vivre en dehors des lieux habités, aller nutête pour être reconnu de loin et, s'il venait à rencontrer un passant, se couvrir la bouche d'un pan de son habit en criant : Impur, impur ! Il était constitué à l'état perpétuel d'impureté légale et son contact souillait à l'instar d'un cadavre. On n'essayait d'aucun remède contre la lèpre. Mal divin, Dieu qui l'avait infligé pouvait seul le guérir. A proprement parler, Jésus ne guérit pas les lépreux, il les *purifie*.

Le lépreux de l'Évangile, attiré par la renommée du Sauveur, osa s'approcher de lui et se jeter à ses pieds en disant : « Seigneur, si vous voulez, vous pouvez me purifier. » Le Sauveur, ému de compassion, étendit vers lui sa main et le toucha, accompagnant son geste de cette parole : « Je le veux, sois

---

1. Il y a actuellement des lépreux à Jérusalem (faubourg de Siloé et hôpital des frères Moraves), à Ramleh, à Naplouse. Le nombre des lépreux palestiniens peut être évalué à 200, en comprenant ceux qui sont soignés à la léproserie de Damas. A l'hôpital des frères Moraves, les 60 lépreux provenaient, en 1903, de 36 localités différentes : ce qui prouve que la maladie n'est pas épidémique. Sur les diverses espèces de lèpre, voir Hastings', *Dict. of Christ and the Gospels*, 1909, article *Leprosy*.

purifié! » Et la lèpre, qui le couvrait des pieds à la tête, disparut sur-le-champ [1].

En le congédiant, Jésus lui fit cette double recommandation : *Garde-toi de rien dire à personne ; mais va te montrer au prêtre et offre les sacrifices prescrits par Moïse pour la purification, afin que cela leur soit un témoignage.* Quand le lépreux était guéri ou croyait l'être, il avait à se présenter devant le prêtre chargé de constater la disparition des symptômes morbides. Si cet examen, long et minutieux, lui était favorable, il devait passer par plusieurs rites de purification, dont le cérémonial compliqué remplit un chapitre du Lévitique [2]. Ensuite il devenait légalement pur, était proclamé tel par l'autorité compétente et rentrait dans le courant de la vie sociale.

On peut croire que le miraculé comparut ponctuellement devant les prêtres, comme c'était son devoir et son intérêt, afin d'en obtenir un certificat de guérison ; mais, pour la consigne du silence, il n'en tint aucun compte. Il publia à tous les échos ce qui s'était passé. On a jugé sévèrement la désobéissance de cet homme, qui nous semble devoir bénéficier des circonstances atténuantes. Il crut sans doute de bonne foi qu'un miracle opéré en public ne pouvait pas rester longtemps caché et que la défense du Sauveur, dictée par la modestie, ne le dispensait pas de la reconnaissance. Peut-être aussi l'interdiction de parler n'était-elle que temporaire, jusqu'à ce que le lépreux eût accompli les prescriptions légales et prouvé par les faits que Jésus n'était pas, comme on prétendait, le contempteur et l'ennemi de la loi mosaïque. Les paroles du Christ se prêtent à ce sens et maint commentateur les a ainsi comprises.

Toutefois cette indiscrétion eut une conséquence fâcheuse. Jésus ne pouvait plus se montrer sans être assailli par une foule d'estropiés et d'infirmes sollicitant leur guérison. Il en

---

1. Mt. 8[1-4] ; Mc. 1[40-44] ; Lc. 5[11-14]. S. Matthieu raconte le miracle immédiatement après le Sermon sur la montagne ; les autres n'indiquent ni le temps ni le lieu. Dans tout ce récit, les évangélistes disent toujours *purifier* au lieu de *guérir.*

2. Le chap. XVII du Lévitique contient la *loi* du lépreux avec le diagnostic de la lèpre. Les rites observés pour la purification du lépreux sont décrits au chapitre suivant.

était réduit à se réfugier dans des lieux solitaires, où l'on finissait toujours par le découvrir [1].

4. *Le paralytique porté par quatre hommes.* — Dès que le temps eut un peu refroidi l'enthousiasme populaire, il revint à Capharnaüm ; mais, pour éviter les manifestations bruyantes, il y entra secrètement, à la faveur des ténèbres. Lorsqu'on apprit son retour, la foule cerna sa demeure et ne tarda pas à l'envahir, avec le sans-gêne oriental qui permet à chacun de pénétrer dans le logis d'autrui comme dans le sien propre. Bientôt la maison fut pleine à déborder et la porte tellement obstruée que les nouveaux arrivants étaient obligés de refluer dans les rues avoisinantes.

Tandis que Jésus instruisait ceux qui avaient réussi à l'approcher, quatre hommes portant un paralytique sur un grabat cherchaient à se frayer un passage ; mais si dense était la presse que leurs efforts demeuraient vains. Ils s'avisèrent alors d'un singulier stratagème. Les maisons galiléennes n'avaient en général qu'un rez-de-chaussée, surmonté d'un toit plat en forme de terrasse, où l'on accédait d'ordinaire par l'extérieur. Le toit se composait de poutrelles mal équarries, supportant un lit de roseaux ou de branchages, sur lequel s'étendait une couche d'argile, qu'on avait soin de fouler au rouleau de temps à autre, pour empêcher les pluies d'hiver d'inonder l'intérieur. Il n'était pas très difficile de soulever la couche de terre, d'écarter les roseaux et de glisser un corps humain dans l'interstice des poutrelles. C'est ce que firent les porteurs du paralytique. Montant sur la terrasse par le dehors, ils percèrent le toit et, à l'aide de cordes, descendirent l'infirme roulé dans sa natte jusqu'auprès de Jésus, non sans couvrir de gravier les gens qui étaient dans la pièce.

Cette manœuvre hardie, assez incommode pour les acteurs comme pour les témoins de la scène, supposait chez les porteurs et chez le patient une foi robuste que le Seigneur récompensa sur-le-champ en disant à ce dernier : « Courage, mon fils, tes péchés te sont remis. » Persuadé, comme la plupart de ses compatriotes, que les maladies incurables sont des

1. Mc. 1[45] ; Lc. 5[15-16].

châtiments du péché, l'infirme dut voir dans ces paroles un gage certain de guérison et sa foi en devint plus vive. Mais les scribes et les pharisiens mêlés à la foule en furent scandalisés. Ils se disaient intérieurement : « Pourquoi parle-t-il ainsi? Il blasphème. Qui peut remettre les péchés, si ce n'est Dieu seul? » En réservant à Dieu le pouvoir d'absoudre le péché, ils ne se trompaient point; car il appartient au seul offensé de pardonner l'offense et un homme qui s'arrogerait ce pouvoir, usurpant un attribut divin, se rendrait coupable de blasphème. Leur erreur était de penser que Jésus n'était qu'un homme.

Lisant au fond de leur cœur ces murmures inexprimés, il leur posa cette question : *Qu'y a-t-il de plus facile? Est-ce de dire à ce paralytique : « Tes péchés te sont remis », ou de lui dire : « Lève-toi, prends ton grabat et va-t-en? »* Guérir d'un mot un mal incurable et remettre les péchés sont choses également faciles à dire et difficiles à faire, car elles supposent une puissance infinie. Qui peut l'une pourra l'autre. Mais la première, susceptible de vérification immédiate, peut servir de preuve à la seconde, qui échappe à l'observation. *Or,* poursuit le Sauveur, *afin que vous sachiez que le Fils de l'homme a sur la terre le pouvoir de remettre les péchés : Lève-toi, dit-il au paralytique, je te l'ordonne, prends ton grabat et retourne chez toi.* Aussitôt, l'homme se dressa sur ses pieds, mit sur ses épaules la natte qui lui servait de couchette et rentra chez lui en glorifiant Dieu [1].

---

1 L'épisode est rapporté par les trois Synoptiques : Mt. 9$^{1-8}$; Mc. 2$^{1-12}$; Lc. 5$^{17-26}$. Nous suivons le récit de S. Marc qui est le plus circonstancié. La scène se passe à Capharnaüm (Mc 2^1, cf. Mt. 9^1). S. Luc, qui fait commencer ici l'assaut des pharisiens contre Jésus, avertit que « pharisiens et docteurs de la loi étaient venus de la Galilée, de la Judée et de Jérusalem ».

La scène est très bien décrite par S. Marc. Les porteurs *découvrent le toit* (ἀπεστέγασαν τὴν στέγην), en soulevant le bord des branchages recouverts d'argile; ils y *pratiquent une ouverture* (ἐξορύξαντες) suffisante pour y introduire le corps d'un homme et ils *descendent le grabat* (χαλῶσι τὸν κράβατον), naturellement à l'aide de cordes (ce qu'indique le mot χαλᾶν), à moins que les gens d'en bas n'aient reçu le corps sur leurs mains étendues.

L'expression de S. Luc (5^{19} : διὰ τῶν κεράμων καθῆκαν αὐτὸν σὺν τῷ κλινιδίῳ) ferait croire que la couche d'argile était surmontée d'un dallage en briques : ce qui avait lieu quelquefois. Mais peut-être S. Luc, écrivant

Une stupeur mêlée d'effroi s'empara des assistants qui disaient tout haut : « Nous avons vu aujourd'hui une chose bien étrange et bien extraordinaire. Nous n'avions jamais rien vu de pareil. » Les scribes et les pharisiens consternés gardaient le silence, pour ne pas s'aliéner le peuple ; mais les autres, comprenant la portée du miracle et le sens que le Sauveur voulait lui donner, glorifiaient Dieu d'avoir « communiqué aux hommes une telle puissance ».

En guérissant le paralytique, son but direct n'était pas de prouver sa divinité ni sa qualité de Messie, mais le pouvoir qu'avait le *Fils de l'homme* — c'est peut-être la première fois qu'il se donne ce titre — de remettre les péchés. Aux auditeurs de tirer la conséquence et de conclure quel devait être celui qui osait revendiquer ce pouvoir formidable et prouvait par un miracle qu'il ne se l'arrogeait pas à tort. Il amorce lui-même la démonstration, en concédant aux pharisiens que personne ne peut remettre les péchés si ce n'est Dieu.

5. *Le serviteur du centurion.* — Capharnaüm fut encore le théâtre d'un autre prodige, dont il est impossible de fixer la date mais que nous croyons devoir rapporter à la période des débuts. Il y avait dans cette ville un centurion, dont l'un des esclaves, auquel il tenait beaucoup, était sur le point d'expirer. C'était sans doute le commandant de la petite garnison qu'Hérode Antipas entretenait là pour y maintenir l'ordre et surveiller le port. Bien qu'au service d'un tétrarque juif, il était lui-même païen, car les Hérodes, dans leurs cohortes organisées à la romaine, enrôlaient des gens de toute religion et de toute nationalité. Cependant il appartenait à cette classe alors assez nombreuse de Gentils qui, sans aller jusqu'à recevoir la circoncision et sans se charger de

---

pour des lecteurs étrangers aux usages de Palestine, a-t-il désigné ainsi le *toit* lui-même, quelle qu'en fût la nature. On disait en grec habiter *sur les tuiles* » (ἐπὶ τῶν κεράμων διατρίβειν) pour dire vivre *sur les toits* ».

Les exemples de toits défoncés ne sont pas rares. C'est par ce moyen qu'Hérode eut raison d'un grand nombre d'ennemis qui s'étaient barricadés dans leurs maisons (Josèphe, *Antiq.* XIV, xv, 12) ; on défonçait aussi les toits à plan incliné, couverts de tuiles (Thucydide, I, 134 ; IV, 48, etc.).

tout le fardeau de la loi mosaïque, professaient le monothéisme, observaient le sabbat et fréquentaient les synagogues. L'avancement des centurions au grade de tribun
militaire étant un fait très rare, ces officiers vieillissaient
souvent au même poste et ils avaient tout intérêt à se
concilier les sympathies de la population. L'histoire profane
en cite de nombreux exemples. Celui de Capharnaüm avait un
titre spécial à la reconnaissance des Juifs, car il leur avait
bâti de ses deniers un lieu de prière.

Le serviteur auquel il était si attaché, soit pour le profit
qu'il en tirait, soit par un sentiment d'affection qui n'était pas
inouï de maître à esclave, était *paralysé* et souffrait d'atroces
douleurs. Pour les anciens, la paralysie était un terme vague
qui englobait des maladies fort diverses, telles que le tétanos
le rhumatisme articulaire, la méningite à son dernier période
ou une lésion accidentelle de l'épine dorsale. Quelle que fût
la nature du mal, il paraissait incurable et le patient, qui
souffrait beaucoup, était à toute extrémité. Son maître, ayant
peut-être entendu parler de ce fonctionnaire royal qui s'était
adressé à Jésus dans un cas analogue, eut l'idée de recourir
lui aussi au grand guérisseur; mais, dans la crainte que la
requête d'un étranger ne fût pas agréée de lui, il confia le soin
de plaider sa cause aux notables juifs qui lui avaient le plus
d'obligations. Ceux-ci s'acquittèrent de leur mandat avec zèle
et sollicitude : « Il mérite bien, dirent-ils, que vous l'exauciez
car il aime notre nation et c'est lui qui nous a bâti la syna
gogue. » Jésus les suivit sans rien objecter.

Comme il approchait de la maison, le centurion apprenant
son arrivée et, sachant la répugnance qu'avaient les Juifs
pieux d'entrer chez un païen, envoya ses amis lui dire
« Seigneur, ne venez pas plus loin, car je ne mérite
point que vous entriez sous mon toit. C'est pourquoi je ne
me suis pas jugé digne d'aller vous trouver en personne
mais dites seulement une parole et mon serviteur sera
guéri. » Vous n'avez qu'à commander; n'êtes-vous pas le
maître ? « Pour moi, je ne suis qu'un homme investi d'une
autorité subalterne ; et pourtant quand je dis à l'un : « Va ! »
il part aussitôt ; et à l'autre : « Viens ! » il accourt de même
et si je dis à mon serviteur : « Fais ceci ! » il le fait. »

Je ne suis pas digne que vous entriez sous mon toit :
belle parole d'humilité chez un dignitaire païen, parole que
l'Église a consacrée, en la mettant sur les lèvres du prêtre
au moment où il va recevoir dans sa poitrine le corps du
Seigneur ou le distribuer aux fidèles. En l'entendant, Jésus
laissa éclater son admiration. C'était là chez lui la réaction
spontanée de ses facultés sensibles, au contact des réalités
extérieures perçues par la science expérimentale. Elle se
traduisit par cette exclamation : *En vérité, je n'ai pas
trouvé, même en Israël, une foi pareille!* Après cet éloge, le
dénouement n'était pas douteux. Les envoyés du centurion,
en rentrant chez lui, trouvèrent le malade en parfaite santé[1].

C'est à l'occasion de la foi forte et humble du centenier,
que le Sauveur prédit la vocation des Gentils et le rejet des
Juifs. *Je vous le déclare, beaucoup viendront de l'Orient et
de l'Occident et prendront place dans le royaume des cieux,
tandis que les fils du royaume* (ceux qui semblaient en être
les héritiers par droit de naissance) *seront jetés dans les
ténèbres extérieures, où il y aura des pleurs et des grincements de dents*[2]. Les Juifs aimaient à se représenter le
règne du Messie comme un festin plantureux offert aux
enfants d'Israël, que les païens, écumant d'envie, de honte
et de rage, contempleraient de loin. Belle revanche pour
l'oppression si longtemps subie de la part des nations
païennes! Maintenant Jésus renverse les rôles : les Gentils
de bonne volonté sont conviés au céleste banquet, dont les
enfants d'Abraham sont exclus par leur faute.

6. *Le fils de la veuve de Naïm.* — Quelque temps après,
Jésus parcourait les campagnes de la Basse Galilée, suivi,
comme à l'ordinaire, par ses disciples et par une multitude

1. Lc. 7¹⁻¹⁰ : Mt. 8⁶⁻¹⁰. Nous suivons le récit de S. Luc qui est le plus
complet. Les deux récits, malgré des différences de détail, se rapportent certainement au même fait : presque tous les exégètes en conviennent. La principale différence est que S. Matthieu met dans la bouche du
centurion les paroles que S. Luc fait dire aux messagers. Le procédé,
qui attribue à la cause l'action de l'instrument, est fréquent dans
S. Matthieu et l'usage l'autorise.
2. Mt. 8¹¹⁻¹². Cette prophétie cadre très bien avec l'éloge du centurion.
S. Luc (13²⁹⁻³⁰), avec moins d'à-propos, ce semble, la place dans un
autre contexte.

de gens qui ne voulaient rien perdre de ses paroles. Il traversait la plaine d'Esdrelon à son extrémité orientale, là où les collines de Nazareth viennent expirer. Du pied du Thabor, face au midi, on aperçoit un amas de masures en ruines, suspendues au flanc septentrional du petit Hermon. C'est tout ce qui reste de l'antique Naïm, qui n'a plus rien des agréments et des charmes que promettait son nom ; mais les silos, les citernes et les tombeaux répandus çà et là attestent un passé moins humble. Une petite chapelle blanche, récemment érigée et visible de loin, commémore un des plus touchants miracles du Sauveur [1].

Jésus approchait de la porte située du côté de la plaine, lorsque des cris aigus, plus semblables à des hurlements qu'à des sanglots se firent entendre. C'était un cortège funèbre qui se dirigeait vers la nécropole : d'abord des pleureuses et des joueurs de flûte, puis quatre hommes portant sur une civière ou dans un cercueil découvert un cadavre enveloppé dans son linceul [2] ; enfin presque tous les habitants du bourg, accourus pour témoigner leur sympathie à une pauvre veuve qui menait le deuil de son fils unique. Il est impossible d'assister à des funérailles orientales, même si l'on soupçonne la douleur d'être un peu factice, sans éprouver une émotion que l'habitude n'émousse jamais entière-

1. Lc. 7[11-17]. Ce miracle, de date incertaine, est postérieur à la guérison du fils du centenier (*deinceps;* ἐν τῷ ἑξῆς, sous-entendu χρόνῳ). La leçon moins attestée ἐν τῇ ἑξῆς (sous-entendu ἡμέρᾳ) indiquerait *le lendemain;* mais il est peu vraisemblable qu'une foule nombreuse ait franchi en un jour les 45 kilomètres qui séparent Capharnaüm de Naïm.

Naïm veut dire en hébreu « beau, aimable, délicieux ». Le misérable *Naïm* actuel, peuplé de quelque 150 musulmans, ne vérifie guère cette étymologie. Description dans Guérin, *Galilée,* t. I, 115-117. Près de la fontaine, des ruines marquaient l'emplacement d'une église transformée plus tard en mosquée. Les Franciscains acquirent ce terrain en 1880 et y bâtirent la chapelle qu'on y voit maintenant.

2. Les morts sont portés au cimetière sur un brancard, une civière ou un cercueil sans couvercle, qui sert pour tous les défunts. Actuellement, chez les Juifs, le visage du mort est voilé durant le trajet funèbre. Sur les funérailles chez les anciens Juifs, voir Billerbeck, *Kommentar,* t. IV, p. 579-592. Dans les petites localités, tout le monde assistait aux funérailles. Les rabbins eux-mêmes n'y manquaient point; car le mérite d'accompagner un mort à sa dernière demeure primait l'étude de la Loi. Tantôt les femmes précédaient et les hommes suivaient le cercueil; tantôt c'était le contraire. Les porteurs se relayaient de distance en distance et chaque pause était le signal de nouveaux cris.

ment. Mais ici la douleur de la veuve, qui avait tout perdu en perdant son fils, était si navrante que le cœur de Jésus en fut remué. Son premier mot « Ne pleurez pas! » fut une parole de consolation et d'espoir pour la mère.

Ensuite il fendit la foule et toucha le cercueil d'un geste d'autorité. Les porteurs comprirent et déposèrent à terre le corps inanimé. Ce fut le signal d'une explosion nouvelle de soupirs et de lamentations : l'usage le voulait ainsi. Jésus fit taire les pleureuses et s'adressant à l'adolescent étendu dans sa bière, le corps étroitement lié de bandelettes et le visage voilé d'un suaire, il lui dit : « Jeune homme, je te l'ordonne, lève-toi! » Aussitôt le mort s'assit sur son séant et se mit à parler. La mère était là, immobile et muette de stupeur, comme dans un rêve, regardant la scène sans oser y croire. Le Sauveur, avant de s'éloigner, eut une pensée pour elle; il la rappela au sentiment de son bonheur en lui présentant son fils plein de vie, sans doute avec quelques paroles d'encouragement que l'Évangile nous laisse deviner.

Aucun miracle du Christ n'avait encore produit sur la foule une impression pareille. La résurrection de la fille de Jaïre ne vint que plus tard et elle eut lieu devant un petit nombre de témoins choisis. Celle-ci s'opère au grand jour, devant une ville entière, dans des conditions d'évidence et de publicité jamais égalées. Aussi tous les spectateurs éprouvaient-ils ce sentiment de terreur religieuse qu'inspire une apparition divine. « Ils louaient Dieu en disant : Un grand prophète a surgi parmi nous et Dieu a visité son peuple. »

L'Ancien Testament ne nous offre rien de semblable. Qu'il y a loin des miracles opérés jadis par les hommes de Dieu à ceux qu'opère, comme en se jouant, l'Homme-Dieu lui-même. Lorsque, de l'autre côté du petit Hermon, à une heure de peine de Naïm, Élisée voulut rappeler à la vie le fils de la Sunamite, il s'enferma seul avec le mort et, après une longue prière, s'étendit sur lui, la bouche sur la bouche, les yeux sur les yeux, les mains sur les mains, comme pour échauffer le petit cadavre; mais celui-ci ne bougeait pas. Le prophète descend, remonte, va et vient dans la maison, recommence plusieurs fois le même manège, jusqu'à ce qu'enfin il vît errer un léger souffle sur les lèvres glacées

de l'enfant. Élie ne s'y prend pas autrement pour ranimer le fils de la veuve de Sarepta[1]. « On voit bien qu'il invoque une puissance étrangère, qu'il rappelle de l'empire de la mort une âme qui n'est pas soumise à sa voix et qu'il n'est pas lui-même le maître de la mort et de la vie. Jésus-Christ ressuscite les morts comme il fait les actions les plus communes; il parle en maître à ceux qui dorment du sommeil éternel et l'on sent bien qu'il est le Dieu des morts comme des vivants, jamais plus tranquille que lorsqu'il opère les plus grandes choses[2]. »

Le bruit du miracle de Naïm se répandit vite, non seulement en Galilée, mais « dans la Judée entière et dans tous les pays d'alentour[3] ».

II. Message du Baptiste.

Saint Jean, dans la prison de Machéronte où il languissait depuis quelques mois, apprit bientôt toutes ces merveilles. Le tétrarque, qui avait voulu s'assurer de sa personne et mettre fin à sa propagande, ne lui interdisait pas tout commerce avec ses disciples; mais ceux-ci ne partageaient pas tous les nobles sentiments de leur maître. Plusieurs suivaient d'un œil jaloux les progrès du docteur galiléen, dont le prestige grandissait toujours; quelques-uns même n'étaient pas éloignés de le considérer comme un fâcheux rival. Déjà, en deux circonstances, ils avaient pris à son égard une attitude peu bienveillante et peut-être le rapport qu'ils venaient de faire sur ses récents miracles s'inspirait-il de mêmes inquiétudes ou des mêmes rancunes[4].

Le Baptiste chargea deux d'entre eux de porter à Jésu un message qu'ils répétèrent mot pour mot, avec une fidé

---

1. Pour Élie, 1 Reg. 17$^{2\text{-}22}$; pour Élisée, 2 Reg. 4$^{25\text{-}37}$.
2. Massillon, *Sermon sur la divinité de J.-C.*, 1re partie.
3. Lc. 7^{17}. Ici la Judée se prend au sens large, pour toute la Palestine, comme dans Lc. 1^5; 23^8; Act. 2^9; 10^{37}; 11^1, etc.
4. Ce sont les disciples de Jean qui sont venus lui raconter les miracles de Jésus (Lc. 7^{18}). On a bien l'impression qu'ils regardent Jésus comme un rival de leur maître (Jn. 3$^{25\text{-}26}$). Ils se joignent aux pharisiens pour lui demander pourquoi ses disciples ne jeûnent pas (Mt. 9^{14}; Mc. 2^{18}; Lc. 5^{33}).

lité homérique : « Jean nous envoie pour vous demander si vous êtes celui qui doit venir ou si nous devons en attendre un autre [1]. » Une telle question, posée au nom de Jean et par son ordre, n'est pas sans nous surprendre. Jean pouvait-il ignorer que Jésus était le Messie? N'était-il pas envoyé, nouvel Élie, pour lui frayer la route? N'avait-il pas entendu la voix du ciel qui le proclamait le Fils de Dieu, le Bien-aimé du Père? Ne l'avait-il pas reconnu lui-même au baptême et désigné en public comme l'Agneau de Dieu effaçant les péchés du monde? Sa foi subirait-elle maintenant une éclipse et le doute envahirait-il son âme? Non; car s'il était vrai, comme Tertullien l'imagine, que l'esprit prophétique l'ait abandonné depuis que sa mission est finie, le magnifique éloge que Jésus va lui décerner n'aurait pas de sens; et comment concevoir une pareille défaillance de l'esprit prophétique, sur un point essentiel de son mandat, en celui que le Christ appelle le plus grand des prophètes et même plus qu'un prophète?

Quelques Pères supposent que, prévoyant sa fin prochaine, Jean envoie dire à Jésus : « Êtes-vous celui qui doit venir aux Limbes, consoler et délivrer les âmes des justes, ou cette mission est-elle réservée à quelque autre? » Mais peut-on raisonnablement attribuer à Jean un pareil logogriphe? Sans compter que l'expression *Celui qui doit venir* désigne si

---

1. Mt. 11[2.3]; Lc. 7[18-20]. D'après Tertullien, l'esprit prophétique s'est retiré de Jean : « Itaque Joannes, communis jam homo et unus jam de turba, scandalizatur quidem qua homo » (*Adv. Marcion.* IV, 18, Migne, II, 402). Opinion singulière et négligeable.

L'état psychologique du Baptiste est diversement interprété :

A) Il *commence à soupçonner* que Jésus est le Messie (Strauss, Renan, Weizsaecker, Loisy, et les rationalistes en général).

B) Il *commence à douter* que Jésus soit le Messie (Tertullien et un certain nombre de protestants).

C) Il *interroge non pas pour lui* mais pour ses disciples (les catholiques pour la plupart).

D) Il *interroge aussi pour lui :* a) Pour savoir s'il viendra aux Limbes (Pères cités plus loin). — b) Pour obtenir un supplément de lumière (S. Ambroise et autres). — c) Parce qu'il éprouve une certaine impatience des lenteurs de Jésus. Cf. Buzy (*Saint Jean-Baptiste,* 1922, p. 286-306) qui expose les diverses opinions et défend résolument la thèse que « Jean *ne pose pas cette question pour son propre compte, parce qu'il n'en a aucun besoin, parce qu'il ne peut pas la poser* » p. 303).

clairement le Messie que personne ne peut s'y tromper [1].

Il faut donc se ranger au sentiment commun : Jean inter-roge Jésus moins pour lui que pour ses disciples. Ce sont eux qui ont besoin d'être affermis dans la foi et c'est à leur intention que Jésus, avant de les congédier, opère plusieurs miracles. *Il guérit en leur présence beaucoup de malades, chassa des démons et rendit la vue à des aveugles* [2]. Puis il les renvoie en disant : *Allez annoncer à Jean ce que vous avez vu et entendu : les aveugles voient, les boiteux marchent, les lépreux sont purifiés, les sourds entendent, les morts ressuscitent. Et bienheureux celui pour qui je ne serai pas un objet de scandale* [3] !

Est-ce à dire que la déclaration de Jésus fût tout à fait inutile au Baptiste ? Toute vision prophétique a ses obscu-rités ; elle n'égale jamais en clarté la vue directe des choses. Que de fois le Christ a prédit aux apôtres sa mort et sa résurrection sans réussir à leur en donner une idée précise ? Jean, tout prophète qu'il était, a pu concevoir le plan rédemp-teur autrement que Jésus ne l'a réalisé. Il a pu s'étonner de ses lenteurs, des obstacles qu'il avait à vaincre. Les images gracieuses ou grandioses dont il s'était servi — le Bap-tême de l'Esprit et du feu, le Vanneur en train de nettoyer son aire, l'Époux qui vient prendre sa fiancée — semblaient promettre un succès plus rapide et plus éclatant.

La compréhension imparfaite des plans providentiels — supposé qu'elle ait existé en lui — n'était pas capable d'ébran-ler sa foi ni d'entamer sa confiance ; mais il y avait les dis-ciples qu'il fallait instruire et réconforter : c'est pour eux, plus que pour lui, qu'il recourt à Jésus. Cependant, comme

---

1. On cite en faveur de cette opinion Origène, *Homélie sur la pythonisse d'Endor* (Migne, XII, 1011); S. Cyrille de Jérusalem, *Catech.* IV, 11 (Migne, XXXIII, 469) ; S. Grégoire de Nazianze, *Orat.* XLIII, 75 (Migne, XXXVI, 597); S. Jérôme, *In Matth.* 11³ (Migne, XXVI, 70). S. Ambroise a quel-que chose de semblable, *In Lucam*, 720 (Migne, XV, 1661).

Mais « Celui qui doit venir » est une expression consacrée pour désigner le Messie (Mt. 21⁹ ; 23³⁹; Mc. 11⁹; Lc. ³⁵; 19³⁸; Jn. 11²⁷, etc.) et le Baptiste s'en est servi (Jn. 1¹⁵⁻²⁷).

2. Lc. 7²¹ : « En ce moment même » (ἐν ἐκείνῃ τῇ ὥρᾳ).

3. Mt. 11⁴⁻⁶; Lc. 7²²⁻²³. C'est la réalisation de plusieurs prophéties d'Isaïe : morts ressuscités (Is. 22¹⁹); aveugles, sourds, muets, boiteux guéris (Is. 35 ⁵⁻⁶) ; pauvres évangélisés (Is. 61¹).

la question est partie de lui, c'est à lui qu'ira la réponse.
Les derniers mots : « Bienheureux celui pour qui je ne serai pas
un objet de scandale », pourraient faire croire à une mise
en garde personnelle; mais la maxime est générale et rien
n'autorise à penser qu'elle vise Jean en particulier; l'éloge
sans restriction dont elle est suivie prouve à l'évidence
qu'elle n'est ni un blâme ni un avertissement. Jésus attendit
le départ des messagers avant de prononcer ce magnifique
panégyrique, qu'on pourrait presque appeler une oraison
funèbre, tant la mort du Baptiste était proche :

*Qu'êtes-vous allés voir au désert? Un roseau agité par le
vent?* (Non, sans doute; on n'entreprend pas un voyage pour
si peu de chose.)

*Qu'êtes-vous donc allés contempler au désert? Un homme
mollement vêtu?* (Pas davantage), *les gens vêtus somptueuse-
ment habitent* (non pas le désert, mais) *le palais des rois.*

*Qu'êtes-vous donc allés voir au désert? Un prophète? Oui.
Et moi je vous dis : Plus qu'un prophète; car c'est de lui
qu'il est écrit : Voici que j'envoie devant toi mon messager,
qui te préparera la route.*

*En vérité, je vous le dis : parmi ceux qui sont nés d'une
femme, il n'a pas surgi quelqu'un de plus grand que Jean-
Baptiste; mais le moindre dans le royaume des cieux est
plus grand que lui*[1].

Si d'autres personnages de l'Ancien Testament l'égalent
en sainteté, nul ne le surpasse en dignité. Ne confondons pas
ces deux choses. La sainteté se mesure à la somme de grâce
sanctifiante qui, à la mort, se change en gloire; la dignité a
pour mesure la relation plus ou moins étroite qui nous unit à

---

1. Mt. 11⁷⁻¹¹; Lc. 7²⁴⁻²⁸. Il y a une différence notable entre les deux
textes. S. Luc dit : « Parmi les enfants des femmes il n'y a pas de
prophète plus grand que Jean »; et S. Matthieu : « Il n'a pas surgi
quelqu'un de plus grand que Jean. » Au fond c'est la même chose, car
les *prophètes* étaient les plus grands entre les grands. Abraham, Moïse,
Jacob étaient des prophètes. L'expression de S. Matthieu : οὐκ ἐγήγερται
μείζων, « il n'a pas surgi, *il n'a pas été suscité*, quelqu'un de plus grand »
fait songer aux prophètes *suscités* par Dieu.

Il est évident que Jésus ne met pas Jean au-dessus de *tous les
hommes* en général : Cela résulte du contraste : « le plus grand (en
dignité) de l'Ancien Testament est le plus petit du Nouveau » ou pour
mieux dire plus « petit que le plus petit du Nouveau ».

la personne du Verbe incarné. Le prêtre peut être fort au-dessous du laïque par la pratique des vertus qui font les saints; mais ce qui le met toujours au-dessus, c'est le fait d'être le ministre du Christ et le dispensateur des mystères de Dieu. De même le simple chrétien peut être inférieur en sainteté aux justes de l'ancienne loi; il leur est néanmoins supérieur en dignité, parce que le baptême qui l'incorpore au Christ fait de lui un autre Christ. Le juste de l'Ancien Testament, si saint qu'il fût, n'en restait pas moins le fils de l'esclave, — l'économie ancienne comparée à la nouvelle étant toujours, comme dit l'Apôtre, un état de servage, — au lieu que le moindre chrétien est le fils de la femme libre, de l'Église, la glorieuse épouse du Christ.

Jean est le trait d'union entre les deux Testaments; il est à la limite où l'un finit et l'autre commence; à proprement parler, il n'appartient ni à l'un ni à l'autre. Comparé aux prophètes et aux autres hérauts de la révélation antique, — Abraham, Moïse, Élie, Isaïe, — il a sur eux l'avantage d'avoir montré du doigt le Messie, qu'ils n'ont fait que prédire ou préfigurer. Prophète dès le sein de sa mère, il a annoncé par son mystérieux tressaillement la présence de Celui que la Vierge allait enfanter. Il clôt la phalange prophétique en qualité de témoin du Christ : *La loi et les prophètes vont jusqu'à lui* (et pas au delà). *Depuis lors le royaume de Dieu est prêché et le premier venu peut en forcer l'entrée.* Ce royaume, *les violents seuls l'emportent* [1], car il faut du cou-

---

1. Lc. 16 [16]. Ce verset de S. Luc se trouve dans un aggrégat de maximes disparates. S. Matthieu place la pensée dans un meilleur contexte (11-[12-15]), mais en lui donnant une expression moins claire, quoique au fond équivalente : « Depuis les jours de Jean-Baptiste jusqu'à cette heure, le royaume des cieux est pris de force (βιάζεται) et les violents (βιασταί) l'emportent; car tous les prophètes et la Loi ont prophétisé jusqu'à Jean [et pas au delà, parce que Jean est le Précurseur] et, si vous voulez le comprendre, il est lui-même Élie qui doit venir. Que celui qui a des oreilles entende. »
On voit qu'il est facile de mettre les deux textes d'accord : *a*) L'ancienne Loi s'arrête à Jean. — *b*) Le royaume de Dieu commence avec lui. — *c*) Ce royaume doit *être pris* de force ou d'assaut (βιάζεται, au sens passif dans S. Matthieu), ou chacun le *prend* de force ou d'assaut (βιάζεται, au sens moyen dans S. Luc). Les deux sens — passif et moyen — sont légitimes et s'autorisent d'exemples probants. Voir W. Bauer *Wörterbuch,* 1928 et Moulton-Milligan, *Vocabulary.*

rage et de l'énergie pour le prendre d'assaut malgré les obstacles.

Cette grandeur de Jean, résultant de sa mission spéciale, les hommes de bonne foi l'ont reconnue jadis. Les gens simples et les publicains, prêtant l'oreille à sa parole, se faisaient baptiser par lui et rendaient ainsi gloire à Dieu; tandis que les pharisiens, enflés de leur prétendue science, se tenaient à l'écart et repoussaient le don divin.

A qui comparerai-je cette race (perverse)? *A des enfants assis sur la place publique et s'interpellant ainsi : Nous avons joué de la flûte et vous n'avez pas dansé; nous avons entonné un chant funèbre et vous ne vous êtes pas frappé la poitrine.*

Jean est venu ne mangeant pas de pain et ne buvant pas de vin; et vous avez dit : C'est un énergumène. Le Fils de l'homme est venu mangeant et buvant (comme tout le monde) *et vous dites : C'est un glouton et un buveur, un ami des pécheurs et des publicains*[1].

Les enfants de tous les pays aiment à imiter, dans leurs jeux, les spectacles de la vie réelle qui frappent le plus leur imagination, comme sont, en Palestine, les cortèges nuptiaux et les convois funèbres. Qu'un boute-en-train suggère l'idée d'un de ces petits drames, ils se partagent aussitôt les rôles et les improvisent à merveille. Mais il se rencontre presque toujours des esprits chagrins que rien ne peut satisfaire. Proposez-leur des scènes gaies ou des scènes tristes, ils refuseront également d'y prendre part. C'est à ces caractères revêches, mécontents de tout, que Jésus compare la race perverse des scribes et des pharisiens. Jean est venu, prêchant la pénitence et menant ses disciples par des voies austères; et ils l'ont traité de fanatique, d'extravagant, de vrai possédé. Jésus vient à son tour, affable et accueillant pour tous, sans rien qui rebute ou repousse, et ils lui reprochent le peu de rigueur de son ascétisme et sa prédilection pour les gens les plus vils.

Il n'y a pas à se demander ce que représentent, dans la

---

1. Lc. 7[31-34]; Mt. 11 [16-19]. Texte identique à peu de chose près.

parabole, les enfants qui invitent leurs camarades. Ce n'est ni Jean ni Jésus, ni les disciples de Jésus et de Jean. La comparaison porte seulement sur les enfants boudeurs qui rejettent obstinément toutes les propositions de leurs compagnons. C'est à eux que sont assimilés les gens de cette génération maudite. Les autres enfants ne sont là que pour compléter le tableau et n'ont pas de signification spéciale.

« *Ainsi*, conclut le Sauveur, *la Sagesse divine a été justifiée par ses œuvres* (ou *par tous ses enfants*)[1]. » Quelque leçon qu'on adopte, le sens revient au même. D'après saint Matthieu, les œuvres de Dieu font éclater, proclament et vengent sa sagesse ; d'après saint Luc, tous les enfants de la sagesse, tous les gens vraiment sages, ont *justifié*, c'est-à-dire vengé et démontré, la sagesse divine, aux yeux de cette génération incrédule, en conformant leur conduite aux lois de la sagesse.

---

1. Lc. 7 [35]; Mt. 11 [19]. Cette conclusion présente une variante remarquable. S. Luc a la leçon Καὶ ἐδικαιώθη ἡ σοφία ἀπὸ πάντων τῶν τέκνων αὐτῆς. Les meilleurs manuscrits de S. Matthieu ont : Καὶ ἐδικαιώθη ἡ σοφία ἀπὸ τῶν ἔργων αὐτῆς. La leçon de S. Matthieu n'offre aucune difficulté ; il n'y en a pas non plus dans celle de S. Luc si on tient compte de la nuance qui existe entre ἀπό et ὑπό. Pour rendre le sens, en évitant toute équivoque, il faudrait changer le verbe passif en verbe actif : *Les œuvres de Dieu ont justifié* (c'est-à-dire fait reconnaître comme juste, vengé, sa sagesse (Mt.). *Tous les enfants de la sagesse ont justifié* (dans le même sens que ci-dessus) *la sagesse de Dieu* (Lc.).

Maldonat pense que *tous les enfants de la sagesse* désignent tous les Juifs croyants ou incrédules : ce qu'on admettra difficilement. Les enfants de la sagesse sont les vrais sages qui ont cru à la parole de Jean et à celle de Jésus.

CHAPITRE III

LE SERMON SUR LA MONTAGNE

I. Les Béatitudes.

Le Sermon sur la montagne suivit de près l'élection des Douze. Saint Matthieu et saint Luc nous en ont conservé deux versions où, malgré les variantes, on reconnaît sans peine le même discours : même exorde et même conclusion, même sujet développé dans le même ordre et souvent dans les mêmes termes, mêmes circonstances de temps et de lieu. S'il est trois fois plus long dans saint Matthieu que dans saint Luc, cette différence s'explique par la méthode de composition des deux évangélistes : le premier aimant à bloquer des enseignements semblables d'époque diverse, le second à les distribuer selon les occasions qui les firent naître, en laissant de côté ce que ses lecteurs grecs et latins risqueraient de mal comprendre. Assurément, Jésus-Christ a pu se répéter et les deux versions, malgré les ressemblances frappantes, pourraient représenter deux discours différents ; cependant le seul motif de les distinguer étant que l'un aurait été prononcé sur la montagne et l'autre dans la plaine, comme cette antilogie se laisse résoudre, la plupart des commentateurs, depuis saint Jérôme et saint Chrysostome, tiennent avec raison pour l'identité[1].

On montre aujourd'hui aux pèlerins la montagne des Béatitudes sur le chemin de Nazareth à Capharnaüm, là où se dressent deux hauteurs conjuguées que les indigènes appellent les Cornes d'Hattin : lieu tristement célèbre par le sanglant désastre du 4 juillet 1187, qui fit tomber la vraie Croix

1. Voir la note J : *Le Sermon sur la montagne*.

aux mains des infidèles et mit fin au royaume franc de Jérusalem. Mais cette localisation n'est pas autorisée par une
tradition ancienne; car, dès le temps de saint Jérôme, la
mémoire en était si complètement perdue que les simples
pensaient au mont des Oliviers et que lui-même proposait le
Thabor. Les Cornes d'Hattin sont bien éloignées du lac de
Tibériade. Jésus serait-il allé chercher la solitude à quatre ou
cinq lieues de Capharnaüm quand il la trouvait aux portes
de la ville? Tout, avant et après le discours, témoigne qu'on
n'en est pas éloigné. Aussi placerions-nous plutôt la scène
sur le promontoire isolé qui sépare la plaine de Capharnaüm
de la vallée des Sept-Fontaines ou sur un des monticules
circonvoisins [1].

Le sermon sur la montagne ne contient qu'un bref résumé
du discours de Jésus. Tel qu'il est, sous la forme plus étendue
que lui donne saint Matthieu, il ne faudrait pas plus de
vingt minutes pour le débiter posément. Les évangélistes n'en
ont gardé que la substance. Jamais orateur populaire, désireux d'instruire un auditoire fruste, n'aurait condensé tant
d'idées en si peu de phrases. L'on y remarque des transitions
brusques, des pensées obscures à force de laconisme, des
maximes absolues qui réclament une explication et qui ne la

---

1. L'endroit reste indéterminé car la Montagne (τὸ ὄρος, Mt. 5[1], 8[1];
Mc. 3[13]; Lc. 6[12]) ne désigne pas une montagne particulière mais le
cercle de collines qui entourent le lac. S. Jérôme a bien raison de dire
qu'il faut le chercher, non pas en Judée, mais en Galilée (*In Matth.*, 5[1];
Migne, XXVI, 33-34) : « Putamus vel Thabor esse vel *quemlibet alium
excelsum montem.* » Les anciens pèlerins ne mentionnent pas le lieu.
Au XIIe siècle Pierre Diacre et Jean de Wurzbourg, au XIIIe Burchard,
l'indiquent près de Sept-Fontaines (et-Tabigha). Le texte évangélique
montre en effet assez clairement qu'il ne pouvait pas être éloigné de
Capharnaüm. Cf. Dalman, *Orte und Wege Jesu*, 1924, p. 107-108.
Dans l'ignorance où l'on était, on ne pouvait pas choisir un site plus
pittoresque que les Cornes d'Hattin (*Qouroun Hattin*). Ce sont deux
hauteurs jumelles qui dominent le lac d'environ 550 mètres et « qui ont
été justement comparées au pommeau et au troussequin d'une selle
arabe » (Lortet, *La Syrie d'aujourd'hui*), dont elles présentent assez
bien l'image à une certaine distance. Ce lieu était très accessible aux
pèlerins de Nazareth : ce qui dut contribuer à le rendre populaire. C'est
aussi la raison de commodité qui fit placer non loin de là le lieu de la
multiplication des cinq pains, contrairement au texte de l'Évangile.
Heidet dans le *Dictionnaire de la Bible*, Supplément, t. I, 1928, col.
940-950, étudie en détail les variations de la tradition.

trouvent que dans la doctrine générale de l'Évangile. On l'a quelquefois appelé la Charte du christianisme, mais ce n'est pas un code applicable à un gouvernement politique ni même religieux. Ce n'est pas non plus un abrégé de la foi chrétienne, car il y manque la doctrine de la rédemption, des sacrements, de l'Église et des fins dernières; ni un traité de morale, car les limites du droit et du devoir y sont mal définies et les préceptes n'y sont pas distingués des conseils. C'est une règle de perfection idéale, proposée à tous les candidats au royaume de Dieu et à tous ceux qui veulent en prendre l'esprit.

Le Sermon sur la montagne, s'il n'est pas un simple agrégat de maximes éparses, doit avoir un but, un plan, une suite. Quelle en est l'idée maîtresse? Plusieurs ont cru la trouver dans cette parole : « Je ne suis pas venu détruire la Loi, mais la parfaire. » Il s'ensuivrait que saint Luc, qui l'a omise, n'aurait rien compris au discours, que les Béatitudes, placées en tête, seraient un hors-d'œuvre et que tout le discours se réduirait à une apologie. Le thème essentiel est plutôt l'esprit chrétien opposé à l'esprit judaïque. Jésus le définit par un double contraste : en l'opposant d'abord à l'ancienne loi, que la loi de grâce corrige, complète et transforme; ensuite à l'idéal de perfection dont se contentaient les pharisiens qui passaient pour les modèles accomplis de la piété juive. Les Béatitudes peuvent être considérées comme une introduction ou comme un programme. Une courte conclusion, sous forme de parabole, termine le discours.

Assis dans l'attitude du maître qui enseigne, Jésus s'adresse à ses disciples, non pas seulement aux Douze, mais à tous ceux parmi lesquels les Douze ont été choisis. Les auditeurs de rencontre ne sont pas exclus pour autant; ils comprendront ce qu'ils pourront et le peu qu'ils auront compris fera naître en eux le désir d'en apprendre davantage[1]. Ayant donc levé les yeux au ciel, pour montrer que sa doctrine lui vient d'en haut, il les abaisse ensuite sur ses disciples et leur parle en ces termes :

1. Jésus s'adresse spécialement aux disciples; mais on voit dans la suite du discours que la foule est présente (Mt. 7²⁸; Lc. 7¹).

Heureux les pauvres en esprit, car le royaume des cieux est à eux.

Heureux les humbles, car ils posséderont la terre.

Heureux les affligés, car ils seront consolés.

Heureux ceux qui ont faim et soif de justice, car ils seront rassasiés.

Heureux les miséricordieux, car ils recevront miséricorde.

Heureux les cœurs purs, car ils verront Dieu.

Heureux les pacificateurs, car ils seront appelés enfants de Dieu.

Heureux ceux qui souffrent persécution pour la justice, car le royaume des cieux est à eux.

Heureux serez-vous quand on vous insultera, quand on vous persécutera, qu'on dira faussement de vous toute espèce de mal à cause de moi. Réjouissez-vous et soyez dans l'allégresse, car votre récompense est grande dans les cieux. C'est ainsi qu'avant vous ils ont persécuté les prophètes[1].

Que l'on compte huit béatitudes, avec saint Ambroise et la masse des exégètes, ou sept seulement, avec saint Augustin qui les compare aux sept dons du Saint-Esprit, la chose importe peu ; ce ne sont que les aspects divers d'une même béatitude et Jésus-Christ pouvait sans inconvénient en augmenter ou en diminuer le nombre.

Les béatitudes sont les voies d'accès au royaume de Dieu, qui se présente à nous sous une double face : dans sa réalisation terrestre et sa consommation finale. Les quatre premières l'embrassent dans toute son ampleur, depuis sa fondation sur la terre jusqu'à son achèvement au ciel ; elles marquent à la fois les conditions pour y entrer et les dispositions pour n'en pas sortir ; tandis que les dernières l'envisagent plutôt dans son aboutissement, comme récompense et comme couronne. Pour qu'un homme soit dit heureux, il n'est pas nécessaire qu'il possède actuellement l'objet du bonheur ; il suffit qu'il

1. Mt. 5⁵⁻¹². Quelques-uns arrivent à trouver *neuf* ou même *dix* béatitudes, en comptant pour une ou pour deux l'assurance spéciale donnée aux disciples (Heureux êtes-vous... réjouissez-vous). Vaines controverses. Pour une explication plus détaillée des béatitudes et la bibliographie qui s'y rapporte, on consultera Pirot, *Béatitudes évangéliques* dans *Dict. de la Bible*, Supplément, t. I, col. 927-939.

s'y achemine comme à un terme assuré, car l'espérance certaine du bonheur futur est une source de félicité véritable. Les disciples, habitués à ce langage par la lecture des Livres saints, ne s'y trompaient pas.

Bienheureux les pauvres. — Si limpides en apparence, les Béatitudes ont pour nous quelque obscurité, moins à raison du tour paradoxal qu'elles affectent, qu'à cause des allusions à l'Ancien Testament, dont plusieurs sont des citations textuelles. Nul ne comprendra bien la première s'il n'a présente à l'esprit la notion biblique du pauvre. Le *pauvre* ici nommé n'est pas l'indigent; la Bible a d'autres mots pour désigner le dénûment et la misère. Le *pauvre* de l'Écriture — surtout dans les psaumes et les prophètes — est l'homme sans défense, victime et jouet de la tyrannie des puissants, qui accepte sans murmure son pitoyable sort et tourne vers Dieu seul son regard et son espérance. Dieu protège le pauvre; il est son refuge et son soutien. Le Messie également aura soin du pauvre; il le consolera et lui annoncera de préférence la bonne nouvelle. C'est en effet dans cette classe de faibles et d'opprimés que Dieu trouva toujours ses plus fidèles adorateurs et que Jésus recruta ses meilleurs adeptes. A la longue, chez les Hébreux, le pauvre était devenu presque synonyme d'homme pieux, résigné, s'abandonnant à la providence et prompt à obéir aux ordres du ciel. Les mots *en esprit* sont ajoutés par l'évangéliste ou son traducteur pour indiquer ces dispositions morales. Les pauvres en esprit entrent de plain-pied, pour ainsi dire, dans le royaume des cieux, car leur condition les y prépare; mais il serait absurde de prétendre que Jésus béatifie l'indigence et canonise le paupérisme. Si la fortune et la puissance sont un danger, au point de vue surnaturel, elles ne sont pas un obstacle insurmontable [1].

---

1. Le mot *'anî* (עָנִי) ne signifie pas proprement *pauvre, indigent,* mais *opprimé, humilié, sans secours, sans ressource.* Le *pauvre,* opposé au *riche* (*'ashîr,* עָשִׁיר) se dit *râsh* (רָשׁ), *ebiôn* (אביון), *dal* (דל). Le *pauvre de la Bible,* dans les prophètes et les psaumes, est en général pauvre en réalité; mais ce qui le caractérise c'est la résignation et la soumission à la volonté de Dieu ; voilà pourquoi il est l'objet des com-

Bienheureux les humbles! — La seconde Béatitude, qui est presque un doublet de la première, est une citation textuelle des Psaumes : « Les humbles hériteront la terre. » Les mots qui en hébreu signifient *pauvre* et *humble* dérivent de la même racine et ne diffèrent entre eux que par une lettre. Ils sont souvent pris l'un pour l'autre et ne se distinguent que par une nuance de sens très subtile : le pauvre étant celui qui se soumet sans murmure à son triste destin, et l'humble celui qui, pénétré de son propre néant, adore les inscrutables arrêts du ciel. Ces humbles, qui se défient d'eux-mêmes et ne comptent que sur Dieu, « hériteront la terre » promise, comme autrefois Caleb et Josué, modèles de patience et de soumission. La terre promise était la figure du royaume messianique et le symbole du royaume céleste. Rien n'y dispose mieux que la patience et l'humilité, ces deux moitiés d'une même vertu[1].

Heureux les affligés, car ils seront consolés. — Isaïe fait dire au Messie : « Je viens consoler ceux qui pleurent », en leur apprenant à sanctifier leurs peines et en faisant briller a leurs yeux l'espérance d'un bonheur sans fin. Les sages et les justes de l'Ancien Testament connaissaient déjà le prix de la douleur : « Mieux vaut, dit l'Ecclésiaste, fréquenter la maison du deuil que la salle du festin, car la première rap-

---

plaisances divines. Israël pénitent est le *pauvre* dont Dieu a pitié (Is. 41⁴⁷; 49¹³). Dieu protège le *pauvre* (Ps. 9¹³⁻¹⁹; 33 [34]⁷; 34 [35]¹⁰ etc.); le Messie le délivrera (Ps. 71 [72]²⁻⁴· ¹²⁻ʳ³ etc.).

1. La seconde béatitude (la troisième dans le texte grec) est une citation de Ps. 36 [37]¹¹ : *Mansueti autem hereditabunt terram.* — Le mots 'anî (עָנִי) et 'anaw (עָנָו) dérivent de la même racine 'anâ (עָנָה) *être opprimé, humilié, affligé.* Ils s'échangent entre eux et sont traité comme synonymes dans le parallélisme poétique. Ce qui prouve qu leur signification est très voisine, sinon identique, c'est que les Septant traduisent 'anî par πτωχός (34 fois), par πραΰς (46 fois), par πένης (12 fois par ταπεινός (9 fois); ils traduisent 'anaw par πραΰς (7 fois), par πτωχ (4 fois), par ταπεινός (3 fois), par πένης (2 fois).
Depuis la promesse que Dieu fit à Abraham de lui donner la terre d Canaan (Gen. 15⁷⁻⁸), *hériter la terre,* dans le reste du Pentateuque, veu dire *prendre possession de la Terre promise;* dans les livres suivants c'est *obtenir ce dont la Terre promise était le type,* le royaume d Messie, le royaume des cieux. Dans le texte cité, l'expression revier quatre fois : ceux qui *espèrent* en Dieu, les *humbles* (πραεῖς), ceux qu *bénissent* Dieu, les *justes* hériteront la terre (Ps. 36 [37]⁹· ¹¹· ²²· ²⁹).

pelle l'homme au souvenir de sa destinée[1]. » En soi, la souffrance n'a aucune valeur morale; ce n'est pas le diamant, mais la monture. Le diamant, c'est la résignation qui fait embrasser la souffrance en union avec le Christ souffrant. Cette tristesse selon Dieu, soit qu'elle provienne du sentiment de nos misères, soit qu'elle ait pour cause l'injustice des hommes ou les forces aveugles de la nature, porte en elle-même un germe de consolation et devient pour nous une source de joie.

Heureux ceux qui sont affamés et assoiffés de justice, car ils seront rassasiés. — L'ancienne économie était impuissante à satisfaire notre idéal inné de justice et de sainteté; mais le prophète avait prédit qu'aux temps messianiques chacun pourrait étancher sa soif et assouvir sa faim. Nous l'éprouvons dès ici-bas, dans une certaine mesure, si nous faisons des préceptes et des conseils évangéliques la règle de notre vie; et nous serons pleinement rassasiés quand nous contemplerons face à face la gloire de Dieu. Telle est la béatitude promise à ceux qui ont faim et soif de justice. Ils en ont un avant-goût et une possession anticipée par le fait même qu'ils y aspirent, avec l'espérance certaine d'y parvenir un jour[2].

Les quatre dernières Béatitudes, à la différence des premières, visent directement le royaume éternel du Christ. Au dernier jour, les miséricordieux obtiendront miséricorde, les hommes au cœur pur verront Dieu face à face, les pacificateurs seront traités comme les enfants chéris du Dieu de paix, les persécutés recevront la couronne due à leur courage et à leur patience. La perspective du sort qui les attend doit les remplir d'une immense joie.

L'objet étant connu, reste à déterminer le sujet de ces diverses Béatitudes. Les *miséricordieux* ne sont pas seulement ceux qui font l'aumône avec abondance, ni ceux qui

---

1. Eccl. 7³. — Le Messie doit venir consoler les *affligés* (Is. 61² : *abélim*, τοὺς πενθοῦντας, *contritos corde*).

2. Is. 55¹; Eccli. 51³³; Apoc. 22¹⁷. — Les justes de la nouvelle alliance « n'auront ni faim ni soif » (Is. 49¹⁰), parce que Dieu « rafraîchira toute âme altérée et rassasiera toute âme affamée » (Jer. 31²⁵).

éprouvent pour les malheureux des sentiments de compassion, mais ceux qui, par l'oubli des offenses et le pardon des injures, s'efforcent d'imiter un des attributs les plus essentiels de Dieu, la miséricorde : *misericors et miserator Dominus.* Ayant pardonné aux autres, ils seront pardonnés à leur tour par le souverain Juge[1].

Le *cœur pur* est-il le cœur virginal, celui qu'aucun souffle du démon de la volupté n'a jamais terni? Rien n'offusque la vue des choses divines et ne met entre Dieu et nous un voile plus épais que l'abandon de l'âme aux voluptés charnelles. Mais Jésus-Christ fait ici allusion à une parole du Psalmiste : « Qui gravira la montagne du Seigneur et se tiendra dans son sanctuaire? L'homme aux mains innocentes et au cœur pur. » Le cœur pur n'est donc pas seulement le cœur chaste, mais le cœur innocent, le cœur où Dieu habite par sa grâce[2].

Les *pacifiques* sont les amis de la paix sans doute, mais surtout les artisans de la paix, ceux qui la font régner autour d'eux et la font rayonner au loin. On attribue au célèbre Hillel cette belle maxime : « Soyez des disciples d'Aaron qui aimait la paix, qui poursuivait la paix. » Ce n'est pas seulement Aaron que le pacificateur imite; c'est Dieu lui-même qui est le Dieu de paix, c'est Jésus-Christ qui est venu pacifier toutes choses au ciel et sur la terre. Reproduisant en eux l'image de Dieu, les pacificateurs seront appelés enfants de Dieu.

Est-il besoin de dire quels sont les persécutés pour la justice? Ce sont tous ceux qui souffrent pour le nom du Christ ou pour la cause de l'Évangile. Ils sont proclamés bienheu-

---

1. Le mot *miséricordieux* (ἐλεήμων) ne se rencontre qu'une autre fois dans le Nouveau Testament (Hebr. 2[17]), où il est appliqué au Christ devenant semblable à nous, pour être *miséricordieux* et *compatir* à nos misères. Il pourrait fort bien se prendre ici dans le même sens, n'était le besoin d'harmoniser le sujet et l'objet de la Béatitude : Les *miséricordieux* recevront *miséricorde.*

2. Ps. 23 (24)[4]. L'explication que nous donnons est de beaucoup la plus commune, à cause de l'allusion manifeste au texte du Psalmiste.

3. Dieu est un Dieu de paix (Rom. 15[33]; 16[20]; 1 Cor. 14[33], etc.). Le rôle capital du Christ est d'être pacificateur (ποιῶν εἰρήνην, Eph. 2[15]; εἰρηνοποιήσας, Col. 1[20]). Le latin *pacifici* ne répond pas exactement à εἰρηνοποιοί. *Pacificatores* irait mieux. Le mot d'Hillel, cité dans le texte, se lit dans la Mishna, *Aboth*, I, 12.

reux sans attendre la récompense finale dont ils ont déjà
l'assurance.

Pour rendre intelligibles à ses lecteurs les Béatitudes,
telles que saint Matthieu les propose aux Juifs, saint Luc
aurait dû les interpréter. Aussi, laissant de côté tout ce qui
suppose connues les allusions bibliques, il ne retient que le
contraste entre la condition présente des justes, peu enviable
aux yeux du monde, et leur bonheur futur. Puis il ajoute à
ces quatre béatitudes quatre malédictions qui en sont l'exact
contre-pied :

*Heureux, vous qui êtes pauvres, car le royaume de Dieu
est à vous.*

*Heureux, vous qui avez faim maintenant, car vous serez
rassasiés.*

*Heureux, vous qui pleurez maintenant, car vous rirez un
jour.*

*Heureux serez-vous quand les hommes vous haïront et
vous excommunieront et vous injurieront et rejetteront votre
nom comme infâme, à cause du Fils de l'homme. Réjouissez-vous alors et exultez, car votre récompense est grande
dans le ciel. Leurs pères ont traité de même les prophètes.*

*Mais malheur à vous, les riches, car vous avez reçu
votre consolation.*

*Malheur à vous, les repus d'à présent, car vous aurez
faim un jour.*

*Malheur à vous, qui riez maintenant, car vous gémirez
et pleurerez.*

*Malheur à vous quand tous les hommes vous applaudi-
ront, car c'est ainsi que leurs pères en ont agi avec les
faux prophètes* [1].

Jésus ne béatifie pas indistinctement tous les pauvres, tous
les affamés, tous les affligés, tous les persécutés. Il s'adresse
expressément aux seuls *disciples*, qui souffrent ou souffriront

---

1. Lc. 6[20-25]. On n'a pas de raison sérieuse pour supposer que S. Luc
transporte ici des malédictions prononcées dans un autre discours, ou
qu'il les formule de son cru comme virtuellement contenues dans les
béatitudes correspondantes. S. Matthieu a pu les omettre parce que,
plaçant le discours au début du ministère galiléen, il n'avait encore
rien dit de l'opposition faite à Jésus par les heureux de ce monde.

tout cela avec les dispositions morales que suppose leur qualité de chrétiens. Les promesses qui leur sont faites sont toutes d'ordre religieux et spirituel, bien que deux d'entre elles s'expriment par une métaphore. N'est-il pas absurde de penser que les auditeurs de Jésus ou les lecteurs de saint Luc ont pu s'arrêter à ce sens grossier : « Vous qui avez faim maintenant vous ferez un jour bonne chère et serez assis à un plantureux festin » ?

La plupart des disciples étaient de condition modeste. Les Zachée, les Nicodème, les Joseph d'Arimathie ne vinrent que plus tard et ne furent jamais très nombreux. Presque tous les riches, les puissants, les heureux du monde, restèrent dehors. C'est à eux que le Sauveur s'adresse à leur tour, sans qu'il soit nécessaire de supposer qu'ils se trouvaient présents. Élevant son regard par-dessus la foule qui l'entoure, il peut avoir indiqué d'un geste large cet auditoire fictif, auquel s'appliquent les quatre malédictions. Ces riches, ces jouisseurs, ces idoles du monde, le Christ les déclare malheureux, parce que la satisfaction momentanée de leurs appétits charnels est une triste compensation pour le sort affreux qui les attend dans l'éternité.

L'idéal proposé aux disciples — et spécialement aux apôtres — ne doit pas rester à l'état de théorie morte; il faut qu'ils le fassent passer dans la trame de leur vie :

Vous êtes le sel de la terre; si le sel vient à s'affadir, comment lui rendre sa saveur? Il n'est plus bon qu'à être jeté dehors pour être foulé aux pieds.

Vous êtes la lumière du monde. Une ville bâtie sur la montagne ne saurait demeurer cachée; et quand on allume une lampe, ce n'est pas pour la mettre sous le boisseau; on la place sur le chandelier pour éclairer les gens de la maison. Que votre lumière brille ainsi aux yeux des hommes, afin qu'ils voient vos bonnes œuvres et qu'ils glorifient votre Père qui est aux cieux[1].

1. Mt. 5[13-16]. « Si le sel s'affadit » Le sel chimiquement pur ne perd pas ses qualités actives ; mais le Sauveur veut parler de ce sel mêlé de substances étrangères, qu'on allait — qu'on va encore — chercher au sud-ouest de la mer Morte, dans une falaise de plusieurs kilomètres de

Les apôtres et même, proportions gardées, les simples fidèles, sont le sel de la terre et la lumière du monde. Le sel assaisonne les aliments et préserve de la corruption les substances périssables. S'il vient à perdre sa saveur, il est impropre à tout usage et n'est même plus bon à servir de fumier; on le jette sous les pieds des passants, comme un objet de rebut : triste image de l'apôtre infidèle à son rôle.

Pareils à une cité bâtie sur les hauteurs, les disciples du Christ sont mis en évidence et ne peuvent se flatter de passer inaperçus : leur exemple est efficace pour le bien comme pour le mal. Malheur à eux s'ils l'oubliaient jamais! Un phare qui vient à s'éteindre cause des morts et des naufrages; l'apôtre infidèle à son rôle est une cause d'égarements et de ruines.

II. La loi ancienne et la nouvelle.

Après avoir, dans les Béatitudes, esquissé l'idéal chrétien, Jésus va l'opposer d'abord à la législation mosaïque, ensuite à la pratique des pharisiens qui passait alors pour la norme de la piété juive. En s'érigeant en réformateur, il ne se pose pas en révolutionnaire; il ne fait pas table rase du passé; il élève l'édifice nouveau sur les substructions antiques :

Ne pensez pas que je sois venu abolir la Loi et les prophètes; je ne suis pas venu détruire mais parfaire. Je vous le dis en vérité, tant que dureront le ciel et la terre, pas un iota, pas un trait de la Loi ne passera sans être accompli de tout point. Celui donc qui violerait un de ces minimes préceptes et apprendrait aux autres à faire de même serait le moindre au royaume des cieux; mais celui qui les observe et

long nommée Djebel-Ousdoum. Le sel gemme de cet immense gisement est de couleur bleuâtre et contient souvent un mélange de gypse et de marne crayeuse. Il arrive qu'on est obligé de le jeter dans la rue car il est impropre à servir d'engrais.

Tout chrétien — et l'apôtre à plus forte raison — doit être *lumière* (Eph. 5⁸ φῶς), *fils de la lumière* (1 Thess. 5⁵ : υἱὸς φωτός) et *luminaire* (Phil. 2¹⁵ : φωστήρ). En Palestine, les plus pauvres tiennent une veilleuse allumée toute la nuit, pour éclairer la pièce unique. Ils se gardent bien de la cacher dans un boisseau ou sous un meuble quelconque.

Plusieurs pensent que Jésus, en nommant *la ville bâtie sur la montagne*, désignait du geste Safed, que son site élevé rend visible de très loin et qu'on voit, en effet, des bords du lac de Tibériade.

apprend à les garder sera grand au royaume des cieux[1].
La Loi et les prophètes c'est la Bible entière, bien que
Jésus, dans la suite du discours, envisage surtout et presque
uniquement le code mosaïque. Considéré sous ses divers
aspects, l'Ancien Testament était une révélation, une prophétie, une morale et un rituel. Le Fils de Dieu ne vient pas
renverser tout cela mais le parfaire, avec la même autorité
souveraine qui l'a établi : il éclaire et complète la révélation
antique, faite de demi-jours et de pénombre; il vérifie les
prophéties qui annonçaient sa venue et son règne; il parachève
la loi morale et lui infuse un esprit nouveau; il réalise enfin
l'élément figuratif des rites et des cérémonies, en leur substi-
tuant une liturgie plus auguste, plus digne de Dieu. A ce
point de vue, le monde périssable ne finira point avant que la
moindre parcelle de l'Écriture — serait-ce la plus petite des
lettres, comme l'iota en grec ou l'iod en hébreu, ou même un
simple trait de plume servant à distinguer les lettres semblables — n'ait eu son entier accomplissement, dans la
mesure voulue de Dieu. Il n'est donc pas question d'abolir la
loi morale, résumée dans le Décalogue, mais de l'amener à sa
perfection.

En affirmant que la Loi est morte, mise en pièces, clouée à
la croix, saint Paul ne contredit-il pas la doctrine du Maître ?

1. Mt. 5[17] : Οὐκ ἦλθον καταλῦσαι ἀλλὰ πληρῶσαι. — Le mot καταλύειν
signifie *délier* (un animal), *annuler* (un contrat), *abolir* (une loi), *détruire*
(une ville), *renverser* (un pouvoir), *licencier* (une armée), en général
mettre fin à une chose. Le mot πληροῦν veut dire *remplir, compléter,
achever;* et, au figuré, *remplir* (une promesse, un devoir), *accomplir,
réaliser* (une prophétie, un type biblique), *compléter, parfaire* (une
législation, une institution). — Les deux mots sont choisis de manière
à pouvoir s'appliquer aux quatre aspects de l'Ancien Testament; mais
peut-être vaut-il mieux les prendre au sens absolu, comme nous avons
fait (sans sous-entendre pour complément « la loi et les prophètes ») :
« Je suis venu *parfaire*, non *détruire*. »
Le v. 19, d'une saveur sémitique très prononcée, signifie simplement :
« Le docteur, le prédicateur, fidèle à observer les moindres préceptes et
à les faire observer, autant qu'il est en lui, sera placé haut dans le
ciel; celui qui fera le contraire sera placé bas. » Le *royaume des cieux*
désigne ici, évidemment, le ciel; car sur la terre les rangs ne sont pas
toujours assignés suivant la justice distributive. — De bons auteurs
entendent *solvere* (λύειν) au sens d'abolir, d'abroger (comme plus haut
καταλύειν); mais quel docteur s'avise d'abroger les préceptes du Christ
et d'engager les autres à les abroger; et, s'il le faisait, serait-il admis
au ciel, même à la dernière place?

Nullement. Pas plus que Jésus, l'Apôtre ne présente l'Évangile comme une rupture avec le passé, comme l'antithèse rêvée par Marcion, mais comme un point de départ nouveau. Il y avait dans la Loi mosaïque une foule de prescriptions et de rites qui ne subsistent plus que dans leur accomplissement typique, supplantés qu'ils sont par des institutions meilleures. L'élément moral de la Loi est bien sanctionné par le Christ, mais ce n'est plus la Loi de Moïse ; c'est du Christ qu'elle tient son caractère obligatoire. On peut donc dire qu'elle est entièrement abolie et l'on peut dire aussi qu'il en subsiste quelque chose : le tout est de s'expliquer.

La législation mosaïque avait trois défauts graves. Loi politique autant que religieuse, elle subordonnait le bonheur de l'individu au bien-être de la société et les récompenses qu'elle promettait ne débordaient guère l'horizon terrestre. Elle visait surtout l'acte extérieur, comme si la disposition intérieure était négligeable, au point que des chefs d'école se demandaient si elle atteignait jamais l'intention. Enfin elle s'en tenait aux préceptes impératifs et les conseils de perfection demeuraient hors de sa perspective. Elle disait : « Fais ceci ; évite cela » ; et l'on pouvait se croire tout à fait quitte envers elle, quand on avait exécuté matériellement ses ordres.

L'Évangile est la transformation, encore plus que la continuation de la législation mosaïque. Pour rendre sensible ce contraste, Jésus choisit cinq articles où la supériorité de la loi nouvelle éclate avec évidence : les prescriptions relatives au meurtre, à l'adultère, au parjure, à la vengeance, à l'attitude envers le prochain.

Vous savez qu'il fut dit aux anciens : TU NE SERAS PAS HOMICIDE ; QUICONQUE LE SERA EST JUSTICIABLE DU TRIBUNAL.

Et moi je vous dis : Quiconque se mettra en colère contre son frère sera justiciable du tribunal; et quiconque appellera son frère écervelé (RACA) *sera justiciable du grand conseil; et quiconque le traitera d'insensé* (NABAL = impie) *sera passible du feu de la géhenne.*

Vous savez qu'il fut dit : TU NE SERAS PAS ADULTÈRE.

Et moi je vous dis : Quiconque regarde une femme avec convoitise est déjà adultère dans son cœur.

Vous savez qu'il fut dit aux anciens : Tu ne te parjureras
point et tu acquitteras les vœux faits au Seigneur.

*Et moi je vous dis : Ne jurez pas du tout, ni par le ciel,
car c'est le trône de Dieu; ni par la terre, car c'est l'esca-
beau de ses pieds; ni par Jérusalem, car c'est la ville du
grand roi. Ne jure pas non plus par ta tête, car il n'est pas
en ton pouvoir de rendre blanc ou noir un seul de tes cheveux.
Que votre langage soit : Oui, oui; non, non. Tout ce qui est
en plus vient de l'esprit du mal.*

Vous savez qu'il a été dit : œil pour œil, dent pour dent.

*Et moi je vous dis de ne pas résister au méchant. Mais
si quelqu'un te frappe sur la joue droite, tends-lui la
gauche; et si quelqu'un t'appelle en justice pour avoir ta
tunique, abandonne-lui ton manteau; et s'il te force à faire
mille pas avec lui, accompagne-le l'espace de deux milles.
Donne à qui te demande et prête à qui veut t'emprunter.*

Vous savez qu'il fut dit : Tu aimeras ton prochain et tu
haïras ton ennemi.

*Et moi je vous dis : Aimez vos ennemis et priez pour vos
persécuteurs, afin d'être les fils de votre Père céleste, qui fait
lever son soleil sur les méchants comme sur les bons et
tomber sa pluie également sur les justes et les injustes. Car
si vous aimez ceux qui vous aiment, quelle récompense
méritez-vous ? Les païens ne le font-ils pas ? Et si vous saluez
seulement vos frères, que faites-vous de plus que les autres?
Les Gentils ne le font-ils pas*[1] *?*

Tous les Juifs connaissaient la loi mosaïque pour l'avoir
entendu lire les samedis à la synagogue; le Décalogue leur
étant surtout familier, Jésus le prend pour base de l'édifice
moral qu'il se propose de construire. Sa façon de parler : *Il
a été dit aux anciens; et moi je vous dis,* montre assez qu'il se
pose en législateur supérieur à Moïse.

La Loi punissait de mort l'homicide volontaire[2]. L'Évan-

---

1. Mt. 5²¹⁻⁴⁷. La traduction littérale serait : « Vous avez entendu qu'il
a été dit aux anciens. » La formule est répétée cinq fois. Au verset 31,
relatif au divorce, elle est remplacée par « Il a été dit »; mais ce verset
se retrouve plus loin (19⁹) dans son cadre historique. C'est là que nous
l'expliquerons.

2. Ex. 20¹³ ; Deut. 5¹⁷ ; Lev. 24¹⁷ (pénalité).

gile va beaucoup plus loin; il assimile au meurtre la colère
qui y conduit. Il est des colères justes et saintes, inspirées
par le zèle de Dieu ou l'amendement du prochain; il ne s'agit
pas de celles-là, mais de celles dont saint Jean dit : « Quiconque hait son frère est homicide dans son cœur. » Si, à
l'explosion de colère, s'ajoutent des termes de mépris et de
dérision, répondant au mot araméen *raca* (écervelé, fantoche),
la faute devient plus grave[1]. Elle est extrême, si au mépris
et à la dérision se joignent l'insulte et le plus sanglant des
outrages, comme serait l'imputation de cette folie qui est
une impiété véritable : « L'insensé a dit dans son cœur : Dieu
n'existe pas[2]. » La gravité croissante des fautes est exprimée
par la gradation des peines, en un langage parabolique
qu'aucun des auditeurs n'était exposé à prendre à la lettre. Celui
qui se met en colère contre son frère est justiciable du tribunal
ordinaire : il s'agit de l'assemblée de vingt-trois juges qui,
dans les villes de second ordre, jugeait au criminel et pouvait
prononcer des sentences capitales. Celui qui traitera son
frère avec mépris sera déféré au sanhédrin, ce conseil redoutable auquel ressortissaient les plus grands crimes et d'où ne
partaient que des arrêts de mort. Enfin celui qui dans sa
colère accuse son frère d'impiété est jugé et condamné par
avance et la géhenne est son partage[3]. On appelait géhenne
une vallée située au sud de Jérusalem, où l'on brûlait les
immondices et les carcasses des animaux; les flammes qui s'en
échappaient constamment en avaient fait le symbole de l'enfer.
Le Sauveur ne dit pas quelle serait la peine de l'homicide

---

1. *Raca*, en hébreu *req* (רק), en araméen *réqa* (ריקא), littéralement
vide (κενός). La métaphore est de tous les pays; nous dirions « tête *creuse*,
cerveau *vide* ».

2. *L'insensé*, μωρός, nābāl (נבל), se dit spécialement de l'homme qui
n'a pas le sens des obligations morales et des idées religieuses, de celui
qui nie l'existence de Dieu, Ps. 13 (14)[1], qui insulte Dieu, Ps. 73 (74)[22],
ou les saints, Ps. 38(39)[9], qui méconnaît les bienfaits de Dieu, Deut. 32[6].

3. Il y a gradation dans la faute et dans le châtiment.

        1° Colère — tribunal quelconque
        2° Mépris — sanhédrin
        3° Outrage — géhenne.

Mais le style est parabolique et il ne faut pas chercher à quoi répondent
le tribunal et le sanhédrin. Seul, le dernier terme (géhenne) touche à
l'allégorie et paraît bien signifier directement l'enfer.

même; peut-être pour ne pas laisser supposer qu'un pareil crime pût être commis sous la loi de grâce.

Animosité, ressentiment, aigreur, rancune, l'esprit chrétien bannit tout cela. Le devoir de la charité fraternelle est si impérieux qu'il prime tous les autres : *Seriez-vous auprès de l'autel, en train d'offrir votre sacrifice, si vous vous souvenez que votre frère a un grief contre vous, laissez là votre sacrifice et allez vous réconcilier avec votre frère.* Pour urgent que soit le sacrifice, la réconciliation l'est encore plus. Que le grief soit réel ou imaginaire, peu importe : rétablissez au plus tôt la concorde en dissipant le malentendu. Jésus-Christ ne dit pas : « Si vous avez lésé ou offensé votre frère », mais : « Si votre frère a quelque grief contre vous ». Il est clair cependant que, dans cette rigueur, c'est un conseil de perfection, plutôt qu'une obligation stricte.

Au sujet du mariage et des rapports sexuels, la supériorité de la morale chrétienne est manifeste. La loi ancienne défendait l'adultère et punissait de mort les deux complices [1] ; mais elle se taisait sur l'intention impure. Elle assimilait, du moins en apparence, la convoitise de la femme d'autrui au désir de s'approprier injustement son bien [2]. L'Évangile a d'autres délicatesses ; il condamne le désir impudique, non seulement parce qu'il achemine à l'acte mauvais, mais à cause de sa malice intrinsèque. Nous ne disons pas pour autant que les Juifs aient ignoré la malice du désir impur ; la loi naturelle suppléait au silence de la loi écrite, qui étant un code civil et criminel, aussi bien qu'une règle morale, s'occupait de l'acte et de sa répression plutôt que des dispositions intérieures [3]. Il ne fallait pas attendre d'elle, à plus

---

1. Ex. 20 [14] ; Deut. 5[18] ; Lev. 20[10] (pénalité).

2. Ex. 20[17] : Le désir de la femme, du bœuf et du bien d'autrui est exprimé par le même mot (לֹא תַחְמֹד). Dans Deut. 5[18], les mots diffèrent mais le désir de la femme d'autrui est exprimé par le mot qui, dans l'Exode, signifiait le désir du bœuf et de l'âne. Chez les Juifs, le neuvième et le dixième commandements n'en font qu'un : défense de convoiter le bien ou la femme d'autrui. Pour obtenir le nombre 10, Josèphe et Philon scindent en deux le premier précepte et les Juifs modernes font du préambule le premier commandement.

3. La règle était : « Pour un Israélite, la bonne intention, mais non la mauvaise, est comptée par Dieu comme l'acte lui-même ; pour le non

forte raison, qu'elle nous enseignât le prix et le mérite de la virginité. Elle avait encore d'autres imperfections que l'Évangile est venu corriger, en ramenant le mariage à sa sainteté primitive, en proclamant l'indissolubilité du lien conjugal et en proscrivant le divorce que le législateur des Hébreux tolérait sous certaines garanties.

La Loi antique prohibait le parjure, le faux témoignage et l'emploi abusif du nom de Dieu [1]. Mais c'est ici que la casuistique des rabbins avait fait des prodiges. Rien de plus étrange que les deux traités du Talmud sur les Vœux et les Serments. Tout serment paraissait licite pourvu qu'il ne fût pas contraire à la vérité. Telle était l'habitude d'en émailler la conversation qu'on les prononçait presque sans y songer. On disait par exemple : Je jure que j'ai dormi ou que je n'ai pas dormi, que je dormirai ou que je ne dormirai pas. Jurer par les créatures, même quand elles ont un rapport étroit avec le créateur, passait pour chose indifférente, tant que le nom de Dieu n'était pas proféré. Invoquer le nom de Dieu en vain, c'était l'invoquer pour attester une chose évidente, comme deux et deux font quatre, ou une chose absurde, comme deux et deux font cinq.

Jésus devait réagir contre ce laxisme. Il défend de jurer par les créatures, qui sont l'œuvre de Dieu et sur lesquelles l'homme n'exerce ni droit ni pouvoir absolu. Il proscrit le serment inutile, puisqu'il est tout au moins une irrévérence. Le oui et le non devraient suffire au chrétien pour affirmer et pour nier. Jésus n'interdit pas absolument le serment, qui peut être requis par l'intérêt supérieur de l'individu ou de la société ; mais, sans le péché originel, le serment serait superflu, car il suppose toujours un soupçon de mensonge à

Israélite, c'est le contraire. » Il y a cependant un grand nombre de textes qui condamnent la convoitise charnelle ; mais beaucoup sont récents et peuvent avoir subi l'influence du christianisme. Il nous suffira de citer un texte du traité *Kalla*, I : « Celui qui regarde la femme avec une intention (impudique) est comme celui qui a des rapports avec elle. » La suite est intraduisible en français.

1. La loi antique défend expressément le faux témoignage (Ex. 20[16] ; Deut. 5[20]), le serment faux (Lev. 19[12] : לשקר) et le serment vain (Ex. 20[7]. Deut. 5[11] : שוא)), ainsi que la violation du vœu fait au Seigneur (Num. 30[3] ; Deut. 23[21] ; Ps. 49 [50] [14]).

l'égard de celui qui le prête et un sentiment de défiance dans celui qui l'exige [1]. A ce point de vue, l'on peut dire que le serment dérive d'un principe mauvais.

« Œil pour œil, dent pour dent, blessure pour blessure, vie pour vie » : telle était la maxime universellement reçue dans le monde sémitique, deux mille ans avant notre ère [2]. Moïse l'inscrivit dans son code; mais pour tarir la source des vengeances individuelles, qui, chez les Arabes du désert, se multipliaient et se ramifiaient à l'infini, il en réserva l'application aux tribunaux réguliers. Il est d'ailleurs douteux qu'elle ait été jamais appliquée en toute rigueur, sauf dans le cas des faux témoins qui devaient subir la peine du talion, à moins qu'une compensation ne fût acceptée par la partie adverse [3].

Malgré ces adoucissements, la loi du talion se ressentait de la barbarie primitive. Combien différent est l'esprit chrétien! Il nous apprend, non seulement à ne pas exiger âprement notre dû, mais à sacrifier au besoin quelque chose de

---

1. Il y a des exemples de serments dans le Nouveau Testament : Rom. 1[2]; 2 Cor. 1[23]; Gal. 1[20]; Phil. 1[8]. Jésus dit (Mt. 5[37]) : « Sit sermo vester est, est, non, non; quod autem his abundantius est, a malo est. » Si le sens général est clair, le sens des détails est controversé. Faut-il entendre *est, est, non, non* (ναὶ ναί, οὗ οὔ) d'une simple répétition pour renforcer l'affirmation ou la négation, ou bien faut-il supposer une ellipse : Dites *oui* (si c'est) *oui*, dites *non* (si c'est) *non?* Le mot de S. Jacques favorise le second sens (5[12] : Ἤτω δὲ ὑμῶν τὸ ναὶ ναί, καὶ τὸ οὔ οὔ. Que votre oui soit oui et que votre non soit non). — Dans *ex malo est* (ἐκ τοῦ πονηροῦ ἐστιν), l'adjectif peut être au masculin (vient du *Malin* du démon) ou au neutre (vient d'un *mauvais* principe). La seconde explication, plus naturelle, nous paraît meilleure; mais elle diffère peu de l'autre, car c'est en définitive le démon qui est cause de la dépravation de notre nature. — On sait que S. Jean Chrysostome condamnait tous les serments et S. Jérôme les serments faits par les créatures. Ces deux docteurs n'ont pas été suivis, sauf par quelques sectes hétérodoxes.

2. Ex. 21[24]; Lev. 24[20]; Deut. 19[21]. Même disposition dans le code de Hammourabi et dans la loi des Douze Tables, d'où nous vient le mot *talion* (Si rupit membrum... *talio* est).

3. Josèphe assure (*Antiqu.* IV, VIII, 35) que le plaignant fixait le montant de la compensation pécuniaire, comme dans le droit musulman. Telle devait être la pratique courante. D'après la Mishna (*Baba qamma*, VIII, 1), un soufflet donné avec la paume de la main était tarifé 200 *zouz*, avec le revers de la main, 400 *zouz*, parce que l'affront était plus grand (*Ibid.* VIII, 6). Le *zouz* équivalait au denier romain.

nos droits pour le bien de la paix. Assurément, le précepte
de tendre la joue gauche à qui a frappé la droite, d'aban-
donner le manteau à qui s'est emparé de la tunique, d'acquitter au double une corvée imposée arbitrairement, n'est
pas à prendre à la lettre. Jésus veut dire qu'un vrai chrétien
oppose la douceur à la violence, le désintéressement à la
cupidité, le renoncement de son droit aux exigences injustes,
quand les circonstances le conseillent, afin de vaincre le
mal par le bien, selon le mot de saint Paul. C'est la disposition intérieure qui est requise plutôt que l'exécution littérale, comme l'a très bien compris saint Augustin. Et même
si notre renoncement avait pour effet d'exaspérer l'agresseur
et de le rendre plus intraitable, au lieu de l'adoucir et de le
ramener à la saine raison, la charité nous dicterait une
conduite contraire. Donner ou prêter à quiconque demande
et tout ce qu'il demande, ne serait-ce pas trop souvent encourager la paresse et les folles dépenses ? C'est ici le cas de
dire que la lettre tue et l'esprit vivifie. L'esprit c'est la
recherche de la paix, même au prix de quelques sacrifices,
et le refus d'opposer violence à violence. Pourtant n'oublions
pas qu'une règle de perfection, bonne pour l'individu, ne
vaut pas pour la société, vengeresse-née de la justice et du
droit.

L'amour des ennemis est le comble du paradoxe ou du
sublime. Dans l'ancienne loi, l'injonction d'aimer le prochain
ne visait que les compatriotes. La bienveillance était pres-
crite à l'égard de l'étranger, mais il s'agissait du métèque
(ger), du prosélyte au sens large, établi au milieu d'Israël.
Un article, il est vrai, défendait de nuire à l'ennemi et ordon-
nait même de lui rendre ces menus services qu'on ne refuse
à personne ; mais ici encore il était question de l'Israélite,
ennemi de fait ou d'occasion, et ami de droit, comme concitoyen[1]. Si aucun passage de l'Écriture ne permet la haine
individuelle et privée, de nombreux textes autorisent et sanc-

---

1. Dans Lev. 19[18], le prochain, c'est le re° (רע)), le compagnon, le
concitoyen; dans Lev. 19[33-34], le prochain c'est le ger (גר), l'étranger
résidant au milieu d'Israël, comme le prouve le passage parallèle,
Deut. 22[1-2]. Dans Ex. 23[5], l'ennemi (soné) est clairement un Israélite.

tionnent les haines nationales, vouées à tous les peuples voisins et rivaux, exception faite des Égyptiens et des Iduméens[1]. Mais le silence relatif à l'amour des ennemis pouvait être regardé comme autorisant la haine et c'est en effet la conclusion que les rabbins en avaient tirée[2]. Le prêt à intérêt, interdit entre Juifs, était licite avec les *Goïm*[3] et l'on se persuadait aisément qu'il n'y avait pas de mesure à garder avec l'étranger. L'hostilité féroce, irréconciliable, des Juifs contre les Gentils était passée en proverbe dans le monde gréco-romain[4]. C'est à un auditoire imbu de ces préjugés que Jésus vient dire :

Aimez vos ennemis, faites du bien à ceux qui vous haïssent, priez vous ceux qui vous persécutent ou vous calomnient, afin d'être les fils de votre père qui est aux cieux.

Certes, il n'exige pas l'impossible ; il ne nous ordonne pas d'aimer nos ennemis autant que nos amis, nos bienfaiteurs et nos proches ; il veut que nous les aimions de cet amour de charité qui dépend de la volonté seule et qui nous fera désirer leur bien spirituel, prier pour leur salut, donner enfin ces marques d'intérêt et de bienveillance auxquelles ont droit tous les membres de la famille humaine. Tel est le précepte ; mais la pratique des saints nous montre que le champ des conseils s'étend bien au delà. Dieu lui-même, lui qui fait luire son soleil sur les méchants comme sur les bons et tomber également les pluies fécondantes sur les champs des pécheurs et des justes, nous est ici proposé pour modèle : « Soyez parfaits comme votre Père céleste est parfait. »

On voit quel abîme sépare la législation édictée par Moïse au sommet du Sinaï, de l'idéal proposé par le Christ sur le mont des Béatitudes. La loi ancienne prohibait le meurtre, la loi nouvelle interdit jusqu'aux sentiments d'aigreur et d'animosité qui en sont l'acheminement lointain ; la loi ancienne punissait l'adultère, la loi nouvelle punit aussi le regard impudique et la pensée impure qui y disposent ; la loi

---

1. Ex. 17[16], Deut. 25[17-19] (Amalec) ; Num. 23[18] (Madian) ; Deut. 7[15] (Canaan) ; Deut. 23[2-6] (Ammon et Moab.) ; Deut. 23[7] (Égypte et Édom).
2. Voir Billerbeck, *Kommentar*, t. I, p. 353-370.
3. Deut. 23[19-20]. Ici le *nokri* est l'étranger proprement dit, *alienigena*.
4. Tacite, *Hist.* v, 5 ; Juvénal, xiv, 103-104, Voir Ch. Reinach, *Textes d'auteurs grecs et romains relatifs au judaïsme*, Paris, 1895.

ancienne défendait le parjure, la loi nouvelle défend pareillement tout serment superflu ; la loi ancienne semblait autoriser la vengeance sous le nom de talion, la loi nouvelle, non contente de prescrire l'oubli et le pardon des injures, conseille de pousser jusqu'à l'héroïsme la patience et l'abnégation ; enfin, la loi ancienne commande l'amour des proches, mais la loi nouvelle commande l'amour du prochain sans distinction aucune et sans même excepter l'ennemi.

Si maintenant nous descendons de la spéculation à la pratique de la vie, le contraste entre la piété juive et la piété chrétienne ne sera pas moindre. L'aumône, le jeûne et la prière passaient chez les Juifs pour la pierre de touche du vrai dévot. Les pharisiens se targuaient d'exceller en ces trois vertus, mais ils en gâtaient la pratique par des artifices et des raffinements d'amour-propre que le Sauveur va stigmatiser sous le nom d'hypocrisie.

Gardez-vous de faire vos actes de vertu devant les hommes, pour en être vus ; autrement vous n'aurez pas de récompense auprès de votre Père qui est aux cieux.

Donc, quand tu fais l'aumône, ne sonne pas de la trompette devant toi, comme font les hypocrites dans les synagogues et dans les rues, afin d'être honorés des hommes. En vérité je vous le dis, ils ont reçu leur récompense. Pour toi, quand tu fais l'aumône, que ta main gauche ignore ce que donne la droite, afin que ton aumône reste secrète ; et ton Père, qui voit dans le secret, te le rendra.

Lorsque vous vous mettez en prières, n'imitez pas les hypocrites qui aiment à prier debout dans les synagogues et les carrefours, pour être vus des hommes. En vérité je vous le dis, ils ont reçu leur récompense. Mais toi, quand tu veux prier, entre dans ton oratoire et fermes-en la porte, afin de prier ton Père dans le secret ; et ton Père, qui voit dans le secret, te le rendra.

Lorsque vous jeûnez, ne prenez pas un air défait, comme font les hypocrites qui s'exténuent le visage, pour montrer aux hommes qu'ils jeûnent. En vérité je vous le dis, ils ont reçu leur récompense. Mais toi, quand tu jeûnes, parfume-toi

*la tête et lave-toi le visage, afin que tu ne paraisses pas jeû-
ner pour les hommes mais pour Dieu, et ton Père qui voit
dans le secret, te le rendra*[1].

Le mal n'est pas de faire les bonnes œuvres devant les hommes — l'édification peut le conseiller parfois et même l'exiger — mais de les faire en vue des hommes, pour attirer leur
attention, gagner leur estime et capter leur confiance. Cette
recherche anxieuse de l'approbation humaine, si secrète qu'on
la suppose, n'échappe pas au regard de Dieu. Elle vicie la
bonne action, en ôte le mérite, en ruine le salaire. Elle est
elle-même sa propre récompense, aussi vaine que le sentiment qui porte à l'ambitionner.

L'éloge que le Talmud faisait de l'aumône est hyperbolique : « Un liard donné en aumône, a dit un rabbin, vaut à
l'homme de voir la face de Dieu. » C'est par là que les pharisiens s'efforçaient surtout de se distinguer du vulgaire. Les
occasions ne manquaient pas. Il y avait les quêtes à domicile,
la distribution publique de la dîme dite des pauvres, les
offrandes pour les indigents qu'on allait déposer dans l'un
des treize troncs placés dans le parvis des femmes. Les pharisiens avaient coutume d'accomplir ces divers actes avec
leur ostentation ordinaire. Faisaient-ils réellement annoncer
à son de trompe l'heure et le lieu de ces distributions charitables ? Aucun document ne permet de l'affirmer et il est possible que ce ne soit qu'une métaphore. Toujours est-il qu'ils
avaient soin de faire sonner bien haut leurs moindres libéralités. Le vrai chrétien, au contraire, n'agissant que pour Dieu,
laisse ignorer à sa main gauche ce qu'a donné la droite,
expression figurée pour marquer le soin qu'il prend de
cacher aux autres hommes et, pour ainsi dire, à soi-même,
ses actes de vertu.

Les pharisiens mettaient dans leurs prières la même

---

1. Mt. 6[1-6],16-18. *Attendite ne justitiam vestram faciatis coram hominibus.* On peut se demander si dans ce texte *justitia* (δικαιοσύνη) signifie
« acte de vertu » ou aumône; beaucoup de manuscrits grecs lisent
ἐλεημοσύνην. Dans l'hébreu de basse époque, l'aumône se dit justice (*tse-
daqah.* צדקה) parce que la bienfaisance était considérée comme la
vertu caractéristique du juste; et ce sens dérivé est passé en syriaque
et en arabe.

ostentation. Ils choisissaient de préférence les lieux les plus fréquentés; ils se laissaient surprendre en public par l'heure de la prière, afin de s'en acquitter au su et au vu de tous. Les larges phylactères, qu'ils portaient attachés au front et enroulés autour du bras gauche, les signalaient à tous comme des hommes exacts à prier.

Un seul jeûne annuel, au jour de l'Expiation (*Qippour*), était prescrit par la loi de Moïse. La coutume en introduisit quelques autres au cours des siècles; mais les pharisiens dévots ne s'en contentaient pas : « Je jeûne deux fois par semaine », le lundi et le jeudi, affirme avec fierté le pharisien de la parabole, écrasant de son mépris le publicain qui ne jeûne pas. Toujours la même suffisance et le même orgueil. Lorsque, après la mort de Jésus, ses disciples jeûnèrent à leur tour, comme il l'avait annoncé, ils choisirent le mercredi et le vendredi, pour se distinguer des *hypocrites;* et ils s'en distinguèrent plus encore par leur souci d'éviter la jactance et la vaine gloire[1].

III. Règle d'or et conclusion.

Aimer Dieu de tout son cœur et le prochain comme soi-même, c'est le résumé de la morale chrétienne. Il n'en était pas ainsi de l'ancienne loi, où le précepte de l'amour du prochain n'était pas clairement énoncé. Pour le Juif, le prochain était le parent, l'ami, le voisin, le concitoyen et le compatriote; ce n'était pas l'inconnu, l'étranger, l'ennemi national ou personnel. Pour le disciple du Christ, c'est l'homme même, sans exception ni restriction aucune. Compris de la sorte, l'amour du prochain inclut l'amour de Dieu, il en est inséparable; ces deux amours n'en font plus qu'un et saint Paul a pu dire de la charité fraternelle qu'elle est la fin, l'abrégé et la plénitude de la loi de grâce.

L'altruisme chrétien a reçu son expression la plus haute dans ce qu'on appelle la *règle d'or :* « Tout ce que vous vou-

---

1. *Doctrine des Apôtres* (Didaché), VIII, 1. « Ne jeûnez pas avec les hypocrites; ils jeûnent le lundi et le jeudi, jeûnez, vous autres, le mercredi et le vendredi. » Allusion à Mt. 6[16]. Cf. la note de Funk, *Patres postolici*[2], 1901, t. I, p. 19.

driez que les hommes vous fissent, faites-le vous aussi pour eux ; c'est là (toute) la loi et les prophètes. » Ou bien : « Traitez les autres comme vous voudriez être traités par eux[1]. » On a compulsé tout le fatras du Talmud pour y chercher une maxime semblable et l'on n'a trouvé que le mot attribué au grand Hillel, qui aurait dit, en voyant son rival Shammaï rudoyer un prosélyte : « Ce qui vous déplaît pour vous-même ne le faites pas à un autre. » Du reste, Hillel n'est pas l'inventeur de cette formule, qu'on lit textuellement au Livre de Tobie et dont les écrivains profanes fourniraient des équivalents[2] ; mais elle n'a qu'un rapport éloigné avec la règle d'or, car si elle défend de faire du mal, elle ne prescrit pas de faire du bien à tous les hommes, qu'ils soient amis ou ennemis. Entre les deux, la distance est grande.

Mettre les autres à notre place, les traiter toujours et en tout comme nous voudrions être traités, est d'une pratique difficile et rare, car elle suppose la mort de l'égoïsme. Pour y aspirer et y atteindre, il faut ancrer profondément en nous cette conviction, fondée sur la foi, que Dieu nous traitera nous-mêmes comme nous aurons traité les autres :

Ne jugez pas et vous ne serez pas jugés ; ne condamnez pas et vous ne serez pas condamnés ; pardonnez et vous serez pardonnés ; donnez et il vous sera donné ; une mesure pleine, serrée, tassée, débordante, sera versée dans votre sein, car on se servira pour vous de la mesure dont vous vous servirez vous-mêmes.

C'est un fait d'expérience que nous tombons souvent dans les fautes dont nous avons cru les autres capables et que nous sommes faussement soupçonnés des choses dont nous avons soupçonné les autres ; mais ce n'est pas à cette justice immanente que le Seigneur fait allusion quand il dit : « Ne jugez pas pour n'être pas jugés. » Il veut parler de la sentence terrible réservée à ceux qui jugent sans mission et sans bienveillance. Sommes-nous constitués juges de ceux qui valent mieux que nous ?

---

1. Mt. 7[12] ; Lc. 6[31]. S. Matthieu conclut le discours par cette maxime. S. Luc l'insère dans le passage relatif à l'amour des ennemis.
2. Pour le Talmud, voir Edersheim, *Life and Times*, I, 535 et II, 23. La maxime citée comme étant du Talmud est en réalité dans Tobie, 4[?]

Pourquoi vois-tu la paille qui est dans l'œil de ton frère et ne remarques-tu pas la poutre qui est dans ton œil? Et comment oseras-tu dire à ton frère : « Laisse-moi ôter la paille qui est dans ton œil », quand il y a une poutre dans le tien? Hypocrite! ôte d'abord la poutre qui est dans ton œil et alors tu songeras à ôter la paille de l'œil de ton frère [1].

Nos paroles et nos actions ont leurs racines profondes dans nos pensées; pour qu'elles soient charitables, il faut que nos pensées le deviennent. Pas de bon arbre qui porte de mauvais fruits, ni de mauvais arbre qui porte de bons fruits : *car c'est par les fruits qu'on reconnaît la nature de l'arbre. On ne récolte pas des figues sur les épines ni des raisins sur les ronces.* Le critère auquel on distingue le prophète de l'imposteur, le saint de l'hypocrite, est le suivant : « Vous les reconnaîtrez à leurs fruits [2]. » Non pas que cet indice soit absolument infaillible, — le loup peut se cacher quelque temps sous la peau de la brebis, — mais il suffit en pratique, car l'hypocrisie se démasque à la longue et le vrai personnage finit par transparaître sous le déguisement.

Le Sermon sur la montagne est terminé. Les auditeurs qui lui ont prêté une oreille attentive, sont dans l'admiration. Comment n'admireraient-ils pas cette doctrine, si belle, si sublime, si différente du formalisme étroit et prosaïque des scribes? Mais c'est trop peu d'écouter, trop peu d'applaudir, il faut encore traduire en actes la leçon apprise. Les bonnes intentions, dont l'enfer est pavé, n'ont jamais sauvé personne :

Tous ceux qui me diront: Seigneur, Seigneur! n'entreront pas au royaume des cieux, mais ceux-là seulement qui font la volonté de mon Père céleste [3].

Quiconque écoute ma parole et la met en pratique ressemble à l'homme sage qui bâtit sa maison sur le roc. La pluie tombe, les torrents viennent, les vents soufflent et s'abattent

---

1. Mt. 7 [3-5]; Lc. 6 [41-42] (identique).
2. Mt. 7 [15-20]; Lc. 6 [43-44] (abrégé).
3. Mt. 7 [21]; Lc. 6 [46].

sur cette maison; mais elle tient bon, parce qu'elle est bâtie sur le roc.

Et celui qui écoute ma parole sans la mettre en pratique ressemble à l'insensé qui bâtit sa maison sur le sable. La pluie tombe, les torrents viennent, les vents soufflent et s'abattent sur cette maison; alors elle s'écroule et sa ruine est complète[1].

La parabole se passe d'explication, l'expérience quotidienne en étant le meilleur commentaire. Quand on voulut élever au Cœur de Jésus, sur le mont des Martyrs, un monument impérissable de la reconnaissance française, on décida de creuser jusqu'à la roche vive, quelle qu'en fût la profondeur, autant de puits que la basilique devait compter de piliers. Ces puits, comblés de maçonnerie cimentée à la chaux hydraulique, étaient destinés à soutenir les puissantes arcades qui supporteraient l'édifice. C'était changer une montagne de terre en une montagne de pierre[2]. Il fallait pour cela des années et des millions; or on était pressé et l'on ne savait pas alors si les millions viendraient. Plusieurs blâmèrent l'audace du pieux cardinal Guibert qui avait signé le projet. Pourtant il avait agi en homme sage; il imitait Celui qui a choisi le Rocher pour y édifier son Église. Qui bâtit pour l'éternité doit donner à son œuvre un fondement inébranlable.

---

1. Mt. 7[24-27]. — S. Luc (6[47-49]) a la même parabole avec des variantes qui, pour n'être que de style, ont leur intérêt, parce qu'elles reflètent la manière des deux auteurs. S. Matthieu, fidèle au parallélisme hébraïque, procède par petites incises coordonnées et exprime par les mêmes termes les deux membres du contraste, ne changeant que les mots opposés entre eux : roc-sable, sage-insensé, etc. S. Luc varie ses expressions et subordonne ses phrases. Comme il fait tout converger vers l'idée de *fondement*, il n'indique qu'une seule cause de ruine : les eaux débordantes qui s'attaquent surtout aux fondations.

Quiconque vient à moi, écoute mes discours et les met en pratique, je vous montrerai à qui il ressemble. Il ressemble à un homme qui, bâtissant une maison, creuse profondément et asseoit les fondations sur le roc. Quand vient l'inondation, le fleuve s'abat sur cette maison sans pouvoir l'ébranler, car elle est solidement bâtie sur le roc.

Mais celui qui écoute (ma parole) et ne la met pas en pratique ressemble à un homme qui bâtit une maison sur la terre, sans (aucun) fondement. Le fleuve s'abat sur elle et aussitôt elle s'effondre.

2. Il y a 83 puits, dont 25 ont cinq mètres de côté : soit 35.000 mètres cubes de maçonnerie souterraine.

Comme on l'a très bien dit : « Le Discours sur la montagne n'est pas le dernier mot du Christ ; c'est l'introduction à l'Évangile. Dans cet exposé de la morale chrétienne, de son idéal, de ses devoirs, de ses récompenses, Jésus ne parle pas encore de l'Église, il s'efface presque complètement lui-même ; il ne se révèle que par l'autorité de sa parole ; mais cette autorité est souveraine et pour toute âme attentive et droite elle est une révélation très efficace [1]. »

Le Sermon sur la montagne, relu par hasard après de longues années d'oubli, inspirait à un célèbre critique du siècle dernier, les réflexions suivantes [2] : « On peut dire que le jour où un tel discours fut proféré du haut d'une colline de la Galilée, il s'était produit et révélé quelque chose de nouveau et d'imprévu dans l'enseignement moral de l'homme. Moïse, redescendant des hauteurs du Sinaï, avait, en promulguant le Décalogue, établi le dogme de l'unité du Dieu vivant et réglé les prescriptions sévères qui s'y rattachent ; il avait déclaré et imposé les premiers principes du culte de Dieu et de la société humaine. Mais du jour où, dans une province de Judée éloignée de Jérusalem, sur une colline verdoyante, non loin de la mer de Galilée, au milieu d'une population de pauvres, de pêcheurs, de femmes et d'enfants, le Nazaréen, âgé de trente ans environ, simple particulier, sans autorité visible, nullement conducteur de nation, ne puisant qu'en lui-même le sentiment de sa mission divine dont il se faisait l'organe inspiré comme un fils l'est par son père, se mit à parler en cette sorte, de cette manière pleine à la fois de douceur et de force, de tendresse et de hardiesse, d'innocence et de vaillance, un nouvel âge moral commençait. »

Cette page d'un libre penseur notoire appellerait sans doute les réserves ; nous la citons seulement comme un écho affaibli de l'admiration enthousiaste que le Sermon sur la montagne souleva chez ses premiers auditeurs.

1. Lebreton, *La Vie et l'enseignement de J.-C.*, 1931, t. I, p. 251.
2. Sainte-Beuve, *Nouveaux lundis* [4], 1884, t. III, p. 246-247.

CHAPITRE IV

PREMIERS ASSAUTS DE L'ENNEMI

I. Les scribes et les pharisiens.

Désormais nous rencontrerons partout sur les pas de Jésus les scribes et les pharisiens. Il nous faut faire connaissance avec ces personnages qui vont jouer un rôle capital dans la lutte livrée au Sauveur, jusqu'au jour où les sadducéens prendront la conduite du drame pour en précipiter le dénouement.

A l'origine, l'interprétation de la loi incombait au sacerdoce. « Les lèvres du prêtre, dit le prophète Malachie, sont les gardiennes de la science; c'est de sa bouche qu'on attend l'intelligence de la loi. » Mais, à mesure que s'enrichissait la littérature sacrée, lorsque le droit coutumier, se rattachant au droit écrit par un lien très artificiel, envahit la législation, l'étude de la Bible devint d'une extrême complexité; car la Bible est à la fois une histoire, une théologie, une morale, une liturgie, un code civil et criminel. L'acquisition approfondie d'une science réclame tout l'homme ; or la caste sacerdotale, absorbée par les fonctions du culte, le soin de sa fortune, les préoccupations politiques, n'avait plus le temps de s'y adonner. A défaut des prêtres, ce furent les scribes, faisant de l'étude de la Thora leur unique affaire, qui devinrent les interprètes attitrés de la loi et de ses surcharges traditionnelles. Comme les traditions, avant d'être fixées par écrit vers la fin du deuxième siècle, se transmettaient oralement, il fallait tout confier à la mémoire; ce qui exigeait de longues années passées aux pieds d'un maître.

Si nous en croyons les *Sentences des Pères,* les scribes sont les héritiers directs de Moïse. Josué, ayant reçu de lui la Thora avec ses superfétations, l'aurait transmise aux anciens les anciens aux prophètes, le   prophètes aux membres de la

grande Synagogue, dont le dernier fut Simon le Juste qui
eut pour successeur Antigone de Socho. D'Antigone, procèdent les cinq couples fameux qui se succèdent sans interruption jusqu'à Hillel et Shammaï [1].

Il n'est pas besoin d'avertir que cette généalogie d'hommes
se transmettant l'un à l'autre, pendant quinze siècles, le
flambeau des traditions sacrées, est fantasmagorie pure. Elle
est due au souci qu'eurent les scribes d'ennoblir leur origine,
pour rehausser leur autorité et en imposer au vulgaire, dont
ils aimaient à se distinguer par la gravité des manières et
l'ampleur de l'habit. Désignés d'avance pour les charges et
les honneurs — car l'étude de la Bible rendait apte à tous
les emplois — les scribes étaient à la fois ou tour à tour juges
et avocats, professeurs et prédicateurs, hommes d'État et
hommes d'Église, directeurs des consciences et conseillers
des grands, médecins des corps et des âmes. Des places leur
étaient réservées au sanhédrin de Jérusalem, à côté des
notables et des princes des prêtres. C'étaient eux en général
qui commentaient l'Écriture dans les écoles et les synagogues
et leurs décisions, quand elles s'accordaient, avaient force
de loi.

Les scribes et les pharisiens sont toujours étroitement
associés dans l'Évangile. Rien de plus naturel, car si tous
les pharisiens n'étaient pas des scribes, presque tous les
scribes étaient pharisiens. Les pharisiens apparaissent pour
la première fois dans l'histoire, sous le nom de *Dévots*
(*Hasidim*), comme auxiliaires des Macchabées. Le nom de
pharisiens, qui signifie *Séparés* ou *Séparatistes,* est probablement un sobriquet qu'ils finirent par adopter, parce qu'il
marque bien leur tendance. Ils s'appelaient entre eux *Compagnons* (*Haberim*) et ils formaient une vraie secte, sans
être, comme les esséniens, une communauté.

Leur histoire devient moins obscure, quelque cent dix ou
cent vingt ans avant notre ère, au moment de leur rupture
violente avec les sadducéens. Voici, en substance, comment
Josèphe et le Talmud racontent cet événement. Jean Hyrcan

---

1. Mishna, traité *Aboth,* chap. i. Texte et commentaire dans l'édition
de Marti et Beer, Giessen, 1927. Le dernier couple — Hillel et Shammaï
— vivait du temps d'Hérode, peu avant la naissance du Christ.

(135-104), le premier des Asmonéens qui ait ceint la couronne royale, donnait un grand banquet auquel il avait invité les principaux pharisiens, alors très en faveur auprès de lui. Vers la fin du repas, pris de cette dévotion facile qu'échauffe le vin et la bonne chère, il demanda à ses hôtes de lui dire franchement ce qu'il devait faire pour plaire entièrement à Dieu et leur être agréable. Ils se récrièrent, protestant bien haut que le roi était un modèle achevé de toutes les vertus. Un seul gardait le silence. Pressé de questions, il finit par dire que le roi ferait bien de se contenter de la royauté et de se démettre du souverain pontificat. — « Et pourquoi cela? » demanda Jean Hyrcan. — « C'est, répliqua l'autre, parce qu'on assure que votre mère a été esclave sous Antiochus Épiphane. » C'était une calomnie et le roi en fut vivement indigné. Un sadducéen, Éléazar, attisa son courroux en affirmant que tous les pharisiens, au fond du cœur, pensaient de même. En effet, interrogés sur la peine que méritait l'insulteur, ils répondirent qu'il méritait seulement le fouet et la prison. Le châtiment parut trop bénin au prince qui, dès ce moment, se tourna du côté des sadducéens et fut imité par ses deux successeurs.

Pour légendaire ou romancé qu'il soit, ce récit nous prouve l'existence, plus de cent ans avant notre ère, de deux partis, animés l'un contre l'autre d'un antagonisme latent qu'un incident vulgaire pouvait changer en hostilité déclarée. Pharisiens et sadducéens différaient en tout : condition sociale, idées religieuses, visées politiques. Tandis que les pharisiens se recrutaient dans la classe moyenne, à laquelle appartenaient les scribes, les sadducéens formaient l'aristocratie de la nation : aristocratie du rang, de la naissance et de la fortune. Satisfaits de l'état de choses actuel qui leur assurait les honneurs et les privilèges, les sadducéens ne demandaient que le *statu quo* et redoutaient tout mouvement populaire capable de le compromettre. Les pharisiens étaient un parti essentiellement religieux qui se tenait à l'écart de la politique. Opportunistes, au sens où l'avaient été les prophètes, ils regardaient la domination étrangère comme un châtiment du ciel et acceptaient tout gouvernement qui leur laissât la liberté de pratiquer leur religion telle qu'ils l'enten-

daient. Toutefois, nationalistes d'instinct, ils étaient plus résignés que soumis et ils eussent volontiers mis à profit une occasion propice de secouer un joug odieux.

Comparés aux sadducéens, les pharisiens étaient les représentants de l'orthodoxie judaïque. Ils croyaient à l'immortalité de l'âme, à l'éternité des peines et des récompenses, à la résurrection, au moins à celle des justes, à l'existence des anges et des démons. Ils admettaient la providence et le libre arbitre de l'homme et soutenaient que l'initiative divine ne détruit ni le mérite ni la responsabilité. Rabbi Akiba, le fameux chef de la dernière révolte, disait : « Dieu a tout prévu et cependant le libre arbitre existe ; le monde sera jugé par la bonté divine, mais selon les œuvres de chacun. » Au contraire, les sadducéens niaient l'existence des esprits et leurs principes aboutissaient logiquement au fatalisme[1].

Trois vices déparaient les qualités très réelles des pharisiens : un formalisme étroit, un orgueil démesuré et le mépris du vulgaire.

Sous prétexte que la tradition était la haie protectrice de la loi, ils en étaient arrivés à préférer la première en cas de conflit et ils ne craignaient pas d'affirmer qu'on était plus coupable de violer la tradition orale que la loi écrite elle-même. « Pourquoi, leur disait justement le Sauveur, transgressez-vous les préceptes de Dieu à cause de vos traditions ? »

La prière du pharisien de la parabole peint au vif l'orgueil pharisaïque : « Merci, mon Dieu, de ce que je ne ressemble pas au reste des hommes, voleurs, injustes, adultères. Je jeûne deux fois par semaine, je paye la dîme des moindres produits du sol. » Pour avoir fait quelques œuvres de surérogation, en négligeant les devoirs essentiels, le pharisien se regardait comme le créancier de Dieu.

Et cette estime de soi le remplissait d'un mépris sans

1. Sur l'enseignement des pharisiens et des sadducéens, notre source principale et presque unique est Josèphe, qui décrit assez longuement et compare les doctrines des deux sectes, mais en les assimilant aux écoles grecques de philosophie. Voyez surtout *Bellum*, II, VIII, 14 ; *Antiq.* XIII, v, 9 ; x, 6, et *Antiq.* XVIII, I, 2-4. Les pharisiens seraient comparables aux stoïciens (*Vita*, 2).

bornes pour le vulgaire (*'am-ha-arets*), c'est-à-dire pour quiconque n'était pas pharisien. Ces rustres, ces ignorants — et pour un pharisien était *ignorant* quiconque ne se livrait pas à l'étude de la Loi et n'observait pas les pratiques traditionnelles — étaient indignes de vivre, de consommer les fruits de la terre. Le vrai pharisien ne les invitait pas à sa table et ne daignait point partager la leur; leur simple contact était une souillure.

La haute idée que les pharisiens avaient d'eux-mêmes, leur esprit de corps, l'idéal élevé qu'ils proposaient, l'ascétisme qu'ils affichaient, la dignité de leur tenue, leur indépendance à l'égard des pouvoirs publics, tout contribuait à les grandir aux yeux des masses. Leur influence prépondérante est attestée par Josèphe, peut-être avec un peu d'emphase, car Josèphe, quoique de race sacerdotale, était pharisien. Selon lui, telle était leur autorité auprès du peuple, que les sadducéens étaient souvent forcés par l'opinion publique de suivre leur avis, même en matière de liturgie et de culte [1].

II. Le festin offert par Matthieu.

Les scribes et les pharisiens étant ce qu'ils étaient, leur hostilité contre l'Évangile était inévitable. Ils reprochaient à Jésus son commerce avec les pécheurs et les gens mal famés, sa violation du sabbat et des observances traditionnelles, sa prétention de remettre les péchés; mais le grief principal qu'ils n'articulaient pas était sa popularité croissante, qui se traduisait pour eux en une baisse de considération et une diminution d'influence.

Nous avons vu plus haut, dans la scène du paralytique porté par quatre hommes et glissé à travers les poutrelles du

---

1. On trouvera les textes relatifs aux pharisiens et aux sadducéens, avec la bibliographie qui les concerne (jusqu'en 1907), dans Schürer, *Geschichte*[4], II, p. 447-489; et, pour le Talmud et les anciennes sources juives, dans Billerbeck, *Kommentar*, t. IV, 1928, p. 334-352. Parmi les travaux modernes les plus importants, on peut citer Abrahams, *Studies in Pharisaism and the Gospels*, Cambridge, 2 vol. 1917 et 1924; J. W. Lightley, *Jewish Sects and Parties in the Time of Christ*, Londres, 1925. Résumé assez substantiel dans Edersheim, *Life and Times*[11], 1901, t. I, p. 310-324.

toit, quel fut le scandale des scribes et des pharisiens en
entendant Jésus dire à l'infirme : « Tes péchés te sont remis. »
Ils murmuraient tout bas, n'osant pas protester tout haut :
« Cet homme blasphème; qui peut remettre les péchés si ce
n'est Dieu seul? » Les acclamations joyeuses et enthousiastes
de la multitude leur fermèrent cette fois la bouche; et peut-
être aussi le miracle les impressionna-t-il; car ils n'avaient
pas encore conçu l'idée vraiment satanique d'attribuer à l'intervention de Satan les miracles du Christ.

Le conflit éclata à l'occasion du festin donné par Matthieu
en l'honneur de Jésus qui venait de l'appeler à sa suite[1]. Un
grand nombre de publicains ou de gens assez mal famés y
avaient été invités et Jésus, avec ses apôtres, était assis à la
même table. Les scribes et les pharisiens qui, pour l'épier,
s'étaient clandestinement introduits dans la salle, ou qui en
surveillaient les abords, étaient profondément scandalisés. Ils
n'osèrent pas toutefois s'en prendre à Jésus lui-même, mais ils
furent plus hardis avec les disciples : « Quoi! leur disaient-ils,
votre maître mange et boit avec des publicains et des pécheurs
publics? » C'était à leurs yeux plus qu'une inconvenance, c'était
la pire des indignités. Les disciples embarrassés rapportèrent
ces propos à Jésus qui se contenta de répondre : *Ce ne sont
pas les gens bien portants qui ont besoin de médecin, mais
ceux qui se portent mal. Allez, apprenez ce que signifie :
« Je veux la miséricorde et non le sacrifice. » Je ne suis pas
venu appeler les justes mais les pécheurs.*

Il y avait aussi dans l'assistance des sectateurs de Jean-
Baptiste que la conduite du Sauveur étonnait autant que les
pharisiens, quoique pour un autre motif. La question qu'ils
lui posèrent de concert était impertinente : « Pourquoi les
disciples de Jean et ceux des pharisiens jeûnent-ils, tandis que
vos disciples ne jeûnent pas? » Les adeptes de Jean imitaient

---

1. Mt. 9¹⁰⁻¹⁷; Mc. 2¹⁵⁻²²; Lc. 5²⁹⁻³⁹. Les trois récits se suivent de si près
qu'ils remontent évidemment à la même source, écrite ou orale. Quelques légères différences seront signalées plus loin.

2. Dans S. Matthieu (9¹⁴) ce sont les disciples de Jean qui posent la
question, au lieu que dans S. Luc (5³⁴) ce sont les pharisiens; dans
S. Marc (2¹⁸), ce sont les uns et les autres.

naturellement l'austérité de leur maître et nous savons que les pharisiens, suivant la coutume de leur secte, jeûnaient avec ostentation deux fois par semaine. Jésus réfuta d'un mot leur insidieuse critique : *Est-ce que les gens conviés aux noces jeûnent tant que l'époux est avec eux ? Non ; tant que l'époux est au milieu d'eux ils ne sauraient jeûner. Mais un jour viendra où l'époux leur sera ravi et alors ils jeûneront à leur tour*[1].

Les johannites, aussi bien que les pharisiens, pouvaient comprendre ce langage. Jean n'avait-il pas désigné le Christ par le nom d'Époux et ne s'était-il pas comparé lui-même au *paranymphe*, à l'ami intime de l'Époux[2] ? Les pharisiens n'ignoraient pas non plus que les jours du Messie étaient représentés sous la figure d'un banquet nuptial, qui réaliserait la prophétie d'Osée : « Je t'épouserai pour toujours », et celle d'Isaïe : « Ton Époux, c'est ton créateur[3]. » Dans un festin de noces, ni le jeûne ni le deuil ne sont de saison ; d'innombrables passages du Talmud recommandent aux conviés, comme un devoir de savoir-vivre, une joie expansive et bruyante et les dispensent à cet effet de certaines obligations légales[4]. Jésus ne condamne pas le jeûne ; il en approuve et en suppose la pratique ; mais il le remet, pour ses disciples, à un autre temps.

Les pharisiens attachaient au jeûne une valeur intrinsèque, indépendante de l'intention. C'était confondre la monture avec le diamant, et subordonner l'esprit à la lettre. Jésus ne pouvait manquer de relever une erreur si funeste. L'affaire du jeûne lui sert d'introduction à une doctrine plus générale :

Personne n'arrache un morceau d'habit neuf pour le coudre sur un vieux vêtement; sinon, il gâte l'habit neuf et dépare le vieux. De même personne ne verse du vin nouveau dans de vieilles outres; sinon, le vin nouveau rompra les

---

1. « Les invités aux noces », mot à mot « les fils de la salle des noces » (οἱ υἱοὶ τοῦ νυμφῶνος) : hébraïsme traduit par *filii sponsi* dans S. Matthieu et S. Luc, par *filii nuptiarum* dans S. Marc.

2. Jn. 3[29] : *sponsus* (νυμφίος) et *amicus sponsi* (ὁ φίλος τοῦ νυμφίου). Ce dernier est le paranymphe auquel Jean se compare.

3. Os. 2[19] : Is. 54[5].

4. Textes dans Billerbeck, *Kommentar*, t. I, p. 500-518.

vieilles outres et ainsi, vin et outres, tout sera perdu. Pour
bien faire, il faut verser le vin nouveau dans des outres
neuves.

C'était autrefois la coutume — qui subsiste encore de nos
jours en ces contrées — de mettre le vin dans des peaux de
bouc ou de mouton, tournées à l'envers et goudronnées à
l'intérieur, pour empêcher le liquide de filtrer. On se garde
bien de verser le vin nouveau, avant sa fermentation complète,
dans des outres usées par le frottement et par un long service,
pas plus qu'on ne s'avise de couper un morceau d'habit neuf
pour en rapiécer un vieux : ce serait sacrifier le neuf en pure
perte sans réparer le vieux d'une façon séante. L'allégorie est
claire. L'habit neuf et le vin nouveau, c'est l'Évangile ; l'habit
vieux et les vieilles outres, c'est l'ancienne Loi. Les deux
systèmes ne vont pas ensemble; ils ne sont pas complémentaires mais exclusifs. Vouloir les mêler ou les associer serait
gâter l'un sans bonifier l'autre. L'esprit nouveau réclame une
législation nouvelle; il ne faut pas imposer aux disciples du
Christ des observances surannées et caduques. Cette conclusion, le Seigneur ne la formule pas en propres termes, mais
il la suggère très distinctement.

Pour bénéficier du nouveau régime, il faut donc sacrifier
l'ancien. Les pharisiens n'étaient pas prêts à ce sacrifice, qui
sera toujours une pierre d'achoppement pour les convertis du
judaïsme. C'est ce que Jésus fait entendre dans cette maxime
finale : *Personne, quand il a bu du vin vieux ne veut du vin*
nouveau, car il dit : Le vieux est meilleur [2]. Il est vrai que le
vin vieux est en général préférable au nouveau, mais la comparaison ne porte pas sur l'inégale bonté des vins. C'est une

---

1. Lc. 5[36-38]. C'est une *parabole* (παραβολήν), présentée par les autres
Synoptiques sous une forme un peu différente : « Personne ne coud une
pièce de drap écru (ἄγναφον) à un vieux vêtement; sinon la pièce neuve
ajoutée emporte quelque chose du vieux vêtement [en se rétrécissant au
premier lavage] et la déchirure devient pire » (Mc. 2[21]). De même Mt.
9[16]. Différence insignifiante dans un langage parabolique. Pour le vin
et les outres, pas de divergence.

2. Lc. 5[39] : « Et nemo bibens vetus statim vult novum, dicit enim :
Vetus melius est. » Le mot *statim* ne répond à rien en grec. Au lieu du
comparatif (*melius*) le grec a le positif χρηστός, mais le sens est le même.
Ce vin vieux, auquel nous sommes habitués, est *bon;* il nous suffit:
nous n'en voulons pas d'autre.

sorte de proverbe destiné à mettre en relief la difficulté que chacun éprouve à changer ses habitudes, bonnes ou mauvaises. Les pharisiens accoutumés à la piquette de leurs vieilles traditions, n'ont aucune envie de goûter au vin généreux de l'Évangile. L'enseignement des scribes leur paraît meilleur; ils croupissent dans leur routine.

III. La pécheresse innommée.

A cette date de la vie du Christ, l'hostilité des pharisiens n'était pas encore générale et l'un d'eux, moins prévenu ou moins fanatique, avait cru pouvoir l'inviter à sa table, sans trop se compromettre aux yeux de ses confrères[1]. Les sentiments de cet homme sont d'ailleurs assez équivoques. Pas de malveillance ni d'intention perfide, ce semble, mais plutôt de la curiosité et le désir de se rendre compte. Il s'efforce d'être correct et courtois, mais il reste froid et réservé.

Les invités s'étaient mis à table dans l'attitude alors en usage, étendus sur des lits peu élevés, le buste appuyé sur le coude gauche, les pieds nus touchant presque le sol, le visage tourné vers l'entrée par où se faisait le service. Tout à coup une femme, portant dans ses mains un vase à parfums, pénétra dans la salle du festin, se glissa furtivement dans l'espace libre ménagé entre les murs et les convives et, s'arrêtant derrière Jésus, se prosterna à ses pieds. Il y eut dans l'assistance un peu d'étonnement, car elle était connue, non pas sans doute pour une courtisane de profession — les serviteurs lui eussent interdit l'entrée — mais pour une de ces femmes de mœurs légères qui gardent, au milieu de leurs désordres, une apparence de décorum. Ce qu'elle va faire montre qu'elle était travaillée par la grâce et résolue à rompre avec le passé. Ayant ouï parler de Jésus, et sachant sa compassion pour les misères physiques et morales et son indulgence pour les pécheurs repentants, elle n'attendait qu'une occasion propice pour venir elle aussi solliciter son pardon. Sa démarche n'est pas fortuite; elle arrive à

---

1. Épisode spécial à S. Luc (7^{36-50}). Le pharisien s'appelle Simon. La femme est une *pécheresse* qui a *appris* la présence de Jésus chez le pharisien.

point nommé chez le pharisien, dont elle a appris que Jésus est l'hôte.

Elle allait répandre le contenu de son vase d'albâtre sur les pieds du Sauveur, quand une subite explosion de douleur lui fit baigner de ses larmes ces pieds adorables, qu'elle se mit à baiser avec transports. Elle défit alors son opulente chevelure, pour les essuyer avant de les oindre de son parfum : grande marque d'humilité et suprême hommage, car toute femme juive regardait comme une honte de paraître en public les cheveux épars.

Cependant Jésus laissait faire, étranger en apparence à ce qui se passait autour de lui. Le pharisien scandalisé se disait au fond du cœur : « Si cet homme était un prophète, il connaîtrait que la femme qui le touche est une pécheresse. » Notre pharisien est satisfait. Il sait maintenant ce qu'il désirait savoir : son commensal n'est pas un prophète mais un homme ordinaire. La leçon qu'il va recevoir sera dure mais bien méritée.

Simon, lui dit Jésus, *j'aurais quelque chose à vous dire.*

— *Parlez, maître,* répond le pharisien d'un ton glacial.

— *Deux hommes devaient à un créancier, l'un cinq cents deniers, l'autre cinquante. Comme ils n'avaient pas de quoi s'acquitter, il leur remit leur dette à tous deux. Quel est celui qui l'aimera le plus ?*

— *J'estime que c'est celui à qui il a donné davantage.*

— *Très bien répondu,* dit Jésus ; et lui montrant du doigt la femme transie de frayeur : *Vous voyez cette femme ? Quand je suis entré dans votre maison, vous ne m'avez pas versé de l'eau sur les pieds* (comme c'est la coutume pour un hôte qui vient de voyage); *elle, au contraire, les a baignés de ses larmes et essuyés de ses cheveux. Vous ne m'avez pas donné le baiser de bienvenue* (suivant l'usage entre amis qui se rencontrent ou à l'égard d'un invité qu'on veut honorer); *mais elle, depuis mon entrée*[1]*, n'a pas cessé de me baiser*

---

1. La Vulgate porte « depuis qu'elle est entrée » (*ex quo intravit*), mais le grec a « depuis que je suis entré » (ἀφ' ἧς εἰσῆλθον). La différence est minime. La pécheresse, dont le geste est prémédité, n'attendait que l'entrée de Jésus pour entrer elle-même.

les pieds. Vous ne m'avez point parfumé la tête (attention qu'on a toujours pour un convive que l'on considère); *mais elle m'a embaumé les pieds avec un parfum de prix. C'est pourquoi, je vous le déclare, ses nombreux péchés lui ont été remis, parce qu'elle a beaucoup aimé. Celui à qui l'on remet peu, aime peu* [1]. Et se tournant vers elle, il lui dit : *Allez, vos péchés vous sont remis.*

L'application de la parabole ne semble pas répondre à son énoncé. On attendait la conclusion suivante : « Elle aimera beaucoup, parce qu'il lui a été beaucoup pardonné »; et le Sauveur conclut à l'inverse : « Il lui a été beaucoup pardonné parce qu'elle a aimé beaucoup. » Il est vrai que les deux conclusions sont légitimes; car l'amour peut être la cause aussi bien que l'effet du pardon. L'amour de charité attire le pardon et le pardon appelle l'amour de reconnaissance. Dans la parabole, Jésus s'en tient au dernier point de vue, car il est rare qu'un créancier ait égard à l'affection de ses débiteurs pour leur faire remise des dettes; mais le cas de la pécheresse est tout différent. Sans doute le pardon qu'elle obtient augmentera sa reconnaissance; mais son amour inspiré par la foi, cet amour si ardent et si généreux dont elle vient de donner des preuves palpables, lui a valu son pardon, même avant la déclaration solennelle qui lui en est faite. C'est la vérité que le Sauveur veut mettre en relief, quand il ajoute, à l'adresse de son hôte et des autres convives : « Celui à qui on remet peu aime peu. » Dans les

1. Lc. 7⁴⁷ : Οὗ χάριν, λέγω σοι, ἀφέωνται αἱ ἁμαρτίαι αὐτῆς αἱ πολλαί, ὅτι ἠγάπησεν πολύ· ᾧ δὲ ὀλίγον ἀφίεται, ὀλίγον ἀγαπᾷ.
Le sens est donc : *C'est pourquoi*, en raison des actes que je viens d'énumérer et qui sont l'expression d'un ardent amour, *je te déclare que ses nombreux péchés ont été pardonnés* (ἀφέωνται = ont été et restent pardonnés) *parce qu'elle a aimé beaucoup.* Si l'on omettait la virgule avant *je te dis*, le sens ne serait pas notablement changé, et l'amour serait toujours la cause et non l'effet du pardon. Il lui a été *beaucoup* pardonné *parce qu*'elle a *beaucoup* aimé.
La seconde partie « Celui auquel on pardonne peu aime peu », peut s'entendre de deux manières. Si l'on s'en tient à l'énoncé matériel de la parabole, on expliquera : « Celui à qui on a remis peu de chose aimera peu son bienfaiteur, il l'aimera au *prorata* du bienfait. » Mais si l'on se reporte à l'application que Jésus vient de faire de la parabole, on préférera ce sens : « Si quelqu'un reçoit peu de pardon, c'est qu'il aime peu. Le pardon est au *prorata* de l'amour. »

rapports de l'homme avec Dieu, si quelqu'un reçoit peu de pardon, c'est qu'il aime peu; ou plutôt celui qui aime peu n'aime pas assez et le manque d'amour, au moins initial, n'attire aucun pardon; tandis que la charité, selon le mot de saint Pierre, efface une multitude de péchés. Jésus se tournant une dernière fois vers la pauvre femme, qui restait là confuse et tremblante, la rassure et la congédie d'un mot : « Votre foi vous a sauvée; allez en paix. »

Un certain nombre d'exégètes, tant catholiques que protestants, désireux sans doute d'épargner au Christ un prétendu défaut de logique, cherchent à établir un équilibre parfait entre l'énoncé de la parabole et son application. Ils traduisent ainsi : « C'est pourquoi je vous déclare que ses nombreux péchés lui ont été pardonnés, puisqu'elle a beaucoup aimé. » La preuve sensible que de nombreux péchés lui ont été pardonnés, c'est qu'elle a donné de grandes marques d'amour. Nous n'objecterons pas que cette traduction sollicite le texte; il y a contre elle des objections plus graves : « Si la parabole doit être appliquée strictement, il faut aussi conclure que la pénitente a donné plus de signes d'amour parce qu'on lui a pardonné davantage et qu'elle le savait. Or elle ne le savait pas, puisque Jésus va le déclarer, non seulement aux autres, mais à elle-même. Et en effet la conclusion de la parabole ne pouvait pas s'appliquer mécaniquement aux choses divines. Celui qui a offensé Dieu, n'étant pas sûr du pardon, ne peut que se confier à la miséricorde divine en le demandant. C'est le cas de la pécheresse. La parabole avait mené les choses à ce point que celui qui avait plus péché pouvait aimer davantage : la pécheresse l'avait prouvé. Entrant sur le terrain des réalités divines, Jésus prononce, non comme un docteur, d'après les règles ordinaires et par conjecture, mais en vertu de sa pleine science et de son autorité, que ces péchés, ces nombreux péchés, sont remis. Ainsi sa bienveillance pour la pécheresse se trouvait justifiée. Se sentant grandement débitrice, elle avait aimé beaucoup[1]. »

---

1. Lagrange, *Saint Luc*, 1921, p. 232. — Le P. Buzy, qui défend l'opinion contraire (*R. B.*, 1917, p. 184-188), cite en sa faveur Tolet,

Une ombre de mystère plane sur cet épisode et plusieurs pensent — sans d'ailleurs en fournir la preuve — que ce mystère est intentionnel. L'auteur nous laisse ignorer la date et le lieu de l'événement, bien qu'il soit vraisemblable de le situer sur les bords du lac et de le placer dans la période galiléenne de l'enseignement de Jésus. Il nous dit que la scène se passait chez un pharisien appelé Simon; mais ce nom était si commun, parmi les Juifs de cette époque, qu'il ne donne aucune indication utile.

La pécheresse anonyme serait-elle Marie de Magdala ou Marie de Béthanie, ou l'une et l'autre à la fois? Ce n'est pas absolument impossible; mais il faut bien convenir que saint Luc ne paraît nullement s'en douter. En tout cas, il n'établit entre elles aucune relation. Immédiatement après le récit qu'on vient de lire, il énumère les saintes femmes qui accompagnaient Jésus dans ses courses apostoliques et nomme parmi elles, entre beaucoup d'autres, « Marie-Madeleine, dont il avait chassé sept démons ». Madeleine nous est présentée ici comme une inconnue, mêlée à d'autres femmes que Jésus avait guéries de diverses maladies et délivrées d'esprits impurs.

Ces circonstances ne semblent pas cadrer avec l'histoire de la pécheresse innommée, telle que saint Luc vient de la raconter. Même remarque pour Marie de Béthanie, mentionnée deux chapitres plus loin : « Jésus entra dans un certain village où une femme nommée Marthe, le reçut dans sa maison. Et Marthe avait une sœur appelée Marie. » Ici encore Marie de Béthanie nous est présentée comme une figure nouvelle et rien n'insinue qu'elle ait jamais quitté sa pieuse famille et son paisible village. On peut dire, il est vrai, que l'évangéliste nous livre ses documents, tels qu'il les a trouvés, sans s'inquiéter d'établir entre les personnes un rapport d'identité que ses sources n'indiquaient pas. Sans doute on peut le dire et le dogme de l'inspiration ne s'y oppose point; mais n'y a-t-il pas quelque hardiesse à se croire mieux informé des faits de l'histoire évangélique que l'évangéliste lui-même ?

Salmeron et Sainz (*Las Parábolas del Evangelio*, etc. 1915, p. 533). Les partisans protestants de cette exégèse sont nombreux.

IV. Les épis arrachés un jour de sabbat.

Le grief principal des scribes et des pharisiens contre Jésus était sa prétendue violation du sabbat. Un samedi, Jésus précédait ses disciples le long d'un sentier qui bordait ou coupait un champ de blé mûr[1]. Il était permis ce jour-là et même conseillé de se promener à la campagne, pourvu qu'on ne dépassât point les limites prescrites : deux milles coudées (environ mille mètres) à partir des murs ou des dernières maisons de la ville. On sortait de la synagogue, vers l'heure de midi, et les disciples n'avaient pas encore pris leur premier repas[2]. Pour apaiser ou tromper leur faim, ils arrachaient en passant quelques épis, qu'ils égrenaient dans leurs doigts avant de les manger. La loi mosaïque sanctionnait expressément la coutume orientale qui autorise le voyageur à cueillir pour les manger, figues, raisins, olives et autres fruits rencontrés sur sa route : « Si tu entres dans la vigne de ton voisin, mange des raisins autant qu'il te plaira, mais n'en emporte pas avec toi. Si tu entres dans son champ, tu peux cueillir des épis avec la main, mais non les moissonner avec la faucille[3]. »

Les apôtres étaient donc en règle sur ce point; mais les pharisiens leur cherchent querelle sur une double infraction au repos sabbatique. Il était défendu de récolter et de dépiquer le blé un jour de sabbat; or les pharisiens assimilaient le fait d'arracher les épis et de les égrener à la moisson et au dépiquage. Le Talmud de Jérusalem, d'accord avec Philon, est formel là-dessus : « Cueillir un fruit ou une graine quelconque, c'est moissonner; éplucher du riz ou de l'orge, c'est dépiquer : deux travaux interdits le jour du Seigneur[4]. »

Le Maître étant responsable des méfaits de ses disciples,

1. Mt. 12[1-8]; Mc. 2[23-28]; Lc. 6[1-5]. Les trois versions concordent; seulement S. Matthieu ajoute l'exemple des prêtres travaillant dans le Temple sans violer le sabbat et S. Marc a seul la maxime : « Le sabbat est fait pour l'homme et non l'homme pour le sabbat. »

2. Josèphe, *Vita*, 54 : « Le samedi, il est d'usage de déjeuner à la sixième heure » (à midi ou entre onze heures et midi), après la sortie de la synagogue.

3. Deut. 23[24-25].

4. Mishna, *Sabbat*, VII, 2; *Talmud de Jérusalem* dans Schwab, t. IV, p. 967; Philon, *Vita Mosis*, II (Mangey, t. II, p. 137).

c'est lui que les pharisiens interpellent : « Pourquoi vos
disciples font-ils ce qu'il n'est pas permis de faire un jour de
sabbat? » Il ne convenait pas au Sauveur d'ergoter avec eux
sur le bien ou le mal fondé de leurs interprétations rabbiniques; il élève donc plus haut la question et prouve par deux
exemples que l'institution du sabbat étant une loi positive
peut admettre des dérogations et qu'elle doit en mainte
circonstance céder le pas à la nécessité ou à des exigences
plus hautes : *N'avez-vous pas lu ce que fit David lorsque,
pressé par la faim, il entra dans la maison de Dieu, prit les
pains de proposition, que les prêtres seuls ont le droit de
manger et s'en nourrit avec ses compagnons?*

L'histoire était connue de tous les lecteurs de la Bible.
David, fuyant la colère jalouse du roi Saül, avec une bande
de partisans fidèles, vint à Nobé, où se trouvait alors le
Tabernacle, et pria le grand-prêtre Achimélec[1] de lui donner
quelques vivres dont il avait un extrême besoin. Le pontife
n'avait sous la main que ces gâteaux de fleur de farine,
appelés pains de proposition, qu'il venait de retirer de l'autel.
Néanmoins il n'hésita pas à les livrer à David, sur l'assurance
que lui et ses compagnons étaient en état de pureté légale.
Il y a donc des cas, en droit positif, où la loi cesse d'obliger
et cela au témoignage des Livres inspirés. C'est la morale
que Jésus tire : *Le sabbat a été fait pour l'homme et non pas
l'homme pour le sabbat*[2]. Si donc, en un cas particulier, le
sabbat tournait au détriment de l'homme, une dérogation
s'imposerait. Les Juifs eux-mêmes l'avaient compris, dans la
guerre contre Antiochus, lorsqu'ils décidèrent qu'ils ne se
laisseraient plus massacrer sans défense pour ne pas enfreindre le repos sabbatique[3].

1. 1 Sam. 21[1-6]. S. Marc (2[26]) dit « sous le grand-prêtre *Abiathar* »
Abiathar, fils d'Achimélec, assistait bien à la scène (1 Sam. 22[20]) mais
il n'était pas encore grand-prêtre. Il est probable que l'évangéliste
nomme Abiathar grand-prêtre *par anticipation*, ou qu'il prend ce nom
au sens large, qu'il avait quelquefois, de membre d'une famille ponti-
ficale. L'événement est daté d'Abiathar plutôt que d'Achimélec, parce
que Abiathar, fidèle associé de David, était beaucoup plus connu que
son père.

2. Mc. 2[26]. Cf. 1 Macch. 5[19].

3. 1 Macch. 2[33-42]. Depuis ce jour les Juifs combattirent le samedi, en
cas de nécessité (Josèphe, *Antiq.* XVI, VI, 9).

Les prêtres, dans le Temple, violent matériellement le sabbat, soit en offrant le sacrifice quotidien qui est même doublé ce jour-là, soit en se livrant aux autres travaux manuels nécessités par le culte divin. Jésus réclame pour lui le droit de s'exempter du repos sabbatique et revendique pour ses disciples le privilège dont jouissent les prêtres attachés au service du Temple : *Je vous déclare qu'il y a ici quelqu'un de plus grand que le Temple. Ah! si vous compreniez ce que veut dire cette parole du prophète Osée :. « Je veux la miséricorde et non le sacrifice », vous n'auriez pas condamné des innocents* [1].

La loi du sabbat comporte des exceptions, parce qu'elle a pour raison d'être, en même temps que le culte de Dieu, le bien physique et moral de l'homme, qu'elle est subordonnée au service du Temple, qu'elle cède le pas à la charité, préférable au sacrifice même. Et voici l'argument décisif : *Le Fils de l'homme est maître même du sabbat* [2]. Il n'y est donc pas soumis lui-même et il peut en dispenser les autres. En s'affirmant maître du sabbat, Jésus-Christ proclame sa divinité, car le pouvoir d'abroger ou de modifier la loi, n'appartient qu'à celui qui l'a formulée.

Sept des miraculés de l'Évangile furent guéris le jour du sabbat : le démoniaque de Capharnaüm, la belle-mère de Pierre, le paralytique de Béthesda, l'aveugle-né de Jérusalem, l'hydropique, la femme infirme depuis dix-huit ans, l'homme à la main desséchée. On dirait que le Sauveur choisissait à dessein ce jour-là pour opérer ses miracles.

Dans une synagogue — nous ne savons ni en quel lieu ni à quelle date — Jésus instruisait le peuple, rassemblé là pour l'office du sabbat, lorsqu'il remarqua un malheureux dont la main droite était atrophiée [3]. L'*Évangile selon les Hébreux*

---

1. Mt. 12[6-7] citant Os. 6[6]. Le texte d'Osée trouve ailleurs dans S. Matthieu (9[13]) une application toute différente.

2. Mt. 12[8]; Mc. 2[28]; Lc. 6[5]. C'est S. Marc qui ajoute le mot *même*, καὶ τοῦ σαββάτου.

3. Mt. 12[9-14]; Mc. 3[1-6]; Lc. 6[6-11]. Les récits concordent pour le fond, avec quelques variantes de détail : *a)* S. Matthieu ne nomme comme adversaires que les pharisiens; S. Luc y joint les scribes et S. Marc les hérodiens. — *b)* Dans S. Matthieu, ce sont les adversaires qui interro-

met dans sa bouche des paroles qui pourraient bien être l'écho d'une tradition authentique : « J'étais maçon, je gagnais ma vie du travail de mes mains ; Jésus, je vous en prie, rendez-moi la santé, afin que je ne mendie pas honteusement mon pain. » Ses instances étaient superflues. Jésus était décidé d'avance à faire un miracle, parce que ses adversaires, phari-siens ou légistes, étaient accourus pour l'espionner et pour incriminer sa conduite. Ces moralistes rigides interdisaient l'exercice de la médecine le jour du sabbat, sauf le péril de mort imminente. Médicaments et remèdes étaient pareillement défendus ; cependant — ingénieux moyen de tourner la loi — on pouvait prendre une potion quelconque, pourvu que ce ne fût pas à titre de remède mais de simple boisson. Aux yeux de ces casuistes retors, l'intention purifiait l'acte.

On a prétendu que les pharisiens avaient conduit tout exprès cet homme à la synagogue pour voir ce que ferait Jésus. Ce n'est guère probable. En tout cas, l'infirme n'était pas de connivence avec eux. Jésus ne se fût pas prêté à cette manœuvre sans la démasquer et il n'eût pas guéri un homme si mal disposé. Il lui commanda d'abord de se lever et de se tenir bien en évidence au milieu de l'assemblée ; puis, se tournant du côté de ses adversaires, il leur demanda : « Est-il permis le jour du sabbat de faire du bien plutôt que du mal, de sauver une vie plutôt que de la perdre ? » Ils se taisaient, voyant bien où il voulait en venir mais ne sachant que lui répondre. Il poursuivit : « Qui de vous, si une de ses brebis tombe dans un fossé le jour du sabbat, ne l'en retire ce jour-là ? Un homme ne vaut-il pas mieux ? » Alors, promenant sur eux un regard indigné et à la fois attristé par tant d'aveu-glement, il dit à l'infirme : « Étends ta main. » Celui-ci obéit et la main atrophiée se trouvait aussi souple et aussi robuste que l'autre.

Loin de leur dessiller les yeux, ce miracle ne fit que les aveugler davantage. Ils se concertèrent avec les hérodiens pour faire périr Jésus à la première occasion. Les hérodiens

gent Jésus ; dans S. Marc et S. Luc, c'est Jésus qui les interroge. — c) Dans S. Luc, les ennemis délibèrent sur le parti qu'ils feront à Jésus ; dans les autres, ils complotent sa mort. — d) La comparaison de la brebis tombée dans un fossé est propre à S. Matthieu.

étaient les partisans de la dynastie des Hérodes, qui rêvaient le rétablissement de l'unité nationale sous un prince de cette famille et par suite l'affranchissement d'un joug étranger. La religion les intéressait moins que la politique, mais il étaient disposés à conclure avec les pharisiens une alliance momentanée pour perdre plus sûrement leur ennemi commun. Leur concours était pour les scribes une garantie d'impunité. Nous les retrouverons, à la veille de la passion, conjurés avec les pharisiens, les sadducéens et tous les autres ennemis du Sauveur.

V. Le péché contre le Saint-Esprit.

Les menées sourdes et les intrigues des pharisiens n'avaient pas réussi à refroidir l'enthousiasme des foules ni leur empressement à suivre Jésus. La maison de Capharnaüm où il aimait à se retirer était aussitôt cernée par les curieux, au point que les apôtres, chargés d'endiguer ou de canaliser le flot des arrivants, trouvaient à peine le loisir de manger en paix.

Ceux qui s'intéressaient à la vie et à la santé du Sauveur — ses parents, au sens le plus large du mot — finirent par s'alarmer de cette situation. Ils descendirent de Nazareth, résolus à mettre un terme à cet excès de zèle, qu'ils taxaient d'extravagance et qu'ils jugeaient même compromettant pour toute la famille. N'a-t-on pas vu, dans les temps modernes, des gens bien intentionnés dire d'un curé d'Ars ou d'un Don Bosco : « Il n'a pas le sens commun ; il fait des folies ; il va se tuer » ? Les parents de Jésus, connaissant le mauvais vouloir des pharisiens, qu'ils savaient capables de tout, pouvaient aussi craindre de leur part un coup d'audace ou une campagne de diffamation, dont l'éclaboussure rejaillirait sur toute la parenté. Bref, ils venaient, sous couleur de le servir, s'emparer de sa personne et l'obliger, de gré ou de force, à la prudence et à la modération, au silence et au repos [1].

1. Mc. 3²⁰⁻²¹. Mot à mot : « Et il vient dans une maison (ἔρχεται εἰς οἶκον et non pas ἔρχονται) et la foule se rassemble de nouveau de sorte qu'ils ne pouvaient pas même manger du pain (μηδὲ ἄρτον φαγεῖν). Et les siens (οἱ παρ' αὐτοῦ) l'ayant appris sortirent pour s'emparer de lui, car ils

« La piété, dit Maldonat, rend plus difficile l'explication
de ce pénible épisode, car l'esprit se refuse à croire, ou seulement à penser, que les parents du Christ l'aient traité de
furieux ou regardé comme tel. » Maldonat a raison, quoiqu'il
aggrave la difficulté en forçant la signification du mot employé
par saint Marc. Il est bien clair que les gens venus
pour arrêter Jésus ne sont, comme on l'a prétendu, ni ses
amis et ses disciples, ni les scribes et les pharisiens, mais
les membres de sa famille, ses cousins ou les maris de ses
cousines établies à Nazareth. Assurément cette conjuration
peut être le fait de quelques individus et il n'est pas nécessaire
d'y englober tout le groupe — les évangélistes nous ont
habitués à cette manière collective de raconter les choses.
N'exagérons pas non plus le prétexte mis en avant par eux
et ne leur faisons pas dire, comme pourrait le suggérer la
traduction de la Vulgate : « Il est furieux, il est fou. » Le
mot grec correspondant signifie simplement : « Il est hors de

disaient : Il est hors de lui (ὅτι ἐξέστη). » Il y a là plusieurs points
obscurs.

A) Qui sont *les siens?* — Les mots οἱ παρ' αὐτοῦ « les gens de chez
lui » ne désignent pas les concitoyens et les compatriotes ni, à plus
forte raison, les disciples, mais ses parents au sens le plus large, qui
ont seuls qualité pour veiller sur lui et le ramener à la maison, s'il y a
quelque chose d'excessif dans sa conduite. Cependant l'expression
collective « les siens » n'exclut pas des exceptions plus ou moins
nombreuses.

B) Que signifie ὅτι ἐξέστη? — La Vulgate traduit *quoniam in furorem
versus est.* C'est beaucoup trop fort. Ἐξίσταμαι ne veut pas dire « être
furieux, aliéné, fou » mais « être hors de soi » par l'effet de l'émotion
ou de la passion. C'est le sentiment qu'éprouvaient les témoins des
miracles de Jésus (Mc. 2¹²; 5⁴²; 6⁵¹; Mt. 12²³; etc.). On ne peut dire
qu'en un sens très impropre qu'ils *étaient fous* d'admiration ou de
stupeur.

C) Qui disait cela de Jésus? — Plusieurs bons interprètes attribuent
ces propos peu charitables, non pas aux parents de Jésus mais aux
gens du voisinage : « Les parents viennent se saisir de lui parce qu'*ils*
disaient (ἔλεγον, c.-à-d. *on* disait autour d'eux). Grammaticalement, la
chose est possible et cet emploi indéterminé du pluriel est assez
fréquent, comme l'a montré Turner dans *J. Th. St.* t. XXV, p. 378-386.
Néanmoins le sens naturel est bien de l'attribuer aux parents eux-
mêmes et d'y voir le motif de leur démarche : « Ils vinrent le prendre
car ils disaient : Il est hors de lui. » On reculerait peut-être devant
cette conséquence si ὅτι ἐξέστη signifiait nécessairement : « Il est insensé;
il est fou »; mais le sens péjoratif de cette expression doit être prouvé
et non supposé *a priori*.

lui », sous le coup d'une émotion ou d'une passion violente
et se dit couramment de l'admiration et de la stupeur dont la
foule était saisie, à la vue des miracles du Christ. Néanmoins,
le sentiment des parents de Jésus, ou tout au moins de
plusieurs d'entre eux, nous choque et nous révolte. Pour le
comprendre, sinon l'excuser, il faut se rappeler « que les
premières années de Jésus s'étaient écoulées dans l'obscurité
d'une vie commune; les gens de son village et de sa parenté
le considéraient comme un des leurs, un artisan sans lettres;
à le voir soudain parcourir le pays comme un prophète et un
thaumaturge, ils étaient saisis d'un étonnement qui, chez
beaucoup, tournait au scandale; réformer leur jugement à
son endroit, se mettre à son école, après l'avoir si longtemps
méprisé, était plus que la plupart d'entre eux ne pouvaient
faire. A ce point de vue, la foi trouvait chez les étrangers
beaucoup moins d'obstacles[1]. »

Quand les parents de Jésus arrivèrent à Capharnaüm,
il était aux prises avec les pharisiens, renforcés par des
scribes venus tout exprès de Jérusalem pour leur prêter
main forte. Il avait justement délivré un démoniaque aveugle
et muet, dont la double infirmité ne provenait ni d'un vice
congénital, ni d'une lésion organique, mais de l'inhibition
exercée sur lui par l'esprit malin. Le démon une fois chassé,
le malheureux avait aussitôt recouvré, par le fait même, la
vue et la parole. Or, tandis que la foule applaudissait et
manifestait bruyamment sa joie, les pharisiens chuchotaient
entre eux ou disaient sournoisement au peuple : « Il est
possédé du démon; c'est par la vertu de Belzébuth, prince
des démons, qu'il chasse les démons[2]. »

---

1. Lebreton, *La vie et l'enseignement de J.-C.* 1931, t. I, p. 286.
2. Mt. 12²²⁻²³. Dans Luc (11¹⁴⁻¹⁶, cf. Mt. 9³²⁻³⁴), le démoniaque est seulement muet, comme le remarque S. Augustin (*De consensu Evang.* II,
37) : « Lucas mutum dicit tantum non etiam cæcum; sed non ex eo quod
aliquid tacet, de alio dicere putandus est. » S. Matthieu rapporte ailleurs
(9³²⁻³⁴) un miracle où le possédé est seulement muet comme dans S. Luc,
mais les réflexions du peuple sont les mêmes qu'ici : ce qui porte à
croire qu'il s'agit du même fait, inséré d'abord dans un groupement artificiel de miracles (chap. VIII et IX de S. Matthieu), puis répété à sa
place chronologique pour amorcer la discussion avec les pharisiens.

L'absurde calomnie tombait d'elle-même. Jésus n'y oppose qu'un argument de sens commun, qui montre en même temps comment elle se retourne contre ses détracteurs :

Tout royaume divisé contre lui-même sera dévasté; et toute ville ou maison divisée contre elle-même ne durera pas. Or si Satan chasse Satan, c'est qu'il est en guerre contre lui-même; comment donc son règne durera-t-il? Et si moi je chasse les démons par Belzébuth, par qui vos fils le chassent-ils? Qu'ils soient eux-mêmes vos juges.

Mais si je chasse les démons par l'esprit de Dieu, c'est que le royaume de Dieu est parvenu jusqu'à vous. Qui peut entrer dans la maison du fort et piller ses meubles s'il n'a d'abord enchaîné le fort? Alors seulement il mettra sa maison au pillage. Qui n'est pas avec moi est contre moi et qui ne recueille pas avec moi dissipe[1].

L'expulsion de Satan était le signe sensible de sa défaite et du déclin de son empire. Si le prince de ce monde n'est plus maître chez lui, c'est qu'un plus fort l'a vaincu et enchaîné. On est donc à l'aurore des temps messianiques. Au lieu de tirer cette conclusion, les pharisiens regardaient Jésus comme un suppôt et un affidé de Belzébuth, qui lui prêtait son pouvoir sur l'armée des démons. Leur hostilité s'était déjà donné carrière par des railleries, des injures, et des menaces de mort; cette fois la mesure est comble :

Je vous le déclare : tout péché et blasphème sera pardonné aux hommes, mais le blasphème de l'Esprit ne sera point pardonné. Et si quelqu'un parle contre le Fils de l'homme, cela lui sera pardonné, mais, s'il parle contre l'Esprit-

---

1. Mt. 12²⁵⁻³⁰; Mc. 3²³⁻²⁷. Le mot dont nous avons fait en français Belzébuth s'écrit en grec βεελζεβούλ, dans quelques manuscrits βεεζεβούλ. La Vulgate a Beelzebub, parce que S. Jérôme croyait que c'était le Dieu d'Accaron (2 Reg. 1²⁻⁶; *Baal* = Seigneur et *Zéboub* = mouche; apparemment le dieu qui protège contre les mouches). Mais l'origine de ce mot, qui n'a été trouvé ni dans le Talmud ni dans les autres écrits rabbiniques, reste mystérieuse. Voir Billerbeck, *Kommentar*, t. I, p. 631-685 et Nestle, dans le *Dict. of Christ and the Gospels*. La pratique des exorcismes chez les Juifs est connue. Cf. Josèphe, *Antiq.* VIII, II, 5 et *Bellum*, VII, VI, 3. La plante dont ils se servaient et dont nous avons parlé plus haut (p. 249), était une espèce de rue (πήγανον). Voir la dissertation de Billerbeck sur la *Démonologie juive*, *Kommentar*, t. IV, p. 527-535.

Saint, cela ne lui sera pardonné ni dans ce siècle ni dans le siècle à venir [1].

Blasphémer le Christ, dit en substance saint Jérôme, refuser de le reconnaître pour Dieu, parce qu'il se présente sous les apparences d'un simple mortel, c'est une faute que les circonstances peuvent excuser ou atténuer; mais savoir à n'en pas douter qu'une chose vient de Dieu et, poussé par l'envie, attribuer à Satan l'œuvre manifeste de l'Esprit-Saint, c'est là le crime qui ne sera remis ni dans ce monde ni dans l'autre.

Absolument parlant, tout péché peut être remis; car si le repentir est une condition essentielle du pardon, il n'est pas de cœur humain, si dur qu'on l'imagine, que la grâce ne puisse amollir. D'autre part, nous savons que la mort est le terme de l'épreuve et qu'il n'y a jamais à désespérer d'un homme tant qu'il lui reste un souffle de vie. Voilà pourquoi certains auteurs réduisent le péché contre le Saint-Esprit à l'impénitence finale ou à l'un de ses équivalents : le désespoir, la présomption, l'endurcissement à la dernière heure. Mais les évangélistes, si on les lit avec attention, nous en donnent une autre idée. C'est le péché des scribes et des pharisiens qui, sciemment et délibérément, attribuaient les

---

1. Mc. 3[28-29]; Mt. 12[31-32]. — S. Luc dit, dans un autre contexte (12[10]): « A celui qui dira une parole contre le Fils de l'homme, il sera pardonné; mais à celui qui aura blasphémé contre le Saint-Esprit, il ne sera point pardonné. »
La question du péché contre le Saint-Esprit exigerait une longue dissertation qui ne peut trouver place ici. Knabenbauer en a publié une dans la *R. B.* 1892, p. 161-170, où il exposa les diverses opinions. Les deux principales sont les suivantes :
a) Le péché contre le Saint-Esprit est *irrémissible* parce qu'*en fait il ne sera jamais pardonné*, soit parce que Dieu prévoit que ceux qui l'ont commis ne feront jamais pénitence, soit parce qu'il décide de ne point leur donner les grâces efficaces nécessaires pour la conversion. C'est l'opinion de Knabenbauer, qui cite en sa faveur Jansénius de Gand, S. Jérôme, S. Athanase et même S. Augustin.
b) Le péché contre le Saint-Esprit est irrémissible *non pas absolument mais de sa nature* (S. Cyrille d'Alexandrie, S. Thomas, Maldonat, Bellarmin, etc.). C'est l'opinion que nous avons suivie : « Dicitur irremissibile secundum suam naturam, in quantum excludit ea per quae fit remissio peccatorum; per hoc tamen non præcluditur via remittendi et sanandi omnipotentiae et misericordiae Dei, per quam aliquando tales quasi miraculose spiritualiter sanantur. » (S. Thomas, *Summa* 2ᵃ 2ᵃᵉ, qu. xiv, a. 3).

œuvres manifestes de la grâce au principe du mal, qui en voyant Jésus délivrer les démoniaques disaient : C'est par la vertu de Belzébuth qu'il chasse les démons ; il est possédé de l'esprit impur. En parlant ainsi, ils blasphémaient sans doute contre le Fils de l'homme mais — ce qui est plus grave pour eux — ils blasphémaient contre l'Esprit de grâce et de sainteté.

Tous les autres péchés sont atténués en quelque mesure par l'erreur, l'ignorance, la surprise, l'inadvertance, ou même la passion, mais le péché de pure malice est sans excuse. C'est proprement le péché de Satan; d'autant plus qu'au lieu de rester enfoui au fond de la conscience, il se propage par le scandale, entravant ainsi l'expansion du royaume de Dieu.

S'il n'est pas absolument irrémissible — car la puissance et la miséricorde de Dieu n'ont point de limites — il l'est de sa nature, comme fermant, autant qu'il est en lui, tout accès à la grâce divine. Le péché de pure malice est le seul qui crée en nous comme une seconde nature dont il n'est pas possible de se dépouiller sans un miracle de la grâce :

Si l'arbre est bon, le fruit sera bon ; si l'arbre est mauvais, le fruit sera mauvais : on reconnaît la qualité de l'arbre par son fruit. Race de vipères, méchants comme vous l'êtes, comment pourriez-vous dire quelque chose de bon ? La bouche parle de l'abondance du cœur. L'homme bon tire de bonnes choses du bon trésor (de son cœur); l'homme méchant ne tire de son mauvais trésor que de mauvaises choses [1].

A l'axiome que la bouche parle de l'abondance du cœur, comme c'est le cas pour les blasphémateurs de l'Esprit de Dieu, l'évangéliste rattache naturellement une parole, prononcée sans doute en une autre circonstance et devant d'autres auditeurs : « Je vous dis que toute parole oiseuse que les hommes proféreront, ils auront à en rendre compte au jour du jugement; car tu seras justifié (déclaré innocent)

---

1. Mt. 12$^{33-35}$. L'allégorie de l'arbre bon ou mauvais se lit déjà dans le Sermon sur la montagne (Mt. 7$^{16-20}$; Lc. 6$^{16-19}$) ; elle a pu se répéter dans l'enseignement du Sauveur. La maxime : « La bouche parle de l'abondance du cœur », avec son application, est placée par S. Luc dans un autre contexte (Lc. 8^{45}).

d'après tes paroles [1]. » « La parole oiseuse, dit saint Jérôme, est celle qui est sans aucune utilité et pour celui qui la profère et pour celui qui l'écoute. » S'il faut rendre compte au tribunal de Dieu d'une parole vaine et inconsidérée, que sera-ce de la médisance, de la calomnie et du blasphème contre l'Esprit-Saint!

Jésus en a fini avec les scribes et les pharisiens; et voici que ses parents rentrent en scène. Il n'est pas du tout certain que ce soit la continuation du même drame, ni que nous ayons affaire aux mêmes acteurs; cependant, comme saint Marc a pris soin de rapprocher les deux épisodes relatifs à la parenté du Sauveur, il semble bien qu'il a eu l'intention d'établir entre les deux plus qu'un lien purement littéraire[2].

Pendant la violente altercation dont nous venons de parler, les parents de Jésus se tenaient à la porte, soit qu'ils attendissent la fin du débat, soit que, bloqués par la foule, il leur fût impossible de pénétrer à l'intérieur. Quel que fût leur dessein, la présence de Marie au milieu d'eux s'explique aisé-

1. Mt. 12[36-37] : Otiosum verbum est, quod sine utilitate loquentis dicitur et audientis (S. Jérôme). — Omnis otiosi, id est inepti et inutilis dicti, ratio est Deo reddenda (S. Hilaire). L'un et l'autre dans leur commentaire sur S. Matthieu.

2. Mc. 3[31-35] (cf. Mt. 12[46-50]; Lc. 8[19-21]). Les raisons pour séparer les deux incidents sont sérieuses sans être décisives.

a) Ceux qui veulent arrêter Jésus sont « les gens de chez lui, les siens » (οἱ παρ' αὐτοῦ); ceux qui l'attendent à la porte sont « sa mère, ses frères ». La différence de désignation semble indiquer des personnages en partie différents.

b) Les « gens de chez lui » sont animés d'intentions égoïstes et peu bienveillantes; rien de pareil n'est insinué pour l'autre groupe.

c) On dirait à première vue que tous les faits énumérés ici se sont passés le même jour, tant leur succession semble rapide; mais on s'aperçoit, à l'examen, qu'un intervalle considérable a dû les séparer : 1° Choix des apôtres (3[15-19]); 2° entrée dans une maison que cerne la foule (3[20-21]); 3° descente des siens informés de cela (3[21-22]); 4° conflit avec des scribes venus de Jérusalem (3[23-30]); 5° sa mère et ses frères arrivent et attendent à la porte (3[31-35]); 6° journée des paraboles (4[1]). Ce conglomérat, dont nulle indication chronologique ne distingue les éléments, semble avoir quelque chose d'artificiel, car la journée des paraboles ne suivit pas de si près le choix des apôtres. Il se peut donc que le n° 5 ait été rapproché du n° 2 parce qu'il s'agit dans l'un et dans l'autre des parents de Jésus. Ce qui le ferait croire, c'est que l'incident raconté au n° 4 est rapporté dans Luc 11[14-16] et l'épisode du n° 5 dans Luc 8[19-21] en un tout autre contexte.

ment à une heure où la vie de son fils paraissait en danger. On vint dire à Jésus : « Votre mère et vos frères sont là dehors et ils vous attendent. » Il répondit : *Ma mère et mes frères, qui sont-ils?* Alors promenant son regard sur les auditeurs rangés en cercle autour de lui et montrant du doigt ses disciples, il ajouta : *Voilà ma mère et mes frères; car quiconque fait la volonté de mon Père qui est dans les cieux, celui-là est mon frère et ma sœur et ma mère.*

Jésus, modèle accompli de piété filiale, ne renie point sa Mère. A Dieu ne plaise! Il ne renie pas non plus ceux qui lui sont unis par les liens de famille. Il veut montrer seulement qu'il existe une parenté spirituelle, plus noble et plus intime que la parenté selon la chair. Tous les Pères qui ont commenté ce passage sont unanimes à l'affirmer. Entendons plutôt saint Ambroise : « Le Maître des mœurs, pour servir d'exemple à ses disciples, pratique le premier ce qu'il leur ordonne; il se soumet lui-même à la règle qu'il a posée. Ce n'est pas qu'il rejette les devoirs de la piété filiale; mais il sait qu'il doit plus au service de son Père qu'à l'affection de sa Mère. Il n'a point pour ses proches un injurieux dédain, mais il veut enseigner que les liens de l'esprit sont plus sacrés que les liens du corps[1]. »

Celui qui s'unit à Dieu par la foi et l'amour devient le fils de Dieu et le frère de Jésus-Christ. Si, par le zèle, il engendre le Christ dans l'âme des autres, il devient « la mère du Christ », selon le mot hardi de saint Jérôme. Et s'il l'engendre en lui-même, il devient un avec le Christ : ce n'est plus lui qui vit, c'est le Christ qui vit en lui[2]. Telle est la nouvelle naissance et la nouvelle parenté que crée l'Évangile.

---

1. S. Ambroise, *In Lucam*, 8[21] (Migne, XV, 1678). S. Jérôme (Migne, XXVI, 84) : « Isti sunt mater mea qui me quotidie in credentium animis generant. » S. Hilaire (Migne, IX, 993) et S. Chrysostome (Migne, LVII, 466) ont quelque chose d'analogue.

2. Gal. 2[20]; 4[19] : « Filioli mei, quos iterum *parturio*, donec *formetur Christus* in vobis. » Voilà l'enfantement spirituel dont parle S. Jérôme.

CHAPITRE V

LA JOURNÉE DES PARABOLES

I. La parabole évangélique.

Peu après sa rupture avec les scribes et les pharisiens, Jésus sortit de sa maison de Capharnaüm et vint s'asseoir sur les bords du lac, où le suivirent les habitants de la ville. Bientôt l'affluence fut telle que, montant sur une barque avec ses apôtres, il s'éloigna un peu du rivage. Toute cette côte est coupée d'anses peu profondes, dont les berges se relèvent en hémicycle; dans la vallée de Sept-Fontaines, à l'ouest de Capharnaüm, on n'en compte pas moins de quatre ou cinq sur l'espace d'une demi-lieue. Or l'expérience prouve que, du centre de ces criques, la voix porte sans effort sur tous les points de la rive opposée; et le lac est si calme d'ordinaire, dans ces petites baies, qu'il imprime à peine quelques rides à la surface immobile des eaux.

Jésus, assis à l'avant de la grosse barque de pêche, avait ainsi sous les yeux tout son auditoire, et, de cette tribune improvisée, il se mit à parler en paraboles[1]. Ce n'était pas la première fois qu'il employait le langage parabolique. Néanmoins, en cette fameuse journée, il inaugura une méthode d'enseignement qui surprit les foules et les apôtres mêmes.

1. Mt. 13¹⁻³; Mc. 4¹⁻³; Lc. 8⁴. S. Luc ne décrit pas la scène; les deux autres la décrivent presque dans les mêmes termes, mais ici S. Matthieu, par exception, est le plus circonstancié et le plus précis : « En ce jour-là, Jésus étant sorti de la maison [qu'il habitait à Capharnaüm], s'assit près de la mer. Et des foules nombreuses s'assemblèrent autour de lui, de sorte qu'étant monté dans une barque il s'y assit et toute la foule se tenait sur le rivage. Et il leur disait beaucoup de choses en paraboles. » Avant la journée des Paraboles, il avait souvent employé le *langage parabolique* (cf. Mc. 2¹⁷⁻²³; 3²³; Lc. 4²³; 5³⁶), mais non pas la parabole proprement dite, telle que nous la définissons ici.

La parabole évangélique est un récit fictif, tiré des usages ou des faits de la vie commune, pour mettre en lumière une leçon morale ou une vérité dogmatique. La parabole, on le voit, est apparentée à la fable; ce sont deux espèces d'un même genre littéraire; mais tandis que la fable, se jouant dans l'irréel, prête la raison aux bêtes et la parole aux poissons, et n'enseigne qu'une prudence humaine ou une sagesse vulgaire, la parabole évangélique reste fidèle aux lois de la vraisemblance, et vise toujours un but religieux[1]. Ce n'est pas que la fable elle-même ne pût être le véhicule d'une doctrine surnaturelle — il y a deux fables dans l'Ancien Testament[2] — mais Jésus n'a pas voulu recourir à ce genre moins noble, parce que la parabole telle qu'il la concevait est accessible à tous les esprits.

La parabole est sœur de l'allégorie, comme la comparaison est sœur de la métaphore : la parabole n'est qu'une comparaison développée en récit et l'allégorie n'est qu'une suite de métaphores connexes. De toute comparaison on peut faire une métaphore et de toute métaphore on peut faire une comparaison, en supprimant ou en exprimant, selon les cas, le rapport de similitude que l'une et l'autre implique; seulement l'opération aurait souvent pour résultat des métaphores obscures ou des comparaisons traînantes. Dans la comparaison et la parabole, deux objets semblables sont rapprochés dans la métaphore et l'allégorie, l'objet dont on parle se cache derrière un autre qui lui est semblable. Il s'ensuit que pour comprendre une parabole il suffit de la confronter avec l'objet comparé et d'en constater les analogies; mais pour entendre une allégorie il faut en traduire les métaphores et leur substituer les termes propres correspondants.

Si les paraboles évangéliques étaient toutes de pures paraboles, comme est, par exemple, le bon Samaritain, l'explication en serait facile; mais beaucoup d'entre elles, en particulier celles qui concernent le royaume de Dieu, sont mêlées de traits allégoriques, dont l'exégète doit déterminer le nombre et la portée. La difficulté s'accroît du fait qu'elles sont souvent introduites par une formule manquant de rigueur : « L

1. Voir la note K : *Paraboles évangéliques.*
2. *Judic.* 9 p. 21; 2 *Reg.* 14$^{9\text{-}10}$ (J. C.).

oyaume de Dieu est semblable à un semeur, à un roi, à un
marchand, etc. » Ce n'est pas précisément le royaume de Dieu
qui a cette ressemblance; c'est la parabole dans son ensemble
qui représente un aspect du royaume de Dieu et le sens est :
les choses se passent là, proportions gardées, comme elles
e passent dans la parabole. Une autre source d'obscurité
péciale aux paraboles du royaume, c'est, comme nous l'avons
dit plus haut, qu'en hébreu, en grec et en latin, le même mot
signifie à la fois *règne*, *royauté* et *royaume*.

L'Ancien Testament, si riche en allégories, fait peu de
place à la parabole proprement dite, qui se montre à peine
dans les écrits antérieurs à l'ère chrétienne, car les Similitudes du Livre d'Hénoch sont quelque chose de tout différent.
Les rabbins du IIe siècle cultivèrent un genre mixte qui tient
de la parabole et de l'allégorie[1]; mais aucune littérature n'a
rien d'égal aux paraboles évangéliques pour la simplicité, le
naturel, la fraîcheur, la noblesse et la grâce.

Jusqu'ici le Sauveur s'était appliqué surtout à inculquer
le caractère spirituel du royaume de Dieu, où l'on n'entre
que par une conversion sincère. Dans le Sermon sur la montagne, il avait marqué les dispositions intérieures qui en
assurent la conquête. Les paraboles du lac en préciseront la
nature intime.

Les idées que les Juifs se formaient du règne de Dieu
étaient aussi vagues et aussi flottantes que leurs désirs et
que leurs rêves. Presque tous les contemporains du Christ
attendaient un roi national, issu de David, qui délivrerait
Israël, exterminerait ses oppresseurs et inaugurerait à Jérusalem une ère de justice, de paix et de bonheur sans mélange.
Les prophètes ne parlaient-ils pas d'un nouveau David, qui
régnerait un jour sur toutes les nations, avec Sion pour
capitale? Il était difficile avant l'événement de faire le départ
entre le symbolisme et la réalisation littérale de ces pro-

---

1. On prétend que Rabbi Méir connaissait trois mille fables dont le
renard était le héros. A sa mort on dit que la parabole était morte avec
lui, pour signifier sans doute qu'il en avait le monopole. Cf. Fiebig,
Altjüdische Gleichnisse und die Gleichnisse Jesu, 1904; Buzy, *Introduction aux paraboles évangéliques*, 1912, p. 135-169.

messes dithyrambiques. On comptait, pour y préparer les
cœurs, sur une intervention fulgurante du ciel, qui change-
rait la face des choses et amènerait, comme par un coup
de théâtre, un état féerique, d'où tout mal serait exclu. Le
sage Philon lui-même se laissait bercer à ces rêveries. Il
écrivait : « Les enfants d'Israël, seraient-ils captifs au bout
du monde, échapperont le même jour à leurs maîtres frappés
de stupeur... Ils seront tous entraînés ensemble en un même
lieu, sous la conduite d'une apparition plus divine qu'humaine,
invisible à tout autre qu'à eux... Ils relèveront leurs villes
détruites, cultiveront leurs champs dévastés et le sol, longtemps stérile, retrouvera pour eux sa fécondité première...
Ce sera une transformation soudaine de toutes choses », et
le bonheur dont jouissaient leurs pères ne sera rien à côté
de leur béatitude présente[1]. Les apocalypses juives ne trouvent pas de couleurs assez vives pour peindre cette félicité
idyllique. Sous leur plume, le règne du Messie ressemble
fort à un paradis de Mahomet. Une erreur capitale était de ne
pas distinguer assez nettement les deux phases du royaume
de Dieu, qu'on mettait tout entier sur terre ou tout entier au
ciel. D'une manière comme de l'autre, le rôle du Messie
était dénaturé et la part faite à Dieu était parfois si grande
qu'il n'y avait plus de place pour l'action de son envoyé[2].

C'est contre ces erreurs et d'autres pareilles que sont
dirigées les paraboles du règne. Le Semeur met en relief la
destination universelle de l'Évangile et la nécessité du concours humain pour l'établir dans les âmes. L'Ivraie et le
Filet montrent la double phase du règne et le mélange, dans
la première, des bons et des méchants. Le Sénevé, le Levain
et le Blé qui lève spontanément font voir la croissance, plus
ou moins lente, plus ou moins cachée, mais infaillible et

1. Philon, *De exsecrationibus*, 8-9, Mangey II, 435-6; *De praemiis et
poenis*, 15-20, Mangey, II, 421-428.
2. « Si les animaux dangereux doivent cesser de nuire, si la paix
doit régner dans le monde, au temps du Messie comme à celui d'Adam,
si la nature doit être à la fin féconde en miracles inouïs, c'est parce
que l'innocence des temps messianiques l'emportera sur celle de l'Eden.
Ce tableau avait été tracé dans l'ancienne prophétie avec une valeur
symbolique [par exemple dans Is. 11 b-10]. Il est surchargé jusqu'au
grotesque et avec le désir d'une crasse réalité dans les Apocalypses »
(Lagrange, *Le judaïsme avant J.-C.* 1931, p. 77-78).

merveilleuse du royaume de Dieu. Le Trésor et la Perle
enseignent qu'on ne saurait payer trop cher le bonheur d'y
être admis.

Il est peu probable que toutes ces paraboles aient été prononcées le même jour. Si saint Matthieu, selon sa méthode,
les réunit en un chapitre, saint Luc ne place en cet endroit
que la seule parabole du Semeur. Les assertions du Sauveur
et des évangélistes sur le but, la fréquence et l'insuccès des
paraboles se comprennent mieux si ce genre de prédication
eut une certaine durée. Cependant la scène décrite par les
trois Synoptiques n'est pas une fiction littéraire et il y eut
vraiment une *Journée des paraboles*.

II. Les paraboles du règne.

1. Le semeur. — 2. L'ivraie. — 3. Le filet. — 4. Le sénevé et le ferment. — 5. Le blé qui lève. — 6. Le trésor et la perle.

Assis dans sa barque, au centre de l'hémicycle naturel dont
les auditeurs garnissent les bords, Jésus les invite au silence
par ce simple mot : « Écoutez! » Puis, sans autre préambule
et sans même annoncer le sujet du discours, il débute en ces
termes :

*Voici que le Semeur sortit pour semer. Et tandis qu'il
semait, une partie du grain tomba le long du chemin et les
oiseaux vinrent le dévorer. Une autre tomba sur un sol
pierreux, où il y avait peu de terre, et leva aussitôt; mais,
faute de racines profondes, elle se dessécha vite sous l'ardeur
du soleil. Une autre tomba parmi les épines qui, venant à
pousser, l'étouffèrent. Mais d'autres grains, tombant sur
une bonne terre, produisirent du fruit : trente, ou soixante,
ou cent pour un. Que celui qui a des oreilles pour entendre,
entende*[1] !

---

1. Mc. 4 [1-9]; Mt. 13 [1-9]; Lc. 8 [4-8]. Bien que plus concis, S. Luc offre
deux traits intéressants : le blé qui tombe le long du chemin est mangé
par les oiseaux *et foulé aux pieds des passants ;* celui qui tombe sur un
sol pierreux se dessèche *faute d'humidité.* Pour le reste, les différences
sont légères. Dans S. Luc tout le grain tombé sur une bonne terre se
multiplie *au centuple;* S. Marc établit une gradation *ascendante* de
fécondité (trente, soixante, cent), S. Matthieu une gradation descendante
cent, soixante, trente).

En d'autres pays, Jésus-Christ aurait pu mentionner d'autres causes d'infécondité : une sécheresse prolongée, une gelée tardive, des pluies torrentielles et dévastatrices, un ouragan de grêle. Celles qu'il signale ne conviendraient pas aux plaines de la Beauce ou à la vallée du Nil, mais sont admirablement appropriées au territoire palestinien.

Lorsque, après les premières ondées d'automne, ordinairement en novembre, un labour sommaire a tant bien que mal ameubli le sol, le paysan commence les semailles. Quoiqu'il répande la semence d'une main avare, quelques grains tombent toujours sur les sentiers qui longent ou traversent le champ. Ce blé est perdu sans ressource, car si, par miracle, il n'était pas foulé aux pieds des passants, il n'échapperait pas à l'avidité des oisillons et des pigeons sauvages. Les moineaux, en particulier, sont si voraces, qu'on les voit souvent voleter autour du semeur et happer le grain avant qu'il touche terre.

Pour n'être pas aussi rocailleux que le plateau de Judée, les coteaux galiléens n'ont parfois néanmoins qu'une mince couche d'humus, que perce le noir balsate ou le calcaire gris. Sur cette terre sans profondeur, la semence germe vite; mais, faute de racines, le soleil de midi a tôt fait de la dessécher.

Autre danger toujours à craindre. La flore palestinienne est très riche en plantes épineuses; les buissons et les ronces sont désignés par une vingtaine de mots qui ne sont pas synonymes. Le fléau le plus redouté des agriculteurs est un chardon gigantesque, que la charrue trop légère est impuissante à extirper. Coupé au ras du sol ou détruit par le feu, il repousse de plus belle, étouffant avant la maturation les plantes semées dans le voisinage.

En revanche, dans une bonne terre, la semence se multiplie à souhait. Si le rendement actuel des céréales en Palestine, avec les procédés primitifs employés par les fellahs et sans l'usage d'aucun engrais, ne dépasse guère douze ou treize fois la quantité semée, les terres bien cultivées rapporteraient beaucoup plus. D'ailleurs il ne s'agit pas, dans l'Évangile, du rendement total de la semence, mais du produit de tel ou tel grain. Alors il ne faut plus parler d'hyperbole : des voyageurs modernes, en Syrie comme en Égypte

ont souvent compté plus de cent grains sur le même épi et constaté que plusieurs épis provenaient d'une même graine [1].

Le récit était donc parfaitement clair pour les riverains du lac de Tibériade; toute l'obscurité consistait en ceci que Jésus — à dessein sans doute et pour forcer les auditeurs à l'interroger — avait omis d'indiquer le terme de comparaison qui en est la clef. Aussi les apôtres, dès qu'ils furent seuls avec lui, ne manquèrent-ils pas de lui en demander le sens. Il leur répondit : « Si vous ne comprenez pas cette parabole, comment comprendrez-vous toutes les autres? » car il y en a de moins simples. Ce n'est pas un reproche qu'il leur adresse; c'est une façon enjouée de leur faire entendre qu'ils ne se suffisent pas à eux-mêmes et que, en cette matière, ils auraient tort de se fier à leur perspicacité naturelle.

Le semeur, c'est le Christ; la semence, c'est l'Évangile; le terrain, c'est l'âme des auditeurs : ces trois mots suffisent à tout expliquer. Encore le semeur reste-t-il dans l'ombre; toute l'attention se concentre sur les effets produits par l'Évangile dans les âmes plus ou moins bien disposées à le recevoir. La semence, féconde en soi, est souvent rendue inféconde par la nature du sol; ainsi la Parole évangélique devient-elle infertile par suite des dispositions insuffisantes de ceux qui l'écoutent. Comme la graine, tantôt ne germe pas, tantôt germe mais ne dure pas, tantôt dure mais ne fructifie pas; ainsi la Parole de Dieu tantôt n'arrive pas à

---

1. Même aujourd'hui, « il n'est pas rare de voir surgir cinq ou six épis d'un seul grain de froment ou d'orge » (Biever, *Conférences de Saint-Etienne*, 1911, p. 274). Un essai fait à Sept-Fontaines (*et-Tabigha*), dans une terre bien préparée, a produit cinquante fois la semence (*Ibid.*, p. 275). Le centuple récolté par Isaac (Gen. 26 [12]) peut n'être qu'un nombre rond ou une hyperbole, mais Varron (*De re rustica*, I, 44) mentionne des localités d'Italie et d'Afrique où le blé rapporte cent pour un. D'après Hérodote (I, 193), la Babylonie est si fertile qu'elle rend 200 et même 300 pour un dans les meilleures années. Pline raconte (*Hist. nat.* XVIII, XXI, 1) qu'on présenta à Auguste un épi qui portait plus de 400 grains et à Néron un chaume divisé en 360 tiges sorties du même grain (*Vix credibile!*). Si les journaux ne mentent pas, voici qui est encore plus fort. Un cultivateur de Saône-et-Loire aurait obtenu de trois grains de blé 84 épis, chargés ensemble de 3.140 grains (*Echo de Paris*, 28 nov. 1926). Sous toutes réserves. Ce qui importe, dans la parabole, c'est moins la fécondité de la graine que la fertilité du sol.

produire la foi, tantôt ne produit qu'une foi passagère, tantôt produit une foi durable mais inactive. Et de même que le grain de blé produit plus ou moins selon la diverse fertilité du sol, la Parole divine est plus ou moins féconde selon le concours plus ou moins actif que lui prêtent les auditeurs. Tel est bien le sens de la parabole, mais le Seigneur donne à son explication un tour plus concret et moins pédantesque :

Le Semeur sème la Parole. Les grains qui tombent le long du chemin, ce sont ceux qui entendent la Parole sans la comprendre; Satan arrive bientôt et arrache la Parole semée dans leur âme.

Les grains qui tombent sur un sol pierreux, ce sont ceux qui écoutent la Parole et la reçoivent avec joie, mais ne l'ayant pas enracinée en eux, ils sont sans résistance; viennent l'épreuve ou la persécution, ils sont aussitôt scandalisés.

Les grains qui tombent parmi les épines, ce sont ceux qui ont écouté la Parole; mais les soucis du siècle, la tromperie de la richesse et les autres passions étouffent cette Parole, qui reste infructueuse.

Et les grains semés dans une bonne terre, ce sont ceux qui écoutent la Parole et la recevant (dans leur cœur), *produisent du fruit; l'un trente, le second soixante et le troisième cent pour un*[1].

La Parole de Dieu est toujours riche de vie et d'énergie; mais plusieurs causes extérieures annihilent sa fécondité naturelle. Jésus en énumère trois, les plus fréquentes en Palestine; elles lui suffisent pour symboliser les trois états d'âme qui paralysent le plus habituellement l'action de la parole divine.

---

1. Mc. 4¹⁴⁻²⁰; Mt. 13¹⁹⁻²³; Lc. 8¹¹⁻¹⁵. Chez tous les trois, surtout chez S. Marc, il y a une négligence de style qui ne nuit point au sens mais que nous n'avons pas tout à fait maintenue dans notre traduction. Au lieu de dire, comme il le faudrait pour que l'explication répondît exactement à la parabole : « *le chemin, le sol pierreux, le terrain épineux*, où tombe le bon grain, *représentent tels et tels auditeurs* », ils disent : « *ceux qui sont semés dans le chemin, le sol pierreux, le terrain épineux, ce sont ceux* », etc. Un puriste peut être choqué de cette négligence; mais l'usage permet de dire « semer un champ » et « semer du blé » et la fécondité dépend à la fois de la terre et de la semence. Ce sont deux choses connexes : ce qui autorise le passage de l'une à l'autre.

Il est des auditeurs, indifférents ou blasés, qui ne prêtent à la parole qu'une attention distraite, ou l'écoutent seulement comme on écouterait une musique flattant agréablement l'oreille. Cette parole ne pénètre pas; elle reste à la surface; la circonstance la plus insignifiante en efface jusqu'au souvenir.

D'autres écoutent la parole avec intérêt, joie et admiration, parce qu'ils la trouvent belle, consolante, sublime; mais ils ne songent pas à en faire la règle de leur vie. Êtres sans profondeur et sans consistance, la vérité a pu effleurer leur esprit sans ébranler leur volonté. S'ils éprouvent des émotions, « ce sont de ces affections languissantes, faibles imitations des sentiments véritables, désirs toujours stériles et infructueux qui se dissipent en un moment[1] ». La moindre épreuve détruit ces impressions superficielles, comme le soleil dessèche en un jour la plante sans racines.

Ceux qui, non seulement estiment la parole, la cultivent et l'aiment, mais essaient de la mettre en pratique, donnent plus d'espérance. Malheureusement, ils veulent concilier l'esprit du monde et l'esprit de Dieu, Bélial et Jésus-Christ. Leur âme reste ouverte à toutes les suggestions du dehors. L'amour du plaisir, du luxe ou de la gloire humaine, étouffe leurs bons désirs. Ce sont des fleurs qui ne portent jamais de fruits, ou des fruits qui ne mûrissent point.

On pourrait varier l'application, tout en restant dans l'esprit de la parabole : mais il ne faut pas aller plus loin, sous peine de transformer la parabole en allégorie. Il serait vain, par exemple, de chercher ce que signifient le chemin, les oiseaux du ciel, le terrain pierreux, le soleil ardent, les ronces et les épines. Ce sont des comparaisons et non des métaphores. Les anciens interprètes voyaient dans le rendement varié de la semence, qui rapporte trente, soixante ou cent pour un, soit les gens mariés, les veuves et les vierges, soit les simples fidèles, les religieux et les martyrs; c'était dépasser la mesure et sortir du sens littéral, le seul que Jésus-Christ ait voulu nous enseigner ici.

La parabole de l'Ivraie continue celle du Semeur et la complète.

---

1. Bossuet, *Sermon sur la prédication,* troisième point.

Il en est du royaume des cieux comme d'un homme qui avait semé dans son champ une bonne semence. Pendant que ses gens dormaient, l'ennemi vint semer de l'ivraie au milieu du froment. Quand le blé eut poussé et produit son épi, l'ivraie apparut aussi et les serviteurs vinrent dire au maître du champ : N'avez-vous pas semé dans votre champ une bonne semence ? D'où vient donc qu'il y a de l'ivraie ? Il répondit : C'est l'ennemi qui a fait cela. — Voulez-vous, dirent-ils, que nous allions la ramasser ? — Non, répliqua-t-il, de peur qu'en ramassant l'ivraie vous n'arrachiez aussi le froment. Laissez-les croître ensemble jusqu'à la moisson ; alors je dirai aux moissonneurs : Ramassez d'abord l'ivraie et faites-en des faisceaux pour les jeter au feu, mais recueillez le froment dans mon grenier.

L'ivraie est une plante qui croît en général au milieu des moissons et mûrit en même temps que les céréales parmi lesquelles elle a poussé. Sa graine, vénéneuse pour l'homme et les animaux herbivores, possède des propriétés toxiques qui provoquent le vertige et la nausée et lui ont valu le nom vulgaire d'herbe aux ivrognes. C'est pour l'agriculteur un fléau redoutable, parce que, jusqu'à la formation de l'épi, l'œil le plus exercé a peine à la distinguer du froment. Alors elle se reconnaît aisément à sa tige plus grêle et à son fruit plus menu, mais il est trop tard pour y porter remède, car

---

1. Mt. 13²⁴⁻³⁰ et 13³⁶⁻⁴³. Cette parabole, avec son explication, est propre à S. Matthieu. L'ivraie (en arabe *zawàn*, en grec ζιζάνιον, *zizania*, d'où nous est venu le mot zizanie) est le *lolium temulentum* des botanistes. Le mot ivraie vient du bas latin *ebriaca*, l'ivraie causant des phénomènes qui rappellent l'*ivresse*. C'est une graminée du groupe des céréales qui croît dans les champs emblavés et mûrit en même temps que le blé. Les Juifs la regardaient comme un froment abâtardi et les Arabes comme un blé ensorcelé. Biever (*Conférences de Saint-Etienne,* 1911, p. 279-280) décrit ainsi le triage : « Le froment, atteignant d'ordinaire une hauteur plus grande que la zizanie, les paysans avec leurs faucilles coupent le blé au-dessus de la zizanie, de sorte que les épis de la zizanie ne sont pas touchés... Ordinairement les moissonneurs arrachent déjà l'ivraie au fur et à mesure qu'ils coupent le blé et la jettent en petits tas derrière eux. » Dalman (*Les itinéraires de Jésus,* 1930, p. 250-251) semble dire que le triage se fait souvent après la moisson, en tamisant le blé. Les graines de l'ivraie, plus petites, passent à travers le tamis et on peut les utiliser pour nourrir les poules ; car si elle est vénéneuse pour l'homme et pour les ruminants, elle est inoffensive aux gallinacés.

ses racines sont tellement enchevêtrées dans celles du blé, qu'en essayant de l'extirper on risque d'arracher le froment. Le mieux est d'attendre jusqu'à la moisson où le triage sera facile ; et c'est le parti que le maître recommande à ses serviteurs. De l'ivraie, on fera des gerbes, qu'il sera prudent de jeter au feu, pour empêcher la graine de se répandre et d'infester de nouveau le champ.

On s'étonne que les apôtres n'aient pas tout de suite compris le sens d'une parabole qui nous paraît aujourd'hui si simple. C'est qu'elle est plus teintée d'allégorie que la précédente et qu'elle avait encore plus besoin d'être traduite en langage clair. Aussi, dès qu'ils se trouvèrent seuls avec Jésus, ils lui en demandèrent le sens et il leur en expliqua les termes allégoriques. Le champ c'est le monde ; celui qui y sème la bonne semence est le Fils de l'homme ; le semeur d'ivraie est Satan. Le froment et l'ivraie symbolisent respectivement les bons et les méchants. La moisson figure la fin des temps ; et les moissonneurs, les anges :

A la consommation des siècles, le Fils de l'homme enverra ses anges qui balaieront de son royaume tous les sujets de scandale et tous les artisans d'iniquité et les jetteront dans l'ardent brasier où il y aura des pleurs et des grincements de dents. Alors les justes resplendiront comme des étoiles dans le royaume de mon Père [1].

Nous avons donc en tout sept termes allégoriques : le Semeur, le champ, le froment, l'ennemi, l'ivraie, la moisson et les moissonneurs. Tout le reste — le sommeil des gens, la question des serviteurs, l'ivraie liée en faisceaux, le bon grain recueilli dans le grenier — appartient au genre parabolique et n'a pas d'application spéciale. Cependant le feu où l'on jette l'ivraie pour la brûler est sans doute le symbole du feu inextinguible où sera précipitée la lignée de Satan.

Les trois leçons que nous donne ici le Sauveur sont la clarté même. Le royaume de Dieu, tel qu'il peut exister sur terre, sera toujours mêlé de bien et de mal ; les bons et les méchants y voisinent, sans qu'il soit toujours facile de les

1. Mt. 13³⁶⁻⁴³. Explication donnée aux seuls disciples, sur leur demande expresse

distinguer. Ce mélange ne vient ni du Semeur divin, ni de la semence, qui est bonne essentiellement ; mais de l'ivraie sournoisement répandue par le grand adversaire. Il prendra fin au dernier jour ; mais si funeste qu'il soit, il faut le tolérer et le souffrir, chaque fois qu'on risquerait d'arracher le bon grain en voulant extirper l'ivraie.

La parabole du Filet est identique pour le sens à celle de l'Ivraie et, cette fois, Jésus l'interprète en même temps qu'il la propose :

Le royaume des cieux est encore semblable à un grand filet qu'on jette à la mer et qui rassemble des poissons de toute espèce. Quand il est rempli, les hommes le tirent à terre et, s'étant assis, opèrent le triage ; ils gardent les bons dans des vases et rejettent dehors les mauvais. Il en sera de même à la consommation des siècles : les anges s'en iront séparer les méchants du milieu des bons et les jetteront dans la fournaise ardente, où il y aura des pleurs et des grincements de dents [1].

Les pêcheurs du lac de Tibériade se servent aujourd'hui d'un engin, dont les monuments d'Égypte et de Babylone prouvent l'existence dès les temps les plus reculés. C'est un filet de très grandes dimensions qu'ils vont tendre en demi-cercle à l'aide d'une barque, de manière que les deux extrémités s'appuient au rivage. L'opération finie, les hommes,

---

1. Mt. 13[47-50] — Le filet dont il est ici question est la σαγήνη (*sagena*, d'où est dérivé le mot *senne* ou *seine*). Les Arabes l'appellent *djarf*. Il a jusqu'à 400 ou 500 mètres de long et sa manœuvre exige au moins six ou sept hommes. Il est maintenu vertical par des flotteurs de liège à la partie supérieure et des balles de plomb à la partie inférieure. Quand on l'a tendu en demi-cercle vers le rivage, un ou deux hommes s'attellent à chaque extrémité et tirent les cordes pour l'amener à terre, pendant que les autres le poussent où veillent à ce qu'il ne s'accroche pas aux quartiers de roche. La manœuvre est très bien décrite par Masterman, *Studies in Galilee*, 1909, p. 40-41 et par Biever, *Conférences de Saint-Étienne*, 1911, p. 302-304.

Pour désigner les *mauvais* poissons, S. Matthieu se sert de l'adjectif σαπρός qui signifie proprement « pourri, moisi, gâté ». Nous ne connaissons pas le terme araméen employé par l'évangéliste, mais σαπρός convient au poisson-chat (*clarias macracanthus*) en raison de son impureté légale. D'ailleurs ce silure, dont la chair passe pour délicate, habite, paraît-il, les fonds vaseux et doit sentir la vase.

combinant leurs efforts, le ramènent méthodiquement au bord, chargé de tous les poissons qui se rencontrent sur le parcours. Tous les poissons du lac de Tibériade sont comestibles et la distinction des bons et des mauvais ne se comprend qu'au point de vue légal : la loi mosaïque regardant comme impurs les poissons sans écailles. Or c'est le cas d'un silure, assez commun dans ces eaux, le *Clarias macracanthus* ou poisson-chat. Quand il était capturé avec d'autres, il fallait le rejeter à la mer, puisqu'il était interdit de le consommer. Ce poisson impur, aux yeux des Juifs, devient l'image des réprouvés que les anges sépareront des élus au dernier jour, pour les jeter dans le gouffre ténébreux de l'enfer.

On n'aura pas manqué d'observer que le royaume de Dieu se présente à nous sous un double aspect : social, dans la parabole de l'Ivraie; individuel, dans la parabole du Semeur. Là, nous sommes membres du royaume de Dieu, organisé comme tout corps social, avec une hiérarchie et un gouvernement, tendant à une fin commune, mêlé de bien et de mal dans sa phase terrestre, caractérisé à son terme final par le triomphe absolu du bien. Ici, le royaume ou plutôt le règne de Dieu est en nous; c'est notre affaire personnelle, comme si nous étions seuls au monde. Mais, de ce que les deux points de vue peuvent être considérés à part, il ne faudrait pas conclure qu'ils sont indépendants; car Dieu ne règne vraiment en nous qu'autant que nous sommes membres de son royaume, de la société qu'il est venu fonder sur la terre.

Deux couples de paraboles illustrent, d'un côté la croissance et la force d'expansion du royaume de Dieu, de l'autre le bonheur inestimable d'en faire partie, de quelque prix qu'il faille le payer.

Le royaume de Dieu est semblable au grain de sénevé qu'un homme a pris et semé dans son champ. C'est une semence petite entre toutes ; mais quand il a poussé, il est le plus grand des légumes et devient un arbre, de sorte que les oiseaux du ciel vont s'abriter sous ses branches.

Le royaume des cieux ressemble encore au levain qu'une

femme a caché dans trois mesures de farine, jusqu'à ce que toute la masse ait fermenté.

Le sénevé, dont la graine sert à faire la moutarde, abonde en Palestine. Il y en a plusieurs espèces, mais il s'agit ici de la moutarde noire qu'on cultive dans les jardins. La petitesse de la graine était proverbiale et pour dire « si peu que rien », on disait « gros comme un grain de sénevé ». D'autant plus remarquable est la vigueur de la plante qui, dans une bonne terre, peut dépasser deux mètres de haut. C'était de beaucoup le plus grand des légumes, parmi lesquels on le classait, parce qu'on mangeait en salade les jeunes pousses et que la graine servait d'assaisonnement. La tige, ligneuse à la base, et les rameaux largement étalés lui donnent un aspect arborescent et les indigènes l'appellent un arbre. Quand le fruit est mûr, des légions de passereaux et de chardonnerets s'abattent sur ses branches, pour en picorer la graine dont ils sont très friands.

Si Jésus-Christ avait voulu figurer la grandeur future de l'Église, il eût choisi sans doute d'autres symboles : le cep de vigne dont la croissance est sans limites, le chêne à l'immense ramure, le cèdre qui trône au sommet des monts ; mais tel n'était pas ici son dessein. Il voulait marquer l'humble naissance de son œuvre, comparable en petitesse au grain de sénevé, et montrer que de si modestes débuts ne s'opposaient pas à des développements ultérieurs [2]. Qu'était en effet, pour des regards profanes, l'Église au berceau ? Douze pêcheurs galiléens groupés autour d'un charpentier de village. La première assemblée chrétienne, après la mort du fondateur, ne réunit encore que cent vingt membres. Et pourtant, avant

---

1. Le sénevé, Mt. 13[31-32] ; Mc. 4[30-32] ; Lc. 13[18-19] (dans un autre contexte). Le levain, Mt. 13[33]. Sur le sénevé, voir *Dict. de la Bible*, t. V, col. 1600-2. Le sénevé (σίναπι, *sinapis*) a « une graine extrêmement petite, non pas absolument la plus petite de toutes les semences, mais la plus petite de celles qu'on a l'habitude de semer » (*Ibid.*, col. 1601). Maldonat dit la même chose. En effet, la graine de pavot, par exemple, est encore plus petite.

2. Loisy dit fort bien (*Les Évangiles synoptiques*, I, 770) : « De même que le grain de sénevé lorsqu'on le jette en terre, le royaume de Dieu est presque imperceptible dans son commencement, mais il grandit et sa merveilleuse expansion est tout à fait disproportionnée avec l'exiguïté de ses débuts. »

la mort du dernier apôtre, le christianisme aura franchi les frontières du monde civilisé. Trois siècles de persécution ne peuvent pas arrêter ses progrès; toutes les puissances du monde ont beau se liguer pour lui barrer la route, il n'en poursuit pas moins sa marche triomphale. Quel contraste entre son humble origine et son prodigieux accroissement! Le grain de sénevé est devenu un arbre à l'ombre duquel s'abritent les nations du vaste univers.

Aussi mystérieuse que la croissance du germe est l'action du levain. Partout ailleurs, dans l'Écriture, le ferment est représenté comme un agent de corruption; mais ici ses propriétés bonnes ou mauvaises ne sont pas en cause; il ne s'agit que de son action énergique et rapide, très apte à figurer la transformation produite dans les âmes par l'Évangile. En Palestine, où les femmes avaient l'habitude de cuire chaque matin le pain de la journée, on gardait, la veille, un peu de ferment qu'on mêlait à la pâte nouvellement pétrie. La proportion du levain par rapport à la masse est minime et l'effet obtenu n'en est que plus surprenant.

Quelque chose de semblable se produit dans la société humaine à l'apparition de l'Évangile. La parabole du Sénevé nous montrait son extension graduelle et ses progrès inattendus; la parabole du Levain nous fait voir le travail intérieur de la grâce dans les âmes régénérées. Le christianisme, avec sa morale et son idéal, a réagi énergiquement sur les religions païennes tombées si bas. La source d'héroïsme qu'il a dérivé sur le monde, loin de s'épuiser, coule toujours plus abondante. Quel siècle fut plus fertile que le nôtre en miracles de sainteté?

La puissance d'expansion du christianisme et sa vitalité intérieure sont symbolisées d'une façon encore plus expressive dans une délicieuse parabole que saint Marc, dérogeant à ses habitudes, nous a conservée seul.

Il en est du royaume de Dieu comme d'un homme qui jette en terre de la semence. Qu'il dorme ou qu'il veille, de jour ou de nuit, la semence germe et pousse d'elle-même, sans qu'il sache comment. Car la terre fructifie spontanément, (produisant) d'abord de l'herbe, ensuite l'épi, puis le froment

*qui gonfle l'épi. Et quand le fruit est mûr, on y met aussitôt
la faucille, car c'est le temps de la moisson*[1].

Saint Marc a raison de rapprocher cette petite parabole de
celle du Semeur, dont elle est un nouvel aspect. Nous savons
déjà que le Semeur est le Fils de l'homme et que la semence
est la parole de Dieu. Le semeur intervient nécessairement
partout où il est question de semailles, mais ce n'est pas sur
lui qu'est dirigée la pointe de la parabole; c'est sur la fécondité de la semence évangélique : non pas la fécondité subordonnée à la bonne ou à la mauvaise qualité du terrain, comme
dans la parabole du Semeur, mais sa fécondité intrinsèque,
inhérente à sa nature. En Palestine, la culture des céréales est
peut-être celle qui réclame le moins de soins et de travail.
Son champ une fois ensemencé, en novembre ou décembre,
le paysan peut dormir à l'aise et répéter le proverbe : « Encore
quatre mois d'attente et la moisson viendra. » Les pluies
hivernales et le soleil printanier se chargent de l'irrigation du
sol et de la maturation de l'épi. Il en est de même de la parole
évangélique. Après avoir jeté sa semence, le Semeur peut
disparaître sans que son œuvre soit compromise ; le bon grain
lèvera et fructifiera en vertu de sa force native. Il y a pourtant
deux grandes différences entre le paysan de la parabole et le
Semeur divin. Celui-ci n'ignore pas pourquoi et comment la

---

1. Mc. 4²⁶⁻²⁸ Le sens précis de la parabole est controversé. Maldonat
nous semble l'avoir bien comprise : « Voluit docere Christus verbum
Dei semel praedicatum, etiam eo qui praedicavit nihil agente praeterea,
per se crescere fructusque proferre. » Seulement il fait la part trop
grande à l'allégorie. Buzy *(Enseignements paraboliques*, dans *R. B.* 1917,
p. 180-184) exclut tout élément allégorique : « Cette parabole n'est
qu'une parabole » (p. 181). Il a raison, croyons-nous, de soutenir que
le rôle du semeur est ici accessoire. Fonck (*Die Parabeln des Herrn im
Evangelium*, Innsbruck, 1902) et Sainz (dans *R. B.* 1916, p. 406-422)
accordent peut-être trop à l'allégorie. Lagrange tient le milieu (*Saint
Marc*⁴, p. 117). Il approuve l'explication de Loisy (dans les *Évangiles
synoptiques*, t. I, p. 764) qui est pour la parabole pure, mais il ajoute à
propos du semeur : « Il a semé et il moissonnera. Il est difficile de
croire qu'il n'est nommé que parce qu'il est une donnée nécessaire de la
comparaison. Nécessaire comme semeur, il pouvait ne pas reparaître
comme moissonneur, si Jésus n'avait voulu parler que du développement du règne. » Goebel (*The Parables of Jesus*, 1900, p. 80-93) et
Wohlenberg (*Das Evang. des Markus*, 1910, p. 140-142) qui rapprochent
cette parabole de celle du sénevé, et leur trouvent à toutes deux le même
sens, ne tiennent pas assez compte de la différence des données.

semence répandue par lui dans le sillon croît et fructifie ; s'il
paraît dormir, son action invisible ne fait jamais défaut. Cette
parabole n'est pas une allégorie pure et tous les traits ne sont
pas des symboles ; cependant le semeur, identique avec le
moissonneur, est évidemment le Christ et l'intervalle considérable entre les semailles et la moisson semble bien avoir pour
but de calmer l'impatience de ceux qui attendaient à brève
échéance la manifestation glorieuse du royaume de Dieu.

Deux paraboles à peine ébauchées en montrent l'inestimable valeur :

*Le royaume des cieux est semblable à un trésor enfoui
dans un champ. L'homme qui l'a trouvé le cache de nouveau
et s'en va, plein de joie, vendre tout ce qu'il possède pour
acheter ce champ.*

*Il en est aussi du royaume des cieux comme d'un marchand
qui cherche des perles fines. En ayant trouvé une de grand
prix, il vend tout ce qu'il possède pour l'acheter*[1].

Dans les temps d'instabilité politique ou sociale, au milieu
des guerres civiles ou étrangères, quand personne n'est sûr
du lendemain, bien des gens enfouissent leur argent ou leur or,
pour le soustraire au pillage. Après la prise de Jérusalem
par Titus, les soldats romains désœuvrés s'occupaient à
déterrer ces cachettes, dont les environs de la ville étaient
remplis. Quand un glissement de terrain ou un accident
quelconque ramenait au jour un de ces trésors oubliés et sans
maître, le droit romain — et probablement aussi le droit juif

---

1. Mt. 13[44-46]. *Le trésor.* — Paulus dit dans le *Digeste* : « Thesaurus
est vetus quaedam depositio pecuniae, cujus non exstat memoria ut jam
dominum non habeat. Sic enim fit ejus qui invenerit cum non alterius
sit. » L'inventeur s'en emparait sans scrupule. Cf. Horace, *Sat.* II, VI,
10-13. Pour la coutume juive, cf. Billerbeck, t. I, p. 674.

La perle. — Pline (*Hist. natur.* IX, LIV, 1) écrit : « Principium culmenque
omnium rerum pretio margaritae sunt. » On n'est pas obligé de le
croire sur parole, quand il affirme (*Ibid.*, IX, LVIII, 1-4) que la perle de
Cléopâtre valait dix millions et toutes celles dont Lollia Paulina était
couverte, quarante millions de sesterces. Mais, dans les temps modernes
(en 1500), la perle de Charles-Quint se vendit 80.000 ducats, ce qui ferait
un million de francs de notre ancienne monnaie et le collier de
145 perles, ayant appartenu à Mme Thiers, atteignit, le 15 juin 1924, un
prix beaucoup plus élevé, même en tenant compte de la dépréciation
du franc.

— l'adjugeait tout entier à celui qui l'avait découvert, pourvu
que ce fût dans sa propriété ou dans un endroit public.
L'homme de la parabole agit sur ce principe. Il ne veut pas
s'emparer d'un bien trouvé dans le champ d'autrui, mais il
estime qu'il lui reviendra s'il se rend acquéreur du champ.
Qu'il ait tort ou raison, c'est aux casuistes d'en décider. Jésus
ni ne l'approuve ni ne le blâme ; il n'a point à juger son acte ;
il propose seulement à notre imitation le fait de consentir à
tous les sacrifices pour acquérir un trésor sans prix.

L'homme à la perle nous donne exactement la même leçon.
On peut se figurer un de ces marchands de bric à brac, si nombreux en Orient, qui vendent de tout, même des bijoux. Celui
de la parabole n'ignore pas que sa fortune est faite s'il peut
mettre la main sur une perle fine. La perle, nous dit Pline, est
après le diamant la reine des parures. La passion des belles
perles sévissait dans l'antiquité plus que de nos jours et allait
parfois jusqu'à la frénésie. La perle de Cléopâtre aurait coûté
dix millions de sesterces ; celles qui ornaient la tête et le cou de
Pauline, femme de Caligula, valaient, dit-on, quatre fois
plus. L'homme de la parabole cherche donc une perle vierge
possédant toutes les qualités les plus appréciées des connais-
seurs : la limpidité, l'orient, le poli, la grosseur, la rotondité
parfaite. S'il vient à la découvrir, il n'hésite pas à réaliser tout
son avoir pour s'en rendre maître, sûr qu'il sera riche en la
revendant. Les Sémites n'ont jamais eu l'idée du juste prix,
d'ailleurs difficile à déterminer en pareille matière ; et l'homme
à la perle pourrait donner lieu au même cas de conscience
que l'homme au trésor caché. Mais là n'est pas la question. Ce
que le Sauveur veut nous apprendre, c'est que le royaume de
Dieu ne saurait être payé trop cher. Qu'il s'offre à nous sans
l'avoir cherché, ou qu'il soit le fruit de longues et laborieuses
recherches, on doit être prêt à tout sacrifier pour y être admis.
Rompre avec son passé, son milieu, sa famille ; briser des
liens si chers, vaincre tant d'oppositions, surmonter tant
d'obstacles : tout cela exige souvent un courage héroïque.
L'histoire des grands convertis de tous les temps en est la
preuve.

Quand il eut fini de parler, Jésus dit à ses disciples : « Avez-

vous compris tout cela? » Sur leur réponse affirmative, il ajouta : « Eh bien! tout scribe initié à la doctrine du royaume des cieux ressemble au maître de maison qui tire de son trésor des choses nouvelles et des choses anciennes. » Instruits qu'ils sont des mystères du règne de Dieu, c'est à eux maintenant d'instruire les autres, en enseignant à chacun ce qui lui convient.

III. Raison d'être des paraboles.

Visiblement surpris de la nouvelle méthode employée par leur Maître, les apôtres lui demandèrent un jour : « Pourquoi leur parlez-vous en paraboles? » Avant de connaître la réponse de Jésus, nous serions tentés de répondre à sa place : « Parce que c'est le mode d'enseignement le plus populaire et le plus familier, le plus apte à captiver l'attention et à fixer le souvenir, le mieux approprié à l'intelligence des enfants et des simples, le plus digne enfin de celui qui a daigné compâtir à notre faiblesse et condescendre à notre ignorance. » Saint Marc semble bien nous donner raison quand il écrit : *Il leur proposait beaucoup de paraboles semblables, selon qu'ils pouvaient l'entendre; et il ne leur parlait point sans paraboles; mais, en particulier, il expliquait tout à ses disciples.* N'est-ce pas dire clairement qu'il adaptait ses discours à la capacité de ses auditeurs et qu'il les revêtait d'un langage parabolique pour les mettre à la portée de tous? Du reste, il les aurait expliqués à ses auditeurs, comme il les expliquait à ses disciples, s'ils s'étaient donné la peine de l'interroger. Mais la réponse que les évangélistes prêtent à Jésus rend un son différent. Saint Luc lui fait dire :

A vous il a été donné de connaître les mystères du royaume de Dieu; mais, pour les autres, c'est en paraboles, afin que voyant ils ne voient pas et qu'entendant ils ne comprennent pas. Car, précise saint Matthieu, *en eux s'accomplit la prophétie d'Isaïe : Vous entendrez et vous ne comprendrez pas, vous regarderez et vous ne verrez pas. Le cœur de ce peuple s'est appesanti; ils ont endurci leurs oreilles et fermé leurs yeux, de peur de voir de leurs yeux, d'entendre de leurs*

oreilles, de comprendre en leur cœur et de se convertir, pour que je les guérisse[1].

1. Mt. 13[10] *Et les disciples s'approchant lui dirent : Pourquoi leur parlez-vous en paraboles?*

[11] *Il leur répondit : A vous, il a été donné de connaître les mystères du royaume des cieux; à eux, cela n'est pas donné;*

[12] *car celui qui a, on lui donnera et il abondera; mais celui qui n'a pas, on lui ôtera même ce qu'il a.*

[13] *C'est pourquoi je leur parle en paraboles, parce que voyant ils ne voient pas et qu'entendant ils n'entendent pas et ne comprennent pas.*

[14] *Et la prophétie d'Isaïe s'accomplit, etc.*

Mc. 4[10] *Et quand il fut à l'écart, ses disciples, avec les Douze, l'interrogèrent sur les paraboles.*

[11] *Il leur dit : A vous, a été donné le mystère du royaume de Dieu;*

[25] *car celui qui a, on lui donnera; et celui qui n'a pas, on lui ôtera même ce qu'il a.*]

mais à ceux du dehors tout arrive en paraboles; [12] *afin que voyant ils ne voient pas et qu'entendant ils entendent et ne comprennent pas de peur qu'ils se convertissent et qu'il leur soit pardonné.*

Lc. 8[9] *: Et ses disciples lui demandèrent ce que voulait dire la parabole (du Semeur).*

[10] *Il leur dit : A vous il a été donné de con naître les mystères du royaume de Dieu :*

[18] *car celui qui a, on lui donnera; mais celui qui n'a pas, on lui ôtera même ce qu'il paraît* [*avoir*];

mais aux autres (je parle) *en paraboles, afin que voyant ils ne voient pas et qu'entendant ils ne comprennent pas.*

A. *La question* n'est pas la même. D'après saint Luc, ils demandent seulement l'explication de la parabole du Semeur; d'après S. Marc, ils interrogent en général sur les paraboles; d'après S. Matthieu, ils veulent savoir pourquoi Jésus parle en paraboles. Tout cela est facile à concilier; et de quelque manière que la question ait été posée, elle était de nature à provoquer la réponse qui seule importe.

B) La réponse n'est pas non plus la même : relativement facile dans S. Matthieu, difficile dans S. Luc, plus difficile dans S. Marc. — *Le mystère* (ou *les mystères*) du royaume de Dieu, c'est son secret, sa nature intime, qu'il a été donné aux disciples de connaître et non pas à la masse des auditeurs. Jusqu'ici pas de difficulté; car la correspondance ordinaire à la grâce prépare et dispose à la réception de grâces nouvelles. Notez que les disciples ne sont pas les seuls apôtres, mais les auditeurs de bonne volonté qui s'approchent de Jésus, dès qu'il est à l'écart, pour l'interroger (Mc. 4[10]).

La difficulté vient des particules finales ou qui paraissent telles (parce que, ὅτι, afin que, ἵνα, de peur que, μήποτε). Éliminons la première. Dans S. Matthieu ὅτι peut signifier *que* et non *parce que* (εἶπεν ὅτι, il leur répondit *que* les mystères, etc., et non pas *parce que*); et ce *que* idiomatique doit s'omettre dans une traduction.

Quant à la particule finale ἵνα (dans S. Marc et S. Luc.) et μήποτε (dans S. Marc) c'est une allusion manifeste au texte d'Isaïe, que

Ce n'est pas le jour des paraboles mais assez longtemps après, lorsqu'ils en eurent constaté par expérience le peu de fruit et d'efficacité, que les apôtres posèrent leur question. Ils touchaient, sans le savoir, à l'éternel et insoluble problème de la différente distribution des grâces, suffisantes pour tous, efficaces pour ceux-là seulement qui les accueillent. Une grâce, accordée à l'homme au moment où Dieu sait qu'il l'acceptera, est un plus grand bienfait que la même grâce restée inefficace par la résistance du libre arbitre. Les apôtres sont privilégiés ; il leur est donné de connaître « les mystères du royaume de Dieu » ; mais cette faveur n'eût point été refusée aux autres s'ils l'avaient désirée et sollicitée ; et s'ils ne l'ont pas obtenue, ils ne doivent s'en prendre qu'à leur stupide indifférence.

L'enseignement du Christ n'est pas une doctrine ésotérique réservée aux seuls initiés, comme étaient les mystères d'Éleusis ou de Samothrace, ni une philosophie qui s'enveloppe de nuages et qui, pour paraître plus vénérable, impose le secret à ses adhérents, comme celle de Pythagore. Les apôtres ont reçu l'ordre de proclamer en plein jour ce qu'ils ont entendu dans l'ombre et de crier sur les toits ce qu'on leur a dit à l'oreille. Jésus n'a jamais recommandé le secret que pour les faits glorieux qui le concernaient ou pour des vérités dont la révélation était prématurée ; mais ce n'était pas le cas pour la doctrine du royaume de Dieu, qu'il se proposait justement d'enseigner alors.

Il ne faut pas demander si l'enseignement en paraboles fut un châtiment ou une miséricorde : ce fut une miséricorde pour les hommes de bonne volonté qui en profitèrent et un châtiment pour ceux qui, par leur faute, n'en profitèrent point. Les motifs qu'eut le Sauveur d'adopter à une certaine époque ce genre de prédication furent multiples. Nous en entrevoyons quelques-uns. Il fallait ménager l'extrême susceptibilité de l'autorité romaine, si prompte à s'alarmer au seul nom d'un royaume juif. Ce fut l'accusation d'aspirer à la royauté qui mit

S. Matthieu cite *in extenso*, et il faut donc l'entendre de même, soit d'une finalité de la part de l'homme (pour μήποτε), soit d'une finalité de la part de Dieu (ἵνα) qui, prévoyant l'obstination des hommes, médite d'en tirer parti pour l'accomplissement de ses desseins secrets.

fin aux longues hésitations de Pilate et la crainte d'une restauration juive qui décida Domitien à poursuivre des parents
éloignés de Jésus. Il fallait éviter aussi de surexciter l'ardent
nationalisme des Galiléens, toujours prêts à se soulever en
faveur d'un prétendant au trône de David. Ce qui se passa le
soir de la première multiplication des pains montre que le
danger n'était pas chimérique.

Peut-être les paraboles avaient-elles aussi pour but de distinguer les auditeurs désireux de s'instruire de ceux qu'attirait
la curiosité ou la malveillance. A la vérité, les deux catégories
ne sont ni exclusives ni définitives : le disciple d'aujourd'hui
pourra demain retourner en arrière et l'incrédule d'aujourd'hui
pourra être croyant demain. La ligne de démarcation ne concerne pas l'avenir; elle n'est tracée que pour le présent. Mais
soutenir que le Sauveur se rend à dessein obscur et inintelli-
gible pour punir l'indifférence, la légèreté ou l'inconstance
des foules, nous semble contraire à toute raison; car, outre
qu'un changement profond d'attitude, visible déjà chez les
scribes et les pharisiens, n'apparaît pas encore clairement
dans la masse du peuple, si Jésus voulait les punir, — c'est
la remarque de saint Chrysostome, — il n'avait qu'à se taire,
au lieu de proposer des énigmes indéchiffrables. Posons en
principe que les auditeurs, s'ils l'avaient voulu, auraient pu
comprendre : saint Augustin et saint Chrysostome, dont
l'exégèse à première vue est si différente, sont d'accord sur ce
point. Pourquoi donc n'ont-ils pas compris? Un disciple de
saint Chrysostome, Théophylacte, va nous le dire : « En leur
parlant en paraboles, Jésus s'accommode à la capacité de ses
auditeurs... Il les excite à venir l'interroger, afin que, grâce à
ces questions, ils apprennent ce qu'ils ignorent. C'est ainsi
qu'il expliquait tout aux disciples, parce qu'ils venaient le
questionner. »

La parabole est-elle donc naturellement obscure? Oui et non.
La parabole morale ne l'est pas d'ordinaire : il suffit de l'exposer
pour en faire saisir la leçon : ainsi le bon Samaritain, le Pharisien et le publicain, l'Ami importun ou le Juge inique. Il en
est autrement des paraboles allégoriques, en tout ou en partie :
telles que sont les paraboles du royaume. Pour nous qui avons

une notion précise du règne de Dieu, elles ont peu d'obscurité ; mais les Juifs d'alors n'en étaient pas là. Que d'idées, non seulement inexactes mais entièrement fausses, ils avaient du royaume de Dieu [1]. Que pouvaient-ils comprendre à la parabole de l'Ivraie, par exemple, s'ils négligeaient d'en demander l'explication ? Les apôtres eux-mêmes ne l'avaient pas comprise et ne pouvaient pas la comprendre ; ce qui les distingue de la foule, c'est d'avoir questionné. Ils apprennent alors que le royaume de Dieu n'est pas un coin de terre, comme la Palestine, mais l'univers entier ; ils apprennent que le Semeur est le Fils de l'homme et que son rôle, tout spirituel, consiste à conquérir des âmes, des enfants du royaume ; ils apprennent surtout, ce dont les Juifs n'avaient pas conscience, que le royaume messianique sera mêlé de bien et de mal et que le triage des bons et des méchants ne se fera qu'à la consommation des siècles. Voilà ce que les foules, si elles l'avaient voulu, auraient appris comme les apôtres et elles auraient été initiées comme eux aux mystères du royaume de Dieu. Gardons-nous d'enfermer la question dans ce dilemme : justice ou miséricorde. L'alternative est si peu exclusive, que la plupart des commentateurs anciens et modernes mêlent ces deux éléments à doses inégales et, s'ils font quelquefois prédominer l'un au détriment de l'autre, ils ne les suppriment pas tout à fait ; ils voient presque tous dans les paraboles une miséricorde tenant du châtiment ou un châtiment tempéré de miséricorde [1].

---

1. Sur le but des paraboles, les opinions des chefs d'école, sont les suivantes :

A) S. Chrysostome et ses disciples. — « Si Jésus n'avait pas voulu les instruire et les sauver, il n'avait qu'à garder le silence, sans leur parler en paraboles ; mais il leur parle obscurément pour piquer leur curiosité... Ils pouvaient s'approcher et l'interroger comme firent les disciples ; mais, par torpeur et par négligence, ils ne le voulurent pas » (*In Matth. hom.* XLV [ou XLVI], Migne, LVIII, 473). Maldonat affirme que telle était l'opinion commune à son époque. De même pour l'aveuglement des Juifs : « Ils ne pouvaient pas croire parce qu'ils ne le voulaient pas. Ils ne furent pas incrédules parce qu'Isaïe l'avait prédit ; mais Isaïe le prédit parce qu'ils devaient être incrédules » (*In Joann. hom.* LXVII [ou LXVIII], Migne, LIX, 375-6).

B) S. Augustin. — A propos de l'aveuglement des Juifs : *Non poterant credere quia dixit Isaias : Excaecavit oculos eorum...* « Quare non potuerunt si a me quaeratur, cito respondeo : quia noluerunt. Malam quippe eorum voluntatem praevidit Deus et per prophetam praenuntiavit

Pour nous, Occidentaux, la grande difficulté est dans le texte d'Isaïe, auquel se réfèrent, non seulement les trois Synoptiques, mais aussi saint Jean et saint Paul : « Va dire à ce peuple : Écoutez et ne comprenez pas, regardez et ne voyez pas. Endurcis le cœur de ce peuple, bouche ses oreilles, ferme ses yeux. » C'est après avoir reçu cet ordre désespérant, qu'Isaïe fait un suprême effort pour en conjurer l'effet. Et Jésus, tout comme saint Paul, rappelle justement ce texte au moment où il multiplie les exhortations pour vaincre la résistance obstinée des Juifs. Ce texte n'exprime donc pas un décret absolu de la volonté divine qui ôterait aux hommes tout espoir de conversion, mais l'annonce prophétique de leur aveuglement effectif. Les Sémites ne distinguent pas comme nous les diverses modalités de la cause première et du vouloir divin. Pour eux, « vouloir, désirer, ordonner, permettre » et, d'autre part, « faire, faire faire, laisser faire, donner occasion », s'expriment souvent par le même mot. D'après cette manière de parler — impropre tant qu'on vou-

ille cui abscondi futura non possunt » (*In Joann.* tractat. LIII, Migne, XXXV, 1777).

A propos des paraboles, d'après Mt. 13[15], comparé à Mc. 4[12] : « Ubi intelligitur peccatis suis meruisse ut non intelligerent; et tamen hoc ipsum misericorditer eis factum, ut peccata sua cognoscerent et conversi veniam mererentur » (*Quæstiones* XVII *in Matth.*, qu. XIV, Migne, XXXV, 1372). Châtiment pour le présent, miséricorde pour l'avenir.

C) S. Thomas, *Summa theol.* P. III, qu. XLIII, art. 3 : « Christus turbis quædam loquebatur in occulto, parabolis utens ad annuntianda spiritualia mysteria, ad quæ capienda *non erant idonei vel digni;* et tamen melius erat eis, vel sic sub tegumento parabolarum spiritualem doctrinam audire, quam omnino ea privari. » Mais le *ad 3* um offre la variante : « Turbis Dominus in parabolis loquebatur, *quia non erant digni nec idonei* nudam veritatem accipere quam discipulis exponebat. »

Il y a quelque chose à prendre dans chacun de ces trois systèmes et, si l'on n'arrive pas à les concilier, il est aisé de les rapprocher. On pourra consulter entre autres explications : Durand, *Pourquoi J.-C. a-t-il parlé en paraboles ?* dans *Études,* 1906, t. CVII, p. 256-271 (1° Exigence de justice ; 2° mesure de prudence ; 3° sentiment de miséricorde) ; Lagrange, *Le but des paraboles* d'après l'Evang. selon S. Marc, dans *R. B.* 1910, p. 5-35 ; Buzy, *Introduction aux paraboles évangéliques*, Paris, 1912, p. 233-400 ; Prat, *Nature et but des paraboles évangéliques*, dans *Études,* 1913, c CLXXXV, p. 198-213. Le P. Skrinjar, *Le but des paraboles sur le règne et l'économie des lumières divines d'après l'Ecriture sainte*, dans *Biblica,* 1930, p. 291-321 et 426-449 ; 1931, p. 27-40, défend avec conviction et talent « le but aveuglant des paraboles ». Lire, en sens contraire, Holzmeister, *Vom angeblichen Verstockungszweck der Parabeln des Herrn,* dans *Biblica,* 1934, p. 321-368. Abondante bibliographie.

dra, mais familière aux Hébreux — tout ce qui arrive, même
l'abus de la volonté humaine, est censé voulu et causé par
Dieu, parce qu'il le permet quand il pourrait l'empêcher.
Plusieurs Pères ont remarqué que Dieu a coutume d'aveugler en prodiguant la lumière et d'endurcir en multipliant
les invitations qui devraient amollir les cœurs[1]. Si l'homme
obéit aux sollicitations d'en haut, c'est une miséricorde et
c'est un don de Dieu; s'il résiste à tous les appels, il s'attire des châtiments mérités, dont le plus immédiat est le
refus même qu'il fait de la grâce. L'Écriture dit alors que
Dieu veut l'endurcissement, l'aveuglement, parce qu'il ne
l'empêche pas, parce qu'il y donne occasion par ses préve-
nances réitérées, enfin parce qu'il se propose d'ordonner à
un bien supérieur la malice même de l'homme, mais sou-
venons-nous qu'il n'endurcit et n'aveugle jamais que ceux
qui ont commencé à s'endurcir ou à s'aveugler par leur
faute. Le texte d'Isaïe : « Va dire à ce peuple : Écoutez et
ne comprenez pas » n'est en somme que cette figure de discours qui semble pousser à l'excès du mal pour en inspirer
l'horreur. Quel homme de bon sens prendrait à la lettre
cette apostrophe d'Agrippine, qui suggère à Néron juste le
contraire de ce qu'elle exprime :

1. C'est le cas pour l'endurcissement de Pharaon dans la Genèse et
pour l'aveuglement des Juifs dans S. Jean. Origène, *Periarchon*, III, I,
10-11. De même S. Irénée, *Hœres*. IV, XXIX, 1, Migne, VII, 1063 : « Unus
et idem Deus his quidem qui non credunt, sed nullificant eum, infert
cæcitatem, quemadmodum sol, qui est creatura ejus, his qui propter
aliquam infirmitatem oculorum non possunt contemplari lumen ejus;
his autem qui credunt ei, et sequuntur eum, pleniorem et majorem
illuminationem mentis præstat. » Même comparaison dans S. Chrysostome (*In Joann. hom.* LXVII [ou LXVIII], 2, Migne, LIX, 376).
   Saint Augustin écrit de son côté (*In. Joann. tractat.* LIII, Migne, XXXV,
1777) : « Sic excæcat sic obdurat Deus deserendo et non adjuvando,
quod occulto judicio facere potest, iniquo non potest. » Mais il faut ajouter,
comme il fait lui-même : « Etiam hoc eorum voluntatem meruisse respondeo. » C'est toujours l'homme -- et jamais Dieu — qui a l'initiative
de l'aveuglement ou de l'endurcissement. La théorie de S. Augustin est
parfaitement juste au point de vue théologique et Dieu peut aveugler par
une soustraction de grâces; pourtant, dans l'Écriture, c'est par la multiplication des grâces que Dieu aveugle ordinairement. Dieu endurcit
Pharaon en cherchant à l'amollir; Isaïe aveugle ses compatriotes par ses
prédications enflammées. Jésus aveugle les Juifs de son temps en prodiguant les miracles.

Poursuis, Néron : avec de tels ministres
Par des faits glorieux tu vas te signaler;
Poursuis. Tu n'as pas fait ce pas pour reculer, etc.

Pour en revenir aux paraboles, elles n'aveuglent point par elles-mêmes plus que les miracles; mais les paraboles, comme les miracles, peuvent être une occasion d'aveuglement, que Dieu permet pour des fins dignes de sa sagesse. La lumière du soleil est toujours un bienfait du ciel; cependant si elle éclaire les yeux sains, elle peut rendre aveugles les yeux malades. La comparaison est de plusieurs Pères, en particulier de saint Irénée, qui en fait cette application : « Un seul et même Dieu frappe de cécité les incrédules qui le méprisent et le comptent pour rien; mais à ceux qui croient en lui et qui le suivent, il accorde une lumière spirituelle plus vive et plus complète. »

CHAPITRE VI

NOUVEAUX MIRACLES AUTOUR DU LAC

I. L'énergumène de Gérasa et la tempête apaisée.

Après les discours, la série des miracles reprend de plus belle. Quatre de ces prodiges — la tempête apaisée et la délivrance du démoniaque de Gérasa, l'hémorroïsse guérie et la fille de Jaïre ressuscitée — forment deux couples inséparables, que saint Marc rattache étroitement à la journée des paraboles.

Aucun genre de miracles n'est plus antipathique à la critique matérialiste que l'expulsion des démons. Si l'on pose en axiome, pour se dispenser d'en fournir la preuve, que le monde des esprits est une chimère, on se doit de soutenir, pour être conséquent, que la croyance aux possédés est une superstition et leur délivrance une illusion ou une supercherie. Ces prétendus possédés, assure-t-on, n'étaient que des malades, atteints de troubles cérébraux ou de bizarres affections nerveuses, que dans les siècles d'ignorance on attribuait à des êtres surnaturels : « Le caractère pathologique de la possession consiste dans l'éclipse totale ou partielle, continue ou intermittente, de la personnalité; c'est une forme particulière d'aliénation ou de débilité mentales, où le sentiment de l'individualité propre se trouve étouffé ou gêné par l'idée fixe d'une individualité étrangère et malfaisante, qui se substitue ou se surajoute à celle du sujet. Non seulement la folie, mais les maladies nerveuses en général, notamment l'épilepsie, étaient considérées comme des cas de possession diabolique[1]. »

1. Loisy, *Les Évangiles synoptiques*, 1907, t. I, p. 452.

Alors de trois choses l'une : ou bien Jésus a partagé l'erreur de ses contemporains et cru de bonne foi opérer des expulsions imaginaires; ou bien, plus éclairé que les autres, il s'est accommodé à leurs préjugés, pour mieux agir sur eux, comme un médecin fait semblant de croire aux lubies d'un malade, pour le suggestionner plus efficacement; ou bien enfin la confusion vient des évangélistes qui ont prêté à Jésus leurs propres erreurs.

Ne faisons pas les évangélistes plus simples qu'ils n'étaient. Ils savent très bien distinguer la possession de la maladie. Jésus *guérit* les malades et *délivre* les possédés; et si parfois il guérit les possédés, c'est qu'alors la possession se complique d'une affection morbide; car, chose remarquable et bien confirmée par l'expérience, la condition — je ne dis pas essentielle mais ordinaire — de l'emprise de Satan sur une créature humaine est une déchéance physique ou morale. Comme il y a des gens réfractaires à la suggestion et au sommeil hypnotiques, il y a des natures plus rebelles que d'autres à l'invasion de l'esprit mauvais. En fait, la possession s'accompagne habituellement de troubles organiques ou fonctionnels, soit que ces désordres aient pour cause la présence de l'ennemi, soit qu'ils fournissent un terrain propice à son entrée et à son action.

Il est incontestable que les évangélistes et Jésus lui-même ont cru à la réalité de la possession et de l'obsession diaboliques. Nous ne nous appuyons pas, pour le démontrer, sur le vocabulaire. Ils auraient pu se servir du langage usuel sans l'approuver ni l'apprécier; parler de lunatiques, d'énergumènes, de démoniaques, sans se porter garants du sens qu'implique l'étymologie de ces mots, comme nous disons qu'un homme est fasciné, médusé, sidéré, né sous une heureuse ou une fâcheuse étoile, sans croire à l'astrologie et aux influences occultes. Mais le cas des Évangiles est tout différent. Jésus revendique hautement le pouvoir d'expulser les démons, il délègue ce pouvoir d'abord aux apôtres puis aux soixante-douze disciples, il le promet dans l'avenir à ceux qui croiront en lui, il affirme qu'il est venu « jeter dehors » le prince de ce monde. A ces faits, il faut joindre l'enseignement positif de Jésus, « soit qu'il décrive la puissance

du démon et sa tactique, soit qu'il expose les façons de le combattre et montre, dans l'œuvre messianique entière, la contre-partie triomphale de l'entreprise du Malin. Cette dernière série de textes ne laisse aucune vraisemblance à l'opinion qui interprète l'attitude de Jésus comme une accommodation volontaire à des erreurs alors générales, censées inoffensives [1]. »

Cependant, même pour qui en admet la possibilité et l'existence, la fréquence des cas de possession au temps du Christ a quelque chose de surprenant. Six de ces cas sont rapportés dans l'Évangile avec quelques détails. Trois d'entre eux, le démoniaque de Capharnaüm, le lunatique du Thabor, l'énergumène de Gérasa, sont des possessions proprement dites, le démon s'identifiant avec le patient et parlant en son nom. Dans les trois autres, qu'on pourrait appeler obsessions, si ce terme n'était pas ambigu, il n'y a pas absorption de la personnalité et tout se réduit à une sorte d'inhibition ou à des vexations produites par l'esprit du mal. Mais, en dehors de ces cas particuliers, la formule suivante revient comme un refrain : « Jésus guérit les malades et expulsa les démons [2]. »

Ces phénomènes semblent avoir été plus rares dans la Judée et la Pérée; mais comment expliquer leur fréquence extraordinaire en Galilée? Jésus, étant venu ruiner l'empire du prince de ce monde, devait se mesurer avec lui en champ clos et non seulement le vaincre, mais faire constater sa victoire. Or la Galilée fut le premier et le principal champ de bataille. C'est là que Satan, avant de succomber, fait un suprême effort et Dieu, sans la permission de qui il ne peut rien, lui laisse libre carrière, pour rendre sa défaite plus évidente et le triomphe du Christ plus éclatant. Au retour des disciples, fiers d'avoir chassé le démon, par la vertu de son nom, il déclare « avoir vu tomber Satan, du haut du ciel, avec la rapidité de l'éclair ». Dès ce moment en effet, la puissance de Satan était brisée et sa déroute ne fera que se précipiter dans la suite. De nos jours, dans les pays où règne

---

1. L. de Grandmaison, *Jésus Christ*, 1928, t. II, p. 347.
2. Mc. 1[34]; Lc. 13[32] etc. Délégation de ce pouvoir aux Douze (Mt. 10[8]), aux Soixante-douze (Lc. 10[17]), aux fidèles (Mc. 16[17]).

le christianisme, son action extérieure est bien diminuée et presque anéantie[1].

La journée des paraboles touchait à sa fin. Jésus, descendu à terre avec ses apôtres, répondait à leurs questions et résolvait leurs doutes sur le sens, la nature et l'emploi du langage parabolique. Comme la foule assiégeait la maison où ils s'étaient retirés et ne leur laissait pas un moment de répit, ils se décidèrent à se rembarquer en toute hâte, sans faire aucun préparatif. Ce que voyant, d'autres barques, qui se trouvaient là par hasard, démarrèrent aussi et les accompagnèrent vers la rive orientale.

Jésus, accablé de fatigue, s'était assis à la poupe, près du pilote, non pas sur le grossier tapis fixé au banc des rameurs, mais sur un coussin mobile qu'on réservait aux passagers de distinction. La tête appuyée sur cet oreiller, il s'endormit bientôt d'un profond sommeil. Rien ne faisait présager une traversée laborieuse lorsque une rafale s'abattit brusquement sur eux. Le lac de Tibériade est célèbre par ces coups de vent subits. Situé au fond d'une cuvette, où règne une chaleur torride, à plus de deux cents mètres au-dessous du niveau des mers, il est entouré de hautes collines et dominé au nord par le grand Hermon qui dresse à près de trois mille mètres son sommet neigeux. Ces différences d'altitude et de température provoquent assez fréquemment des courants d'air impétueux qui s'engouffrent dans la vallée du Jourdain ou dans les profondes ravines de la côte septentrionale. Plus d'un pèlerin moderne a pu expérimenter ces soudaines bourrasques. On s'embarque par un temps calme et un ciel serein sur cette eau immobile et unie comme un miroir, sans même assez de brise pour gonfler la voile. Tout à coup, l'horizon se couvre d'épais nuages et le vent commence à souffler

---

1. J. Smit (*De Daemoniacis in historia evangelica*, Rome, 1913) divise son ouvrage en deux parties : I. Questions générales (possibilité et nature de la possession, démonologie judaïque, pensée du Christ sur les possessions), II. Exégèse de quatre cas particuliers (démoniaque de Capharnaüm, énergumène de Gérasa, fille de la Cananéenne, lunatique du Thabor). Nous renvoyons le lecteur à cette monographie. — Voir aussi l'article *Possession diabolique* dans le *Dict. apol. de la foi cathol.* t. IV, 1928, col. 53-80.

en tempête. Alors le visage des marins se rembrunit, leur regard devient inquiet, ils entonnent une cantilène plaintive et, le danger de chavirer les obligeant à carguer la voile, ils gagnent à force de rames l'abri le plus proche [1].

Les flots soulevés par un vent d'une violence inouïe s'entrechoquaient comme par l'effet d'un tremblement de terre. Prise en flanc par la rafale, qui soufflait dans la direction du Jourdain, l'embarcation menaçait de sombrer et l'on avait grand'peine à épuiser l'eau que les paquets de mer déversaient sans cesse. Tout conscients qu'ils étaient du péril, les apôtres n'osaient troubler le sommeil de Jésus qui, en pareille occurrence, pouvait leur paraître tenir du mystère. A la fin cependant ils se décidèrent à le réveiller par ce cri d'alarme, où l'on sent bien un ton de reproche mal déguisé : « Seigneur, nous sommes perdus, sauvez-nous ! n'avez-vous pas souci de nous voir périr ? » Jésus, répondant à leur appel, gourmanda le vent et dit à la mer, comme on dirait à un fou furieux qui rugit après avoir brisé ses entraves : « Tais-toi ! Silence [2] ! » Aussitôt le vent tomba et il

1. Souvenir d'une traversée en mars 1908. — La tempête de l'Évangile était un violent tourbillon de vent accompagné de pluie (λαῖλαψ ἀνέμου μεγάλη, Mc. 4 37 ; Lc. 8 23), secouant tellement les flots qu'on aurait dit un tremblement de terre (σεισμός, Mt. 8 24).
Sur les tempêtes du lac de Tibériade on lira l'intéressante relation du P. Biever (Conférences de Saint-Etienne, 1909-1910, p. 120-122). Elles surviennent très brusquement, « quelquefois dans l'espace d'une demi-heure par un temps calme » et produisent toujours, par leur soudaineté et leur violence, une très forte impression. Cependant, d'après le P. Biever, elles feraient plus de peur que de mal : « Malgré la fragilité des embarcations qui sillonnent le lac, il n'est arrivé de mémoire d'homme aucun accident grave. Pendant les dix-sept ans que j'y ai passés, jamais barque n'a sombré dans le lac et jamais personne d'un équipage ne s'est noyé » (Ibid., p. 121). Il faut dire que les indigènes ne s'embarquent jamais sous la menace d'une tempête et qu'ils possèdent des moyens sûrs pour la prévoir : c'est la grosse caisse du cap Naqoura, qui annonce un fort vent d'ouest et les éclairs de Banias, au pied de l'Hermon, qui présagent un vent du nord.
2. Le P. Joüon (L'Évangile de N.-S. J.-C., 1930, 207) traduit : « Il commanda avec force au vent : Tais-toi ! et il dit à la mer : Silence ! » faisant rapporter σιώπα au vent et πεφίμωσο à la mer. Pour justifier sa traduction, il renvoie à Biblica, 1926, p. 439 et à Recherches, 1928, p. 350. On évite ainsi une tautologie apparente. Cependant πεφίμωσο (impératif parfait passif) qui signifie littéralement « sois muselé ! » (de φιμός, muselière) est plus fort que σιώπα, « Tais-toi ! » de sorte que la gradation existe en grec.

se fit un grand calme. Se tournant alors vers les apôtres, le Maître leur dit : « Pourquoi craignez-vous ? Où est donc votre foi ? Serait-ce que vous ne croyez pas encore ? »

S'ils s'imagnaient que Jésus endormi ignorait leur péril et qu'il ne pouvait leur venir en aide durant son sommeil, leur foi était encore bien imparfaite. Le trouble du moment les excusait sans doute, car la peur ne raisonne pas ; mais leur foi, pour s'affermir, avait besoin de cette épreuve et de cette leçon. Ne semble-t-il pas aussi que le Seigneur, en donnant l'ordre du départ à une heure tardive, malgré la prévision du danger imminent, et en s'abandonnant à un sommeil si profond que les causes naturelles l'expliquent à peine, réservait une instruction aux âges futurs ? Combien de fois, au cours des siècles, a-t-il renouvelé le miracle de Tibériade en faveur de son Église ! L'hérésie, le schisme et l'impiété se déchaînaient contre elle ; toutes les puissances du monde et de l'enfer complotaient sa ruine ; et lui semblait dormir. Ne craignez point, hommes de peu de foi ! Son Église a reçu des promesses d'immortalité ; il saura s'en souvenir en temps opportun et ne restera pas sourd à vos cris de détresse.

Les apôtres n'étaient pas seuls. D'autres barques les avaient suivis et les matelots qui les montaient, stupéfaits à la vue du miracle, se disaient l'un à l'autre ; « Quel est cet homme qui commande aux vents et aux flots et en est obéi[1] ? »

Les apôtres en débarquant furent accostés par un singulier personnage qui, les voyant arriver de loin, s'était précipité à leur rencontre. Cet homme avait élu domicile dans une

---

1. Mc. 4 35-41 ; Lc. 8 22-25 ; Mt. 8 23-27. — L'épisode ; dans S. Matthieu, fait partie d'une *série* de miracles appartenant à diverses époques. S. Luc place le fait *après* la journée des paraboles, mais sans l'y rattacher expressément. S. Marc l'y rattache en termes formels : « Ce jour-là même, le soir venu » (ἐν ἐκείνῃ τῇ ἡμέρᾳ, ὀψίας γενομένης). Le départ est brusqué ; on prend Jésus *ut erat* (ὡς ἦν), « sans aucun préparatif » ; on le fait asseoir sur le coussin, « l'oreiller » (προσκεφάλαιον) destiné aux voyageurs de marque, bien différent du grossier tapis (ὑπηρέσιον) fixé au banc des rameurs. Nous avons noté dans l'*Introduction* (p. 31) les variantes du dialogue entre Jésus et les disciples.

Au départ, la barque des apôtres était accompagnée d'autres embarcations (Mc. 4 36) et il n'est pas dit que le vent les eût toutes dispersées. Il serait étrange d'attribuer aux apôtres cette exclamation : « Quel est cet homme qui commande aux vents ! ».

des nombreuses grottes, servant de tombeaux, dont le flanc de ces collines est percé un peu partout et que les habitants du pays utilisent encore parfois comme habitations. Complètement nu et d'aspect repoussant, ce malheureux vivait à la façon des bêtes. Souvent il tournait sa fureur contre lui-même et se déchirait le corps à coups de cailloux. En Orient, on laisse les fous et les possédés errer à leur gré et vivre à leur guise ; mais comme celui-ci terrorisait les passants par ses hurlements et ses brusques attaques, on avait essayé plusieurs fois de l'enchaîner. Il avait fallu y renoncer car, doué d'une force surhumaine, il brisait vite liens et entraves et reprenait son existence sauvage [1].

Arrivé près de Jésus, il se prosterna devant lui, comme poussé par une puissance irrésistible, en criant de toutes ses forces : « Qu'y a-t-il entre nous et toi, Jésus, fils du Dieu Très-haut? Je t'en adjure au nom de Dieu, ne me tourmente pas! » Empruntant l'organe du possédé, le démon adjure le Christ par une de ces formules magiques auxquelles on attribuait le plus d'efficacité. Aussi n'est-ce pas au démoniaque mais au démon lui-même que Jésus répond : « Sors de cet homme, esprit impur! » L'ordre ne fut pas obéi sur-le-champ ; il importait, pour l'éclat du miracle, qu'on sût à quel puissant ennemi l'on avait affaire.

— « Quel est ton nom? » demanda Jésus.

— « Mon nom est Légion, car nous sommes nombreux. »

La légion, instrument principal des victoires de Rome et symbole visible de son hégémonie, était forte de cinq à six

1. Mc. 5¹⁻²⁰ ; Lc. 8²⁶⁻³⁹ ; Mt. 8²⁸⁻³⁴. — Le récit de S. Matthieu est très sommaire; nous suivons de préférence celui de S. Marc plus circonstancié. Chez les trois Synoptiques, le nom de la région varie : la leçon la plus probable dans Matthieu est Γαδαρηνῶν, dans Marc c'est Γερασηνῶν, et dans Luc c'est Γεργεσηνῶν, variante due peut-être à l'influence d'Origène, qui ne l'a pas adoptée pour des raisons de critique textuelle : cf. Lagrange, Saint Marc ⁴, 1929, p. 132-135. Restent Gérasa et Gadara. Géographiquement, ni Gérasa (Djérash) ni Gadara (Oum-keis) ne sont possibles s'il s'agit des villes bien connues de la Décapole ; il n'est pas probable que le territoire de l'une de ces deux villes s'étendît jusqu'à l'endroit où a pu se passer le miracle. On peut supposer que S. Marc parle d'une région riveraine appelée « pays des Géraséniens » et que le traducteur de S. Matthieu ait cru devoir lui substituer « pays des Gadaréniens », parce que Gadara était beaucoup plus rapprochée du lac que Gérasa. Mais la question critique reste très obscure.

mille hommes. Mais la parole de l'esprit de mensonge n'est pas un article de foi. Le démon se vantait sans doute, soit pour en imposer aux témoins de la scène, soit pour le plaisir de les mystifier, car il est ami du burlesque et du bouffon. Il savait bien qu'il ne trompait pas Jésus ; aussi le supplia-t-il en grâce de ne pas les expulser hors des limites de ce territoire.

A quelque distance de là, sur le versant de la montagne, paissait un grand troupeau de porcs, fort de deux mille têtes, appartenant, soit à plusieurs particuliers qui s'étaient associés pour diminuer les frais de garde et d'entretien, soit à la ville entière comme propriété collective. L'élevage de ces animaux était interdit en Palestine, mais nous sommes ici en terre à demi païenne, où les Juifs pouvaient être en minorité. Tel est l'asile que convoitaient les démons, s'il leur fallait quitter leur victime : nul séjour ne convenait mieux à ces esprits impurs. Dès que la permission sollicitée leur fut accordée, ils envahirent le corps de ces animaux qui, saisis d'une terreur panique, dégringolèrent en masse des flancs de la montagne et, incapables d'arrêter à temps leur élan, se précipitèrent dans la mer, où ils périrent suffoqués. Les gardiens éperdus s'enfuirent de tous côtés, portant la nouvelle du désastre dans les hameaux voisins et jusque dans la ville, qui paraît avoir été assez éloignée.

Les évangélistes ne nomment pas la ville et n'indiquent pas l'endroit précis de cette pittoresque noyade. Ils nous apprennent seulement que la scène se passait sur la rive orientale, dans le pays des Gadaréniens, ou des Géraséniens, ou des Gergéséniens, car les textes varient chez les trois Synoptiques et il est impossible de dire avec certitude quelle est la vraie leçon. En tout cas, il ne peut être question de Gadara, ville importante de la Décapole, située à une douzaine de kilomètres au sud du lac dont elle est séparée par une rivière, le Hiéromax[1] (Yarmouk), aussi large que le Jourdain. On ne peut pas songer non plus à Gérasa (Djérash), la célèbre capitale de la Décapole, distante du lac d'au moins quinze lieues à vol d'oiseau. Origène connais-

---

1. Ou peut-être Hieromices ; cf. Schürer, *Geschichte*, t. II, p. 158.

sait dans ces parages une localité du nom de Gergésa — et c'est probablement à son influence qu'est due la leçon *Gergéséniens* passée dans un grand nombre de manuscrits [1].

A défaut de preuves documentaires, l'inspection directe des lieux nous fournira des indications suffisantes. Les collines, à l'Orient du lac, sont toujours éloignées du rivage de plusieurs centaines de mètres. Sur un seul point, en face de Magdala, un promontoire se détache de la montagne et s'avance vers le lac, dont il vient presque affleurer les eaux. Si les pourceaux, paissant au sommet ou sur les flancs de cet éperon escarpé, en ont dégringolé les pentes, emportés par leur furieux élan, ils ont dû tomber dans la mer, en vertu de la vitesse acquise. Ce promontoire borne au sud une vallée (le Ouady-es-Samak), aisément abordable et traversée par un torrent à sec les trois quarts de l'année. La colline est percée de nombreuses grottes, qui peuvent avoir donné asile à l'énergumène, après avoir servi de tombeaux. On ne remarque pas, il est vrai, dans les environs immédiats, de ruines anciennes considérables; mais la ville pouvait être assez éloignée du lieu du miracle et les évangélistes ne disent pas qu'elle fût importante. D'ailleurs cette région a été peu explorée; et combien de villes, autrefois célèbres, n'ont pas laissé la moindre trace sur le sol palestinien. Nulle part on ne peut dire plus justement que les ruines mêmes ont péri [2].

1. Smit, qui traite assez longuement la question de lieu (*De daemoniacis*, Rome, 1913, p. 341-354), cite à ce sujet tous les textes et documents utiles.

2. Il y a longtemps que Guérin avait proposé cette identification (*Galilée*, 1880, t. I, p. 323) : « Une sorte de promontoire s'avance par une pente continue jusqu'à quelques pas de la plage; c'est là très probablement l'endroit d'où s'est précipité dans le lac le troupeau de pourceaux. » Masterman (*Studies in Galilee*, 1909, p. 33) et Dalman, *Orte und Wege*, 1924, p. 193) sont du même avis. Le P. Lagrange qui avait autrefois déclaré cet endroit *impossible* (*R. B.* 1905, p. 519) l'accepte maintenant sans difficulté, après une inspection nouvelle (*Jésus-Christ*, 1928, p. 185; *Saint Marc* [4], p. 136).

La distance entre le pied de la montagne et la mer est diversement évaluée. Guérin dit *quelques pas*, Masterman *quarante pieds* (*douze* mèt.), Lagrange, *trente* mètres; Dalman, *quarante* mètres. Cette dernière

Prévenus par les porchers, les habitants de la ville accoururent sur les lieux. Quels ne furent pas leur étonnement et leur effroi en voyant l'énergumène, dont ils avaient tous éprouvé ou constaté la fureur, tranquillement assis aux pieds de Jésus; et — chose qui paraît les avoir frappés davantage — décemment vêtu d'un habit d'emprunt. La perspective d'être enfin délivrés d'un fléau qui terrorisait toute la contrée compensait partiellement à leurs yeux la perte des pourceaux. D'ailleurs, le miracle étant manifeste, ils craignaient de s'aliéner un thaumaturge armé d'une telle puissance. On ne voulait l'avoir ni pour voisin ni pour ennemi. On le pria donc courtoisement de quitter la contrée et il y consentit.

En le voyant remonter en barque, le démoniaque, mû par un sentiment de reconnaissance, ou peut-être par la peur de retomber au pouvoir de Satan s'il ne s'éloignait de cette région infestée, le supplia de l'amener avec lui; mais il s'y refusa : « Retourne chez les tiens et apprends-leur ce que le Seigneur a fait pour toi dans sa miséricorde. » Rassuré par ces mots, l'homme s'empressa d'aller publier dans sa ville natale et dans le reste de la Décapole ce qui lui était arrivé. Il préparait ainsi le terrain à la prédication de Jésus, qui devait, quelques mois plus tard, revenir dans ces parages.

Il s'est trouvé des âmes sentimentales pour s'apitoyer sur le sort des pourceaux voués en masse à la mort et pour s'intéresser à leurs propriétaires frustrés d'un gain illégitime. De quel droit, demande-t-on, leur infliger cette perte ? N'était-il pas préférable, si on le pouvait, d'empêcher le démon de nuire ? Autant vaudrait demander pourquoi Dieu permet le mal physique, les maladies, les épidémies, les incendies, les tremblements de terre, les inondations, tan

évaluation est exagérée, mais tout dépend du point de départ, car la pente continue presque jusqu'au bord.

Quel est au juste le nom de l'endroit ? On l'entend prononcer *Koursi*, *Keursi*, *Kersa*, *Ghersa*. On sait combien les voyelles, surtout dans le noms propres, sont indistinctes dans la bouche des Arabes. Les musulmans qui me conduisaient en barque autour du lac, en juin 1928 appelaient le promontoire *Djebel el Khanazir* (montagne des pourceaux probablement parce qu'ils l'avaient entendu nommer ainsi par les chrétiens.

de fléaux qui dévastent le globe et affligent l'humanité.
Dieu a ses fins que nous ignorons et Jésus pouvait avoir
les siennes qu'il ne nous appartient pas de juger. Peut-
être voulait-il faire constater la réalité de la possession
diabolique, ou rendre sensible et faire craindre la méchan-
ceté du démon. Un enseignement moral de cette importance
ne compense-t-il pas la perte d'animaux sans raison; et les
éleveurs de pourceaux, en contravention avec la loi de
Moïse qui interdisait cette exploitation sur tout le sol palestinien, méritent-ils tant de sympathie?

II. La fille de Jaïre et l'hémorroïsse [1].

Dès que la barque des apôtres toucha la rive occidentale,
la foule impatiente de revoir Jésus accourut au-devant de
lui. Parmi les arrivants était un des chefs de la synagogue,
appelé Jaïre, dont la fille, âgée de douze ans, était à toute
extrémité. Ce personnage n'était pas sans avoir assisté aux
miracles dont la synagogue de Capharnaüm avait été le
théâtre. Sitôt qu'il apprit le retour du thaumaturge, il vint
à sa rencontre et, tombant à ses pieds : « Seigneur, dit-il, ma
fille va mourir; venez, de grâce, lui imposer les mains pour
lui rendre la vie et la santé. » Il avait vu sans doute Jésus
imposer les mains aux malades qu'il guérissait et il pensait que ce geste était nécessaire.

Celui qui n'avait pas résisté aux larmes de la veuve éplorée
de Naïm ne pouvait pas rester insensible aux ardentes supplications d'un père menacé de perdre son unique enfant.
Il le suivit donc sans perdre une minute, accompagné par
ses apôtres et d'innombrables curieux. A mesure qu'on
avançait, la foule devenait plus dense et l'on ne fendait
qu'à grand'peine les vagues de ce fleuve humain.

Perdue dans la masse confuse, était une femme, affligée
depuis douze ans d'un flux de sang opiniâtre, qui défiait
l'art des médecins et la vertu de tous les remèdes. Cependant les spécifiques ne manquaient pas. Il suffisait, au
dire des rabbins, de porter sur soi les cendres d'un œuf

1. Mc. 5[21-43]; Lc. 8[40-56]; Mt. 9[18-26]. Pour la comparaison des trois récits, voir l'*Introduction*, p. 20-25.

d'autruche, enveloppées dans un morceau de coton ou de laine, suivant la saison, ou bien d'absorber un grain d'orge trouvé dans le crottin d'un mulet blanc, pour être radicalement guéri au bout de trois jours. Il est douteux que de pareilles recettes et d'autres semblables, dont la liste était assez longue[1], eussent beaucoup d'efficacité. La pauvre femme avait essayé en vain de tous les remèdes et dépensé toute sa fortune sans éprouver le moindre soulagement. Au contraire, son mal n'avait fait qu'empirer. De guerre lasse, elle avait renoncé au secours de la médecine. Restait le recours à celui dont on racontait des merveilles ; mais elle reculait devant la honte d'exposer en public la nature d'un mal généralement considéré comme une conséquence de l'inconduite. Elle pouvait craindre aussi de voir le vide se faire autour d'elle, car son infirmité était de celles dont le simple contact imprimait une souillure légale.

Voici donc l'expédient qu'elle imagina. Se figurant qu'une sorte de vertu magique émanait du corps de Jésus, elle se disait : « Si je parviens seulement à toucher le bord de son habit, je serai sauvée. » La difficulté était d'y parvenir. Elle se glissa furtivement à travers la foule épaisse qui ralentissait la marche du cortège et, gagnant peu à peu du terrain, elle saisit par derrière la houppe multicolore que Jésus, comme tous les Juifs pieux de son temps, portait aux quatre coins de son manteau. Aussitôt elle se sentit complètement guérie. D'où lui venait cette certitude ? Il faudrait le demander aux miraculés de Lourdes, sûrs d'avoir recouvré la santé, avant d'en avoir fait l'expérience.

Cependant Jésus promenant sur la foule un regard scrutateur, comme s'il cherchait un coupable, demanda : « Qui a touché mon manteau ? » Il ne l'ignorait pas, car le miracle ne s'était pas accompli sans qu'il en eût conscience ; il interrogeait pour provoquer de la part de cette femme un aveu pénible qui fût un témoignage de sa foi vive, en même temps qu'une leçon pour les assistants. Mais la foule était si compacte et sa question parut si étrange aux apôtres eux-mêmes qu'ils ne purent s'empêcher de manifester leur étonnement

1. On la trouvera dans Billerbeck, *Kommentar*, t. I, p. 520.

« Seigneur, la foule vous serre de toutes parts et vous demandez : Qui m'a touché ? » Il y eut un instant de silence et Jésus restait toujours immobile, comme s'il cherchait quelqu'un du regard.

Alors la femme se voyant reconnue, décidée d'ailleurs à faire l'humiliant aveu, qu'elle considérait maintenant comme un devoir de reconnaissance, se jeta toute tremblante à ses pieds et raconta publiquement sa lamentable histoire : comment elle avait souffert douze ans de ce mal incurable et comment elle avait été guérie instantanément en touchant le manteau de Jésus. Le Sauveur lui dit en la congédiant : « Ma fille, votre foi vous a sauvée ; soyez guérie de votre infirmité. » Elle emportait un double bienfait : la santé du corps et celle de l'âme.

Une antique légende, dont l'origine est bien suspecte, donnait à cette femme le nom de Véronique et l'identifiait avec celle qui aurait, au Calvaire, essuyé le visage ensanglanté de Jésus. Un vieil auteur, qu'on croyait être à tort saint Ambroise, l'a même prise pour Marthe, sœur de Lazare. Son vrai nom, Dieu seul le connaît ; mais sa foi humble et simple, avec l'éloge qu'elle lui valut, rend sa mémoire impérissable.

Le cortège se remit en marche ; mais, dans l'intervalle, la fille de Jaïre était morte. Comme on arrivait près de la maison, on porta la triste nouvelle au chef de la synagogue : Votre fille vient de mourir ; à quoi bon importuner plus longtemps le Maître ? » Évidemment, ces gens jugeaient le thaumaturge assez puissant pour rendre la santé aux infirmes mais non pour rappeler les morts à la vie. Le père cependant espérait contre toute espérance. Jésus lui dit pour le consoler : « Ne craignez point ; croyez seulement » ; rien n'est impossible à la foi.

On trouva la maison mortuaire déjà envahie par les pleureuses et les joueurs de flûte, accompagnement obligé des funérailles juives. A l'approche du dénouement, amis et voisins étaient accourus et, sitôt le trépas constaté, avaient retenti les plaintives ululations d'usage. La maison était pleine de désordre et de vacarme. Jésus fit taire tout ce monde

en disant : « Pourquoi ce bruit et ces sanglots; cessez de pleurer; la jeune fille n'est pas morte, elle dort. » Les assistants, qui savaient à quoi s'en tenir, se moquaient de lui, ne comprenant pas qu'il comparait cette mort d'un instant à un sommeil paisible, qu'un prompt réveil allait interrompre.

Indifférent aux railleries, Jésus écarta la foule, fit sortir pleureuses et joueurs de flûte et ne garda près de lui que le père et la mère de la morte, avec Pierre, Jacques et Jean, les trois privilégiés qui seront admis à contempler sa gloire sur le Thabor et son agonie au jardin des Olives.

Ils montèrent ensemble à la chambre haute, où le petit cadavre était exposé sur un lit de parade. Jésus prit l'enfant par la main, en prononçant ces mots que Marc avait entendus de la bouche de Pierre et qu'il nous a conservés dans leur langue originale : « Talitha, coumi », c'est-à-dire « Jeune fille, lève-toi. » La morte se leva aussitôt et se mit à marcher. Le Sauveur avertit les parents, trop absorbés par la joie pour songer à autre chose, de donner à manger à leur fille dont la guérison avait été si radicale qu'elle commença à sentir la faim. Il se retira ensuite en leur recommandant de ne rien dire à personne. Le miracle ne pouvait pas rester caché, mais ce n'était pas à eux qu'il convenait de le publier comme pour tirer vanité d'une faveur à laquelle ils n'avaient point de part.

Quand il sortit de chez Jaïre, deux aveugles, à qui l'on avait signalé sa présence, le suivirent en criant : « Ayez pitié de nous, fils de David. » Souvent ces infirmes allaient de conserve pour s'entr'aider et se tenir compagnie. De nos jours encore, il n'est pas rare de voir des couples d'aveugles circuler dans les villes palestiniennes, en se donnant le bras. Ceux de l'Évangile avaient beau crier, Jésus allait son chemin sans paraître les entendre. Il voulait, en mettant leur foi à l'épreuve, les rendre plus dignes du bienfait qu'il leur réservait et qu'il leur avait déjà accordé dans son cœur. Ils l'accompagnèrent ainsi jusque dans la maison où il se rendait. Alors il leur demanda : « Croyez-vous que je puis vous faire ce que vous désirez ? » « Oui, Seigneur », répondirent ils tout d'une voix. Il leur appliqua les doigts sur les yeux

sant : « Qu'il vous soit fait selon votre foi. » Et leurs yeux
ouvrirent instantanément à la lumière.

Sans leur donner le temps de le remercier, il ajouta d'un
n grave : « Prenez bien garde qu'on n'en sache rien. »
eur cécité étant de notoriété publique, leur guérison subite
pouvait manquer de l'être aussi. On les avait vus entrer
eugles dans la maison et en sortir doués de la vue; com-
ent cacher un fait si patent? Peut-être après tout l'interdic-
on portait-elle moins sur la guérison elle-même que sur les
rmes de leur supplique. La qualification de fils de David
ait un titre messianique, dont la divulgation était encore
ématurée, surtout dans les milieux galiléens, imbus d'idées
essianiques grossières.

En tout cas, les aveugles ne se crurent pas liés par la
éfense qu'ils avaient reçue et ils publièrent partout ce qui
était passé. Les protestants en général se scandalisent de
ur désobéissance; mais les Pères de l'Église n'hésitent pas
les absoudre, en raison de leur simplicité et de leur bonne
i [1].

1. Mt. 9²⁷⁻³¹. La défense de parler est exprimée par un terme très
rt ἐνεβριμήθη (il leur intima), dont le sens fondamental est « gronder,
5mir ». D'après Maldonat, tous les auteurs anciens (S. Chrysostome,
Jérôme, etc.) les excusent d'avoir raconté partout (διεφήμισαν) le
iracle, malgré la défense expresse qui portait peut-être sur autre
ose. S. Jérôme écrit (Migne, XXVI, 59) : « Dominus, propter humili-
tem fugiens jactantiae gloriam, hoc praeceperat, et illi, propter memo-
am gratiae, non possunt tacere beneficium. »

CHAPITRE VII

SUPRÊME EFFORT EN GALILÉE

I. Martyre de Jean-Baptiste.

Trois épisodes du ministère galiléen — le martyre du Baptiste, la mission des Douze et la visite à Nazareth — sont si étroitement unis dans le récit de l'Évangile, qu'ils doivent appartenir à peu près à la même époque; mais le martyre de Jean est un peu antérieur [1].

Nous avons vu comment Hérode Antipas, exaspéré par les remontrances de celui qui lui reprochait son mariage doublement incestueux avec Hérodiade, sa nièce et sa belle-sœur, l'avait fait jeter dans les prisons de Machéronte. Le tétrarque voulait étouffer une voix importune, sans toutefois aller jusqu'à l'assassinat. Il n'était pas sanguinaire de sa nature et, bien qu'il n'eût pas plus de respect de la vie humaine que les autres tyranneaux de son temps, il aurait toujours reculé devant un meurtre inutile, sachant la vénération dont le Baptiste était entouré et l'impopularité qui frapperait l'auteur de sa mort. D'ailleurs lui-même subissait, bon gré mal gré, l'ascendant de son prisonnier. Il aimait à le voir, à converser avec lui

---

1. S. Marc raconte les faits dans cet ordre : *a*) visite à Nazareth (6¹⁻⁶); *b*) mission des Douze (6⁷⁻¹³); *c*) craintes d'Hérode (6¹⁴⁻¹⁶); *d*) martyre de Jean) (6¹⁷⁻²⁹); *e*) retour des Douze (6³⁰). Mais il est évident que le martyre de Jean est antérieur, car il est rapporté à l'occasion des craintes d'Hérode prenant Jésus pour Jean ressuscité. D'un autre côté, les Douze accompagnent bien Jésus à Nazareth (Mc. 6¹), mais ils n'y restent pas. En effet les trois Synoptiques donnent l'impression que Jésus est *seul* à Nazareth et qu'il continue à être seul en quittant cette ville (Mc. 6⁶). Il est donc probable qu'arrivé à Nazareth, ou sur le point d'y arriver, il envoya les Douze en mission.

peut-être dans l'espoir de l'amadouer par ces marques de déférence, et il sortait de ces entretiens plein de perplexités et de craintes superstitieuses.

Jean avait à la cour d'Antipas une ennemie beaucoup plus implacable que le faible et voluptueux tétrarque. Depuis longtemps, Hérodiade cherchait à le faire périr et n'attendait qu'une occasion propice. Un mot de saint Marc nous révèle les dessous de l'intrigue et nous éclaire sur la psychologie des acteurs. C'est Hérodiade qui fait jouer les ressorts du drame et en prépare le dénouement. Le principal obstacle à vaincre était l'esprit indécis du tétrarque et son désir de ménager l'opinion publique qu'il savait favorable à son captif[1].

Une occasion propice s'offrit au printemps de l'an 28, au moment où Antipas célébrait l'anniversaire de sa naissance[2]. Depuis qu'il avait répudié la fille du roi Arétas, pour épouser sa propre nièce Hérodiade, il pouvait s'attendre à des représailles de la part des Nabatéens, et c'est peut-être pour surveiller sa frontière méridionale, exposée à un coup de main, qu'il résidait alors à Machéronte. Cette forteresse, réputée imprenable, était en même temps un superbe château, d'où la vue s'étendait au loin sur les montagnes de Judée; et la saison printanière y était particulièrement agréable pour qui sortait de la fournaise de Tibériade. Le tétrarque y avait convoqué toute sa noblesse, qu'il se proposait de traiter avec un faste vraiment royal.

Les mœurs modernes imposent aux convives une certaine tenue, mais les banquets officiels d'alors dégénéraient presque toujours en orgies. Quand les invités d'Hérode, étourdis par les fumées d'un vin capiteux, furent incapables de goûter un autre plaisir que les sensations les plus grossières, on introduisit les danseuses. C'étaient d'ordinaire des femmes de

---

[1]. S. Matthieu anticipe la mission des Douze (10[1-14]). S. Luc qui a anticipé l'emprisonnement de Jean (3[19-20]) et n'a rien dit de son martyre, anticipe également la visite de Jésus à Nazareth.

[2]. Il célébrait ses γενέσια. Les souverains célébraient l'anniversaire de leur naissance et celui de leur accession au trône; mais, dans plusieurs inscriptions, le premier, par opposition au second, est désigné par le mot γενέσια. On disait aussi γενέθλια. Voir une note très érudite de Schürer, Geschichte[4], t. I, p. 441-442.

mauvaise vie et du plus bas étage, dont la réputation n'ava
rien à perdre ; mais cette année-là une princesse de sang roya
la belle-fille de l'incestueux tétrarque, assuma le rôle de
courtisanes. Salomé, c'était son nom, avait alors quinze c
seize ans à peine ; et, si éhontées qu'on suppose les femmes c
cette maison, la jeune fille n'aurait pas pris, à son âge, l'in
tiative d'un acte pareil, si elle n'eût été inspirée et pousse
par sa mère.

Salomé charma toute l'assistance, plus peut-être par se
attitudes provocantes que par ses grâces juvéniles, si bie
qu'Antipas, ne sachant plus trop ce qu'il disait, lui promit
lui donner tout ce qu'elle demanderait, serait-ce la moitié
ses états ; et il accompagna sa promesse d'un de ces sermen
dont les Juifs d'alors étaient follement prodigues.

La jeune fille sortit aussitôt pour aller conter la chose à
mère, car celle-ci, pas plus que les autres dames du palai
n'assistait à un banquet où les hommes se donnaient tou
licence. La nouvelle ne surprit pas Hérodiade ; elle s'y atte
dait. « Demande, dit-elle sans balancer, qu'on t'apporte
sur un plat la tête de Jean-Baptiste. » Salomé rentra dans
salle du festin et présenta son étrange requête : « Je veux q
tout de suite vous me donniez dans un plat la tête de Jea
Baptiste. »

Tiré de sa torpeur et de son ivresse par cette deman
effarante, Antipas tardait à répondre. Il comprenait maintena
la folie de sa promesse et en était consterné. Mais les regre
venaient trop tard. Il avait donné sa parole, une parole
roi — le tétrarque aimait fort à s'entendre décerner ce ti
— et tous les convives tenaient les yeux fixés sur lui, curie
de voir comment cela finirait. Il ordonna donc à l'un de s
gardes du corps, qui dans les cours orientales faisaient l'off
de bourreaux, d'aller chercher la tête du Baptiste. La pris
de Machéronte faisait partie du palais et l'on n'eut pas lo
temps à attendre. Le satellite revint bientôt avec le sangl
trophée, que le tétrarque offrit à la jeune fille et celle-ci à
mère. Saint Jérôme dit qu'Hérodiade, transportée de joie
de fureur, perça d'un stilet la langue du Baptiste. Le fait
Fulvie, perçant la langue de Cicéron, peut avoir donné na
sance à cette légende ; mais le drame de Machéronte est

ii-même assez horrible pour ne pas le charger de détails
pocryphes[1].

La haine implacable d'Hérodiade, la perversité précoce de
alomé, le caractère ondoyant du tétrarque et sa fidélité su-
erstitieuse à un serment impie, la servile et stupide indiffé-
ence des courtisans, tout s'était conjuré pour consommer le
rime et faire du Précurseur le dernier des martyrs de l'an-
ienne loi, sur le seuil de la loi nouvelle. Les disciples de
ean, nombreux encore, emportèrent ses restes et les ense-
elirent avec honneur. Personne ne pouvait leur disputer un
adavre; la vengeance d'Hérodiade était assouvie et peut-être
e faible tétrarque croyait-il donner ainsi à sa victime une
orte de réparation posthume.

Le martyre du Baptiste ne demeura pas impuni. Arétas,
oi des Nabatéens, outré de l'affront fait à sa fille, après une
uerre d'escarmouches et de coups de main, finit par infliger
Hérode une sanglante défaite, qui aurait pu devenir une
atastrophe sans l'intervention de Rome. Les contemporains
virent un châtiment du ciel pour l'assassinat d'un homme
couté comme un prophète et vénéré comme un saint. La
engeance divine ne s'arrêta pas là. Après la mort de l'em-
ereur Claude, Caligula avait conféré la dignité royale au
rère d'Hérodiade, Agrippa Ier. Antipas, jaloux de son neveu
t poussé par son ambitieuse concubine, sollicita la même
aveur; mais ses instances furent vaines : au lieu d'une cou-
onne, il reçut un ordre d'exil. Il fut relégué dans une cité des
aules appelée *Lugdunum*, probablement *Lugdunum Conve-
arum* (aujourd'hui Saint-Bertrand de Comminges), ville
lors assez importante, non loin de la frontière espagnole.
l y mourut ignoré et oublié de tous. L'altière Hérodiade, par
n sursaut d'orgueil assez conforme à son caractère, avait
oulu accompagner dans l'exil le complice dont elle avait
té l'âme damnée[2].

1. S. Jérôme, *Apol. adv. Rufin.*, III, 42; Migne, XXIII, 488.
2. Josèphe (*Antiq.* XVIII, v, 2) : « Il semblait à plusieurs que Dieu
ême avait causé la perte de l'armée d'Hérode et l'avait puni très juste-
ent pour avoir fait mourir Jean, surnommé Baptiste. » — Josèphe dit
u'Antipas fut exilé à Lugdunum, en Gaule (*Antiq.* XVIII, vii, 2 :
ούγδουνον, πόλιν τῆς Γαλλίας), mais il dit aussi (*Bellum*, II, ix, 6) qu'il

La fille d'Hérodiade épousa bientôt son oncle, Philippe le tétrarque, plus âgé qu'elle d'une quarantaine d'années. Philippe mourut l'an 34 et la jeune danseuse de Machéronte s'unit à un autre proche parent nommé Aristobule. Les mariages entre consanguins étaient presque de règle dans la famille des Hérodes. La part active que prit Salomé au meurtre de Jean lui assure dans l'histoire une triste célébrité et les fantaisies des dramaturges modernes ne réussiront pas à réhabiliter sa mémoire.

II. La mission des Douze.

Les disciples de Jean apportèrent la douloureuse nouvelle à Jésus au moment où il allait envoyer ses apôtres prêcher dans les bourgades galiléennes. Témoins assidus de ses actions et de ses miracles, dépositaires de sa doctrine, initiés à sa méthode d'apostolat, les Douze pouvaient désormais essayer leurs forces et apprendre à voler de leurs propres ailes.

Jésus les prit donc à part et leur ayant conféré les plus amples pouvoirs, il les envoya deux à deux, avec mission d'exhorter les hommes à la pénitence et d'annoncer l'approche du règne de Dieu. Les émissaires de la Synagogue s'adjoignaient un compagnon de route qui fût le confident de leurs pensées, le témoin de leurs démarches, le garant de leur bonne conduite : coutume que l'Église primitive semble avoir adoptée. Pierre et Jean sont envoyés ensemble à Samarie pour confirmer les néophytes; Silas et Judas sont délégués aux chrétientés de Syrie et de Cilicie pour promulguer les décrets de l'assemblée apostolique; Paul et Barnabé sont chargés de porter à Jérusalem les aumônes de la communauté d'Antioche et plus tard d'y défendre les droits des Gentils. Nous savons que saint Paul fut toujours fidèle à cette pratique, où il voyait non seulement l'avantage de l'aide mutuelle, mais un moyen efficace de préserver ce bon renom dont il était si jaloux. Les Douze furent donc envoyés deux à deux et peut-être saint Mat-

mourut en Espagne; or *Lugdunum Convenarum* n'était guère loin de l'Espagne. — Le même Josèphe nous apprend que la fille d'Hérodiade s'appelait Salomé et qu'elle épousa successivement son grand oncle le tétrarque Philippe (mort en 34) et son cousin Aristobule, fils d'Hérode de Chalcis lequel était frère d'Hérodiade (*Antiq.* XVIII, v, 4).

thieu nous permet-il de deviner dans quel ordre : Pierre et
André, Jacques et Jean, Philippe et Barthélemy, Thomas et
Matthieu, Jacques et Jude, Simon le Zélote et Judas le traître,
dont rien encore ne faisait prévoir la défection [1].

Et voici les instructions qu'il leur donna avant de les quitter :

*N'allez pas du côté des Gentils et n'entrez pas chez les
Samaritains, mais allez plutôt vers les brebis perdues de la
maison d'Israël; partout sur votre route proclamez que le
règne des cieux est proche.*

*Guérissez les malades, ressuscitez les morts, purifiez les
lépreux, expulsez les démons. Ce que vous avez reçu gratuitement, donnez-le gratuitement.*

*Ne prenez ni or, ni argent, ni menue monnaie dans vos
ceintures, ni sac pour le voyage, ni deux tuniques, ni souliers,
ni bâton; car l'ouvrier a droit à sa subsistance.*

*En quelque ville ou bourgade que vous entriez, informez-
vous qui mérite de vous héberger et demeurez chez lui jusqu'à
votre départ. En entrant dans la maison, souhaitez-lui la
paix; et si la maison en est digne, votre paix descendra sur
elle; sinon elle retournera vers vous.*

*Si une ville ou une maison refuse de vous recevoir et d'en-
tendre vos paroles, sortez en secouant (contre elle) la poussière de vos pieds. En vérité, je vous le dis, au jour du jugement, Sodome et Gomorrhe seront traitées moins sévèrement
que cette ville.*

*Voici que je vous envoie comme des brebis parmi les loups :
soyez donc prudents comme des serpents et simples comme
des colombes [2].*

---

1. Mt. 10 2-4. Dans la liste de S. Matthieu, les apôtres envoyés en mission sont énumérés par couples, chaque couple de noms étant uni par
la conjonction *et*.

2. Mt. 10 5-16; Mc. 6 6-11; Lc. 9 2-5. — Dans S. Marc et S. Luc (qui suit
Marc pas à pas), le discours est très abrégé. Il se réduit aux trois recommandations suivantes : 1° ne rien prendre de spécial pour la route;
2° ne pas changer de logis; 3° secouer la poussière des pieds contre la
ville infidèle. — S. Luc (10 3-10), dans le discours adressé plus tard aux
soixante-douze disciples, insère plusieurs traits mis par S. Matthieu
dans le discours aux apôtres. De son côté, S. Matthieu joint au discours
une annonce des persécutions qui paraît avoir été faite en une autre
circonstance.

Avant tout, le Sauveur assigne aux apôtres leur champ d'apostolat et trace en abrégé le programme de leur prédication. Qu'ils n'aillent ni chez les Gentils ni chez les Samaritains : ce n'est pas encore le tour des païens et des étrangers. Les Juifs, héritiers des promesses divines, jouissent par rapport à l'Évangile, d'un droit de priorité qu'il convient de respecter, que saint Paul, l'apôtre des Gentils, respectera toujours. Aux Juifs rencontrés sur leur route, les Douze doivent annoncer que le royaume de Dieu est proche ; c'est une invite à la pénitence qui dispose les cœurs à la réception de l'Évangile.

Ambassadeurs du Christ sur la terre, les apôtres envoyés en mission sont munis des plus amples pouvoirs pour guérir les malades, purifier les lépreux, expulser les démons, ressusciter les morts. Ces charismes ne leur sont pas accordés en vue de leur avantage personnel : gratuits de leur nature, ils doivent être employés gratuitement au service du prochain.

Absolument désintéressés, les apôtres doivent être exempts de tout souci terrestre. Ils n'emporteront ni provisions de voyage, ni viatique d'aucune sorte, ni or, ni argent, ni menue monnaie, ni deux tuniques, ni chaussures, ni même un bâton. Il n'est pas vraisemblable que Jésus ait interdit aux apôtres l'usage d'un bâton, s'ils en avaient besoin pour la marche, ni qu'il ait proscrit les sandales que tous les voyageurs, riches ou pauvres, avaient coutume de porter dans les sentiers rocailleux de Palestine. Voilà pourquoi saint Marc autorise le bâton et les sandales que saint Matthieu semble défendre. Il faut donc admettre ou que le bâton et les sandales ne désignent pas les mêmes objets dans les deux évangiles, ou que saint Matthieu reproduit la lettre du discours de Jésus dont saint Marc garde l'esprit. Le bâton interdit serait, par exemple, celui auquel les pèlerins, autrefois comme aujourd'hui, suspendaient leur léger bagage, et les chaussures proscrites seraient celles qu'on tient en réserve pour se présenter avec plus de décence devant des personnes de condition. Mais nul sans doute ne se ralliera à la solution de saint Augustin, d'après lequel le bâton défendu par saint Matthieu est l'objet matériel et le bâton permis par saint Marc est l'autorité apostolique dont le bâton était l'emblème[1].

1. S. Matthieu dit (10 9-10) : « *Ne vous procurez* (μὴ κτήσησθε) ni or... ni

En tout cas, le précepte imposé aux Douze n'atteint pas leurs successeurs et leurs imitateurs jusqu'à la consommation des siècles, car les conditions sont différentes. Les apôtres étaient envoyés en mission temporaire, chez des compatriotes pour qui l'hospitalité était un devoir sacré et qui ne les laissèrent manquer de rien. Ils seront obligés d'en convenir le jour où le Seigneur leur demandera : « Quand je vous ai envoyés sans bourse, ni sac, ni chaussures, quelque chose vous a-t-il manqué ? » La défense faite aux Douze a pour but de leur enseigner la confiance en Dieu et aussi de leur apprendre

besace pour la route, ni deux tuniques, ni *chaussures, ni bâton* (μηδὲ ὑποδήματα, μηδὲ ῥάϐδον). S. Marc dit : « *N'emportez rien pour la route* (μηδὲν αἴρωσιν) *sauf un bâton seulement,* pas de pain, ni de besace, ni de monnaie dans vos ceintures, mais allez les pieds chaussés de *sandales* (σανδάλια) et ne revêtez pas deux tuniques. » On remarquera les nuances d'expression :

1° S. Matthieu dit μὴ κτήσησθε, « ne vous procurez pas » ; κτάομαι si gnifie bien par extension « posséder », mais il veut dire au sens propre « acquérir, se procurer » une chose qu'on n'avait pas. S. Marc et S. Luc disent « ne prenez pas, n'emportez pas avec vous ».

2° S. Matthieu défend les *chaussures* (ὑποδήματα); S. Marc permet les sandales (σανδάλια). Les noms sont différents ; les choses peuvent l'être.

3° Tous les trois formulent l'interdiction εἰς τὴν ὁδόν, « pour le voyage » ou « en vue du voyage » ; mais S. Matthieu et S. Luc proscrivent le bâton que S. Marc autorise, en notant que c'est la *seule* exception (εἰ μὴ ῥάϐδον μόνον), car on n'*emporte* pas les *sandales* qu'on a aux pieds.

S. Augustin écrit à propos du bâton, *De cons. evang.,* II, 30, n° 74; Migne, XXXIV, 1111) : « Potuit sic breviter dici : *Nihil necessariorum vobiscum feratis, nec virgam, nisi virgam tantum;* ut illud *nec virgam* intelligatur nec minimas quidem res; quod vero adjunctum est *nisi virgam tantum* intelligatur quia per potestatem a Domino acceptam, quæ virgæ nomine significata est, etiam quæ non portantur non deerunt. » C'est bien subtil; les apôtres, qui ne comprenaient pas des choses beaucoup plus simples, auraient-ils déchiffré cette énigme?

Le P. Power (*Biblica,* IV, 1923, p. 241-266) propose une autre solution. Les bergers de Palestine portent deux bâtons : *un bâton ferré,* sorte de massue, qu'ils suspendent à la ceinture et qui leur sert d'arme défensive; *un long bâton crochu,* une houlette, qui leur sert à ramener les chèvres ou les brebis indociles. Jésus-Christ permettrait la *houlette* et défendrait la *massue;* ainsi S. Marc et S. Matthieu seraient d'accord.

Sans tant subtiliser, le sens nous paraît être : « Ne vous procurez rien en vue du voyage (S. Matthieu) ou n'emportez rien pour le voyage (S. Marc et S. Luc), en dehors de l'*indispensable :* ni une tunique de rechange, ni une besace de mendiant, ni des chaussures, ni un bâton de voyageur pour y suspendre des hardes, mais vous pouvez avoir aux pieds les sandales que tout le monde porte et à la main un bâton, s'il vous est *nécessaire* pour la marche. » Les évangélistes supposent que nous avons le sens commun.

une leçon trop souvent oubliée de ceux qu'elle concerne : c'est
que les bénéficiaires de l'Évangile ont le devoir de subvenir à
l'entretien de l'ouvrier apostolique, parce que le ministre de
l'autel doit vivre de l'autel.

Les apôtres s'en iront à travers le monde comme des brebis au milieu des loups. Pour éluder les manœuvres hostiles,
pour échapper aux soupçons et aux calomnies, la prudence
du serpent leur est nécessaire, aussi bien que la simplicité
de la colombe, laquelle est souvent la meilleure et la plus
sûre des habiletés. Qu'ils veillent donc sur leurs démarches
et leurs paroles. Avant de frapper à une porte hospitalière,
ils s'informeront avec soin du bon renom de la famille qui
doit les recevoir. Une fois installés chez elle, ils ne cherche-
ront pas d'autre domicile ; leur départ offenserait leurs hôtes
et les ferait accuser eux-mêmes de légèreté et d'inconstance,
peut-être d'un sentiment moins avouable encore.

Si quelque localité les repousse ou refuse de les entendre,
ils secoueront sur elle la poussière de leurs pieds, pour signifier par ce geste symbolique qu'ils dégagent leur responsabilité et qu'ils abandonnent la ville infidèle à sa réprobation.
Nous voyons plus tard Paul et Barnabé répéter ce geste à
l'adresse des Juifs incrédules d'Antioche de Pisidie. Paul dira
aux Juifs blasphémateurs de Corinthe, en secouant ses vêtements : « Que votre sang retombe sur votre tête! Moi, j'en
suis innocent et désormais je vais chez les Gentils. »

Les apôtres exécutèrent ponctuellement les ordres du Seigneur. « Ils exhortaient les hommes à la pénitence, chassaient
les démons, oignaient d'huile les infirmes et les guérissaient[1]. »

---

1. Mc. 6[13] : ἤλειφον ἐλαίῳ πόλλους καὶ ἐθεράπευον. Les imparfaits marquent
l'habitude, mais il n'y a pas connexité entre les deux actes d'oindre et
de guérir. Maldonat défend avec vigueur le caractère sacramentel de
cette onction et censure presque les tenants de l'opinion contraire sous
prétexte qu'ils favorisent les hérétiques : « Ubi sacramentum est, si hic
non est? Aut cur hic non, si alibi est? » On lui répond qu'il y a sacrement là où il y a un rite extérieur, accompli par un ministre idoine et
produisant *ex opere operato* la grâce qu'il signifie. Ce qui n'est pas ici
le cas. L'opinion contraire, soutenue par Bellarmin, est devenue le sentiment commun. D'après Bellarmin, l'onction pratiquée par les apôtres
était *adumbratio quædam sacramenti futuri;* d'après le Concile de Trente
(sess. XIV, cap. 1), le sacrement de l'extrême-onction y est seulement
insinuatum. C'est le mot juste.

Que signifiait cette onction? Les Juifs pratiquaient les onc-
tions d'huile pour calmer les douleurs et panser les blessures,
mais ils savaient bien que ce n'était pas une panacée contre tous les maux physiques. Le Sauveur qui, avant de guérir les malades, avait coutume de joindre le geste à la parole,
pour exciter la foi du patient, leur avait sans doute suggéré
ce rite, afin de les habituer peu à peu à l'action efficace des
sacrements qu'il devait instituer plus tard. Ce n'était pas
encore l'onction des mourants; les apôtres, n'étant pas prêtres, n'étaient pas qualifiés pour l'administrer; et les infirmes, n'ayant pas reçu le baptême, n'étaient pas aptes à la
recevoir. Cette onction était une sorte de prélude au rite
sacramentel, comme le baptême conféré par les apôtres du
vivant de Jésus préludait au baptême chrétien.

III. Visite de Jésus à Nazareth[1].

Pendant que les Douze parcouraient deux à deux les campagnes galiléennes, Jésus allait revoir l'humble bourgade où
il avait grandi sous le regard de Marie et vécu sa vie d'ouvrier
aux côtés de Joseph. Il s'y rendit de Capharnaüm, après avoir
ressuscité la fille de Jaïre. Les apôtres l'accompagnaient au
départ, mais il les avait quittés en route pour visiter, sans
escorte et sans faste, ses compatriotes auxquels il venait
adresser un pressant et suprême appel. Les deux premiers
évangélistes rapportent cet épisode, en termes concis et presque identiques; saint Luc le raconte avec plus de détails,
mais il le place tout au début du ministère galiléen, avant

---

1. Mt. 13⁵³⁻⁵⁸; Mc. 6¹⁻⁶; Lc. 4¹⁶⁻³⁰. Le récit de S. Luc vient immédiatement après le baptême et la tentation, mais l'allusion du v. 23 montre que c'est trop tôt. S. Matthieu place l'épisode après la journée des
paraboles, par une formule de transition qui peut n'avoir aucune
valeur chronologique. S. Marc est plus précis : « Partant de là (de
Capharnaüm où il vient de ressusciter la fille de Jaïre), il vint dans sa
patrie. »
L'identité des trois récits, regardée comme évidente par Maldonat,
est admise sans balancer par S. Chrysostome (Migne, LVIII, 187-8) et
S. Augustin, qui étudie la question *ex professo* (Migne, XXXIV, 1120-
2). Cependant plusieurs auteurs tiennent pour deux visites, l'une rapportée par S. Luc, l'autre par S. Marc et S. Matthieu. De cet avis sont
Knabenbauer, Fillion, etc., et, parmi les protestants, Godet, Edersheim,
Plummer.

même la vocation des quatre grands apôtres. On voit bien cependant qu'il abandonne ici l'ordre chronologique, puisqu'il fait mention de nombreux miracles opérés à Capharnaüm, alors qu'il n'a parlé encore ni de Capharnaüm ni de miracles. Au demeurant, son récit a trop de points communs avec celui des autres Synoptiques pour ne pas se rapporter au même fait; et l'événement n'est pas de ceux qui se répètent avec les mêmes circonstances caractéristiques. La plupart des auteurs, depuis saint Augustin, sont de cet avis et Maldonat va jusqu'à dire qu'il lui paraît impossible d'en avoir un autre. Peut-être cependant faudrait-il donner raison aux tenants de l'opinion contraire, si la visite de Jésus à Nazareth avait été aussi rapide qu'on le suppose généralement.

Comme toutes les localités de quelque importance, Nazareth possédait une synagogue, mais elle n'était pas sans doute assez considérable pour avoir trois réunions hebdomadaires, le lundi, le jeudi et le samedi. Les Nazaréens, presque tous artisans ou agriculteurs, ne s'assemblaient à la synagogue que les jours de fête et de sabbat. C'est alors seulement que le Sauveur pouvait espérer atteindre ses compatriotes, trop absorbés le reste du temps par les soucis du labeur quotidien.

Nous ne connaissons pas dans le dernier détail l'ordonnance de la liturgie sabbatique au temps de Jésus-Christ; car l'historien Josèphe est à peu près muet sur ce point et les pompeuses descriptions de Philon visent moins à l'exactitude qu'à l'effet littéraire. D'autre part le rituel consigné dans la Mishna, vers la fin du deuxième siècle, avait eu le temps d'évoluer depuis la dispersion des Juifs et la parfaite uniformité qu'il suppose tient plus de la théorie que de la pratique. On peut néanmoins affirmer sans crainte d'erreur que, dès cette époque, la longue cérémonie du sabbat comprenait essentiellement trois parties : la prière, la lecture de la Bible et l'instruction morale[1].

1. Voir Billerbeck, *Kommentar*, t. IV, 1928 : sur le service sabbatique à la synagogue (p. 153-188), sur le *Shema* (p. 189-207), sur les *Dix-huit bénédictions* (p. 208-249); ou bien Schürer, *Geschichte*[4], t. II, p. 497-

On débutait par le *Shema*, profession de foi religieuse, composée de trois passages du Pentateuque, où est proclamée l'unité de Dieu et l'obligation pour Israël de la reconnaître. Tous les Juifs adultes de condition libre étaient tenus de répéter cette formule au moins deux fois par jour; mais, dans la récitation publique à la synagogue, elle était encadrée de certaines doxologies qui en rehaussaient la solennité. Après le *Shema*, venait la prière par excellence (*Tefillah*), les *Dix-huit bénédictions*, que tous, hommes, femmes, esclaves, devaient réciter au moins trois fois par jour. La *Tefillah* subit diverses modifications au cours des âges et s'enrichit plus tard d'une *bénédiction* spéciale dirigée contre les chrétiens; mais elle est, dans sa substance, antérieure au christianisme. L'assemblée entière récitait ensemble le *Shema*, que tout le monde savait par cœur, et l'on se contentait de répondre *amen* aux bénédictions de la *Tefillah*, récitée par l'officiant.

A la prière succédait la lecture des Livres saints. On commençait par la Thora, qu'on lisait d'abord en hébreu, par respect pour le texte original, quoique l'hébreu ne fût plus compris du grand nombre, et qu'on traduisait ensuite en langue vulgaire : en araméen dans les synagogues de Palestine, en grec dans celles de la Diaspora. Le Pentateuque se lisait ainsi en entier, soit au cours d'une seule année, soit dans un cycle de trois ans ou trois ans et demi, suivant les pays et les époques. Sur la manière de lire et d'interpréter la Thora, le Talmud est rempli de règles minutieuses, dont plusieurs sans doute restèrent toujours confinées dans les régions de la théorie. Une plus grande latitude était laissée au lecteur des prophètes qui semble avoir eu le choix du passage à lire, avec la faculté de sauter d'un passage à l'autre.

Le trait le plus frappant du service liturgique, c'est qu'aucune fonction n'était dévolue à un ministre spécial. Il n'y avait d'exception que pour la bénédiction finale, qui

544. Sur la liturgie en général, l'auteur classique est Elbogen, *Der jüdische Gottesdienst in seiner geschichtlichen Entwicklung*, Leipzig, 1913. Excellent aperçu dans Bonsirven, *Sur les ruines du Temple*, Paris, 1928, p. 220-226.

était l'apanage exclusif des prêtres, quand il s'en trouvait
dans l'assemblée. Tous les autres offices — prière, lecture,
sermon — pouvaient être remplis par n'importe quel
Israélite, pourvu qu'il fût vêtu décemment et reconnu capable
par l'autorité locale. C'était le chef de la synagogue qui
jugeait de la capacité et qui désignait d'avance ou agréait
sur place les divers officiants. Les réunions des communautés
chrétiennes à l'origine, avant que fût constituée la
hiérarchie sédentaire, nous offrent une image de cette
liberté d'allures. A Corinthe, par exemple, tous les hommes
étaient censés pouvoir improviser des exhortations et des
prières, sous le coup de l'inspiration. Il faut dire que
l'église de Corinthe, au moment où saint Paul lui écrivait,
avait tout au plus quatre ou cinq années d'existence et
qu'elle était née dans la synagogue, dont elle avait emporté
peut-être quelques usages en se transférant dans la maison
de Titius Justus.

Dès le premier sabbat qui suivit son arrivée à Nazareth,
Jésus vint à la synagogue, suivant son ancienne habitude, et
les regards curieux se tournèrent aussitôt vers lui, car il
y avait un an qu'on ne l'y avait point vu. Au fond de la
synagogue, en face de l'entrée, régnait une sorte d'estrade,
où siégeaient les principaux personnages du lieu, la face
tournée vers le peuple. Derrière eux, était l'armoire où l'on
renfermait les livres sacrés et, à côté, un pupitre ou ambon,
destiné au lecteur de la Loi et des prophètes. Autrefois,
Jésus restait modestement au milieu de la foule, comme un
jeune artisan sans notoriété; mais aujourd'hui son nom était
célèbre dans toute la Palestine et ses concitoyens, sans
s'intéresser beaucoup à son œuvre, étaient fiers de lui, à
cause de l'éclat qu'il faisait rejaillir sur eux. Il est probable
qu'il fut invité à monter sur l'estrade et à commenter les
prophètes. Nous savons que plus tard le lecteur de la section
prophétique était chargé de conduire la liturgie; mais il est
douteux que cet usage fût déjà en vigueur au début du
premier siècle.

Le moment venu de lire et de commenter les prophètes, il
reçut des mains du *hazzan* (ministre de la synagogue) le

livre d'Isaïe, et soit dessein prémédité soit hasard providentiel, il tomba sur ces mots :

L'esprit de Iahvé est sur moi,
car Iahvé m'a consacré par l'onction.
Il m'a envoyé porter la bonne nouvelle,
panser les cœurs contrits,
annoncer aux captifs la liberté,
aux prisonniers la délivrance;
annoncer un jour de grâce de Iahvé,
et un jour de vengeance pour notre Dieu[1].

Quand il eut fini, il roula de nouveau le volume, le rendit au *hazzan* et se rassit, car c'était dans cette attitude que se faisait l'explication au peuple.

Nous ignorons quel fut son discours; saint Luc le résume en une ligne : *La prophétie que vous venez d'entendre s'accomplit aujourd'hui.* Ce qu'il dut être, on peut en juger par l'impression produite sur l'auditoire qui, les yeux fixés sur lui, ne se lassait pas de l'écouter. Son ton inspiré, sa parole pleine de force, de noblesse et de grâce, faisait dire à tous : « Jamais homme n'a parlé comme lui. » Leur étonnement redoublait à la pensée qu'il n'avait pas fréquenté les écoles des scribes. Ils se demandaient : « D'où lui vient tant de science et qui lui a donné le pouvoir d'opérer tant de prodiges ? » Faisant appel à leurs souvenirs, ils comparaient le passé au présent et ce contraste leur suggérait cette réflexion : « N'est-ce pas là le fils du charpentier et n'est-il pas charpentier lui-même ? Ne connaissons-nous pas Marie, sa mère, et ses frères, Jacques, Joseph, Simon et Jude ? Et toutes ses sœurs n'habitent-elles pas au milieu de nous[2] » ? Sa grandeur actuelle, comparée à la médiocrité de son origine, était pour eux un sujet d'étonnement profond.

---

1. Is. 61¹⁻² (trad. Condamin).
2. S. Luc a simplement : « N'est-ce pas le fils de Joseph ? » (4²²). S. Matthieu fait dire aux Nazaréens : « N'est-ce pas le fils *du* charpentier ? » (13⁵⁵) et S. Marc : « N'est-ce pas *le* charpentier ? » (6³). Les deux premiers évangélistes énumèrent ensuite Marie sa mère, ses quatre frères et ses sœurs. Mais S. Matthieu dit « *toutes* ses sœurs » : ce qui donne à penser qu'il y en avait plus de deux.
Sur ces frères et sœurs de Jésus voir la note I : *La parenté du Christ.*

Leur étonnement fit bientôt place au scandale, car les esprits faibles se scandalisent de ce qu'ils ne comprennent pas. A l'enthousiasme et à l'admiration du début, succédèrent peu à peu le scepticisme et la défiance. Voici la cause de leur volte-face. Les Nazaréens s'attendaient à voir leur concitoyen déployer en leur faveur ses dons de thaumaturge publiés par la renommée. Ils furent déçus et ce fut le principe du mécontentement et de l'irritation. Jésus ne fit pas à Nazareth de miracle notable et saint Marc va jusqu'à dire qu'il ne pouvait pas en faire à cause de leur incrédulité. Il guérit cependant quelques infirmes en leur imposant les mains : ce qui prouve que son impuissance n'était pas réelle mais volontaire. Il mettait délibérément des bornes à son pouvoir pour punir leur manque de foi. Nulle part il n'avait rencontré tant d'apathie et d'indifférence et il répétait tristement le proverbe : « Il n'est pas de prophète sans honneur, si ce n'est dans sa patrie, parmi les siens et dans sa propre maison. » Il s'était fait une règle d'exiger la foi des malades qu'il voulait guérir; n'ayant pas trouvé chez les Nazaréens cette disposition, il ne pouvait pas faire parmi eux beaucoup de miracles.

Ceux qui renferment la visite de Jésus à Nazareth dans l'espace de quelques heures ou d'une seule journée soulèvent un problème de psychologie bien difficile à résoudre. Comment expliquer, en si peu de temps, un tel revirement des esprits? A-t-on jamais vu, au cours de la même séance, une assemblée passer de l'enthousiasme le plus vif et de l'admiration la plus expansive, d'abord à la froideur, puis à l'hostilité sourde, ensuite à la guerre ouverte, enfin à la rage homicide? L'opposition dut croître par degrés et l'animosité s'aigrit par l'accumulation des griefs. Au début, les Nazaréens sont fiers de leur compatriote et charmés de son éloquence; mais en réfléchissant sur l'obscurité de son origine, ils refusent de le reconnaître pour l'envoyé de Dieu. Habitués à le traiter en égal, la supériorité qu'il s'arroge les choque et les humilie. L'absence des miracles, sur lesquels ils comptaient, leur semble un signe de mépris.

L'occasion se présenta bientôt de faire éclater leur rancune.

Nous sommes encore à la synagogue mais, selon toute apparence, un jour de sabbat différent de celui dont nous avons
parlé. Jésus répondait au grief qui leur tenait le plus au cœur
et que certains avaient pu formuler tout haut : « Sûrement,
vous me citerez le proverbe : *Médecin, guéris-toi toi-même.*
Tous ces miracles que tu as faits à Capharnaüm et dont le
bruit est arrivé jusqu'à nous, fais-les ici, dans ta patrie [1]. » Le
proverbe était d'une application fréquente. Il se disait naturellement d'un médecin plus habile à traiter les maladies des
autres que les siennes, et aussi d'un homme fertile en bons
conseils, dont il ne s'inspire pas pour sa conduite personnelle.
Pourquoi Jésus, s'il veut qu'on croie en lui, ne fait-il pas les
miracles qui entraînent la foi ? Si l'on reste incrédule, c'est sa
faute. Le Sauveur répond à ces insinuations insolentes :

Je vous le dis, en vérité, il y avait beaucoup de veuves en
Israël, au temps d'Élie, quand le ciel fut fermé durant trois
ans et demi; cependant il ne fut envoyé qu'à la veuve de
Sarepta, au pays de Sidon. Il y avait aussi beaucoup de
lépreux en Israël, sous le prophète Élisée; et aucun ne fut
purifié si ce n'est Naaman le Syrien.

Exaspérés d'avoir été devinés et percés à jour, les habitants
de Nazareth ne se contiennent plus. Ils réclamaient des
miracles, ils croyaient y avoir droit, en qualité de compatriotes et de concitoyens; Jésus leur montre les préférences
des prophètes allant à des étrangers, à une pauvre femme du
pays de Sidon, à un lépreux de Damas. L'allusion, qu'ils n'ont
que trop comprise, porte leur fureur à son comble. En sortant de la synagogue, comme s'ils s'étaient donné le mot, ils
l'entraînèrent hors du groupe d'habitations, vers un point

---

1. Lc. 4[23]. Le proverbe hébreu était ainsi conçu : « Médecin, guéris
ta propre claudication. » On trouvera dans Plummer des proverbes
semblables, en grec et en latin. L'application, dans le cas présent, en
est controversée. Les uns l'entendent ainsi : « Avant de guérir les gens
de Capharnaüm, tu devrais guérir les tiens, tes concitoyens de Nazareth,
qui te touchent de plus près. » Les autres proposent l'explication suivante, qui nous paraît meilleure « Si tu veux qu'on te croie, qu'on te
prenne pour ce que tu prétends être, fais d'abord le nécessaire, opère
des miracles pareils à ceux que tu as opérés, dit-on, à Capharnaüm.
Autrement on dira de toi : Il conseille les autres et ne sait pas se conseiller lui-même. »

culminant de la colline au flanc de laquelle leur ville était
bâtie. D'après une tradition qui remonte aux croisades et qui
est peut-être antérieure, on l'aurait mené à une grande demi-
lieue de là. Au sud de Nazareth, se creuse un ravin, juste
assez large pour l'écoulement des eaux hivernales. Cet affreux
sentier conduit à une petite esplanade qui domine de plus de
cent mètres la plaine d'Esdrelon, en face du Thabor et du
petit Hermon. La roche Tarpéienne n'est rien à côté de ce
précipice et le lieu serait admirablement choisi pour une
exécution théâtrale; mais il est peu probable que les Nazaréens soient allés le chercher si loin, quand ils avaient tant de
rochers à pic dans le voisinage. A deux ou trois cents pas de
l'église grecque, où fut, dit-on, l'ancienne synagogue, on en
montre un qui aurait bien fait leur affaire [1].

L'heure de Jésus n'avait pas encore sonné. « Passant au
milieu d'eux, il s'en allait » tranquillement, soit que les Nazaréens aient fini par reculer devant l'énormité du crime, soit
que le Sauveur leur en ait imposé par la majesté de sa personne et la force de son regard, soit que Dieu ait aveuglé ses
ennemis et paralysé leur bras. Il quitta Nazareth, le cœur
plein de tristesse et, en attendant le retour des apôtres, « il
parcourait la Galilée, prêchant partout à la ronde ».

1. Lc. 4^{29} : « Ils le poussèrent jusqu'à un pic escarpé (ἕως ὀφρύος,
usque ad supercilium) de la montagne sur laquelle leur ville était bâtie. »
Ὀφρύς signifie proprement sourcil, supercilium, et en terme géogra-
phique, un rocher escarpé, une dent. Notez qu'il n'y a pas l'article défini;
ce n'est donc pas le pic, mais un pic. Le rocher à pic qui se trouve
près de l'église maronite, à quelque 200 mètres de l'église grecque
unie (ancienne synagogue) mesure, d'après Stanley (Sinai and Palestine,
1881, p. 367) 30 ou 40 pieds de haut (10 à 12 mètres); mais la base,
encombrée de débris, ne permet pas d'estimer la vraie hauteur. L'endroit
qu'on montre maintenant aux pèlerins est très pittoresque, mais ne peut
en aucune façon s'appeler ὀφρύς, rocher sourcilleux.

CHAPITRE VIII

LE PAIN DE VIE

I. La première multiplication des pains.

La renommée croissante de Jésus commençait à inquiéter l'ombrageux tétrarque de Galilée. Depuis la mort de Jean, l'esprit d'Antipas était obsédé par l'image de sa victime qu'il croyait voir revivre en Jésus. Il prêtait avidement l'oreille aux discours du peuple. Les uns disaient : « C'est Jean ressuscité des morts » ; ou bien : « C'est Élie, l'avant-coureur du Messie. » — « Non, disaient les autres, c'est un des anciens prophètes revenu au monde. » Hérode accueillait tous ces bruits, dont la diversité le rendait perplexe, et ses folles terreurs troublaient son sommeil. Il croyait voir le fantôme de Jean se dresser de nouveau devant lui pour lui reprocher son inceste. « J'ai fait trancher la tête au Baptiste, disait-il ; eh bien ! le voilà ressuscité des morts. » Il désirait vivement voir Jésus et s'entretenir avec lui ; et ce désir connu de tous n'était pas fait pour rassurer les apôtres, car les intentions du rusé tétrarque leur étaient à bon droit suspectes [1]. Ils s'empressèrent de rejoindre leur Maître, pour lui rendre compte de leur mission et lui demander des instructions nouvelles. Ils lui racontaient tout ce qu'ils avaient fait et dit en

---

1. Lc. 9[7-9] ; Mc. 6[14-16] ; Mt. 14[1-2]. Nous suivons ici le récit de S. Luc, le plus précis et le plus complet. S. Matthieu n'a qu'un sommaire incolore. Dans S. Marc (6[14]) le *dicebat* de la Vulgate suppose le grec ἔλεγεν, mais c'est ἔλεγον (*dicebant*) qu'il faut lire, d'après le sens, les meilleurs manuscrits grecs et le texte parallèle de S. Luc. Hérode était perplexe parce que les gens *disaient*. S. Luc est seul à nous apprendre que le tétrarque *cherchait à voir Jésus* (9[9])

son nom : malades guéris, démons expulsés, pécheurs amenés
à la pénitence.

Quand ils furent tous réunis, ils les fit monter sur une
barque et leur ordonna de cingler vers un point solitaire de
la rive opposée. Ce qui l'y poussait, c'était moins le souci
d'échapper aux atteintes d'Hérode, sur le territoire duquel il
devait repasser dès le lendemain, que le désir de se dérober
pour un jour aux importunités de la foule et de converser
cœur à cœur avec ses apôtres, en leur ménageant un peu de
repos après le dur labeur de la mission. Le cœur aimant du
Maître avait de ces délicatesses : « Venez, leur dit-il, allons à
l'écart dans un lieu isolé et reposez-vous un peu. » On approchait de la Pâque ; les caravanes de pèlerins se formaient déjà
autour du lac, prêtes à se mettre en marche pour Jérusalem,
dès l'arrivée des retardataires. L'affluence auprès du Sauveur,
qu'on avait perdu de vue depuis quelque temps, devenait
énorme. Tel était l'empressement des visiteurs, que les
apôtres, chargés de les accueillir et de les congédier, étaient
sur pied nuit et jour et avaient à peine le temps de prendre
leur nourriture. « Ils n'avaient même pas, dit nettement saint
Marc, le loisir de manger en paix [1]. »

Sur la rive orientale, en face de Capharnaüm, s'élevait
Bethsaïde, qu'Hérode Philippe avait agrandie, pour en faire
une de ses deux capitales, et qu'il avait nommée Julias, en
l'honneur de Julie, la trop célèbre fille d'Auguste. Douze ou
quinze villages dépendaient de cette cité, dont le territoire
assez étendu comprenait une plaine basse, sillonnée de nombreux cours d'eau et aujourd'hui marécageuse faute de drai-
nage, qui bordait le lac sur une longueur d'une lieue et demie.
A l'extrémité sud de cette plaine, les collines s'avancent
vers le rivage et ce lieu, maintenant tout à fait désert, offrait
alors une solitude à peu près complète. C'est là que se diri-
geaient les apôtres ; mais la foule, en les voyant s'éloigner,

---

1. Mc. 6[31] : *Requiescite pusillum... Nec spatium manducandi habebant*
(rend très bien εὐκαίρουν qui signifie « avoir le loisir, être à son aise »).
S. Matthieu dit (14[13]) : « Jésus ayant appris la mort du Baptiste, s'éloigne
de là » (du territoire d'Antipas). Un motif n'exclut pas l'autre ; mais
comme la mort du Baptiste remonte à quelque temps, la phrase de
S. Matthieu peut n'avoir que la valeur d'une transition.

avait deviné leur dessein et s'était mise à leur poursuite par
la voie de terre. Contournant le bord septentrional du lac et
traversant le gué du Jourdain un peu au-dessus de son
embouchure, plusieurs franchirent cette distance de deux ou
trois lieues avec tant de célérité qu'ils devancèrent les apôtres
au lieu du rendez-vous. Le trajet par mer était plus court;
mais une barque voguant à la rame, le matin avant le lever
de la brise, est moins rapide qu'un bon piéton.

Les apôtres en abordant comprirent bien que le long tête-
à-tête rêvé n'était pas possible, car la foule des arrivants
grossissait toujours. Touché de compassion à la vue de ces
gens qui offraient à son esprit l'image d'un troupeau sans
pasteur, Jésus guérit d'abord quelques malades qui se trouvaient là, puis, s'éloignant un peu du rivage, il s'assit sur le
penchant de la colline et parla aux assistants du royaume de
Dieu jusqu'au déclin du jour[1].

Il pouvait être quatre heures du soir et les auditeurs, qui
étaient à jeun depuis le matin, ne manifestaient ni lassitude
ni impatience. Cependant les apôtres, usant de cette liberté
que leur Maître permettait et semblait même encourager,
lui dirent : « Seigneur, l'heure est avancée et le lieu solitaire; renvoyez la foule, afin qu'elle aille, avant la nuit,
acheter des vivres dans les villages d'alentour. » — « Ce
n'est pas nécessaire, répondit-il, donnez-leur vous-mêmes à
manger. » Les apôtres se turent par respect, sans rien comprendre à cet ordre extraordinaire. Après un moment de
silence, Jésus se tournant vers Philippe, comme s'il voulait
lui demander conseil, mais en réalité pour l'éprouver : « Où
pourrons-nous acheter assez de pain pour nourrir tant de
monde? » Philippe répondit avec le bon sens et la candeur
qui faisaient le fond de son caractère : « Deux cents deniers
ne suffiraient pas pour donner à chacun un morceau de pain. »

1. Mt. 14[13-20]; Mc. 6[30-44]; Lc. 9[10-17]; Jn. 6[1-15]. La comparaison du qua-
druple récit de la première multiplication des pains serait intéressante.
On verrait comment les évangélistes, d'accord sur les points essentiels
— le lieu, le temps, le nombre des convives, des pains et des poissons,
des paniers remplis de restes — gardent leur indépendance sur les
détails secondaires. Nous nous attachons ici à la version de S. Jean et
de S. Marc.

Le calcul n'était que trop juste. Même au bas prix des denrées
à cette époque, deux cents deniers n'auraient sans doute pas
permis de donner une demi-livre de pain à chacun des cinq
mille convives, sans compter que la bourse des apôtres ne
contenait probablement pas cette somme.

Dans l'intervalle, l'homme pratique de la troupe, André
frère de Pierre, était allé s'assurer s'il n'y aurait pas chez
quelques assistants des ressources à mettre en commun;
mais on n'avait pas songé à se munir de provisions pour ce
voyage improvisé. Cependant un tout jeune homme, plus
prévoyant ou plus avisé que les autres, avait apporté cinq
pains d'orge et deux poissons. C'était trop pour lui seul,
mais il était sûr de les placer avec avantage. André vint
faire part du résultat de son enquête, en ajoutant mélancoli-
quement : « Qu'est-ce que cela pour tant de monde? » On
peut s'étonner que les apôtres, connaissant par expérience
la puissance du Sauveur, n'aient pas songé d'abord à un
miracle; mais un miracle ne leur paraissait pas nécessaire,
puisqu'en fin de compte il était encore temps de renvoyer
la foule; d'ailleurs ils pouvaient penser que les miracles
n'étaient pas faits pour subvenir aux besoins purement
matériels.

Jusqu'alors Jésus n'avait guère opéré de miracles sans en
être prié. Cette fois il prend l'initiative, car il veut donner
de sa toute-puissance un signe manifeste, qui symbolise et
rende croyable la multiplication encore plus merveilleuse du
pain eucharistique. Sur son ordre, les apôtres font asseoir les
gens. « Il y avait beaucoup d'herbe en cet endroit », dit
saint Jean; et cette herbe « avait une teinte vert tendre »,
ajoute saint Marc. On était donc à la fin de mars, à la saison
où, même de nos jours, la plaine émaillée de fleurs, offre un
aspect féerique. Après les pluies d'hiver, sous les chauds
rayons du soleil printanier, une riche végétation sort de terre
comme par enchantement. L'herbe pousse si drue et si haute
qu'elle gêne parfois dans leur marche piétons et cavaliers.

Dociles aux injonctions reçues, les apôtres partagèrent les
gens en groupes distincts et, tant pour éviter le désordre
que pour la commodité du service, les firent asseoir par
rangées symétriques de cent ou de cinquante. A voir ce

tapis de pourpre et d'émeraude, que la foule plaquait de
larges taches blanches, on aurait dit de loin les plates-bandes
d'un jardin; et c'est la figure qui vient spontanément sous
la plume des évangélistes. Il fut alors aisé d'en évaluer le
nombre approximatif : ils étaient environ cinq mille, sans
compter les femmes et les enfants[1].

Quand tous furent placés, Jésus se fit apporter les cinq
pains et, levant les yeux au ciel, il les bénit et les rompit,
puis les remit aux apôtres chargés de les distribuer à la foule.
Il fit de même pour les poissons. Ce geste de Jésus rappelle
celui du père de famille au début de tous les repas. Les
Juifs ne se mettaient jamais à table sans prononcer sur le
pain et le vin cette formule de bénédiction : « Béni soyez-
vous, Seigneur notre Dieu, roi du monde, qui faites sortir
le pain de la terre », ou « qui produisez le fruit de la vigne[2] ».

A quel moment précis et dans quelles mains se multipliaient les pains et les poissons? Il est aussi impossible de
le dire que superflu de le rechercher. Tout miracle — que
ce soit une création, ou un changement de substance, ou la
multiplication d'un être préexistant — contient une part de
mystère qui échappe aux regards de l'observateur. N'en est-
il pas souvent ainsi des phénomènes naturels? L'évolution
du grain de blé, depuis la croissance du germe jusqu'à la
maturation de l'épi, se déroule sous nos yeux en phases
successives, tout en restant aussi mystérieuse que si elle se
produisait instantanément.

Lorsque tous furent rassasiés, Jésus donna l'ordre de
recueillir les restes afin que rien ne se perdît. C'était chez
les Juifs la coutume de ramasser les miettes dispersées sur

---

1. L'herbe était de couleur *vert tendre* (Mc. 6[29] : χλωρός); elle était
haute et drue (Jn. 6[10] : πολύς), car la *Pâque* approchait (Jn. 6[4]); on fit
asseoir la foule sur ce tapis de gazon *par tablées* de cinquante et de
cent (Mc. 6[39] : συμπόσια συμπόσια) et quand elle fut assise elle offrait
l'aspect des *plates-bandes* d'un potager (Mc. 6[40] : πρασιαὶ πρασιαί). Ces
conditions ne se réalisent sur les bords du lac que de la mi-mars à la
mi-avril.

2. Jésus *bénit* le pain (Mt., Mc., Lc. εὐλογήσας) ou *rendit grâces* (Jn.
εὐχαριστήσας). Mais, dans la seconde multiplication des pains, Marc et
Matthieu emploient le verbe « rendre grâces ». Il en résulte que εὐλογεῖν
et εὐχαριστεῖν sont synonymes et désignent la bénédiction ordinaire
qu'on prononçait avant les repas.

la table. Le pain, principal soutien de la vie de l'homme, était à leurs yeux quelque chose de sacré, ils se seraient fait scrupule d'en laisser perdre une parcelle. Des reliefs du miraculeux festin, les apôtres remplirent ainsi douze grandes corbeilles.

La première multiplication des pains est racontée à la fois par les quatre évangélistes. Cette rencontre exceptionnelle nous permet de comparer saint Jean à ses devanciers et d'en tirer quelques inductions sur le caractère spécial de son Évangile. Saint Jean, à son ordinaire, se distingue ici par la précision du détail; il donne la date exacte — l'approche de la Pâque — il rapporte à l'intervention de Philippe et d'André ce que les autres Synoptiques attribuent en général au groupe apostolique. Au demeurant, les chiffres sont les mêmes : cinq mille convives, cinq pains et deux poissons, douze corbeilles de fragments. Nulle trace d'un symbolisme recherché aux dépens de la vérité historique. Ce qu'il y a de vrai, c'est que Jean n'aurait probablement pas mentionné la multiplication des pains et la marche de Jésus sur les eaux, assez connues par le récit de ses prédécesseurs, s'il n'avait voulu en faire la préface du discours eucharistique. Ce pain qui se multiplie par un simple acte de volonté et ce corps qui échappe aux lois de la pesanteur, à la manière des esprits, ne sont-ils pas de nature à rendre plus croyable la présence sacramentelle du Christ dans l'hostie consacrée ? La mention de la Pâque a sans doute le même but symbolique, la date de la promesse coïncidant ainsi avec celle de l'institution. Mais le voisinage de la Pâque est déjà rendu certain par le récit de saint Marc; et si saint Jean cherchait à tout prix le symbolisme, serait-il le seul à noter avec insistance que les pains multipliés étaient des pains d'orge : circonstance qui se prête assez mal au symbolisme de l'eucharistie [1] ?

1. Jn. 6⁹ et 6¹³. Loisy a raison d'écrire (*Le quatrième Evangile*², 1921, p. 221) : « Tout le sixième chapitre est dominé par l'idée du Christ pain de vie. » Mais il voit partout du symbolisme qui n'existe que dans son imagination. Ainsi (p. 225) : « ce n'est pas comme pain des pauvres, mais comme pain de la saison, pain rappelant les fêtes pascales, que les pains d'orge figurent dans notre évangile ». Mais, avant la Pâque, la moisson n'était commencée nulle part en Palestine; les pains d'orge

II. Jésus marche sur les eaux[1].

Le soir venu, Jésus descendit au rivage avec ses apôtres et
leur enjoignit d'aller l'attendre à Bethsaïde, tandis que lui-
même congédierait les foules. Il ne fallait rien moins qu'un
ordre formel pour les y contraindre, car il leur répugnait de
le quitter après avoir si peu joui de lui durant la journée et
au moment où l'effervescence du peuple faisait présager de
graves événements. Enfin, à la nuit close, désespérant de le
voir revenir, ils prirent la direction de Bethsaïde.

La foule ne paraissait pas non plus disposée à s'éloigner
de si tôt. Elle se rendait compte qu'un si grand thaumaturge
ne pouvait pas être un homme ordinaire. On disait de tous
côtés : « C'est vraiment le prophète » annoncé par Moïse.
L'esprit de prophétie était mort en Israël depuis des siècles
et celui qui le ferait revivre ne pouvait être que le Messie ou
son avant-coureur. Il suffira plus tard à Theudas et à
l'imposteur égyptien de s'arroger le don de prophétie pour
attirer à leur suite une armée de séides. Quoi d'étonnant que
les Galiléens, si prompts à s'échauffer et maintenant exaltés
par le miracle dont ils venaient d'être témoins, aient conçu
l'idée de le proclamer roi ? Mais lui, devinant leur dessein,
s'enfuit dans la montagne et y passa la nuit en prières[2].

Pendant ce temps, les apôtres luttaient péniblement contre
les flots soulevés. Il arrive souvent qu'après une journée
tranquille un vent violent se lève au coucher du soleil et
augmente d'intensité jusqu'à l'aurore. C'est ce qui advint

ne pouvaient en aucune façon *rappeler les fêtes pascales.* Les pains
des prémices n'étaient offerts que le lendemain de la Pentecôte.
M. Loisy compte trop sur la simplicité ou l'ignorance de ses lecteurs.
 1. Mt. 14²²-36; Mc. 6⁴⁵⁻⁵⁶; Jn. 6¹⁴·²¹.
 2. Ils crurent que c'était le prophète annoncé par Moïse (Deut. 18¹⁶).
Sous Cuspius Fadus, Theudas séduisit le peuple en se disant prophète
(Josèphe, *Antiqu.* XX, v, 1); sous Félix, l'Égyptien anonyme obtint le
même succès en émettant la même prétention (Josèphe, *Antiqu.* XX, viii,
6 et *Bellum*, II, xiii, 5).
 Jésus, menacé d'être proclamé roi « se retira *de nouveau* dans la
montagne » (Jn. 6¹⁵ : πάλιν). *De nouveau* fait allusion à Jn. 6³, où il est
dit que Jésus, après avoir abordé, avait gravi la colline. S. Jean
suppose sans le dire, qu'il était redescendu au rivage pour congédier
la foule et *forcer* les apôtres à s'embarquer (Mt. 14²²; Mc. 6⁴⁵ : « il les
contraignit » ἠνάγκασεν).

cette nuit-là. Le vent qui soufflait du nord ou du nord-ouest leur était contraire. Dans ces conditions, la voile était plus dangereuse qu'utile ; il fallait avancer à force de rames ; mais, malgré les plus grands efforts, on avait peine à se maintenir en place sans être emporté par les vagues[1].

A la quatrième veille de la nuit — vers trois heures du matin — on n'était encore qu'à vingt-cinq ou trente stades (environ cinq ou six kilomètres) du point de départ. En ce moment, à la lueur incertaine d'un ciel nuageux que n'éclairait pas encore la pleine lune de Pâques, ils virent venir à eux une forme humaine assez indistincte. Leur imagination, hantée d'histoires d'esprits et de revenants, la leur fit prendre d'abord pour un fantôme. Bientôt la vision devint plus nette et ils reconnurent Jésus, qui faisait mine de passer outre, comme s'il ne les voyait pas. A leur cri de détresse, il se retourna pour les rassurer : « Ayez confiance ! C'est moi, ne craignez point. »

Simon Pierre, entendant la voix du Maître bien-aimé, s'écria soudain : « Seigneur, si c'est vous, commandez-moi de venir à vous sur les eaux. » Il n'y a pas dans ces paroles la moindre nuance de doute ; peut-être y verrait-on, avec un sincère amour pour Jésus, un peu de recherche personnelle. Quand le Maître eut dit ce seul mot : « Viens ! » Pierre s'élança sur l'eau sans hésiter ; mais à la vue des vagues s'entrechoquant et formant autour de lui des vallées et des montagnes qui menaçaient de l'engloutir, la peur le prit et il s'écria : « Seigneur, sauvez-moi ! » Jésus lui tendit la main et le soutint un instant au-dessus des flots en disant :

---

1. Thomson (*The Land and the Book,* part. *II*, ch. 25) cite un cas personnel. Ses rameurs, luttant toute la nuit contre un vent d'est ou de nord-est ne purent accoster qu'à l'aube. La mer, dit-il, était comme une *chaudière en ébullition.*

Les apôtres n'avaient fait que 25 ou 30 stades quand Jésus vint les rejoindre (les stades romains, de huit au mille, étaient de 185 mètres). Leur marche avait été retardée par la tempête et par le désir d'attendre le jour avant d'aborder ; car l'abordage, en pleine nuit est toujours dangereux par une mer démontée.

Les Romains divisaient la nuit en quatre veilles de trois heures chacune ; la quatrième allait donc de trois heures à six heures du matin, c'est-à-dire jusqu'au lever du soleil. Les Juifs anciennement divisaient la nuit en trois veilles ; mais on sait que S. Jean suit l'usage romain.

« Homme de peu de foi, pourquoi as-tu douté? » Il monta
ensuite avec eux dans la barque et la tempête s'apaisa. Ils
arrivèrent vite à destination, sans qu'on puisse dire si ce fut
l'effet d'un nouveau miracle.

Les gens qui étaient dans la barque, saisis d'une religieuse
frayeur, tombèrent à ses pieds en disant : « Vous êtes vraiment fils de Dieu [1]. » Ils avaient vu la veille le prodige autrement surprenant de la multiplication des pains; mais le
miracle actuel, qui les tirait d'un grave péril, les touchait
davantage. Du reste les croyants ne s'habituent pas si aisément à des manifestations surnaturelles aussi éclatantes et
les merveilles de Lourdes, cent fois renouvelées, suscitent
toujours le même enthousiasme et soulèvent les mêmes
acclamations.

Les apôtres abordèrent au pays de Génésareth [2]. Cette

---

1. Mt. 14[33] : Οἱ δὲ ἐν τῷ πλοίῳ προσεκύνησαν αὐτῷ λέγοντες· Ἀληθῶς υἱὸς
Θεοῦ εἶ. « Ceux qui étaient dans la barque » insinue qu'il y avait plus
que les apôtres : les grandes barques de pêche pouvaient contenir plus
de douze personnes. Ces gens-là se prosternent devant Jésus (προσκυνεῖν
ne signifie pas seulement « adorer », honorer d'un culte de latrie). Ils
disent : « Vous êtes fils de Dieu », mais non pas le Fils de Dieu, ce
qui devrait s'entendre du Verbe incarné, du Messie. S. Thomas (sur Mt.
16[17]) fait justement remarquer qu'il y a une grande différence entre le
titre que ces gens ou d'autres lui décernent et la confession de Pierre.
« Quia alii filium adoptivum confessi sunt, hic autem filium naturalem;
ideo hic prae ceteris beatificatur, quia primus confessus est divinitatem. »
Le texte parallèle de S. Marc (6[51]) peut très bien s'entendre des seuls
apôtres : « Ils étaient extrêmement (λίαν ἐκ περισσοῦ) stupéfaits, car ils
n'avaient rien compris aux pains et leur cœur était aveuglé. » Ils
n'avaient pas su tirer la conséquence du miracle des pains.

2. Mt. 14[34]; Mc. 6[53]. — Josèphe donne à la région de Génésareth une
étendue de 30 stades le long du rivage et une largeur de 20 stades
(environ 5 kilom. 1/2 sur 3 kilom. 1/2). Elle est arrosée par trois cours
d'eau qui descendent des collines de Galilée et qui sont, du sud au
nord, le ravin des Pigeons (Ouady-el-Hamam), le Ouady-el-Rabadiyeh et
le val de la Colonne (Ouady-el-'Amoud) et par trois sources abondantes
qui sont, également du sud au nord, la fontaine Ronde ('Aïn-el-Mo-
daouéreh), Abou-Shousheh et la fontaine du Figuier ('Aïn-et-Tin).
Les mesures données par Josèphe nous invitent à inclure dans la
plaine de Génésareth le val des Sept-Fontaines, qui lui fait suite. Ce
nom de Sept-Fontaines, en arabe et-Tabigha (ou même et-Tabgha) répond au grec Heptapégon (Ἑπτάπηγον) déformé par la prononciation
arabe. Il est dû aux sources d'eau chaude (32° centigrades) que les indigènes ont baptisées de noms fantaisistes : la Fontaine de Job (Aïn
Ayoub) enfermée dans un bassin octogone d'environ 80 mètres de pour-

région, qui devait sa fertilité fabuleuse à ses nombreux cours
d'eau et au terrain d'alluvion mêlé de roches volcaniques
désagrégées, comprenait non seulement la plaine appelée
par les indigènes le petit Ghor (Ghoueir), entre Magdala et
Khan Minieh, mais aussi les coteaux circonvoisins et la délicieuse vallée de Sept-Fontaines qui, vue du large, semble
la continuer, quoique l'éperon d'Oreimeh les sépare.

Nous ignorons à quel endroit précis accosta la barque des
apôtres; mais nous savons la direction qu'ils avaient prise et
qu'ils suivirent effectivement. Le Seigneur, sur la rive orientale, leur avait ordonné de cingler vers Bethsaïde de l'autre
côté du lac; et le lendemain « ils débarquèrent au lieu où ils
allaient ». Il ne saurait être question de Bethsaïde-Julias,
située du même côté du lac où ils se trouvaient la veille et à
peu près sur le même méridien : ce ne serait pas là traverser
le lac et aller au bord opposé. Il faut donc admettre l'existence d'une seconde Bethsaïde que des raisons puissantes
nous obligent à placer au val de Sept-Fontaines, à une demi-
lieue environ à l'ouest de Capharnaüm.

Qu'il y ait eu sur le rivage septentrional du lac deux villes
ou bourgades du nom de Bethsaïde, surtout appartenant à
deux différentes provinces — la Galilée et la Gaulanitide —
cela ne souffre aucune difficulté. Nous pourrions citer en
France nombre de localités homonymes, aussi rapprochées
l'une de l'autre. Bethsaïde signifie *Maison de pêche* et il est
naturel de rencontrer ce nom aux deux endroits qui furent
de tout temps le rendez-vous favori des pêcheurs, parce que,
pour des raisons diverses, le poisson y abonde. Ces deux
points sont la plaine de Bateiha, à l'orient du Jourdain, là où
se trouvait la Bethsaïde agrandie par le tétrarque Philippe, et
le val de Sept-Fontaines, à l'ouest de Capharnaüm. Cette
vallée devait son nom aux sources d'eau thermale, dont la

tour, le Bain de Job (*Hammam Ayoub*) et le Fourneau de Job (*Tannou*
Ayoub) entourés tous les deux d'une tour ronde, etc. La fertilité de cett
vallée, distante de Capharnaüm de deux ou trois kilomètres seulement
est célèbre. Nous y plaçons, avec beaucoup d'autres, la Bethsaïde occi
dentale. Des fouilles pratiquées en 1932 y ont fait découvrir le plan d'un
basilique, élevée au ive siècle sur le lieu où l'on plaçait alors, d'ailleu
à tort, la scène de la première multiplication des pains. Voir *D. B. Sup*
plément, t. III, col. 414-5.

chaleur attire des masses de poisson. Aujourd'hui encore les gens de Tibériade s'y installent chaque année pendant plusieurs mois, dans des huttes de feuillage, pour s'y livrer à leur industrie. La petite baie de Sept-Fontaines, d'où le regard embrasse tout le lac, est partout d'abordage facile et offre un mouillage sûr aux bateaux de pêche, avec une plage en pente douce que n'obstruent pas, comme ailleurs, des quartiers de roche. C'est là que nous plaçons la patrie de Pierre, d'André, de Philippe et peut-être des fils de Zébédée[1].

1. Les raisons principales d'admettre une seconde Bethsaïde, à l'ouest du Jourdain, sont les suivantes :

1º Jésus étant sur la rive orientale, ordonne aux apôtres d'aller l'attendre *de l'autre côté* (εἰς τὸ πέραν) *vers Bethsaïde* (Mc. 6[45]). Ils débarquent en effet *à Génésareth* (Mt. 14[31]; Mc. 6[53]), *à l'ouest du Jourdain;* et ce n'est pas la tempête qui les y a jetés, car ils abordent *là où ils allaient* (Jn. 6[24]).

2º Le lendemain, les gens qui avaient vu les apôtres cingler dans la direction de Bethsaïde, allèrent chercher Jésus, non pas à Bethsaïde-Julias, mais dans les environs de Capharnaüm (Jn. 6[22-24]) et l'y trouvèrent en effet. Il s'agit donc de la Bethsaïde de Sept-Fontaines, à 2 kilom. à l'ouest de Capharnaüm.

3º Jean dit (12[21]) que Philippe était de *Bethsaïde de Galilée.* Cela suppose une autre Bethsaïde, qui n'était pas en Galilée. C'était le cas de Bethsaïde-Julias qui était en Gaulanitide.

4º Tous les apôtres, sauf Judas, étaient Galiléens (Act. 1[11]; 2[7]); Pierre l'était notamment (Mc. 14[70]; Lc. 22[59]). Or s'il n'y a pas eu d'autre Bethsaïde que Julias, trois au moins des apôtres, Pierre, André et Philippe, ne seraient pas Galiléens, car Julias était en Gaulanitide. C'est une vaine argutie d'objecter que Judas le Zélote était qualifié de Galiléen (Act. 3[37]; Josèphe, *Antiq.* XVIII, I, 6; XX, v, 2; *Bell.* II, VIII, 1), quoiqu'il fût né à Gamala, dans la Gaulanitide. Il s'appelait Galiléen parce qu'il habitait la Galilée et que ses exploits eurent lieu en Galilée; Galiléen n'était pour lui qu'un *surnom* (Josèphe, *Bell.* II, XVII, 8) et Josèphe sait très bien qu'il était *Gaulanite* (*Antiq.* XVIII, I, 1) et que sa patrie, Gamala, était en *Gaulanitide* (*Bell.* II, XX, 4 et 6) comme d'ailleurs la Bethsaïde orientale (*Bell.* II, IX, 1).

5º Stewart (*Dict. of Christ and the Gospels*, t. I, p. 199) ajoute un argument qui n'est pas sans force. Les trois villes maudites, Capharnaüm, Corozaïn et Bethsaïde, sont opposées aux cités païennes de Tyr et de Sidon (Mt. 11[21-22]; Lc. 10[13-14]). Cela fait supposer qu'il s'agit de villes juives de religion et situées sur le théâtre des miracles de Jésus. Or la Bethsaïde orientale, séparée de la Galilée par le Jourdain, était plus qu'à demi païenne et Jésus semble n'y avoir fait aucun miracle, puisque pour guérir l'aveugle qui en était originaire il le conduisit hors de la ville (Mc. 8[22-23]).

Il y a aujourd'hui une tendance à n'admettre qu'une seule Bethsaïde, celle que Philippe agrandit et appela Julias; mais les tenants de cette opinion sont encore loin d'égaler, pour le nombre et l'autorité, les champions de l'opinion contraire.

III. La promesse de l'Eucharistie (Jean, vi, 22-71).

Après le départ des apôtres et la disparition subite de Jésus, la foule massée sur la rive orientale s'était dispersée peu à peu. La plupart avaient regagné leur demeure ou s'étaient réfugiés dans les habitations les plus proches ; mais plusieurs étaient restés sur la plage, attendant toujours le retour de celui qu'ils voulaient faire roi. Passer la nuit à la belle étoile, au début du printemps, dans la tiède atmosphère des bords du lac, n'avait rien d'effrayant ni d'insolite pour ces rudes Galiléens.

Le lendemain, à leur réveil, ils cherchèrent vainement le Sauveur. Étant certains qu'il n'était pas monté la veille avec les apôtres sur l'unique barque stationnant alors près du rivage, mais ignorant le lieu de sa retraite, ils ne savaient où diriger leurs pas. Cependant, de grand matin, ils virent des bateaux de Tibériade venir à eux, car c'était là l'un des endroits les plus poissonneux du lac et les heures matinales passent pour les plus favorables à la pêche, surtout par le temps calme qui succède aux nuits de tempête. Les gens qui désespéraient de retrouver Jésus profitèrent de ces embarcations pour se faire transporter sur la rive opposée, vers le point où ils avaient vu cingler la barque des apôtres[1]. Ils finirent par le rencontrer dans la ville ou aux environs de Capharnaüm. En l'abordant, ils lui posèrent cette question banale : « Rabbi, quand êtes-vous arrivé ici? » Il s'agissait bien de cela! Qu'importait le temps et la manière du retour du Maître? Sa réponse fut sèche et sévère :

1. Jn. 6²²⁻²⁴. Longue phrase embarrassée, mais non pas ambiguë. La proposition principale englobe deux incidentes, qu'on pourrait, pour la clarté, mettre entre parenthèses. *Proposition principale :* Le lendemain la foule qui se tenait de l'autre côté du lac (sur la rive orientale) ... cette foule, voyant que Jésus n'était pas là, non plus que ses disciples, *ils* (les gens) montèrent sur des barques et vinrent à Capharnaüm chercher Jésus. — *Première incidente :* Ils avaient vu [lire non pas ἰδών, mais εἶδον, avec le sens du plus-que-parfait] qu'il n'y avait là qu'une seule barque et que Jésus n'était pas monté dans la barque avec ses disciples, mais que ses disciples étaient partis seuls. — *Seconde incidente :* Cependant [lire ἀλλά plutôt que ἄλλα qui serait oiseux] des barques vinrent de Tibériade près de l'endroit où ils avaient mangé le pain béni par le Seigneur.

*En vérité, en vérité, je vous le dis; vous me cherchez non
pas à cause des signes dont vous avez été témoins, mais pour
les pains dont vous vous êtes rassasiés. Procurez-vous non
la nourriture qui périt, mais celle qui demeure pour la vie
éternelle, celle que le Fils de l'homme vous donnera; car
c'est lui que Dieu, le Père, a marqué de son seing*[1].

Ces paroles sont le fil conducteur de tout le discours. Qui
les perd de vue ou les néglige s'égarera dans un labyrinthe
sans lumière et sans issue. La nourriture impérissable que
nous devons tâcher d'acquérir est placée bien au-dessus de
nos efforts; elle ne peut être le fruit immédiat de notre acti-

1. Jn. 6²⁷ : Ἐργάζεσθε τὴν βρῶσιν. Le verbe ἐργάζεσθαι avec un accusatif
veut dire « travailler pour avoir, se procurer par son travail ». Ainsi
ἐργάζεσθαι τὸν βίον, « travailler pour gagner sa vie » (Andocide, XVIII,
49); ἐργ. χρήματα, « se procurer des ressources » (Hérodote, I, 24).
Ἐργάζεσθαι τὴν βρῶσιν pourrait bien signifier « préparer sa nourriture »;
mais cela supposerait qu'on la possède déjà, ce qui n'est pas le cas
pour la nourriture promise par le Fils et donnée à ceux qui croiront.
La nourriture n'est donc pas l'effet ou le *résultat* direct du travail, mais
la *récompense* promise à ceux qui l'obtiennent à condition de croire.
Le commentaire de S. Thomas est excellent : *operando quaerite seu
operibus mereamini.* L'œuvre exigée c'est la foi.
Dans l'incise finale (τοῦτον γὰρ ὁ Πατὴρ ἐσφράγισεν ὁ Θεός) le sens de
σφραγίζειν est controversé. Les uns, se référant à Jn. 3³³ (Qui accipit tes-
timonium *signavit* quoniam Deus verax est), expliquent : « Dieu l'a
marqué de son sceau par le témoignage qu'il lui a donné; les miracles
sont comme le *sceau* dont Dieu l'a marqué » (Cf. 1 Cor. 9² et Rom. 4¹¹).
D'autres paraphrasent ainsi : « Dieu a imprimé en sa nature humaine
sa nature divine, de sorte que la divinité est comme le *sceau* de l'humanité. » Peut-être, sans préciser davantage, suffit-il de dire avec S. Augustin : « Proprium quiddam illi dedit ne ceteris comparetur hominibus. » Cette marque distinctive est le sceau dont le Père l'a marqué.
Mais quelle est cette nourriture mystérieuse (βρῶσιν) que nous devons
nous efforcer de nous procurer et d'obtenir de Notre-Seigneur? Disons-le
tout de suite — avec S. Cyrille d'Alexandrie, Tolet, Corneille de la
Pierre, Corluy et bien d'autres — c'est *Jésus-Christ dans le sacrement
de l'eucharistie.* Les interprètes qui n'admettent pas l'unité du discours
pensent qu'il s'agit, jusqu'au v. 48 ou jusqu'au v. 51 de la *personne physique du Christ* que nous pouvons nous assimiler, en quelque sorte, par
une foi vive. De là l'expression étrange *manducation du Christ par la
foi,* qui est susceptible d'une explication théologique correcte, mais qui
n'est pas scripturaire et n'aurait pas eu la sanction de S. Jean. Elle est
due probablement au mot bien connu de S. Augustin : « Ut quid paras
dentes et ventrem? Crede et manducasti » (*In Joann.* tr. XXV, n° 12,
Migne, XXV, 1601). Et plus loin : « Panem de caelo desideratis : ante
os habetis et non manducatis » (*Ibid.*, n° 14). Nous dirons plus loin
ce qu'il faut penser de cette *manducation* par la foi.

vité. Il faut que le Fils de l'homme la donne, mais il la donnera
— il s'y engage formellement — à quiconque remplira de son
côté la condition exigée par lui. Sa promesse ne sera pas
vaine; il a qualité pour la tenir, car son Père, en l'envoyant
au monde, non seulement l'a investi de la plénitude du pouvoir, mais l'a marqué du sceau de sa divinité.

Les Juifs ne saisirent certainement pas la nature de cette
divine empreinte, mais ils durent soupçonner que c'était un
signe distinctif l'autorisant à parler et à agir au nom de Dieu.
Ils comprirent aussi — et c'était l'essentiel — que Jésus leur
promettait une nourriture bien différente de celle qu'ils avaient
mangée la veille et que, pour y participer, il y avait de
leur part une condition à remplir. Ils demandèrent donc :
« Qu'avons-nous à faire pour opérer les œuvres de Dieu » et
nous rendre dignes de cette nourriture? Ils pensent sans
doute à des actes de piété ou de surérogation, tels que le
jeûne, l'aumône et la prière; ils ne songent pas à la foi. La
réponse du Seigneur va les éclairer : *L'œuvre de Dieu, c'est
de croire en celui qu'il a envoyé.* La seule chose qu'il leur
demande, pour leur accorder la nourriture promise, c'est de
croire en lui.

Mais c'est là justement ce qu'ils ne sont pas disposés à
faire. S'il veut qu'on le croie, qu'il produise ses titres, qu'il
prouve sa mission, comme Moïse et les autres prophètes ont
prouvé la leur. « Quel signe opérez-vous donc qui nous oblige
ou nous permette de croire en vous? Quelles sont vos œuvres?
Nos pères mangèrent la manne dans le désert, ainsi qu'il est
écrit : Il leur donna à manger le pain des anges. » Ils n'ajoutent pas mais sous-entendent : « Faites de même et nous
croirons. » Ils comptent pour rien les miracles passés, même
la multiplication des pains dont ils ont bénéficié la veille; il
leur faut des signes célestes, comme fut, à leur gré, la manne
tombant du ciel.

En vérité, en vérité, leur répond Jésus, *Moïse ne vous a
pas donné le pain du ciel; mais mon Père vous donne le
pain du ciel, le vrai; car le pain du ciel est celui qui descend
du ciel et donne la vie.*

La manne tombait de l'air qui nous entoure et que nous
appelons improprement le ciel; non seulement elle ne don-

ait pas la vie de l'âme, mais elle ne faisait que soutenir
our un temps très court la vie du corps ; loin de donner
a vie au monde, elle ne profitait qu'à un petit groupe
d'hommes perdus dans le vaste univers. Quelle différence
avec cet aliment vraiment céleste, universel et divin, dont
a manne n'était que l'ombre et la pâle figure !

Un cri de bonne volonté — ou qui du moins en avait toute
'apparence — se fit alors entendre : « Seigneur, donnez-
nous toujours de ce pain. » Était-ce l'expression d'un senti-
iment sincère et réfléchi ? Auraient-ils aspiré avec tant d'ardeur au pain du ciel s'ils en avaient compris la nature ? La
réponse de Jésus ferait croire qu'en parlant ainsi ils songeaient seulement à une nourriture plus délicate, plus
savoureuse, que celle qu'ils étaient en état de se procurer.

*Je suis le pain du ciel. Celui qui vient à moi n'aura pas
faim et celui qui croit en moi n'aura pas soif. Mais je vous
ai dit que m'ayant vu, vous ne croyez pas... C'est la volonté
de mon Père que quiconque voit le Fils et croit en lui
possède la vie éternelle et je le ressusciterai au dernier
jour.*

Jusqu'ici Jésus parlait à la foule, cette foule qui le suivait
hier au delà du lac, le cherchait ce matin et avait fini par le
trouver à Capharnaüm. Maintenant de nouveaux interlocuteurs, les Juifs, entrent en scène. Pour saint Jean, les Juifs
sont toujours les ennemis acharnés qui espionnent et persécutent le Sauveur, qui vocifèrent contre lui et veulent le
tuer. Ces Juifs-là, tandis qu'il parle, murmurent et raillent.
Lui, le pain du ciel ! Quelle fatuité ! Quelle extravagance !
Tout le monde ne sait-il pas ce qu'il est ? N'a-t-on pas connu
sa mère Marie et son père Joseph ? Comment ose-t-il prétendre qu'il est descendu du ciel ? Sans s'abaisser à discuter
avec eux, le Seigneur affirme avec plus de force ce qu'il
vient de dire :

*Je suis le pain de vie. Vos pères mangèrent la manne
dans le désert et moururent ; voici le pain descendu du
ciel : celui qui en mangera ne mourra point. Je suis le
pain vivant descendu du ciel ; si quelqu'un mange de ce
pain, il ne mourra jamais. Et le pain que je donnerai,
c'est ma chair pour la vie du monde.*

Un lecteur superficiel trouvera peut-être que Jésus ne fait que se répéter; en réalité, il s'était tenu jusqu'ici aux abords du mystère; il y pénètre maintenant et nous y introduit avec lui. Quand il disait qu'il était le pain de vie, le pain vivant, le pain descendu du ciel, on sentait bien qu'il parlait de sa personne, mais on ne savait pas encore comment il servirait d'aliment. Il dit maintenant que ce pain c'est sa propre chair et que sa chair doit être mangée. On ne peut plus se méprendre sur le sens de ses paroles. Le dialogue précédent n'était qu'un prélude; il s'y proposait d'acheminer graduellement l'esprit de ses auditeurs à la croyance du plus consolant de tous nos mystères, et de les amener peu à peu à la notion du vrai pain de vie, sans trop heurter de front leurs idées préconçues et leurs préjugés opiniâtres. Ainsi en usait-il autrefois avec Nicodème, pour lui montrer la nécessité d'une nouvelle naissance par l'eau et par l'Esprit; ainsi avec la Samaritaine, pour lui expliquer la nature de cette eau vive qui étanche à jamais notre soif de bonheur. D'abord des notions générales et par là même obscures, qui provoquent une série de questions et de réponses, et se précisent par degrés jusqu'à la complète lumière.

« Je suis le pain de vie » : tel est le thème de tout le discours. Ces mots laissés à eux-mêmes, sans explication ni commentaire, quoique mieux faits pour désigner le Christ eucharistique, pouvaient s'entendre à la rigueur du Christ naturel. Il existe en effet entre les deux de multiples analogies. C'est la même personne, le même Fils de Dieu, le même Dieu fait homme, qui ne diffère que par la manière d'être. L'un et l'autre vient du ciel; l'un et l'autre est un don du Père, l'un et l'autre alimente l'âme, la nourrit de vertus, apaise sa faim et sa soif du divin; mais tandis que le Christ naturel s'immole pour nous sur la croix, le Christ sacramentel, mystiquement immolé dans l'eucharistie, se donne à nous sous forme de nourriture et de breuvage, comme pain et boisson véritables, dont la manne du désert et l'eau miraculeuse de l'Horeb étaient les figures prophétiques. Ce pain eucharistique, nous le mangeons réellement, il rassasie notre âme et régénère notre corps, en déposant en lui un germe d'immortalité pour la résurrection glorieuse. Pa

contre, dans aucun idiome, pas plus en grec ou en hébreu qu'en latin ou en français, l'usage ne permet de dire qu'on mange ou qu'on boit le Christ naturel [1]. Il faut donc en conclure que, dès le principe, en s'appelant le Pain de vie, Jésus-Christ désignait implicitement son état sacramentel, qui seul légitime et autorise un pareil langage.

Est-il probable, est-il possible que dans le même discours, devant le même auditoire, en traitant une doctrine si fondamentale, il ait pris ce mot en deux sens différents, comme s'il voulait, de gaîté de cœur, créer une équivoque et excuser les Juifs de l'avoir mal compris? Ne savait-il pas d'avance, en commençant son discours, où il voulait en venir et ce qu'il se proposait d'enseigner? Croira-t-on jamais qu'il ait changé de thème au cours de l'entretien comme un improvisateur qui, oubliant son premier dessein, tombe sur un nouveau sujet sans s'en apercevoir? Saint Jean n'a-t-il pas rapporté le double miracle déjà connu par le récit des Synoptiques, justement comme introduction à la promesse de l'eucharistie? Non, le pain de vie, le pain céleste, qui est

---

[1]. Le sens métaphorique de « manger, dévorer quelqu'un » est limité à quelques locutions poétiques dont la signification n'est jamais ambiguë parce qu'elle est préparée par le contexte. Ainsi Prov. 3[14] (cf. Habac. 3[4]) :

> Il est une race dont les *dents* sont des glaives
> et les *molaires* des couteaux,
> pour *dévorer* le malheureux sur terre
> et le pauvre d'entre les hommes.

Dans ces locutions toutes faites, le choix des termes n'est pas arbitraire ; il est réglé par l'usage. Au sens métaphorique, on emploie en latin *comedere* ou *devorare* et non pas *manducare;* en grec κατεσθίειν et non pas ἐσθίειν ni à plus forte raison τρώγειν. Ainsi 2 Cor. 11[20] : Sustinetis si quis in servitutem redigit, si quis *devorat* (κατεσθίει). » On trouve en poésie une figure encore plus hardie, Ps. 26 (27) [2] : Les méchants se sont avancés contre moi pour *dévorer ma chair* » (cf. Job. 19[22]). Cette figure énergique est devenue commune en français. Nous disons « *s'acharner* (dérivé du mot *chair*) sur quelqu'un ou contre quelqu'un », comme un loup ou un vautour sur sa proie.
Mais qui ne voit combien ce sens métaphorique, le seul usité, est impossible au chapitre VI de S. Jean : 1° Il est toujours *péjoratif.* — 2° Il est poétique et demande à être préparé par le contexte. — 3° Il n'est pas usité en grec avec le verbe ἐσθίειν, surtout parallèle à πίνειν. — 4° Il est plus impossible encore avec le mot τρώγειν, que S. Jean emploie quatre fois (Jn. 6[54.56.57.58]), et qui veut dire « brouter, ronger, croquer » et seulement *manger* (toujours au sens propre) quand il est joint à πίνειν, dans l'expression « manger et boire ».

pour l'âme un aliment et pour le corps un gage d'immortalité ne désigne pas dans ce discours deux objets disparates, ou du moins différents, mais une même chose, décrite en traits de plus en plus précis, la communion au corps et au sang de Jésus-Christ dans le sacrement de l'autel. Saint Cyrille d'Alexandrie, le plus profond, sinon le plus éloquent, des interprètes de saint Jean, a bien raison d'affirmer qu'en disant : « Acquérez la nourriture impérissable que le Fils de l'homme vous donnera », le Christ songeait déjà à cet aliment eucharistique, dont il se réservait d'expliquer bientôt la nature [1].

Les Juifs ont maintenant bien compris ce que Jésus veut dire : il leur propose sa chair à manger, s'ils ont la foi en lui ; mais comme ils pensent à une scène de cannibales, la proposition leur paraît absurde, immorale, scandaleuse : « Comment cet homme peut-il nous donner sa chair à manger ? » L'explication du *comment* n'est pas de saison ; Jésus ne réclame en ce moment que la foi et, après ce qu'on lui a vu faire, il en a bien le droit. Il dira donc seulement quelle est la nécessité et quels sont les effets de ce céleste aliment :

En vérité, en vérité, je vous le dis, si vous ne mangez pas la chair du Fils de l'homme et si vous ne buvez pas son sang, vous n'aurez pas la vie en vous.

Qui mange ma chair et boit mon sang a la vie éternelle et je le ressusciterai au dernier jour ; car ma chair est une vraie nourriture et mon sang est un véritable breuvage.

Qui mange ma chair et boit mon sang demeure en moi et moi en lui. Comme mon Père le (Dieu) vivant m'a envoyé et que je vis par mon Père, ainsi celui qui me mange vivra par moi.

Voici le pain descendu du ciel. Ce n'est pas comme vos pères qui mangèrent (la manne) et moururent ; celui qui mange ce pain vivra éternellement.

1. Cyrille d'Alex. *In Joannem*, l. III, cap. 4 in fine (Migne, LXXIII. 481) « Il fait ici allusion à la nourriture mystique et spirituelle par laquelle sanctifiés de corps et d'âme, nous vivons en lui. Mais il le dit plu clairement dans la suite et c'est là que nous l'expliquerons. » Tole qui suit S. Cyrille. attribue la même exégèse à S. Augustin.

Pour enseigner le dogme catholique de la présence réelle,
Jésus-Christ pouvait-il choisir des termes plus clairs, plus
précis, plus énergiques, j'allais dire plus réalistes? Et s'il
n'avait dans l'esprit qu'une présence virtuelle, ou symbolique,
ou mystique, pouvait-il employer des termes plus obscurs,
plus impropres, plus contraires à l'usage reçu, plus capables
d'égarer les âmes bien disposées? Manger sa chair et boire
son sang, voilà ce qu'il répète jusqu'à neuf fois en quatre
versets, en se servant même d'un synonyme, intraduisible
en notre langue, mais encore plus rebelle au sens métaphorique. Les termes employés par Jésus ne peuvent s'entendre
que de l'action réelle exprimée par ces mots. Et pour couper
court à tout doute — si le doute restait possible — il est dit que
la chair du Fils de l'homme est une *vraie* nourriture, comparable à la manne dont les Israélites se nourrissaient dans le
désert et que son sang est un *véritable* breuvage, comme les
eaux miraculeuses de l'Horeb. « Manger la chair du Christ,
disent les protestants, c'est contempler la sainte vie du Seigneur, recevoir cette vie par le Saint-Esprit afin de la reproduire dans sa propre vie; boire son sang, c'est contempler
avec foi sa mort violente, en faire sa propre rançon et s'en
approprier l'efficace expiatoire[1]. » En voulant supprimer le
mystère, ils se rabattent sur une logomachie beaucoup plus
mystérieuse et plus incompréhensible, que les Juifs sont bien
excusables de n'avoir pas comprise. Mais, objecte-t-on, si
l'eucharistie n'avait pas été instituée, il faudrait bien se contenter du sens figuré; donc ce sens est possible. Hypothèse
chimérique et sophisme enfantin. Si Jésus-Christ n'avait pas
institué l'eucharistie, il ne l'aurait pas promise et nous n'aurions pas à interpréter le sens de sa promesse. Mais quand
l'eucharistie fut instituée, quelle clarté nouvelle en rejaillit
sur les termes de la promesse, faite un an à l'avance! Aussi
lorsque le Seigneur au Cénacle, tenant dans ses mains le
pain ou le calice, prononça les paroles sacramentelles, bien
faites pour étonner, les apôtres ne manifestèrent aucun étonnement et ne demandèrent aucune explication. C'est que,
sachant le Christ en possession des paroles de la vie éter-

1. Godet, *L'Evangile de S. Jean* [4], Neuchâtel (sans date), t. II, p. 459.

nelle, ils avaient cru fermement à la promesse dont ils voyaient maintenant avec bonheur la réalisation.

Les quelques écrivains du xvi⁰ siècle qui ne surent pas ou ne voulurent pas reconnaître le sens eucharistique, pourtant si évident, du discours de Jésus à Capharnaüm, doivent bénéficier d'une circonstance atténuante. Jean Huss et d'autres hérétiques en avaient abusé pour soutenir que la communion sous les deux espèces, ainsi que la communion des petits enfants, était de droit divin; et ils accusaient l'Église romaine de contredire, sur ces deux points, l'enseignement formel du Sauveur. Un système de défense très commode était de répondre qu'au chapitre vi de saint Jean il n'était pas question de l'Eucharistie. Cajetan l'adopta et sa réputation entraîna plusieurs théologiens et même un exégète de marque, Jansénius de Gand. Ils formèrent bientôt une minorité assez forte pour que le Concile de Trente jugeât bon de les ménager [1]. Mais ils tombèrent enfin dans un tel discrédit, que bien peu de gens aujourdhui, s'il s'en trouve encore quelqu'un, seraient disposés à les suivre.

L'eucharistie étant une nourriture, elle est aussi nécessaire à la santé et à la vie de l'âme que les aliments matériels à celles du corps. Faute de nourriture, notre corps dépérirait vite; comment donc notre âme, privée du pain eucharistique, pourrait-elle conserver longtemps la vie sans miracle? « Si vous ne mangez pas la chair du Fils de l'homme, vous n'aurez pas la vie en vous. » Assurément, la nécessité de l'eucharistie n'est pas aussi absolue que celle de la foi ou du baptême. Ce n'est pas ici le lieu d'en étudier la nature et l'étendue. Disons seulement que l'eucharistie, en fait ou en désir, est indispensable à la perfection de la vie chrétienne, parce que le corps mystique du Christ n'aurait pas sans elle son plein achève-

---

1. Cavallera, *L'interprétation du chapitre vi de saint Jean. Une controverse exégétique au concile de Trente,* dans *Revue d'Hist. eccl.* t. X 1909, p. 686-709. Le concile déclara que la communion sous les deux espèces ne ressort pas du chapitre vi de S. Jean, « utcumque secundum varias sanctorum Patrum et Doctorum sententias intelligatur » (sess. xxi cap. 1) : ce qui est rigoureusement vrai. L'opinion de Cajetan restait libre; mais l'adhésion graduelle des fidèles et des théologiens au sens eucharistique a modifié la situation.

ment[1]. Le lien qui unit intimement les fidèles entre eux et avec le Christ et qui constitue le corps mystique n'est-il pas un effet de l'eucharistie? « Comme il n'y a qu'un seul pain (eucharistique), dit saint Paul, nous sommes tous un même corps (mystique), nous tous qui participons à ce même pain (de l'eucharistie). » Et Jésus-Christ lui-même dans saint Jean : « Celui qui mange ma chair et boit mon sang demeure en moi et moi en lui. Comme mon Père, le (Dieu) vivant, m'a envoyé et que je vis par mon Père, ainsi celui qui me mange vivra par moi[2]. »

Il est impossible de concevoir une union avec Jésus-Christ plus intime que celle-là. Les Pères, pour en donner l'idée, ont recours à des expressions d'un réalisme qui nous surprend. « C'est, dit saint Cyrille d'Alexandrie, comme si l'on fondait ensemble deux morceaux de cire », de sorte qu'après le mélange les molécules des deux corps ne se distinguent plus. Une comparaison moins imparfaite serait peut-être celle du fer chauffé à blanc dans une fournaise. Le fer incandescent acquiert les propriétés du feu, la chaleur et la lumière; on peut dire que le feu est dans le fer et le fer dans le feu. Quelque chose d'analogue a lieu dans le communiant : cette nourriture divine a pour effet de le diviniser. Les aliments que nous prenons demeurent bien en nous en quelque façon, par les principes nutritifs qu'ils y déposent, mais on ne peut dire d'aucune manière que nous demeurons en eux. Au contraire, quand le pain eucharistique nous a transformés en lui, nous pouvons dire en toute vérité : « Je vis; non, ce n'est plus moi qui vis, c'est le Christ qui vit en moi. »

1, Sur la manière d'entendre la nécessité de l'eucharistie, on consultera M. de la Taille, *Mysterium fidei*, 1921, p. 287-317.

2. Jn. 6⁵⁸. Le latin *propter* pourrait suggérer un autre sens : « Comme je vis *pour* mon Père qui m'a envoyé, celui qui me mange vit *pour* moi. » En soi la pensée est juste : l'envoyé doit promouvoir les intérêts de son mandant et travailler *pour* lui et il est naturel que le communiant nourri du corps du Christ, vive et se dépense *pour* lui. Mais en grec la particule διά avec l'accusatif désigne la cause ou le moyen et les commentateurs latins ont raison d'expliquer le *propter* de la Vulgate comme s'il y avait *per*. Cf. 1 Cor. 10¹⁶⁻¹⁷.

Quelques-uns croient qu'en disant : « Je vis *par* mon Père », Jésus pense à sa génération éternelle, mais alors il dirait : « Je vis par mon Père *qui m'a engendré* » et non « Je vis par mon Père *qui m'a envoyé* ». Ces derniers mots marquent qu'il s'agit du Verbe incarné.

Je vis par lui, comme il vit lui-même par le Père qui l'a envoyé. Le Fils de Dieu vit de la vie du Père qui l'engendre éternellement; mais il s'agit ici du Verbe incarné. En vertu de l'union hypostatique, dont le Père a l'initiative et dont il est, par attribution, la cause efficiente, l'humanité du Christ vit d'une vie divine; non seulement elle a la grâce sanctifiante, mais elle possède la sainteté substantielle qui la rend digne d'adoration. Il en est de même, proportions gardées, dans l'union merveilleuse du Christ avec le communiant; non seulement l'âme est vivifiée par la grâce, mais le corps lui-même reçoit un germe d'immortalité glorieuse.

Le long dialogue sur la nature, les effets et la nécessité de l'eucharistie se divise en trois actes. Le premier a lieu sur le rivage, devant la foule qui cherchait Jésus et qui finit par le rencontrer; le second se déroule dans la synagogue de Capharnaüm, devant les Juifs ergoteurs et hostiles; le troisième se passe quelque part hors de la synagogue, devant les disciples déconcertés et les apôtres presque ébranlés [1].

Parmi les disciples qui s'attachaient aux pas de Jésus, beaucoup étaient tentés de revenir en arrière. Le mystère de l'eucharistie était trop fort pour ces néophytes. Ils disaient scandalisés : « Cette doctrine est dure; qui peut seulement l'écouter? » Jésus, connaissant bien leurs objections timides et leurs murmures secrets, leur dit : « Cela vous scandalise? Quand donc vous verrez le Fils de l'homme remonter là où il était d'abord », que direz-vous? Votre scandale durera-t-il toujours [2]?

---

1. On peut marquer ainsi les trois divisions : 1er partie (22-40). Les gens qui cherchent Jésus le trouvent à l'ouest du lac (v. 25), près de Capharnaüm et conversent avec lui. — 2e partie (41-59). Les Juifs hostiles murmurent (v. 41), Jésus leur répond; et cela se passe dans la synagogue de Capharnaüm (v. 59). — 3e partie (60-61). Conversation avec les apôtres et d'autres disciples, vraisemblablement hors de la synagogue et un autre jour.

2. Jn. 6^{63}. Cette question, où le lecteur est obligé de suppléer la réponse s'entend en deux sens contraires. La première explication, qui est celle de S. Cyrille, de S. Augustin, de S. Thomas et de beaucoup d'autres commentateurs anciens et modernes, supplée la réponse : *Votre scandale cessera* ou *Vous serez moins scandalisés*. C'est celle que nous avons adoptée. La seconde explication supplée la réponse : *Vous serez*

Le Seigneur réclame de ses disciples un acte de foi sans
réserve. Il les renvoie pour le moment au triomphe de son
ascension. Alors ils comprendront — s'ils sont capables de
rien comprendre — que celui qui remonte au ciel d'où il était
descendu avait qualité pour leur parler des choses célestes et
pour imposer à leur foi des doctrines mystérieuses. Ils comprendront aussi que la manducation de son corps glorifié et
spiritualisé n'a rien de commun avec un festin de cannibales.
Qu'ils élèvent leur pensée plus haut, au-dessus de la chair,
car « c'est l'esprit qui vivifie » ; la chair toute seule, séparée
de l'esprit, n'a pas de valeur et « ne sert de rien ».

Les disciples démoralisés n'écoutaient plus. Ils s'en allaient
les uns après les autres et Jésus, le cœur navré de les voir
partir, ne faisait rien pour les arrêter[1]. S'il n'avait voulu
parler que d'une manducation purement spirituelle, si com-
munier à son corps et à son sang c'était simplement y penser,
ou méditer sur la mort rédemptrice, il n'avait qu'un mot à
dire pour les détromper et les ramener à lui ; et ce mot il ne
le dit pas. Ah! s'écrie Bossuet, « cela n'est pas de vous, mon
Sauveur, cela assurément n'est pas de vous ; vous ne venez
pas troubler les hommes par de grands mots pour n'aboutir
à rien. »

La désertion continue des disciples faisait le vide autour de
Jésus et l'on put craindre un instant que le découragement ne
gagnât même les apôtres. « Vous aussi, leur dit-il un jour,
voulez-vous vous en aller? » Simon Pierre, bien sûr d'exprimer
le sentiment de tous ses collègues, répondit sans un moment
d'hésitation : « Seigneur, à qui irions-nous? Vous avez les
paroles de la vie éternelle ; nous avons cru et nous savons que
vous êtes le saint de Dieu. » Pierre n'a pas encore fait la
confession de foi qui lui vaudra la dignité de chef de l'Église :

encore plus scandalisés. Elle a aussi de nombreux partisans : Maldonat,
Tolet, Corluy, Lagrange, etc. Au lecteur de choisir.
    1. Jn. 6⁶¹⁻⁷². Notez que ces mots : « Jésus dit cela enseignant dans la
synagogne de Capharnaüm » (Jn. 6⁶⁰), mettent le point final au discours
prononcé dans la synagogue. Tout ce qui suit — paroles et actions —
jusqu'à la fin du chapitre, peut s'être passé ailleurs, assez longtemps
après. Il fallut un certain temps pour constater le vide qui se faisait
autour de Jésus.

« Vous êtes le Christ, le Fils du Dieu vivant », mais il donne aujourd'hui à son Maître un titre équivalent, car le saint de Dieu, participant d'une manière unique et incommunicable à la sainteté infinie, place Jésus dans la sphère des réalités divines.

Pierre s'abusait-il en croyant se faire le porte-parole des Douze? L'un d'eux, restant de corps à côté de Jésus, devait le trahir un jour, s'il ne l'avait déjà trahi dans son cœur. Le Seigneur essaya de le retenir sur la pente où il glissait, en lui montrant qu'on n'était pas dupe : « Ne vous ai-je pas choisis tous les douze? Eh bien! l'un de vous est un démon. » Mais ce terrible avertissement n'eut pas plus d'effet que les autres; le fils de perdition courait à sa perte de gaîté de cœur. Rien n'était plus capable de le toucher.

CHAPITRE IX

LE PARALYTIQUE DE BÉTHESDA

1. Les incidents de la guérison (Jean, v, 1-18).

La guerre déclarée à Jésus par les pharisiens de Galilée allait s'allumer encore plus ardente dans la Palestine méridionale. Ce fut la guérison d'un paralytique, le jour du sabbat, qui déchaîna les haines.

Le Sauveur se trouvait à Jérusalem à l'occasion d'une fête dont la date est incertaine[1]. Si nous lisons dans le texte de saint Jean, selon de bons manuscrits, *la fête des Juifs*, ce ne pourra être que la Pâque, la principale solennité du cycle liturgique, ou peut-être la fête des Tabernacles, célébrée alors avec tant d'éclat qu'elle passait, aux yeux de plusieurs, pour la fête juive par excellence. Si au contraire, avec d'autres autorités, nous lisons *une fête des Juifs*, ce sera quelque fête de second ordre, telle que la Pentecôte, moins connue des païens, ou la fête du nouvel an civil, qui tombait vers la fin de septembre, ou enfin la fête des Sorts (Pourîm), célébrée un mois avant la Pâque pour commémorer la délivrance

---

1. Jn. 5⁴. Faut-il lire ἑορτή, « *une* fête », ou ἡ ἑορτή, « *la* fête » ? L'article défini ἡ est accepté par Tischendorf, rejeté par Hort, mis entre crochets comme douteux par Vogels et von Soden. Les versions coptes ont l'article. Les versions latines ne donnent aucune lumière, car *dies festus* signifie *la* fête aussi bien qu'*une* fête. Il en est de même des versions syriaques. Les motifs qu'on peut avoir eu d'omettre ou d'ajouter l'article nous paraissent à peu près de même valeur.

S. Chrysostome et S. Cyrille d'Alexandrie croient que la fête innommée était la Pentecôte. S. Irénée (*Haereses*, II, xxii, 3) pense que c'était la Pâque, mais comme il ne compte que trois Pâques, durant la vie publique du Christ, il faut nécessairement identifier la Pâque de Jn. 5⁴ avec la Pâque de Jn. 6⁴.

des Juifs, sous Esther et Mardochée. Mais on a des raisons
sérieuses, que nous exposons ailleurs, de transposer cet épisode après la première multiplication des pains, bien que
saint Jean le raconte avant[1]. Dès lors la fête en question ne
saurait être que la Pâque, qui était imminente au moment de
la multiplication des pains et à laquelle Jésus n'avait encore
aucun motif de ne pas assister, puisque son éloignement
prolongé de Jérusalem aura justement pour cause la tentative des Juifs de le mettre à mort, après la guérison du
paralytique.

A Jérusalem, près de la porte Probatique, il y a une pis-
cine appelée en hébreu Béthesda, qui a cinq portiques. Sous
ces portiques, une foule d'infirmes, aveugles, boiteux, per-
clus, étaient couchés (attendant le bouillonnement de l'eau).

La porte Probatique ou des Brebis, était située au nord du
Temple et l'on suppose qu'on la nommait ainsi parce qu'elle
donnait passage aux nombreux troupeaux de moutons destinés aux sacrifices. En dehors de la porte, dans le faubourg
septentrional qui n'était pas encore entouré de murs, se
trouvait la piscine appelée Béthesda (maison de miséricorde),
dont on a récemment découvert les restes, près de l'église
française de Sainte-Anne. Il est curieux de constater que le
plan de l'édifice concorde exactement avec la description
qu'en fait Origène. C'était un vaste réservoir de forme rectangulaire, bordé de portiques sur ses quatre faces, avec un
portique central qui le coupait en deux bassins distincts. On
ignore quelle source ou quel canal pouvait l'alimenter[2].

1. *Concorde des Évangiles*, à la fin du volume.
2. *La piscine de Béthesda.* Jusqu'à ces derniers temps on l'identifiait
avec l'immense réservoir (*Birket Israel*) de 118 mètres de long sur 38 de
large, dont le fond, rempli de terre et de débris, est à 21 mètres au-
dessous de l'esplanade du Temple. Ce bassin occupe l'ancien fossé de
la ville, entre le Temple et le mont Bézétha.
   La vraie piscine de Béthesda était un peu plus au nord, dans l'enclos
actuel des Pères Blancs qui y ont pratiqué des fouilles intéressantes,
souvent gênées par le voisinage de propriétés étrangères. On en trouvera la description détaillée (avec gravures) dans Abel-Vincent, *Jéru-*
salem, t. II, 1926, p. 685-698.
   Le nom de piscine *Probatique* lui vient de la Vulgate *actuelle :* « Est
autem Jerosolymis Probatica piscina quae cognominatur Hebraice Bethsaida. » S. Jérôme avait mis : « Est autem Hierosolymis, super Probatica
(sous-entendu *porta*), piscina quae, etc. » (cf Wordsworth-White, *Nov.*

D'où provenait le bouillonnement qui, par intervalles,
agitait la surface de l'eau? La Vulgate actuelle nous le dit
clairement : « L'Ange du Seigneur descendait de temps à
autre dans la piscine et l'eau s'agitait; et le premier qui
descendait dans la piscine après l'agitation de l'eau était
guéri de son mal, quel qu'il fût. » Mais ce verset manque dans
le texte original de saint Jean et il manquait aussi, très
probablement, dans la Vulgate, telle qu'elle sortit des mains
de saint Jérôme. S'il est authentique, cette cure infaillible,
venant à point nommé, toujours limitée à un bénéficiaire
unique et dont la raison d'être morale échappe à l'esprit,
serait le miracle le plus extraordinaire qui soit rapporté
dans l'Écriture. Ce qui est bien certain, c'est que le peuple
croyait à la vertu curative de cette eau et attribuait l'agitation
intermittente à un agent surnaturel[1].

Miracle ou non, le bouillonnement de la piscine, qui se
produisait peut-être à des intervalles assez réguliers, comme
il arrive encore aujourd'hui pour l'unique source de Jéru-

Testam. latine, t. I, 1898, p. 532.), ce qui répond exactement au grec :
Ἔστιν... ἐπὶ τῇ Προβατικῇ (sous-entendu πύλη), κολυμβήθρα κτλ. C'est la
porte et non pas la piscine qu'on appelait Probatique. L'existence de
cette porte Probatique est historiquement certaine; elle était au nord
du Temple (Nehem. 3[1] *porta Gregis*, πύλη Προβατική; 3[21]; 12[38]).
  Le nom de la piscine, dans les manuscrits grecs et les versions, a de
nombreuses variantes : *Bethesda, Bethzetha, Belzetha*, etc. *Bethsaida* est
certainement erroné. Nous maintenons Béthesda (maison de miséricorde)
avec Vogels, Weiss et autres critiques.
  1. Les éditeurs critiques omettent généralement le verset 4 parce que :
a) il manque ou est marqué d'un obèle dans les meilleurs manuscrits
grecs (A B C D, etc.) et les plus anciennes versions (syr.-cur., sah., lat.,
[d f l q]); — *b*) il se présente dans les autres témoins du texte avec de
nombreuses variantes, des omissions et des interversions : signes ordinaires d'inauthenticité.
  Les éditeurs anglais de la Vulgate l'omettent pour les mêmes raisons,
car deux des plus anciens manuscrits ne l'ont pas et ceux qui l'ont le
donnent sous trois formes diverses, ayant chacune des variantes secondaires. — L'addition se comprend beaucoup mieux que l'omission. Il
était naturel de suppléer au silence de S. Jean pour expliquer l'agitation
de l'eau et justifier la croyance populaire. C'est ce que fait S. Augustin
qui certainement ne lisait pas notre verset 4 (*In Joann. tract.* XVII, n° 3) :
« Subito videbatur aqua turbata et a quo turbabatur non videbatur.
Credas hoc angelica virtute fieri solere. » Les derniers mots du verset 3
(exspectantium aquae motum), beaucoup mieux attestés que le v. 4,
sont conservés par les éditeurs anglais de la Vulgate.

salem, appelée par les chrétiens Fontaine de la Vierge, attirait sous les portiques un grand nombre d'infirmes. Parmi
eux il y avait un paralytique dont le mal remontait à trente-
huit ans. Jésus, le voyant étendu sur sa natte, fut touché de
compassion et lui dit : « Veux-tu (vraiment) guérir ? » Ce
n'est pas qu'il en doutât, mais il se proposait d'exciter sa foi,
en faisant briller à ses yeux la perspective d'une guérison
qui ne dépendrait que de sa volonté. L'infirme s'empressa de
répondre : « (Oui), Seigneur, (mais) je n'ai personne pour
me jeter dans la piscine au premier mouvement de l'eau.
Pendant que j'y vais, un autre y descend avant moi. » Jésus
lui dit : « Lève-toi, prends ton grabat et marche. » Le perclus
se sentant guéri s'en alla aussitôt en emportant, comme le
Seigneur le lui avait ordonné, la natte qui lui servait de
couchette.

Il venait d'enfreindre, sans le savoir, le repos sabbatique
tel que les scribes et les pharisiens l'avaient réglementé.
Dans la liste des trente-neuf travaux interdits le jour du
sabbat, figurait la défense de porter un fardeau d'un endroit
à l'autre. Était considéré comme fardeau tout ce qui ne servait ni de vêtement ni de parure. Par une inconséquence
bizarre, il était permis de transporter un malade dans son lit,
le lit étant alors considéré comme un accessoire tenant à la
personne — ce qui explique la présence du paralytique près
de la piscine — mais le transport du lit tout seul restait
prohibé. Le miraculé, ne le soupçonnant pas, s'en allait la
conscience tranquille quand les Juifs rigoristes l'apostrophèrent : « C'est aujourd'hui le jour du sabbat, il ne t'est pas
permis d'emporter ta couchette. » Comme il alléguait naturellement pour s'excuser l'ordre formel de celui qui l'avait
guéri, ils lui demandèrent qui c'était, mais lui n'en savait
rien ; car Jésus, désireux d'éviter toute manifestation bruyante
et intempestive, s'était aussitôt perdu dans la foule.

Le soir même, selon toute apparence, Jésus le rencontra
dans le Temple comme par hasard et lui donna ce grave
conseil : « Te voilà guéri maintenant, ne pèche plus de peur
qu'il ne t'arrive quelque chose de pire. » Les maux physiques ne sont pas toujours le châtiment du péché — nous
verrons le Sauveur combattre l'opinion erronée de ses con-

temporains — mais ils le sont quelquefois et il semble bien
qu'il en fût ainsi dans le cas présent.

Le miraculé, n'ayant pas reçu défense de parler, s'empressa
d'aller tout raconter aux pharisiens, s'imaginant peut-être,
cet homme simple, que la puissance surnaturelle du Christ,
proclamée bien haut, désarmerait la fureur de ses ennemis.
C'était mal les connaître. Ils redoublèrent de rage, sous prétexte que, non content de violer la loi lui-même, Jésus la faisait violer aux autres.

Ce qu'il dit pour se justifier n'était pas de nature à les
apaiser. « Mon Père agit jusqu'à présent (sans excepter le
jour du sabbat) et moi aussi j'agis (comme lui) [1]. » Le repos
du sabbat fut institué pour commémorer le repos de Dieu au
septième jour de la création [2]. Dieu, disaient les rabbins, est
le premier à nous en donner l'exemple. Il ne ressemble pas
aux princes qui imposent les lois aux autres sans s'y astreindre
eux-mêmes. Mais le sens commun faisait justice de leurs
arguties [3]. Il est évident que le repos de Dieu, après l'œuvre
de la création, n'est pas absolu; il soutient le monde au-dessus
du néant par la continuation de l'acte créateur, il le gouverne
par sa providence : « Dieu, écrivait Philon, ne cesse pas
d'agir, car l'action lui est aussi essentielle que la chaleur au
feu; d'autant plus qu'il est pour tous les êtres un principe
d'activité [4]. »

En d'autres occasions, quand les scribes lui reprochaient
de violer le repos sabbatique, Jésus se retranchait derrière

1. Jn. 5[17] : Ὁ πατήρ μου ἕως ἄρτι ἐργάζεται, κἀγὼ ἐργάζομαι. « *Mon Père
agit jusqu'à présent* (c.-à-d. n'importe quand, sans être arrêté par l'institution du sabbat, qui commémore le repos de Dieu au septième jour de
la création, Gen. 2[2]) *et moi aussi j'agis*. » Le parallélisme exige de sous-
entendre « pareillement, comme lui » ou mieux de faire rapporter ἕως
ἄρτι aux deux membres. Notez qu'il n'y a pas « J'agis *avec* mon Père »,
je partage son activité, ce qui devrait nécessairement s'entendre de la
nature divine, mais « Moi aussi j'agis », ce qui peut s'entendre de la
personne du Verbe, agissant par la *nature humaine* dans l'œuvre de la
rédemption.
2. Gen. 2[1.3]; Ex. 20[11]; 31[17].
3. Billerbeck, *Kommentar*, t. II, p. 462.
4. Philon, *Legum alleg.*, I, 3 (Mangey, t. II, p. 44). De même Aristobule, dans Eusèbe, *Praepar. evang.*, XIII, XII, 11 et Clément d'Alexandrie, *Stromates*, VI, 10 (éd. Staehlin, p. 504).

cette maxime de sens commun que le sabbat est fait pour
l'homme et non l'homme pour le sabbat et que par conséquent le service de Dieu ou le devoir supérieur de la charité
fraternelle primait l'obligation du repos sabbatique. Une fois
même il avait dit que le Fils de l'homme est maître du sabbat.
Aujourd'hui il tire la conséquence de ce principe, en reven-
diquant le droit d'agir en toute indépendance, sans tenir
compte du sabbat, comme agit son Père céleste. Les scribes
comprirent très bien qu'en appelant Dieu son Père, il éta-
blissait entre Dieu et lui une relation unique et incommunicable, fondée sur la communauté de nature et fort différente
de celle dont pouvaient se targuer les enfants d'Israël et
qu'ainsi, en s'arrogeant le droit d'agir à l'égal de son Père,
il se proclamait Dieu. « Car s'il n'était pas vraiment Dieu,
remarque justement saint Chrysostome, sa prétention serait
aussi impie qu'extravagante. » Il fallait, pour l'afficher, la
démence d'un Caligula.

L'exaspération des Juifs devint telle qu'ils cherchaient à
faire mourir Jésus, parce que, non content de violer le sabbat,
« il appelait Dieu son Père et s'égalait à Dieu » ; la haine les
rendait perspicaces et ils raisonnaient mieux que ne feront
plus tard les sectateurs d'Arius.

II. L'action et le rôle du Fils de Dieu (Jean, v, 19-30).

Jésus prit occasion de l'incident du paralytique pour exposer ses rapports avec Dieu et avec le monde et pour en
appeler au témoignage de son Père; mais il est possible que
ces enseignements un peu disparates n'aient pas tous été
donnés le même jour ni devant le même auditoire.

*En vérité, en vérité, je vous le dis, le Fils ne peut rien
faire de lui-même s'il ne le voit faire à son Père : ce que
fait le Père, le Fils le fait pareillement ; car le Père aime
le Fils et il lui montre tout ce qu'il fait et il lui montrera
des œuvres plus grandes encore pour vous frapper d'étonnement. En effet comme le Père ressuscite les morts et
donne la vie, de même le Fils donne la vie à qui il veut.*

Le Père ne juge personne ; il a remis au Fils le jugement

*tout entier, afin que tous honorent le Fils comme ils hono-
rent le Père. Celui qui n'honore pas le Fils n'honore pas
le Père qui l'a envoyé.*

*En vérité, en vérité, je vous le dis, celui qui écoute ma
parole et croit à celui qui m'a envoyé a la vie éternelle
et il n'est pas mis en jugement, mais il passe de la mort
à la vie.*

*En vérité, en vérité, je vous le dis, l'heure vient, elle est
déjà venue, où les morts entendront la voix du Fils de Dieu
et ceux qui l'auront entendue vivront; car, comme le Père
a la vie en lui-même, ainsi il a donné au Fils d'avoir la vie
en lui-même; et il lui donne tout pouvoir de juger parce
qu'il est le Fils de l'homme.*

*Ne vous étonnez pas de (de m'entendre dire) que l'heure
vient où ceux qui sont dans les tombeaux entendront sa
voix et en sortiront pour aller, les bons à la résurrection
de vie, les méchants à la résurrection de jugement.*

*Je ne puis rien faire de moi-même; je juge selon ce que
j'entends; et mon jugement est juste, car je ne cherche
pas ma volonté mais la volonté de celui qui m'a envoyé*[1].

Les trois grands docteurs de l'Église qui ont commenté le
quatrième Évangile — Jean Chrysostome, Cyrille d'Alexandrie
et Augustin — anxieux avant tout de combattre l'arianisme,
encore si redoutable, n'envisagent guère ici que le Verbe,
recevant du Père, en vertu de la génération éternelle, la
science et la puissance, avec la nature divine, et n'ayant avec

---

1. Une vie de Jésus-Christ ne peut donner qu'une idée très sommaire
d'un texte si riche en doctrine, surtout quand beaucoup de détails sont
sujets à controverse.
Les controverses portent sur deux points principaux.
A. « Le Fils ne fait que ce qu'il *voit* faire au Père. » S'agit-il du Verbe
en tant que Verbe (S. Augustin, S. Cyrille, S. Thomas, etc.)? ou bien
du Verbe fait homme (Maldonat et d'autres interprètes) ?
B. « Le Fils *vivifie* les morts comme le Père. » S'agit-il de la vie du
corps (S. Chrysostome, S. Cyrille, S. Hilaire et la plupart des commentateurs), ou de la vie de l'âme (S. Augustin et plusieurs modernes,
tant catholiques que protestants), ou bien de l'une et de l'autre : de
la vie de l'âme spécialement au v. 21, où le mot *vivifier* est pris dans
son sens général, de la vie du corps au v. 25, où il est question de la
résurrection des morts ?
Les raisons pour et contre seraient longues à déduire.

le Père qu'une seule et même opération. Bossuet résume
bien leur pensée en quelques phrases nerveuses : « Si le
monde a été, c'est que mon Père l'a fait, et moi aussi ; si le
monde continue d'être, c'est que mon Père le conserve, et
moi aussi. Il a fait et il fait tout par son Fils : *Le Fils ne
fait rien de soi, et il ne fait que ce qu'il voit faire à son
Père.* Y a-t-il un monde que le Père n'ait fait ? à Dieu ne
plaise : le Père fait tout ce qu'il fait par son Fils et le Fils ne
fait rien que ce qu'il voit faire, comme il ne dit rien que ce
qu'il entend dire. Mais comment lui parle-t-on ? En l'engen-
drant ; car, au Père éternel, parler c'est engendrer ; prononcer son Verbe, sa parole, c'est lui donner l'être. De
même, lui montrer tout ce qu'il fait, lui découvrir le fond de
son être et de sa puissance, en un mot lui ouvrir son cœur,
c'est l'engendrer... Le Fils ne dit rien que ce qu'il entend,
il ne fait rien que ce qu'il voit faire, mais entendre son Père
et voir ce qu'il fait et ce qu'il est, c'est naître de lui. *Ce que
le Père fait, le Fils le fait semblablement. Le Père ressuscite qui il lui plaît, et le Fils ressuscite aussi qui il lui plaît,*
avec une pareille autorité, parce que son autorité, comme sa
nature, est celle du Père [1]. »

Tous les exégètes ne seraient pas disposés à suivre Bossuet jusqu'au bout, nonobstant l'appui des Pères dont il peut
se réclamer. Ils n'admettraient pas volontiers que lorsque
Dieu *montre* une chose à son Fils, cela signifie qu'il l'*engendre,* ni que lorsque le Fils *voit faire* une chose à son
Père, cela veut dire qu'il est *engendré* par lui. Ils se sont
toujours demandé si Jésus parle ici comme Dieu ou comme
homme, ou tantôt comme homme et tantôt comme Dieu.
Mais, dans cette alternative, il y a un moyen terme. Entre la
nature divine et la nature humaine, il y a la personne du
Verbe, qui est le trait d'union entre les deux natures ; et
entre l'action divine et l'action humaine, il y a l'action théan-
drique, où coopèrent les deux natures : le Verbe incarné ne
serait pas Sauveur s'il n'était à la fois Dieu et homme et s'il
n'agissait en même temps comme homme et comme Dieu.

---

1. Bossuet (*Méditations sur l'Évangile,* 87ᵐᵉ jour) s'inspirant surtout
de S. Augustin (*In Joannem.* Tractat. XVIII-XXII).

Si cette maxime générale *Mon Père agit jusqu'à présent et moi j'agis* doit s'entendre du Verbe indépendamment de l'incarnation et marque la communauté d'opération du Fils et du Père, tellement que le Fils ne fait rien sans le Père ni le Père sans le Fils, presque tout le reste désigne clairement le Verbe incarné, le Fils de Dieu fait homme. En effet Jésus-Christ s'y donne, à plusieurs reprises et avec insistance, comme l'envoyé de Dieu, l'agent de la résurrection, celui à qui le jugement a été confié, *parce qu'il est Fils de l'homme*. Quand il affirme qu'il ne fait rien que ce qu'il voit faire à son Père, cette assertion s'étend-elle à la création et à la conservation du monde? N'est-elle pas restreinte par le contexte à l'œuvre rédemptrice? L'explication qui lui est jointe nous autorise à le croire : « Car le Père aime le Fils et il lui montre tout ce qu'il fait et il lui montrera des œuvres plus grandes encore, afin que vous croyiez. » Il ne lui montrera pas des œuvres supérieures à la création et à la conservation du monde, mais plus excellentes dans l'exécution du plan rédempteur. En vertu de la génération éternelle, le Père communique bien au Fils la puissance et l'intelligence en même temps que la nature, mais montrer, pour dire engendrer, serait une expression bien singulière, d'autant plus que ce n'est point parce qu'il aime le Fils que le Père l'engendre. Par contre, tout cela s'entend, sans violence et sans aucune subtilité d'exégèse, du Verbe incarné. L'union hypostatique est un effet de l'amour du Père, qui dirige en tout l'action du Christ, qui lui a fait concevoir et exécuter de grandes choses dans le passé et lui donnera d'en accomplir de plus grandes encore dans l'avenir.

En envoyant son Fils au monde pour racheter le monde, le Père qui l'aime lui remit en mains toute chose : *Pater diligit Filium et omnia dedit in manu ejus*. Il lui donna le pouvoir de ressusciter les morts; le pouvoir de communiquer la vie surnaturelle qu'il possède de plein droit et le pouvoir de juger tous les hommes.

Il y a deux résurrections : celle des âmes et celle des corps; la première est limitée à ceux qui entendront sur la terre la voix du Fils de l'homme, la seconde s'étend à tous ceux qui,

bon gré mal gré, entendront son appel à la fin des temps. Le
Verbe incarné est l'agent de l'une et de l'autre. « Comme le
Père a la vie en lui-même, ainsi il a donné au Fils d'avoir la
vie en lui-même. » Le Fils n'est pas seulement canal ou
ruisseau, mais source de vie surnaturelle ; car, du fait de
l'incarnation, il possède toute la plénitude de la divinité. « Parce
qu'il est Fils de l'homme, le Père lui a donné le pouvoir de
juger. » Il convenait en effet que le chef de l'humanité, son
sauveur et son rédempteur, son représentant auprès de Dieu,
en fût constitué le juge suprême. On n'a à craindre de lui ni
injustice ni arbitraire ; « car il ne peut rien faire de lui-même
et il ne fait pas sa volonté propre, mais la volonté de celui qui
l'a envoyé ». Il est auteur de la vie en tant que Dieu et il est
juge en tant qu'homme ; mais il est l'un et l'autre parce que
le Verbe incarné réunit les deux natures dans une même
personne.

III. Les témoins de sa mission divine (Jean, v, 31-47).

La place que Jésus s'arroge à côté de son Père et le rôle
qu'il revendique dans la rédemption du monde exigent des
preuves. Qui répond pour lui ? où sont ses garants ? qu'il les
produise s'il veut qu'on le croie, car sa parole est insuffisante.
Il pressent cette objection et la prévient. Les témoins ne lui
manquent point ; mais il va produire celui qui les remplace tous.

Si je me rends témoignage à moi-même, mon témoignage
n'est pas vrai (n'est pas valable) ; *soit ! Il y en a un autre qui*
me rend témoignagne et je sais que le témoignage qu'il me
rend est vrai.

Vous envoyâtes (autrefois une ambassade) *à Jean et il*
rendit témoignage à la vérité. Ce n'est pas que je me réclame
du témoignage d'un homme ; mais je dis ceci dans l'intérêt
de votre salut. Jean était le flambeau qui brûle et qui luit ;
et un moment vous vous êtes réjouis à sa lumière.

Moi, j'ai un témoignage supérieur à (celui de) *Jean. Les*
œuvres que le Père m'a donné d'accomplir, ces œuvres que
je fais, me rendent témoignage que le Père m'a envoyé.

Et le Père qui m'a envoyé me rend aussi témoignage. (Mais)

vous n'avez ni entendu sa voix ni contemplé sa face; et sa parole ne demeure pas en vous, parce que vous ne croyez pas à celui qu'il a envoyé.

Vous scrutez les Écritures, parce que vous pensez qu'elles contiennent la vie éternelle. Eh bien! ce sont elles qui me rendent témoignage. Et vous ne voulez pas venir à moi pour posséder la vie.

Je ne cherche pas la gloire des hommes, mais je vous connais pour n'avoir pas en vous l'amour de Dieu. Je suis venu au nom de mon Père et vous ne m'avez pas reçu; si un autre vient en son propre nom, vous le recevrez.

Comment pourriez-vous croire, vous qui tirez la gloire les uns des autres et qui ne recherchez pas la gloire qui vient de Dieu seul?

Ne pensez pas que je vous accuserai auprès du Père; celui qui vous accuse c'est Moïse en qui vous avez mis votre espérance. Si vous croyiez Moïse vous croiriez en moi, car il a écrit sur moi. Mais si vous ne croyez pas à ses écrits, comment croirez-vous à mes paroles?

Ailleurs Jésus en appelle à sept témoins : sa parole, ses miracles, Jean-Baptiste, l'Écriture, Dieu le Père, les apôtres, le Saint-Esprit. Mais le témoignage du Saint-Esprit et des apôtres est encore prématuré; il le réserve pour l'avenir. Il ne veut pas invoquer ici son propre témoignage; non pas que ce témoignage soit sans valeur, il le fera valoir en d'autres circonstances; mais aujourd'hui ses adversaires le récusent en vertu de cet axiome de droit que nul n'est admis à témoigner en sa propre cause. Il ne s'appuiera pas davantage sur le témoignage de Jean. Il le pourrait sans doute, puisque Jean était un flambeau allumé par Dieu pour éclairer les hommes de sa lumière : ce que les Juifs eux-mêmes avaient compris autrefois. Mais il n'a pas besoin de ce témoignage; il en a un qui vaut cent fois mieux et qui lui suffit : celui de son Père.

Le témoignage du Père n'est pas celui qu'il rendit à son Fils sur les bords du Jourdain au moment du baptême, à plus forte raison, celui qu'il lui rendra plus tard, au sommet du Thabor, lors de la transfiguration; il s'agit d'un témoignage permanent, que chacun peut constater et contrôler à toute

heure et qui porte en soi le cachet du divin. Ses miracles et, d'une manière plus générale, les *œuvres* que son Père lui donne d'accomplir sont des lettres de créance signées de la main de Dieu, le sceau qui authentique sa mission. Voilà un témoignage que personne ne peut récuser, à moins de fermer les yeux à l'évidence. Les Juifs objecteraient vainement qu'ils n'ont pas, comme Moïse, entendu la voix de Dieu, qu'ils n'ont pas contemplé sa face : faveur que Moïse lui-même ne put obtenir. Cela n'est pas nécessaire pour croire. Il suffit que la parole de Dieu, consignée dans l'Écriture, soit vivante et agissante en leur âme. Mais c'est là justement ce qui leur manque [1].

Ils scrutent l'Écriture [2]; ils en comptent les mots, les lettres, les accents; ils l'honorent à leur manière et confessent qu'elle enseigne la voie du salut. Le Seigneur ne les en blâme point. Mais ils n'apportent pas à cette étude les dispositions voulues : la simplicité et l'humilité. Jésus les connaît bien; il sait qu'ils n'ont pas en leur cœur l'amour de Dieu. Or, en matière de foi, l'esprit sans le cœur est une lumière incomplète. Ils cherchent, dans leur interprétation de la parole inspirée, l'estime et les louanges des hommes plus que la gloire de Dieu. C'est ce qui les empêche de croire des vérités qui dérangeraient leurs calculs ou leurs rêves. Le mystère de leur incrédulité trouve là son explication : s'ils ne croient pas au Christ, c'est qu'ils ne croient pas à Moïse.

---

1. Jn. 5[37-38] : « Le Père qui m'a envoyé a rendu témoignage de moi. Vous n'avez ni entendu sa voix ni vu sa face et vous n'avez pas sa parole demeurant en vous, parce que vous ne croyez pas à celui qu'il a envoyé. » Le raisonnement, assez obscur, semble se présenter ainsi. Vous ne pourriez percevoir le témoignage de mon Père que par les sens extérieurs (l'ouïe et la vue) ou par l'inspiration intérieure. Or vous n'avez ni vu ni entendu Dieu — vous n'y prétendez pas et je ne vous en fais pas un reproche — et votre intelligence n'est pas éclairée de la lumière de Dieu, car elle ne pourrait l'être que si vous ajoutiez foi à son envoyé. Le témoignage divin, tout réel qu'il est, reste donc pour vous comme non avenu.

2. Jn. 5[39] : *Scrutamini Scripturas* (Ἐραυνᾶτε τὰς γραφάς). La question est de savoir si, en grec et en latin, il faut prendre le verbe à l'indicatif (Vous scrutez les Écritures) ou à l'impératif (Scrutez les Écritures). Les Pères, sauf S. Cyrille d'Alexandrie, sont en général pour l'impératif. Néanmoins presque tous les auteurs modernes préfèrent l'indicatif qui cadre mieux avec la raison donnée : « Parce que vous pensez trouver en elles la vie éternelle. » L'impératif réclamerait plutôt ceci : « Parce qu'en elles se trouve la vie éternelle. »

CHAPITRE X

AUX ALENTOURS DE LA GALILÉE

I. Départ pour le pays de Tyr et de Sidon.

Après le miracle de Béthesda et le discours dont il le fit
suivre, Jésus s'éloigna pour un temps de Jérusalem, jusqu'à
ce que l'effervescence fût un peu calmée. « Il parcourait la
Galilée, dit saint Jean, ne voulant pas aller en Judée, parce
que les Juifs cherchaient à le faire mourir[1]. » La Galilée elle-
même n'était pas pour lui un pays très sûr, car les dispositions
d'Hérode Antipas à son égard étaient équivoques et des émissaires de Jérusalem le poursuivaient jusque dans sa patrie.
Ceux-ci n'espéraient pas sans doute, si loin de leurs compères,
prendre Jésus de force, mais ils venaient l'espionner et tenter
de lui aliéner les esprits et les cœurs. Faute d'imputation
plus sérieuse, ils se rabattirent sur un grief mesquin. Ils
avaient remarqué que ses disciples négligeaient de se laver
les mains avant de se mettre à table. On voit bien qu'il s'agit
de scribes venus de Jérusalem : les Galiléens, en général, ne
poussaient pas si loin le scrupule; mais les pharisiens, surtout
ceux de Judée, ne manquaient jamais à cette observance, qu'ils
regardaient comme sacrée et qu'ils faisaient remonter au roi
Salomon. On versait de l'eau, à deux reprises, sur chacune
des mains, la seconde ablution ayant pour but de compléter la
première; car celle-ci, disait-on, ayant attiré l'impureté des
mains sur elle, avait besoin d'être purifiée à son tour. A ce
compte, en bonne logique, les purifications n'auraient pas eu

1. Jn. 7⁴. Tout cela est fort naturel si l'on admet la transposition des
chapitres v et vi. Le chap. vii fait suite au chap. v.

de fin. La quantité d'eau nécessaire, le point de la main que l'ablution devait atteindre, tout était prévu et réglementé avec une minutieuse rigueur. Quand le Juif dévot revenait du marché, où il était exposé à des contacts impurs, cette ablution sommaire ne suffisait pas. Il fallait plonger les mains dans l'eau courante ou dans un récipient contenant au moins un demi-hectolitre d'eau pure. Telle était la théorie, inapplicable dans un pays aussi pauvre en eau que la Judée. Les purifications des vases de métal, de cuir, de bois, d'argile, étaient une science si complexe qu'elle remplit tout un traité du Talmud.

Les scribes et les pharisiens de Jérusalem, scandalisés du sans-gêne des apôtres, apostrophèrent ainsi le Sauveur : « Pourquoi vos disciples transgressent-ils les traditions de nos ancêtres et ne se lavent-ils pas les mains avant de manger? » Il répliqua :

Et vous, pourquoi transgressez-vous ce précepte divin : Honore ton père et ta mère? Voici ce que vous enseignez : « *Quand un homme a dit à son père ou à sa mère : Tout le bien que vous pouvez espérer de moi est* Corban (*c'est-à-dire consacré à Dieu*), *cet homme ne peut plus rien faire pour venir en aide à son père ou à sa mère.* » *En cela et en beaucoup d'autres choses vous violez la loi de Dieu par vos traditions. Hypocrites! c'est de vous que parle le prophète Isaïe :* « *Ce peuple m'honore des lèvres, mais leur cœur est éloigné de moi. Le culte qu'ils me rendent est vain, parce qu'ils enseignent des doctrines qui ne sont que des traditions humaines* [1]. »

Le pharisien avait un moyen très subtil et vraiment rabbinique de se dérober aux devoirs de la piété filiale. Il lui suffisait d'interdire à ses parents, par une sorte de vœu bizarre,

---

1. Mt. 15[1-9]; Mc. 7[1-13]. Cette altercation a lieu avec *des scribes* (S. Matthieu ajoute *et des pharisiens*) *venus de Jérusalem*, S. Marc, écrivant pour des non-Juifs, explique à ses lecteurs le genre de purification en usage chez les pharisiens et *tous les Juifs* qui les imitent. Sur les ablutions des Juifs et le vœu singulier qui permettait aux enfants de priver leurs parents de tout secours, on trouvera tous les détails désirables dans Billerbeck, *Kommentar*, t. I, p. 691-718. Qui en a le loisir pourrait lire aussi les traités suivants de la Mishna et de la Ghemara: *Tohoroth-Nedarim, Shebouoth*.

l'usage de ses biens. Si dans une heure d'irritation ou de mauvaise humeur, il venait à leur dire : « Tout ce que vous pouvez
attendre de moi est consacré à Dieu », il ne pouvait plus les
secourir ni rien faire pour eux. Cette formule sibylline, très
claire en soi, est souvent mal interprétée, tant le sens naturel
paraît incroyable. On se figure que le fils offre à Dieu tout ce
qui de sa part pourrait tourner au profit du père ou de la
mère. Le fils dénaturé n'offre rien à Dieu, il s'en priverait
lui-même ; il déclare seulement que tout ce qui est à lui doit
être considéré par ses parents comme un objet sacré, auquel
il est défendu de toucher. En d'autres termes, il fait vœu de
ne rien donner à ses parents et, selon le Talmud, ce serment
est valide, quoique sujet à dispense. De cette façon, un homme
arrive à nuire à ses parents sans rien perdre lui-même.
Comment l'idée d'un pareil vœu, si contraire au droit naturel
et au devoir filial, a-t-elle jamais pu entrer dans une cervelle
humaine ? Le Sauveur n'a-t-il pas raison d'accuser les scribes
de renverser la loi de Dieu par leurs prétendues traditions ?

Les adversaires se turent, confondus et la rage au cœur.
Les apôtres inquiets dirent à Jésus : « Vous voyez combien les
pharisiens ont été choqués de vous entendre parler ainsi. »
Mais lui, sans s'occuper davantage des pharisiens, dit à la
foule qui l'entourait : « Écoutez-moi tous et comprenez-moi
bien. Ce n'est pas ce qui entre dans la bouche qui souille
l'homme ; c'est ce qui sort de la bouche qui le souille. » Cette
parole n'avait rien de mystérieux ; cependant sur la demande
des apôtres, il consentit à la leur expliquer :

Êtes-vous donc sans intelligence ? Ne comprenez-vous pas
que ce qui entre dans la bouche, passe par l'estomac et sort
par les voies naturelles, est incapable de souiller l'homme ?
Mais ce qui sort de la bouche, sort du cœur ; et voilà ce qui
souille l'homme. Car c'est du cœur que procèdent les pensées
mauvaises, les meurtres, les adultères, les fornications, les
vols, les faux témoignages, les blasphèmes. Voilà ce qui
souille vraiment l'homme ; mais manger sans se laver les
mains ne souille pas l'homme au point de vue moral.

Comme il en avait le dessein, Jésus quitta momentanément
les états d'Hérode Antipas et pénétra en Phénicie, dont les
villes les plus célèbres étaient Tyr et Sidon.

II. En Phénicie et dans la Décapole[1].

C'est la première fois, depuis la fuite en Égypte, que Jésus, franchissant les frontières de Palestine, pénètre en pays infidèle. Des pensées d'apostolat ne l'y attirent point, car l'heure des Gentils n'a pas encore sonné. Il y cherche un refuge contre les perfides menées de ses adversaires, un lieu de repos pour reprendre haleine après tant de fatigues, surtout l'isolement requis pour parfaire l'instruction des apôtres.

Il n'y trouva pas ce qu'il désirait. Sa renommée de thaumaturge l'y avait précédé et, dès qu'on eut vent de son arrivée, curieux et solliciteurs assiégèrent la maison où il se cachait. Une femme de ces contrées, païenne de religion, syro-phénicienne de race, c'est-à-dire appartenant à ce vieux fond de population indigène qu'on appelait aussi Cananéens, pour les distinguer des Israélites, assez nombreux dans ces parages, vint le trouver une des premières. Elle criait éperdument : « Ayez pitié de moi, Seigneur, fils de David; ma fille est affreusement tourmentée par un démon. » Mais Jésus, indifférent aux titres d'honneur qu'on lui prodiguait et insensible en apparence aux larmes de la mère, ne répondait pas un seul mot. Peut-être voulait-il éprouver et affermir sa foi, ou enseigner aux disciples le pouvoir souverain d'une prière humble et persévérante. Elle, sans se décourager, redoublait de cris et de supplications. Les disciples impatientés se crurent alors autorisés à intervenir pour mettre fin à cette pénible scène : « Seigneur, dirent-ils, congédiez cette femme », en lui accordant sa demande, « car elle ne cesse de nous fatiguer de ses cris. » Leur compassion se compliquait d'un peu d'égoïsme; ils voulaient bien la voir partir contente, mais ils désiraient plus encore d'éloigner cette gêneuse. Jésus leur répondit : « Je ne suis envoyé qu'aux brebis perdues d'Israël. » Les païens auront leur tour; ce sera votre œuvre à vous autres; mais le temps n'est encore venu ni pour moi ni pour vous.

---

1. Mt. 15$^{21-39}$, Mc. 7^{24}-8^{10}. Ce voyage est entièrement passé sous silence par S. Luc, comme du reste les incidents qui précèdent, depuis le retour à Génésareth (Mt. 14^{31}; Mc. 6^{53}).

Cependant la Cananéenne, écartant les apôtres, s'était prosternée à ses pieds : « Seigneur, disait-elle, de grâce, secourez-moi, délivrez ma fille. » Jésus lui répondit enfin, mais de quel ton sévère et dur! « Attends que les enfants soient rassasiés d'abord; car il n'est pas juste de prendre le pain des enfants pour le jeter à de petits chiens. » Chez tous les Sémites, les chiens sont un objet de mépris et de répulsion. On les laisse errer à l'aventure, sans soins, sans asile, sans maître. Mais il s'agit ici des chiens domestiques, de ces chiens familiers qu'on tolère dans les appartements et qu'on nourrit de reliefs et de rogatons. L'allégorie est claire : les enfants, ce sont les Juifs, les fils de l'alliance et de la promesse; en vertu du contrat passé avec Dieu, ils doivent être servis les premiers; les Gentils plus tard recevront les restes. La Cananéenne l'entend bien ainsi et, continuant l'allégorie, elle rétorque l'argument avec autant d'esprit que d'à-propos : « Oui, Seigneur, vous avez raison et je n'en demande pas davantage; car les petits chiens, sous la table, mangent les miettes des enfants. » Elle ne réclame que les bribes perdues, dont se contentent les caniches, en attendant leur pâtée. Vaincu par tant d'humilité et de patience, le Seigneur, qui ne demande qu'à se laisser vaincre, lui dit avec bonté : « O femme, ta foi est grande; qu'il te soit fait selon ton désir. Va, le démon a quitté le corps de ta fille. » Grande fut en effet la foi de la Cananéenne et les Pères de l'Église ne se lassent pas d'en faire l'éloge. Rien ne la rebute : ni l'attitude peu engageante des apôtres, ni le silence glacial de Jésus, ni son refus catégorique et qui paraissait définitif. Elle espère contre toute espérance et l'événement lui donne raison. Rentrée chez elle, l'heureuse mère trouva sa fille étendue sur son lit et reposant tranquillement depuis que le démon avait pris la fuite[1].

Ce miracle, arraché en quelque sorte au Sauveur par la prière opiniâtre de la Syro-phénicienne, comme celui de Cana l'avait été par la muette supplication de Marie, n'inaugure pas encore l'évangélisation des Gentils. Il en est le présage

---

1. Mt. 15[22-28]; Mc. 7[25-30]. D'après les *Homélies clémentines* (II. 19; III, 3), la mère s'appelait Justa et sa fille Bérénice. Très faible autorité.

plutôt que le prélude. Le Sauveur n'a pas l'intention de se fixer en pays infidèle. N'y ayant pas trouvé le calme et l'oubli qu'il souhaitait, il n'y fera pas un long séjour. « De nouveau quittant le pays de Tyr, il vint par Sidon à la mer de Galilée, à travers le pays de la Décapole [1]. » Tyr n'était qu'à une journée de marche de Sidon, son antique rivale ; mais il est probable qu'au lieu d'entrer dans la ville païenne de Sidon, Jésus ne fit qu'en traverser le territoire. Un chemin facile le conduisait à la source la plus éloignée du Jourdain; de là, contournant le grand Hermon et se dirigeant ensuite vers le sud, il arrivait dans la Décapole.

La Décapole était une confédération de cités grecques, primitivement au nombre de dix, unies entre elles par la communauté de race, de langue et de religion, comme aussi par des relations de commerce et des intérêts de défense mutuelle. Après la mort d'Alexandre le Grand, des vétérans macédoniens étaient venus s'établir au sud du lac de Tibériade et y avaient fondé deux villes, Pella et Dion, qui leur rappelaient les souvenirs de la mère-patrie. Pella de Macédoine était fière d'avoir vu naître Alexandre et Dion, au pied de l'Olympe, ne jouissait pas d'une moindre célébrité. Plus tard d'autres villes du type hellénique se groupèrent dans la même région et, bien que le nombre fatidique de Dix ne demeurât pas immuable, le nom de Décapole persista longtemps. Toutes ces villes étaient situées à l'Orient du Jourdain, à l'exception de Scythopolis, qui s'enfonçait comme

1. Mc. 7³¹ : καὶ πάλιν ἐξελθὼν ἐκ τῶν ὁρίων Τύρου ἦλθεν διὰ Σιδῶνος εἰς τὴ θάλασσαν τῆς Γαλιλαίας ἀνὰ μέσον τῶν ὁρίων Δεκαπόλεως. — a) Le point de départ est le *territoire de Tyr* (ὁρια ne peut avoir ici d'autre sens). — b) Il passe *par Sidon*, mais la question est de savoir s'il s'agit de la ville ou du territoire. — c) Le point d'arrivée est la *mer de Galilée*, la rive orientale du lac. — d) La seule difficulté est pour l'incise « à travers la Décapole ». Plusieurs y voient un nouveau point d'arrivée, mais ou il se confond avec l'autre, qu'il détermine par opposition (ce qui est impossible car aucune ville de la Décapole n'est située sur le lac); ou il est différent et alors il devrait lui être uni par une conjonction. Le sens est donc : « Il sortit du *pays de Tyr,* en passant *par* (la ville ou le territoire de) *Sidon*, et vint au lac de Tibériade à *travers* la région de la Décapole. C'est un détour, mais rien ne prouve que Jésus ait dû prendre le chemin direct. S. Mathieu dit seulement (15²⁹) : « Partant de là (du pays de Tyr), il vint près de la mer de Galilée et, gravissant une montagne, il s'assit. » Aucune allusion à la Décapole.

un coin entre la Galilée et la Samarie. De Scythopolis, ces
villes rayonnaient en éventail dans la Transjordanie, ayant
pour points extrêmes Damas au nord et Philadelphie au sud.
Les territoires plus ou moins vastes que chacune possédait
n'étant pas contigus formaient autant d'enclaves dans les états
d'Antipas. La population de ces villes était grecque en majorité; mais dans le reste du pays elle était fortement mêlée
d'éléments indigènes et comptait des Juifs en très grand
nombre [1].

C'est apparemment dans ce milieu à demi païen que s'accomplit le miracle raconté par saint Marc avec la verve pittoresque qui le caractérise. « On présenta à Jésus un homme
sourd et bègue, en le priant de lui imposer les mains »,
naturellement pour le guérir de sa double infirmité. Ce
n'était pas un sourd-muet de naissance, car son mutisme
n'était pas absolu. Il balbutiait des mots inarticulés et presque
inintelligibles, ce qui provenait d'un défaut de langue congénital, encore aggravé par une surdité précoce. Jusqu'ici nous
avons vu Jésus guérir les malades, soit par simple contact,
soit par l'imposition des mains, soit par une parole de commandement. Quelquefois la guérison s'opère peu à peu, par
phases successives; mais le plus souvent elle est instantanée.
Tantôt elle se fait à distance, tantôt elle paraît exiger la présence du thaumaturge. Celui-ci, disposant d'un pouvoir surnaturel, en use suivant sa sagesse et l'inspiration divine,
pour des motifs dont il ne doit compte à personne.

Aujourd'hui, nous le voyons suivre une marche nouvelle.
Ayant pris le sourd-bègue à l'écart, loin de la foule, il lui mit
les doigts dans les oreilles, après lui avoir humecté la langue
avec sa salive. Puis il leva les yeux au ciel en poussant un
soupir et dit à l'infirme : « *Effatha!* c'est-à-dire : Ouvre-toi! »
Les commentateurs se sont toujours demandé pourquoi ce
gémissement et pourquoi ce mystère. Ils ont supposé qu'en
prenant l'infirme à l'écart, il cherchait la solitude plus favorable à la prière, qu'il voulait éviter tout semblant d'ostentation, qu'il craignait de voir son geste interprété par les païens

1. Sur la Décapole voir Schürer, *Geschichte* [4], t. II, p. 148-193; ou
van Kasteren dans le *Dict. de la Bible* de Vigouroux.

comme une opération magique. Ils auraient pu ajouter peut-
être qu'il se proposait surtout d'éveiller chez le patient une foi
qui lui manquait encore et qui est pourtant la condition
normale du miracle. Cette foi nécessaire, il ne pouvait pas la
suggérer en paroles, que le sourd n'aurait pas entendues; il
essaya donc de la provoquer par un apparat solennel et des
gestes symboliques bien capables de la faire naître. Il lui mit
les doigts dans les oreilles, comme pour les ouvrir; il lui
humecta la langue de salive, comme pour lui donner ou lui
rendre toute sa souplesse. En effet « les oreilles du sourd-
bègue s'ouvrirent, sa langue se délia et il parlait distinctement[1] ».

Tous les miracles du Christ sont des actions théandriques,
c'est-à-dire des opérations où se rencontrent les deux natures :
la divinité fournissant la toute-puissance, sans laquelle le
miracle serait impossible, et l'humanité prêtant son concours
actif à la manière d'un instrument, par une prière, une
parole de commandement ou un geste symbolique. Mais la
guérison du sourd-muet de la Décapole a cela de spécial qu'elle
revêt en quelque sorte un caractère sacramentel : les paroles
répondant aux gestes et les deux combinés produisant la
faveur qu'ils symbolisent. Voilà pourquoi l'Église emprunte
ces rites pour la collation du baptême. L'état de l'homme
déchu n'est-il pas comparable à celui du sourd-muet de l'Évangile? En traçant de son doigt humecté de salive le signe de
la croix sur les oreilles et la bouche du néophyte, en prononçant le mot sacramentel *Effetha,* le prêtre le dispose à entendre
et à confesser les vérités surnaturelles.

Jésus avait recommandé au miraculé et à ses guides le
silence le plus absolu. L'injonction était sérieuse et non pas
feinte. Il avait fait ce miracle par pure condescendance,
c'était une œuvre de miséricorde qu'il désirait tenir cachée

---

1. Mc. 7[32-36]. L'infirme est sourd (κωφός), mais non pas muet : il es
μογιλάλος, « bègue, parlant difficilement ». Un lien (δεσμός) empêche sa
langue d'articuler. Guéri, il parle correctement (ὀρθῶς), en donnant aux
lettres et aux syllabes leur vraie valeur. Jésus regarde le ciel pour prier
« son gémissement est encore une prière instante, quoique muette » (La
grange). D'autres supposent qu'il gémissait sur les misères de l'humanité : explication peu naturelle.

pour nous offrir un exemple à suivre en pareille occasion.
Mais les gens n'en tinrent aucun compte. Ils s'empressèrent
de publier partout ce qui s'était passé. La reconnaissance les
excusait ; ils pouvaient attribuer l'ordre reçu à la modestie de
leur bienfaiteur et n'y pas voir une défense expresse. Le bruit
du miracle s'étant ainsi répandu dans toute la contrée, Jésus
eut beau s'éloigner de la Décapole et gravir la montagne qui
domine, à l'Orient, la mer de Galilée ; la foule l'y suivit. De
tous côtés on lui amenait des boiteux, des aveugles, des
sourds, des estropiés et grand nombre d'autres infirmes. On
jetait à ses pieds tous ces malades et il les guérissait. L'admiration du peuple était sans bornes et on appliquait au jeune
thaumaturge ces paroles d'Isaïe : « Il fait bien toutes choses ;
il rend l'ouïe aux sourds et la parole aux muets [1]. »

Ce fut encore sur la rive orientale qu'eut lieu, vers la
même époque, la seconde multiplication des pains. Environ
quatre mille personnes — femmes et enfants non compris —
suivaient le Sauveur depuis trois jours. Les provisions de
bouche, qu'un Oriental ne manque guère de prendre en
voyage, étaient épuisées, et l'on se trouvait loin de toute
habitation. Touché de tant de patience et de bonne volonté,
Jésus dit aux apôtres : « Si je les renvoie à jeun, ils vont
défaillir en route, car plusieurs sont venus de loin. » Il semblait prendre leur avis sur le moyen de parer au mal ; mais
eux n'y voyaient pas de remède. Ils n'avaient certainement
pas oublié la première multiplication ; mais ils supposaient
sans doute que le Maître n'aurait pas recours une seconde fois
à un moyen si extraordinaire de satisfaire à des besoins
physiques.

Comme la première fois, l'inventaire des ressources ne fut
pas encourageant. On ne disposait en tout que de sept pains
et de quelques petits poissons. Jésus prit les pains dans ses
mains et, après avoir prononcé sur eux une formule de bénédiction, les remit aux apôtres pour être distribués à la foule.
Il fit de même pour les petits poissons. Chacun mangea à sa
faim et l'on recueillit sept corbeilles de restes [2].

---

1 Mt. 15³⁰⁻³¹ ; Mc. 7³⁷.
2. Mt. 15³²⁻³⁸ ; Mc. 8¹⁻¹⁰. Aucune différence entre les deux récits.

Si les deux multiplications se ressemblent, il ne pouvait pas en être autrement. Dès qu'il s'agit d'un repas, il y a une bénédiction à prononcer, des convives à nourrir, des vivres à distribuer, des restes à recueillir. Mais tous les autres détails diffèrent : quatre mille personnes, au lieu de cinq mille; sept pains et quelques petits poissons, au lieu de cinq pains et deux poissons ; sept corbeilles de restes, au lieu de douze paniers. Là, on était sur le territoire du tétrarque Philippe et la foule venait de Capharnaüm ; ici, nous sommes dans la Décapole et la foule suit le Sauveur depuis trois jours. Les critiques sont difficiles à contenter. Si la seconde multiplication n'était pas rapportée par deux évangélistes qui ont déjà raconté la première, ne diraient-ils pas qu'il s'agit du même fait diversement défiguré par la légende?

Dès que l'on eut congédié la foule, Jésus et ses apôtres montèrent en barque et vinrent aborder en un lieu nommé Magédan ou Dalmanoutha, que les topographes n'ont pas encore réussi à identifier. Ces deux noms désignent-ils la même localité ou deux localités différentes, ou l'un une ville et l'autre un district? On ne sait. Nous sommes en tout cas sur la rive occidentale du lac, dans la plaine de Génésareth ou dans ses environs immédiats [1].

1. Mt. 15³⁹ : ἦλθεν εἰς τὰ ὅρια Μαγαδάν (il vint dans la région [ou sur les confins] de Magédan. — Mc. 8¹⁰ : ἦλθεν εἰς τὰ μέρη Δαλμανουθά (il vint dans la contrée de Dalmanoutha). Sur cette énigme, voir Nestle, dans *Dict. of Christ and the Gospels*, 1906, t. I, p. 406; ou bien Dalman, *Orte und Wege*, 1924, p. 136 (trad. française, 1930, p. 171). Exposé des opinions dans Lagrange, *Saint Marc*⁴, 1929, p. 204-505. L'énigme subsiste.

CHAPITRE XI

L'ÉGLISE FONDÉE SUR PIERRE

I. Vers Césarée de Philippe.

A peine Jésus avait-il remis le pied sur le sol galiléen qu'il y trouva les pharisiens et les sadducéens ligués contre lui. C'est la première fois que nous voyons conspirer ensemble ces frères ennemis : le pacte qu'ils scellent en ce jour aura son dénouement au Calvaire. « Maître, lui dirent-ils, nous voulons voir de vous un signe du ciel[1]. » Ils réclament, non pas un de ces miracles de guérison, jugés trop faciles et peu probants, mais un prodige vraiment céleste, comme serait l'apparition, à point nommé, d'un météore nouveau, ou bien une éclipse de soleil ou de lune hors des époques de conjonction. Moïse avait fait pleuvoir la manne dans le désert, Josué avait arrêté le cours du soleil, Élie avait ouvert les cataractes d'un ciel fermé depuis trois ans. Si Jésus se déclarait impuissant à les imiter, il se reconnaissait inférieur à ces prophètes et devait renoncer à ses prétentions messianiques.

Les manœuvres obliques de ces aveugles volontaires plongèrent le Seigneur dans une tristesse qui lui arracha un gémissement. Jamais encore la douleur n'avait réagi avec tant de force sur ses facultés sensibles[2]. Il leur répondit en prenant l'offensive :

Le soir venu, vous dites : « Voici le beau temps, car le ciel est couleur de feu », et le matin : « Aujourd'hui c'est la pluie,

---

1. Mt. 16[1-4]; Mc. 8[11-13]. S. Matthieu a déjà signalé la demande d'un signe (12[38-39]). S. Luc la place ailleurs (11[16]). Elle a pu se répéter.
2. Mc. 8[12] : « Gémissant dans son âme. » Le gémissement poussé en guérissant le muet (Mc. 7[34]) était plutôt une prière que l'expression de la douleur.

car le ciel menaçant rougeoie. » *Si vous savez discerner la physionomie du ciel, comment ne pouvez-vous pas discerner les signes des temps*[1] *?*

En Palestine, le soleil disparaissant le soir dans un horizon enflammé présage le beau temps pour le lendemain, tandis qu'à l'aube cette même teinte rougeâtre est une menace de pluie. Il en est autrement en Égypte, où les pluies sont très rares et la sérénité du ciel quasi perpétuelle. Aussi un certain nombre de manuscrits, qui tous ou presque tous ont subi l'influence égyptienne, suppriment ces deux versets d'une observation si juste et d'une si parfaite couleur locale. Saint Luc donne à la même pensée un tour différent, soit qu'il rapporte des paroles du Sauveur prononcées dans une autre occasion, soit plutôt qu'il les transpose, pour les rendre intelligibles à ses lecteurs peu familiers avec le climat palestinien : *Quand vous voyez des nuages s'élever au couchant, vous dites : « La pluie vient »*, *et il en est ainsi; et quand le vent souffle du midi, vous dites : « Il fera chaud »*, *et cela arrive.* En effet, dans la plupart des régions méditerranéennes, la pluie vient de l'ouest et la chaleur du sud. Mais de quelque manière que Jésus ait formulé ce fait d'expérience, la conclusion qu'il en tire contre ses adversaires est la même : *Hypocrites! vous savez apprécier la face du ciel et de la terre; comment donc n'appréciez-vous pas (la face) de ce temps?* Les pronostics tirés de l'aspect du ciel sont dignes d'attention mais nullement infaillibles; au contraire, les signes des temps messianiques, l'ensemble des œuvres qui authentiquent la mission divine du Christ et les prophéties qui ont en lui leur accomplissement, ne sont pas des signes trompeurs; ils sont plus clairs et plus certains que les prévisions météorologiques les mieux fondées. A qui refuse de les voir, un miracle céleste n'apporterait aucune lumière.

Les Juifs n'avaient pas tort d'exiger un signe. Depuis bientôt quatre siècles, le prophétisme avait disparu d'Israël;

---

1. Mt. 16[2-3] : « Les rougeurs du ciel le soir à l'occident sont fréquentes en été, quand le temps est au beau fixe. Le matin ces rougeurs sont à l'orient, colorant en hiver de gros nuages qui donnent au ciel un aspect menaçant » (Lagrange, *Saint Matthieu*, p. 317). Sur l'authenticité de ce passage, cf. *Ibid.*, p. 315-316). S. Luc, dans un autre contexte (12[54-56]) transpose ces signes, particuliers à la Palestine.

mais on en espérait le retour et l'on attendait la venue d'un
prophète pareil à Moïse, législateur et libérateur de son
peuple. Lorsque, l'an 163 avant notre ère, on détruisit l'autel
du vrai Dieu profané par des sacrifices idolâtriques, on en
conserva les matériaux, sur la destination desquels se pronon-
cerait le prophète attendu. Plus tard, la dignité héréditaire
de grand prêtre fut confiée à Simon, frère de Judas Macchabée,
sous la réserve qu'elle aurait la sanction de ce même prophète[1]. Ambassadeur de Dieu auprès des hommes, le prophète
est tenu de produire ses lettres de créance. Jésus-Christ n'y a
pas manqué; mais plus il multiplie les miracles, plus les
incrédules en exigent de nouveaux et de plus éclatants. Pour
essayer de les convaincre, il ne lui reste que le miracle de sa
résurrection : « Cette génération perverse et adultère réclame
un signe et il ne lui sera donné d'autre signe que celui de
Jonas », sortant après trois jours du sein du monstre marin
qui l'avait englouti.

Sans s'attarder davantage à confondre ses ennemis, Jésus
monta sur une barque et donna l'ordre de cingler vers la rive
orientale. Si brusque fut le départ, que les apôtres n'eurent
pas le loisir de faire des provisions de route. Il n'y avait dans
l'embarcation qu'un seul pain, peut-être oublié par mégarde.
Ils s'inquiétaient de leur dénuement et songeaient aux moyens
d'y parer, quand ils entendirent le Maître leur dire : « Gardez-
vous avec soin du ferment des pharisiens et des sadducéens,
ainsi que du ferment d'Hérode. » Ils ne comprirent rien à
cette recommandation. Que parlait-il de ferment, quand ils
n'avaient même pas de pain? Jésus, lisant au fond de leur
cœur, ajouta :

*Pourquoi vous inquiéter au sujet du pain que vous n'avez
pas pris? Êtes-vous sans réflexion et sans intelligence? Vos
yeux sont-ils incapables de voir, vos oreilles d'entendre,
votre mémoire de retenir? Quand j'ai rompu cinq pains*

---

1. L'autel profané (1 Mac. 4⁴⁶) : « Ils en déposèrent les pierres sur la
montagne du temple, dans un lieu convenable, en attendant la venue
d'un prophète qui donnerait une décision à leur sujet. » Simon grand
prêtre (1 Mac. 14⁴¹) : « Les Juifs et les prêtres ont trouvé bon que Simon
soit ethnarque et grand prêtre pour toujours, jusqu'à ce que paraisse
un prophète digne de foi. »

*pour cinq mille personnes, combien de corbeilles pleines de
restes avez-vous emportées? — Douze. — Et quand j'ai
distribué sept pains à quatre mille personnes, combien de
paniers remplis de fragments avez-vous emportés? — Sept.
— Ne comprenez-vous pas encore?*

Il leur suggère en passant un motif de confiance, mais il
veut surtout leur inculquer une autre leçon. Il s'explique
donc clairement : « Comment ne voyez-vous pas qu'en vous
mettant en garde contre le ferment des pharisiens et des
sadducéens, je ne parlais pas de pain? » Le ferment des pharisiens, c'est l'hypocrisie et l'étroit formalisme; le ferment des
sadducéens, c'est l'ambition et la mondanité; le ferment
d'Hérode, c'est l'astuce et l'amour effréné du plaisir. La métaphore est si simple que les apôtres auraient dû l'entendre du
premier coup.

Ils débarquèrent près de Bethsaïde, bourgade riveraine
dont le tétrarque Philippe avait fait une ville, en la transportant, agrandie, à une demi-lieue de là, dans l'intérieur des
terres, sur un emplacement plus élevé et plus salubre[1]; mais
l'ancienne bourgade était toujours habitée par une population de pêcheurs, que leur métier retenait à proximité du lac.
Jésus venait d'y entrer quand on lui amena un aveugle, en le
priant de le toucher. On avait sans doute observé qu'il guérissait souvent les malades par un simple contact et l'on
s'était peut-être persuadé que ce geste était nécessaire. Le
Sauveur, sans rien dire, prit la main de l'aveugle et le conduisit hors de la ville. Comme le miracle qu'il allait faire

---

1. On s'accorde aujourd'hui à placer Bethsaïde-Julias en un lieu nommé
par les Arabes *et-Tell* (monticule naturel ou artificiel couvert de ruines)
qui s'élève d'une vingtaine de mètres au-dessus de la plaine, à 3 kilomètres
au nord du lac et à 300 mètres à l'est du Jourdain. La bourgade primitive de Bethsaïde (maison de pêche) devait se trouver sur le lac même
soit à *el-Aradj*, près du Jourdain, soit à *Mesadiyeh*, plus à l'est. L'antique Bethsaïde dut continuer à subsister comme faubourg ou comme
port de Julias, dont le nom ne fut jamais d'usage courant. — Sur l'histoire
de Bethsaïde et son emplacement, voir Guérin, *Galilée,* 1880, t. I, p. 329-
338; Masterman, *Studies in Galilee,* 1909, p. 101-106; Dalman, *Itinéraire
de Jésus,* 1930, p. 215-247. Nous avons exposé plus haut les raisons de
distinguer cette Bethsaïde de la patrie des apôtres Pierre, André et
Philippe.

était un acte de miséricordieuse compassion et non pas une
preuve de sa mission divine, il ne voulait avoir pour témoins
que ses apôtres. Quand on fut à l'écart, il mit de la salive
sur les yeux de l'aveugle et, lui ayant imposé les mains, il
lui demanda s'il voyait quelque chose. Celui-ci répondit : « Je
vois des hommes, car j'aperçois comme des arbres qui mar-
cheraient. »

Aveugle de naissance, il ne voit d'abord les objets que
d'une manière confuse et sur le même plan ; car l'œil perçoit
seulement les formes et les couleurs et c'est l'habitude et
l'éducation qui font apprécier les dimensions et les distances.
Les choses, flottant dans l'air, lui paraissent plus grandes
que nature et il ne distingue les hommes des arbres qu'en
les voyant marcher. Pour compléter la guérison, Jésus lui
impose de nouveau les mains et alors la vision, de près
comme de loin, devient tout à fait distincte [1].

Toute cette mise en scène est mystérieuse. La salive d'un
homme à jeun passait pour un remède contre les maux
d'yeux [2], mais on n'imaginait certainement pas qu'elle pût
guérir la cécité complète. Que signifie donc le geste de Jésus ?
En dehors du sens symbolique dont nous avons parlé au chapitre précédent, à propos du sourd-muet de la Décapole, il
voulait sans doute stimuler la foi de l'infirme en opérant la
guérison par degrés comme si, pour être parfaite, elle exigeait
un supplément de foi. Le miraculé ne voit d'abord que des
objets confus et sans perspective, pareils à des êtres fantas-
tiques émergeant d'une brume épaisse. Sur un second geste
du Seigneur, il discerne nettement toutes choses et ne prend
plus les hommes pour des végétaux ambulants.

De là, le Sauveur se dirigea vers le nord, pour se rendre
à Panéas, que le tétrarque Philippe avait agrandie et embellie
et qu'il avait appelée Césarée, en l'honneur de César Auguste.
Deux journées de marche l'en séparaient. S'il longea la rive
orientale du Jourdain, comme c'est probable, il traversait

---

1. Mc. 8[22-26]. Quelques phrases de la Vulgate diffèrent un peu du texte
grec que nous avons suivi. Consulter un bon commentaire.
2. *Talmud de Jérusalem,* traité *Sabbat*, xiv, 14 et 18 ; traité *Aboda
Zara*, xi, 10 et 19.

un pays peuplé de Juifs et de païens, mais où les païens
l'emportaient en nombre, du moins dans les localités importantes. Césarée, placée en dehors de la Palestine, dont la
frontière septentrionale s'arrêtait à Dan, à une lieue vers
l'ouest, avait toujours été une ville foncièrement païenne. Son
site pittoresque, au pied de hautes montagnes, au milieu des
eaux murmurantes et d'une végétation prodigue, l'avait fait
consacrer de tout temps aux divinités de la nature, aux Baals
et aux Astarthés. Du fond d'une grotte profonde, surmontée
d'un rocher à pic, jaillit la plus célèbre, sinon la plus copieuse,
des sources du Jourdain. Quand les Grecs s'y établirent, au
troisième siècle avant notre ère, ils dédièrent ce lieu au dieu
rustique Pan et aux nymphes, comme on peut le voir encore
par les nombreuses inscriptions gravées sur le roc. Le
sanctuaire de Pan valut à la ville le nom de Panéas ou Panias,
qu'elle garde toujours sous la forme légèrement modifiée par
la prononciation arabe de Banias.

Au sommet de la falaise qui domine la source du Jourdain,
Hérode avait fait construire en l'honneur d'Auguste un temple plaqué de marbre d'une éblouissante blancheur, qui
s'apercevait de loin dans toutes les directions et qui fut sans
doute le premier monument du culte impérial érigé aux
abords de la Palestine. Il ne semble pas que Jésus ait pénétré dans la ville plus qu'à demi païenne de Césarée, mais il
est impossible qu'il n'ait pas remarqué le rocher fameux cou-
ronné par le temple d'Auguste, dressant sa silhouette sur cette
haute esplanade, comme sur un piédestal gigantesque. Plusieurs ont pensé que ce spectacle lui avait suggéré l'image
de l'Église bâtie sur le roc inébranlable de Pierre; et cette
hypothèse, quand on l'examine sur les lieux mêmes, ne manque pas d'une certaine vraisemblance[1].

1. C'est l'impression que nous eûmes au temps lointain (1887) où nous
visitâmes pour la première fois le fameux rocher, sans soupçonner alors
que d'autres avaient eu ou auraient plus tard la même pensée. Cf.
Immisch, dans *Zeitsch. f. neut. Wissenschaft*, 1916, p. 18-20; mais l'auteur
compromet l'hypothèse en identifiant la caverne, d'où jaillissait le
Jourdain, avec les *portes de l'enfer*.
Banias est bâtie sur les derniers contreforts du grand Hermon. La
hauteur du rocher qui domine la grotte de Pan, est évaluée à 30 mètres
par Ebers et Guthe, à 150 pieds par Smith. L'effet est moins saisissant
aujourd'hui parce que, la paroi supérieure de la grotte s'étant ébou-

II. La confession de saint Pierre.

Vers la fin du voyage, Jésus s'était retiré à l'écart pour
s'entretenir seul à seul avec son Père. C'était son habitude à
la veille des grandes entreprises et des graves résolutions.
Les apôtres le rejoignirent aux environs de Césarée de Philippe. Tout en cheminant avec eux, il leur demandait : « Que
disent les gens sur le Fils de l'homme et que suis-je à leurs
yeux? » Les apôtres, interrogés ensemble, ne durent pas
faire tous la même réponse; chacun rapportait ce qu'il avait
entendu; or les sentiments de la foule au sujet de Jésus
étaient très divers. Les uns disaient : « C'est Jean-Baptiste » ;
d'autres : « C'est Élie » ; d'autres encore : « C'est Jérémie
ou quelqu'un des prophètes de l'ancien temps[1]. » Le Baptiste
n'avait fait qu'une apparition rapide ; en dehors de la Judée,
il n'était guère connu que de nom ; plusieurs pouvaient croire
qu'il avait échappé aux griffes d'Hérode ou penser, comme
Hérode lui-même, qu'il était ressuscité des morts. Élie, le
grand thaumaturge, était généralement regardé comme le
précurseur du Messie. Jérémie, dans l'opinion d'alors, devait
venir au secours d'Israël à un moment de crise nationale;
c'était lui « qui priait beaucoup pour ses frères et pour la
sainte cité » et qui avait mis aux mains de Judas Macchabée
l'épée libératrice[2]. Ceux qui refusaient d'identifier Jésus avec

ée, le sol s'est exhaussé et le Jourdain sourd de tous côtés sous un
amoncellement de grosses pierres. Il ne reste plus rien du temple
l'Auguste décrit par Josèphe (*Antiqu.* XV, x, 3; *Bellum*, III, x, 7; et
I, xxi, 3). Sur l'emplacement probable, voir Immisch, *loc. cit.* et Gué-
rin, *Galilée*, II, 315. On répète, sur la foi d'Eusèbe (*Chronique*), que
Césarée fut ainsi appelée en l'honneur de Tibère. C'est une erreur.
Philippe la fonda l'an 2 ou 3 avant notre ère, du vivant d'Auguste.
Banias est à quatre ou cinq kilom. à l'est de Dan qui marquait la
limite septentrionale de la Palestine (*depuis Dan jusqu'à Bersabée*).
Dan, qui en hébreu signifie *Juge,* était situé à *Tell-el-Kady* (Colline du
Juge). Au pied du monticule où fut Dan, jaillit la source la plus abon-
dante du Jourdain.

1. Mt. 16[13-14]; Mc. 8[27-28]; Lc. 9[18-19]. La scène eut lieu dans la *région*
Mt. μέρη) ou dans les *villages* (Mc. κώμας) de Césarée de Philippe, en
chemin (Mc. ἐν τῇ ὁδῷ), lorsque Jésus, après sa prière, fut rejoint par
les apôtres (Lc. 9[18]).
2. 2 Mac 13[15-16] Cf. IV Esdr. ii, 17). Sur Élie, voir Billerbeck, *Excurs* 28, t. IV, p. 764-798.

l'un de ces trois illustres personnages ne pouvaient du moins
s'empêcher de reconnaître en lui un prophète comme on
n'en avait pas vu depuis des siècles. Enfin si tous s'accordaient à dire qu'il pourrait bien être un des avant-coureurs
du Messie, personne ne voyait en lui le Messie lui-même.

« Mais vous, reprit Jésus, qui dites-vous que je suis? »
Vous qui vivez de ma vie, qui avez reçu mes confidences et
contemplé mes œuvres, que pensez-vous de moi? Simon
Pierre se hâta de répondre : « Vous êtes le Christ, le Fils du
Dieu vivant. » Après tout ce que les Apôtres avaient vu et
entendu, dans ce long commerce intime avec leur divin
Maître, il leur eût fallu une rare dose d'inintelligence pour
supposer qu'il n'était qu'un simple fils de Dieu par adoption
comme les autres justes. Cependant étaient-ils tous aussi
éclairés que saint Pierre? Il est permis d'en douter. En tout
cas, celui-ci les prévient, moins par habitude de prendre
l'initiative ou par un effet de son tempérament fougueux
que parce qu'il a conscience d'avoir une lumière intérieure
que les autres ne possèdent peut-être pas au même degré
« Quand Jésus leur demandait l'opinion du peuple, dit
saint Chrysostome, tous répondaient ; quand il leur demande
ce qu'ils pensent eux-mêmes, Pierre seul intervient et les
devance. » On peut bien supposer qu'il se fait leur interprète et leur porte-parole, mais il ne les a pas consultés, il
ne s'est pas enquis de leur foi, il exprime la sienne. Aussi
est-ce à lui et à lui seul que Jésus va répondre; c'est lui seul
qu'il félicite, qu'il récompense et que, par une exception
unique, il béatifie.

*Bienheureux es-tu, Simon Bar-Jona, car ce n'est pas la
chair et le sang qui te l'a révélé, mais mon Père qui est
dans les cieux. Et moi je te dis : Tu es Pierre et sur cette
Pierre je bâtirai mon Église et les portes de l'enfer ne
prévaudront point contre elle. Je te donnerai les clefs du
royaume des cieux et tout ce que tu lieras sur la terre sera
lié dans les cieux et tout ce que tu délieras sur la terre sera
délié dans les cieux[1].*

1. Mt. 16[17-19]. Texte spécial à S. Matthieu. Ici le nom patronymique
de Pierre est *Bar-Iona* (fils de Jonas). En hébreu יוֹנָה, en araméen יוֹנָא

Pierre est proclamé bienheureux parce que sa confession n'est pas dictée par la chair et le sang, par la nature laissée à elle-même ; ce n'est pas une conclusion rationnelle mais un acte de foi et partant une grâce, qui lui vient du Père céleste. Elle ne peut pas lui venir d'ailleurs, car personne ne connaît le Fils si ce n'est le Père et ceux à qui le Père daigne le révéler. « S'il ne l'avait pas reconnu comme né du Père lui-même, dit encore saint Jean Chrysostome, il n'y aurait point eu de révélation ; s'il avait pensé qu'il n'était qu'un fils entre beaucoup d'autres, sa confession n'eût pas mérité un pareil éloge. » En effet, ce n'était pas la première fois que Jésus s'entendait proclamer fils de Dieu. Les démoniaques, Nathanaël, les disciples sauvés de la tempête lui avaient déjà décerné ce titre ; mais, par ce nom de fils de Dieu, les Juifs ne voulaient pas exprimer la relation unique et incommunicable qui unit le Verbe à son Père, en vertu de la génération éternelle ; ils n'entendaient pas non plus désigner le Messie, qu'on n'appelait jamais couramment de la sorte ; ils songeaient à quelque favori de Dieu, détenteur de son autorité, de sa puissance ou de ses grâces.

Il est impossible de lire ce passage, propre à saint Matthieu, sans être frappé de la couleur sémitique du langage. Tout y décèle une main juive et une origine palestinienne. Pas un membre de phrase, presque pas un mot qui n'ait un goût de terroir. Le *Dieu vivant*, l'appellation patronymique *Simon Bar-Jona*, les *portes de l'enfer*, les *clefs du royaume*, la métaphore de *lier* et de *délier*, surtout le jeu de mots sur *Pierre*, si naturel en hébreu et en araméen, si malaisé à traduire en d'autres langues : tout y porte la marque de provenance. Les autres Synoptiques ont réduit la confession de Pierre à ce mot : « Vous êtes le Christ », ou « le Christ de Dieu » ; et ils ont omis la réponse de Jésus.

---

est le nom du prophète Jonas, qui signifie Colombe. Dans S. Jean (1⁴²), la Vulgate a aussi *Simon filius Jona*, mais le grec porte Σίμων ὁ υἱὸς Ἰωάνου (fils de Jean). En hébreu il y a quelque ressemblance entre יונה ('Ιωνᾶς) et יוחנן ('Ιωάνης) et plusieurs pensent que le premier serait l'abréviation du second (Chase dans *Dict. of the Bible*, t. II, p. 676-7). Il est plus probable que, selon un usage alors fréquent, le père de S. Pierre portait deux noms (Jonas et Jean) ayant entre eux une certaine ressemblance.

Pour expliquer ce silence, on a supposé que Pierre, dans la catéchèse recueillie par son disciple Marc, racontait volontiers ce qui était de nature à le diminuer, comme le triple reniement, et taisait ce qui pouvait le grandir aux yeux des fidèles. C'est possible; mais je croirais plutôt que l'accent trop sémitique du passage a dû contribuer à le faire omettre. Nous savons qu'en pareil cas c'était la pratique ordinaire de saint Luc et que saint Marc, s'il insère parfois des morceaux de ce genre, sent le besoin de les commenter.

Pour faire échec à ce qu'ils appelaient les prétentions romaines, les anciens protestants soutenaient qu'en prononçant ces mots : « Tu es Pierre et sur cette Pierre je bâtirai mon Église », Jésus se désignait lui-même du doigt, comme pour dire : « Tu es Pierre, il est vrai, mais je fonderai mon Église sur une autre Pierre, celle que je te montre en ce moment. » Personne, parmi les plus fougueux ennemis de la papauté, n'oserait plus défendre cette ridicule exégèse, qui n'a même pas le mérite d'une mauvaise plaisanterie. Peut-être ne diraient-ils pas non plus, comme l'estimable auteur du *Gnomon :* « L'Église est fondée sur les apôtres, en tant qu'ils furent les premiers convertis et les premiers convertisseurs. C'est en cela que consiste la prérogative de Pierre, sans préjudice du privilège des autres; il fut le premier à prêcher l'évangile aux Juifs et aux Gentils[1]. » Mais les commentateurs restés fidèles à l'esprit du protestantisme primitif disent toujours que l'Église a été fondée sur la foi de Pierre ou sur la divinité du Christ que saint Pierre a professée; et cela peut très bien se dire, pourvu qu'on entende, avec tous les Pères et docteurs catholiques, qu'elle a été fondée sur la personne de Pierre à cause et

---

1. Bengel, *Gnomon Novi Test.* Stuttgart, 1892, p. 102. L'auteur ajoute : « Quid haec ad Romam ?... Videat Petra Romana ne cadat sub censuram versus 23. » Toujours la même hantise du papisme. Un autre protestant, Kuinoel, commentant le même passage, a cette réflexion sincère : « Plusieurs interprètes entendent la Pierre du Christ lui-même ou de la profession de foi de Pierre. Ils n'auraient jamais eu recours à ces explications forcées, si les papistes n'avaient abusé de ce texte pour attribuer aux successeurs de Pierre, c'est-à-dire aux pontifes romains, une autorité et une prérogative singulière et divine. »

en raison de sa foi, ou sur la foi que Pierre enseigne, ce qui
n'exclut nullement la personne[1]. S'ils objectent que, d'après
saint Paul, nul ne peut établir un autre fondement que celui
qu'il a établi lui-même, à savoir le Christ Jésus, qui ne voit
que le texte de saint Paul et celui de saint Matthieu diffèrent du tout au tout ? L'apôtre parle d'un monument doctrinal
dont le fondement ne peut être que le dogme primordial du
christianisme; l'évangéliste parle d'une société religieuse
à laquelle il s'agit de donner un chef et ce chef ne peut être
qu'une personne. Simon, qui a reçu à cet effet le nom symbolique de Pierre, deviendra le fondement de l'Église,
représentée sous la figure d'un temple ou d'une maison à
bâtir, et donnera à tout l'édifice sa solidité et sa cohésion[2].

Jésus-Christ pouvait-il s'exprimer avec plus de clarté ? En
grec et en latin, où le mot *pierre* diffère de genre, selon qu'il
est nom propre ou nom commun, ses paroles peuvent prêter
à quelque argutie de la part d'esprits prévenus, mais il n'en
était pas ainsi dans l'idiome dont Jésus se servait. En araméen
Képha signifie *Rocher*. C'est le nom que le Seigneur a choisi
tout exprès pour Simon Bar-Jona et dont il lui fait maintenant
réaliser la signification en lui disant : « Tu es *Rocher* et sur
ce *Rocher* je bâtirai mon Église[3]. » Aucun de ses auditeurs

1. Voyez Bellarmin, *Controv. de summo Pontifice*, lib. I, cap. 10-14
ou Palmieri, *De Romano Pontifice*, Rome, 1877, p. 246 et suiv. Ce qui
frappe le plus en lisant ces textes des Pères, c'est que plus ils sont
anciens plus ils sont formels sur le sens littéral de ce « Tu es Pierre
et sur cette Pierre je bâtirai mon Église ». Quand la primauté du pontife romain fut bien établie, les Pères ne craignirent pas d'employer
aussi les paroles de Jésus au sens accommodatice.

2. 1 Cor. 3[9-15]. Cf. *Théologie de saint Paul*, t. I, p. 110-112.

3. En hébreu *kef* (כף) signifie *rocher*, soit comme place de refuge
(Jer. 4[29]) soit comme lieu d'habitation (Job. 30[6]). En araméen, kêfa (כיפא)
a bien le même sens (Num. 20[8], où il traduit *sela'*), quoique, surtout
au féminin, il puisse aussi signifier *pierre*. C'est également le sens en
assyrien (*ka-a-pe shashade-e* = les rochers des montagnes). En syriaque,
kêfa (כאפא) devient féminin, avec le sens de pierre, et convient moins
bien comme nom d'homme, mais se prête mieux au jeu de mots comme
en français : « Tu es Pierre et sur *cette* Pierre. »

Quand il fallut traduire kêfa en grec, on eut le choix entre πέτρα et
πέτρος. Πέτρα serait plus exact, car il signifie *rocher* comme *kêfa ;* mais
Πέτρος allait mieux comme nom d'homme. Seulement avec Πέτρος le jeu
de mots est détruit et le sens en souffre car πέτρος, synonyme de λίθος,
veut dire *pierre*, *caillou* et non *rocher*. C'est pire encore en latin, où
petrus, comme nom commun, ne signifie rien. Le français est mieux

ne pouvait s'y méprendre et, s'il avait voulu dire autre chose, Jésus les aurait grossièrement trompés.

Qu'on ne s'étonne point de lire ici pour la première fois le nom de l'Église. Comment l'Église eût-elle été nommée avant qu'il fût question de la fonder en lui donnant un chef? Et même, à proprement parler, l'Église ne prend naissance qu'à la Pentecôte; c'est alors seulement que Pierre entre en possession de son titre et de ses fonctions et c'est à partir de ce jour que le nom d'Église revient si souvent sous la plume de saint Paul, de saint Luc dans les Actes, et de l'auteur de l'Apocalypse.

Dans l'Ancien Testament, l'Église désignait le peuple d'Israël comme société religieuse; mais Jésus-Christ, en disant *mon Église,* indique bien qu'il entend fonder une société nouvelle entièrement distincte, quoiqu'elle soit édifiée sur les substructions de l'ancienne [1]. Les métaphores de fondement et de bâtisse, qui conviennent mieux à un édifice qu'à une assemblée, lui sont suggérées par le nom symbolique de Pierre. D'ailleurs les esprits y étaient préparés par une locution qui servait à désigner l'ensemble du peuple élu : l'assemblée de la *maison* de Dieu.

Les rationalistes contemporains et les protestants affranchis des préjugés confessionnels reviennent volontiers à l'explication catholique du texte de saint Matthieu. Plusieurs même en forcent la signification, dans le sens des *prétentions romaines,* pour en nier l'authenticité. « Simon Pierre, écrit l'un d'eux, n'est pas que le fondement historique de l'Église;

partagé, car *pierre* peut se prendre au sens de rocher, et le jeu de mots subsiste aussi bien que dans la phrase prononcée par Jésus.

1. Le mot ἐκκλησία (Mt. 16[18] et 18[17] *bis*) est dans les Septante la traduction ordinaire du mot *qahal* (קהל) qui désigne le peuple d'Israël comme assemblée religieuse. Un synonyme de *qahal* était 'edah (עדה) que les Septante traduisent généralement par συναγωγή. Mais συναγωγή, au temps du Christ, signifiait l'*édifice* où les Juifs se réunissaient et les chrétiens s'approprièrent le mot ἐκκλησία pour désigner soit la totalité des sectateurs du Christ, soit l'ensemble des fidèles d'une ville ou d'une région, soit plus tard leur lieu de réunion. Il est curieux de constater que les judéo-chrétiens continuèrent à dire synagogue au lieu d'église (S. Epiphane, *Haereses,* XXX, 18 : συναγωγὴν αὐτοὶ καλοῦσι τὴν ἐκκλησίαν ἑαυτῶν καὶ οὐχὶ ἐκκλησίαν).

il en est le fondement actuel et permanent; il vit encore, aux
yeux de Matthieu, dans une puissance qui lie et délie, qui
détient les clefs du royaume de Dieu et qui est l'autorité de
l'Église elle-même, non pas sans doute une autorité diffuse,
mais une autorité générale et distincte qui est aux autorités
particulières ce que Simon Pierre est aux disciples et à Paul
lui-même... Simon Pierre est la première autorité apostolique
en ce qui regarde la foi, puisque le Père lui a révélé de préférence le mystère du Fils; en ce qui regarde le gouvernement
des communautés, puisque le Christ lui a confié les clefs du
royaume; en ce qui regarde la discipline ecclésiastique, puisqu'il a le pouvoir de lier et de délier. Ce n'est pas sans cause
que la tradition catholique a fondé sur ce texte le dogme de la
primauté romaine. La conscience de cette primauté inspire
tout le développement de Matthieu qui n'a pas seulement en
vue la personne historique de Simon mais aussi la succession
traditionnelle de Simon Pierre [1]. » Loisy parle ici comme
Bossuet, quoiqu'avec moins d'éloquence : « Ce qui doit servir
de soutien à une Église éternelle ne peut jamais avoir de fin.
Pierre vivra donc dans ses successeurs; Pierre parlera toujours dans sa chaire [2]. » Voilà donc le rationalisme d'accord
avec les Pères et les conciles; mais le diable, comme on
dit, n'y perd rien. Le texte de Matthieu, conclut Loisy, ne
peut pas remonter à Jésus, qui enseignait l'imminence de
la parousie et n'avait nullement l'intention de fonder
l'Église.

D'autres trouvent à notre texte une saveur mythologique [3].
Les portes de l'enfer leur rappellent la légende d'Istar, les
clefs du royaume des cieux leur semblent faire allusion à la
croyance aux cieux multiples, exigeant pour s'ouvrir autant
de clefs spéciales, les métaphores de lier et de délier seraient
empruntées aux papyrus d'Égypte ou aux tablettes cunéi-
formes. Ils concluent donc que le texte ne saurait remonter à
Jésus, mais ils accordent qu'il peut être de Matthieu, supposé par eux meilleur archéologue. Il s'est même rencontré
de nos jours des érudits assez audacieux pour nier, sans

1. Loisy, *Les évangiles synoptiques*, t. II, p. 9-10 et 12-13.
2. Bossuet, Sermon sur l'unité de l'Eglise, 1ᵉ partie.
3. Dell, dans *Z. N. T. W.*, 1914, p. 1-49; cf. *Ibid.*, 1916, p. 18-26.

l'ombre de preuve, que le texte soit de Matthieu[1], ou pour
soutenir qu'il se réduisait primitivement à ces simples mots :
« Tu es Pierre et les portes de l'enfer ne prévaudront pas
contre toi[2]. » Ces débauches d'hypercritique ont reçu en
général l'accueil qu'elles méritent. Nous ne les signalons que
pour montrer combien l'exégèse catholique s'impose, dès
qu'on veut expliquer tel quel le texte de saint Matthieu, dont
l'authenticité ne fait aucun doute.

Dans ces paroles *les portes de l'enfer ne prévaudront pas
contre elle,* beaucoup d'écrivains hétérodoxes et quelques
catholiques ne voient qu'une promesse d'immortalité. C'est
bien cela, mais c'est plus que cela. D'après la teneur du texte,
l'Église est indéfectible parce qu'elle a reçu l'assurance de
résister victorieusement aux furieuses attaques de ses ennemis. L'enfer (l'Hadès des Grecs) n'est pas ici seulement le
séjour des morts; c'est, comme dans l'Apocalypse et dans
l'Évangile de Nicodème, une puissance hostile; c'est une force
agressive qui se déchaînera en vain contre l'Église du Christ.
Comme la maison bâtie sur le roc tient bon contre les tempêtes, les pluies torrentielles et les fleuves débordés, l'Église
fondée sur Pierre, en vertu de la promesse divine, défie et
défiera jusqu'à la consommation des siècles les efforts conjurés du schisme, de l'hérésie et de l'impiété[4].

1. Resch, *T. U.* 10, Leipzig, 1893, p. 187-196; Schnitzer, *Hat Jesus das
Papsttum gestiftet?*[3], 1910. Celui-ci place l'interpolation au IIᵉ siècle,
celui-là au IIIᵉ.
2. Σὺ εἶ Κηφᾶς καὶ πύλαι ᾅδου οὐ κατισχύσουσί σου.
Harnack dans les comptes rendus de l'Académie des sciences de
Prusse, 1918, p. 637-657. Plus tard on aurait ajouté le reste en mettant
αὐτῆς (contre *elle*) au lieu de σου (contre *toi*). Ont réfuté Harnack : Sche-
pens, *Recherches*, 1920, p. 147-169; Fonck, *Biblica*, 1920, p. 240-264; Knel-
ler, dans *Zeitschrift f. kathol. Theologie*, 1920, p. 147-169.
Sans nier l'authenticité, Allen (*S. Matthew*, 1907, p. 179) soupçonne
que tout le passage pourrait bien être de l'évangéliste; Plummer
(*S. Matthew*, 1910, p. 227) se demande si S. Matthieu n'aurait pas attribué
spécialement à Pierre ce que Jésus avait dit à tous les apôtres. Toujours
la peur du papisme.
3. Sur les questions d'authenticité et d'historicité, consultez Y. de
la Brière, dans le *Dict. apol. de la foi catholique*, t. III, col. 1339-1366.
4. Il est vrai que « être ou aller aux portes de l'enfer (*shéol*) » c'est-à-
dire du tombeau, c'est être sur le point de mourir, mais il ne s'ensuit
pas que les portes de l'enfer, en dehors de cette expression, signifient la

A Pierre sont confiées *les clefs du royaume des cieux*. Qui
possède la clef d'une maison l'ouvre et la ferme à son gré; il
dispose en maître de tout ce qu'elle contient. Les clefs d'une
ville conquise sont livrées au vainqueur, en signe d'allégeance
et de soumission. Pierre ne reçoit pas les clefs du royaume
des cieux comme s'il en était seulement le gardien, pour en
exclure les indignes et y introduire les invités; toutes les clefs
lui appartiennent, rien n'échappe à son contrôle.

A Pierre aussi revient, sans restriction et sans exception, le
pouvoir *de lier et de délier*. Cette expression était d'un très
fréquent usage chez les rabbins pour signifier « infliger ou
lever une peine, interdire ou permettre ». Évidemment les
rabbins ne pouvaient pas s'arroger le pouvoir de faire ou
d'abolir les lois; ils étaient interprètes et non législateurs.
Mais le droit accordé à Pierre n'a pas cette limite : tout ce
qu'il décide est sanctionné au ciel. Armé du pouvoir universel
de lier et de délier, il exercera dans l'Église la triple autorité
législative, judiciaire et administrative. Le pouvoir collectif,
concédé plus tard à tous les apôtres et à leurs successeurs,
loin de limiter le privilège de Pierre, est limité par lui.

mort et qu'il faille traduire : « La *mort* ne prévaudra pas contre elle. »

1° Ici l'Enfer est personnifié, comme dans l'Apocalypse (1¹⁸; 20¹³⁻¹⁴) et l'Evangile de Nicodème (Tischendorf, *Evang. apoc.* ², p. 399 : *Haec videns Infernus et Mors*).

2° La personnification ressort des mots « ne prévaudront pas contre elle ». Le verbe κατισχύειν, très commun dans les Septante, où il revient plus de cent fois, a un sens très précis. Avec un régime au génitif, quelquefois à l'accusatif, il signifie toujours « l'emporter sur, prévaloir contre » et implique une idée d'*agression*. D'après Maldonat, qui avoue d'ailleurs être seul de son avis, c'est l'Église qui, non contente de se défendre, *attaque* victorieusement : « Hoc enim multo majus est. » Ce serait peut-être plus glorieux pour l'Église » et encore tous n'en conviendront pas. Les agresseurs ne sont spécialement ni les hérésies (Athanase), ni les vices (Ambroise), ni les persécuteurs (Euthymius), mais en général toutes les puissances hostiles, hommes ou démons.

De prime abord, les *portes* suggèrent plutôt la défensive que l'offensive; mais il faut se souvenir que les portes signifient assez souvent la ville elle-même (Gen. 22¹⁷ : « ta race possédera les portes de tes ennemis »; de même Gen. 24⁶⁰; Ex. 20¹¹, Deut. 5¹⁴ etc.), parce que, dans le monde oriental, la porte résumait la vie de la cité. C'est là que se concluaient les contrats et les traités, que se rendait la justice. La *porte du roi* signifiait la *cour royale* et l'on a dit la Sublime Porte pour désigner l'empire ottoman. « Ainsi porte finit par devenir synonyme de force, de puissance, de domination » (Warren, dans *Dict. of the Bible*, t. II, p. 113).

III. Première annonce de la Passion.

A partir de ce jour, Jésus leur fit confidence d'un secret qu'il leur avait caché jusque-là, ou auquel il n'avait fait que des allusions rapides, restées incomprises :

Alors il commença d'exposer à ses disciples qu'il lui fallait aller à Jérusalem, souffrir beaucoup de la part des notables, des grands prêtres et des scribes, être mis à mort et ressusciter le troisième jour[1].

Cette révélation venait à point. Avant, c'eût été trop tôt; ils n'étaient pas encore capables de soutenir le scandale de la croix. Après, c'eût été trop tard; du moment qu'ils le reconnaissaient pour Messie, ils devaient s'apprivoiser peu à peu avec l'idée d'un Messie souffrant, idée qui trouva toujours les Juifs réfractaires, tant elle contrariait leurs préjugés nationaux. Il était nécessaire que le Christ souffrît, non pas d'une nécessité absolue, mais comme conséquence du plan rédempteur, librement accepté par le Fils et ratifié de toute éternité par le Père connaissant cette acceptation. Et ce plan rédempteur devait s'exécuter à Jérusalem, en pleine lumière, au centre de l'unité religieuse, là-même où tant de prophètes étaient venus prêcher et mourir. Dans saint Marc, les trois actes du drame sont clairement distingués : d'abord les mauvais traitements et la répudiation de la part du sanhédrin; puis la mise à mort par l'autorité compétente; enfin la résurrection le troisième jour.

Il est difficile d'imaginer la stupéfaction des apôtres à cette ouverture inattendue. Le Messie, le sauveur d'Israël, le rédempteur du monde, le Fils de Dieu, renié par son peuple, persécuté et mis à mort par le tribunal suprême de la nation, était-ce croyable, était-ce possible? Le plus scandalisé de tous était celui-là même dont la foi venait d'être comblée d'éloges. Pierre, prenant Jésus un peu à l'écart, sans doute pour n'être pas entendu des autres, lui dit : « A Dieu ne plaise Seigneur, il n'en sera point ainsi. » Mais Jésus, se tournant

---

1. Mt. 16²¹; Mc. 8³¹; Lc. 9²². Texte identique; seulement Marc et Luc ajoutent que le Christ doit être *réprouvé* (ἀποδοκιμασθῆναι) par le sanhédrin et Marc note que Jésus parlait *clairement*, sans ambages (παρρησία).

vers le groupe apostolique pour donner à tous une leçon
opportune, le reprit sévèrement : *Arrière Satan, tu m'es un
objet de scandale ; tu n'as pas les sentiments de Dieu mais
des hommes* [1].

La prédiction de la passion et la rude leçon donnée à
Pierre furent le point de départ d'un enseignement que le
Seigneur donna un jour, non pas aux seuls apôtres, mais à
tous ceux qui l'accompagnaient habituellemant ou qui désiraient marcher à sa suite :

*Si quelqu'un veut venir après moi, qu'il se renonce soi-
même, qu'il porte sa croix et me suive.*

Car quiconque voudra sauver la vie (du corps à tout prix),
perdra la vie (de l'âme) ; *et quiconque perdra la vie* (du
corps) *pour moi et pour l'Évangile, sauvera la vie* (de l'âme).

*Or quel profit trouverait l'homme à gagner le monde
entier s'il perdait son âme ? Et quelle rançon pourrait
donner l'homme en échange de son âme ?*

*Quiconque rougira de moi et de mes paroles, le Fils de
l'homme rougira de lui quand il viendra, en compagnie des
saints anges, dans la gloire de son Père* [2].

Pour saisir la valeur exacte du mot *renoncer,* il n'y a qu'à
l'appliquer aux autres. Renoncer quelqu'un, c'est déserter sa
cause, se désintéresser de lui, enfin le compter pour rien et
le renier. Se renoncer soi-même pour suivre Jésus-Christ,
c'est donc s'anéantir à ses propres yeux, oublier son intérêt,
son honneur, ses aspirations, pour embrasser le parti du
Christ, ne chercher que son service et sa gloire et savoir,
s'il le faut, se sacrifier pour sa cause.

Les imitateurs du Crucifié doivent être prêts à tout souffrir,
à porter la croix avec lui, à l'accompagner au Calvaire. Le

---

1. Mt. 16²²⁻²³ ; Mc. 8³²⁻³³. Mot à mot : « Va derrière moi, Satan » (ὕπαγε
ὀπίσω μου, σατανᾶ).

2. Mt. 16²⁴⁻²⁷ ; Mc. 8³⁴⁻³⁸ ; Lc. 9²³⁻²⁶. Le triple sens de l'hébreu *néfesh*
(נֶפֶשׁ) et du grec ψυχή rend le jeu de mots intraduisible en français, à
moins de dire : « Qui veut *se* sauver, *se* perdra et qui *se* perd *se* sauvera ».

Nous expliquerons plus loin (t. II, p. 11-12 et p. 116-118) ce que c'est
que *suivre Jésus.*

supplice de la croix, sous le gouvernement des Romains, était très commun en Palestine. Varus avait fait crucifier deux mille Juifs à la fois; Quadratus, tous les séditieux qu'il put prendre vivants; Gessius Florus, un nombre considérable de gens de toute condition; Titus, après la prise de Jérusalem, en fera crucifier une quantité si énorme que le bois manquera pour fabriquer des croix. Et l'histoire n'a pas enregistré toutes les hécatombes. Beaucoup d'entre les auditeurs du Christ pouvaient avoir assisté à ces sanglants spectacles; tous savaient *de visu* ou par ouï-dire que le condamné avait à porter sa croix jusqu'au lieu du supplice; ils comprenaient donc bien qu'en leur disant : « Portez votre croix à ma suite », Jésus les invitait à partager son sort.

Cette maxime d'un tour paradoxal : « Qui voudra sauver sa vie la perdra, et qui la perdra pour moi et pour l'Évangile la sauvera », sonne faux en français, parce qu'elle repose sur un jeu de mots intraduisible en notre langue; mais elle n'avait rien d'obscur pour les auditeurs de Jésus qui savaient que le même mot hébreu signifiait à la fois la vie, l'âme et la personne; ils comprenaient fort bien que la vie de l'âme, qu'on perdrait en voulant sauver à tout prix la vie du corps, serait une perte irréparable. Dans les législations orientales, un meurtrier condamné à mort pour subir la peine du talion, pouvait quelquefois racheter sa vie à prix d'argent; mais il est évident que tout l'univers ne suffirait pas à payer la rançon de l'âme. Au dernier jour, quand le Fils de l'homme viendra, escorté de ses anges, pour rendre à chacun selon ses œuvres, il dira à ceux qui l'auront renié ou qui auront rougi de lui : « Je ne vous connais point »; et ce verdict sera sans appel.

Une parole mystérieuse, prononcée peut-être en une autre occasion, termine ce discours : *Il en est quelques-uns ici présents qui ne goûteront pas la mort sans avoir vu le Fils de l'homme venant en son royaume,* ou : *sans avoir vu le royaume de Dieu venant en puissance* [1]. De quelle *venue*

---

1. S. Luc (9²⁷) dit simplement : « Jusqu'à ce qu'ils voient le royaume de Dieu. » S. Marc (9¹) : « Jusqu'à ce qu'ils voient le royaume de Dieu venant en puissance. » S. Matthien (16²⁸) : « Jusqu'à ce qu'ils voient le Fils de l'homme venant dans son royaume. » Le P. Durand (*Verbum salutis; Saint Matthieu*, p. 318) note justement : « Ces divergences

s'agit-il ? On a songé à la transfiguration qui aura lieu dans six
jours, ou à l'ascension du Christ, ou à la descente du Saint-
Esprit au jour de la Pentecôte, ou à la parousie et au jugement dernier. Aucune de ces explications, il faut l'avouer,
n'est satisfaisante. Comme Dieu, dans l'Ancien Testament, était
censé *venir* vers son peuple, chaque fois qu'il intervenait pour
le punir ou le délivrer, ne pourrait-on pas dire que toute
manifestation éclatante de justice ou de miséricorde au sein
de l'Église, est considérée comme une *venue* du Christ, sauveur et vengeur des siens ? S'il en est ainsi, la ruine de Jérusalem, dont plusieurs disciples seront témoins, cet abaissement et en quelque sorte cet effacement du judaïsme, qui
était le principal obstacle à l'expansion de l'Église naissante,
rendrait assez bien l'idée du « royaume de Dieu venant en
puissance ».

valent un commentaire. Elles donnent à entendre qu'il ne s'agit plus,
comme dans le verset précédent (de S. Matthieu) d'un retour visible
et personnel du Fils de l'homme, mais de cette assistance toute spéciale
qu'il promet aux siens et à son œuvre au chapitre XVI de saint Jean. »
Le P. Huby (*Saint Marc*, p. 195) a quelque chose de semblable.

Ce qui confirme cette explication, c'est le langage de Jésus quand
il dit à ses apôtres, en leur annonçant sa mort imminente : « *Je viendrai*
à vous de nouveau » (Jn. 14³ ; 14¹⁸·²⁸). Il ne s'agit pas toujours d'une
visite après la résurrection.

CHAPITRE XII

LES DERNIERS JOURS EN GALILÉE

I. La transfiguration[1].

L'annonce de la passion de Jésus et de sa mort prochaine avait plongé les apôtres dans la consternation. Eux qui attendaient à brève échéance l'éclatante manifestation du règne de Dieu et déjà escomptaient la place d'honneur qu'ils y occuperaient un jour, voyaient maintenant s'effondrer leurs rêves. A ces brillantes perspectives succédait tout à coup la sombre réalité. On ne leur parlait que d'abnégation, de renoncement, de croix à porter, de mort à subir, pour conquérir la vie véritable. Ces austères enseignements, auxquels ils n'étaient pas assez préparés, mettaient le comble à leur désarroi.

Le Maître sentit le besoin de relever leur courage, en offrant une vision anticipée de sa gloire à ceux d'entre eux dont l'influence prépondérante donnait pour ainsi dire le ton au collège apostolique. Il choisit à cet effet ceux-là mêmes qui devaient être un jour les témoins de son agonie : Pierre, son vicaire ici-bas et le fondement de son Église; Jacques, le premier des apôtres à lui rendre le témoignage du sang; Jean, le confident de ses plus intimes pensées. Il les prit à l'écart, sur une haute montagne, où il avait résolu de passer la nuit en prières. Ce fut six jours pleins, ou — ce qui revient au même — environ huit jours après la scène de Césarée de Philippe[2]. Ce synchronisme, que les trois Synoptiques

1. Matthieu, 17$^{1-13}$; Marc, 9$^{2-13}$; Luc, 9$^{28-36}$.
2. Matthieu et Marc : « six jours »; Luc : « environ huit jours ».

ont pris soin de noter, marque une corrélation voulue entre la confession de Pierre et la glorification passagère du Fils de Dieu sur la sainte montagne.

Cette montagne, l'Évangile ne la nomme pas; mais une tradition très ferme depuis le quatrième siècle a toujours désigné le Thabor. Saint Cyrille de Jérusalem et saint Jérôme, qui tous deux habitaient la Palestine, se prononcent sans la moindre hésitation. Chez les Grecs, comme chez les Latins, la tradition s'est perpétuée ininterrompue jusqu'à nos jours où la piété éclairée des catholiques américains a relevé l'antique église commémorant le mystère.

Un certain nombre d'érudits contemporains veulent lui substituer le grand Hermon, sous prétexte que le Thabor n'est pas une montagne et, qu'au temps de Jésus, une ville en couronnait le faîte. Il est vrai que l'Hermon est un merveilleux belvédère, d'où toute la Palestine, depuis Dan jusqu'à Bersabée, se déroule aux regards comme sur un plan en relief; mais si ses partisans en avaient tenté l'escalade, plus laborieuse que l'ascension des pics pyrénéens, sans aucun des secours que l'industrie moderne met à la disposition des touristes, leur enthousiasme en serait refroidi. Certainement, pour l'altitude, le Thabor ne peut pas rivaliser avec l'Hermon; mais tout est relatif. Le Thabor est le point culminant de la Basse Galilée. Vu du fond de la vallée du Jourdain ou de la plaine d'Esdrelon, à l'extrémité de laquelle se détache sa courbe harmonieuse, il paraît plus haut que nature. Son isolement, qui le fait distinguer des sommets voisins, est très bien marqué par les évangélistes [1].

---

1. Le Thabor s'élève à environ 600 mètres (595 d'après Guérin, 562 d'après Socin) au-dessus de la Méditerranée, et à près de 800 mètres au dessus du lac de Tibériade. Le plateau qui le couronne, allongé d'Occident en Orient, mesure environ 800 mètres sur 400. Le sommet du grand Hermon atteint 2.760 mètres d'altitude. Description du Thabor dans Guérin, *Galilée*, t. I, p. 143-164; ascension du grand Hermon, *Galilée*, t. II, p. 290-295.

S. Cyrille de Jérusalem, *Catech*. XII, 16 (Migne, XXXIII, 744) et S. Jérôme (*Epist*. XLVI, 12 et CVIII, 13, Migne, XXII, 491 et 889) affirment que le Thabor est la montagne de la transfiguration; mais il ne faut pas alléguer Origène (XVII, 1548) et Eusèbe (XXIII, 1092) qui se bornent à citer le Ps. 88 (89) [13] : *Thabor et Hermon in nomine tuo exsultabunt*. Nicéphore Calliste dit que sainte Hélène y avait fait construire une église (*Hist. eccl*. VIII, 30). Au VIe siècle, l'anonyme de Plaisance vit trois églises sur le

Aux temps des troubles et des guerres civiles, le Thabor devint souvent un lieu de refuge et une citadelle improvisée. Antiochus le Grand, l'an 218 avant Jésus-Christ, l'entoura d'un rempart. Josèphe fit de même, l'an 66 de notre ère; mais la manière dont il en parle montre assez que la montagne n'était pas alors habitée. Placé par les rebelles à la tête de la Galilée, il mit en état de défense huit villes qu'il énumère et fortifia le mont Thabor, qu'il distingue toujours des villes. On voit encore les ruines de la muraille qu'il y bâtit, sur un pourtour de trois kilomètres. Il n'est alors jamais question d'une ville sur la montagne, dont Vespasien jugea inutile de s'emparer. Le manque d'eau potable ne favorisait pas l'établissement en ce lieu d'une population sédentaire. Supposé qu'au temps de Jésus il y eut quelques familles de bûcherons ou de bergers, le plateau du Thabor était assez vaste pour assurer aux amis de la solitude le calme le plus complet[1].

On pourrait aller de Césarée de Philippe au Thabor en deux ou trois journées de marche, mais il est possible que le Sauveur, pour éviter les foules, ait fait un détour par la côte maritime, qui appartenait alors aux Tyriens, et la plaine d'Esdrelon, territoire contesté entre la Samarie et la Galilée. On n'atteignit le pied du Thabor qu'au bout de six jours pleins.

Par un sentier abrupte, tout en lacets et en escaliers, on gravissait la belle montagne, à travers un épais fourré de

Thabor (*Itiner.* 6). Au siècle suivant, Arculphe y trouva un grand monastère (dans Adamnan, *De locis sanctis*, XI, 27). Depuis lors, la tradition n'a pas varié et il n'existe pas de tradition rivale; car on ne peut pas appeler tradition la singulière méprise du pèlerin de Bordeaux (333) qui désigne le mont des Oliviers.

Ce qui frappe le plus à la vue du Thabor c'est son isolement et sa forme gracieuse. Polybe (*Hist.,* v, 70) le comparait à une mamelle de femme. « En l'absence même de toute tradition, comment eût-elle manqué d'émouvoir les pèlerins, cette magnifique montagne dont la flore et les arbres également opulents contrastent singulièrement avec tous ses vastes alentours ? Aujourd'hui encore, quiconque la visite n'échappe pas aisément à son attirance. » (Dalman, *Les itinéraires de Jésus,* trad. Marty, Paris, 1930, p. 255).

1. Josèphe, *Bellum,* II, xx, 6; IV, i, 1 et 8. Josèphe a toujours soin de distinguer les villes qu'il fortifie, *du mont appelé Thabor* (τὸ Ἰταβύριον καλούμενον ὄρος), où il ne mentionne jamais aucune localité.

chênes, de lentisques, de caroubiers et de térébinthes. Au
bout d'une heure d'ascension pénible, on arrivait sur un
assez large plateau découvert, d'où le regard embrassait
presque tout le théâtre galiléen de l'apostolat de Jésus et la
scène de ses principaux miracles : Naïm, Cana, Capharnaüm,
avec l'extrémité du lac de Tibériade et, plus près, le cercle
de collines où Nazareth se cachait alors.

Le jour expirait quand le Sauveur y parvint avec ses trois
disciples. Ceux-ci fatigués par la marche et la chaleur d'une
longue journée d'été — on était vraisemblablement au mois
d'août — ne tardèrent pas à s'assoupir, tandis que le Maître,
un peu à l'écart, prolongeait sa prière. Leur somnolence
avait une excuse et nous ne voyons pas que le Seigneur les
en ait repris. Lorsqu'ils se réveillèrent, ils aperçurent devant
eux un spectacle si nouveau qu'ils purent se demander s'ils
n'étaient pas encore endormis. Jésus leur apparut enveloppé
d'un nimbe éblouissant. Il ne brillait pas de lueurs empruntées, comme Moïse sur l'Horeb réfléchissant la splendeur
divine ; toute sa personne dardait la lumière ; son visage
rayonnait comme le soleil et ses vêtements resplendissaient
d'une blancheur que l'art du foulon ne saurait imiter. Près
de lui, les deux plus grandes figures d'Israël, les deux
illustres représentants de la Loi et des prophètes, Moïse,
le législateur des Hébreux et Élie, l'avant-coureur des temps
messianiques, se tenaient à droite et à gauche, laissant la
place d'honneur à Jésus, avec lequel ils s'entretenaient des
choses qui allaient se passer bientôt à Jérusalem [1], surtout de

---

1. S. Luc a ici plusieurs détails omis par les autres : 1° Jésus gravit
la montagne, sans autre désignation, *pour y prier*. — 2° Moïse et Élie
entretiennent Jésus *de sa passion* prochaine. — 3° Pendant ce temps
les apôtres *sommeillent*.
S. Luc décrit très sommairement la transfiguration même : « Pendant
qu'il priait sa figure (ou son aspect, τὸ πρόσωπον) changea et son habit
devint éclatant de blancheur. » Les autres disent : « Il se transfigura
devant eux (μετεμορφώθη ἔμπροσθεν αὐτῶν). » S. Matthieu ajoute : « Sa
figure brillait comme le soleil et ses habits devinrent blancs comme la
lumière. » Et S. Marc, d'un ton plus réaliste : « Ses habits devinrent
brillants et très blancs, d'une blancheur qu'un foulon sur la terre ne
pourrait produire. » Par exception, le récit de S. Marc est le plus
court, mais il est le plus vivant.

la mort rédemptrice qui mettrait fin à l'ancienne alliance et substituerait l'Eglise à la Synagogue.

Au moment où ils faisaient mine de s'éloigner, Pierre, trop ému pour peser le sens de ses paroles, s'écria : « Maître, il est bon que nous soyons ici [1]. Si vous voulez, nous ferons trois tentes : une pour vous, une pour Moïse et une pour Élie. » La surprise, jointe à une religieuse frayeur, trouble son esprit. Il s'imagine perpétuer cette vision de gloire, ou du moins la prolonger jusqu'au lendemain, en préparant trois de ces huttes de feuillage, où les gardiens des moissons et des vignes s'abritent faute de mieux contre la rosée des nuits. Son offre partait d'un bon sentiment puisqu'il n'avait songé ni à lui-même ni à ses compagnons; mais elle était aussi déplacée que superflue. Pendant qu'il parlait encore, une nuée lumineuse les enveloppa tous et il en sortit une voix qui disait : « Celui-ci est mon Fils bien-aimé, en qui je me suis complu. Écoutez-le. »

Trois fois seulement la voix du ciel s'est fait entendre pour rendre au Fils bien-aimé un témoignage solennel : aussitôt après le baptême, lorsqu'il allait inaugurer son ministère, sur la montagne de la transfiguration et à la veille de couronner son œuvre, en se sacrifiant pour notre salut.

Les apôtres, tremblant de peur, s'étaient jetés la face contre terre et seraient restés longtemps ainsi prosternés, si Jésus, pour les rendre au sentiment d'eux-mêmes, ne les eût touchés en disant : « Levez-vous; ne craignez point. » Se relevant aussitôt et regardant autour d'eux, ils ne virent personne, si ce n'est leur Maître qui avait repris son aspect habituel. Qu'elle eût duré des heures ou seulement des minutes, la vision avait produit sur eux une impression ineffaçable et Pierre en gardait le vivant souvenir au terme de sa carrière : « Ce n'est pas sur la foi de fables ingénieuses que nous vous avons annoncé

---

1. Καλόν ἐστιν ἡμᾶς ὧδε εἶναι. Phrase identique chez les trois évangélistes ; seulement S. Matthieu la fait précéder du mot Κύριε (Seigneur), S. Marc du mot Ῥαββί (Maître), S. Luc du mot Ἐπιστάτα (Précepteur ou Maître). On traduit généralement : « Il fait bon *pour nous* d'être ici. » Le sentiment est assez naturel, quoiqu'un peu égoïste; mais, pour avoir ce sens, il faudrait : καλόν ἐστιν ἡμῖν ὧδε εἶναι (bonum est *nobis* hic esse). S. Pierre est tout heureux de pouvoir être utile et de rendre service en s'oubliant lui-même. C'est le trait d'une âme aimante et généreuse.

la puissance et l'avènement de Notre-Seigneur Jésus-Christ, mais en témoins oculaires de sa majesté. Il reçut honneur et gloire de Dieu le Père, quand descendit des hauteurs célestes une voix qui disait : « Celui-ci est mon Fils bien-aimé, en qui je me suis complu. » Et nous-même, nous entendîmes cette voix venue du ciel, lorsque nous étions avec lui sur la montagne sainte[1]. »

Le lendemain, en descendant du Thabor, Jésus leur fit cette recommandation : « Ne racontez à personne ce que vous avez vu, jusqu'à ce que le Fils de l'homme soit ressuscité d'entre les morts[2]. » Quel pouvait être le motif de cette défense? Saint Jérôme est d'avis qu'elle ne concernait pas les autres apôtres; mais elle est générale et saint Luc affirme expressément que les trois témoins de la transfiguration ne révélèrent leur secret à personne. La divulgation prématurée d'un si grand prodige aurait pu éveiller chez les foules des espérances intempestives qui auraient eu pour effet d'augmenter encore le scandale de la croix. Ne fallait-il pas aussi épargner aux autres apôtres la tentation d'envie qu'aurait pu faire naître la faveur accordée aux trois privilégiés? Nous les verrons dans peu de jours débattre la question de savoir lequel d'entre eux l'emporte sur les autres.

Bien résolus à observer la consigne, sans en scruter le motif, les trois disciples descendaient la montagne en silence, se demandant intérieurement ce que pouvait signifier « jusqu'à ce que le Fils de l'homme soit ressuscité d'entre les morts »; mais ils n'osaient demander à ce sujet aucun éclaircissement. Espérant peut-être en obtenir par un moyen détourné, ils posèrent cette question que leur suggérait sans doute la récente apparition d'Élie : « Pourquoi les scribes et les pharisiens disent-ils qu'Élie doit venir d'abord », c'est-à-dire avant le Messie, pour lui préparer les voies? La pensée des apôtres était, semble-t-il : « Puisque, d'après l'enseignement des scribes, Élie doit restaurer toutes choses et aplanir les voies au Messie, comment son rôle est-il conciliable avec la résurrection du Christ qui, pour ressusciter, doit nécessairement

1. 2 Petr. 1 [16-18].
2. Mt. 17 [9]; Mc. 9 [9-10]. Cf. Lc. 9 [36].

mourir au préalable? » La réponse du Sauveur reviendrait à
ceci : « Oui, Élie restaurera toutes choses et préparera les
voies au Messie ; mais en réalité, Élie a déjà paru dans la personne de Jean et son rôle d'avant-coureur, qui ne l'a pas mis
à l'abri des persécutions, ne préservera pas davantage le
Christ de la souffrance et de la mort, parce que c'est écrit [1]. »
Ce n'était pas tout à fait la réponse qu'attendaient les apôtres,
mais ils comprirent que, sous le nom d'Élie, leur Maître
désignait Jean-Baptiste. Il était difficile de s'y méprendre.

II. La guérison du lunatique [2].

Un spectacle bien différent de celui qu'ils avaient contemplé
au sommet de la montagne attendait les apôtres au pied du
Thabor : saisissant contraste, que Raphaël a puissamment
rendu dans le chef-d'œuvre auquel la mort l'empêcha de mettre
la dernière touche. Là-haut, dans la lumière, tout respire la
paix, le calme, la joie sereine, la confiance, en compagnie du
Christ radieux et inondant de ses clartés tout ce qui l'entoure ;
là-bas, dans la pénombre, c'est le trouble, le désordre, la confusion, la lutte obscure et l'effort impuissant.

Autour des neuf apôtres restés dans la plaine, se pressait
une foule qui assistait, curieuse et amusée, à un débat engagé
entre les scribes et les disciples, probablement sur les causes
de l'échec que ces derniers venaient de subir, en essayant en
vain de délivrer un pauvre démoniaque. Dès qu'on aperçut
Jésus, qu'on avait perdu de vue depuis assez longtemps, on
accourut à lui avec les démonstrations habituelles d'hommage
enthousiaste. Il interrogea les arrivants sur l'objet de la dispute
qu'il avait observée de loin et dont il avait peut-être perçu les

---

1. Mc. 9 [12-13]. Texte assez difficile, ainsi traduit par Joüon (*L'Évangile
de N.-S. J.-C.*, 1930, p. 133) : « Élie viendra d'abord et restaurera tout.
Mais comment est-il écrit du Fils de l'homme qu'il doit beaucoup souffrir
et être honni ? Eh bien ! je vous le dis, Élie est (déjà) venu, et ils lui ont
fait tout ce qui leur a plu, comme il est écrit de lui. » Pour les détails,
consulter un bon commentaire.
Sur Élie d'après les rabbins, voir la longue dissertation de Billerbeck,
Kommentar, t. IV, p. 764-798 ; sur Moïse, *Ibid.*, t. I, p. 153-8.
2. Mt. 17 [14-19] ; Mc. 9 [14-29] ; Lc. 9 [37-43]. Le récit de S. Marc est de beaucoup le plus animé et le plus circonstancié ; c'est lui que nous suivons,
en tenant compte des autres.

échos; mais tous, disciples et curieux, gardaient le silence, retenus, les uns par une sorte de crainte révérentielle, les autres par la honte d'avouer leur échec. Alors un homme, traînant un jeune enfant par la main, fendit la presse et vint lui dire :

Maître, je vous amène mon fils possédé d'un esprit muet qui, chaque fois qu'il s'en empare, le fait trépigner, se raidir et se crisper, en écumant et grinçant des dents. Souvent il le jette dans le feu ou le précipite dans l'eau; il lui fait pousser des cris, le tord convulsivement et ne le quitte qu'après l'avoir brisé de fatigue. J'ai présenté mon enfant à vos disciples, mais ils n'ont pu ni le guérir ni expulser l'esprit malin.

On trouve réunis dans ce cas plusieurs symptômes du haut mal, avec complication de crises hystériques : violentes convulsions, cris inarticulés, bouche écumante, contraction des muscles et rigidité des membres, enfin prostration complète après les accès. Les attaques observent une certaine périodicité que les anciens attribuaient aux influences de la lune. Mais il y a, chez le lunatique de l'Évangile, autre chose que l'épilepsie; il y a la présence d'un esprit malfaisant qui paralyse sa volonté, lui ôte par moments l'usage de l'ouïe et de la parole et lui inspire des idées de suicide. Nous avons dit ailleurs que l'esprit malin se joue le plus souvent dans un organisme morbide, soit qu'il l'ait trouvé soit qu'il l'ait rendu tel; et l'on peut se demander si la maladie est la cause occasionnelle ou l'effet de sa présence. Ici elle paraît plutôt en être la cause, car les désordres existaient chez l'enfant dès l'âge le plus tendre.

Une circonstance bien capable de toucher le cœur de Jésus, c'est que le pauvre possédé était fils unique. Pourtant il n'accueillit d'abord la requête du père que par cette exclamation de douleur : « O race infidèle et perverse, jusques à quand serai-je avec vous, jusques à quand vous souffrirai-je! » Il s'adressait à la foule, indifférente plutôt qu'hostile, mais à laquelle s'étaient mêlés des scribes et des pharisiens qui triomphaient de l'échec des apôtres; il s'adressait aussi aux apôtres, découragés par leur insuccès récent et dont la foi commençait à vaciller; il s'adressait au père lui-même, dont le langage déférent dissimulait mal la défiance et le scepti-

cisme. Il ajouta néanmoins d'un ton radouci : « Amenez-m
l'enfant. » On obéit; mais ce fut pour le malheureux le sign
d'un paroxysme de rage. Dès qu'il fut en présence de Jésu
il se sentit violemment secoué par l'esprit mauvais et, to
bant à terre, il se roulait sur le sol qu'il blanchissait d'écum
Les assistants frémissaient d'horreur devant le père atterr
Pour ouvrir son âme à la foi, Jésus l'interroge avec bonté :

— Depuis combien de temps est-il en cet état?

— Depuis son enfance; mais si vous pouvez quelque chos
venez-nous en aide; ayez pitié de nous.

— Si je puis! Que veux-tu dire? Tout est possible à cel
qui croit.

Non, ce n'est pas la puissance du thaumaturge qui fa
défaut; c'est plutôt la foi des autres, condition normale, sinc
essentielle du miracle. Cette fois, le père a compris et, d
même coup, la grâce opère en son âme : « Je crois, Seigneu
s'écrie-t-il; mais venez en aide à mon peu de foi. » Il cro
sincèrement, mais il a peur de ne pas croire assez pour obte
nir la faveur qu'il désire tant.

Il fut bientôt rassuré. La foule qui, fatiguée d'attendr
commençait à se disperser, se rassembla de nouveau et c'e
devant cette multitude de spectateurs que Jésus intima
l'esprit du mal l'ordre de quitter la place : « Esprit sourd
muet, je te l'ordonne, sors de ce corps et n'y rentre jamais.
L'enfant poussa un cri terrible, se tordit convulsivement, pui
resta comme mort; si bien que beaucoup pensèrent qu'
avait réellement trépassé. On se trompait; à l'heure mêm
l'enfant était délivré du démon et guéri pour toujours. Jésu
le prit par la main, le mit debout et le fit revenir à lui. Pu
il le rendit à son père, guéri, lui aussi, [de son incrédulité.]
n'en fallait pas tant pour soulever l'admiration des foules
aussi promptes à s'enflammer qu'à retomber dans leur to
peur coutumière. Quand les apôtres se retrouvèrent seul
avec leur Maître ils lui posèrent cette question :

Pourquoi n'avons-nous pas pu chasser cet esprit impur
— C'est à cause de votre peu de foi. En vérité, je vous le dis
si vous aviez de la foi, gros comme un grain de sénevé, vou
diriez à cette montagne : « Retire-toi d'ici », et elle change
rait de place, car rien ne vous serait impossible. Quant

e genre (de démons), on ne peut les chasser que par la
rière et le jeûne[1].

Les apôtres n'avaient pas encore rencontré une si effarante
manifestation du pouvoir diabolique. Devant cet obstacle
nouveau, leur foi avait titubé; or la foi seule opère des mira-
des. Il ne s'agit pas ici, bien entendu, de la vertu théologale,
ar laquelle nous adhérons de cœur et d'esprit à la vérité
évélée, mais d'un charisme qui surajoute à la foi une con-
ance spéciale, avec la certitude d'être exaucé quand la gloire
e Dieu est en cause. Cette foi serait capable de remuer des
montagnes, façon hyperbolique de dire qu'elle réaliserait
impossible[2].

Plus le miracle déroge aux lois ordinaires de la nature,
moins il est fréquent : telles les résurrections de morts. Cer-
ains exorcismes rentrent dans la catégorie de ces miracles
xceptionnels qui supposent en général dans l'opérateur plus
e sainteté ou du moins des dispositions actuelles plus par-
aites. La parole de Jésus nous apprend que la prière et le
eûne comptent parmi les préparations qui nous assurent le
lus efficacement le secours divin.

L'apostolat galiléen touchant à son terme, Jésus voulut
éserver les derniers moments de son séjour en ce pays à
instruction exclusive de ses apôtres. Aussi le traversa-t-il
ans y prêcher et pour ainsi dire incognito[3], afin de tenir à
écart la foule des disciples d'occasion qui s'attachaient par-

---

1. Mc. 9[29]. Τοῦτο τὸ γένος ἐν οὐδενὶ δύναται ἐξελθεῖν εἰ μὴ ἐν προσευχῇ καὶ
ηστείᾳ. Cette espèce (τοῦτο τὸ γένος) désigne, non pas les démons en
énéral, mais une classe particulière de démons, pareils à celui dont
e lunatique était possédé. Plusieurs éditeurs critiques omettent ou
lacent entre crochets les mots et par le jeûne (καὶ νηστείᾳ); mais
ogels et Soden les retiennent, avec raison ce semble. Au contraire
lt. 17[24] (Hoc autem genus non ejicitur nisi per orationem et jejunium)
arait bien emprunté à Marc 9[29].
2. Mt. 17[20]. Assurance placée par S. Luc dans un autre contexte (17[6])
t répétée par Jésus à propos du figuier maudit (Mt. 21[24]; Mc. 11[23]).
lle cadre bien ici avec le contexte de S. Matthieu.
3. Mt. 17[22]. « S'étant regroupés en Galilée » (συστρεφομένων αὐτῶν); le
atin conversantibus illis donne le même sens, en laissant à la prépo-
ition composante cum toute sa force.
Mc. 9[30] : « Ils traversaient la Galilée sans s'y arrêter » (παρεπορεύοντο,
raetergrediebantur) « et il ne voulait pas que personne le sût. »

tout à ses pas. Du pied du Thabor, il n'était éloigné de Capharnaüm que d'une grande journée de marche, mais il ne s'y rendit pas en ligne directe.

En cours de route, il renouvela aux Douze l'annonce de sa passion : *Gravez bien ceci dans votre esprit : le Fils de l'homme sera livré en des mains qui le mettront à mort, mais il ressuscitera le troisième jour.* Par quel prodige d'inintelligence les apôtres ne comprirent-ils pas? « Ils avaient sur l'esprit, dit saint Luc, comme un voile qui les empêchait de voir. » La prédiction subite d'une grande calamité que rien ne présageait nous laisse souvent incrédules. Les apôtres savaient qu'il y a des prophéties conditionnelles, dont on peut conjurer l'effet. Ils soupçonnaient, dans les paroles de leur Maître, quelque sens mystérieux que l'avenir leur révélerait. Enfin toute hypothèse leur semblait plus croyable que la mort du Messie, du Fils de Dieu. Jésus aurait éclairé leurs doutes, s'ils avaient eu le courage de l'interroger; mais ils se taisaient par respect[1], ou peut-être par crainte de savoir la triste vérité.

Sur le chemin de Capharnaüm, une dispute singulière s'était engagée entre eux sur la question de savoir qui était le plus grand. Chacun d'eux n'avait certainement pas la fatuité de s'adjuger la première place; mais ils faisaient valoir les titres de leurs favoris et discutaient les prétentions des autres. Ils méritaient la leçon d'humilité qui leur sera donnée sans retard.

III. Une halte à Capharnaüm.

Désireux de passer inaperçu, durant son court séjour dans cette ville, Jésus s'était retiré dans la maison amie qui lui servait habituellement de refuge; mais son retour fut connu des agents chargés de lever la contribution payable annuellement par tous les Israélites adultes. Moïse, à la sortie

---

1. Mt. 17$^{22\text{-}23}$; Mc. 9$^{31\text{-}32}$; Lc. 9$^{44\text{-}45}$. S. Luc se borne à dire : « Le Fils de l'homme sera livré aux mains des hommes. » Mais, chez les deux autres, la prophétie est d'une clarté aveuglante. Et pourtant, dit S. Marc : « ils ne comprirent pas la chose (τὸ ῥῆμα) et ils avaient peur d'interroger ».

d'Égypte, avait imposé un demi-sicle d'argent aux Hébreux,
pour l'érection du Tabernacle où reposait l'arche d'alliance.
Joas exigea la même somme pour réparer le Temple, laissé
à l'abandon et dépouillé par l'impie Athalie. Depuis Néhémie,
l'usage avait rendu annuel ce tribut pour tous les Juifs âgés
d'au moins vingt ans[1]. Partout, dans la Diaspora comme en
Palestine, des fonctionnaires spéciaux avaient mission de le
recueillir et d'en envoyer le produit à Jérusalem pour les
besoins du Temple.

Absent depuis plusieurs semaines, Jésus n'avait pas acquitté
sa cotisation à la date ordinaire; aussi, dès son retour, les
collecteurs ayant rencontré Pierre lui demandèrent si son
Maître ne payait pas le demi-sicle ou didrachme. Des agents
du fisc — que ce fût pour le compte du tétrarque Antipas ou
pour celui des Romains — n'auraient pas posé la question
avec tant de civilité et de ménagements; mais la plus grande
réserve était recommandée aux collecteurs de la capitation,
parce que cette redevance, bien que considérée comme un
strict devoir religieux, restait volontaire et n'était pas exigible
de force. Cependant le Sauveur, pas plus que les Juifs pieux
de son temps, ne s'en était jamais dispensé et Pierre, qui le
savait, n'hésita pas à répondre par l'affirmative.

Rentré à la maison, il allait raconter l'engagement pris
par lui au nom de son Maître, quand celui-ci le prévint :
« Que t'en semble, Simon? De qui les rois de la terre reçoi-
vent-ils les tributs et les impôts? Est-ce de leurs fils ou des
étrangers? » Les impôts, dans l'antiquité, étaient moins des
fonds destinés aux services publics que le revenu personnel

---

1. Ex. 30⁴¹⁻¹⁶; Neh. 10³²⁻³⁴. Josèphe, *Antiq.* XVIII, ix, 1 ; *Bellum*, VII,
ɪ, 6. La *Mishna* (traité *Sheqalim* ɪ, 3) édicte : « Sont tenus à payer le
demi-sicle les lévites, les simples Israélites, les néophytes, les affranchis,
mais non les esclaves, les femmes, les enfants (cependant on l'accepte
d'eux); mais on ne l'accepte ni des païens ni des Samaritains. » Sur le
didrachme, voir Schürer, *Geschichte* ⁴, t. II, 314-315; Juster, *Les Juifs
dans l'empire romain*, 1914, t. I, p. 377-385 ; F. Nau, *Le denier du culte
à Éléphantine au* vᵉ *siècle av. J.-C.* dans *Rev. de l'Orient chrétien*,
VII, 912, p. 100-104.

Le droit d'envoyer à Jérusalem le produit de cette collecte était
reconnu aux Juifs dans tout l'empire. Flaccus, préteur d'Asie, accusé
d'avoir violé ce privilège, en confisquant les sommes destinées au Temple,
est défendu par Cicéron.

des souverains qui en disposaient à leur gré. La chose était
donc claire et Pierre répondit sans hésitation : « Ils les
perçoivent des étrangers. — Alors, reprit Jésus, les fils en
sont exempts? » La conclusion était évidente; jamais roi
n'avait fait payer les impôts aux membres de sa famille, à
plus forte raison à ses propres enfants. L'application ne
l'était pas moins et Jésus laissa à ses apôtres le soin de la
tirer. Puisque la redevance en faveur du Temple est un impôt
payé à Dieu, le Fils de Dieu par nature en est certainement
exempt; mais jusque-là, en dehors du cercle étroit des apôtres,
le Christ avait fait mystère de sa filiation divine; il y avait
donc danger de scandaliser les Juifs qui l'ignoraient[1].

La bourse commune eût-elle été vide en ce moment, le
Sauveur aurait aisément trouvé dans son entourage la modique
somme exigée de lui (environ deux francs de notre ancienne
monnaie) : mais il préféra recourir à un miracle, pour affirmer une dernière fois aux Galiléens qu'il allait quitter, son
pouvoir d'envoyé divin. Il dit à Pierre : « Afin de ne pas
scandaliser ces gens, va-t'en à la mer, jettes-y l'hameçon et
dans la bouche du premier poisson que tu prendras tu trou-
veras un statère. Prends-le et donne-le-leur pour moi et
pour toi. » A nous qui savons ce qu'était Jésus, la prompte
obéissance de Pierre paraît naturelle; mais elle dut sembler
aux assistants aussi étrange que l'ordre reçu.

---

1. Mt. 17²⁴⁻²⁷. Épisode spécial à S. Matthieu. Les lecteurs de S. Marc
et de S. Luc ne l'auraient pas compris sans explication. — Pour bien
saisir le raisonnement de Jésus, il faut se souvenir que la redevance
d'un demi-sicle, due au Temple, était un *tribut payé à Dieu*. Josèph
l'affirme expressément (*Antiq.* XVIII, IX, 1 : τὸ δὲ δίδραχμον ὃ τῷ Θεῷ
καταβάλλειν ἑκάστοις πάτριον), ainsi que l'Écriture (Ex. 30¹²⁻¹³ : *Dabunt
singuli pretium pro animabus suis Domino... dimidium sicli juxta
mensuram templi.* Le didrachme était payable *selon le poids du sanctuaire,* c.-à-d. en monnaie de Tyr, qui avait conservé l'ancien poids du
sicle.
Jésus dit : « Pour que *nous* ne les scandalisions pas », comme si la
raison d'éviter le scandale était la même pour son apôtre et pour lui.
Il est en effet naturel que les serviteurs attachés à la personne de
l'héritier royal partagent son immunité. Cependant, si l'on s'autorisait
de ce texte pour soutenir l'exemption des clercs en matière d'impôts,
l'argument clocherait de deux manières : parce que ces impôts ne sont
pas payés à Dieu mais à un souverain temporel et parce que la relation
des clercs à Jésus-Christ n'est pas la même que celle des Douze à
leur Maître.

De nos jours, les riverains emploient quelquefois pour
êcher à la ligne une simple corde, à laquelle sont fixés de
ombreux hameçons sans appât. Le lac est si poissonneux
u'une main habile, manœuvrant cet engin primitif, arrive à
a longue à harponner quelque victime. Le miracle était de
révoir que le premier poisson capturé contiendrait dans sa
ouche un statère d'argent. La mer de Galilée nourrit un
ingulier poisson, dont les naturalistes, qui l'ont observé de
rès, racontent des prodiges. Il prend dans sa bouche les
œufs pondus par la femelle, parfois au nombre de plusieurs
entaines, et quand ils sont éclos y garde les alevins jusqu'à
e qu'ils puissent se suffire. Alors sa gueule, démesurément
nflée, reste toujours béante et peut engloutir des objets plus
olumineux qu'une simple pièce de monnaie. En souvenir du
airacle évangélique, on l'appelle maintenant, à tort ou à
aison, le poisson de saint Pierre[1].

Le statère d'argent, fruit de cette pêche miraculeuse, valait
xactement un sicle, juste de quoi payer la capitation du Christ
t de son apôtre. La nouvelle faveur dont Pierre, si étroite-
nent associé à la personne du Seigneur, venait d'être l'objet
it remarquée de ses collègues. Pour eux, plus de doute :

---

1. *Chromis Simonis* (Günther). Lortet, qui l'a baptisé *Chromis pater-*
amilias, le décrit ainsi dans sa *Syrie d'aujourd'hui*, 1884, p. 506 : « La
lupart des espèces du genre *Chromis* incubent leurs petits dans
intérieur de la bouche. On trouve souvent dans la gueule d'un poisson,
ong de 20 centimètres à peine, plus de 200 embryons d'une couleur
rgentée. Ces alevins, qui restent pendant quelques semaines dans
ette singulière demeure protectrice, n'en sortent que lorsqu'ils sont
ssez vigoureux pour échapper à leurs nombreux ennemis et pour
ubvenir à leur existence. Une de ces espèces a une gueule énorme
omparée aux dimensions de son corps. » P. 507 : « La femelle pond
nviron 200 œufs dans les joncs et les roseaux, dans une petite exca-
ation qu'elle creuse en se frottant dans la vase. Le mâle prend
nsuite les œufs dans sa gueule... Les petits n'en sortent que quand
s ont environ 10 millimètres. » — Dom Biever qui a longtemps vécu
ur les bords du lac, ajoute quelques détails : « Les petits qui
rennent bientôt un volume considérable, restent pressés les uns
ontre les autres, comme les pépins d'une grenade. La bouche du père
ourricier est alors tellement distendue que les mâchoires ne peuvent
lus se fermer. » (*Conférences de Saint-Étienne*, Paris, 1911, p. 296). —
e même Masterman (*Studies in Galilee*, Chicago, 1909) qui cependant,
omme Biever, attribue spécialement le phénomène à l'espèce appelée
lemichromis sacra. Figures dans le *Dict. de la Bible* de Vigouroux,
rticle *Poisson*.

Pierre était bien le chef des Douze; c'est lui qui continuerai
sur terre l'œuvre de Jésus, quand le Fils de l'homme serai
allé rejoindre son Père. Il semblait pourtant à plusieurs qu
d'autres, en raison des liens de parenté, des sacrifices consen
tis, des services rendus, pouvaient avoir autant de droits qu
lui à cet honneur. Ces pensées s'agitaient dans leur âme
l'état confus, sans arriver à se formuler avec cette crudit
jalouse. Jésus lisant dans leur cœur et attristé de voir tan
d'imperfection en ceux qu'il aurait voulus si parfaits, prome
nait sur eux un regard douloureux. « De quoi vous entreteniez
vous en chemin? » leur demanda-t-il. Honteux de se senti
percés à jour et se souvenant de leur discussion récente, il
ne savaient que répondre et gardaient le silence. Un d'eu
cependant, s'armant de courage, posa cette question : « Qu
est le plus grand dans le royaume des cieux? » Il entenda
parler sans doute, non pas du royaume des élus, où le
disputes au sujet du rang et des préséances ne sont plus d
saison, mais de la société religieuse que le Fils de l'homm
venait de fonder ici-bas et qu'il allait bientôt priver de s
présence visible. Qui en serait le guide et le chef?

Jésus s'étant assis, comme pour commencer un discours
les apôtres se rangèrent autour de lui. Il fit alors approche
un petit enfant, sans doute un membre de cette famille hosp
talière [1], le serra dans ses bras, le plaça au milieu des Douze
auxquels il adressa cette réponse, qui n'était pas tout à fait l
réponse attendue, mais qui contenait une leçon d'humilité
bonne pour tous les temps et très opportune pour la circonstance

En vérité, je vous le dis, si vous ne redevenez comme le
petits enfants, vous n'entrerez point au royaume des cieux

Celui donc qui s'abaissera comme le petit enfant, c'e
lui qui est le plus grand au royaume des cieux.

Et quiconque reçoit en mon nom un petit enfant comm
celui-là, me reçoit moi-même [2].

1. Une tradition tardive et peu autorisée veut que cet enfant fu
Ignace, le futur évêque d'Antioche. L'hypothèse d'après laquelle c
serait un enfant de S. Pierre n'est guère mieux fondée, quoique Clé
ment d'Alexandrie (*Strom.* III, vi, 52) et S. Jérôme (*Contra Jovin.*
ii, 26) assurent que S. Pierre avait des enfants.
2. Mt. 18[3-5]. Cf. Mc. 10[15]; 9[35] et [37]; Lc. 18[17]; 9[48]. D'après S. Matthie
Jésus répond aux apôtres qui l'ont interrogé sur le point de savoir q

L'enfant a ses défauts comme l'homme fait et l'on peut dire
qu'il porte en lui le germe de tous les vices, qui grandiront
un jour si la grâce n'y met obstacle. Mais il possède un
ensemble de qualités aimables, dont l'âge mûr est souvent
dépourvu ; il est simple et docile, exempt d'ambition et de prétention, désireux d'apprendre et prompt à croire ce qu'on lui
dit. Ce sont là précisément les dispositions qui ouvrent l'entrée
du royaume des cieux, soit qu'on le considère dans sa réalisation terrestre, soit qu'on l'envisage dans sa consommation
finale. C'est à ce dernier point de vue que le Seigneur se place
quand il dit : « Si quelqu'un veut être le premier (au ciel), qu'il
soit (sur la terre) le dernier de tous et le serviteur de tous. »
Celui qui se fait petit (sur la terre) comme ce petit enfant,
celui-là sera le plus grand dans le royaume (céleste). » Sans
répondre directement à la question, il en dit assez pour montrer qu'elle ne mérite aucune réponse. Vous vous inquiétez de
savoir qui sera le plus considéré, le plus estimé au sein de
l'Église ; à qui reviendra l'autorité et la primauté ; vous vous
trompez d'objet ; au lieu de songer à la vie qui passe, il faudrait penser à la vie qui ne finit point. Là, les conditions seront
renversées.

IV. Les soins à donner aux petits et aux faibles.

En ce moment, une interruption de Jean fit dévier l'entretien. Ces mots du Sauveur : « Quiconque reçoit un de ces
petits en mon nom me reçoit », lui remettaient en mémoire un
incident récent. Au cours de leur mission, les apôtres avaient
rencontré un exorciste qui, sans appartenir au groupe des
disciples, chassait les démons au nom de Jésus. Ils lui avaient
fait défense de s'approprier ce nom, dont ils prétendaient
avoir le monopole, croyant de bonne foi sauvegarder ainsi,
avec leur privilège, l'honneur de leur Maître. Jean n'avait

le plus grand au royaume des cieux. D'après S. Marc, il répond de
lui-même parce que les apôtres, qui ont agité cette question en route,
n'osent pas l'avouer (Mc. 9³³⁻³⁴). S. Luc, qui n'a pas raconté auparavant la dispute, la mentionne maintenant (Lc. 9⁴⁶⁻⁴⁷). Ce sont là des
différences de rédaction qu'il est bon de noter, mais sans y attacher
beaucoup d'importance.

pas été sans doute le dernier à imposer silence à l'intrus, car
la patience et la mansuétude n'étaient pas alors ses vertus
dominantes. Maintenant, il lui vient des scrupules et il expose
avec candeur son cas de conscience : « Maître, nous avons vu
quelqu'un, qui n'est pas de notre bord, chasser les démons en
votre nom ; et nous l'en avons empêché parce qu'il ne marche
pas à notre suite [1]. »

Jean suppose à tort que le pouvoir de chasser les démons est
l'apanage exclusif des apôtres et que le nom de Jésus n'a
d'efficacité que dans leur bouche. Jésus corrige cette erreur
en disant : « Ne l'empêchez pas à l'avenir ; car personne
après avoir fait un miracle en mon nom, ne peut aussitôt parler mal de moi. En effet, quiconque n'est pas contre nous est
pour nous. » Le pouvoir des miracles est un don gratuit, qui
n'exige pas nécessairement l'adhésion explicite à la véritable
Église, si l'on n'en est point séparé par sa faute. D'ailleurs
invoquer le nom de Jésus, c'est déjà s'acheminer vers lui, c'est
faire un acte de foi initiale, qui n'a besoin que d'un peu plus
de lumière pour arriver au terme. L'invocation du nom de
Jésus sera pour l'homme de bonne foi le rayon qui éclairera
son âme ; du moins est-il moralement impossible qu'après
cette expérience il se tourne aussitôt contre Jésus. Avec de
pareilles dispositions, quelqu'un est déjà de son parti, il lui est
comme acquis d'avance. De lui, Jésus-Christ peut dire : « Quiconque n'est pas contre nous est pour nous. » Cela ne contredit en rien l'assertion antérieure : « Celui qui n'est pas
avec moi est contre moi et celui qui n'amasse pas avec moi
disperse. » Il est des circonstances où une confession de foi
explicite est de rigueur, parce que la simple abstention serait
une apostasie ; mais, en dehors de ces cas exceptionnels, un
homme qui n'est point hostile est plutôt favorable, car le Christ
a été établi comme signe de contradiction et la neutralité
absolue à son endroit est presque impossible.

L'incident de l'exorciste une fois réglé, l'entretien reprend

---

1. Mc. 9^{38-39} ; Lc. 9^{49-50}. Si l'incident est survenu pendant que les apôtres prêchaient deux à deux, ce sont les fils de Zébédée, envoyés ensemble, qui ont fait taire l'exorciste. Jésus leur donne pour l'avenir cette
consigne : « Ne l'empêchez plus » (μὴ κωλύετε αὐτόν, présent de durée).

son cours; mais peu à peu le discours s'élève et se généralise. Il n'était d'abord question que d'enfants, petits par la taille et par l'âge; d'autres enfants vont entrer en scène : ce sont les humbles qui croient en Jésus et qui lui tiennent de si près qu'en les recevant on le reçoit lui-même, les faibles qu'il faut se garder de scandaliser et qu'on doit au contraire soutenir de tout son pouvoir : le bien qu'on fait à ces petits, on le fait à lui-même :

Mais si quelqu'un scandalise un de ces petits qui croient en moi, il vaudrait mieux pour lui qu'on lui suspendît au cou une meule de moulin et qu'on le précipitât dans les flots de la mer. Malheur au monde à cause des scandales! Car il est nécessaire que le scandale vienne, mais malheur à l'homme par qui il arrive! Si donc ta main ou ton pied te scandalise, coupe-les et jette-les loin de toi; car il vaut mieux pour toi entrer dans la vie manchot ou boiteux que d'être jeté avec tes deux mains ou tes deux pieds dans le feu éternel. Et si ton œil te scandalise, arrache-le et jette-le loin de toi; il vaut mieux pour toi entrer dans la vie avec un seul œil, que d'être jeté avec les deux yeux dans la géhenne ardente [1].

La noyade n'était pas une peine capitale inscrite au code mosaïque ni introduite par la coutume; mais ce genre de mort devait paraître aux Juifs d'autant plus affreux qu'il privait le noyé des honneurs de la sépulture. En soi, la meule de moulin et le gouffre de la mer n'aggravent pas la peine; mais ils symbolisent l'horreur d'une mort à laquelle le coupable n'a aucun espoir d'échapper. Si dans l'état présent de déchéance, le monde étant ce qu'il est, le scandale est inévitable, cela n'atténue en rien la gravité du mal ni la responsabilité du

---

1. Mt. 18⁶⁻⁹; Mc. 9⁴²⁻⁴⁸. Cf. Lc. 17¹⁻². dans un autre contexte. La seule différence entre S. Matthieu et S. Marc est que ce dernier, au lieu d'unir dans la même phrase le pied et la main, les énumère séparément.
Le passage des *enfants* aux *petits* est sensible dans S. Matthieu, 18⁶ (ces petits qui croient en moi) et certainement dans Mt. 18¹⁰ et 18¹⁴. Dans ces trois cas, l'évangéliste emploie le mot μικροί (les petits), tandis que là où il s'agit des *enfants* (18⁻²⁻³⁻⁴⁻⁵) il se sert du mot παιδία. Cette distinction est adoptée par beaucoup de commentateurs, à la suite d'Origène, de S. Jérôme et de S. Chrysostome; mais il y a des textes où le sens du mot *petit* reste douteux.

scandaleux. Pour l'éviter, il faudrait être prêt à sacrifier ce qu'on a de plus cher : un pied, une main, un œil. Le scandale des petits et des simples est un crime si énorme qu'il n'est pas de supplice assez rigoureux pour le punir.

V. Avis aux apôtres comme pasteurs d'âmes.

Gardez-vous de compter pour rien un de ces petits, car je vous dis que leurs anges contemplent la face de mon Père qui est aux cieux. Que vous en semble? Si un homme a cent brebis et que l'une d'elles s'égare, ne laisse-t-il pas sur la montagne les quatre-vingt-dix-neuf autres pour courir à la recherche de celle qui s'est égarée? Et s'il vient à la trouver, il éprouve, je vous l'assure, plus de joie à cause d'elle que pour les quatre-vingt-dix-neuf qui n'étaient pas perdues. Ainsi n'est-ce pas l'intention de mon Père céleste qu'un seul de ces petits périsse [1].

Le scandale des petits est d'autant plus odieux qu'on pourrait être tenté d'en faire peu de cas. Pour en sonder la malice, il faut songer à quel prix Dieu estime les âmes. Un homme qui possède cent brebis, s'il vient à en perdre une, se met aussitôt à sa recherche et se réjouit grandement après l'avoir trouvée. C'est l'image de Dieu, courant, pour ainsi dire, à la poursuite des âmes qui s'égarent ou veillant sur elles pour les empêcher de s'égarer. Saint Matthieu et saint Luc présentent cette parabole à deux points de vue différents : celui-ci insiste davantage sur la joie du bon Pasteur, l'autre met plus en relief sa sollicitude, parce qu'il vient de recommander aux apôtres le respect et le soin des petits, les plus dignes d'intérêt à cause de leur faiblesse. « Quelle n'est pas la dignité d'une âme, dit saint Jérôme, puisque Dieu délègue à chacun un ange pour le garder! » Si

1. Mt. 18[10-14]. Jésus-Christ étend ici à tous les hommes la doctrine de l'Ancien Testament sur l'ange protecteur des cités, des provinces et des royaumes. Il ne s'ensuit pas cependant qu'un ange spécial soit attaché à la garde de chaque âme individuelle, le même pouvant remplir cet office à l'égard de plusieurs.

S. Luc place la parabole de la Brebis perdue dans un autre contexte (15[3-7]).

ous contribuez par votre négligence à perdre l'âme d'un de
es petits, l'ange qui en a le soin et, en quelque sorte, la responsabilité, sera votre accusateur auprès du souverain juge.

C'est encore aux apôtres, aux détenteurs de l'autorité
ecclésiastique, que s'adressent les recommandations sui-
antes :

*Si ton frère a péché, va et reprends-le entre toi et lui seul.
S'il t'écoute, tu auras gagné ton frère; s'il ne t'écoute pas,
prends avec toi deux ou trois personnes, afin que toute
l'affaire se règle en présence de deux ou trois témoins.
Que s'il refuse de les écouter, dis-le à l'Église; mais s'il
refuse d'écouter l'Église, qu'il soit pour toi comme un païen
et un publicain.*

*En vérité, je vous le dis : tout ce que vous délierez sur la
terre sera délié dans le ciel; et tout ce que vous lierez sur
la terre sera lié dans le ciel.*

*Je vous dis encore que si deux d'entre vous s'accordent
sur la terre à demander une chose quelconque, elle leur
sera accordée par mon Père qui est aux cieux; car là où
deux ou trois sont réunis en mon nom, je suis au milieu
d'eux* [1].

Le devoir du supérieur est d'avertir paternellement le
délinquant pour qu'il rentre en lui-même et reconnaisse sa
faute, ce qu'il fera plus aisément si on lui épargne l'humiliation d'une réprimande publique. Quand cette première dé-

---

1. Mt. 18[15-20]. La Vulgate porte : « Si peccaverit *in te* frater tuus. »
Mais il y a de fortes raisons de croire que ces mots *in te* sont de trop.
— 1° Le texte grec authentique paraît bien être : Ἐὰν ἁμαρτήσῃ ὁ
ἀδελφός σου (sans εἰς σέ). Voir, pour l'examen des témoins, Lagrange,
Saint Matthieu, p. 353. — 2° L'omission de εἰς σέ serait inexplicable.
L'addition s'explique aisément par le voisinage d'un texte (Mt. 18[21])
jugé à tort parallèle. — 3° Il s'agit ici de la conduite des pasteurs
d'âmes à l'égard des pécheurs; la faute dont il est question est donc
un péché public et non une offense personnelle. Le cas d'une offense
personnelle est traité plus loin (18[21]); il se résout sans l'intervention de
l'Église, par le pardon de la personne offensée. « Le contexte lui est
si contraire (à l'addition *in te* εἰς σέ), que ceux mêmes qui ont retenu
l'addition, comme Augustin et Thomas, ont entendu tout le passage de
la correction fraternelle, ce que fait aussi Schanz. Mais cela ne peut se
faire qu'en adoptant la leçon courte » (Lagrange).

marche reste infructueuse, il faudra recourir au remède plu
énergique d'une correction faite devant témoins et revêtan
ainsi un commencement d'appareil judiciaire. Enfin si l
coupable s'opiniâtre dans son égarement, c'est au tribunal d
l'Église que l'affaire sera portée, et le coupable, s'il s'obstin
encore et refuse les satisfactions exigées de lui, sera sépar
d'office de la communauté des fidèles. Il est bien clair qu
Jésus légifère ici pour l'avenir; car l'Église, fondée en prin
cipe, n'est pas encore constituée et ne le sera qu'après l
descente du Saint-Esprit au jour de la Pentecôte.

L'Église n'est pas un agrégat d'individus, ni une pur
démocratie, mais une société gouvernée par des chefs e
représentée par eux. C'est à eux qu'il incombe de prononce
l'excommunication contre les rebelles. Elle a reçu pour se
ministres le pouvoir de lier et de délier, pouvoir qui n
déroge en rien au privilège de Pierre, mais le confirme et l
complète.

Le pouvoir de délier et de lier, de remettre les péchés ou
de les retenir, leur est accordé sans restriction aucune; tou
dépend des dispositions de ceux qui recourent à leur ministère. Dieu, de son côté, est toujours disposé à pardonner
au repentir sincère et à sanctionner la sentence d'absolution
prononcée par ses ministres. Mais faut-il, pour compter sur
sa miséricorde, être toujours prêts à pardonner nous-mêmes,
sans mettre aucune limite à notre indulgence? C'est la question que Pierre pose naïvement à Jésus : « Seigneur, si mon
frère pèche contre moi, combien de fois lui pardonnerai-je
Sera-ce jusqu'à sept fois? » Les rabbins disaient que Dieu
pardonne trois fois une faute mais pas davantage; Pierre
s'estimait donc généreux en doublant le nombre des pardons,
quand il s'agissait d'une offense personnelle. Comme il comprend peu les richesses inépuisables de la miséricorde divine
Jésus lui répond : « Je ne dis pas jusqu'à sept fois, mais
jusqu'à soixante-dix fois sept fois [1]. » Ces deux nombres sacrés

---

1. Mt. 16[21-22]. — Cf. Lc. 17[3-4] : « Prenez bien garde. Si ton frère
pèche, reprends-le et, s'il se repent, pardonne-lui. Et s'il pèche contre
toi sept fois le jour et que sept fois il se tourne vers toi disant : « Je
me repens », tu lui pardonneras. » Le texte de S. Luc, extrêmement
condensé, ne se comprend bien que si on le compare à celui de S. Mat-

multipliés l'un par l'autre présentent à l'esprit l'image d'un nombre indéfini. En effet si, de la part de Dieu, nous avons toujours besoin de pardon, n'est-ce pas un devoir pour nous de pardonner toujours à nos frères? La parabole suivante va mettre en lumière cette vérité :

Un roi voulut régler ses comptes avec ses serviteurs. Pendant qu'il y travaillait, on lui en amena un qui lui devait dix mille talents. Comme cet homme n'avait pas de quoi s'acquitter, le roi ordonna de le vendre, lui, sa femme, ses enfants, avec tous ses biens, pour payer sa dette. Mais le serviteur, tombant à ses pieds, se prosterna devant lui en disant : « Soyez patient à mon égard et je vous rendrai tout. » Touché de pitié, le maître le mit en liberté et lui remit sa dette. Ce serviteur rencontra en sortant un compagnon de service qui lui devait cent deniers et, le prenant à la gorge, il lui disait : « Paye-moi ce que tu dois. » Celui-ci tomba à ses pieds en disant : « Soyez patient à mon égard et je vous payerai. » Mais l'autre s'y refusa et il le fit jeter en prison jusqu'à ce qu'il eût acquitté sa dette. Ce que voyant, les autres serviteurs, fort affligés, allèrent raconter au maître ce qui venait d'arriver. Alors le maître fit mander le coupable et lui dit : « Méchant serviteur, je t'ai remis toute ta dette parce que tu m'en as prié; ne devais-tu pas avoir pitié de ton compagnon comme j'ai eu pitié de toi? » Et le roi en colère le livra aux bourreaux jusqu'à ce qu'il eût payé sa dette. Ainsi agira envers vous mon Père céleste, si chacun de vous ne pardonne de cœur à son frère [1].

thieu. Dans le premier cas (v. 13), il s'agit d'un péché contre Dieu; l'apôtre (comme ministre de Dieu) doit *reprendre* le délinquant et lui pardonner, s'il se repent. Dans le second cas, il s'agit d'une offense personnelle (si peccaverit *in te*); l'apôtre (comme individu) doit pardonner à l'offenseur qui manifeste son repentir, recommencerait-il *sept fois le jour.*

1. Mt. 18[23-35]. Le talent valait 6.000 drachmes ou deniers. Le denier valait 1 fr. 07. Les 10.000 talents font donc en *nombres ronds*, 60.000.000 de francs et les 100 drachmes 100 francs. Pour avoir la valeur en monnaie *actuelle*, il faudrait multiplier ces nombres par cinq. Mais, dans une parabole, la valeur exacte est sans importance. Un grand nombre de paraboles juives ont pour héros un roi qui symbolise Dieu et alors le

Un serviteur qui doit à son maître la somme énorme de dix mille talents, — plus de soixante millions de notre ancienne monnaie, — un créancier qui fait vendre, sans forme de procès, le débiteur avec sa femme et ses enfants, paraissent choses bien incroyables. Pour en sauvegarder la vraisemblance, il est inutile de compulser le droit romain ou le droit judaïque ; il faut plutôt songer aux potentats orientaux, aux rois absolus de Perse, d'Égypte ou de Babylone, dont tous les sujets, si haut placés qu'ils fussent, étaient les serviteurs, et qui disposaient à leur gré des biens et des personnes. Celui qui lui doit dix mille talents sera, par exemple, un satrape, un gouverneur de grande province, et sa dette représentera le montant des impôts d'un royaume soumis. Mais le sens de la parabole ne dépend pas de ces détails, qu'on pourrait remplacer par d'autres ; il ne porte que sur deux points : l'indigne conduite du serviteur qui, pardonné lui-même, ne sait point pardonner à son tour, et la rigueur du châtiment qu'il s'attire de la part du maître irrité. Il faut s'arrêter là, sous peine de transformer la parabole en allégorie, en se demandant, par exemple, si Dieu rétracte jamais le pardon une fois accordé. Nous savons que les dons de Dieu sont sans repentance et que, si les mérites perdus peuvent revivre, les péchés effacés par la pénitence ou remis par la miséricorde ne revivent jamais. Ce qu'on peut dire, c'est que Dieu traitera avec plus de rigueur l'homme ingrat qui ne pardonne pas les plus légères offenses, après avoir éprouvé lui-même la libéralité infinie du pardon divin.

Tel fut le dernier enseignement que Jésus donna à ses compatriotes avant d'aller évangéliser la Judée et les pays au delà du Jourdain.

VI. Dernier adieu à la Galilée.

Il quittait la Galilée pour ne plus la revoir jusqu'après la résurrection. Depuis l'été de l'an 27, jusqu'à l'automne de

symbolisme flottant devant l'esprit de l'auteur déteint souvent sur l'énoncé de la parabole aux dépens de la vraisemblance. Ce roi est tout puissant ; il est magnifique dans ses libéralités, terrible dans ses justices. Ses débiteurs, incapables de s'acquitter envers lui, ont besoin de son pardon ; mais il ne pardonne qu'à ceux qui pardonnent.

l'année suivante, durant quinze ou seize mois, il l'avait parcourue dans tous les sens, semant partout la bonne parole et répandant les miracles à profusion. S'il en franchissait parfois les frontières, pour traverser en courant la Phénicie, la Décapole et la tétrarchie de Philippe, il y revenait bientôt. Mais c'est le triangle ayant pour sommets Capharnaüm, Bethsaïde et Corozaïn qui fut son champ favori d'apostolat : théâtre bien étroit, si on le compare à celui d'un Paul ou d'un Xavier. Et ce qui prouve combien les historiens de Jésus nous laissent ignorer de choses, c'est que Corozaïn, l'une des villes où il déploya le plus d'activité, n'est pas même nommée dans l'Évangile, en dehors de la malédiction prononcée contre elle.

Au début, l'accueil enthousiaste de ses compatriotes sembla faire mentir le proverbe que nul n'est prophète dans sa patrie. On accourait de loin pour l'entendre ; on le suivait dans les lieux déserts ; on ne lui laissait de repos ni jour ni nuit. Mais peu à peu l'indifférence et l'apathie succédèrent à l'engouement ; « l'idylle galiléenne » avait pris fin. Le caractère inconstant et volage des foules ne suffit pas à expliquer ce revirement. Les calomnies et les intrigues des pharisiens venus de Judée y contribuèrent sans doute, mais il y eut des raisons d'un ordre plus direct et plus personnel. Les esprits, qui s'étaient blasés insensiblement sur la vue des miracles, éprouvaient une déception qu'ils n'avaient pas ressentie tout d'abord. Ce Messie était si différent de celui qu'ils attendaient! Cet homme qui béatifiait les pauvres et les persécutés, qui prêchait le renoncement et le sacrifice, qui commandait de rendre à César ce qui appartient à César, ne répondait pas à leur idéal grossier. Ils s'étaient donc trompés en l'acclamant comme le sauveur et le libérateur d'Israël. Plus on allait, plus le fossé se creusait profond, entre le spiritualisme de l'Évangile et les aspirations égoïstes du nationalisme galiléen. Aussi Jésus, en quittant pour toujours les villes coupables, leur lança-t-il ce terrible anathème :

Malheur à toi Corozaïn, malheur à toi, Bethsaïde! Car si les miracles opérés parmi vous avaient eu lieu à Tyr et à Sidon, depuis longtemps ces villes auraient fait pénitence

*dans la cendre et le cilice. Aussi, je vous le déclare, Tyr et
Sidon seront traitées moins rigoureusement que vous au jour
du jugement.*

*Et toi, Capharnaüm, seras-tu élevée jusqu'au ciel? Non,
tu seras abaissée jusqu'aux enfers ; car si les miracles opérés
chez toi avaient eu lieu à Sodome, elle subsisterait encore.
Aussi, je le déclare, Sodome sera traitée moins rigoureusement que toi au jour du jugement* [1].

Les villes et les nations coupables ont à subir un double
châtiment, proclamé solennellement au jugement dernier,
mais infligé bien avant ce terme : châtiment individuel, qui
atteint à la mort chacun des habitants, dans la mesure où ils
ont participé à l'infidélité générale ; châtiment collectif, frappant la cité elle-même et qui doit s'exécuter en ce monde,
dont la cité, en tant que cité, ne dépasse pas l'horizon.

A ce dernier point de vue, la malédiction prononcée par le
Sauveur n'avait été que trop efficace. Les villes maudites
avaient disparu de la surface de la terre sans laisser plus de
traces que Sodome et Gomorrhe. Seuls quelques Bédouins
venaient planter leurs tentes au-dessus de leurs ruines en-
fouies dans le sol. Il y a cinquante ans à peine, on ignorait le
véritable site de Capharnaüm et de Corozaïn ; et l'on discute
encore la question de savoir où était la Bethsaïde, qui fut la
patrie de Pierre, d'André et de Philippe.

Jésus va donc porter l'Évangile en d'autres contrées ; mais
quelle immense tristesse dut remplir son cœur en adressant
ce suprême et poignant adieu aux trois villes qu'il avait tant
aimées !

---

1. Mt. 11 [20-24] : « Alors il se mit à reprocher aux villes, où avait eu
lieu le plus grand nombre de miracles de n'avoir pas fait pénitence. »
S. Luc, qui rapporte le passage dans un autre contexte (10 [13-15]), omet ce
préambule et abrège le reste. S. Matthieu insère ce morceau *avant* la
fin du ministère de Galilée ; S. Luc, un peu *après* le départ de Galilée. Il
nous semble que la place la plus convenable est le moment où Jésus
dit adieu à son ingrate patrie ; c'est aussi l'avis de Maldonat et d'autres
bons auteurs.

NOTES COMPLÉMENTAIRES

LE PAYS DE JÉSUS

N'aurions-nous pas le témoignage de saint Jérôme, nous devinerions sans peine que la vue du théâtre où s'est déroulée la vie terrestre du Christ aide beaucoup à l'intelligence de l'Évangile. Faute d'une connaissance personnelle, quelques notions sommaires peuvent avoir leur utilité[1].

I. Étendue et relief de la Palestine.

« J'ai honte, écrit saint Jérôme à Dardanus, d'indiquer les dimensions de la Terre promise, de peur de fournir aux païens un sujet de moquerie. » Il les indique cependant : 160 milles romains (environ 230 kilomètres) dans sa plus grande longueur, de Dan à Bersabée. Et ce territoire restreint, les Juifs ne l'occupèrent jamais entièrement; il leur fut toujours disputé par les Philistins au sud et les Phéniciens au nord.

1. La plupart des auteurs qui ont étudié les relations entre la Terre et le Livre (Robinson, *Biblical researches;* Thomson, *The Land and the Book;* Stanley, *Sinai and Palestine;* Smith, *Historical Geography of the Holy Land, etc.*) s'occupent de la Bible entière. Dalman (*Les itinéraires de Jésus. Topographie de la Palestine,* 1930) s'en tient à l'Évangile, mais la traduction de Marty nous paraît moins claire que le texte allemand qui n'est pas toujours très limpide. Stapfer (*La Palestine au temps de Jésus-Christ*) décrit surtout les mœurs et coutumes. Masterman (*Studies in Galilee,* Chicago, 1909) est instructif. Au lecteur ordinaire les Guides de Palestine et les Dictionnaires de la Bible suffisent. Legendre, (*Le pays biblique,* 1928), quoique surchargé de détails superflus, est utile. Dalman (*Arbeit und Sitte in Palästina,* Gütersloh, 1928-1932) est intéressant mais très spécial. L'ouvrage le plus récent et le plus au point est *Syrie-Palestine, Iraq, Transjordanie,* Paris, 1932. L'*Aperçu général* et ce qui concerne la Palestine, rédigés par le P. Abel O. P., étaient imprimés dès 1929.

On évalue généralement la superficie de la Palestine — Transjordanie comprise — à 25.000 kilomètres carrés[1]. Ce n'est pas, à beaucoup près, l'étendue de la Suisse, ni même celle de la Belgique ou de la Hollande; le Portugal est trois fois plus grand. Mais l'importance d'une nation et son influence dans le monde ne se mesurent pas à son territoire; l'Égypte et la Chaldée n'étaient pas plus étendues que la Palestine; Thèbes et Athènes, ces deux fameuses rivales, l'étaient beaucoup moins; Tyr et Sidon dominaient les mers du haut de leur rocher. L'exiguïté de la Palestine ne faisait donc pas obstacle à ses brillantes destinées ni aux desseins de Dieu sur elle.

Il n'est probablement pas au monde un coin de terre où s'accumulent tant de contrastes dans un espace si restreint. Pour s'en faire une idée, il faut traverser, d'occident en orient, la côte maritime, l'arête centrale, le cours du Jourdain, les hauts plateaux de la Transjordanie, si différents d'aspect, de climat, de produits[2].

Le *littoral palestinien,* de la frontière d'Égypte au promontoire du Carmel, suit une ligne droite rigide, inclinant un peu vers l'est, sans golfe, sans dentelure, sans même un îlot jeté comme en vedette pour en rompre la monotonie. C'est bien le *littus importuosum* des anciens. Il fallut les trésors d'Hérode pour créer un port à Césarée et la ténacité des Croisés pour tirer quelque chose du rocher d'Athlit. Jaffa, avec son hémicycle d'écueils à fleur d'eau et ses passes étroites balayées par les vents du large, est souvent impraticable même aux vapeurs modernes. Quelle différence avec

1. Les ingénieurs anglais évaluent toute la Palestine Cisjordane, dans les limites que nous avons tracées, à 15.643 kilomètres carrés, la Transjordane à 9.481; au total 25.124. La Belgique (avant les petites annexions de 1919) avait 29.426 kilomètres carrés, la Hollande 33.000 environ, la Suisse 41.346, le Portugal 92.157. L'Alsace-Lorraine désannexée, avec 14.500 kilomètres carrés est presque aussi étendue que la Palestine en-deçà du Jourdain.

2. A qui veut avoir une idée claire du relief du sol, nous recommandons R. Koeppel S. J. *Palästina. Die Landschaft in Karten und Bildern,* Tubingue, 1930 (195 cartes, dessins et photographies). La publication de Dalman (*Hundert deutsche Fliegerbilder aus Palästina,* Gütersloh, 1925) est intéressante, mais ces photographies prises en avion durant la guerre, presque toujours obliquement, déforment les paysages.

la Grèce, hérissée de caps, nimbée de presqu'îles et déchiquetée comme une feuille d'acanthe. Tandis que le Grec et le Phénicien, habitués à manier la rame dès leur enfance, s'en allaient au loin semer le monde de leurs colonies, le Juif du littoral méditerranéen était pour ainsi dire confiné chez lui par la nature de ses rivages. En revanche il possédait le long de la mer une très large et riche plaine. Ces terres basses, changées en déserts et en marécages sous le régime ottoman, étaient autrefois d'une fertilité bien capable de fixer au sol les enfants d'Israël[1].

La *chaîne de montagnes* qui constitue l'ossature et, pour ainsi dire, l'épine dorsale de la Palestine, peut être considérée comme une continuation du Liban. Contemplée de loin, elle apparaît comme une barrière uniforme qui s'infléchit au centre pour se relever aux deux extrémités. En réalité, elle se divise en trois sections qui présentent des caractères très divers et qui portaient autrefois des noms différents : au midi, les monts de Juda, d'une hauteur moyenne de sept ou huit cents mètres, mais dont quelques sommets, aux deux extrémités, ont plus de mille mètres; au centre, les monts d'Ephraïm, dont aucune cime n'atteint cette altitude; au nord, les monts de Nephtali, beaucoup plus élevés[2].

La merveille de la Palestine, c'est la *dépression du Jourdain*. Les géologues s'accordent à dire que cette formidable dislocation de la croûte terrestre va de la chaîne du Taurus au centre de l'Afrique, en suivant à peu près la direction du

---

1. Entre la plaine maritime et les monts de Judée, règne une sorte d'étage ou de large palier également très fertile, qu'on appelait la Séphélah : description dans Legendre, *Le pays biblique,* p. 35-39, ou mieux dans Smith (*Histor. Geogr. of the Holy Land,* p. 199-236) qui distingue bien la Séphélah de la plaine maritime.

2. En Judée, au nord d'Hébron, un pic s'élève à 1.027 mètres; un autre, au nord de Béthel, à 1.011 mètres. En Samarie, les deux points culminants, le Garizim et l'Hébal, ont : celui-ci 938 mètres, celui-là 868 mètres. Dans la Basse Galilée, aucun sommet n'atteint 600 mètres, le Thabor n'a que 560 mètres. Dans la Haute Galilée, plusieurs pics dépassent 1.000 mètres; le dj. Djermaq atteint 1.200 mètres. Le niveau de la Transjordanie, à latitude égale, est en général plus élevé que celui du côté de la Cisjordane qui lui fait face. Dans le Hauran, le point culminant de la montagne des Druses est à 1.840 mètres et le grand Hermon, barrière septentrionale de la Palestine, trône à 2.760 mètres.

méridien[1]. Peu après le moment où les trois sources du Jourdain réunissent leurs eaux, le fleuve commence à couler au-dessous du niveau des mers et, en se jetant dans la mer Morte, il est descendu à près de 400 mètres de profondeur. C'est un phénomène unique au monde; aucune autre dépression terrestre n'approche de celle-là[2].

La *Transjordanie* est en quelque sorte la contrescarpe de ce fossé gigantesque. Les deux parties de la Palestine, séparées maintenant par le Jourdain, « formaient primitivement un plateau continu, légèrement incliné vers la Méditerranée, régulièrement constitué par des étages de roches volcaniques, de terrains carbonifères, de grès de Nubie, de calcaires cénomanien et sénonien, recouverts de dépôts marins... (mais) tandis que les strates du terrain, du côté de l'orient, gardent leur position horizontale, celles de l'ouest s'inclinent vers la dépression au point de cacher sous le calcaire cénomanien le [grès de Nubie et les roches antérieures[3] ». Il en résulte que les strates correspondantes, des deux côtés du fossé, ne sont plus toujours parallèles et que le niveau du côté oriental est en général plus élevé que le côté qui lui fait face à l'occident.

1. Les articles publiés dans la *Revue biblique* par A. de Lapparent (*L'origine et l'histoire de la mer Morte*, 1896, p. 570-4) et Laferrière (*La faille du Jourdain et le fossé syro-africain*, 1924, p. 85-106) d'après les travaux de Larlet, Blanckenhorn, Hull et Suess, donnent une idée juste de cette immense fissure.

2. La source la plus éloignée du Jourdain vient de l'Antiliban, près d'Hasbéya, à 563 mètres d'altitude; la plus pittoresque sort en bouillonnant de la grotte de Pan à Banias (Césarée de Philippe), à 329 mètres; la plus abondante de beaucoup jaillit du pied de Tell el-Kady (l'antique *Dan*, qui en hébreu, comme *Kady* en arabe, signifie « juge »). Cette troisième source, distante de la précédente d'environ une lieue, n'est plus qu'à 153 mètres. Les trois cours d'eau se rejoignent un peu plus loin pour former le Jourdain qui ne tarde pas à traverser le lac de Houleh, marécage triangulaire de six kilomètres de côté, aux eaux basses, et dont la surface n'est qu'à 2 mètres *au-dessus* du niveau des mers. En arrivant au lac de Tibériade, le Jourdain est à 208 mètres et, en atteignant la mer Morte, à 392 mètres *au-dessous* du niveau de la Méditerranée.

3. Legendre, *Le pays de Jésus*, 1928, p. 124.

II. Climats différents. Fertilité du sol.

Étant données les différences d'altitude et d'exposition, la Palestine, malgré son peu d'étendue, doit présenter une grande variété de climats. La température de la plaine maritime est analogue à celle du littoral égyptien; la vallée du Jourdain, s'enfonçant de deux cents à quatre cents mètres au-dessous de la Méditerranée, entre Tibériade et la mer Morte, possède un climat tropical ou subtropical, tandis que les hauteurs de la Judée, de la Samarie et de la Galilée supérieure jouissent d'un climat comparable à celui de l'Italie méridionale. Le climat de la Basse Galilée, où se trouve Nazareth, est intermédiaire entre celui du Ghor et celui des montagnes. Quant au plateau de la Transjordanie, que les anciens appelaient *Palaestina Salubris*, il connaît le froid en hiver. C'est au passage continuel d'un climat à l'autre qu'on attribue la faculté héréditaire qu'a la race juive de s'adapter aux conditions atmosphériques les plus diverses.

Le trait le plus caractéristique du climat palestinien et du climat syrien en général, c'est le partage de l'année en deux saisons bien marquées : la saison pluvieuse, qui commence vers le 15 octobre et finit pratiquement vers le 15 avril, et la saison sèche, qui va du 15 avril au 15 octobre. Une pluie durant les quatre mois de juin, juillet, août et septembre, est un phénomène fort rare [1]. Cependant la quantité d'eau qui tombe annuellement est très suffisante.

A Jérusalem, durant une période de cinquante ans (1861-1910) elle a été en moyenne de 662 millimètres [2]; elle est encore plus grande à Nazareth. Ainsi Jérusalem reçoit annuellement moins de pluie que Constantinople et que Rome, mais notablement plus que Paris et que Londres, surtout que Vienne et qu'Athènes. La vallée du Jourdain est moins bien

---

1. Cependant une pluie fine tombait à Jaffa le 15 août 1899. Le phénomène est moins rare sur la côte qu'à l'intérieur des terres.
2. Vincent-Abel, *Jérusalem*, t. I, 1912, p. 98-103 et la planche XV. A Jérusalem, une année passe pour humide si la quantité d'eau de pluie dépasse 75 centimètres; pour sèche, si elle n'atteint pas 50 centimètres. L'hiver le plus humide fut celui de 1877-8 avec 109 centimètres; le plus sec, celui de 1869-1870 avec 31 centimètres.

partagée, mais les rosées abondantes compensent le manque de pluie.

Du régime des vents dépendent en grande partie les sautes de température, la fertilité du sol et la salubrité du climat. Pendant la saison pluvieuse, le vent du sud-ouest est prédominant. Il arrive chargé des vapeurs de la Méditerranée qui se condensent au contact des montagnes. Si les pluies de décembre à février sont utiles pour alimenter les sources et les citernes, les pluies que l'Écriture appelle hâtives et tardives (*matutinae* et *serotinae*) sont celles qui influent le plus sur l'état des moissons. Les premières, attendues dès le début d'octobre, permettent d'ameublir le sol et de le préparer aux semailles, qui seraient compromises si l'eau ne tombait qu'en décembre. Les pluies tardives de mars et d'avril contribuent au bon rendement des céréales, en fortifiant la tige et gonflant les épis.

En été, le vent tourne au nord-ouest. Il souffle régulièrement dès le matin au bord de la mer et atteint vers les onze heures les monts de Judée, où il fait sentir sa brise réconfortante; il ne cesse plus qu'au coucher du soleil. Voilà pourquoi les mois d'été, malgré la chaleur enregistrée au thermomètre, sont moins pénibles à Jérusalem que ceux qui précèdent ou suivent immédiatement.

Autant le vent d'ouest est précieux pour l'agriculture et l'hygiène, autant le vent du sud-est est redouté des habitants du pays. Les Assyriens le représentaient sous la figure d'un monstre hideux, espèce de vampire hybride. Les Égyptiens et les Syriens le nomment *Khamsin,* mot qui en arabe signifie cinquante, parce qu'il souffle pendant une période de cinquante jours, heureusement avec de nombreuses intermittences. « Il dessèche et embrase l'air, brûle la végétation, paralyse toute énergie et crée, en se prolongeant, un état de malaise et d'énervement [1]. » Le vent d'est reparaît en

1. Vincent, *Jérusalem antique*, fasc. I, 1912, p. 104.
La température annuelle à Jérusalem est en moyenne de 15°9 centigrades ; celle de janvier de 7° ; celle de juillet et d'août de 22°9. A Beyrouth la moyenne de janvier est de 14°5 ; celle d'août est de 28°5.
La température la plus élevée qu'on ait observée à Jérusalem dans

automne pour retarder la saison des pluies, achever de tor-
réfier le sol, tarir les sources et produire des fièvres d'un
caractère paludéen. Octobre, quand il est sans pluie, est le
mois le plus malsain de l'année.

La Bible décrit la Terre promise comme un « pays riche
en cours d'eau, en fontaines, en sources jaillissantes, comme
un sol fertile qui produit en abondance le blé, l'orge, la vigne,
le figuier, le grenadier, l'huile et le miel ». La description est
exacte, bien qu'un peu embellie peut-être par le contraste du
désert d'où sortaient les Hébreux, en entrant dans la Terre de
promission. « Cependant le voyageur qui la parcourt de nos
jours a l'impression d'une contrée dénudée, pierreuse, desséchée, dont la désolation actuelle, comparée à son antique richesse, semblerait presque un signe de malédiction. Disons
tout de suite qu'on juge trop souvent le pays entier d'après
certaines régions plus fréquemment visitées, comme la Judée,
et d'après l'aspect qu'il présente dans certaines saisons où,
faute de pluie, la nature commence à mourir ou est déjà morte[1]. »
Du reste, le terrain n'a point changé de nature et le régime
des vents ne s'est pas modifié depuis deux millénaires; le
déboisement graduel peut avoir eu quelque influence sur
l'apauvrissement du sol, mais il n'explique pas tout; la cause
principale en est dans l'abandon où la terre a été laissée
durant douze siècles de domination musulmane. Ce n'est pas
la nature, c'est l'homme qui a ruiné cette terre excellente et
c'est à l'homme qu'il appartient de lui rendre sa fécondité
d'autrefois. Même aujourd'hui, les parties livrées à la culture
produisent de belles moissons, malgré les méthodes primi-
tives des paysans actuels et le manque absolu d'engrais[2].

Sans doute le désert de Juda ne donna jamais que de maigres pacages, mais le désert de Juda n'est qu'une faible
partie de la Palestine. Les alentours de Jérusalem furent
toujours pierreux et arides, comme le fait remarquer le

l'espace de cinquante ans est 44°4 (août 1881), la plus basse est — 4°
(janvier 1864).

1. Legendre, *Le pays biblique,* 1928, p. 197.
2. Il faut mettre à part la région cultivée par les Juifs sionistes avec
des perfectionnements très modernes (J. C.).

géographe Strabon, contemporain de Jésus [1], et l'on n'y trouverait peut-être pas dix sources dans un rayon de deux lieues.
Pourtant, dans cette région déshéritée, l'olivier, la vigne et
le figuier poussaient à merveille. La preuve en est dans les
nombreux pressoirs d'huile et de vin qu'on trouve un peu
partout en parcourant la campagne. Ailleurs les collines et
les montagnes étaient cultivées jusqu'au sommet, grâce aux
murs de soutènement qui empêchaient la terre végétale
d'être entraînée par les pluies d'orage, comme on en voit
dans le Liban maronite et dans certaines régions de l'Italie.
La Judée méridionale — ce qu'on appelle le Négeb — a maintenant l'apparence d'un steppe; mais les ruines considérables
qu'on y découvre prouvent qu'elle fut habitée jadis par une
population active et assez dense. Si la plaine de Jéricho, que
les anciens regardaient comme un prodige de fertilité, est
aujourd'hui un désert, c'est que les aqueducs et les canaux
d'irrigation ont disparu depuis longtemps et que les sources
n'y forment plus que des marécages. On peut ne pas s'en rapporter au témoignage de Josèphe, trop partial en faveur de
sa patrie; mais voici comment un étranger, le grave Tacite,
décrit la Palestine, avec son *imperatoria brevitas :* « Les
hommes y sont sains et robustes, les pluies rares, le sol
fertile. Les productions de nos climats y abondent et avec
elles l'arbre à baume et le palmier [2]. »

Un savant qui connaissait bien le pays, pour l'avoir par-
couru dans tous les sens en vue d'en dresser la carte, affirmait
qu'il pourrait nourrir une population dix fois plus nombreuse,
s'il était bien cultivé. Il est vrai qu'il écrivait à une date où
la Palestine ne comptait peut-être pas plus de cinq ou six
cent mille habitants [3]. Aujourd'hui la population totale —

---

1. Strabon, *Géographie*, XVI, II, 36 : « Aux alentours, le terrain est
pauvre et aride et le reste du pays, dans un rayon de 60 stades, n'est à
proprement parler qu'une carrière de pierres. » C'est exagéré, car
60 stades (11 kilomètres) nous conduisent au-delà d'Aïn-Karim et de
Bethléem et il y a dans ce rayon quelques belles vallées.
2. Tacite, *Histor.*, v, 6. D'après Strabon, contemporain de Jésus, le
district de Joppé (Jaffa) était si populeux que, du bourg de Iamnia
(aujourd'hui Iabné) et des localités environnantes, on pouvait tirer jusqu'à 40.000 soldats. Aujourd'hui on n'en lèverait peut-être pas 400.
3. Conder, *Tent Work in Palestine*, Londres, 1880, p. 368. Conder a

Transjordanie comprise[1]. — Le recensement qui se fit sous David, si les chiffres parvenus jusqu'à nous ne sont pas corrompus, suppose une population de six millions et demi d'habitants pour la Palestine entière et des critiques compétents ne trouvent pas ce nombre exagéré. En tout cas, plusieurs colonies juives contemporaines et certains domaines exploités par des religieux, tels que les trappistes de Latroun, les bénédictins d'Abou-Gosh, et les lazaristes allemands de Sept-Fontaines, démontrent surabondamment la fécondité du sol palestinien.

III. Divisions politiques. Pays visités par Jésus.

La Palestine, entre ses limites naturelles — la Méditerranée à l'ouest, le désert d'Égypte au sud, le désert de Syrie à l'est, le Léontès et les derniers contreforts du grand Hermon au nord — dépendait alors de cinq administrations différentes. Il y avait :

1° La petite province romaine de Judée, gouvernée par un procurateur et comprenant : au sud l'Idumée, au centre la Judée proprement dite, au nord la Samarie. C'était le territoire légué par Hérode à son fils Archélaüs et passé sous la domination romaine l'an 6 de notre ère.

2° La tétrarchie d'Hérode Antipas, comprenant la Galilée, au nord du Carmel, et la Pérée, à l'est du Jourdain. Antipas la gouverna depuis la mort d'Hérode, l'an 4 avant notre ère, jusqu'en 39 après J.-C.

3° La tétrarchie de Philippe, séparée de la Galilée par le Jourdain et de la Pérée par une limite indécise. Philippe mourut l'an 34 après J.-C. et ses états furent donnés par Caligula à son neveu Agrippa Ier.

mesuré pour la grande carte de Palestine publiée par le *Palestine Exploration Fund,* plus des deux tiers de la Cisjordane.

1. La Palestine comptait, en 1919, 687.850 habitants (sans la Transjordanie); en 1926, 752.269 et avec la Transjordanie 887.000; en 1931, 1.035.821; en 1932, 1.151.000. D'après la *Palestine économique* (Paris, 1936), la population serait montée, en 1935, à 1.360.000 âmes, dont 375.000 Juifs; mais il faut toujours se défier des statistiques orientales.

4° La Décapole, fédération de villes grecques (10 à l'origine) situées toutes, à l'exception de Scythopolis, à l'est du Jourdain et formant autant d'enclaves dans la Pérée.

5° La Phénicie, dépendant alors de la province romaine de Syrie et descendant le long de la côte maritime jusqu'à Ptolémaïs (Saint-Jean-d'Acre), peut-être jusqu'au Carmel.

Jésus ne fit en Phénicie qu'une excursion rapide. Il est douteux et peu probable qu'il soit entré dans les villes païennes de Tyr et de Sidon. Aucune autre ville de ces contrées n'est nommée dans l'Évangile.

Il traversa plusieurs fois la Décapole et y fit plus d'un miracle ; mais l'Évangile ne mentionne nommément aucune des villes qui s'y trouvaient. Le pays des Gadaréniens ou des Géraséniens ne peut guère s'entendre des territoires de Gadara et de Gérasa, villes bien connues de la Décapole.

Il eut plus souvent occasion d'entrer dans la tétrarchie de Philippe, qui n'était séparée de la Galilée que par le Jourdain. Nous le trouvons à Césarée, l'antique Panéas, et à Bethsaïde, dont le tétrarque avait changé le nom en celui de Julias. C'étaient les deux villes principales de Philippe et comme elles étaient à demi païennes, on se demande si le Sauveur en a franchi les portes. Aucune autre ville de cette tétrarchie n'est nommée.

En Judée, Jésus ne semble pas s'être éloigné beaucoup des environs de Jérusalem et de la route qui conduisait de Jérusalem à Jéricho, par Bethphagé et Béthanie. Nous aimons à croire qu'il a évangélisé Bethléem, sa ville natale, et nous savons qu'il attendit l'heure de la passion à Ephraïm. Les villes d'Emmaüs et d'Arimathie étaient aussi en Judée.

Il dut souvent traverser la Samarie, pour se rendre à Jérusalem et pour retourner en Galilée; cependant une seule ville est nommée : Sichar près du puits de Jacob. Æ non, près de Salim, où Jean baptisait en dernier lieu, devait être en Samarie ou sur le territoire de Scythopolis.

Quoiqu'il ait prêché assez longtemps en Pérée, l'Évangile ne nomme qu'une seule localité de cette région, Béthanie au delà du Jourdain.

Même en Galilée, l'Évangile ne mentionne que six villes ou bourgades : trois dans la montagne : Nazareth, Cana et

Naïm, et trois dans la vallée : Capharnaüm, Corozaïn et la
Bethsaïde occidentale. Marie-Madeleine rappelle le nom de
Magdala situé près du lac. Le lac lui-même s'appelle lac de
Génésareth dans saint Luc, mer de Tibériade dans saint
Jean, mer de Galilée ou simplement la Mer dans saint Marc
et saint Matthieu. Il est encore question, chez ces deux der-
niers, d'un pays de Dalmanoutha ou de Magédan, non encore
identifié sûrement.

Nous avons décrit toutes ces localités là ou le récit évangélique nous y invitait. Il suffira d'y renvoyer le lecteur.

Pour des études spéciales, on consultera la *Géographie de
la Palestine* par le P. Abel O. P. : T. I, *Géographie physique et
historique,* 1934; t. II, *Géographie politique. Les villes,* 1938.
Il n'y aura probablement pas de longtemps un ouvrage plus
complet et plus au point.

NOTE B.

CHRONOLOGIE DE LA VIE DU CHRIST

La longue et docte dissertation de Patrizi sur les dates principales de la vie de Jésus[1] montre clairement qu'il n'existe pas à ce sujet de véritable tradition patristique, sauf peut-être pour la date de la passion. Il faut donc s'adresser au texte même des Évangiles, en complétant leurs renseignements par les données de l'histoire profane.

Nous avons à examiner : 1° La date de la naissance ; 2° celle du baptême ; 3° la durée de la vie publique ; 4° la date de la mort. Ces quatre questions ne sont pas indépendantes ; elles se contrôlent mutuellement et sont à résoudre l'une en fonction de l'autre.

I. Date de la naissance.

Jésus naquit du vivant d'Hérode, durant le recensement opéré sous Quirinius ; mais si la date de la mort d'Hérode est maintenant certaine, celle du recensement de Quirinius ne l'est pas. On sait que Denis le Petit, qui calcula, en 527, la date de l'Incarnation, début de l'ère chrétienne, la fixa à l'an 754 de Rome ; or Hérode est mort au printemps de l'an 750, il faut donc reculer d'au moins quatre ans la naissance du Christ[2].

1. *Date de la mort d'Hérode.* — A) D'après Josèphe[3], Hérode mourut peu avant la Pâque juive, après avoir régné 34 ans à Jérusalem, dont il s'était emparé en 717[4]. En comptant

1. Patrizi, *De Evangeliis*, lib. III, dissert. xix (t. II, p. 171-277).
2. Voir Schürer, *Geschichte*[4], t. I, p. 415-417 et 444-449.
3. Josèphe, *Antiq.* XVII, ix, 3 et *Bellum*, II, i, 3.
4. Josèphe, *Antiq.* XVII, viii, 1 et *Bellum*, I, xxxiii, 8.

es années de nisan à nisan et les fractions d'années pour des années entières, selon l'usage de Josèphe, la mort d'Hérode doit tomber en 750 de Rome (an 4 av. J.-C.). — B) Peu avant sa mort, il y eut une éclipse de lune[1]. Ce ne peut être que celle qui eut lieu dans la nuit du 12 au 13 mars 750 (an 4 av. J.-C.), car aucune autre ne fut visible en Palestine les deux années suivantes et celle du 15 septembre 749 (an 5 av. J.-C.) est trop éloignée de la Pâque pour entrer en ligne de compte. — C) L'ethnarque Archélaüs, fils d'Hérode, fut déposé par Auguste sous les consuls Lepidus et Arruntius (an 759 de Rome)[2]. C'était, d'après Josèphe, la neuvième ou la dixième année de son gouvernement. La légère divergence s'explique par le fait que Josèphe distingue entre l'accession d'Archélaüs au pouvoir et sa prise de possession effective, car il ne fut reconnu par Auguste qu'au bout de plusieurs mois. En tout cas, cela nous reporte à l'an 750 pour la mort d'Hérode. — D) Antipas, autre fils d'Hérode, fut tétrarque de Galilée au moins 43 ans, car nous avons de lui des monnaies de la 43e année. Il fut exilé par Caligula l'été de l'an 792 (39 ap. J.-C.). Ainsi nous arrivons toujours à l'an 750 pour la mort d'Hérode.

Si donc Hérode est mort au printemps de 750 (an 4 avant l'ère chrétienne), Jésus est né *au plus tard* au début de cette même année; mais d'autres considérations peuvent nous obliger à remonter plus haut. Voir à ce sujet la note E : *Le recensement de Quirinius*.

En Occident, l'anniversaire de la naissance du Seigneur a toujours été célébré le 25 décembre. En Orient, jusque vers la fin du IVe siècle, ou on le célébrait le 6 janvier, en même temps que le baptême, ou il n'avait pas de fête spéciale. Patrizi a réuni sur ce sujet et discuté tous les textes des Pères dans sa *Dissertatio* XXI (*De Evangeliis*, t. II, p. 280-291 : *De die natali Christi*). Il avertit en commençant : « Nous ne prétendons pas que la date du 25 décembre soit absolument certaine, mais nous soutenons qu'elle est plus probable. » Prétention modeste et justifiée.

1. Josèphe, *Antiq.* XVII, VI, 4.
2. Dion Cassius, LV, 27; Josèphe, *Bellum*, II, VII, 3; *Antiq.*, XVII, XIII, 3.

II. Date du Baptême.

1. *L'apparition du Baptiste.* — Les synchronismes fourni
par S. Luc (3¹⁻²) nous aident peu à préciser la date, car Caïph
fut grand prêtre de l'an 18 à l'an 36, Pilate procurateur de
Judée de l'an 26 à l'an 36, Antipas tétrarque de Galilée jusqu'en
39, Philippe tétrarque de Trachonitide jusqu'en 34 et nous ne
savons rien de Lysanias, sinon qu'il était mort ou destitué en
37, puisque cette année-là sa tétrarchie fut donnée par Caligula
à Agrippa Iᵉʳ.

Une seule date, *la quinzième année de Tibère,* promet des
résultats moins vagues. Auguste étant mort le 19 août 767
(14 ap. J. C.), la quinzième année de Tibère irait du 19 août
781 au 19 août 782 (29 ap. J.-C.). Souvent on comptait pour
une année l'intervalle entre l'accession et le commencement
de l'année suivante. D'après cette manière de compter, la
15ᵉ année de Tibère pourrait aller pour les Romains jusqu'au
1ᵉʳ janvier 781 (an 28 ap. J.-C.) et, pour les Orientaux, jusqu'au
1ᵉʳ octobre de cette même année. Mais il est tout à fait gratuit
de supposer que S. Luc compte les années de Tibère à partir
de la mort d'Auguste. Les empereurs romains comptaient
leurs années de domination à partir du jour où ils avaient été
investis de la puissance tribunicienne. Ce jour coïncidait le
plus souvent avec la mort de leur prédécesseur mais il pouvait
en différer. Ainsi Titus comptait ses années de règne à partir
du jour où son père l'avait associé à l'empire et il était en
mourant dans sa 11ᵉ année de puissance tribunicienne quoiqu'il n'eût régné que 26 mois[1]. Or en janvier 765 (12 ap. J.-
C.), Tibère, associé à l'empire par Auguste, avait reçu,
non pas dans Rome *mais dans les provinces,* une autorité
égale à celle de son père adoptif. Pour les provinciaux, son
règne commençait alors et S. Luc a fort bien pu le dater
de ce moment. Comptée ainsi, la 15ᵉ année de Tibère correspond à l'an 26. C'est la date de l'apparition du Baptiste; mais
il semble, d'après le récit de l'évangéliste, que le baptême de

---

1. Cf. Cagnat, *Épigraphie latine,* p. 186; Goyau, *Chronologie de l'empire romain,* p. 151; Ramsay, dans *D. B.* de Hastings, t. V, p. 481.

ésus suivit d'assez près. On peut donc le fixer à la fin de
an 26 ou au début de l'an 27.

2. *Age de Jésus au baptême*. — Il avait environ trente ans
Lc. 3²³ : ἀρχόμενος ὡσεὶ ἐτῶν τριάκοντα). Le mot ἀρχόμενος ne
ésigne pas l'entrée de Jésus dans sa 30ᵉ année, mais le début
e son ministère public; ὡσεί ne veut pas dire *presque* mais
nviron (trente ans plus ou moins). Lors de la Pâque qui
uivit le baptême, les Juifs dirent à Jésus (Jn. 2²⁹) : « On a
iis quarante-six ans pour bâtir ce Temple et vous parlez de
e rebâtir en trois jours. » Le Temple, qui ne fut terminé qu'en
2, était encore en voie de construction; il avait été commencé
an 734 de Rome (20 av. J.-C.), car sa fondation coïncide avec
a visite d'Auguste en Syrie¹. En ajoutant 46 ans, nous arrivons
l'an 780 de Rome (27 ap. J.-C.). Synchronisme excellent.
Ce résultat cadre admirablement avec nos autres calculs :
n de l'an 26, apparition du Baptiste; début de l'an 27, baptême
e Jésus et première Pâque; l'an 28, deuxième Pâque et pro-
iesse de l'eucharistie; l'an 29, troisième Pâque et mort.

III. Durée de la vie publique².

Elle aurait été, d'après les différents auteurs : 1. D'un an
eulement; 2. de deux ans et quelques mois; 3. de trois ans et
uelques mois.

La première opinion n'ayant pas de probabilité sérieuse, le
hoix est entre les deux autres. Ceux qui restreignaient à une
eule année la vie publique du Christ s'appuyaient sur des
aisons mystiques. Clément d'Alexandrie invoquait le texte
'Isaïe : « L'Esprit m'a envoyé *prêcher l'année de grâce* du
eigneur. » Gaudence de Brescia disait que la victime du
alvaire « est un agneau d'un an, parce qu'une année s'est

1. Voyez les textes de Josèphe cités et discutés dans Schürer, *Ge-
chichte*⁴, t. I, 369-370.
2. Pour plus de détails, voir *Recherches*, 1912, p. 82-104 : *La date de la
assion et la durée de la vie publique de J.-C.* La bibliographie donnée
. 82-84 serait maintenant à compléter. Cf. Holzmeister, *Neuere Arbeiten
ber das Datum der Kreuzigung Christi*, dans *Biblica*, 1932, p. 93-103
t surtout la savante *Chronologia vitae Christi* (Rome, 1933) du même
uteur. Ajouter aussi : E. Levesque, *Abrégé chronol. de la vie de
.-S. J.-C.* (Paris, Beauchesne, 1941). L'auteur se prononce résolument
our un ministère de trois ans et demi (J. C.).

écoulée entre son baptême et sa mort ». Les gnostiques prétendaient que Jésus avait été baptisé à vingt-neuf ans ; en
ajoutant l'année de prédication, on obtenait le nombre *trente,*
chiffre fatidique des éons. S. Irénée les réfute péremptoirement
en faisant observer que Jean mentionne expressément *trois
Pâques* distinctes pendant la vie publique qui a donc duré deux
ans au minimum. Mais l'évêque de Lyon met entre le baptême
et le début de la prédication un intervalle considérable. D'après
lui, Jésus ne dut commencer à prêcher que lorsqu'il eut atteint
l'âge du docteur, c'est-à-dire la quarantaine. Il a dû servir de
modèle et d'exemple aux enfants, aux adolescents, aux hommes
faits, aux vieillards et par conséquent approcher de la vieillesse
Les Juifs lui disent en une occasion : « Vous n'avez pas encore
cinquante ans. » On ne parle pas ainsi à un homme qui aurait
moins de quarante ans. Ces raisons n'ont convaincu personne

Une chose absolument certaine, c'est que la vie publique du
Christ, depuis le baptême jusqu'à la mort, a duré plus de
deux ans. En effet, après le baptême, le jeûne et les noces de
Cana, S. Jean signale la proximité d'une Pâque que Jésus va
célébrer à Jérusalem (Jn. 2¹³⁻²³). Une seconde Pâque est mentionnée au milieu du ministère public à l'occasion de la première multiplication des pains (Jn. 6¹). La troisième Pâque
est celle de la passion. Faut-il en intercaler une quatrième ?
Ni les Synoptiques ni S. Jean ne nous y autorisent.

1. *Données des Synoptiques.* Tout le monde convient que
leur récit ne donne pas l'impression d'une longue durée. Les
événements qui s'y pressent en groupes compacts ne semblent
pas exiger un temps considérable. S. Matthieu ramasse dans
la première partie de son Évangile des faits et des discours de
toutes les époques sans qu'aucune indication chronologique
éclaire sa marche. S. Luc consacre près des deux tiers du sien
à la narration des six derniers mois et le reste ne remplit que
cinq ou six chapitres. L'avant-dernière Pâque tombe au chapitre vi de S. Marc et une année paraît plus que suffisante
pour ce qui précède. Avec les seuls Synoptiques — n'étaient
deux petits détails dont nous allons parler — la thèse d'une
année unique serait défendable.

Les Synoptiques ne fournissent *directement* aucun renseignement chronologique, mais S. Marc nous apprend que le

lieu de la première multiplication des pains était tapissé
d'herbe verte (Mc. 6³⁹ ἐπὶ τῷ χλωρῷ χόρτῳ, vert tendre, vert
clair). Nous sommes donc au printemps et, en tenant compte
du climat, au mois de mars. Nous le savions déjà par S. Jean
(6⁴) puisque la Pâque était proche. Il s'agit de l'avant-dernière
de la vie publique.

Un autre renseignement indirect est l'épisode des épis
arrachés, commun aux trois Synoptiques (Mt. 12¹⁻⁸ ; Mc. 2²³⁻²⁸ ;
Lc. 6¹⁻⁵). Les grains de blé ne sont guère comestibles qu'au
mois d'avril, sur les bords du lac ou, s'il s'agit de l'orge, vers
la fin de mars. Cet épisode est placé avant la multiplication
des pains ; mais on n'en pourrait tirer argument pour l'introduction d'une Pâque intermédiaire entre la première et
l'avant-dernière que si les évangélistes suivaient toujours
strictement l'ordre des faits et si cet épisode n'appartenait
pas à une série de prétendues infractions à la loi.

On ne peut rien tirer du sabbat *second-premier* de S. Luc
(6¹), d'abord parce que personne ne sait ce que signifie
second-premier et surtout parce que δευτεροπρώτῳ dans le
texte de S. Luc n'est pas authentique. On peut lire chez
Plummer l'origine probable de son introduction dans le texte
et les efforts faits pour lui trouver un sens.

2. *Données de saint Jean.* — Nous avons parlé de la principale : la mention des trois Pâques, l'une au début, l'autre au
milieu, la troisième à la fin de la vie publique du Christ. Nous
avons vu aussi combien précieux pour la chronologie était
le renseignement sur le temps mis à construire le Temple,
depuis sa fondation jusqu'à la première Pâque de Jésus.

La fête innommée du chapitre v a moins d'intérêt en
raison de deux incertitudes : on ne sait pas s'il faut lire *une*
fête ou *la* fête des Juifs, et l'on se demande si le chapitre v
n'est pas à mettre chronologiquement après le chapitre vi.
Nous avons examiné ailleurs ces deux questions dont on peut
faire abstraction ici. Du reste, quelle que soit la leçon adoptée
et qu'on admette ou non l'interversion, cela ne change rien à
la chronologie. Si on admet l'interversion, la fête innommée
sera la Pentecôte qui suit l'avant-dernière Pâque (avec la
leçon ἑορτή), ou mieux cette Pâque elle-même (avec la leçon
ἡ ἑορτή). Si on ne l'admet pas, la fête innommée sera la fête

des Sorts (avec l'ancienne explication de Jn. 4³⁵), ou la fête
du nouvel an (avec l'explication que nous avons adoptée).
Dans aucun cas, il n'y aura lieu de prolonger la vie publique
du Sauveur au delà de deux ans et quelques mois.

Reste donc le texte de saint Jean, 4³⁵ : « Ne dites-vous pas :
Encore quatre mois et la moisson vient? Et moi je vous dis:
Levez les yeux et regardez les campagnes, comme elles blanchissent pour la moisson. » L'explication vulgaire de la
phrase οὐχ ὑμεῖς λέγετε ὅτι ἔτι τετράμηνός ἐστιν καὶ ὁ θερισμὸς ἔρχεται;
est celle-ci : « Pendant que je vous parle n'êtes-vous pas
en train de vous dire les uns aux autres en regardant les
champs d'alentour : Il faut encore quatre mois avant que la
moisson soit mûre ? » D'après cette interprétation, on serait
au mois de janvier; car, si la date de la moisson varie beaucoup suivant l'altitude, dans la plaine de Sichem où l'on se
trouve, elle ne commence pas avant le mois de mai. Ainsi
Jésus, parti pour Jérusalem peu après les noces de Cana
(Jn. 2¹²) pour y célébrer la Pâque, aurait passé en Judée *neuf
mois entiers;* mais cela paraît invraisemblable pour bien des
raisons :

1. Quand il revient en Galilée, le souvenir des miracles
opérés à Jérusalem est encore très vivant (Jn. 4⁴⁵) : « Cum
ergo venisset in Galilaeam, exceperunt eum Galilaei, cum
omnia vidissent quae fecerat Jerosolymis in die festo; et ipsi
enim venerant ad diem festum. » Cette façon de parler indique
un fait récent qui n'a pas laissé à l'enthousiasme le temps de
se refroidir.

2. Non seulement les Synoptiques ne mentionnent pas ce
long séjour de Jésus en Judée, mais ils identifient le retour en
Galilée après le baptême avec le retour qui eut lieu après
l'emprisonnement du Baptiste : « Cum autem audisset Jesus
quod Joannes traditus esset secessit in Galilaeam » (Mt. 4¹²;
Mc. 1¹⁴). S'il s'était écoulé entre les deux événements un laps
de temps de neuf mois, leur silence serait difficilement
explicable.

3. Le récit de saint Jean ne donne pas l'impression d'un
long séjour en Judée. Un seul incident est rapporté pour
expliquer le brusque départ. Jésus semble n'avoir pas prêché,
mais seulement baptisé par le ministère des quelques disciples

qui le suivent depuis Cana, mais qu'il n'a pas encore appelés d'une manière définitive (Jn. 3²²-4³). Un mois ou deux suffisent amplement pour justifier l'expression : « Post haec venit Jesus et discipuli ejus in terram Judæam et illic demorabatur (διέτριβεν) cum eis et baptizabat » (Jn. 3²²).

4. Arrivé à Sichar, Jésus éprouve la fatigue et la soif et l'on fait une longue halte au puits de Jacob. Cet épisode est évidemment plus naturel au mois de mai, où les premières chaleurs sont très pénibles, qu'au mois de janvier, la saison de la pluie ou du froid.

5. N'est-il pas un peu puéril de supposer que, tandis que Jésus leur parle de l'aliment spirituel dont il se nourrit, les apôtres s'amusent à considérer la campagne et à échanger entre eux cette réflexion banale : « Encore quatre mois et la moisson sera mûre » ? Le récit de saint Jean les montre attentifs et respectueux et la réponse de Jésus ne laisse supposer en rien cet inconvenant *aparte!*

Pour toutes ces raisons et d'autres qu'on verra plus loin, il semble préférable, à l'exemple d'Origène et de Maldonat, de regarder notre texte comme une sorte de locution proverbiale usitée chez les laboureurs après le travail des semailles : « Encore quatre mois de repos et de répit et puis il faudra songer à la moisson. »

Le proverbe ainsi entendu se réalise à la lettre. En effet, en Palestine, les semailles ont lieu en novembre, après les premières pluies et les labours d'automne et se continuent en décembre. La moisson de l'orge commence en avril; elle se poursuit les deux mois suivants, selon la nature des céréales et la différence des climats. Le calendrier agricole de Gézer, publié dans la *Revue biblique* (1909, p. 243-269), met un intervalle de quatre mois pleins entre les semailles et la récolte.

La formule employée par saint Jean : « Ne dites-vous pas » (οὐχ ὑμεῖς λέγετε), est précisément celle qui sert pour les proverbes ou pour les formules qu'on a l'habitude de répéter. (Lc. 12⁵⁴⁻⁵⁵; Mt. 16²; Mc. 7¹¹) : λέγετε « vous dites » c'est-à-dire « vous avez coutume de dire ».

Si l'on objecte que le proverbe n'a pas encore été signalé dans la littérature hébraïque, l'objection est futile, car c'est le

cas d'une infinité d'autres proverbes. D'ailleurs il serait
facile de trouver en diverses langues des proverbes analogues. Ainsi Ovide écrit (*Heroid.* xvii, 263) : « Sed nimium
properas et tua messis in herba est. » Voir dans Dalman,
Arbeit und Sitte in Palästina, 1928-1932, des centaines ou
des milliers de proverbes agricoles actuellement en usage et
que personne n'avait encore signalés.

Des faits et des considérations qui précèdent se dégagent les
conclusions suivantes :

1. La thèse qui limite à une année la durée du ministère
public de Jésus-Christ est dénuée de preuves solides et
semble aussi contraire aux données chronologiques des Synoptiques qu'au texte formel de saint Jean. Elle paraît être
d'origine gnostique.

2. Pour ou contre deux ou trois années de vie publique, les
arguments ne sont pas tout à fait décisifs. Cependant, comme
une durée de deux ans et quelques mois suffit pour satisfaire
aux diverses données du problème, l'*onus probandi* incombe
à ceux qui refusent de s'en contenter. Or, ils n'allèguent en
leur faveur aucune preuve valable; car nous avons montré
que ni la fête innommée (Jn. 5¹), ni le τετράμηνος (Jn. 4³⁵), ni le
prétendu σάββατον δευτερόπρωτον ne les favorisent. D'autre part,
le récit des évangélistes, serré et rapide, s'accommode
malaisément d'une durée de trois ans et plus.

3. Il n'existe de tradition proprement dite ni pour ni contre
l'une ou l'autre de ces opinions. On remarquera seulement
que les exégètes du moyen âge et même les commentateurs
modernes, presque jusqu'à nos jours, admettent assez généralement une durée de trois ans et quelques mois, tandis que
les écrivains ecclésiastiques des cinq premiers siècles, à
l'exception d'Eusèbe, tiennent pour une durée inférieure à
trois ans.

4. Toutes choses dûment pesées, l'opinion des Pères aurait
nos préférences, d'autant plus qu'elle paraît s'accorder mieux
avec la date de la passion.

IV. Date de la mort.

Cette date doit remplir trois conditions :

1° *Tomber un vendredi.* L'opinion de Westcott, qui place la passion un jeudi, n'a pas été prise en considération. — 2° *Sous le gouvernement de Pilate* qui fut procurateur de l'an 26 à l'an 36. — 3° *A la pleine lune de nisan*, c'est-à-dire un jour pouvant être soit le 14, soit le 15 du mois de nisan.

Le problème se pose donc ainsi : Quelles sont entre 27 et 35 les années où la Pâque juive a pu tomber un vendredi? La réponse est facile et moralement acceptée de tous : les années 29,30 et 33 sont les seules à remplir ces conditions. Il semble même qu'on peut exclure l'année 33 comme trop tardive. En effet, Jésus aurait eu environ trente-cinq ans ou davantage à l'époque de son baptême, ce qui cadre mal avec le texte de S. Luc et, au moment de la première Pâque de la vie publique, le Temple aurait été en construction depuis 49 ou 50 ans, contrairement au texte de S. Jean (2²⁰). Voir ci-dessus la date de la naissance.

Si donc nous éliminons le 3 avril 33, il reste à choisir entre le 18 mars 29 et le 7 avril 30. Le choix est d'autant plus difficile que les dates sont plus rapprochées.

En faveur de l'an 29, on allègue la tradition : 1° Beaucoup de Pères, pour dater la passion du Christ, nomment les consuls de l'an 29 : L. Rubellius Geminus et C. Fufius Geminus ou les deux *Gemini*. Ainsi Tertullien, S. Hippolyte, les *Actes de Pilate*, le *Catalogue des papes* de l'an 360, S. Augustin, Prosper d'Aquitaine, Sulpice Sévère, etc. — 2° Malgré les indications en apparence contraires de S. Luc, ils fixent la passion à la 15° ou à la 16° année de Tibère : ce qui correspond, suivant les diverses manières de compter, à l'an 29. Ainsi Jules Africain, Tertullien, Lactance, le *Comput pascal* du Pseudo-Cyprien. — 3° Les *Fastes consulaires* de l'an 354 fixent la passion à l'an 782 de Rome (29 ap. J.-C.). La *Légende d'Abgar* (citée par Eusèbe, *Hist. eccl.* I, 13) à l'an 340 des Grecs, qui va de septembre 28 à septembre 29. — 4° Plusieurs Pères disent que la destruction de Jérusalem arriva 40 ans (Chrysostome) ou 42 ans (Origène, Clément d'Alexandrie) après la passion. Cela nous ramène toujours à l'an 29.

Contre la date du 18 mars 29 on objecte que la Pâque tomberait alors avant l'équinoxe du printemps, mais cette objection n'en est pas une. Nous croyons l'avoir prouvé ailleurs surabondamment[1].

Une sérieuse difficulté c'est que, l'an 29, la conjonction du soleil et de la lune eut lieu le 4 mars, à 3 h. 15 m. du matin, sous le méridien de Jérusalem. Patrizi suppose que si la lune fut aperçue ce soir-là *avant* le coucher du soleil, le 4 mars aurait été la néoménie et le 18 mars le 15e jour de la lune. Cela paraît assez improbable, et le 18 mars ne pourrait guère être que le 14e jour. Disons plutôt qu'on ignore si la fixation de la néoménie dépendait uniquement de l'observation et si le sacerdoce, de qui relevait principalement la fixation du calendrier, n'avait pas égard, dès cette époque, à des règles plus ou moins arbitraires.

Cette difficulté n'existe pas pour le 7 avril 30, qui était certainement un vendredi et le 15e jour (le 14e d'après Schoch) de la lune de nisan. Mais cette date est complètement dépourvue d'attestation patristique.

Nous proposerons sous toutes réserves les dates suivantes, en admettant que la naissance peut être reculée d'un an, ou, à la rigueur, de deux ans et la mort retardée d'un an, et en acceptant, pour le *jour* de la naissance et du baptême, la date traditionnelle.

Naissance de J.-C..	25 décembre 748 de Rome (6 av. J.-C.).
Baptême..........	6 janvier	780 (27 ap. J.-C.)
Première Pâque...	avril	780 (27).
Retour en Galilée..	mai	780 (27).
Deuxième Pâque...	mars	781 (28).
Tabernacles.......	octobre	781 (28).
Dédicace.........	décembre 781 (28).
Passion..........	18 mars	782 (29) ou 7 avril 30.

1 *Recherches*, 1912, p. 96-97. Nous pouvons ajouter un fait qui nous avait alors échappé. C'est que pour les Juifs d'Éléphantine les dates extrêmes de la Pâque allaient du 14 mars au 6 mai. Cf. *R. B.* 1907, p. 271. L'article de Fotheringham est à consulter : *Astronomical evidence for the date of the Crucifixion*, dans *J. Th. St.* t. XII, oct. 1910, p. 120-127. Mais il faut se souvenir que les Juifs d'alors ne se réglaient pas, du moins exclusivement, sur l'astronomie. Et ils faisaient bien car, si l'on en juge par le *Livre des Jubilés*, leurs connaissances en astronomie étaient très rudimentaires.

Si l'on adopte, pour la naissance et la mort de Jésus, les dates les plus rapprochées (— 6 et 29), il aurait eu, au moment de la passion, trente-trois ans et trois mois. Si l'on recule sa naissance et si l'on retarde sa mort, son âge en sera augmenté d'autant.

Nous joignons, comme terme de comparaison, les dates proposées par d'autres auteurs.

	NAISSANCE	BAPTÊME	VIE PUBLIQUE	PASSION	JOUR DE LA LUNE
Patrizi (1853) [1]......	25 déc. — 7	6 janv. 26	3 ans	18 mars 29	15e
Turner (1898) [2]. ...	— 7 ou — 8	26 ou 27	2 ou 3 ans	18 mars 29	14e
Masini (1917) [3]......	28 nov. — 5	26	3 ans	18 mars 29	
Pfättisch (1911) [4]....		28	2 ans	7 avril 30	
Gerhardt (1930) [5]....	— 7	27	3 ans (?)	7 avril 30	15e
H. v. Soden (1899) [6]....	— 4	28 ou 29	1 ou 2 ans	7 avril 30	15e
Mémain (1886) [7].....	25 déc. — 9	9 janv. 29	4 ans	3 avril 33	15e
Lévrier (1905) [8].....	25 déc. — 5	6 janv. 23	3 ans	22 mars 26	
Chaume (1918) [9]....		sept. 30	4 ans 1/2	8 avril 35	
Levesque 1917-1941 [10].	25 déc. — 5	10 sept. 26	3 ans 1/2	7 avril 30	

1. Patrizi, *De Evangeliis*, 1853. C'est peut-être l'étude la plus documentée sur la chronologie de la vie du Christ. Beaucoup l'ont exploitée sans rien dire.

2. C. H. Turner, dans le *Dict. of the Bible* de Hastings, t. I, 1898, p. 403-415. La date de la passion proposée par Patrizi et Turner (18 mars 29), est acceptée par Hitchcock *Dict. of Christ and the Gospels*, t. I, p. 415-416), Mangenot (*Dict. de la Bible*) et beaucoup d'autres. Dittrich propose le 15 avril 29.

3. Masini. *When was Jesus Christ born?* dans l'*Expositor*, 1917, t. II, p. 178-192. L'auteur semble avoir été influencé par Clément d'Alexandrie pour la date de la naissance.

4. J. M. Pfättisch, *Die Dauer der Lehrtätigkeit Jesu,* Fribourg-en-Br., 1911.

5. O. Gerhardt, *Das Datum der Kreuzigung Christi*, dans *Astron. Nachrichten,* octobre 1930, et auparavant dans une thèse de même titre, Berlin. 1914.

6. H. von Soden, dans *Encycl. Biblica*, 1899, p. 809.

7. Mémain, *La connaissance des temps évangéliques*, 1886, *passim*.

8. X. Lévrier, *Clé chronologique des dates exactes de la vie de Jésus-Christ*[2], Poitiers, 1905. L'auteur, visant à une exactitude impossible en ces matières, fait partout fausse route.

9. Chaume, *Recherches sur la chronologie de la vie de Notre-Seigneur,* dans *R. B.* 1918, p. 215-243 et 506-549 (tiré à part). Le 8 avril 35 est bien un vendredi; seulement dans cette hypothèse, Jésus serait mort âgé d'environ 40 ans.

10. Levesque, *Abrégé chronol. de la Vie de N.-S. J.-C.* (J. C.).

LE VERBE VIE ET LUMIÈRE

I. Les concepts johanniques de vie et de lumière.

Dans l'Évangile et la première Épître de S. Jean, qui est comme la préface ou l'épilogue de l'Évangile, la *Vie* est toujours la vie surnaturelle de la grâce et de la gloire; car S. Jean, pas plus que S. Paul, ne regarde la grâce et la gloire comme deux états différents, mais comme deux phases d'un même état : la grâce, au terme de l'épreuve, se transformant en gloire. Il dit *la vie éternelle* (ζωὴ αἰώνιος, avec ou sans article, 23 fois) ou simplement *la vie* (ζωή, avec ou sans l'article, 25 fois) dans le même sens.

Le Verbe est la *Vie*, en vertu de la figure qui prend la cause pour l'effet, parce qu'il est le principe de toute vie surnaturelle (Jn. 11²⁵; 14⁶; 1 Jn. 1²; 5¹², etc.). Ce titre ne lui appartient pas uniquement par *attribution*, comme la création est attribuée au Père et la sanctification à l'Esprit-Saint; car, dans l'ordre actuel de la providence, qui rattache le salut des hommes à l'œuvre satisfactoire du Verbe incarné, toute vie surnaturelle, avant comme après l'incarnation, dérive du Christ. Le Fils n'en est pas seulement l'auteur comme cause efficiente, à l'égal des autres personnes divines, mais au titre spécial de cause méritoire. La rédemption appartient au Verbe en raison des mérites de son humanité; mais elle lui appartient personnellement, car le Verbe, avant comme après l'incarnation, est toujours la même personne : « Jésus-Christ était hier, il est aujourd'hui, il sera dans les siècles des siècles » (Hebr. 13⁸), toujours Sauveur, toujours Rédempteur, depuis qu'il existe une humanité coupable qu'il s'est chargé

de relever. Il n'est nullement nécessaire de soutenir, avec un grand nombre de Pères de l'Église, que toutes les théophanies de l'Ancien Testament étaient des apparitions du Fils de Dieu. Il suffit de dire que toutes les grâces accordées à l'humanité déchue, sont des fruits anticipés du Calvaire et appartiennent donc au Fils de Dieu comme à leur cause méritoire.

Tandis que la *vie,* chez S. Jean, est toujours la vie surnaturelle (vie de la grâce, ou vie de la gloire, ou les deux à la fois), la *lumière* se prend quelquefois au sens ordinaire de clarté physique ; mais, en général, la lumière répond à la vie, avec laquelle elle a d'étroits rapports, et, considérées dans leur cause, elles s'identifient l'une et l'autre avec le Verbe incarné. Jésus-Christ dit de lui-même : « Je suis la Lumière du monde (Jn. 8^{12} ; 9^5), je suis venu au monde comme Lumière (12^{40}) », de même qu'il a dit : « Je suis la résurrection et la vie (11^{25}) ; je suis la vérité et la vie (14^6). » S'il est appelé « Lumière véritable » (1^9 ; 1 Jn. 2^8), c'est pour le distinguer du Baptiste, qui n'était qu'un flambeau (5^{35} : λύχνος), ou de la lumière de *ce* monde (11^9) perçue par les yeux du corps.

Les effets de la Lumière et de la Vie, dans l'homme régénéré, sont inséparables, car l'homme ne saurait être éclairé par le Verbe sans être vivifié par lui ; mais les concepts diffèrent. La lumière, en tant que dérivant du Verbe, c'est la vérité révélée ; en tant que reçue par l'homme, c'est la foi. Mais il ne faut pas oublier que *croire,* dans S. Jean comme dans S. Paul, n'est pas un acte purement intellectuel, une simple adhésion de l'esprit à la vérité révélée ; c'est un acte d'obéissance, qui comprend l'abandon de soi-même au vouloir divin. Cette foi vivante et agissante, *informée* par la charité, produit ce que S. Paul appelle la justification et S. Jean la vie.

Logiquement, la lumière précède la vie et y conduit : « Tant que vous avez la Lumière (le Christ, Lumière du monde), croyez à la lumière (à la parole du Christ, à la vérité qu'il révèle) afin de devenir enfants de lumière (par la foi). » Les croyants deviennent enfants de lumière (Jn. 12^{36} : υἱοὶ φωτός), quand ils passent des ténèbres de l'erreur et de l'igno-

rance à la lumière de la vérité (Eph. 5⁸⁻⁹), quand ils ne sont plus fils de la nuit et des ténèbres, mais fils de la lumière et du jour (1 Thess. 5⁵).

La connexion intime de la lumière et de la vie ressort clairement des textes suivants : « Je suis la Lumière du monde. Celui qui me suit ne marche pas dans les ténèbres, mais il aura *la lumière de la vie* (8¹² : τὸ φῶς τῆς ζωῆς). » Grammaticalement on pourrait entendre : « la lumière qui vient de la Vie (c.-à-d. du Verbe) », mais il est bien plus naturel d'entendre, comme on le fait généralement : « la lumière qui produit la vie, qui se confond, en quelque sorte, avec la vie. » Et ce sens est confirmé par la conclusion de S. Jean (20³¹) : « Ceci est écrit afin que vous croyiez que Jésus est le Christ, le Fils de Dieu, et que, *croyant,* vous ayez *la vie.* »

Il est très vrai de dire que « la lumière est à la fois effet et cause de la *vie*[1] » ; mais à condition de prendre la lumière et la vie en deux sens différents. On obtient ainsi la définition suivante de τὸ φῶς τῆς ζωῆς : « La lumière qui jaillit de la vie et d'où la vie émane; la lumière dont la vie est le principe essentiel et le résultat nécessaire[2]. » En d'autres termes : le Verbe incarné est Vie et Lumière, principe de lumière et de vie dans l'homme régénéré, mais si l'on compare entre elles la lumière et la vie dans l'homme, la lumière précède logiquement la vie et la vie résulte de la lumière.

II. En lui était (la) vie (ἐν αὐτῷ ζωὴ ἦν).

Il y a deux manières de ponctuer la phrase et la première a deux variantes selon qu'on met une virgule avant ou après ἐν αὐτῷ (in ipso).

I. Ὅ γέγονεν, ἐν αὐτῷ ζωὴ ἦν (*quod factum est, in ipso vita erat*).
ou Ὅ γέγονεν ἐν αὐτῷ, ζωὴ ἦν (*quod factum est in ipso, vita erat*).
II. Ὅ γέγονεν. Ἐν αὐτῷ ζωὴ ἦν (*quod factum est. In ipso vita erat*).

Nous ne tenons pas compte de la leçon aberrante : ὅ γέγονεν ἐν αὐτῷ. Ζωὴ ἦν (*factum est in ipso. Vita erat*). Elle est trop

1. Frey, *Biblica*, 1920, p. 234 (*Le concept de* « *vie* » *dans S. Jean*).
2. Westcott, *The Gospel according to St John*¹⁴, 1902, p. 128.

mal attestée et aboutit à une intolérable tautologie : *sine ipso factum est nihil quod factum est in ipso*[1].

On sait que dans les anciens manuscrits grecs, les mots se suivent sans séparation et sans ponctuation, ou avec une ponctuation très rare, du moins jusqu'au ve siècle de notre ère. Les particules grecques, si prodiguées chez les auteurs classiques, y suppléent en quelque mesure; faute de quoi, la division des phrases était laissée à l'intelligence ou au caprice du lecteur. Il est certain que l'autographe de saint Jean ne portait ici aucun signe de ponctuation; les manuscrits, les versions et les Pères ne sont donc pas proprement des témoins du texte original, mais seulement de l'interprétation qu'il plaisait à chacun de lui donner. La ponctuation adoptée sera donc à juger d'après son mérite intrinsèque, c'est-à-dire d'après le sens plus ou moins acceptable qu'elle fournit.

Il faut convenir que dans les trois premiers siècles, autant qu'on peut en juger maintenant, la plupart coupaient ainsi la phrase : ˚Ο γέγονεν ἐν αὐτῷ ζωὴ ἦν (*quod factum est in ipso vita erat*). On peut invoquer en faveur de cette coupe un meilleur équilibre du rythme, composé ainsi de membres plus égaux, et l'apparent pléonasme qu'on obtiendrait en joignant ὃ γέγονεν à la négation absolue οὐδὲ ἕν. Mais le rythme n'est pas tout et saint Jean n'écrit ni en vers ni en strophes; quant au prétendu pléonasme, il ajoute à l'emphase. Il s'agit donc de savoir si cette division du texte donne un sens recevable, soit qu'on mette la virgule après ἐν αὐτῷ soit qu'on la mette avant[2].

---

1. On trouvera la liste des tenants de chaque leçon dans Zahn, *Evang. des Joh.*[4] Leipzig, 1912, EXCURS. I, p. 706-9, ou dans Lebreton, *Orig. du dogme de la Trinité*[4], 1919, note I, p. 386-9, ou dans Lagrange, *Saint Jean,* 1925, p. 6-9. Les critiques sont partagés : Tischendorf et Vogels adoptent la leçon II, Von Soden et Hort tiennent pour la leçon I, mais ce dernier qui met en marge la leçon II avoue qu'elle a une grande probabilité intrinsèque (has high claims to acceptance on internal grounds) et que la ponctuation des manuscrits, des versions et des Pères n'est pas une autorité *textuelle* (has no textual authority). *Introduction, Appendix*, p. 74.

2. Comme saint Jérôme se prononce formellement pour la coupe *In ipso vita erat* (quoiqu'une fois il arrête sa citation à *factum est nihil*, au début des *Quaestiones hebr. in Genesim*, Migne, XXIII, 939) on croit

Les hétérodoxes — manichéens, ariens, eunomiens, gnostiques de tout acabit — mettant la virgule après ἐν αὐτῷ, lisaient unanimement : ὃ γέγονεν ἐν αὐτῷ, ζωὴ ἦν (ce qui a été fait en lui, était vie). Les manichéens en concluaient : premièrement, que toutes les choses faites *dans* le Verbe, c'est-à-dire *par* lui, étaient animées; en second lieu, que les choses inanimées, comme la matière, n'étaient pas l'œuvre du Verbe. Les gnostiques voyaient dans « ce qui a été fait en lui » les hommes *spirituels,* seuls en possession de la vie véritable et ils rangeaient tous les autres dans la catégorie des hommes *matériels,* vouées à la mort éternelle. Les eunomiens, entendant du Saint-Esprit les mots « ce qui a été fait en lui », soutenaient que le Saint-Esprit, fait par le Verbe, était donc une créature. Il n'était pas jusqu'aux ariens qui, par leurs arguties, n'essayassent d'abuser d'un texte où ils trouvent si clairement leur condamnation. Mais ce qu'il y a de plus extraordinaire c'est qu'Origène, à force de subtilité, parvient à donner un sens orthodoxe à la phrase ainsi ponctuée. Si nous le comprenons bien — car sa pensée n'est pas d'une limpidité parfaite — en voici la substance : Le Verbe seul est la vraie vie et ceux-là seuls qui lui sont unis participent à sa vie. Or le juste, non seulement a été fait *par* lui, mais est *devenu en* lui (ὃ γέγονεν ἐν αὐτῷ); il participe donc à la vie du Verbe, il est vie en lui. Tous les autres sont dans la mort. Origène s'aperçoit que si ὃ γέγονεν ἐν αὐτῷ désigne le juste,

généralement que la Vulgate primitive portait comme la Vulgate actuelle : *sine ipso factum est nihil quod factum est. In ipso vita erat.* Les éditeurs Wordsworth et White assurent qu'il n'en est pas ainsi. La plupart des plus anciens et des meilleurs manuscrits ont : *Quod factum est in ipso vita erat.* C'était aussi la leçon la plus répandue dans l'ancienne version latine avec cette curieuse particularité que cette version lisait *est* (au lieu de *erat*) comme l'exige l'explication d'Origène. Voir la collation de six des principaux codex dans Migne, XII, 353-4.

Même au XVIᵉ siècle, Maldonat écrivait : « Tres apud graves auctores lectiones invenio. Prima est quam quotidiano sequimur usu, ut post illud *nihil* sententia claudatur, deinde sequatur alia *Quod factum est, in ipso vita erat.* » C'était la ponctuation adoptée par Sixte-Quint dans sa Bible, tandis que l'édition Clémentine semble vouloir laisser la chose indécise : *nihil, quod factum est, in ipso vita erat.* L'opinion bien connue de saint Augustin a pu exercer sur les Latins une grande influence. Tolet dit de la ponctuation dont parle Maldonat : *ita legit major pars Latinorum,* quoiqu'il préfère comme plus cohérente la ponctuation de la Vulgate actuelle.

en tant qu'uni au Verbe par la foi et la charité, il faudrait ζωή ἐστιν, au présent. Il note bien que quelques copies ont cette leçon, mais il n'insiste pas sur la difficulté qui d'ailleurs n'est pas la seule de son système.

En général les docteurs catholiques qui adoptent la division ὃ γέγονεν ἐν αὐτῷ ζωὴ ἦν mettent la virgule avant ἐν αὐτῷ et obtiennent le sens suivant : « Ce qui a été fait, était vie en lui. » Mais ils se séparent pour l'interprétation. D'après saint Cyrille d'Alexandrie, le Verbe donne à toutes choses une sorte de vie en leur conservant l'existence et en les empêchant de retomber dans le néant d'où les a tirées l'acte créateur; mais, outre qu'il n'y a là rien de spécial à la personne du Verbe, qu'il faut prendre ἐν αὐτῷ comme s'il y avait δι'αὐτοῦ, et que la vie ainsi entendue n'a aucun rapport avec la lumière du monde, saint Cyrille est obligé d'attribuer à la vie le sens tout à fait inusité d'existence, ce qui donne le coup de grâce à son explication. Saint Augustin sera-t-il plus heureux? Du moins fonde-t-il son hypothèse sur un terrain plus ferme. Il considère le Verbe comme l'exemplaire éternel d'après lequel Dieu crée le monde. L'ouvrier qui se propose de fabriquer un meuble en conçoit d'abord l'image; comment pourrait-il le fabriquer sans cela? Le meuble lui-même n'a pas la vie, mais il vit dans l'acte vital produit par l'âme de l'ouvrier. Ainsi les créatures, même inanimées, vivent dans le Verbe qui est la vie même. S'il s'agissait d'interpréter Philon ou quelque néo-platonicien, cette explication serait de mise; mais les exégètes de toutes les écoles s'accordent maintenant à dire qu'elle ne convient guère à Jean le Théologien, qui s'enferme, encore plus étroitement que saint Paul, dans l'horizon des réalités surnaturelles. Au surplus, il n'y a aucune relation entre la vie que les créatures ont dans le Verbe comme cause exemplaire et la lumière des hommes, de quelque manière qu'on l'entende.

Tout en gardant la ponctuation de saint Augustin et de saint Cyrille, M. Loisy est mal satisfait de leur exégèse. Il propose de traduire : « Ce qui s'est fait, en cela fut vie »; autrement dit : « En ce qui était devenu il y eut vie. » Il trouve cela très clair et « très naturel », mais beaucoup seront d'avis contraire. Faire rapporter ἐν αὐτῷ à ὃ γέγονεν et non pas

au Verbe qui domine tout le passage est un parti extrême, auquel personne ne pensa jamais. Comment croire que l'évangéliste a recours à une construction si alambiquée pour exprimer une chose si simple en soi mais si étrangère au sujet présent : « Il y avait de la vie dans le monde » ? (Loisy, *Le quatrième évangile* [2], 1921, p. 92).

Il faut donc s'en tenir à la ponctuation de saint Jean Chrysostome, de saint Jérôme et de la Vulgate actuelle. Saint Ambroise assure que c'était celle des Alexandrins et des Égyptiens et que la plupart des fidèles instruits lisaient ainsi de son temps, quoique, personnellement, il ne voie nul inconvénient à garder l'autre ponctuation. Celle-ci en effet offre un sens philosophique très beau et très séduisant; on peut seulement douter que ce soit le sens du Théologien et pour le défendre il est nécessaire de changer le texte et de lire : *Quod factum est in ipso vita est,* comme font saint Augustin, saint Ambroise et un grand nombre de copistes de l'ancienne version latine et de la Vulgate [1].

III. Pourquoi le Verbe et non pas le Fils?

D'où saint Jean a-t-il pris l'idée et le nom de Logos, étranger au reste du Nouveau Testament? Pourquoi emploie-t-il ce

---

1. Saint Jean Chrysostome est très catégorique et soupçonne les hérétiques d'avoir imaginé la leçon *Quod factum est in ipso vita erat* pour propager leurs erreurs (*In Joan. hom.* v, 1, Migne, LIX, 53). Saint Jérôme, à une seule exception près, cite toujours le texte ainsi : *sine ipso factum est nihil quod factum est* et s'arrête là (par exemple *In Ezech.* 37[10] et *In Amos* : 6[12]; Migne, XXV, 347 et 1065). Saint Ambroise écrit: « Alexandrini quidem et Ægyptii scribunt *sine ipso factum est nihil quod factum est* et, interposita distinctione, subito *In ipso vita erat.* Salva est fidelibus illa distinctio. Ego non vereor legere *Quod factum est in ipso vita* EST, et nihil habet quod teneat Arianus (*In Psalm.* 36[18-19], Migne, XIV, 984, ou Petschenig, p. 98). Même remarque dans le *De fide* (III, 6, n° 43; Migne, XVI, 598). Saint Ambroise, comme saint Augustin, suppose toujours que saint Jean a le présent *vita* EST, leçon qu'on trouve dans plusieurs manuscrits de l'ancienne version latine (cf. Migne, *Patr. lat.*, XII, 34-35) et de la Vulgate. Le présent s'impose en effet pour l'exégèse platonicienne de saint Augustin et de saint Ambroise. Mais saint Jean a certainement mis l'imparfait ἦν. Seul le codex de Bèze a ἐστίν qu'Origène dit avoir trouvé dans quelques rares manuscrits mais qu'il n'adopte pas. (*In Joann.* 1[4], édit. Preuschen, p. 76). Loin de favoriser l'explication exemplariste, l'imparfait la condamne.

terme de préférence à celui de Fils avec lequel il l'identifie à
la fin du Prologue? D'où vient qu'il l'abandonne ensuite jusqu'à paraître l'oublier, sauf au début de sa première Épître?
Questions délicates, insolubles peut-être, mais auxquelles il
n'est pas possible de se dérober.

Le mot λόγος, à l'époque classique, possédait une grande
variété d'acceptions : parole, discours, récit en prose par
opposition au récit en vers (ἔπος), raison, intelligence, jugement, opinion, définition, raison intime d'une chose, compte
à rendre, relation de proportion ou d'analogie. Mais le sens
primitif, dans Homère et Hésiode, est « parole, discours »,
conformément à l'étymologie (de λέγειν, dire, parler); et tel
est aussi le sens fondamental de *verbum* (de εἴρειν, pour Ϝείρειν,
parler, dire). Tertullien, qui est érudit, traduit le Λόγος de
saint Jean par *Sermo*.

Les stoïciens donnèrent le nom de λόγος à l'âme du monde,
qui a tant de rapports avec le feu d'Héraclite, quoique l'obscur
Héraclite ne se soit probablement pas servi du nom de λόγος.
L'âme du monde des stoïciens n'est pas seulement le principe de toute activité, mais la raison universelle dont notre
intelligence n'est qu'une étincelle; c'est aussi la loi de l'univers, qui entraîne tous les êtres, par une force incoercible,
vers le terme fatal de leurs destinées.

Rien n'était plus antipathique à un Juif imbu du plus pur
monothéisme que le Logos panthéiste des stoïciens. La personnalité et la transcendance de Dieu, sa distinction d'avec le
monde, sont inscrites aux premières lignes de la Bible, en
traits inoubliables. Loin d'être séduits par les théories mo-
nistes, les Juifs étaient incapables de les concevoir. Mais le
système du monde n'est pas tout le stoïcisme. Les disciples
du Portique furent les premiers à distinguer le λόγος ἐνδιάθετος
(verbe intérieur, *verbum mentis*) du λόγος προφορικός (verbe proféré, parole) et cette distinction sera féconde; car, dans le grec
classique, λόγος signifiait la raison et non pas la pensée, l'intelligence comme faculté de l'âme et non pas l'intelligence en
acte ou, pour mieux dire, l'acte de l'intelligence [1]. C'est

1. On chercherait en vain ces termes dans les philosophes antérieurs
à Socrate (cf. H. Diels, *Die Fragmente der Vorsokratiker*, t. III, 1910,
Index). Ils ne sont pas non plus dans Platon et dans Aristote. Cepen-

un premier pas vers la conception du Logos johannique. Un second pas, plus décisif, est dû au platonisme de Philon. Il est bien avéré que Platon, dans ses œuvres authentiques, n'a pas de théorie du Logos; mais il a une théorie du monde intelligible, du monde des idées, qui sert de principe et de modèle au monde sensible. Chez Platon, les idées « sont des substances indépendantes, et non point des pensées conçues par Dieu et, par suite, intermédiaires entre lui et le monde. Pour Philon au contraire elles sont le modèle idéal que Dieu a dessiné dans son esprit avant de faire le monde, tout ainsi qu'un architecte construit d'abord en lui-même le plan d'une maison qu'il se propose de bâtir. Cette modification apportée à la théorie platonicienne est, à coup sûr, très notable, mais Philon n'en est pas le premier auteur; de son temps, c'est ainsi qu'on comprenait Platon [1] ». A cette entité platonicienne ainsi transformée, Philon a donné le nom de Logos : « S'il faut parler en termes plus clairs, nous dirons que le monde intelligible n'est pas autre chose que le Logos de Dieu, en train de créer le monde. » Si l'homme, d'après Moïse, a été fait à l'image de Dieu, à plus forte raison tout l'univers, qui l'emporte sur l'homme autant que le tout sur la partie, sera-t-il fait à cette image. « Il est donc évident que ce que nous appelons le monde intelligible, est l'exemplaire, l'archétype, l'idée des idées, le Verbe de Dieu [2]. » Voilà tout

dant Aristote a quelque chose d'approchant : Οὐ γὰρ πρὸς τὸν ἔξω λόγον ἡ ἀπόδειξις, ἀλλὰ πρὸς τὸν ἐν τῇ ψυχῇ, ἐπεὶ οὐδὲ συλλογισμός. Ἀεὶ γάρ ἐστιν ἐνστῆναι πρὸς τὸν ἔξω λόγον, ἀλλὰ πρὸς τὸν ἔσω λόγον οὐκ ἀεί (Anal. post. I, x, 7, Didot, I, 131). Mais cette distinction entre ὁ ἔξω λόγος et ὁ ἔσω λόγος, ὁ ἐν τῇ ψυχῇ est peut-être unique avant les stoïciens. Les termes ἐνδιάθετος et προφορικός se lisent dans Philon et dans Plutarque. Zeller me semble avoir prouvé que les stoïciens en sont les créateurs (Die Philos. der Griechen [4], troisième partie, première moitié, 1909, p. 68-69).

1. Lebreton, Les origines du dogme de la Trinité [6], 1927, p. 202. Nous ne pouvons que renvoyer à l'excellente note J. (Philon et saint Jean).

2. De mundi opificio (Mangey, I, 5). Dans ce passage, le Logos est : 1° Le Logos de Dieu (ὁ Θεοῦ λόγος = le verbe de Dieu). — 2° Le monde intelligible (ὁ κόσμος νοητός), opposé au monde sensible. — 3° L'exemplaire original (τὸ ἀρχέτυπον παράδειγμα), en tant qu'il est dans l'esprit de Dieu. — 4° Le sceau original (ἡ ἀρχέτυπος σφραγίς), en tant qu'imprimé aux êtres créés pour les rendre semblables à l'archétype. — 5° L'idée des idées (ἡ ἰδέα τῶν ἰδεῶν), c'est-à-dire le lieu des idées, l'idée universelle qui renferme toutes les idées particulières. Il est encore l'image de Dieu, de sorte que le monde fait à l'image du Logos, est l'image d'une image (εἰκὼν εἰκόνος) ou l'imitation d'une image.

ce qui dans Philon peut jeter quelque jour sur la doctrine du Prologue. Tous les autres titres que le philosophe alexandrin, d'une main si prodigue, accumule sur son Logos, grand-prêtre, médiateur, diviseur, démiurge, instrument de Dieu dans la création, fils de Dieu (le monde étant son petit-fils), Dieu en second (ou Dieu par abus de langage), ne font qu'obscurcir l'idée si simple et si belle de la cause exemplaire.

Tous les critiques ne souscriraient pas au jugement de Harnack : « Le Logos (du quatrième évangile) n'a guère que le nom de commun avec le Logos philonien [1] »; mais tout le monde doit convenir que les différences sont grandes. Le Logos philonien est une notion abstraite, vague et flottante, une idée constamment personnifiée, qui n'atteint jamais la personnalité. Jamais Philon n'a identifié son Logos avec le Messie; le « Verbe fait chair » lui eût paru un non-sens. Le Logos de saint Jean est un être concret : le Fils de Dieu incarné, Jésus-Christ, personnalité unique à travers sa double existence. Mais les ressemblances ne manquent pas. Des deux côtés le Verbe joue un rôle dans la création du monde et il est médiateur entre Dieu et les hommes. Cependant, à y regarder de près, la plupart des analogies s'expliquent par une origine commune : le fonds biblique auquel puisent les deux auteurs.

Dans le passage capital cité plus haut, Philon se réfère expressément à Moïse dont il ne fait, dit-il, qu'exposer la doctrine [2]. Les livres sapientiaux appliquent à la Sagesse personnifiée presque tous les titres que Philon décerne au Logos. Elle est une *exhalaison* (ἀτμίς) de la puissance de Dieu, un *écoulement* (ἀπόρροια) de sa pure gloire, un *rayonnement*

---

1. *Dogmengeschichte* [4], 1909, t. I, p. 109 : « selbst der Logos hat mit dem der Stoa, ja auch des Philo, wenig mehr als den Namen gemein. » Même note dans Cremer, *Biblisch-theol. Wörterbuch* [9], p. 646. M. Loisy a récemment changé son fusil d'épaule. Il écrivait en 1903 (*Quatrième évangile*, p. 154) : « L'influence des idées philoniennes sur Jean n'est pas contestable. » Il écrit en 1921 (2e édit. p. 88) : « Il n'est pas autrement probable que l'évangile johannique dépende littérairement des écrits philoniens. » C'est plus qu'une nuance.

2. Philon, *De mundi opif.* (Mangey, I, 5) : Μωσέως ἐστὶ τὸ δόγμα οὐκ ἐμόν.

(ἀπαύγασμα) de la lumière éternelle, un miroir (ἔσοπτρον) sans tache de l'activité divine, une image (εἰκών) de sa bonté. Elle est enfantée avant les collines; elle travaille à disposer les cieux et à poser les fondements de la terre, elle fait les délices du Tout-puissant [1].

Ce ne sont là sans doute que des prosopopées; mais en est-il autrement dans Philon? Il est vrai aussi que la *Sagesse* n'est pas qualifiée de λόγος divin, mais elle ne pouvait pas l'être, car si λόγος en grec signifie parole et raison, il n'a que le premier sens dans les Septante où il traduit l'hébreu *dabar* — par exception *'omer* et *millah* — répondant au λόγος προφο-ρικός des stoïciens. Cependant la *Parole* est aussi personnifiée dans la Bible et présentée comme l'agent de la création et de la révélation, ou encore comme l'instrument des vengeances divines. Dieu, du haut du ciel, envoie sa Parole; par sa Parole il sauve et guérit, il crée le monde et affermit les cieux.

Le ton poétique du morceau ne permet pas de se méprendre sur le sens de cette hypotypose. Mais il semble qu'il fallait maintenant peu de chose pour faire de la Parole de Dieu une véritable personne. Exégètes et théologiens ont cru, presque jusqu'à nos jours, que les rabbins avaient franchi la distance et donné la personnalité à la parole de Dieu. Il est en effet souvent question dans le Targum du *Memra* — quelquefois remplacé par le synonyme *Dibboura* — qui parle et agit comme une personne dans les circonstances où Dieu est en rapport avec le monde. Mais le *Memra* n'est pas une hypostase; s'il l'était, les Targums l'emploieraient dans les passages de l'Ancien Testament où la Parole de Dieu est personnifiée et se rapproche le plus d'une hypostase; or c'est précisément alors qu'ils l'évitent. Le fait que le *Memra* n'apparaît que dans les Targums et n'est jamais mentionné dans les vieux écrits rabbiniques, comme la *Mishna* et la *Tosefta,* prouve qu'il n'appartient pas à l'enseignement du judaïsme. En réalité le Memra de Jahvé (prononcez Adonaï) n'est qu'une simple périphrase pour voiler un anthropomorphisme ou dispenser de proférer le tétragramme divin dans la lecture publique de la Bible. Plusieurs autres synonymes de Dieu : le nom

1. Sap. 7[25-26]; Prov. 8[22-29].

(*shem*), le lieu (*maqôm*), le ciel (*shamaïm*), l'éclat ou la présence (*shekinah*) ont une origine semblable[1].

Parvenu à ce stade d'évolution, le Logos était très adapté
à l'usage que l'évangéliste voulait en faire : comme λόγος
ἐνδιάθετος, il signifiait non plus seulement l'intelligence, mais
la pensée de Dieu, image parfaite de Dieu même ; comme
exemplaire divin, il exprimait une double relation avec l'Ouvrier qui le produit et avec l'œuvre à laquelle il sert de
modèle ; comme λόγος προφορικός il rappelait la Parole créatrice
et révélatrice de l'Ancien Testament. Il avait l'avantage d'être
compris des Juifs contemporains aussi bien que des Grecs
et, n'étant pas la propriété exclusive d'une école philosophique, il n'entraînait pas nécessairement à sa suite un cortège d'idées compromettantes. On pouvait l'épurer et le
transformer tout en prenant pour base des acceptions consa-
crées par l'usage. Saint Jean lui fait réaliser trois grands
progrès : il en fait une personne véritable, et non une simple
personnification ; il lui attribue au sens propre la nature
divine ; il l'identifie avec le Messie des Juifs et le Sauveur de
tous les hommes, Jésus-Christ.

Mais alors, dira-t-on, ce n'est plus ni le Logos des Grecs
ni celui des Juifs hellénistes ; les uns et les autres s'aperce-
vront bien qu'on leur change leur Logos ; pour vouloir contenter tout le monde, l'évangéliste ne contentera personne.
Nous avons la preuve qu'il les a contentés. Saint Basile nous
apprend « que beaucoup d'hommes, étrangers à nos croyances
et fiers de leur sagesse mondaine, admiraient le Prologue
de saint Jean, et ne se faisaient pas faute d'en parer leurs
ouvrages ». Ce qui les rebutait, au dire de saint Augustin,
c'était « le Verbe fait chair[2] ». Saint Jean avait une raison
profonde de présenter dès l'abord le Christ préexistant, plutôt

---

1. Voir Weber, *Jüdische Theologie*[2], 1897, chap. XIII, *Mittlerische
Hypostasen*, p. 177-190 ; Billerbeck, t. II, 1924, *Exkurs* : *Memra Jahves*,
p. 302-333. Ce dernier a compté 179 emplois de *Memra* dans le Targum
d'Onkelos et 420 en tout dans les deux Targums de Jérusalem. Il est
peut-être utile de noter que *memra* comme *shem*, comme *maqôm*, est
un nom masculin. *Shamaïm* est un pluriel ; mais, quand il désigne Dieu,
il est considéré comme nom propre et ne prend pas l'article défini.
2. S. Basile, *Homilia*, XVI, 1 (Migne, XXXI, 479) ; S. Augustin, *De
civit. Dei*, X, XXIX, 2 (Migne, XLI, 309). Cf. *Confess.* VIII, II, 14.

comme Verbe de Dieu que comme Fils de Dieu. En effet
en entendant nommer le Fils de Dieu, les païens songeaient
aussitôt à ces demi-dieux ou à ces héros nés du commerce
charnel des immortels avec les hommes. Quant aux Juifs, le
nom de Fils de Dieu, n'était pas un titre messianique ; ils
connaissaient des fils de Dieu mais pas le Fils de Dieu;
nous savons par Origène que lorsque les chrétiens leur
parlaient du Fils de Dieu ils demandaient ce qu'on voulait
dire.

Ce n'était là qu'une raison d'opportunité; il y en avait
d'autres que les Pères de l'Église mettent en lumière :
« Pourquoi le Verbe ? dit saint Basile. Pour montrer qu'il
procède de l'intelligence. Pourquoi le Verbe? Parce qu'il est
engendré sans passion. Pourquoi le Verbe? Parce qu'il est
l'image de celui qui l'a engendré, reproduisant en lui tout
le principe générateur [1]. » Saint Grégoire de Nazianze et
saint Cyrille d'Alexandrie, moins succinctement, disent à
peu près la même chose.

IV. Division et traduction paraphrasée du Prologue.

Nous avons cru devoir signaler une double traduction, partout où elle est possible ; mais nous avons indiqué nos préférences, soit dans cette note, soit au cours du livre.

a) v. 5 : Les ténèbres n'ont pas reçu (*ou* n'arrêtent pas) la
lumière.

b) v. 9 : Il éclaire tout homme venant (*ou* en venant) au
monde.

c) v. 16 : Nous avons reçu grâce sur grâce (*ou* grâce pour
grâce).

---

1. S. Basile, *op. cit.* n° 3 (Migne, XXXI, 472). Pour comprendre les
Pères grecs, il faut noter qu'avant S. Jean Damascène ils comparent
en général le Verbe non pas au λόγος ἐνδιάθετος, mais au λόγος προφορικός.
Cela vient de ce que, dans la langue courante, λόγος signifie la raison
et non pas la pensée (ἔννοια, νόησις). Ils raisonnent comme S. Basile à
l'endroit cité : « Notre *parole* (λόγος) *procède* de notre pensée et en est
l'*image,* de même le Verbe de Dieu » etc. Il ajoute bien : ὁ ἡμέτερος λόγος
τοῦ νοοῦ γέννημα (notre λόγος est un produit de l'entendement), mais on
voit par le contexte qu'il s'agit de la parole, *produit de l'intelligence* par
l'intermédiaire de la pensée. Les Latins qui considéraient le *verbe intérieur*, non pas comme une faculté mais comme un *fetus mentis*, serraient
de plus près la pensée de saint Jean.

d) v. 18 : Le Fils unique, μονογενὴς υἱός (*ou* le Dieu monogène, θεός).

1. **Le Verbe :** *a*) dans sa vie intime, *b*) dans ses rapports avec la création et *c*) avec le genre humain (1-5).

a) *Au commencement* du temps qui mesure les choses créées *était le Verbe ;* il est donc éternel. *Et le Verbe était auprès de Dieu* et donc personnel et distinct du Père. *Et le Verbe était Dieu ;* il n'était pas le Père (ὁ Θεός), mais il avait la nature divine (Θεός).

b) *Lui était au commencement auprès de Dieu*, avant d'avoir coopéré avec le Père à l'œuvre de la création. *Toutes choses ont été faites par lui et rien de ce qui a été fait n'a été fait sans lui.*

c) *En lui était* (la) *Vie*, la source de toute vie surnaturelle, comprenant la grâce et la gloire.

Et la Vie est la Lumière des hommes et la Lumière brille dans les ténèbres et les ténèbres ne l'ont pas reçue. [Ou bien : *le propre de la lumière est de briller dans les ténèbres et les ténèbres ne sauraient l'arrêter,* l'éteindre.]

2. **Manifestation progressive du Verbe, Lumière du genre humain** (7-15).

A) **Jean témoin de la Lumière.** — *Il y eut un homme envoyé de Dieu, dont le nom était Jean. Il vint comme témoin, pour rendre témoignage à la Lumière, afin que tous crussent par lui* (grâce à son témoignage et à son ministère). *Il n'était pas la Lumière, mais il avait pour mission de rendre témoignage à la Lumière.*

B) **Le Verbe Lumière des hommes dès l'origine de l'humanité.** — *Il existait* (celui qui est) *la vraie Lumière qui illumine tout homme venant au monde* [ou bien : *qui illumine tout homme en venant au monde*]. *Il était dans le monde et le monde a été fait par lui et le monde ne l'a point connu.*

C) **Le Verbe Lumière des hommes depuis la révélation patriarcale et mosaïque.** — *Il est venu dans son domaine* (parmi le peuple qui était sa propriété et son héritage) *et les siens ne l'ont pas reçu* (ni comme peuple ni dans l'ensemble) ; *mais à ceux qui l'ont reçu il a donné le pouvoir de devenir*

enfants de Dieu, à ceux qui ont cru en son nom, *qui ne son*
pas nés du sang ni de la volonté de l'homme, ni de la volonté
de la chair, mais de Dieu.

D) Le Verbe Lumière des hommes après l'incarnation. —
Et le Verbe s'est fait chair et il a planté sa tente parm
nous, et nous avons contemplé sa gloire (celle de sa vie, de
ses miracles, de sa résurrection, de son ascension), *telle que*
peut la recevoir de son père un fils unique, plein de grâce
et de vérité.

E) Témoignage de Jean. — *Jean lui rend témoignage et*
s'écrie : *Celui qui vient après moi est passé devant moi* (m'a
été préféré), *parce qu'il était avant moi.*

3. Conclusion. Réflexion de l'Évangéliste (16-18).

Nous (chrétiens) *avons tous reçu de sa plénitude et grâce*
sur grâce (ou bien : *grâce pour grâce*). *Car la Loi a été*
donnée par Moïse, mais la Grâce (supplantant et abrogeant
la Loi) *et la Vérité* (la réalisation des types et des figures
antiques) *sont arrivées par Jésus-Christ. Personne n'a jamais*
vu Dieu ; le Fils unique (ou bien : *le Dieu monogène*), *qui*
est au sein du Père, nous l'a révélé.

NOTE D.

LA DOUBLE GÉNÉALOGIE DE JÉSUS

I. Généalogie d'après saint Matthieu (i, 1-17).

Elle descend d'Abraham à Jésus et comprend trois séries de quatorze noms chacune, dont la première va d'Abraham à David, la deuxième de Salomon à la captivité, la troisième de la captivité à Joseph et à Jésus lui-même. Cette division, voulue par l'auteur peut-être pour des motifs mnémoniques (1[17]), est en partie artificielle, car, pour l'obtenir, il a fallu omettre plusieurs noms : A) Entre Joram et Ozias, manquent trois rois bien connus : Ochozias, Joas et Amasias. Une raison de les exclure a été bien mise en lumière par Heer[1] ; c'est que l'Écriture condamne leur mémoire. — B) Josias n'est pas le père de Jéchonias mais son grand-père : Josias engendra Joakim, lequel engendra Joachin (ou Jéchonias). L'omission peut être accidentelle : de Joas on sera passé à Joachin, en sautant Joakim à cause de la similitude des noms. Dès lors, pour avoir une troisième série de quatorze noms, il a fallu répéter Jéchonias. — C) Entre Pharès, né avant le séjour en Égypte, et Naasson, chef de la tribu de Juda à l'Exode, il y a un intervalle de 430 ans (ou du moins de 215). C'est beaucoup pour *trois* générations successives ; quelques intermédiaires doivent être omis. — D) Entre Salmon, né dans le désert du Sinaï, et Jessé, père de David, il n'y a pareillement que *trois* noms. Même conclusion que ci-dessus. — E) Entre Zorobabel et Jacob, saint Matthieu ne

---

1. Heer, *Die Stammbäume Christi Jesu nach Matthäus und Lukas*, 1911, p. 134-153 et 204-214.

compte que *huit* générations, tandis que saint Luc en compte dix-sept. La captivité remontant à l'an 538, huit générations ne semblent pas suffire à remplir l'intervalle.

Outre la raison mnémotechnique, on a supposé qu'un motif de ces omissions pouvait être d'avoir trois séries de *quatorze* noms pour la « généalogie de Jésus-Christ, fils de David ». La valeur numérique des lettres du nom de David en hébreu est *quatorze* (דוד, 4 + 6 + 4).

Saint Matthieu ne nomme, dans cette liste, que quatre femmes : Thamar, Rahab, Ruth et la femme d'Urie (Bethsabée). Saint Jérôme écrit à ce propos dans son commentaire : « Notandum in genealogia Salvatoris nullam sanctarum assumi mulierum, sed eas quas Scriptura reprehendit, ut qui propter peccatores venerat, de peccatoribus nascens, omnium peccata deleret. » Mais Ruth n'était pas pécheresse ; Thamar était de bonne foi et l'Écriture ne la blâme point. Le caractère commun de ces quatre femmes est d'avoir été étrangères à Israël : Rahab était Cananéenne et Thamar aussi très probablement, Ruth était Moabite et Bethsabée devait être Héthéenne, comme son mari.

II. La généalogie d'après saint Luc (III, 23-38).

Elle est ascendante et remonte jusqu'à Adam et même jusqu'à Dieu. On peut y distinguer quatre séries, comprenant chacune trois septaines de noms, sauf la troisième qui n'en a que deux. La première série aboutit à la captivité, la deuxième à Nathan fils de David, la troisième à Abraham, la quatrième à Dieu.

Cette distribution en quatre séries ne paraît pas être intentionnelle, car le nombre de membres n'est pas certain. Si l'on compte dans la liste Adam et Jésus, suivant l'usage biblique, mais en laissant Dieu hors de la série, il y a 77 noms dans le texte grec, 76 dans la Vulgate, 75 dans le syriaque du Sinaï, 72 dans six manuscrits de l'ancienne version latine. On remarquera, entre Salé et Arphaxad, le nom de Caïnan qui ne se trouve ni dans la Vulgate ni dans l'hébreu : preuve que S. Luc se sert de la version des Septante. La différence des nombres se prête mal au symbolisme ; cependant S. Irénée, qui compte

dans sa liste 72 noms et S. Augustin, qui en trouve 77, en
ajoutant aux 76 noms de la Vulgate le nom de Dieu, y ont
cherché un sens symbolique assez peu naturel et partant de
principes tout à fait contraires.

L'introduction de la généalogie dans S. Luc, mérite un
examen attentif.

Καὶ αὐτὸς ἦν Ἰησοῦς ἀρχόμενος ὡσεὶ ἐτῶν τριάκοντα, ὢν υἱὸς ὡς ἐνομί-
ζετο, Ἰωσὴφ τοῦ Ἡλί κτλ. De quelque manière qu'on le torture,
ce texte ne donnera jamais que ce sens : « Et Jésus commençait (son ministère) à l'âge d'environ trente ans, étant
fils, comme on le pensait, de Joseph, fils d'Héli », etc. Ceux
qui proposent de traduire : « Étant fils [non pas] comme on le
supposait de Joseph [mais en réalité] d'Héli [père de Marie] »
avouent que ce n'est pas le sens naturel, mais ils soutiennent
qu'il est admissible. Or, il ne l'est certainement pas. Devant
Ἡλί et les noms suivants, τοῦ n'est point l'article défini qui
serait supprimé devant un nom propre, comme il l'est devant
Ἰωσήφ, mais un pronom démonstratif se rapportant au nom
précédent : « Jésus fils de Joseph (sans article) lequel est [fils]
d'Héli. » Cela est si vrai que si Ἰωσήφ était au nominatif, il
faudrait Ἰωσὴφ ὁ Ἡλί, τοῦ Ματθάτ, «Joseph lequel est fils d'Héli
[ὁ Ἡλί'] lequel Héli (au génitif) est fils de Mathat, τοῦ Ματθάτ ».

III. Conciliation des deux généalogies.

La vraie difficulté est que, de David à Joseph, tous les noms
diffèrent, sauf Salathiel et Zorobabel : ce qui, loin de diminuer la
difficulté, l'augmente. Dire que tous ces personnages portaient
deux noms et que S. Matthieu a choisi l'un des noms et S. Luc
l'autre, est une solution désespérée qui se réfute assez par
son invraisemblance. A vrai dire, la difficulté ne devrait peut-
être pas nous préoccuper outre mesure. Il est clair que les
évangélistes, en remontant de David à Abraham ou à Adam,
ont dressé leur tableau généalogique d'après les données
fournies par l'Écriture, mais que, de David à Joseph, ils ont
transcrit un document de famille digne de foi, sans s'inquiéter peut-être de mettre d'accord les divergences, s'ils les connaissaient. A plus forte raison, nous est-il maintenant difficile
d'expliquer le désaccord.

Première solution. — Elle consiste à supposer que Matthieu donne la généalogie de Joseph et Luc celle de Marie ou inversement. Joseph et Marie descendraient tous les deux de David, mais l'un par Nathan et l'autre par Salomon. Les noms de Salathiel et de Zorobabel, communs aux deux listes, font difficulté; mais on y répond qu'ils ne désignent pas les mêmes personnages, car ces noms ne sont pas rares et il est assez naturel qu'un père nommé Salathiel, s'il vivait après la captivité, appelât son fils Zorobabel.

Ce système, à cause de sa simplicité, a joui d'une grande vogue à partir du xvi⁰ siècle. Vogt énumère 82 auteurs catholiques et 84 protestants qui le patronnent, sans compter une vingtaine d'autres qui lui sont plus ou moins favorables [1]. Le premier en date est Jean Nonni, dit Annius de Viterbe, mort en 1502, peu recommandable comme historien et théologien.

Si l'on objecte aux tenants de ce système que le nom traditionnel du père de la Sainte Vierge est Joachim et non pas Héli, ils répondent que Héli ou Eli est l'abrégé de Eliachim et que Eliachim est le même nom que Joachim, toute la différence étant dans le nom divin interchangeable *El* ou *Jo;* si bien que dans Judith le même grand prêtre est appelé tantôt Eliachim (4⁵·⁷·¹¹), tantôt Joachim (15³).

Il y a contre ce système des objections plus graves : 1° La *nouveauté.* Comment se fait-il que, jusqu'au xvi⁰ siècle, personne n'ait songé à ce moyen si simple de résoudre l'antilogie ? — 2° L'*autorité des Pères* qui s'accordent à dire qu'une généalogie juive ne peut pas aboutir à une femme. — 3° L'impossibilité d'expliquer en ce sens le texte de S. Luc, comme nous l'avons montré ci-dessus, et à plus forte raison celui de S. Matthieu.

Deuxième solution. — On la doit à Jules Africain [2] qui dit la tenir des parents du Sauveur dont il ne met pas en doute la véracité. Elle se fonde sur la loi du lévirat (Deut. 25⁵-¹⁰),

---

1. Vogt, S. J. *Der Stammbaum Christi bei den heiligen Evangelisten Matthäus und Lukas,* 1911. Sur cette monographie et sur celle de Heer citée plus haut, voir Lagrange dans *R. B.,* 1911, p. 443-451.
2. Jules Africain, *Lettre à Aristide,* reproduite en partie par Eusèbe (*Hist. eccl.* I, 1), en partie par Routh (*Reliquiae sacrae,* Oxford, 1846 t. II, p. 228-237).

d'après laquelle quand un Israélite mourait sans laisser d'enfant mâle, son frère devait épouser sa veuve, pour perpétuer la race du défunt. Le fils qui naissait de cette union avait deux généalogies : l'une *naturelle* par son véritable père ; l'autre *légale* qui lui donnait pour ancêtres les ancêtres mêmes du mort. Cette solution serait simple sans la complication qu'apporte la présence de Salathiel et de Zorobabel au milieu des tableaux généalogiques de Matthieu et de Luc. Voir Cornely, *Introductio*, 1897, t. III, p. 199 ou notre article *Généalogie* dans le *Dict. de la Bible*.

IV. Conclusion.

1. Nous admettons avec tous les Pères et l'unanimité des commentateurs jusqu'au xvi⁰ siècle, que S. Luc, aussi bien que S. Matthieu, nous donne la généalogie de Joseph et nous pensons que le texte de S. Luc, d'après la leçon acceptée par tous les éditeurs critiques, ne peut pas s'entendre d'une généalogie de Marie.

2. Puisque les évangélistes nous livrent leurs documents, tels qu'ils les ont trouvés, sans nous dire la manière de les concilier, peut-être est-il impossible aujourd'hui de tenter une conciliation qui s'impose avec certitude; mais toute solution probable est suffisante.

3. Il s'agit donc de rechercher les causes qui ont pu faire dévier une généalogie et produire, à côté de la descendance *naturelle* une descendance *légale*. Une de ces causes, comme on l'a vu plus haut, peut être la loi du lévirat, mais elle n'est pas la seule. Si l'adoption, à la façon des Romains et des Grecs, était inconnue des Hébreux, une autre sorte d'adoption ne leur était pas étrangère. L'Écriture dit que Mardochée adopta Esther (Esther, 2⁷); Josèphe (*Antiq.*, I, vii, 1) affirme qu'Abraham alors sans enfants, avait adopté Lot; Jacob mourant dit à Joseph (Gen. 48⁵⁻⁶) : « Les deux fils qui te sont nés au pays d'Égypte, avant mon arrivée, seront à moi. Éphraïm et Manassé seront à moi comme Ruben et Siméon. Mais les enfants que tu as engendrés après eux seront à toi; ils seront appelés du nom de leurs frères dans leur héritage. » N'est-ce pas une véritable adoption? En vertu de cet acte :

1° Les deux fils aînés de Joseph sont assimilés aux fils de Jacob et reçoivent comme eux leur part d'héritage. — 2° Les fils puînés de Joseph sont appelés du nom d'Ephraïm et de Manassé, c'est-à-dire considérés comme leurs descendants au point de vue légal. Il n'y avait en effet que douze tribus (en dehors de la tribu sacerdotale) et tous les Israélites devaient appartenir à une tribu et avoir pour ancêtre éponyme un des douze patriarches. Les prosélytes étaient inscrits dans l'une des tribus et leur généalogie remontait légalement à l'un des fils de Jacob, comme les affranchis à Rome devenaient de droit membres d'une des *gentes*. Ils avaient deux généalogies, une naturelle et l'autre légale.

Un cas plus commun dut être celui de Sésan (1 Paral. $2^{34\text{-}35}$). N'ayant pas d'enfant mâle, il maria sa fille à un esclave égyptien nommé Jeraa, qui lui donna un fils appelé Ethéi. Ainsi sa race fut perpétuée. Les filles de Selphaad épousèrent leurs cousins germains (Num. 27^3) dans le but, semble-t-il, de continuer la lignée de leur père.

Une autre cause capable de faire dévier les généalogies était la suivante. Le peuple d'Israël était divisé en familles (*mish-paha*), les familles en maisons (*bét-áb*), les maisons en foyers. Si le nombre des douze tribus était immuable, celui des subdivisions ne l'était pas. Les familles autrefois nombreuses pouvaient se réduire à une seule maison dont les membres avaient une généologie d'après leur descendance naturelle et une autre généalogie, légale celle-là, d'après la famille à laquelle ils étaient agrégés. Nous en avons un exemple dans 1 Paral. 23^{11} ; mais les généalogies des Paralipomènes, étudiées de près, nous en fourniraient d'autres.

NOTE E.

LE RECENSEMENT DE QUIRINIUS

I. État précis de la question.

Jésus-Christ est né sous Hérode, mais pas longtemps avant sa mort, arrivée l'an 4 avant notre ère. Il avait environ trente ans au moment du baptême, qui eut lieu au plus tôt, au début de l'an 27 de l'ère chrétienne. Sa naissance, qui coïncide avec le recensement de Quirinius, ne semble donc pas pouvoir être reculée au delà de l'an 7 avant notre ère. Or l'an 7 avant notre ère, ce n'était pas Quirinius mais C. Sentius Saturninus qui était gouverneur de Syrie et celui-ci eut pour successeur P. Quintilius Varus qui gouverna la Syrie jusqu'après la mort d'Hérode. Il paraît donc impossible de donner raison à saint Luc qui écrit : « Ce premier recensement eut lieu pendant que Quirinius gouvernait la Syrie » (Lc. 2², trad. Crampon).

Quirinius n'est pas un inconnu. Tacite lui consacre un paragraphe de ses *Annales* (III, 48) : « Impiger militiae et acribus ministeriis, consulatum sub divo Augusto, mox, expugnatis per Ciliciam Homonadensium castellis insignia triumphi adeptus, datusque rector Caio Caesari, Armeniam obtinuit. » Quirinius fut consul l'an 12 av. J.-C. et il mourut l'an 21 après J.-C. à un âge avancé. De l'an 1 à l'an 3 ap. J.-C. il fut conseiller de Caïus César qui mourut le 21 février de l'an 4. Strabon nous apprend (XII, VI, 5) que le roi Amyntas, tué par les Homonades, brigands ciliciens, fut vengé par Quirinius, qui devait être alors gouverneur de Syrie, puisque la Cilicie en dépendait. Enfin une inscription trouvée en 1764 à Tivoli (Tibur) ne peut se rapporter qu'à Quirinius et prouve que ce personnage fut *deux fois* gouverneur de Syrie. On en

trouvera le fac-similé dans le *Dictionnaire de la Bible,* au mot Cyrinus, avec la restitution de Mommsen. Nous connaissons la date de la seconde légation de Quirinius en Syrie ; ce fut à la mort d'Archélaüs (l'an 6 de notre ère) quand il fut chargé de faire le recensement (ἀποτίμησις) de la Palestine, nouvellement annexée à la province de Syrie, en vue d'établir l'assiette de l'impôt. Nous ignorons la date de la première ; mais il est généralement admis que Saturninus fut gouverneur de Syrie, de l'an 8 à l'an 6 avant l'ère chrétienne et eut pour successeur Varus, qui était encore en fonctions à la mort d'Hérode. La place reste libre entre l'an 12, date du consulat de Quirinius et l'an 8 ; mais il paraît impossible de faire remonter si loin la naissance du Sauveur, qui aurait eu environ trente-quatre ans au moment de son baptême, supposé qu'il fût né au début de l'an 8.

I. Solutions diverses.

1. La première, proposée d'abord par Hervart en 1612 et adoptée depuis par beaucoup d'exégètes protestants (Olshausen, Tholuck, Wieseler, Ewald, Caspari, etc.) et catholiques (Calmet, Wallon, Lagrange, etc.), tranche la difficulté à la racine. On traduit Αὐτὴ ἀπογραφὴ πρώτη ἐγένετο ἡγεμονεύοντος Κυρηνίου (Lc. 2[2]) par : « Ce dénombrement fut *antérieur à celui* du gouverneur Quirinius », c'est-à-dire au dénombrement bien connu exécuté par Quirinius l'an 6 ap. J.-C., à la mort d'Archélaüs. Dès lors le premier put avoir lieu à n'importe quelle date.

On ne peut pas dire que cette traduction soit impossible, puisque de très bons philologues l'admettent, mais elle a quelque chose de peu naturel et de forcé ; elle ne viendrait sans doute pas à l'esprit sans le souci de résoudre la difficulté chronologique. En effet πρῶτος a bien le sens de πρότερος et même de πρό. On lit dans S. Jean πρῶτός μου ἦν (1[30]) et πρῶτον ὑμῶν (15[18]) et dans un papyrus σοῦ πρῶτος εἰμί, mais dans ces cas le génitif est de même nature que le substantif auquel se rapporte πρῶτος. Cependant on rencontre des exemples où le terme de comparaison est sous-entendu : Ὁ λόγος μου πρῶτός τοῦ Ἰούδα (2 Reg. 19[23]). « Ma cause l'emporte sur [celle de] Juda »,

out à fait semblable à : « Ce dénombrement fut antérieur à
celui de] Quirinius. »

2. La deuxième est suggérée par Tertullien : Sed et census
constat actos sub Augusto tunc in Judaea per Sentium Satur-
ninum apud quos genus ejus inquirere potuissent (*Adv. Mar-
ion.* iv, 19). Le recensement aurait été commencé par Quirinius et achevé par Saturninus qui fut gouverneur de Syrie de
l'an 8 à l'an 6 av. J.-C. S. Luc l'attribue à Quirinius qui est le
personnage le plus considérable. La solution est admissible;
l'année 6 et même, à la rigueur, l'année 7 conviendraient pour
la naissance du Sauveur.

3. Mais une troisième solution nous paraît préférable. Il est
certain qu'il y eut quelquefois deux légats impériaux dans la
même province. Ainsi nous trouvons en Afrique, l'an 75 ap.
J.-C. deux gouverneurs, *l'un chargé du recensement,* l'autre
du commandement des troupes, et qualifiés tous les deux de
Legati Augusti sur une pierre milliaire, document officiel.
Josèphe mentionne deux légats de Syrie simultanés, Sentius
Saturninus et Volumnius qu'il appelle gouverneurs (ἡγεμόνες) à
plusieurs reprises. Le même fait a très bien pu se produire au
temps de la naissance du Christ, si Quirinius était alors occupé
à combattre les Homonades. Si cette expédition eut lieu entre
l'an 7 et l'an 5, comme c'est probable, on s'explique bien :
1° La présence en Syrie d'un second légat, chargé de l'administration de la Syrie et du dénombrement en Palestine;
2° La mention par Tertullien de Sentius Saturninus comme
auteur du dénombrement; 3° L'attribution par S. Luc du
dénombrement à Quirinius qui était le personnage principal.
Notez que S. Luc ne dit point : « Ce dénombrement fut fait
par Quirinius, légat de Syrie », mais « *sous* Quirinius (ἡγεμονεύοντος Κυρηνίου). La Vulgate « facta est a praeside Syriae
Cyrino » spécifie trop.

Nous n'aurons de solution plus précise que le jour où un
document nous permettra de fixer la date exacte de la première
légation de Quirinius en Syrie. Le grand explorateur de l'Asie
Mineure, W. Ramsay, a essayé de préciser davantage, d'abord
dans son *Was Christ born at Bethlehem?* (1898), puis dans
l'ouvrage intitulé *The Bearing of recent discovery on the*

trustworthiness of New Testament (1914), mais sans aboutir
à un résultat décisif. Deux inscriptions, découvertes récemment à Antioche de Pisidie, nous apprennent que P. Sulpicius
Quirinius était duumvir (honoraire) de cette colonie romaine,
d'où l'on peut conclure qu'il était alors ou qu'il avait été gouverneur de Syrie. C'était certainement *après* l'an 12 (avant
notre ère), puisque Quirinius avait été consul cette année
même et qu'il ne put pas être gouverneur de Syrie avant son
consulat. Mais les arguments que produit Ramsay pour conclure que le dénombrement de la Judée dut avoir lieu l'an 8,
ou peut-être l'an 6 (avant notre ère), ne sont que probables.
L'an 6 conviendrait très bien; l'an 8 beaucoup moins.

NOTE F

LA DYNASTIE DES HÉRODES

I. Tableau succinct des descendants d'Hérode.

	Doris	*Antipater* (✝ – 4)		
			(Hérode (✝ 48)	Aristobule = Salomé
Hérode	Mariamne I	*Aristobule* (✝ – 17)	Agrippa Iᵉʳ	Agrippa II
dit				Bérénice
le Grand =				Drusille
(✝ – 4)		*Alexandre* (✝ – 17)		
	Malthacé	ARCHÉLAÜS = Mariamne puis Glaphyra		
	Mariamne II	HÉRODE (Philippe) = HÉRODIADE	SALOMÉ	
		HÉRODE ANTIPAS (✝ 39) = fille d'Arétas puis HÉRODIADE		
	Cléopâtre	PHILIPPE (✝ 34) = SALOMÉ		

Dans ce tableau les noms des personnages mentionnés dans l'Évangile sont en petites capitales : les noms des victimes d'Hérode sont en italiques.

Hérode eut en tout dix femmes, mais le nom de celles qui n'eurent pas d'enfants ou dont la lignée n'a pas d'histoire est omis dans ce tableau.

L'accolade désigne la descendance; le double trait (=) un mariage. La ligne droite verticale sépare le nom d'Hérode le Grand de celui de cinq de ses femmes.

L'origine de la famille est incertaine. Nicolas de Damas prétend qu'elle était de souche juive; Josèphe (*Antiq.* XIV, ɪ, 3) affirme qu'elle était d'Idumée; d'autres, comme S. Justin et Jules Africain, la font sortir d'Ascalon, au pays des Philistins. Le fondateur de la maison des Hérodes est un Antipater, nommé gouverneur d'Idumée par le roi Alexandre Jannée. Son fils Antipater, sous le roi Hyrcan II, devint le personnage le plus considérable du royaume. Il mourut assassiné, en 43 avant J.-C., laissant deux fils, Phasaël et Hérode, qu'il avait fait nommer : le premier gouverneur de Jérusalem et l'autre gouverneur de Galilée.

Quelque temps après, Aristobule, frère puîné du roi Hyrcan II, se révolta contre lui, le vainquit et le fit mutiler ignominieusement. Il mit aussi à mort Phasaël, frère d'Hérode, mais Hérode lui échappa et se réfugia dans la forteresse de Masada, d'où il s'enfuit à Rome, sous couleur d'y plaider la cause du jeune Aristobule, fils d'Hyrcan II. On ne sait à la suite de quelles intrigues il fut lui-même déclaré roi et supplanta la dynastie des Asmonéens.

On trouvera un arbre généalogique beaucoup plus complet de toute la famille à la fin du livre de F. de Saulcy, *Histoire d'Hérode roi des Juifs,* 1867; ainsi que dans le *Dict. of the Bible* de Hastings, t. II, p. 354, avec une chronologie assez complète concernant l'histoire de la dynastie.

II. Membres de la famille mentionnés dans l'Évangile.

Ils sont au nombre de sept : Hérode et ses quatre fils (Archélaüs, Hérode Antipas, Philippe, Hérode Philippe) avec Hérodiade et Salomé. Les descendants d'Aristobule, fils d'Hérode, qui jouent un certain rôle dans l'histoire apostolique, n'en jouent aucun dans l'Évangile.

1. *Hérode le Grand.* — C'est en 40 avant J.-C. qu'Hérode fut nommé roi des Juifs par Antoine et Octave, mais il lui fallut trois ans, avec l'appui des Romains, pour conquérir son royaume; et il eut encore besoin d'une douzaine d'années pour consolider son règne.

Trois faits seulement de la vie d'Hérode ont quelque rapport avec l'Évangile : 1° La date de la reconstruction du Temple (l'an 20 ou 19 avant notre ère) à cause de Jn. 2²⁰ : « Ce Temple se construit depuis quarante-six ans. » — 2° La date de la mort d'Hérode (au printemps de l'an 4 avant notre ère), qui suivit d'assez près la naissance de Jésus. — 3° Le massacre des Innocents (Mt. 2¹⁶⁻¹⁷).

2. *Archélaüs.* — Le dernier testament de son père Hérode, qui l'avait eu de la Samaritaine Malthacé, lui conférait le titre de roi avec le gouvernement de la Judée, de la Samarie et de l'Idumée. Auguste finit par confirmer le testament, à l'excep-

tion du titre de roi qu'il remplaça par celui d'ethnarque,
mais en promettant à Archélaüs qu'il lui donnerait plus tard
la dignité royale s'il s'en montrait digne. Archélaüs était
encore plus cruel que son père. Avant de partir pour Rome,
il avait fait massacrer par ses soldats trois mille de ses sujets
à l'occasion d'un semblant d'émeute. Sa réputation était
détestable. Aussi Joseph, au retour d'Égypte, apprenant qu'il
gouvernait la Judée, n'alla pas à Bethléem, comme il en avait
eu le dessein, mais se retira à Nazareth, en Galilée (Mt. 2²²⁻²³).
Au bout de neuf ou dix ans, Archélaüs fut exilé à Vienne, en
Gaule, et l'on n'entend plus parler de lui. Cf. Josèphe,
Antiq. XVII, viii, 2-4; ix, 3-7; xi, 1-4; xiii, 2, et les endroits
correspondants de la Guerre des Juifs.

Plusieurs auteurs ont pensé que S. Luc (19¹²⁻²⁷), dans la
parabole du roi qui va en pays lointain pour recevoir un
royaume, fait allusion au voyage d'Archélaüs à Rome pour
obtenir confirmation du testament de son père.

3. *Hérode Antipas.* — C'était, comme Archélaüs, un fils
d'Hérode et de la Samaritaine Malthacé. Il n'était, en vertu
du testament de son père, que *tétrarque* de Galilée et de
Pérée, mais on lui donnait par flatterie le titre de roi, sous
lequel il est désigné dans l'Évangile (Mt. 14⁸; Mc. 6¹⁴⁻²⁷).
On ne sait guère de lui que ce qu'en racontent les évangélistes : son mariage incestueux avec Hérodiade, le meurtre
du Baptiste (Mt. 4¹²; 14³⁻¹²; Mc. 1¹⁴; 6¹⁷⁻²⁹; Lc. 3¹⁹⁻²⁰), ses
craintes et son désir de voir Jésus (Mt. 14¹⁻²; Mc. 6¹⁴⁻¹⁶;
Lc. 9⁷⁻⁹). Jésus prémunit ses disciples « contre le levain
d'Hérode » (Mc. 8¹⁵), dont il stigmatise l'astuce (Lc. 13³¹⁻³²).
Les Hérodiens sont les adversaires de Jésus (Mc. 3⁶; 12¹³;
Mt. 22¹⁶) et Antipas joue, durant la passion du Christ, le rôle
odieux que l'on sait (Lc. 23⁷⁻¹²).

Nous connaissons par Josèphe la guerre d'Antipas contre
Arétas, roi des Nabatéens, dont il avait répudié la fille, son
humiliante défaite, son exil et sa fin misérable à Lugdunum
dans les Gaules (Josèphe, *Antiq.* XVIII, ii, 1-3; vii, 1-2;
Bellum, II, ix, 1 et 6).

4. *Hérode* (Philippe). — Un autre fils d'Hérode le Grand,

qui l'avait eu de Mariamne II, fille du grand-prêtre Simon,
n'eut aucune part au dernier testament de son père. Il vécut
retiré, peut-être à Rome, et serait resté totalement inconnu
s'il n'avait épousé Hérodiade, qui le quitta, avec sa fille
Salomé, pour épouser un autre oncle, Hérode Antipas.

L'Hérode dont il s'agit ici et qui ne porte pas d'autre nom
dans Josèphe, est appelé Philippe par S. Marc (6^{17}) et probablement aussi dans S. Matthieu (14^3). Tous les princes de
cette famille, quel que fût leur nom distinctif, se faisaient
appeler Hérode. Archélaüs et Antipas ne prennent pas d'autres noms sur leurs monnaies.

5. *Philippe* le tétrarque (Lc. 3^1). — Il avait agrandi et
orné l'antique Panéas, qu'il nomma Césarée (Mc. 8^{27}; Mt.
16^{13}). Il épousa sur le tard sa petite nièce Salomé.

6. *Hérodiade*. — Elle était petite-fille d'Hérode le Grand
et de Mariamne I, fille d'Hyrcan. Son père Aristobule avait
été mis à mort par Hérode. Elle épousa son oncle paternel
Hérode (Philippe), qu'elle abandonna pour s'unir à un autre
oncle, le tétrarque Antipas. Elle est célèbre par la part
qu'elle prit au meurtre de S. Jean-Baptiste (Mt. 14$^{3\text{-}6}$; Mc.
6$^{17\text{-}22}$). Hérodiade, en 39, voulut partager la disgrâce de son
mari concubinaire Antipas, qu'elle suivit en exil, à Lugdunum,
dans les Gaules.

7. *Salomé*. — Fille d'Hérodiade et d'Hérode (Philippe),
elle suivit sa mère à la cour d'Antipas à qui elle demanda la
tête du Baptiste (Mt. 14$^{4\text{-}6}$; Mc. 6$^{17\text{-}22}$). Elle épousa son
grand-oncle, Philippe le tétrarque qui mourut l'an 34, puis
un certain Aristobule, fils d'Hérode de Chalcis et arrière-
petit-fils d'Hérode le Grand.

Le travail le mieux documenté sur la dynastie des Hérodes
est celui de W. Otto, dans la *Real-Encyclopädie* de Pauly-
Wissowa, *Supplément*, fasc. II, col. 1-202.

NOTE G.

LES MAGES. HISTOIRE ET LÉGENDE

I. Opinions et hypothèses.

Il n'existe de tradition proprement dite ni sur la patrie des mages, ni sur leur nom, ni sur leur nombre, ni sur leur qualité, ni sur la date de leur arrivée à Bethléem, ni sur la nature de l'astre qui leur apparut. La savante dissertation du P. Patrizi a déjà prouvé surabondamment cette thèse, que les études plus récentes n'ont fait que confirmer [1].

1. *Patrie des Mages.* — On les fait venir : A) *Soit de la Perse*, parce que les anciens mages étaient Mèdes et que les Mèdes ne formaient avec les Persans qu'un seul royaume et à cause de ce nom de mages, qui en persan, comme en grec μέγας, signifie *grand*. Ainsi Clément d'Alexandrie, S. Chrysostome et l'auteur de l'*Opus imperfectum* [2]. — B) *Soit de la Chaldée,* à cause de la réputation des astronomes et astrologues chaldéens. Dans le Daniel grec, le babylonien *ashshaphim* (astrologues) est rendu huit fois par μάγοι et le nom de Rabsacès (Rabmag, Jer. 39[3]-[13]) est souvent interprété « prince ou chef des mages ». Ainsi Origène, Maxime de Turin [3], etc. — C) *Soit d'Arabie* et c'est l'opinion la plus ancienne et la plus répandue, surtout à cause de la nature des présents, du voisinage et de la langue semblable. Ainsi S. Justin, Tertullien, S. Épiphane, etc. [4].

1. Patrizi, *De Evangeliis,* lib. III, dissert. xxvii, t. II, p. 309-354.
2. Clément d'Alex. *Stromat.* 1, 15. S. Chrysostome et le Pseudo-Chrys. dans le commentaire de S. Matthieu.
3. Origène, *Contra Celsum*, I, 58; S. Maxime de Turin, *Homil.* 21.
4. S. Justin, *Dialog.* 77-78; Tertullien, *Contra Judaeos,* 9; S. Epiphane, *Expos. fidei,* 8.

2. *Nom des mages.* — C'est ici surtout que l'imagination s'est donné libre carrière. On les trouve nommés pour la première fois dans un manuscrit de la Bibliothèque nationale datant du viie ou viiie siècle : Bithisarea, Melchior, Gataspa. Au ixe siècle, ils s'appellent Gaspar, Balthasar et Melchior, dans une mosaïque de Ravenne [1]. Au xiie siècle, Zacharias de Chrysopolis [2] affirme qu'ils se nomment Apellius (fidelis), Amerus (humilis), Damascus (misericors) en grec; Magalath (nuntius), Galgalath (devotus), Saracin (gratia) en hébreu. L'Arménien Vardapet Vardan leur attribue des noms qu'il dit être chaldéens ou hébreux : Kaghda, Badadilma, Badadakharida [3]. Les Syriens, qui comptent *douze* mages, ne sont pas non plus embarrassés. D'après Salomon, évêque de Bassora, voici les noms des quatre premiers, de ceux qui portaient l'or : Zarvandad fils d'Artaban, Hormizd fils de Sitruq, Gushnasaph fils de Gunaphar, Arshaq fils de Mihruq [4]. En voilà assez et peut-être trop.

3. *Nombre des mages.* — Aucun Père, avant la fin du ive siècle ou le commencement du ve, ne dit que les mages étaient au nombre de trois. L'auteur de l'*Opus imperfectum*, attribué à tort à S. Jean Chrysostome, en compte douze ; et c'est l'opinion commune des Syriens, sans parler des prétentions de Cologne. Les peintures des catacombes en représentent tantôt deux, tantôt quatre, mais le plus souvent trois, portant l'un l'or, l'autre l'encens, le troisième la myrrhe [5]. Depuis S. Léon et S. Maxime de Turin, les Latins ont pris l'habitude de parler des *trois mages,* mais Strabon, au ixe siècle, note dans la Glose ordinaire : « Etsi tria munera obtulisse dicuntur non ideo non plures quam tres esse probantur. » Ce

---

1. Muratori, *Rerum italic. scriptores,* t. II, p. 114 ou Migne, CVI, 620. L'autorité est Agnello, dans la vie de son prédécesseur sur le siège de Ravenne, S. Agnello. L'auteur inconnu des *Collectanea* (Migne. XCIV, 541) croit savoir que Melchior avait une grande barbe et de longs cheveux blancs, que Gaspar était jeune, imberbe et rubicond, que Balthasar était brun et barbu.
2. *Concordia evangelist.* (Migne, CLXXXVI, 83).
3. *Journal asiatique,* 1867, p. 160.
4. Assemani, *Biblioth. orient.,* t. III, pars i, p. 316.
5. Wilpert, *Le pitture delle caiacombe Romane,* 1923, p. 176-186.

n'est pas un argument, il est vrai, mais un indice justifiant ṭa pratique des artistes et le langage reçu.

4. *Qualité des mages*. — Patrizi, qui a fait sur ce sujet l'enquête la plus sérieuse, affirme qu'avant le vi[e] siècle aucun auteur ecclésiastique n'a dit expressément que les mages étaient des rois [1]. Plusieurs Pères, il est vrai, disent que l'adoration des mages réalise la prophétie : « Reges Tharsis et insulae... reges Arabum et Saba dona adducent » ; mais cette prophétie serait réalisée sans que les mages fussent rois et rois de Tharsis ou de Saba. Le premier qui traite les mages de rois est apparemment S. Césaire d'Arles au vi[e] siècle, car les trois sermons de S. Augustin, où l'on trouve cette désignation, ne sont pas de l'évêque d'Hippone.

5. *L'étoile des mages*. — Nous ne savons de cette étoile que ce qu'en dit l'Évangile. Les opinions sont donc très diverses. — A) Origène supposait que ce fut une comète et plusieurs se sont rangés à son avis [2]. — B) Kepler tenait pour la conjonction des planètes Saturne, Jupiter et Mars, qui aurait eu lieu l'an 747 de Rome (an 7 avant notre ère) vers l'époque de la naissance du Christ [3]. — C) Estius est pour une étoile éphémère, comme celle qui parut et disparut en 1572. « Anno 1572 his oculis vidimus stellam novam durantem toto anno, non cometis sed stellis perpetuis similem, clare et pulchre lucentem... Quae ita torsit ingenia omnium naturaliter philosophantium, ut exitum difficultatis non reperirent, nisi manifestum agnoscendo miraculum aut fatendo generationes et corruptiones fieri in caelo [4]. » Estius a eu peu d'adeptes. — D) Knabenbauer pense que ce fut un météore créé exprès par Dieu dans notre atmosphère terrestre et qui disparut après avoir rempli son office. Schanz semble partager cet avis. Les Pères, soucieux de combattre les astrologues, disent aussi que l'étoile des mages ne fut pas une étoile semblable aux autres, qu'elle était d'une nature différente.

---

1. Patrizi, *De Evangeliis*, t. II, p. 321.
2. Sur ce point, cf. Roth, *De stella a magis conspecta*, Mayence, 1865.
3. Münter, *Der Stern der Weisen*, Copenhague, 1826 et Mémain, *Connaissance des temps évang.*, 1886, p. 464-470 (avec quatre planches).
4. Estius, *Annotationes*, etc. sur Mt. 2[4].

II. Formation et évolution de la légende.

Au début du deuxième siècle, S. Ignace d'Antioche décrit
ainsi l'étoile des mages (*Ad Ephesios*, xix, 2) : « Une étoile
brilla dans le ciel plus que les autres étoiles et sa lumière
indescriptible frappait d'étonnement par sa nouveauté ; tous
les autres astres, avec le soleil et la lune, faisaient cortège à
cette étoile, dont l'éclat effaçait tout le reste. » Le χορός ἐγένετο
τῷ ἀστέρι semble faire allusion à Gen. 37⁹.

Dans le courant du même siècle, le *Protévangile* de Jacques
(xxi, 2) fait ainsi parler les mages : « Nous avons vu une étoile
extrêmement grande, éclipsant tous les autres astres au point
qu'ils ne paraissaient plus. Ainsi nous avons connu qu'un roi
était né dans Israël et nous sommes venus l'adorer. »

Vers la fin du même siècle Clément d'Alexandrie, dans ses
Excerpta ex Theodoto, lxxiv, 2 (édit. Staehlin, t. III, 1909,
p. 130) a quelque chose d'assez obscur sur cette « étoile insolite et nouvelle ».

Le véritable inventeur de la légende de l'étoile paraît être
l'auteur d'un écrit apocryphe au nom suspect, le *Livre de Seth,*
mentionné par S. Hippolyte (*Philosophumena*, v, 22 :
παράφρασις Σήθ) et par S. Épiphane (*Haereses*, xxvi, 8 et xxxix,
5). Ce livre, d'après S. Hippolyte, contenait tous les secrets de
la secte gnostique des Séthiens. L'auteur de l'*Opus imperfectum,* commentaire de S. Matthieu attribué à tort à S. Jean
Chrysostome mais qui est de la fin du iv⁰ siècle ou du commencement du v⁰, en extrait ce qui se rapportait aux mages
(Migne, LVI, 637-8). Voici en abrégé ce qu'on lisait dans cette
scriptura inscripta nomine Seth (le texte grec du commentateur est perdu) : douze savants astrologues, appelés mages
dans la langue de ce pays, chaque année après la moisson,
gravissaient une montagne pour observer l'étoile qui devait
paraître. Enfin « elle apparut, descendant de cette montagne
Victoriale, ayant la forme d'un petit enfant surmonté de l'image
de la croix. Elle leur parla, les instruisit et leur ordonna de
partir en Judée. Quand ils partirent, l'étoile les accompagna
pendant deux ans et ils ne manquèrent ni de nourriture, ni de
boisson ». Après la résurrection du Christ, Thomas alla

trouver les mages, les baptisa et en fit ses collaborateurs.

Au ixᵉ siècle on était exactement informé sur le nom et le costume des mages qui ne sont plus que trois. La mosaïque de Saint-Apollinaire de Ravenne, dont nous avons parlé plus haut, date bien du viᵉ siècle, mais Agnello la décrit telle qu'il l'avait sous les yeux au ixᵉ. Or elle avait été retouchée ou refaite et les noms des mages en particulier sont d'une écriture postérieure au viᵉ siècle. Voir Rohault de Fleury (*L'Évangile, études iconogr. et archéol.*, 1874, t. I, p. 70) qui donne une bonne description, avec un fac-similé de la mosaïque dans son état actuel.

La pensée des Latins semblait devoir se cristalliser au ixᵉ siècle avec la *Glose ordinaire* de Walafride Strabon (Migne, CXIV, 575) : *a*) Les mages sont des rois d'Arabie qui viennent de Perse. Notez cette géographie nouvelle : *Fuerunt de terra Persarum, ubi est Saba fluvius a quo regio nominatur juxta quam est Arabia ubi Magi fuerunt reges.* — *b*) Ils sont trois, mais accompagnés d'une suite nombreuse. — *c*) Ils arrivent à Bethléem le treizième jour : *Non post annum quia tunc non inveniretur in praesepio sed in Aegypto, sed decima tertia die.* — *d*) L'étoile est créée exprès : *Nunquam prius apparuit, sed eam tunc puer creavit et Magis deputavit, quae mox, peracto officio, esse desiit.* — *e*) Les Mages adorent le Christ et en lui toute la Trinité. — *f*) S. Joseph n'est pas avec Marie, pour éviter tout mauvais soupçon.

Cependant Pierre le Mangeur (*Comestor*) à la fin du xiiᵉ siècle trouva encore du nouveau (Migne, CXCVIII, 1541-2) ; mais il faut s'arrêter.

NOTE H

LES PORTRAITS DU CHRIST

I. La Sainte Face.

Pour les peintures des catacombes l'ouvrage capital, qui peut remplacer tous les autres, est celui de Wilpert, *Le pitture delle catacombe romane,* Rome, 1903, avec un atlas de 267 planches. Voir surtout le chapitre xiii (*Pitture cristologiche*, p. 171-234) et les suivants (baptême, eucharistie, résurrection).

On trouvera dans le *Dictionary of Christ and the Gospels,* Londres, 1906, t. I, p. 309-316, un article intitulé *Christ in art*, qui résume excellemment l'évolution iconographique de la représentation du Christ.

Le savant ouvrage de Dobschütz, *Christusbilder*, Leipzig, 1889 (dans la collection *Texte und Untersuchungen*, t. XVIII) réunit tous les documents relatifs au sujet et donne une édition critique des principaux textes. C'est là surtout que sont puisés les renseignements qui suivent.

Nous énumérons par ordre chronologique les descriptions de la Sainte Face qui paraissent avoir servi de source aux autres et qui sont le reflet de l'art contemporain ou le point de départ d'une évolution de l'art.

1. Antonin de Plaisance (vers 570), *Itinerarium,* 23. — Le pèlerin vit à Jérusalem, dans la basilique de Sainte-Sophie, bâtie sur l'emplacement présumé du Prétoire, la pierre où se tenait Jésus devant Pilate et un tableau qui le représentait. Sur la pierre, le Sauveur avait laissé l'empreinte de son pied : *pedem pulchrum, modicum, subtilem ;* et ce pied répondait

au tableau : « nam et staturam communem, faciem pulchram, capillos subanellatos, manum formosam, digita longa imago designat, quae illo vivente picta est et posita est in ipso prae- torio. » (Dans Geyer, *Itinera Hierosolymitana,* Vienne, 1898, p. 176).

2. André de Crète (vers 726). — Dans un fragment qu'on croit être de lui, il rapporte la tradition d'après laquelle saint Luc aurait peint les images de Jésus et de Marie conser- vées à Rome; et la figure de Jésus concorde avec celle que le Juif Josèphe avait vue représentée à Jérusalem : σύνοφρυν, εὐόφθαλμον, μάκροψιν, ἐπίκυφον καὶ εὐήλικα. Ainsi dans ce tableau Jésus avait « *les sourcils qui se joignaient* [élément de beauté et indice de force pour les Orientaux], *de beaux yeux, le visage long* (ovale), *la tête un peu penchée, la taille avanta- geuse* ». Ce fragment ajouté au *De fide orthodoxa* (iv, 16) de saint Jean Damascène dans quelques manuscrits grecs, traduit en latin (vers 1150) par Burgundio de Pise, est depuis cité comme étant de S. Jean Damascène (Migne, XCIV, 1175 note). L'auteur de la *Légende dorée* et Vincent de Beauvais le vul- garisèrent en Occident. La *Légende dorée* (157, fête des saints Simon et Jude) rapporte la description au portrait envoyé, dit- on, par le Sauveur à Abgar, roi d'Edesse : « On y voit l'image d'un homme avec de grands yeux, d'épais sourcils, un visage allongé et des épaules un peu voûtées, ce qui est signe de maturité. »

3. Vers l'an 800, le moine Épiphane (*Vita Mariae Virginis*, Migne, CXX, 204; plus complet dans Dobschütz, p. 302**) trace un portrait du Christ dont voici les traits essentiels : six pieds de haut (environ, 1m,80), sourcils arqués, beaux yeux, grand nez (ἐπίρρινος), taille un peu penchée, visage ovale comme celui de sa mère, teint couleur de blé (σιτόχρους), cheveux longs et bouclés, dont la teinte est difficile à définir : les sourcils seraient noirs, la barbe et les cheveux tirant sur le roux (πυρράκης, comme David). Il a les yeux ἐπιξανθίζοντας καὶ χαρόπους (jaunâtres et azurés?). Il ressemble à sa mère.

Au xive siècle, Nicéphore Calliste (*Hist. eccl.*, I, 40 ; Migne, CXLV, 748-9) copia le moine Épiphane, sans rien ajouter

de son cru. Seulement, au lieu de *six pieds* (1^m,80), il mit *sept empans* (ἑπτὰ σπιθαμῶν, 1^m,55).

4. *Lettre à l'empereur Théophile* par les trois patriarches d'Alexandrie, d'Antioche et de Jérusalem (Migne, XCV, 349), vers l'an 835. — D'après ce document, les historiens anciens représentent le Christ σύνοφρυν, εὐόφθαλμον, ἐπίρρινον, οὐλόθριξιν, ἐπίκυφον, εὔχρονον, γενειάδα μέλανα ἔχοντα, σιτόχρουν τῷ εἴδει κατὰ τὴν μητρῷαν ἐμφάνειαν, μακροδάκτυλον. — On reconnaît dans ce portrait les sourcils arqués, les beaux yeux, la tête penchée d'André de Crète, le grand nez, les cheveux bouclés, le teint couleur de froment, la ressemblance avec Marie, du moine Épiphane, les doigts longs d'Antonin de Plaisance. Je suppose qu'au lieu de εὔχρονον il faut lire εὔχρουν, εὔχροον, comme doit avoir lu le traducteur latin (*eleganti colore*).

5. *Lettre de Lentulus au sénat romain.* — L'auteur qui vivait au xiie ou au xiiie siècle se dit *préfet* de Judée sous Auguste (!) ou sous Tibère. L'apocryphe jouit d'une grande vogue au xive et surtout au xve siècle. Comme il y est fait souvent allusion et qu'il n'est pas très accessible au commun des lecteurs, nous le donnons d'après l'édition critique de Dobschütz, *op. cit.*, p. 319**. « Apparuit temporibus istis et adhuc est homo magnae virtutis, nominatus Jesus Christus, qui dicitur a gentibus propheta veritatis, quem ejus discipuli vocant filium Dei, suscitans mortuos et sanans (omnes) languores, homo quidem statura procerus mediocris et spectabilis, vultum habens venerabilem, quam possent intuentes diligere et formidare, capillos habens coloris nucis avellanae praematurae, planos fere usque ad aures, ab auribus (vero) circinos, crispos, aliquantulum ceruliores et fulgentiores, ab humeris ventilantes, discrimen habens in medio capitis juxta morem Nazaraeorum, frontem planam et serenissimam, cum facie sine ruga et macula, quam rubor (moderatus) venustat; nasi et oris nulla prorsus (est) reprehensio; barbam habens copiosam capillis concolorem, non longam sed in mento (medio parum) bifurcatam; aspectum habens simplicem et maturum, oculis glaucis variis et claris existentibus, in increpatione terribilis, in admonitione blandus et amabilis; hilaris servata gravitate; aliquando flevit

sed nunquam risit; in statura corporis propagatus et rectus, manus habens et brachia visu delectabilia; in colloquio gravis, rarus et modestus. »

6. Il peut être intéressant de comparer le portrait tracé au xive siècle par sainte Brigitte, censément sous la dictée de la sainte Vierge : « Anno vicesimo aetatis suae in magnitudine et fortitudine virili perfectus erat, inter medios moderni temporis magnus, non carnosus sed nervis et ossibus corpulentus; capillus ejus, supercilia et barba crocee brunea erant, longitudo barbae palmo per transversum manus, frons vero non prominens vel mersa sed recta; nasus aequalis, non parvus nec nimis magnus; oculi vero ejus tam puri erant quod etiam inimici ejus delectabantur eum aspicere; labia non spissa sed clare rubentia; mentum non erat prominens nec nimis longum sed pulchro moderamine venustum; maxillae carnibus modeste plenae; color ejus erat candidus claro rubeo permixtus; statura ejus recta et in toto corpore suo nulla macula erat, sicut et illi testabantur qui eum totaliter viderunt nudum et ad columnam alligatum flagellabant, nunquam super eum vermis venit, non perplexitas aut immunditia in capillis. » Il y a une traduction française assez savoureuse par Ferraige, docteur en théologie (Lyon, p. 277-8), qui ne paraît pas avoir toujours saisi le sens; par exemple quand il fait dire à sainte Brigitte : « Il était grand, non pas charnu, comme les hommes du temps présent. » *Révélations de sainte Brigitte,* livre IV, chap. lxx fin.

II. La prétendue laideur du Christ.

Si l'on en croyait certains critiques, les champions de la laideur physique du Christ seraient légion. N. Müller (*Encycl. protestant. Theol. und Kirche,* article *Christusbilder,* t. IV, 1928, p. 64) énumère Clément d'Alexandrie, Tertullien, Origène, S. Justin, S. Cyprien, S. Basile, S. Isidore de Péluse, Théodoret, S. Cyrille d'Alexandrie. Cette liste témoigne d'une lecture trop rapide et trop superficielle des textes. La note suivante a pour but de le montrer.

Nous passons condamnation sur Clément d'Alexandrie et

Tertullien. Le premier écrit : « Le Saint-Esprit atteste par
Isaïe que le Seigneur lui-même fut laid de visage. » (*Pédago-*
gue, iii, 1 : Τὸν Κύριον αὐτὸν ὄψιν αἰσχρὸν γεγονέναι διὰ Ἡσαΐου τὸ
Πνεῦμα μαρτυρεῖ.) Cf. *Stromat.* ii, 5; iii, 17. Le second est
encore plus explicite : « Tacentibus apud nos prophetis de
ignobili adspectu ejus, ipsae contumeliae loquuntur : passio-
nes humanam carnem, contumeliae inhonestam probarent. An
ausus esset aliquis ungue summo perstringere corpus novum,
sputaminibus contaminare faciem nisi merentem? » (Tertullien, *De carne Christi,* 9; Migne, II, 772. Cf. *De pallio,* 3;
Contra Marcion. iii, 7; *Adv. Judaeos,* 14; Migne, I, 252; II,
330, 630). L'argument de Tertullien ne vaut rien. L'histoire
cite des martyrs sur lesquels les bourreaux se sont acharnés
précisément pour les rendre difformes et diminuer ainsi la
compassion des spectateurs. Cf. Office des bienheureux martyrs anglais Campion et ses compagnons, v[e] leçon.

Origène rapporte sans la désapprouver une opinion étrange.
Jésus-Christ aurait apparu aux hommes sous différentes
formes, suivant le mérite et le démérite de ceux qui le regardaient : beau pour les uns, laid pour les autres. Cette théorie
perce déjà dans la *Réfutation de Celse,* mais elle est clairement formulée dans le *Commentaire sur S. Matthieu* dont
nous n'avons plus qu'une traduction latine : « Venit traditio
talis ad nos de eo, quoniam non solum duae formae in eo
fuerunt, una quidem secundum quam omnes eum videbant,
altera quidem secundum quam transfiguratus est coram discipulis suis in monte... sed etiam unicuique apparebat secundum quod fuerat dignus (comme la manne changeait de goût
selon les personnes)... Et non mihi videtur incredibilis traditio haec[1]. »

Cette prétendue tradition, qui vient sans doute des apocryphes où nous voyons Jésus prendre la figure d'André, de Thomas, etc., semble avoir souri un moment à S. Augustin[2] qui la
combine avec l'idée de Tertullien : « Nisi foedum putarent (Ju-
daei) non insilirent, non flagellis caederent. » Mais on sait que

---

1. Origène, *In Matth. series,* n° 100 (P. G., XIII, 1750). Dans le *Contra*
Celsum, vi, 77, on lit quelque chose de semblable sur les différentes
formes de Jésus (τῶν διαφόρων τοῦ Ἰησοῦ μορφῶν).
2. Augustin, *In Psalm.,* 127[6] (Migne, XXXVII, 1781).

S. Augustin soutient ailleurs la beauté physique du Christ.
Quant aux autres Pères incriminés ils sont très innocents
de ce qu'on leur impute.

S. Justin répète à satiété qu'il y a deux avènements du
Christ : l'un où il apparaît mortel (θνητός), passible (παθητός),
sans gloire (ἄδοξος), sans honneur (ἄτιμος), sans beauté (ἀειδής);
l'autre où il apparaîtra glorieux, impassible, immortel, etc.,
Ainsi, quand il est appelé ἀειδής, il n'est nullement question
d'une laideur *spéciale* du Christ comparé aux autres hommes,
mais du contraste entre les deux états et les deux avènements [1].

S. Cyprien ne fait que citer *sans commentaire* le texte
d'Isaïe, mais il le cite pêle-mêle avec les autres textes de
Zacharie, de l'Épître aux Philippiens, etc., relatifs à l'anéantissement du Christ dans l'incarnation. Le *non est species et
neque decor* d'Isaïe, pas plus que le *formam servi accipiens*
de S. Paul, n'a rien à faire avec la laideur physique du Christ,
mais prouve seulement à quel point s'est anéanti le Verbe
divin [2].

Plusieurs Pères grecs, S. Basile, S. Isidore de Péluse, S. Cyrille d'Alexandrie, appliquent bien à toute la vie mortelle du
Christ, et non pas seulement à la passion, le texte d'Isaïe et
entendent le *Speciosus forma* du Psalmiste, de la beauté de
l'âme du Christ ou de sa nature divine. On peut discuter la
valeur de leur exégèse, qui n'est pas celle des latins ni de
S. Jean Chrysostome, mais ces Pères ne concluent pas pour
cela à la *laideur physique* de Jésus-Christ.

S. Isidore de Péluse est parfaitement clair sur ce point :
« Jésus est sans grâce et sans beauté pour deux raisons :
d'abord parce qu'il a caché la forme du maître pour revêtir
celle de l'esclave; ensuite parce que durant sa passion, qu'il a
volontairement soufferte, il a subi toute espèce d'outrages [3]. »
Par quelle logique perverse arrive-t-on à tirer de là un argument en faveur de la laideur du Christ comparé aux autres
hommes?

1. S. Justin, *Apol.*, I, 52; *Dial. cum Tryph.*, 14, 49, 85, 110, 121 (Migne,
VI, 405, 503, 584, 675, 757).
2. S. Cyprien, *Testim. adv. Judaeos*, II, 13 (Migne, IV, 707).
3. S. Isidore de Péluse, *Epist.*, III, 130 (Migne, LXXVIII, 829).

A propos de Cyrille d'Alexandrie, Müller triomphe : « Cyrille, dit-il, attribue au Christ *un aspect très laid* (ein sehr hässliches Aussehen) ». S. Cyrille lui aurait épargné cette bévue s'il avait eu la patience de lire jusqu'au bout un texte qui n'est pas long : « Comparée à la gloire de la divinité, la chair n'est d'aucune valeur. Le Fils est apparu dans *une forme très dépourvue de beauté, car,* étant *Dieu par nature, il est devenu semblable à nous.* Or l'homme est à une distance incommensurable au-dessous de Dieu [1]. »

C'est aussi la doctrine de saint Basile [2]. La nature humaine du Christ, si belle qu'on la suppose, n'a plus ni grâce, ni beauté dès qu'on lui compare la nature divine. *Exinanivit semetipsum formam servi accipiens.*

1. S. Cyrille d'Alexandrie, *Glaphyra in Exod.*, I, 4 (Migne, LXIX, 395).
2. S. Basile, *In Psalm.*, XLIV (Migne, XXIX, 396).

NOTE I.

LA PARENTÉ DE JÉSUS

I. Les données scripturaires.

1. L'Évangile mentionne à plusieurs reprises les *frères* et les *sœurs* de Jésus : *a*) Après son baptême; Jésus descendit à Capharnaüm avec « sa mère, ses *frères* et ses disciples » (Jn. 2¹²). — *b*) Pendant qu'il prêchait dans une maison de cette ville, « sa mère et ses *frères*, restés au dehors, le firent appeler » Mc. 3³⁴; Mt. 12⁴⁶; Lc. 8¹⁹). — *c*) Six mois avant la passion, « ses *frères* ne croyaient pas en lui » (Jn. 7³⁻⁵). — *d*) Après l'ascension, les apôtres « persévéraient dans la prière, avec les (saintes) femmes, et Marie mère de Jésus, et ses *frères* » (Act. 1¹⁴). — *e*) Dès lors leur autorité fut grande et S. Paul dit qu'il aurait pu se comporter « comme les autres apôtres et les *frères du Seigneur* et Céphas » (I Cor. 9⁵). — *f*) Les Galiléens disaient en voyant Jésus : « N'est-ce pas le charpentier, le fils de Marie, et le *frère* de Jacques et de José et de Jude et de Simon? Et ses *sœurs* ne sont-elles pas ici chez nous? » (Mc. 3²⁴; cf. Lc. 4²²). La variante de S. Matthieu (13⁵⁵⁻⁵⁶) est intéressante : « N'est-ce pas *le fils du charpentier? Sa mère* ne se nomme-t-elle pas Marie et *ses frères* Jacques et Joseph et Simon et Jude? Et *toutes ses sœurs* ne sont-elles pas chez nous? »

1° Jésus passait donc pour avoir *quatre* frères énumérés dans l'ordre suivant : Jacques, José, Simon et Jude et au moins *trois* sœurs, dont le nom est inconnu.

2° Le groupe des frères du Seigneur est plusieurs fois opposé au groupe des apôtres. Ainsi Act. 1¹⁴; 1 Cor. 9⁵.

3° Il n'est dit nulle part que ces frères et sœurs soient les enfants de Marie, ni de Joseph non plus. Au contraire l'Évan-

gile donne partout l'impression que la sainte Famille ne se
composait que de *trois* personnes : les bergers et les mages
ne trouvent à Bethléem que Jésus, Marie et Joseph ; tous les
trois fuient seuls en Égypte et y résident quelque temps ; ils
vivent ensemble à Nazareth, font ensemble le pèlerinage de
Jérusalem. L'Évangile ne laisse jamais supposer aucune autre
personne à côté d'eux, au moins du vivant de Joseph.

2. *Marie de Cléophas, sœur de la Sainte Vierge.*

Jn. 19 ²⁵ Εἱστήκεισαν δὲ παρὰ τῷ
σταυρῷ τοῦ Ἰησοῦ ἡ μήτηρ αὐτοῦ
καὶ ἡ ἀδελφὴ τῆς μητρὸς αὐτοῦ, Μαρία
ἡ τοῦ Κλωπᾶ, καὶ Μαρία Μαγδαληνή.

Se tenaient à côté de la croix de
Jésus, sa mère et la sœur de sa
mère, Marie de Cléophas, et Marie
Madeleine.

La plupart des auteurs ne voient là que *trois* femmes : la
Vierge, sa sœur Marie de Cléophas et Marie-Madeleine. Mais
Zahn, pour des raisons futiles, en compte quatre, distinguant
la sœur de la Vierge de Marie de Cléophas. Voici ses arguments : *a*) Il serait étrange que deux sœurs eussent reçu le
même nom de Marie. — Réponse : Peut-être, si elles étaient
sœurs de père et de mère, mais non pas si elles sont demi-
sœurs ou seulement belles-sœurs, sœurs par alliance, comme
c'est ici le cas. *b*) La qualification de sœur devrait venir
après le nom de Marie ; il faudrait « Marie de Cléophas, sœur
de sa mère ». — Réponse : C'est une règle illusoire, imaginée
par Zahn. Il n'y a qu'à ouvrir une concordance pour s'en
assurer. On dit indifféremment avec la qualification avant
ou après : τῆς μητρὸς αὐτοῦ Μαρίας (Mt. 1¹⁸), Μαρίας τῆς μητρὸς
αὐτοῦ (Mt. 2¹¹), etc. — *c*) Dans les listes, les groupes sont
souvent énumérés par couples ; on a donc deux couples : sa
mère et la sœur de sa mère, Marie de Cléophas et Marie
Madeleine. — Réponse : *Souvent*, non ; cela n'arrive qu'*une
fois*, dans la liste des apôtres, selon saint Matthieu, où les
apôtres sont énumérés par couples parce qu'ils sont *envoyés
en mission deux à deux* (Mt. 10²⁻⁵). Mais il en est autrement
dans les autres listes d'apôtres (Mc. 3¹⁶⁻¹⁹ ; Lc. 6¹⁴⁻¹⁶ ; Act.
1¹³) et même dans les listes des frères de Jésus (Mt. 13⁵⁵
Mc. 6³) qui pourtant forment deux couples distincts. —
Tous les arguments de Zahn portent donc à faux et sont
indignes de lui.

3. Femmes présentes à la mort du Christ, d'après les Synoptiques.

Mt. 27 [56] : Parmi elles, Marie-Madeleine, et Marie, mère de Jacques et de Joseph, et la mère des fils de Zébédée.	Mc. 15 [40] : Parmi elles, Marie-Madeleine, et Marie, mère de Jacques le Mineur et de José, et Salomé.	Lc. 23 [49] : Les femmes qui l'avaient suivi depuis la Galilée.

Les Synoptiques ne signalent pas la présence de la Sainte Vierge, sans doute parce qu'ils croient inutile de la mentionner. En revanche, ils signalent celle de Salomé, femme de Zébédée, omise par saint Jean qui couvre toujours d'un voile discret ce qui le regarde, lui ou sa famille. Pour le reste, ce sont les mêmes personnes, Marie-Madeleine et Marie, mère de Jacques (le Mineur) et de Joseph. Il s'ensuit que cette Marie est Marie de Cléophas, sœur de la Vierge. Pour le nier, il faudrait des preuves très fortes qui n'existent que dans l'imagination de critiques obéissant à des idées préconçues.

II. Les données de la tradition.

Il faut distinguer avec soin la tradition dogmatique de la tradition historique : celle-ci est incertaine, celle-là n'a jamais varié.

1. *La tradition dogmatique.* — Elle a pour objet la perpétuelle virginité de Marie, avant, pendant et après l'enfantement de son divin Fils. Sur ce point, il n'y a pas de voix discordante avant la fin du IVe siècle, si l'on excepte Tertullien qui n'est pas une autorité en matière d'orthodoxie. Il s'ensuit que les « frères du Seigneur » n'étaient pas et ne pouvaient pas être les fils de Marie. Origène l'affirme sans hésitation aucune : « Hi filii, qui Joseph dicebantur, non erant orti de Maria, neque est ulla Scriptura quae ista commemoret[1]. » Il ne convenait pas, dit encore Origène, que le corps de Marie subît le contact d'un homme, après que l'Esprit-Saint était entré en elle et que la vertu du Très-Haut l'avait couverte de son ombre. Elle devait être parmi

---

1. Origène, *In Lucam, homil.* VII, Migne, XIII, 1813. Cf. *Contra Celsum*, I, 47.

les femmes les prémices de la virginité, comme Jésus l'est parmi les hommes[1]. Saint Basile exprime la même idée avec plus de force : « Ceux qui aiment le Christ ne peuvent pas souffrir d'entendre dire que la mère de Dieu ait cessé d'être vierge [2]. » Ce sentiment n'est pas seulement dicté par la piété ; il est fondé sur l'Évangile. Jésus-Christ confierait-il sa mère à Jean, si elle avait d'autres fils ? Dirait-elle à l'ange : « Je ne connais point d'homme », si elle n'avait pas résolu de rester toujours vierge, et l'évangéliste rapporterait-il cette parole si elle avait violé sa promesse ? La chose est si claire qu'elle fait dire à Loisy : « L'assertion de Marie est tellement absolue que le sentiment commun des exégètes catholiques, qui y voient l'intention de garder perpétuellement la virginité, ne peut être qualifié d'arbitraire. Aucun passage de l'Évangile et des Actes n'y contredit ; car, s'il y est question de frères de Jésus, on ne les présente jamais comme fils de Marie et il est à noter qu'on n'en cite jamais un en particulier, pas même Jacques, comme frère du Seigneur[3]. »

En 380, un Romain obscur du nom d'Helvidius, bientôt suivi par le moine Jovinien et par Bonose, évêque de Sardique en Illyrie, osa s'attaquer à la perpétuelle virginité de Marie et soutenir qu'elle avait eu de Joseph, après l'enfantement de Jésus, des fils que l'Évangile appelle les frères du Seigneur. Saint Jérôme, en 382, réfuta Helvidius et saint Ambroise combattit Jovinien, dont l'erreur fut condamnée par plusieurs conciles [4]. Saint Jérôme n'eut pas de peine à démontrer

---

1 Origène, *In Matthaeum series,* Migne, XIII, 876-7.

2. S. Basile, *Homilia in sanctam Christi generationem,* 5, Migne, XXXI, 1468. L'authenticité de ce beau discours, admise par Combefis et Dupin, contestée par Garnier, a été vengée récemment par Usener qui montre en particulier que l'emploi de θεοτόκος par S. Basile n'a rien de surprenant ; Cf. Bardenhewer, *Altchrist. Literatur,* t. III, p. 152.

3. Loisy, *Evangiles synoptiques,* 1907, t. I, p. 290. Dans l'*Evangile selon Luc,* 1924, p. 89, M. Loisy, sans se rétracter formellement, est un peu moins net.

4. Saint Jérôme, *Adversus Helvidium de Mariae virginitate perpetua,* Migne, XXIII, 183-206. Saint Epiphane avait réfuté par avance Helvidius et ses sectateurs dans son *Panarium. Haeres.* LXXVIII, Migne, XLII, 700-740.

que le mot *frère*, dans l'Écriture, se prend souvent dans un sens plus large et ne désigne pas seulement les frères consanguins; que le titre de *premier-né* se donne à l'enfant qui vient de naître, avant qu'on sache s'il aura des frères; que si Joseph, suivant l'Évangile, n'a pas eu de rapports charnels avec Marie *avant* l'enfantement de Jésus, il ne s'ensuit pas qu'il en ait eu *après*. Il prend même résolument l'offensive contre son adversaire : « Tu dicis Mariam virginem non permansisse; ego mihi plus vindico, ipsum Joseph virginem fuisse per Mariam. » Il a vu en effet dans l'Évangile que Jacques, *le frère du Seigneur*, était fils de la sœur de Marie. Mais il ne poursuit pas ses avantages et, après avoir prouvé la perpétuelle virginité de Marie, il paraît se désintéresser de la question des frères de Jésus, aussi bien que saint Ambroise qui écrit dans sa réfutation de Jovinien : « Potuerunt fratres esse ex Joseph, non ex Maria. Quod quidem si quis diligentius prosequatur inveniet. Nos ea prosequenda non putavimus, quoniam fraternum nomen liquet pluribus esse communem [1]. » Saint Jérôme lui-même, dix ans après sa réfutation d'Helvidius, écrit modestement : « Jacobus, qui appellatur frater Domini, ut nonnulli existimant Josephi ex alia uxore, ut autem mihi videtur Mariae sororis matris Domini, cujus Joannes in suo libro meminit, filius [2]. » Au contraire, saint Chrysostome et saint Augustin ne semblent plus jamais avoir dit, à partir de ces controverses, que les frères du Seigneur étaient les fils de saint Joseph. Théodoret [3], qui suit en général Chrysostome, est très net sur ce point : « Jacques n'était pas fils de Joseph d'un précédent mariage, comme certains l'ont supposé; mais il était le fils de Clopas et cousin du Seigneur, car sa mère était la sœur de la Vierge. »

A partir de ce jour la question n'avance plus. On admet que les frères du Seigneur ne sont pas les fils de saint Joseph, mais on ne s'inquiète pas de savoir d'où ils viennent. Walafride Strabon, l'auteur de la *Glose ordinaire*, n'a pas un mot là-dessus. L'abbé Rupert se borne à dire que ce sont les

---

1. Saint Ambroise, *De institutione virginis et sanctae Mariae virginitate perpetua*, Migne, XVI, 305-384.
2. Saint Jérôme, *De viris illustribus*, 2, Migne, XXIII, 609
3. Théodoret, *In Galat.* 1[18], Migne, LXXXII, 468.

propinqui vel consanguinei du Sauveur. Saint Thomas ne fait que citer en passant les paroles de saint Jérôme pour résoudre une objection [1].

Un certain Papias — non pas l'évêque d'Hiérapolis mais un personnage peu connu du XII° siècle — tenta de résoudre le problème. Voici comment : « Maria mater Domini; Maria Cleophae, sive Alphei uxor, quae fuit mater Jacobi episcopi et apostoli et Symonis et Thadei et cujusdam Joseph ; Maria Salome, uxor Zebedei, mater Joannis evangelistae et Jacobi; Maria Magdalena. Istae quatuor in evangelio reperiuntur. — Jacobus et Judas et Joseph filii erant materterae Domini. Jacobus quoque et Joannes alterius materterae Domini fuerunt filii. — Maria, Jacobi minoris et Joseph mater, uxor Alphei, soror fuit Mariae matris Domini, quam Cleophae Joannes nominat, vel a patre, vel a gentilitatis familia vel alia causa. — Maria Salome vel a viro vel a vico dicitur; hanc eamdem Cleophae quidam dicunt, quod duos viros habuerit. »

N'était *Maria Salome* qui l'embrouille, Papias ferait preuve d'une perspicacité peu commune. On ne saurait en dire autant de l'auteur de la *Légende dorée,* qui envisage ainsi les faits : « La tradition rapporte qu'Anne (mère de la sainte Vierge) a eu successivement trois maris : Joachim, Cléophas et Salomé. De Joachim, elle eut une fille, la Vierge Marie, qu'elle donna en mariage à Joseph. Puis, après la mort de Joachim, elle épousa Cléophas, frère de Joseph, de qui elle eut une autre fille, également appelée Marie, et donnée plus tard en mariage à Alphée. Cette seconde Marie eut d'Alphée quatre fils : Jacques le Mineur, Joseph le Juste, Simon et Jude. Enfin, de son troisième mariage avec Salomé, Anne eut encore une fille, également appelée Marie, et qui épousa Zébédée. Et c'est de cette troisième Marie et de Zébédée que sont nés Jacques le Majeur et Jean l'Évangéliste. »

Ainsi, d'après la tradition dogmatique, les frères du Seigneur ne sont certainement pas les fils de Marie qui est restée perpétuellement vierge et, d'après une pieuse croyance,

---

1. Saint Thomas, *Summa theol.* P. III, qu. XXVIII, a. 3, ad 5.
2. Dans Routh, *Reliquiae sacrae*, t. I, 1846, p. 16.
3. Jacobus de Voragine (Jacques de Varazze, près de Gênes), *Légende dorée,* au 8 septembre. trad. Wizewa, 1911, p. 494.

onfirmée de plus en plus par le sens catholique, ils ne sont
•as non plus les fils de Joseph.

2. *Tradition historique.* — Remarquons que les Pères,
quelle que fût leur opinion, ne se sont jamais appuyés sur
une tradition historique. Saint Jérôme et saint Ambroise s'en
abstiennent expressément, comme aussi les adversaires qu'ils
combattent. La controverse roule exclusivement sur des ques-
;ions d'exégèse.

L'opinion qui faisait des frères de Jésus les fils de saint
Joseph, nés d'un premier mariage, ne repose que sur l'autorité
les apocryphes — *Protévangile de Jacques, Évangile de
Pierre, Évangile du Pseudo-Matthieu, Histoire de Joseph le
Charpentier* — autorité bien faible, si c'est une autorité[1].
Faute d'une tradition authentique, un certain nombre de Pères
embrassèrent cette opinion avec plus ou moins de confiance :
Clément d'Alexandrie, Origène, Eusèbe, S. Hilaire, S. Épi-
phane, l'auteur d'un sermon faussement attribué à S. Grégoire
de Nysse, l'Ambrosiaster, S. Cyrille d'Alexandrie et même
S. Chrysostome et S. Augustin, dans leurs premiers écrits.

Cependant il existait un témoignage ancien, isolé il est
vrai, mais de première valeur. C'est celui d'Hégésippe, historien bien informé, né en Palestine, vers le début du
II° siècle et qui s'intéressait spécialement à la parenté de
Jésus. Voici ce qu'il nous apprend :

A) Après le martyre de Jacques, on décida à l'unanimité
que Siméon, fils de Clopas, était digne d'occuper le siège de
Jérusalem : « Il était, dit-on, cousin du Sauveur; Hégésippe
raconte, en effet que *Clopas était frère de Joseph* » (Eusèbe,
Hist. eccl. III, 11).

S. Épiphane (*Haereses,* LXXVIII, 7) dit la même chose et
ajoute (*Ibid.* 14) que ce Siméon, fils de Clopas, était cousin de
Jacques le Juste, ce qu'Hégésippe dit en un autre endroit.

B) « Après que Jacques le Juste eut subi le martyre, comme
le Seigneur et pour la même cause, Siméon, fils de Clopas,
oncle de Jésus, fut établi évêque. Tous le préférèrent comme

---

1. S. Jérôme, *In Matthaeum*, 12⁴⁹⁻⁵⁰, Migne, XXVI, 84 : « Quidam fratres Domini de alia uxore Joseph suspicantur, sequentes deliramenta
apocryphorum. »

étant cousin du Seigneur » (Eusèbe, IV, xxii, 4, citant expressément Hégésippe). Ce texte est parfaitement clair, à l'exception d'un mot que nous avons omis : ὃν προέθεντο πάντες ὄντα ἀνέ
ψιον τοῦ Κυρίου δεύτερον. Les uns font rapporter δεύτερον à ἐπίσκοπος
nommé dans l'incise précédente : « tous le préférèrent (pour)
second (évêque), comme étant cousin du Seigneur. » C'est
possible, mais c'est bien alambiqué. D'autres font rapporter
δεύτερον au mot voisin ἀνέψιον : « tous le préférèrent comme
étant un *second* cousin du Seigneur. » Si l'on adopte cette
construction, qui est plus naturelle, il s'ensuit que Jacques
lui aussi était cousin du Seigneur. Mais nous aimons mieux
faire abstraction de cette controverse. Il reste toujours que
Siméon était *cousin* du Seigneur et que Clopas, son père,
était ONCLE de Jésus, comme frère de Joseph.

C) Hégésippe dit de Jacques, frère du Seigneur : « A lui seul
il était permis d'entrer dans le Saint, car il ne portait pas
des étoffes de laine mais des tissus de lin » (dans Eusèbe, III,
xxiii, 6). Il était vêtu de lin comme les prêtres et il pouvait
entrer dans la partie du sanctuaire appelée le *Saint*, où les
prêtres seuls avaient accès. Il appartenait donc à la classe
sacerdotale[1] et quelle que fût la tribu de sa mère, son père
devait être un descendant d'Aaron. Ce n'était donc pas Clopas, frère de S. Joseph.

D) Enfin Hégésippe nous apprend que Jude était, comme
Siméon, de la famille de David. Ses descendants furent poursuivis sous Domitien, en qualité de parents de Jésus (dans
Eusèbe, III, xx, 1-6). Il est donc naturel de croire qu'il était,
comme Siméon, fils de Clopas.

Les renseignements fournis par Hégésippe, combinés avec
les données de l'Évangile, conduisent aux résultats suivants :

1° La sœur de la sainte Vierge, appelée Marie comme elle,
était femme de Cléophas ou Clopas, frère de saint Joseph.
C'était donc la belle-sœur de la Vierge; mais il y avait très
probablement entre elles un autre lien de parenté plus étroit,
impossible à déterminer.

---

1. Le traducteur d'Eusèbe, Rufin, et S. Épiphane en font un grand prêtre, puisqu'ils supposent qu'il entre dans le *Saint des saints*. Hégésippe
ne dit pas cela.

2° Simon ou Siméon, qui fut évêque de Jérusalem après Jacques le Mineur, était fils de Cléophas ou Clopas. C'était *un autre cousin,* né d'un autre père que Jacques qui était de race sacerdotale.

3° Jacques le Mineur avait pour mère la sœur de la Vierge ; José paraît avoir été son frère consanguin ; comme Jude qui était de la famille de David était probablement le frère consanguin de Simon, fils de Cléophas.

4° Les frères du Seigneur appartenaient donc à deux familles distinctes quoique étroitement unies et habitant peut-être, à une époque, sous le même toit. Voilà pourquoi les noms de chacun des deux groupes (Jacques et José fils de Marie et Simon et Jude fils de Cléophas) sont toujours rapprochés :

5° Marie, épouse de Cléophas, a des enfants qui ne sont pas de lui ; son mari Cléophas a aussi des enfants qui ne sont pas d'elle. Une seule hypothèse semble pouvoir expliquer un fait si curieux ; c'est que la sœur de la Vierge, ayant d'un premier mari (peut-être Alphée de race sacerdotale) des enfants (Jacques le Mineur et José), aurait épousé en secondes noces Cléophas (frère de saint Joseph) qui avait des enfants d'une première femme.

Si l'on supposait, que Marie eut Simon et Jude de son mariage avec Cléophas, on ne voit pas pourquoi S. Marc ne lui attribuerait que deux fils, Jacques le Mineur et José.

III. Y eut-il des frères du Seigneur parmi les Douze ?

La similitude des noms ne prouve absolument rien, car Jacques, Simon et Jude étaient alors des noms si communs que chacun revient deux fois dans la liste des apôtres (Simon-Pierre et Simon le Zélote, Jacques fils de Zébédée et Jacques fils d'Alphée, Jude Thaddée et Judas l'Iscariote). Cependant il y a de fortes raisons pour identifier Jacques, frère du Seigneur et premier évêque de Jérusalem, avec l'apôtre Jacques, fils d'Alphée.

1. Quand S. Paul se rendit à Jérusalem, trois ans après sa conversion, il ne vit, en dehors de Pierre, « aucun autre apôtre, si ce n'est Jacques, frère du Seigneur » (Gal. 1¹⁹ : ἕτερον τῶν ἀποστόλων οὐκ εἶδον εἰ μὴ Ἰάκωβον τὸν ἀδελφὸν τοῦ Κυρίου). *a)* Si

Jacques n'était pas l'un des Douze il n'aurait aucun droit au titre d'*apôtre*, au sens large, car d'après la tradition, il n'est jamais sorti de Jérusalem. — *b*) Il est opposé comme apôtre (ἕτερον) au prince des apôtres; son apostolat est donc du même ordre. — *c*) L'expression « aucun autre d'entre les apôtres » (ἕτερον τῶν ἀποστόλων et non pas seulement ἕτερον ἀπόστολον) ne peut guère s'entendre que d'un autre membre *du groupe* des Douze. Quant à la traduction : « Je ne vis aucun autre apôtre (en dehors de Pierre), *mais* (εἰ μή) je vis Jacques (qui n'était pas apôtre) », elle est bien peu naturelle, pour ne rien dire de plus.

2. L'antiquité ne connut que deux Jacques dans l'entourage apostolique. Ainsi Clément d'Alexandrie : « Il y a deux Jacques : l'un surnommé le Juste, qui fut précipité du pinacle du Temple et frappé à mort, disait-on, par un foulon (vers 62), l'autre qui fut décapité (vers 42, par ordre d'Agrippa Iᵉʳ) ». Il ne faut pas s'autoriser pour prouver qu'il n'y en eut que deux, du surnom latin de *minor* qui répond à l'épithète ὁ μικρός (Mc. 15⁴⁰). Cependant l'argument qu'en tire S. Jérôme n'est pas un sophisme car on trouve dans les papyrus ὁ μικρός et ὁ μέγας pour distinguer le plus petit ou le plus grand de deux frères portant le même nom. Voir les exemples dans Moulton-Milligan, *Vocabulary*, p. 412.

3. L'apôtre Jacques était fils d'Alphée, d'après les trois synoptiques. Comme Jacques frère du Seigneur avait pour mère Marie de Cléophas, on supposait que Jacques était aussi fils de Cléophas et ceux qui soutenaient l'identité des deux Jacques s'ingéniaient à montrer qu'Alphée est en hébreu le même nom que Cléophas ou Clopas. Ainsi Cornely, *Introductio*. Mais Alphée et Clopas n'ont rien de commun : Alphée est l'hébreu Halpaï (חלפּי), Clopas est pour Cléopas, abrégé de Cleopater ou Cleopatros. Ce qu'on pourrait dire, c'est que le père de Jacques (l'apôtre et le frère du Seigneur, supposé qu'ils soient identiques) portait deux noms, l'un hébreu et l'autre grec : chose alors assez commune. Mais Hégésippe nous suggère une autre solution : Jacques, frère du Seigneur, n'était pas fils de Cléophas; et Marie de Cléophas sa mère pouvait l'avoir eu d'un premier mari appelé Alphée. Rien ne s'oppose donc à l'identification.

En faveur de l'identité, consulter Maier, dans *Bibl. Zeitschrift*, 1906, p. 164-193 et 255-266. Sur les raisons de douter, voir Malvy, dans *Recherches*, 1918, p. 122-131. Les Grecs fêtent l'apôtre Jacques, fils d'Alphée, le 9 octobre et Jacques, frère du Seigneur, le 23 du même mois. Les anciens martyrologes latins fixaient la fête du premier au 22 juin et celle du second au 28 décembre.

IV. Travaux à consulter.

1. Corluy, *Les frères de N.-S. J.-C.* dans les *Études religieuses*, 1878, t. I, p. 5-21 et 145-169. — Les quatre frères de Jésus sont les fils de Clopas et de Marie, sœur de la Sainte Vierge. « Il est à peu près certain que Jacques fut un des douze apôtres... Il est aussi hautement probable que Judas fils de Clopas, est le même que l'apôtre saint Thaddée. Quant à Simon, le frère de Jésus, les raisons qui poussent à lui accorder le titre d'apôtre et celles qui engagent à le lui refuser sont à peu près d'égale valeur » (p. 169).

2. Durand, *Les frères du Seigneur,* dans l'*Enfance de J.-C.* 1908, p. 210-276. L'auteur insiste surtout sur la perpétuelle virginité de Marie, qui exclut la thèse d'Helvidius. Il défend aussi la virginité de S. Joseph, mais sans se prononcer sur le degré de certitude; pourtant il semble approuver l'opinion du P. Corluy qui, s'appuyant sur le *sens catholique,* soutient que « il serait désormais téméraire de révoquer en doute la perpétuelle virginité de l'époux de Marie ». Le P. Durand ne se prononce pas non plus sur la question de savoir si, parmi les frères du Seigneur, il y eut un ou plusieurs apôtres.

3. Lagrange, *Note sur les frères du Seigneur* dans *Saint Marc*[4], 1929, p. 79-93. L'auteur examine : 1º Ce que cette expression peut signifier; 2º ce qu'elle signifie dans le cas donné d'après les textes bibliques; 3º ce qu'elle signifie d'après la tradition » (p. 79). Dans la première édition de *Saint Marc,* il concluait (p. 89) : « Nous ne prétendons pas qu'il soit historiquement démontré que les frères du Seigneur étaient ses

cousins. Nous disons seulement qu'absolument rien ne peut être objecté à la perpétuelle virginité de Marie, que plusieurs passages de l'Écriture suggèrent et que la tradition affirme, de plus qu'il est plus probable, d'après l'Écriture combinée avec la tradition et d'après la tradition historique d'Hégésippe, que les frères du Seigneur n'étaient pas fils de Joseph. » Dans *Saint Jean*, 1925, p. 493, il distingue, avec Zahn, Marie de Clopas de la sœur de la Vierge (Jn. 19²⁵). Cette dernière est Salomé, femme de Zébédée et mère des apôtres Jacques et Jean qui sont, par conséquent, les cousins germains du Sauveur. Dans *Saint Marc*, 1929, p. 93, la sœur de la Vierge n'est plus Salomé, mais « une autre Marie, épouse d'Alphée, qui était peut-être de lignée lévitique ».

4. Lightfoot, *The Brethren of the Lord*, dans *Epistle to the Galatians*, 1892, p. 252-391. L'auteur étudie consciencieusement les textes des auteurs ecclésiastiques sans entrer dans les discussions d'exégèse. Il distingue trois *opinions* qu'il met sous le nom de leur défenseur principal : Épiphane, Helvidius et Jérôme. Pour S. Épiphane, les frères du Seigneur sont les fils de S. Joseph, nés d'un premier mariage. C'est la thèse à laquelle souscrit Lightfoot. Il répudie la thèse d'Helvidius qui fait d'eux des enfants de Joseph et de Marie, nés après l'enfantement de Jésus, tout en admirant le courage d'Helvidius, de Bonose et de Jovinien, « qui s'efforcèrent d'arrêter le courant qui poussait fortement dans la direction du célibat. Si leur théorie est fausse, ils méritent la sympathie due à des hommes qui, en dépit de l'opinion publique, refusaient de courber la tête sous une superstition extravagante et tyrannique » (p. 287). Quant à la thèse de S. Jérôme, qui regarde les frères du Seigneur comme ses cousins, elle n'est pas prise en considération. Beaucoup d'anglicans, entre autres Harris dans le *Dict. of Christ and the Gospels*, t. I, p. 232-237, suivent les idées de Lightfoot, qu'ils ne font souvent que résumer.

5. Zahn, dont le sens critique et historique n'égale pas l'immense érudition, est le champion principal de la thèse d'Helvidius (*Brüder and Vettern Jesu*, dans *Forschungen*, t. VI, 1900, p. 225-363). Il ne donne pas d'ailleurs d'autres arguments

qu'Helvidius lui-même : 1° Le sens naturel du mot *frère;* 2° Jésus est le *premier-né* de Marie (Lc. 2[7]); cela suppose qu'il eut des frères *puînés;* 3° Marie ne connut pas Joseph *avant* d'enfanter Jésus (Mt. 1[25]) ; donc elle le connut *après.* Ces sophismes avaient été parfaitement réfutés par S. Jérôme dans sa réponse à Helvidius. Les conclusions de Zahn sont : 1° Chaque fois que les frères du Seigneur sont mentionnés, il s'agit des quatre frères, Jacques, Joseph, Simon et Jude qui naquirent après la naissance de Jésus, du mariage de Joseph, qui était de la famille de David, avec Marie qui appartenait probablement à la tribu de Lévi. — 2° La sœur de Marie était Salomé, femme de Zébédée et mère des apôtres Jacques et Jean. — 3° Aucun des frères du Seigneur ne fut apôtre. — 4° Marie, mère de Jacques le Petit et de Joseph (Mc. 15[40]; 16[1]; Mt. 27[56]) est probablement identique à Marie dont parle S. Paul (Rom. 16[6]) et son fils Joseph est peut-être Joseph Barsabas (Act. 1[23]). On voit que l'imagination de Zahn se donne carrière. Ses idées, au moins pour les points essentiels, sont embrassées par beaucoup d'auteurs protestants. Bornons-nous à mentionner l'*Encyclopaedia Biblica* et le *Dict. of the Bible* de Hastings.

NOTE J.

SERMON SUR LA MONTAGNE

I. Analyse comparée du Sermon.

	Matth. I	Luc I	Luc II	Marc	Matt. II
A. Béatitudes	53-12	620-23			
B. Malédictions		624-26			
C. Sel de la terre	513		1434-35	950	
D. Lumière du monde	514-16		1133; 816	421	
E. Jésus parfait la Loi	517-20		cf. 1617		
F. Meurtre. — Injure	521-24				
G. Réconciliation	525-26		1257-59		
H. Adultère. — Impureté	527-28				
I. Oter l'objet du scandale	529-30		171-2	943-45	188-9
J. Divorce condamné	531-32		1618	1011-12	199
K. Parjure. — Serment	533-37				
L. Loi du talion	538-40	629-30			
M. Amour des ennemis	543-44	627-28,32-34			
N. Prêt gratuit		635-36			
O. L'aumône	61-4				
P. La prière	65-8				
Q. Oraison dominicale	69-13		112-4		
R. Pardon des offenses	614-15		1125-26		
S. Le jeûne	616-18				
T. Trésor pour le ciel	619-21		1233-34		
U. L'œil flambeau du corps	622-23		1134-36		
V. Servir deux maîtres!	624		1613		
W. Confiance en Dieu	625-34		1222-31		
X. Ne pas juger	71-2	637			
Y. La paille et la poutre	73-5	641-42			
Z. Pas de perles aux pourceaux	76				
a. Efficacité de la prière	77-11				
b. La règle d'or	712	631	119-13		
c. La porte étroite	713-14		1323-24		
d. Tel arbre, tel fruit	715-20	643-44			
e. Ne pas dire, mais faire	721-23	646			
f. Parabole finale	724-27	647-49			
g. Donnez et vous recevrez		638			
h. Aveugle conduisant aveugle		639			
i. Disciple inférieur au maître		640			

II. Parties primitives et parties secondaires.

Dans le tableau ci-joint, la colonne Matthieu I contient à la suite tout le Sermon d'après S. Matthieu; la colonne Luc I, tout le discours d'après S. Luc; la colonne Luc II, les parties placées par S. Luc dans un autre contexte; la colonne Marc, les passages parallèles de S. Marc; la colonne Matthieu II, les doublets de S. Matthieu, c'est-à-dire les passages répétés par lui et placés dans un contexte différent.

L'examen du Sermon sur la Montagne donne les résultats suivants : 1° Le Sermon a 107 versets dans S. Matthieu, 30 seulement dans S. Luc. — 2° 34 versets de S. Matthieu sont parallèles à 24 versets de S. Luc dans ce même contexte. — 3° 40 versets de S. Matthieu sont parallèles à 37 versets de S. Luc dans un contexte différent. — 4° 33 versets sont spéciaux à S. Matthieu. — 5° 6 versets (Lc. 6 ^{24}-^{26}. ^{39}-^{40}. ^{45}) sont spéciaux à S. Luc.

Au sujet des parties constitutives du Sermon sur la Montagne on peut formuler quatre principes :

1. Les parties communes à S. Matthieu et à S. Luc dans ce même contexte doivent être considérées comme appartenant au Sermon.

2. Les parties spéciales à S. Matthieu appartiennent également au Sermon, excepté 7^2 et peut-être partiellement 5^{13}-^{16}.

3. Les passages de S. Matthieu qui ont des parallèles en des contextes différents de S. Luc ne faisaient point partie du Sermon mais y ont été insérées par le premier évangéliste en raison de l'analogie du sujet.

4. Des six versets de S. Luc sans parallèle dans S. Matthieu, trois (6^{24}-^{26}) forment le revers des Béatitudes et sont, pour ainsi parler, le côté négatif de la même idée, deux (6$^{37\cdot40}$) semblent bien contenir une matière disparate sans relation avec le sujet du Sermon, le sixième (6^{45}) cadrerait bien avec le sujet, mais l'idée se trouve dans S. Matthieu (12^{34}-^{35}), en un contexte différent.

Il y a naturellement dans ces considérations une large part d'hypothèse; car il est très possible que Jésus-Christ ait répété le même enseignement, à peu près dans les mêmes termes,

en diverses circonstances. Cependant il est peu probable que les disciples aient dit au Seigneur, environ six mois avant la passion (Luc. 11[1]) : « Apprenez-nous à prier », s'il leur avait enseigné l'oraison dominicale dans le Sermon sur la montagne, presque au début de sa prédication.

Il y a dans le *Dictionary of the Bible* de *Hastings* un long article de Wotaw (*Extra Volume*, 1904, p. 1-45). On y trouvera, avec une très copieuse bibliographie, des références utiles. Naturellement, les théories et les hypothèses ne doivent pas être acceptées les yeux fermés. On voit que l'auteur a très peu fréquenté les commentateurs catholiques, en dehors des Pères. Il est regrettable qu'il n'existe pas sur ce sujet de monographie catholique tout à fait au point.

NOTE K.

LES PARABOLES DE L'ÉVANGILE.

I. Définition et nombre.

1. *Définition*. — Dans l'Ancien Testament le *mashal*, traduit παραβολή par les Septante et *parabola* par la Vulgate, a une grande variété d'acceptions. Il s'applique aux *oracles* de Balaam, aux *allégories* d'Ezéchiel, à des *proverbes* ou dictons populaires, à des *traits sarcastiques*, à des *maximes* morales. Cf. Buzy, *Introd. aux paraboles*, 1912, p. 52-124.

Dans le Nouveau Testament (si l'on excepte l'Épître aux Hébreux où παραβολή est pris deux fois au sens de *type*, figure prophétique), le mot ne se rencontre que chez les Synoptiques qui l'emploient 48 fois, pour 33 cas différents. La Vulgate traduit en général *parabola*, mais huit fois *similitudo* dans S. Luc, sans qu'une différence de sens justifie la différence de traduction.

Le mot παραβολή signifie *comparaison* et en effet, au fond de toute parabole, il y a une comparaison expresse ou latente. Prise dans son acception ordinaire, la parabole évangélique peut se définir ainsi : *Un récit fictif mais vraisemblable, destiné à éclairer par comparaison une leçon morale ou une vérité dogmatique*.

a) *Récit*, car tout apologue (dont la parabole est une espèce) comporte, si court qu'il soit, une intrigue et un dénouement. Si le récit n'est qu'ébauché, nous l'appelons *similitude*.

b) *Fictif*. Une histoire vraie pourrait être aussi instructive qu'un récit fictif; mais, dans la fiction, le narrateur est plus libre de choisir les détails capables d'instruire et d'écarter les détails oiseux. En fait, toutes les paraboles évangéliques sont des fictions.

c) *Vraisemblable.* La condition n'est pas essentielle ; mais, sans vraisemblance, la parabole se tourne en fable et ce genre littéraire, dont on trouve deux exemples dans l'Ancien Testament, n'existe pas dans le Nouveau.

d) *Éclairant une leçon morale ou un dogme ;* il faut sous-entendre « dans le domaine surnaturel ». La parabole, comme l'apologue, se propose d'instruire et en cela se distingue du conte, dont le seul but est d'amuser et de plaire. Mais la parabole évangélique est le véhicule de la *révélation* et en cela elle se distingue de la fable qui s'étudie à inculquer une sagesse pratique et des vérités vulgaires.

2. *Nombre.* — Les diverses manières de concevoir et de définir les paraboles évangéliques font que le nombre en est différent suivant les auteurs. Steinmeyer en compte 23 (ou 24), Goebel 26 (ou 27), Trench 30, Bruce 33, Lisco 37, Jülicher 53 (28 similitudes, 21 paraboles, 4 exemples), Bugge 71 (dont 37 paraboles proprement dites), Fonck 72, Von Koestwald 80 (ou plutôt 79, l'une étant comptée deux fois), Von Wessenberg 101 ; Buzy 33, dans *Les Paraboles* (*Verbum salutis*), 1932. Dans les tableaux suivants nous retenons *trente* paraboles et *trente-deux similitudes ;* il reste, dans l'Évangile, un certain nombre de comparaisons qu'on peut, si l'on veut, appeler paraboles.

II. Nature des paraboles évangéliques.

Jülicher (*Die Gleichnisreden Jesu*[2], 1910) et Loisy son fidèle disciple (*Études évangéliques*, 1902) ont proposé une théorie des paraboles qu'il importe de mettre au point. La voici résumée en cinq articles :

1° La parabole et l'allégorie sont deux genres littéraires incompatibles ; elles diffèrent comme le jour et la nuit. Une parabole mêlée d'allégorie serait un être hybride, un monstre.

2° La parabole, comme la comparaison, est toujours claire ; l'allégorie, comme la métaphore, est toujours obscure ; voilà pourquoi l'allégorie réclame souvent une explication, mais la parabole n'en a jamais besoin.

3° L'allégorie pique la curiosité, aiguise l'esprit, flatte le
lecteur par ses demi-jours où il y a quelque chose à deviner;
c'est un genre aristocratique ; la parabole, simple et facile, est
un genre populaire.

4° Jésus, orateur populaire qui visait à être compris de
tous, n'a pu proposer d'allégories. Ce sont les évangélistes
qui les lui prêtent, sous la poussée de la réflexion théologique, anxieuse d'expliquer l'aveuglement des Juifs.

5° Par conséquent, pour avoir la vraie pensée de Jésus
dans les paraboles de l'Évangile, il faut les ramener à leur
pureté native et en écarter tous les éléments allégoriques.

Les postulats de Jülicher et de Loisy sont démentis par
l'expérience de tous les pays et de tous les siècles. L'affinité
de la parabole et de l'allégorie est telle qu'il est presque impossible qu'une allégorie se soutienne longtemps sans qu'il
s'y mêle des traits paraboliques et la parabole se teinte souvent d'allégorie. Justement, dans les deux exemples qu'Aristote donne comme fables types — le cheval et le cerf de
Stésichore et le renard et les sangsues d'Ésope — l'intention
des deux auteurs était allégorique. Quintilien voit dans ce
mélange une suprême élégance : « Habet usum talis allego-
riae frequenter oratio sed raro totius : plerumque apertis
permixta est... Illud vero longe speciosissimum genus ora-
tionis, in quo trium permixta est gratia : similitudinis, alle-
goriae et translationis (*Instit. orat.* VIII, 6) », à condition
toutefois que les métaphores n'y soient pas heurtées.

On prétend que la comparaison est populaire et la métaphore aristocratique : c'est un joli mot mais rien de plus.
Le peuple emploie autant de métaphores que de comparaisons. Les primitifs et les sauvages ont un goût particulier
pour l'allégorie et ils en font plus d'usage que les savants
des nations civilisées. Écoutons encore Quintilien à l'endroit
cité plus haut. « Metaphora... ita est ab ipsa nobis concessa natura ut indocti quoque ac non sentientes ea frequenter
utantur... Allegoria parvis quoque ingeniis et quotidiano
sermoni frequentissime servit. » Mais l'allégorie, dit-on,
est obscure. Pas toujours ; et la parabole l'est aussi quand
on n'a aucune idée du terme comparé. Multipliez les com-

paraisons tant que vous voudrez, vous ne ferez pas comprendre à un aveugle ce qu'est la lumière ou la couleur.
David ne comprit pas l'apologue de Nathan, pourtant assez
clair, jusqu'à ce que le prophète lui dît : *Tu es ille vir.*

La théorie de Jülicher n'a donc pas de base solide et
peut-être est-elle déjà trop surannée pour valoir la peine
d'être réfutée. Voir Buzy, *Introd.*, p. 2-51 et 173-230.

III. Apologues rabbiniques.

La littérature juive, au premier siècle de notre ère et aux
deux siècles précédents, ne nous offre à peu près rien qu'on
puisse comparer aux paraboles de l'Évangile. Les *Paraboles*
ou *Similitudes* du Livre d'Hénoch ne sont ni des paraboles
ni des allégories. Les histoires, écrites sous forme d'allégorie
par des soi-disant prophètes, sont d'un genre littéraire très
différent. Les paraboles du Talmud approchent davantage des
paraboles évangéliques. Les éléments de la question sont à
chercher dans Lagrange, *Les paraboles en dehors de l'Évangile, R. B.* 1909, p. 342-357; Buzy, *Introduction aux paraboles évangéliques,* 1912, p. 135-182; Fiebig, *Altjüdische
Gleichnisse,* 1904 et *Die Gleichnisreden Jesu in Lichte der
rabbin. Gleichnisse,* 1912; Abrahams, *Studies in Pharisaism
and the Gospels,* 1917, t. I, p. 135-182; Bacher, *Die Agada
der Tannaiten,* t. I[2], 1904; t. II, 1890.

La *Mishna,* rédigée à la fin du deuxième siècle, a très peu
de paraboles; la *Tosephta,* au commencement du siècle suivant, en a davantage; les parties plus récentes du Talmud,
les *Midrashim* et la *Ghemara,* en ont beaucoup. Il est vrai
que l'attribution de telle parabole à tel ou tel auteur, mort
depuis plusieurs siècles, reste toujours douteuse. Celles qui
sont attribuées aux contemporains du Christ sont excessive-
ment rares et d'autant plus intéressantes. On trouvera dans
Billerbeck, *Kommentar,* t. I, p. 654-5, une parabole ou quasi-
parabole attribuée au grand Hillel par un auteur du viie siècle.
La pensée est belle, mais la parabole elle-même — ou comme
on voudra l'appeler — serait une énigme, si elle n'était pas
suivie de son explication. Les perles de cette valeur sont rares
dans le Talmud et il faut beaucoup de temps et de patience

pour en découvrir de semblables. Presque toutes sont froides et puériles. Fiebig, qui en a fait une étude spéciale, ne les apprécie guère. Abrahams les défend, tout en avouant que beaucoup sont banales et traitées d'une façon triviale. Je ne pense pas qu'il vienne à quelqu'un l'idée de les préférer, ou même de les comparer, aux paraboles évangéliques.

IV. Division.

A) *Paraboles proprement dites.*

Paraboles dogmatiques.

	S. Mat.	S. Marc	S. Luc
1. Le Semeur	13 3-23	*4 3-20	8 4-15
2. L'Ivraie	*13 24-43		
3. Le Senevé	*13 31-32	*4 30-32	13 18-19
4. Le Levain	*13 33		13 20-21
5. Le Trésor	*13 44		
6. La Perle	*13 45-46		
7. Le Filet	*13 47-50		
8. Le Blé qui lève		*4 26-29	

Paraboles morales.

	S. Mat.	S. Marc	S. Luc
9. Maisons bâties sur le sable et sur le roc	7 24-27		6 47-49
10. Les deux Débiteurs			7 41-42
11. Le bon Samaritain			10 29-37
12. L'Ami importun			11 5-8
13. L'Avare			*12 16-21
14. Le Figuier stérile			*13 6-9
15. La Brebis perdue	18 12-14		*15 4-7
16. La Drachme perdue			15 8-10
17. L'Enfant prodigue			15 11-32
18. L'Intendant infidèle			16 1-13
19. Lazare et le mauvais riche			16 19-31
20. La Veuve importune			*18 1-8
21. Le Pharisien et le Publicain			*18 9-14
22. Le Serviteur sans pitié	18 21-35		

Paraboles prophétiques ou eschatologiques.

	S. Mat.	S. Marc	S. Luc
23. Les Ouvriers de la onzième heure	*20 1-16		
24. Les deux Fils	21 28-32		
25. Les Vignerons prévaricateurs	*21 33-46	*12 1-12	*20 9-19
26. Les Invités au festin	22 1-10		14 15-24
27. La Robe nuptiale	*22 11-14		
28. Les dix Vierges	25 1-13		
29. Les Mines			*20 9-30
30. Les Talents	25 14-30		

B) *Paraboles ébauchées ou similitudes.*

	S. Matthieu	S. Marc	S. Luc
1. Médecin, guéris-toi d'abord..................			*423
2. Le sel.......................................	513	949-50	1434-35
3. La lampe sur le chandelier..................	514-15	421	816,1133
4. La ville bâtie sur la montagne...............	514[b]		
5. Accusateur et juge..........................	525-26		1257-59
6. L'œil lumière du corps	622-23		1134-36
7. Les deux maîtres...........................	624		1613
8. L'enfant qui prie son père..................	79-11		1111-13
9. Tel arbre tel fruit.........................	716-20,1233-37		643-46
10. Médecins et malades.......................	912-13	217	531-32
11. Le fiancé et son ami.......................	914-15	218-20	533-35
12. Vieux habits et habits neufs...............	916	221	536
13. Vieilles outres et outres neuves............	917	222	537-38
14. Vin nouveau et vin vieux...................			539
15. Secrets à prêcher sur les toits.............	1026-27	422	817,122-3
16. L'élève et le maître.......................	1024-25		640
17. Enfants qui jouent........................	1116-19		731-35
18. Le royaume divisé.........................	1225-27	*323-26	1117-18
19. Assauts de l'esprit impur	1243-45		1124-26
20. Le scribe sage............................	1352		
21. La vraie souillure.........................	*1510-20	*714-23	
22. L'aveugle et son guide.....................	1514		*639
23. Enfants et chiens.........................	1526-27	727-28	
24. Les premières places au festin.............			*147-14
25. Pour bâtir une tour			1428-30
26. Pour entreprendre une guerre..............			1431-35
27. Les serviteurs attendant leur maître..........		1334	*1235-38
28. L'intendant fidèle et le négligent.............	2445-51		1241-48
29. Devoirs du bon serviteur			177-10
30. Le cadavre et les vautours..................	2428		173[7]
31. Le voleur.................................	2443-44		1239-40
32. Le figuier, annonce du printemps...........	*2432-35	*1328-29	*2129-31

Nous marquons d'un astérisque les paraboles et les similitudes qui sont qualifiées de paraboles dans l'Évangile. Si nous avons distingué la parabole des Talents de celle des Mines et la parabole de la Robe nuptiale de celle des Invités, nous n'avons pas entendu nous prononcer contre l'identité.

NOTE L.

MIRACLES DE L'ÉVANGILE

I. Le nom des miracles évangéliques.

Il est à remarquer que le mot répondant à *miracle* (θαῦμα) n'est pas employé dans l'Évangile, bien que le sentiment d'*admiration* et d'étonnement que le miracle éveille, d'après son étymologie, soit souvent signalé par les évangélistes.

Les mots qui, dans l'Évangile, désignent les miracles sont : *actes de puissance, signes, œuvres, prodiges* et par exception, *chose extraordinaire* (παράδοξον, Lc. 5 [26]).

1. *Actes de puissance* (δυνάμεις). — C'est le mot favori des Synoptiques, généralement traduit par *miracles*. Le miracle en effet exige un pouvoir surhumain; c'est une participation à la puissance divine. Quand ils le voient, les hommes de bonne foi disent : « Le doigt de Dieu est là. » La foule des disciples louait Dieu hautement « super omnibus, quas viderant, *virtutibus* » (Lc. 19 [37]). Les villes riveraines du lac sont inexcusables de n'avoir pas compris ce langage (Mt. 11 [20-23] et passages parallèles).

2. *Signes* (σημεῖα). — C'est le mot que S. Jean emploie de préférence. Le *signe* est le sceau apposé par Dieu sur la mission du Christ. Le miracle de Cana est le premier des *signes* faits par Jésus. Les Juifs lui demandent un *signe* (Jn. 2 [18]; Mt. 12 [39], etc.); ils l'invitent à produire ses lettres de créance. S'ils sont sincères, ils sont obligés d'avouer avec Nicodème qu'un homme ne peut pas faire les *signes* que faisait Jésus, à moins que Dieu ne soit avec lui (Jn. 3 [2]). Jean ne rapporte qu'un petit nombre des *signes* faits par Jésus, mais ce petit nombre suffit comme motif de crédibilité (Jn. 20 [30-31]).

II. Miracles racontés en détail.

	Matth.	Marc	Luc	Jean
1. L'eau changée en vin à Cana...............				21-11
2. Le fils de l'officier royal...................				446-54
3. La première pêche miraculeuse............			51-11	
4. Le possédé de Capharnaüm.................		123-28	431-37	
5. La belle-mère de saint Pierre..............	814-15	129-31	438-39	
6. Le lépreux de Capharnaüm.................	81-4	140-45	512-16	
7. Le paralytique porté par quatre hommes...	91-8	21-12	517-26	
8. Le serviteur du centurion..................	85-13		71-10	
9. Le fils de la veuve de Naïm			711-17	
10. L'homme à la main desséchée..............	129-14	31-6	66-11	
11. Le perclus de Béthesda....................				51-15
12. La tempête apaisée........................	823-27	435-41	822-25	
13. L'énergumène de Gérasa...................	828-34	51-20	826-39	
14. L'hémorroïsse	918-26	521-43	840-56	
15. La fille de Jaïre...........................				
16. Les deux aveugles de Capharnaüm	927-31			
17. Première multiplication des pains..........	1413-21	630-44	910-17	61-13
18. Marche sur les eaux.......................	1422-33	645-56		617-21
19. La fille de la Cananéenne	1521-28	724-30		
20. Seconde multiplication des pains..........	1532-39	81-10		
21. Le sourd-bègue de Marc...................		732-37		
22. L'aveugle de Bethsaïde....................		822-26		
23. Le lunatique du Thabor....................	1714-21	914-29	937-43	
24. Le statère du tribut........................	1724-27			
25. L'aveugle de naissance.....................				91-38
26. Le possédé muet (et aveugle)..............	932-34			
27. La femme infirme depuis 18 ans...........			1310-17	
28. L'hydropique..............................			141-6	
29. La résurrection de Lazare.................				111-44
30. Les dix lépreux...........................			1711-19	
31. Les aveugles de Jéricho...................	2029-34	1046-52	1835-43	
32. Le figuier maudit	2118-22	1112-14		
33. L'oreille de Malchus.......................			2251	

Dans cette liste ne sont pas compris : A) Les miracles qui concernent la personne même du Sauveur. — B) Les miracles de la vie glorieuse. — C) Les faits, probablement miraculeux, qui ne sont pas présentés comme tels par les évangélistes, par exemple les vendeurs chassés du Temple, les hommes tombant à la renverse à Gethsémani, Jésus se dérobant à la fureur de ses ennemis. — D) Les miracles innombrables mentionnés en bloc dans l'Évangile.

III. Mention collective de miracles.

On se tromperait fort si l'on croyait que les trente et quelques miracles racontés en détail par les évangélistes représentent toute l'activité thaumaturgique de Jésus. Ce ne sont que des spécimens de prodiges divers — morts ressuscités, démoniaques délivrés, lépreux purifiés, aveugles, sourds-muets, paralytiques ou autres infirmes guéris — qui n'en donnent même pas une idée approximative et n'expliquent nullement l'enthousiasme délirant des foules. Saint Jean nous apprend que Jésus opéra un grand nombre de signes (20^{30} : σημεῖα) qui ne sont pas consignés dans son Évangile et qu'il faudrait une infinité de livres pour contenir le récit de tout ce que le Seigneur a fait (21^{25}).

Le disciple bien-aimé s'étonne qu'après tant et de si grands miracles les Juifs soient restés incrédules (12^{35}). Voici quelques circonstances où ces miracles sont mentionnés en bloc.

1. *Lors de la première Pâque de la vie publique* (Jn. 2^{23}; cf. 4^{45}).

2. *Le soir du sabbat où il avait guéri la belle-mère de Pierre* (Mc. 1^{34}), il guérit beaucoup d'infirmes atteints de diverses maladies ». Cf. Lc. 4^{40} et 5^{15}).

3. *Avant le Sermon sur la montagne* (Mt. 4^{24-25}; Mc. 3^{10-11}; Lc. 6^{17-19}).

4. *Devant les messagers du Baptiste* (Lc. 7^{21} : « En ce moment, il guérit beaucoup d'aveugles atteints de maladies diverses et affligés d'esprits mauvais et il rendit la vue à beaucoup d'aveugles »).

5. *Durant sa visite à Nazareth* (Mc. 6^{5} : « Il ne pouvait faire aucun miracle », à cause de l'incrédulité de ses concitoyens, cependant « il guérit un petit nombre d'infirmes en leur imposant les mains ». (Cf. Mt. 13^{58}).

6. *Après la première multiplication des pains* (Mc. 6^{54-56}; Mt. 14^{35-36}).

7. *Avant la seconde multiplication des pains* (Mt. 15^{30-31}).

8. Il délègue le pouvoir de faire des miracles aux douze apôtres (Mt. 10^{8}; Lc. 9^{1-2}; cf. Mc. 6^{13}) et aux soixante-douze disciples (Lc. 10^{9}) envoyés en mission.

APPENDICE

CONCORDE DES ÉVANGILES

CONCORDE DES ÉVANGILES

On appelle Harmonie ou Synopse ou Concorde ou même
Concordance le texte des quatre Évangiles, ou seulement des
trois Synoptiques, disposé selon l'ordre chronologique et mis
en regard, soit *in extenso*, soit par un simple renvoi.

Vers l'an 175, Tatien fondit en un le texte des quatre Évangiles de manière à en faire un récit continu. Son ouvrage, qui
jouit d'un grand crédit dans l'église syrienne et fut commenté
par saint Ephrem, avait le grave inconvénient de tronquer et
de brouiller les textes sacrés [1].

Au début du IVe siècle, Eusèbe de Césarée, s'inspirant d'une
idée conçue par Ammonius d'Alexandrie, imagina les *Canons*
qui ont gardé son nom et dont il explique le mécanisme dans
sa lettre à Carpianus. Le texte de chaque Évangile est divisé
en un grand nombre de fragments numérotés à la suite. Ces
numéros, classés en un tableau ingénieux, permettaient de
constater en un instant ce que chaque évangéliste a de spécial,
ce qu'il a de commun avec un ou plusieurs autres, et de retrouver sans tâtonnements les passages parallèles [2].

De nos jours, on préfère en général avoir sous les yeux le

---

1. C'est le *Diatessaron :* ἓν διὰ τεσσάρων : *unum* (Evangelium) *per quatuor.* Le mot διατεσσάρων signifiait, en médecine, un remède composé de
quatre ingrédients et, en musique, un accord de *quatre* notes.
2. *Canons* d'Eusèbe, avec la *Lettre à Carpianus* (en grec) et l'explication de S. Jérôme dans sa lettre à S. Damase, en tête du *Novum Testam.
graece et latine* de Nestle. Ammonius avait partagé les Evangiles en très
petits fragments : 355 pour S. Matthieu, 241 pour S. Marc, 342 pour S. Luc,
232 pour S. Jean. La numérotation était inscrite en marge de chaque
Évangile. En face de chaque numéro, Eusèbe inscrivit un autre chiffre :
I pour les passages communs aux quatre, II pour les passages communs
aux trois Synoptiques; III pour Mt. Mc. et Jn., IV pour Mt. Lc. et Jn.,
V pour Mt. et Lc., VI pour Mt. et Mc., VII pour Mt. et Jn., VIII pour
Mc. et Lc., IX pour Lc. et Jn., X pour les passages propres à chaque
évangéliste. Un tableau réunissait toutes ces indications. Même aujour-
d'hui, où les secours abondent, les *Canons* d'Eusèbe ont leur utilité.

texte *in extenso*. Il existe une foule de synopses en grec, en latin et même en français . La meilleure est celle à laquelle on s'est habitué.

Elles ne se ressemblent pas. Les uns (Méchineau, Fillion) se contentent de présenter le texte sur des colonnes parallèles, sans rendre raison de l'ordre adopté; d'autres (Camerlynck, Lavergne) le font accompagner de notes justificatives; quelques-uns (Rambaud, Azibert), pour faciliter la comparaison des Évangiles, prennent dans chaque colonne les traits spéciaux, de manière à former un récit suivi et complet, une sorte de *diatessaron,* qu'ils impriment en caractères romains, tandis que le reste est en italiques.

Une concordance montrant à l'œil, soit par un procédé typographique soit par l'emploi de diverses couleurs, les ressemblances et les divergences des Synoptiques, tant pour les idées que pour le style, ne manquerait pas d'intérêt; mais ce travail, d'une exécution difficile, n'existe pas encore.

---

1. *Synopses grecques :* Tischendorf[4], Leipzig, 1875; Rushbrocke, Londres, 1880; Wright, Londres, 1895; Huck[6], 1922; Lagrange, 1926. — *Synopse gréco-latine*; Patrizi, 1853. — *Synopses latines* : Fillion, 1892; Rambaud[2], 1898; Méchineau, 1896; Azibert, Albi, 1897; Brassard, 1913; Bover, Madrid, 1921; Camerlynck, *Synopsis,* 4e édit. Bruges, 1932 etc. — *Synopse française :* Lavergne (d'après Lagrange), 1927. Nous n'avons pas à mentionner ici les Synopses anglaises et allemandes.

PREMIÈRE PARTIE

ORDRE CHRONOLOGIQUE DES FAITS.

Pour faciliter les recherches, il est bon de partager le récit évangélique en plusieurs sections, dont le tableau suivant indique la distribution et le nombre.

Période de préparation.

Section i. — La vie cachée jusqu'au baptême.
Section ii. — Du baptême au second miracle de Cana.

Apostolat en Galilée.

Section iii. — Jusqu'au Sermon sur la montagne.
Section iv. — Du Sermon sur la montagne aux Paraboles.
Section v. — Des Paraboles au Pain de vie.
Section vi. — En Phénicie et dans la Décapole.
Section vii. — Les derniers jours en Galilée.

Apostolat en Judée et en Pérée.

Section viii. — Partie spéciale à saint Jean.
Section ix. — Partie spéciale à saint Luc.
Section x. — Partie commune aux trois Synoptiques.

La passion, la mort et la vie nouvelle.

Section xi. — Les premiers jours de la grande semaine.
Section xii. — Jeudi-saint. L'Eucharistie.
Section xiii. — Vendredi-saint. La mort rédemptrice.
Section xiv. — Jésus-Christ ressuscité.

Les notes suivantes ont pour but de marquer l'*ordre* mais

non la *date* des événements. Sur les dates, consulter la note B : *Chronologie*. On sait que, pour l'année et pour le jour, aucune date ne peut être fixée avec une entière certitude. La mention des fêtes par saint Jean et quelques indications fournies par les Synoptiques permettent seulement de déterminer quelquefois le mois ou la saison.

I. Période de préparation.

SECTION I. — LA VIE CACHÉE JUSQU'AU BAPTÊME.

Le message de Gabriel à Zacharie précède de *six mois* l'annonciation et la visitation. Marie demeure *trois mois* auprès d'Élisabeth, probablement jusqu'à la naissance de Jean (Lc. 1^{26} et 1^{56}) et c'est à son retour à Nazareth qu'a lieu la pénible épreuve de Joseph (Mt. 1^{19}). Jésus est adoré par les bergers *la nuit même* de sa naissance (Lc. 2^{8-9}), circoncis le 8ᵉ jour (Lc. 2^{21}) et présenté au Temple le 40ᵉ jour (Lc. 2^{22}). Après l'arrivée des Mages (Mt. 2^{13}) la sainte Famille fuit en Égypte et y demeure jusqu'à la mort d'Hérode.

Les deux seuls points douteux sont la date de la venue des Mages et la durée du séjour en Égypte. Les Mages ne peuvent être arrivés à Bethléem ni *avant la purification ni très longtemps après*. Dans le premier cas, la présentation de Jésus au Temple serait inconcevable étant données les craintes du soupçonneux Hérode; dans le second, on ferait remonter trop haut la naissance du Seigneur. Son baptême ne peut pas être antérieur à l'an 27 de notre ère (780 de Rome) et s'il est né seulement quinze mois avant la mort d'Hérode il aurait eu au baptême 31 ans révolus. Hérode, il est vrai, fit massacrer tous les enfants *au-dessous de deux ans*, *secundum tempus quod exquisierat a Magis;* mais nous ignorons la date de l'apparition de l'étoile et si elle coïncida avec la conception ou avec la naissance de Jésus. Hérode peut d'ailleurs *forcer* le chiffre pour être sûr d'atteindre sa victime. Comme le retour de la sainte Famille à Nazareth suivit de près la mort d'Hérode (Mt. 2^{19}), le séjour en Égypte ne dut pas dépasser *un an*, si même il eut cette durée.

Section II. — Du baptême au second miracle de Cana.

Saint Luc (3[1-2]. [23]) applique la même date à l'inauguration du ministère de Jean et au baptême de Jésus. *Aussitôt après* (Mc. 1[12]; cf. Mt. 4[1]; Lc. 4[1]) eut lieu le jeûne de *quarante* jours. Le témoignage du Baptiste, en trois jours consécutifs (Jn. 1[29-35]) dut suivre de près, ainsi que le miracle de Cana (Jn. 1[37]-2[1]) et le transfert de domicile à Capharnaüm (Jn. 2[12]), la Pâque étant proche. Entre le baptême et cette Pâque, où Jésus chassa les vendeurs du Temple, environ trois mois se sont écoulés.

Nous avons exposé ailleurs (*Chronologie*) les raisons de réduire à deux mois le séjour en Judée du Sauveur avec ses nouveaux disciples. Il sera donc revenu en Galilée, à travers la Samarie, vers le mois de mai (Jn. 4[35]).

Les Synoptiques mentionnent l'incarcération du Baptiste aussitôt après le baptême et le jeûne de Jésus (Mt. 4[12]; Mc. 1[14]; cf. Lc. 3[19-20]), mais le quatrième Évangile nous apprend que Jean baptisait à Ænon pendant que les disciples de Jésus baptisaient en Judée (Jn. 3[22-24]). Son arrestation dut coïncider avec le *second retour* du Sauveur en Galilée et non avec le *premier*, comme le ferait croire le récit des Synoptiques, qui passe entièrement sous silence toute cette période.

II. Apostolat en Galilée.

Section III. — Jusqu'au sermon sur la montagne.

Saint Luc suit ici saint Marc à trois exceptions près : il place la visite à Nazareth tout à fait *au début;* il raconte la guérison de la belle-mère de Pierre *avant* la vocation de l'apôtre; et l'élection des Douze *avant* l'arrivée des foules. Dans les trois cas, l'ordre de saint Marc paraît préférable. a) Saint Marc et saint Matthieu s'accordent à placer la visite à Nazareth aux approches de l'avant-dernière Pâque et saint Luc lui-même mentionne de nombreux miracles déjà opérés par le Christ à Capharnaüm (Lc. 4[23]). D'autre part il n'y a pas lieu d'admettre deux visites distinctes, l'une au début et l'autre vers la fin du ministère galiléen : les récits ont trop de points

communs pour n'être pas identiques. — *b*) Il est beaucoup plus naturel que Jésus soit entré chez saint Pierre *après* l'avoir appelé à l'apostolat, comme le disent saint Marc et saint Matthieu. — *c*) Il est de même plus naturel que Jésus ait *choisi* les Douze *du milieu* de la foule des disciples accourus auprès de lui.

Cependant nous ne prétendons pas que l'ordre de saint Marc soit rigoureusement chronologique. Cette section comprend : *a*) Une série de trois miracles (Mc. 1^{14-28}) qui font sur les assistants une impression profonde; — *b*) une nouvelle série de miracles (Mc. 1^{29-49}) qui excitent encore plus d'admiration et d'enthousiasme; — *c*) une autre série de quatre miracles qui provoquent les récriminations des pharisiens (Mc. 2^{1-36}) : sur la rémission des péchés, à propos du paralytique guéri; sur le jeûne et la fréquentation des pécheurs, à l'occasion du festin offert par saint Matthieu; sur la violation du sabbat, à propos des épis arrachés et de la main atrophiée guérie un samedi. Cela ferait supposer un arrangement artificiel que la catéchèse explique et justifie.

SECTION IV. — DU SERMON SUR LA MONTAGNE AUX PARABOLES.

Ici les données manquent pour établir un ordre chronologique. Saint Luc a, de plus que saint Marc, six épisodes dont trois lui sont communs avec saint Matthieu. Nous parlons d'une journée des paraboles sans prétendre que toutes ces paraboles aient été prononcées le même jour. Saint Luc donne une place très différente au Sénevé et au Levain (Lc. 13^{18-21}); et il est très probable que le Seigneur n'indiqua pas la raison de l'insuccès des paraboles le jour même où il les prononça.

SECTION V. — DES PARABOLES AU PAIN DE VIE.

Saint Luc, ici encore, suit saint Marc, sauf pour la visite à Nazareth qu'il a racontée par anticipation. Saint Matthieu, peu soucieux de l'ordre chronologique, distribue les événements en divers contextes. Saint Jean rejoint les Synoptiques à la première multiplication des pains, rapporte le miracle de

Jésus marchant sur les eaux et ajoute le grand discours sur le pain de vie.

Quatre miracles — la tempête apaisée et le démoniaque de Gérasa, la fille de Jaïre et l'hémorroïsse — forment un groupe inséparable. Saint Marc semble bien dire que Jésus s'embarqua pour le pays des Géraséniens *le soir même de la journée des paraboles* (Mc. 4³⁵). Cependant quelques-uns pensent que *en ce jour-là* équivaut à l'expression vague *en ce temps-là;* ou qu'il se rapporte, non pas à ce qui précède immédiatement, mais à la parabole du Sénevé racontée par saint Luc dans un autre contexte (Knabenbauer); mais cette dernière hypothèse est peu naturelle. Le retour à Capharnaüm et la résurrection de la fille de Jaïre eurent lieu le même jour que la guérison de l'énergumène.

Les raisons d'intercaler la guérison du paralytique de Béthesda entre le discours prononcé dans la synagogue de Capharnaüm et le voyage en Phénicie, en d'autres termes les raisons d'intervertir l'ordre des chapitres v et vi de S. Jean sont les suivantes :

1º La fin de chap. v (où Jésus se trouve à Jérusalem) s'accorde mal avec le début du chap. vi (où il *passe au delà du Jourdain :* ce qui suppose qu'il est en Galilée).

2º Au contraire la fin du chap. v (où les Juifs de Jérusalem cherchent à tuer Jésus) se lie admirablement au début du chap. vii : « Après cela Jésus parcourut la Galilée, ne voulant pas aller en Judée parce que les Juifs cherchaient à le *faire mourir.*

3º Le discours du chap. vii fait suite au discours du chap. v et l'on ne peut pas supposer entre eux un bien long intervalle car Jésus y fait allusion comme à un fait récent (Jn. 7²¹⁻²³, allusion à 5⁸; de même 7²⁵ allusion à 5¹⁸).

4º La multiplication des pains racontée au chap. vi suit de près la mort de Jean-Baptiste d'après Mt. 14¹³ et même Mc. 6²⁹⁻³⁰. Or au chap. v, le Baptiste a disparu depuis assez longtemps (5³⁵).

5º Avec l'arrangement actuel il est difficile de dire quelle est la fête innommée de Jn. 5¹. Selon l'explication vulgaire de Jn. 4³⁵, qui place le retour de Jésus en Galilée au mois de janvier, ce ne pourrait être que la fête carnavalesque des

Sorts (*Pourim*). Avec notre explication de ce passage, ce pourrait être la Pentecôte ou la fête des Trompettes; mais ces fêtes, après lesquelles il faut mettre la Pâque de Jn. 6⁴, sont bien loin de la fête des Tabernacles (Jn. 7²). Au contraire, l'interversion admise, tout s'arrange naturellement. Au moment de la multiplication des pains, la Pâque est proche (Jn. 6⁴); Jésus monte à Jésusalem (Jn. 5¹) à la Pentecôte suivante si on lit ἑορτή sans article, à la Pâque même si on lit ἡορτή avec l'article. Cette seconde alternative est préférable car on ne voit pas ce qui aurait pu empêcher le Sauveur de célébrer la Pâque à Jérusalem *avant le complot* ourdi contre lui, complot mentionné à la fin du chapitre v.

Cette interversion est maintenant acceptée, au moins comme probable, par un grand nombre d'exégètes tant catholiques (Olivieri, O. S. B., Meinertz, Lagrange, Durand, Lebreton) que protestants (Norris, Bernard, etc.). Voyez Meinertz (*Bibl. Zeitschrift*, t. XV, 1917, p. 239-249) qui fait brièvement l'historique de l'hypothèse et Bernard (*Gospel according to St. John,* Edimbourg, 1928, p. xvii-xix) qui traite la question au point de vue exégétique.

Les deux sections suivantes (vi *Voyage en Phénicie*, et vii, *Derniers jours en Galilée*) n'offrent aucune difficulté, l'ordre suivi par les évangélistes étant concordant.

III. Apostolat en Judée et en Pérée.

Cette période, qui comprend les six derniers mois de la vie du Christ, depuis son départ de la Galilée jusqu'à la semaine de la passion, n'est racontée que par S. Jean et par S. Luc. Les deux autres Synoptiques ne rejoignent S. Luc qu'aux approches de la passion (Lc. 18¹⁵) et n'ont de commun avec lui, dans ce qui précède, que la discussion relative au divorce (Mt. 19¹⁻¹²; Mc. 10¹⁻¹²).

Section viii. — Partie spéciale a saint Jean.

Cette section échappe aux controverses, car l'évangéliste a soin de marquer l'ordre et la date des déplacements de Jésus. Le Sauveur arrive à Jérusalem au milieu de l'octave des

Tabernacles, vers le. début d'octobre (Jn. 7^{14}) et se rend
ensuite en Pérée (Jn. 10^{40}); il revient à Jérusalem pour la
Dédicace, vers la mi-décembre (Jn. 10^{22}) et repart pour la
Pérée (Jn. 10^{40}). La mort de Lazare l'attire à Béthanie (Jn.
11^{17}), d'où il se réfugie à Ephraïm, peu avant la dernière
Pâque (11$^{54-55}$). Voyez (t. II, p. 3-5) les raisons qu'on a de
considérer indépendamment, durant cette période, la partie
spéciale à S. Jean et la partie spéciale à S. Luc.

SECTION IX. — PARTIE SPÉCIALE A SAINT LUC
(voir le tableau, p. 580-581).

Nous la divisons en trois groupes de textes pour la commodité des comparaisons.

1. Dans le *premier groupe*, qui comprend plusieurs passages placés par S. Matthieu en d'autres contextes, l'ordre de
S. Luc paraît presque partout meilleur.

Le cadre est un voyage de Galilée à Jérusalem. Repoussé
par les Samaritains (*a*), Jésus envoie en mission les Soixante-
douze (*c*), arrive à Jéricho (*h*), à Béthanie (*i*) et au mont des
Oliviers (*j*), où il est probable qu'il a enseigné l'Oraison
dominicale.

Il est fort possible que la demande des trois postulants (*b*)
n'ait pas été simultanée; en tout cas elle est à sa place au
moment où Jésus quitte la Galilée pour n'y plus revenir. —
La malédiction lancée contre les villes galiléennes (*d*) vient
aussi très naturellement après son départ définitif de Galilée.
— Les mots *Je vous bénis, Père* (*e*) et *Heureux êtes-vous* (*f*)
sont rattachés très étroitement par S. Luc au retour des
Soixante-douze, tandis que dans S. Matthieu le lien avec le
contexte est beaucoup plus vague (*en ce temps-là*). — Dans
S. Luc, le précepte de la charité (*g*) sert d'introduction à la
parabole du Samaritain charitable, mais le contexte de
S. Matthieu est bon aussi et il a l'appui de S. Marc. Il semble
que le Sauveur a énoncé deux fois le précepte; une fois pour
répondre à la question du légiste (Luc), l'autre fois pour répondre à celle des scribes (Marc) et des pharisiens (Matthieu).
La parabole de l'ami importun (*k*) et l'instruction sur

l'efficacité de la prière (*l*) ne pouvaient pas être mieux placées qu'après l'Oraison dominicale. Le *Pater* fut enseigné aux apôtres sur leur demande expresse (Lc. 11¹); S. Luc ne dit pas où (ἐν τόπῳ τινί), mais puisqu'il le rapporte immédiatement après la scène de Béthanie, on peut conjecturer que ce fut près du mont des Oliviers, non loin du lieu où s'élève maintenant l'église du *Pater*.

2. Le *second groupe* a l'air d'un conglomérat d'éléments divers, unis par l'association des idées et des souvenirs ou par un autre lien qui nous échappe. Nous souscrivons en gros au jugement de Maldonat : « Quia materia similis erat, Evangelista res diverso loco gestas uno loco posuit. Solent Evangelistae hoc facere. » Nous n'oserions pas cependant affirmer avec lui que le théâtre du chapitre xi soit la Judée et celui du chapitre xii la Galilée. Nous croirions plutôt que S. Luc suit sa source, sans s'inquiéter de topographie ni de chronologie.

Nous rangeons dans la période judéenne, c'est-à-dire dans le dernier semestre de la vie du Christ toutes les péricopes spéciales à S. Luc (F, K, N, Q, R), sauf peut-être B, faute de pouvoir leur assigner une meilleure place. Nous préférerions l'ordre de S. Matthieu lorsqu'il a l'appui de S. Marc (A, C, I, J, O). Pour le reste, la décision est difficile. Le flambeau (D) est mieux amené dans S. Matthieu; l'œil simple (C) se lie mieux dans S. Luc. Le réquisitoire contre les scribes et les pharisiens (G) est mieux en situation dans S. Matthieu que dans S. Luc, où Jésus le prononce à la table d'un pharisien dont il est l'hôte; mais le Sauveur peut avoir stigmatisé plus d'une fois l'hypocrisie des pharisiens. En revanche, l'instruction sur la confiance et le détachement (L et M), insérée par S. Matthieu dans le Sermon sur la montagne, va très bien après la parabole de l'avare insensé (K). Quant à l'exclamation *Beatus venter* (B), quoiqu'elle soit spéciale à Luc, elle se rattache si étroitement à ce qui précède, qu'elle paraît appartenir à la période galiléenne (comme A).

3. Le *troisième groupe* contient sept belles paraboles de S. Luc (*a, l, m, q, n, y, z*) et trois miracles (*b, g. v*) qu'il est

seul à rapporter. C'est une question débattue si la parabole
des invités dans S. Luc (*h*) est la même que celle de S. Matthieu (voir t. II, p. 226-7). On trouvera sans doute que l'exclamation *Jerusalem, Jerusalem* (*f*) est mieux placée par
S. Matthieu à la veille de la passion; mais la péricope sur la
parousie (*x*) peut très bien rester là où S. Luc l'a mise, car
S. Matthieu réunit au chapitre xxiv tout ce qui concerne ce
sujet. Pour les trois maximes disparates (*p*), on ne peut leur
trouver un lien sans des prodiges d'ingéniosité. Voir cependant Knabenbauer, *In Lucam,* p. 469-471.

Section x. — Partie commune aux trois Synoptiques.

Les trois évangélistes se suivent ici pas à pas, si ce n'est
que S. Matthieu intercale la parabole des ouvriers de la
onzième heure avant l'arrivée à Jéricho et S. Luc l'épisode
de Zachée après l'entrée dans la ville. Ce dernier rattache
très étroitement à l'épisode de Zachée la parabole des mines
dont S. Matthieu fait une sorte d'introduction à la description du jugement dernier, supposé que la parabole des talents
soit identique à la parabole des mines.

IV. La passion, la mort et la vie nouvelle.

Section xi. — Les quatre premiers jours de la Grande Semaine.

S. Marc, plus précis que les autres, nous apprend que Jésus,
monté au Temple le dimanche des Rameaux, s'y arrêta peu
de temps, à cause de l'heure avancée (Mc. 11¹¹), et reprit le
chemin de Béthanie avec ses apôtres. Sans cette indication
nous aurions placé au soir du dimanche la démarche des
Gentils pour voir Jésus que S. Jean raconte immédiatement
après l'entrée triomphale à Jérusalem et l'épisode des vendeurs chassés du Temple que S. Matthieu rapporte au même
endroit.

Ce fut donc le lundi matin, à son retour de Béthanie, que
le Sauveur maudit le figuier stérile. L'effet de la malédiction
fut subit et l'arbre se dessécha aussitôt (Mt. 21¹⁹), mais les

apôtres ne s'en aperçurent que le lendemain (Mc. 11^{20}). Le lundi les vendeurs furent chassés du Temple et aucun autre événement n'est mentionné ce jour-là.

Le mardi les scribes et les prêtres demandèrent à Jésus de quel droit il avait fait cela. La lutte s'engage et durera toute la journée. D'abord le Sauveur propose trois paraboles (les deux fils, les vignerons prévaricateurs, les invités qui refusent) symbolisant la réprobation d'Israël. Puis il subit les attaques successives des hérodiens poussés par les pharisiens, des sadducéens et des pharisiens eux-mêmes. Ensuite il prend l'offensive et les réduit tous au silence. Ici S. Matthieu place le grand réquisitoire contre les scribes et les pharisiens (chap. xxiv) que S. Marc (12$^{35-37}$) et S. Luc (20$^{41-44}$) qui l'a rapporté en une autre occasion, mentionnent brièvement. — Il y a alors un temps d'arrêt. Jésus se repose dans le parvis des femmes où il voit la pauvre veuve apporter son aumône. Il en sort pour se rendre au mont des Oliviers et c'est devant ses apôtres seuls qu'il décrit la ruine de Jérusalem, la fin du monde et le jugement dernier.

Le mercredi n'est signalé que par deux incidents : le complot de tous les ennemis de Jésus et la trahison de Judas. Les deux premiers évangélistes semblent fixer en ce même jour le festin de Béthanie, car ils le racontent entre le complot des Juifs et le marché du traître. Mais comme ce repas est évidemment identique au festin que S. Jean date avec précision (Jn. 12^1 : « six jours avant la Pâque »), il faut dire que les Synoptiques tiennent à rapprocher l'onction de Béthanie de la mort et de la sépulture de Jésus. Mc. 14^7 : (*elle a embaumé par avance mon corps pour l'ensevelissement.* De même Mt. 26^{12}).

IV. Section xii. — Jeudi-saint; la Cène.

Les deux premiers Synoptiques — comme dans tout le récit de la passion — se suivent ici pas à pas et reproduisent manifestement une catéchèse coulée dans un moule uniforme. Saint Matthieu abrège à son ordinaire ce qui concerne la préparation de la Pâque où saint Marc mêle des traits qui semblent bien être des souvenirs personnels. Le rapport entre eux est beau-

coup plus étroit dans la dénonciation du traître, l'institution
de l'eucharistie et l'entretien de Jésus avec ses apôtres sur le
chemin de Gethsémani. Il semble évident qu'ils puisent à une
même source, orale sinon écrite.

Dans cette section, saint Luc et saint Jean suivent chacun sa
voie, différente de celle des autres. Il faut cependant excepter,
pour saint Luc, ce qui regarde la préparation de la Pâque, où
sa dépendance de saint Marc — tant pour les faits que pour
l'expression (κεράμιον ὕδατος, βαστάζων, οἰκοδεσπότης, τὸ κατάλυμα,
ἀνάγαιον, μέγα ἐστρωμένον — n'est guère contestable. L'entretien
sur le chemin de Gethsémani étant supprimé chez saint Luc,
tout se passe au Cénacle dans l'ordre suivant : a) désir de
célébrer cette dernière Pâque avec les apôtres ; b) bénédiction
du vin de la fête (22^{17}-^{18}) ; c) institution de l'eucharistie sous
les deux espèces 22^{19}-^{20} ; d) dénonciation du traître (22^{21}-^{23}) ;
e) dispute des apôtres et leçon d'humilité (22^{24}-^{30}) ; f) annonce
des tentations et du reniement de Pierre (22^{31}-^{34}) ; g) retour
sur le passé, les deux glaives (22^{35}-^{38}) ; h) départ pour le mont
des Oliviers (22-^{39}). Il apparaît d'abord que saint Luc ne vise
pas à un ordre strictement chronologique, puisqu'il bloque
ensemble ce qui se passe au Cénacle et sur le chemin de
Gethsémani et qu'il met la consécration du calice qui eut lieu
après le repas) 22^{20} : μητὰ τὸ δειπνῆσαι), avant la dénonciation
du traître qui eut lieu pendant le repas (Mt. 26^{21} ; Mc. 14^{18}).

Les souvenirs précis de saint Jean nous aideront à classer les
faits. Au début, lavement des pieds avec une instruction sur
l'humilité coïncidant avec celle qu'a provoquée, dans saint Luc,
la dispute des apôtres ; ensuite, pendant le repas, dénonciation
du traître qui sort après avoir avalé la bouchée imbibée de
sauce, laquelle n'est certainement pas le pain eucharistique (Jn.
13^{30}). Comme le calice ne fut consacré qu'*à la fin du repas* et
qu'il n'y a nul motif de séparer les deux consécrations, Judas
n'a pas dû assister à l'institution de l'eucharistie. La seule
question douteuse est de savoir où fut prédit le reniement de
Pierre. Les deux premiers évangélistes placent clairement
cette prédiction sur le chemin de Gethsémani et si les deux
autres font penser au Cénacle, c'est que, ne racontant pas ce
qui advint sur le trajet du Cénacle au jardin, ils ne pouvaient
guère la placer ailleurs.

Section XIII. — Vendredi-saint. La passion.

Saint Matthieu et saint Marc vont ici de conserve, mais tandis que ce dernier n'ajoute que quelques traits descriptifs et l'incident du jeune homme qui s'échappe nu des mains des satellites (Mc. 14$^{51\text{-}52}$), le premier intercale divers épisodes : la fin de Judas (Mt. 27-^{310}), le songe de la femme du procurateur (Mt. 27^{19}), Pilate se lavant les mains (Mt. 27$^{24\text{-}25}$), les morts ressuscités (Mt. 27$^{52\text{-}53}$) ; après quoi, rejoignant saint Marc, ils continuent à faire route ensemble.

Saint Luc s'inspire, en plusieurs points, d'une tradition différente. Il supprime l'entretien qui eut lieu sur le chemin de Gethsémani et en reporte la substance au Cénacle (prédiction du reniement de Pierre, les deux glaives). Il abrège le récit de l'agonie mais ajoute l'apparition de l'ange consolateur et la sueur de sang. Il mentionne la guérison de Malchus blessé par saint Pierre (Lc. 22^{51}). C'est surtout, dans le récit du procès de Jésus qu'il s'écarte des autres. Le triple reniement de Pierre et la scène de dérision sont rapportés avant l'interrogatoire qui n'a lieu que le matin, la séance de nuit chez Caïphe étant passée sous silence. Saint Luc est seul à mentionner le renvoi de Jésus devant Hérode ; par contre, il omet le couronnement d'épines et l'intronisation burlesque dans la cour du Prétoire. La rencontre des femmes de Jérusalem, l'absolution du bon larron, la prière du Sauveur mourant, montrent qu'il dispose d'une tradition indépendante.

Saint Jean n'a guère de commun que le cadre et les lignes principales avec les Synoptiques, qu'il suppose connus, mais qu'il complète et éclaire en passant. Partout se révèle le témoin oculaire. L'escouade de soldats romains est commandée par un *tribun;* c'est *Pierre* qui tranche l'oreille droite de *Malchus*, *valet* du grand prêtre ; on parlemente à la *porte de la maison d'Anne* pour introduire Pierre qui est reconnu par un parent de Malchus. L'interrogatoire de Pilate roule sur la *royauté* du Sauveur, qui finalement motive la condamnation, après la scène dramatique de l'*Ecce homo*. Au Calvaire, quatre points retiennent l'attention de Jean : le titre de la croix qui affirme la royauté du Sauveur ; le testament par lequel il lègue sa mère

au disciple bien-aimé et son disciple à sa mère ; le côté de Jésus percé par la lance et d'où jaillissent le sang et l'eau ; le *consummatum est* qui accomplit les prophéties.

Pour la SECTION XIV, voyez la note X : *Apparitions du Christ ressuscité*.

Le récit des apparitions, dans saint Marc et dans saint Luc, pourrait laisser croire qu'il n'y en eut pas en dehors de la Judée et que l'ascension suivit de très près la résurrection. Mais saint Luc, dans les Actes des apôtres (1^3), nous avertit que quarante jours s'écoulèrent entre ces deux événements et saint Marc lui-même fait deux fois allusion (14^{28} et 16^7) à des apparitions en Galilée.

SECONDE PARTIE

SYNOPSE DES QUATRE ÉVANGILES

La vie de Jésus-Christ se divise en quatre périodes correspondant aux quatre livres de cet ouvrage. Chaque période se divise en plusieurs sections comme dans les notes précédentes, auxquelles nous renvoyons pour la justification de l'ordre adopté.

I. Période de préparation.

SECTION I. — LA VIE CACHÉE JUSQU'AU BAPTÊME.

	Matthieu	Marc	Luc	Jean
Prologue de saint Jean............				1^{1-18}
Préface de saint Luc...............			1^{1-4}	
Généalogie de Jésus...............	1^{1-17}		3^{23-38}	
Message de Gabriel à Zacharie.....			1^{5-25}	
L'annonciation....................			1^{26-38}	
Visitation; naissance de Jean-Baptiste.........................			1^{39-80}	
Épreuve de saint Joseph...........	1^{18-25}			
Nativité de Jésus. Adoration des bergers........................			2^{1-20}	
Circoncision et présentation de Jésus au Temple......................			2^{21-38}	
Adoration des mages..............	2^{1-12}			
Fuite en Égypte et massacre des Innocents......................	2^{13-18}			
La sainte Famille à Nazareth......	2^{19-23}		2^{51-52}	
Jésus au Temple parmi les docteurs...........................			2^{41-50}	

SECTION II. — DU BAPTÊME AU SECOND MIRACLE DE CANA.

	Matthieu	Marc	Luc	Jean
Prédication de Jean au désert......	3¹⁻¹²	1¹⁻⁸	3¹⁻¹⁸	
Baptême de Jésus dans le Jourdain.	3¹³⁻¹⁷	1⁹⁻¹¹	3²¹⁻²²	
Jeûne et triple tentation du Christ..	4¹⁻¹¹	1¹²⁻¹³	4¹⁻¹³	
Témoignage rendu par Jean à Jésus.				1¹⁹⁻³⁴
Les cinq ou six premiers disciples..				1³⁵⁻⁵¹
Noces de Cana et transfert à Capharnaüm......................				2¹⁻¹²
Première Pâque. Vendeurs chassés du Temple.....................				2¹³⁻²⁵
Visite nocturne de Nicodème.......				3¹⁻²¹
Séjour en Judée. Jésus baptise.....				3²²⁻³⁶
Emprisonnement du Baptiste........	[14³⁻⁴]	[6¹⁷⁻¹⁸]	[3¹⁹⁻²⁰]	4¹⁻³
La Samaritaine. Retour en Galilée.				4⁴⁻⁴²
Guérison du fils de l'officier royal. .				4⁴³⁻⁵⁴

II. Apostolat en Galilée et au Nord de la Palestine.

SECTION III. — JUSQU'AU SERMON SUR LA MONTAGNE.

	Matthieu	Marc	Luc	Jean
Le règne de Dieu est proche.......	4¹³⁻¹⁷	1¹⁴⁻¹⁵	4¹⁴⁻¹⁵	
Vocation des quatre grands apôtres.	4¹⁸⁻²²	1¹⁶⁻²⁰	5¹⁻¹¹	
Le démoniaque de la synagogue....		1²¹⁻²⁸	4³¹⁻³⁷	
Guérison de la belle-mère de Pierre.	8¹⁴⁻¹⁵	1²⁹⁻³¹	4³⁸⁻³⁹	
Miracles nombreux. Accueil enthousiaste....................	4²³⁻²⁵	1³²⁻³⁹	4⁴⁰⁻⁴¹	
Guérison d'un lépreux.............	8²⁻⁴	1⁴⁰⁻⁴⁵	5¹²⁻¹⁶	
Le paralytique porté par quatre hommes.....................	9¹⁻⁸	2¹⁻¹²	5¹⁷⁻²⁶	
Vocation de Matthieu. Festin chez lui....................	9⁹⁻¹⁷	2¹³⁻²²	5²⁷⁻³⁹	
Les épis arrachés un jour de sabbat.	12¹⁻⁸	2²³⁻²⁸	6¹⁻⁵	
L'homme à la main desséchée......	12⁹⁻¹⁴	3¹⁻⁶	6⁶⁻¹¹	
Concours des foules. Élection des Douze........................	4²³⁻²⁵	3⁷⁻¹⁹	6¹²⁻¹⁹	
Sermon sur la montagne. *Voir note* I...................	5-7		6²⁰⁻⁴⁹	

Section iv. — Du Sermon aux Paraboles.

	Matthieu	Marc	Luc	Jean
Les parents de Jésus viennent l'arrêter..........................	[12⁴⁶⁴⁷]	3²⁰⁻²¹	[8¹⁹]	
Controverse avec les pharisiens....	12²⁴⁻³²	3²²⁻³⁰	11¹⁵⁻²²	
Le serviteur du centurion..........	8⁵⁻¹³		7¹⁻¹⁰	
Le fils de la veuve de Naïm.......			7¹²⁻¹⁷	
Le message de Jean à Jésus........	11²⁻⁶		7¹⁸⁻²³	
L'éloge de Jean par Jésus..........	11⁷⁻¹⁹		7²⁴⁻³⁵	
La pécheresse oint les pieds du Sauveur.........................			7³⁶⁻⁵⁰	
Saintes femmes à la suite du Seigneur.............................			8¹⁻³	
Les parents spirituels de Jésus.....	12⁴⁸⁻⁵⁰	3³¹⁻³⁵	8²⁰⁻²¹	
Les paraboles du royaume. *Voir note K*........................	13¹⁻⁵²	4¹⁻³⁴	{ 8⁴⁻¹⁸ / 13¹⁸⁻²¹	

Section v. — Des Paraboles au Pain de vie.

	Matthieu	Marc	Luc	Jean
Tempête apaisée et démoniaque de Gérasa............................	8²³⁻³⁴	4³⁵⁻⁵²⁰	8²²⁻³⁹	
La fille de Jaïre et l'hémorroïsse...	9¹⁸⁻²⁶	5²¹⁻⁴³	8⁴⁰⁻⁵⁶	
Les deux aveugles et le muet guéris..............,...............	9²⁷⁻³⁴			
Visite à Nazareth.................	13⁵³⁻⁵⁸	6¹⁻⁶	[4¹⁶⁻³⁰]	
Mission des apôtres et discours d'envoi...........................	10¹⁻⁴²	6⁶⁻¹³	9¹⁻⁶	
Inquiétude d'Hérode au sujet de Jésus.............................	14¹⁻²	6¹⁴⁻¹⁶	9⁷⁻⁹	
Martyre du Baptiste..............	14³⁻¹²	6¹⁷⁻²⁹		
Première multiplication des pains..	14¹³⁻²¹	6³⁰⁻⁴⁴	9¹⁰⁻¹⁷	6¹⁻¹³
La foule veut proclamer roi Jésus..				6¹⁴⁻¹⁵
Jésus marche sur les eaux........	14²²⁻³³	6⁴⁵⁻⁵²		6¹⁶⁻²¹
Discours à Carpharnaüm sur le Pain de vie......................				6²²⁻⁷¹
Le paralytique de Béthesda........				5¹⁻⁴⁷

Section VI. — En Phénicie et dans la Décapole.

	Matthieu	Marc	Luc	Jean
Miracles au pays de Gennasar......	14^{34-36}	6^{53-56}		
Contre les pharisiens.............	15^{1-20}	7^{1-23}		
Vers Tyr et Sidon. La Cananéenne.	15^{21-28}	7^{24-30}		
Le sourd-bègue de la Décapole....		7^{31-37}		
Seconde multiplication des pains...	15^{32-39}	8^{1-10}		
Le ferment des pharisiens.........	16^{1-12}	8^{11-21}		
L'aveugle-né de Bethsaïde.........		8^{22-26}		

Section VII. — Les derniers jours en Galilée.

	Matthieu	Marc	Luc	Jean
La confession de Pierre à Césarée..	16^{13-20}	8^{27-31}	9^{18-20}	
Première annonce de la passion...	16^{21-23}	8^{32-33}	9^{21-22}	
Porter sa croix et suivre Jésus.....	16^{24-28}	8^{34-91}	9^{23-27}	
La transfiguration.................	17^{1-8}	9^{2-8}	9^{28-36}	
La descente du Thabor............	17^{9-13}	9^{9-13}		
Le lunatique au pied du Thabor....	17^{14-21}	9^{14-29}	9^{37-43}	
Deuxième annonce de la passion...	17^{22-23}	9^{30-32}	9^{43-45}	
Le didrachme de la capitation......	17^{24-27}			
Simples comme des enfants........	18^{1-5}	9^{33-37}	9^{46-48}	
L'exorciste étranger...............		9^{38-41}	9^{49-50}	
Contre le scandale.................	18^{6-10}	9^{42-48}	$[17^{1-2}]$	
Avertir son frère et lui pardonner..	18^{15-22}		$[17^{3-4}]$	

III. Apostolat en Pérée et en Judée.

Section VIII. — Partie spéciale a saint Jean.

A Jérusalem pour la fête des Tabernacles.............	7^{1-13}
Opposition et complot des pharisiens.................	7^{14-52}
La femme adultère.................................	7^{53}-8^{11}
Rapports du Fils et du Père.........................	8^{12-30}
Fils d'Abraham, fils de Satan.......................	8^{31-59}
Guérison de l'aveugle-né...........................	9^{1-41}
Le bon Pasteur...................................	10^{1-21}
A Jérusalem pour la Dédicace.......................	10^{22-42}
Résurrection de Lazare.............................	11^{1-53}
Retraite à Éphraïm................................	11^{54-57}

Section ix. — Partie spéciale a saint Luc.

	Luc	Matthieu	Marc
Groupe 1.			
a) Samaritains inhospitaliers	$9^{51\text{-}56}$		
b) Les trois postulants	$9^{57\text{-}62}$	$8^{19\text{-}22}$	
c) Mission des soixante-douze	$10^{1\text{-}12}$	$10^{7\text{-}12}$	
d) Malheur à toi, Corozaïn	$10^{13\text{-}15}$	$11^{21\text{-}23}$	
e) Je vous bénis, Père	$10^{16\text{-}22}$	$11^{25\text{-}27}$	
f) Heureux êtes-vous	$10^{23\text{-}24}$	$13^{16\text{-}17}$	
g) Le grand précepte de la charité.	$10^{25\text{-}28}$	$22^{34\ 40}$	$12^{28\text{-}31}$
h) Le bon Samaritain	$10^{29\text{-}37}$		
i) Marthe et Marie	$10^{38\text{-}42}$		
j) L'oraison dominicale	$11^{1\text{-}4}$	$6^{9\text{-}13}$	
k) Parabole de l'ami importun	$11^{5\text{-}8}$		
l) La prière exaucée	$11^{9\text{-}13}$	$7^{7\text{-}11}$	
Groupe 2.			
A) Agent de Belzébuth	$11^{14\text{-}26}$	$12^{22\text{-}45}$	$3^{22\text{-}27}$
B) *Beatus venter qui te portavit*....	$11^{27\text{-}28}$		
C) Le signe de Jonas, les Ninivites.	$11^{29\text{-}32}$	$12^{38\text{-}42}$	$8^{11\text{-}12}$
D) Le flambeau	11^{33}	5^{15}	
E) L'œil simple	$11^{34\text{-}36}$	$6^{22\text{-}23}$	
F) Dîner chez un pharisien	$11^{37\text{-}38}$		
G) Contre pharisiens et scribes.....	$11^{38\text{-}53}$	$23^{4\text{-}36}$	
H) Ne craignez pas les hommes, mais craignez Dieu................	$12^{2\text{-}9}$	$12^{26\text{-}33}$	
I) Péché contre le Saint-Esprit.....	12^{10}	$10^{19\text{-}20}$	$3^{28\text{-}29}$
J) Devant les tribunaux	$12^{11\text{-}12}$	$6^{25\text{-}33}$	13^{11}
K) L'avare insensé	$12^{13\text{-}21}$		
L) Confiance en Dieu	$12^{22\text{-}32}$	$6^{25\text{-}33}$	
M) Préparez-vous un trésor au ciel.	$12^{33\text{-}34}$	$6^{19\text{-}21}$	
N) Heureux le serviteur vigilant....	$12^{35\text{-}38}$		
O) Si on savait l'heure du voleur!.	$12^{39\text{-}40}$	$24^{43\text{-}44}$	$13^{35\text{-}36}$
P) L'intendant consciencieux et le négligent......................	$12^{41\text{-}46}$	$24^{45\text{-}51}$	
Q) Châtiment du mauvais serviteur.	$12^{47\text{-}48}$		
R) Flamme ardente. Baptême de douleurs......................	$12^{49\text{-}50}$		
S) Je suis venu porter la guerre, la discorde......................	$12^{51\text{-}53}$	$10^{34\text{-}36}$	
T) Les signes des temps	$12^{54\text{-}56}$	$16^{2\text{-}3}$	
U) Devoir de la réconciliation.....	$12^{57\text{-}59}$	$5^{25\text{-}26}$	

	Luc	Matthieu	Marc
GROUPE 3.			
a) Le figuier stérile. Pénitence!....	13^{1-9}		
b) La femme pliée en deux...........	13^{10-17}	$[13^{31-33}]$	
c) Le sénevé et le levain..........	13^{18-21}	$[7^{13-23}]$	$[4^{30-32}]$
d) La porte étroite.................	13^{22-30}		
e) Ce renard d'Hérode.............	13^{31-33}	$[23^{37-39}]$	
f) Jérusalem! Jérusalem!...........	13^{34-35}		
g) Guérison de l'hydropique........	14^{1-6}	$[22^{1-10}]$	
h) Parabole des invités............	14^{7-24}	$[10^{37-38}]$	
i) Pour être un vrai disciple......	14^{25-26}		
j) Calculer, réfléchir !.............	14^{27-35}	$[18^{12-14}]$	
k) Parabole de la brebis perdue...	15^{1-7}		
l) Parabole de la drachme égarée..	15^{8-10}		
m) Parabole de l'enfant prodigue...	15^{11-32}		
n) Parabole de l'intendant infidèle.	16^{1-13}		
o) Contre l'avarice des pharisiens..	16^{14-15}	$[11^{12-13}]$	
p) Trois maximes disparates......	16^{16-18}		
q) Lazare et le mauvais riche......	16^{19-31}		
r) Malheur aux scandaleux........	17^{1-2}	18^{6-9}	9^{42-48}
s) Reprendre et pardonner........	17^{3-4}	$18^{15.21-22}$	
t) Seigneur, augmentez notre foi !.	17^{5-6}	$[17^{20}]$	
u) Devoir d'un bon serviteur........	17^{7-10}		
v) Les dix lépreux.................	17^{11-19}		
x) La parousie du Fils de l'homme..	17^{20-37}	$[24^{26-41}]$	$[13^{1-37}]$
y) Parabole du juge inique.........	18^{1-8}		
z) Le pharisien et le publicain.....	18^{9-14}		

SECTION X. — PARTIE COMMUNE AUX TROIS SYNOPTIQUES.

	Matthieu	Marc	Luc
La question du divorce............	19^{1-12}	10^{1-12}	$[16^{18}]$
Bénédiction des petits enfants.....	19^{13-15}	10^{13-16}	18^{15-17}
Si tu veux être parfait...........	19^{16-22}	10^{17-22}	18^{16-23}
Dangers de la richesse...........	19^{23-26}	10^{23-27}	18^{24-27}
Et ceux qui ont tout quitté?........	19^{27-29}	10^{28-30}	18^{28-30}
Les ouvriers de la onzième heure..	20^{1-16}		
Troisième prédiction de la passion.	20^{17-19}	10^{32-34}	18^{32-34}
Prétentions des fils de Zébédée....	20^{22-23}	10^{35-40}	
Exhortation à l'humilité............	20^{24-28}	10^{41-45}	$[22^{24-27}]$
L'aveugle Bartimée de Jéricho.....	20^{29-34}	10^{46-52}	18^{35-43}
Le publicain Zachée..............			18^{1-10}
Parabole des talents ou des mines.	25^{14-30}		19^{11-27}

IV. La passion, la mort et la vie nouvelle.

SECTION XI. — PREMIERS JOURS DE LA GRANDE SEMAINE.

	Matth.	Marc	Luc	Jean
Samedi. Le banquet de Béthanie...	$[26^{6\text{-}13}]$	$[14^{3\text{-}9}]$		$12^{1\text{-}11}$
Le dimanche des Rameaux	$21^{1\text{-}16}$	$11^{1\text{-}10}$	$19^{28\text{-}38}$	$12^{12\text{-}19}$
Ruine de Jérusalem prédite			$19^{39\text{-}41}$	
Les Gentils désireux de voir Jésus.				$12^{20\text{-}36}$
Retour à Béthanie	21^{17}	11^{11}	$(21^{37\text{-}38})$	
Lundi. Le figuier maudit	$21^{18\text{-}19}$	$11^{12\text{-}14}$		
Vendeurs chassés du Temple	$21^{12\text{-}13}$	$11^{15\text{-}18}$	$19^{47\text{-}48}$	
Retour à Béthanie		11^{10}		
Mardi. Le figuier desséché	$21^{20\text{-}22}$	$11^{20\text{-}25}$		
Par quelle autorité?	$21^{23\text{-}27}$	$11^{27\text{-}33}$	$20^{1\text{-}8}$	
Les deux fils (Juifs et Gentils)	$21^{28\text{-}32}$			
Les vignerons prévaricateurs	$21^{33\text{-}46}$	$12^{1\text{-}12}$	$20^{9\text{-}19}$	
Les invités au festin de noces	$22^{1\text{-}14}$		$(14^{18\text{-}24})$	
Doit-on payer le tribut à César?...	$22^{15\text{-}22}$	$12^{13\text{-}17}$	$20^{20\text{-}26}$	
A qui la femme aux sept maris?...	$22^{23\text{-}33}$	$12^{18\text{-}27}$	$20^{27\text{-}40}$	
Quel est le plus grand commandement?	$22^{34\text{-}40}$	$12^{28\text{-}34}$	$(10^{25\text{-}28})$	
Question sur le Fils de David	$22^{41\text{-}46}$	$12^{35\text{-}37}$	$20^{41\text{-}44}$	
Condamnation des scribes et des pharisiens	$23^{1\text{-}36}$	$12^{33\text{-}40}$	$20^{15\text{-}47}$ $(11^{39\text{-}54})$	
Malheur à Jérusalem!	$23^{37\text{-}39}$		$(13^{34\text{-}35})$	
L'aumône de la pauvre veuve		$12^{41\text{-}44}$	$21^{1\text{-}4}$	
Ruine du Temple prédite	$24^{1\text{-}3}$	$13^{1\text{-}4}$	$21^{5\text{-}7}$	
Discours eschatologique	$24^{4\text{-}51}$	$13^{5\text{-}37}$	$21^{8\text{-}36}$	
Parabole des dix Vierges	$25^{1\text{-}13}$			
Le jugement dernier	$25^{31\text{-}46}$			
Mercredi. Le complot des Juifs	$26^{1\text{-}5}$	$14^{1\text{-}3}$	$21^{1\text{-}2}$	
Le marché de Judas	$26^{14\text{-}16}$	$14^{10\text{-}11}$	$22^{3\text{-}6}$	
Le mystère de l'incrédulité des Juifs				$12^{37\text{-}50}$

SECTION XII. — JEUDI-SAINT. LA CÈNE.

	Matth.	Marc	Luc	Jean
Préparation de la Pâque	$26^{17\text{-}19}$	$14^{12\text{-}19}$	$22^{7\text{-}13}$	
Lavement des pieds				$13^{1\text{-}11}$
Exemple et leçon d'humilité	$(20^{25\text{-}28})$	$(10^{42\text{-}45})$	$22^{25\text{-}30}$	$13^{12\text{-}17}$
J'ai désiré d'un grand désir			$22^{15\text{-}18}$	
Dénonciation du traître	$26^{20\text{-}25}$	$14^{17\text{-}21}$	$22^{21\text{-}23}$	$13^{19\text{-}29}$
Sortie de Judas				$13^{30\text{-}32}$
Institution de l'eucharistie	$26^{26\text{-}29}$	$14^{22\text{-}25}$	$22^{19\text{-}20}$	
Discours après la Cène				$13^{33}\text{-}17^{26}$
Sur le chemin de Gethsémani	$26^{30\text{-}35}$	$14^{26\text{-}31}$	$[22^{31\text{-}39}]$	18^{1}

Section XIII. — Vendredi-saint. La Passion.

	Matth.	Marc	Luc	Jean
Gethsémani. Agonie et prière......	26^{36-46}	14^{32-42}	22^{40-46}	
Ange consolateur. Sueur de sang..			22^{43-44}	
Arrestation de Jésus..............	26^{47-56}	14^{43-50}	22^{47-53}	18^{1-11}
Episode de l'adolescent............		14^{51-52}		
Jésus chez Anne..................				18^{12-23}
Chez le grand prêtre Caïphe.......	26^{57}	14^{53}	22^{54}	18^{24}
	26^{58}	14^{54}		18^{16-18}
Triple reniement de Pierre........	26^{69-75}	14^{66-71}	22^{55-62}	18^{25-27}
Interrogatoire et condamnation de Jésus...........................	26^{59-66}	14^{55-64}	22^{66-71}	
Scène d'insultes et de mauvais traitements........................	26^{67-68}	14^{65}	22^{63-65}	
Jésus est conduit chez Pilate.......	27^{1-2}	15^{1}	23^{1}	18^{28}
Premier interrogatoire du procurateur............................	27^{11-14}	15^{2-5}	23^{2-5}	18^{29-38}
Jésus renvoyé devant Hérode.......			23^{6-16}	
Barabbas ou Jésus................	27^{15-23}	15^{6-14}	23^{17-23}	18^{39-40}
Pilate se lave les mains............	27^{24-25}			
Flagellation......................	27^{26}	15^{15}	23^{22}	19^{1}
Couronnement d'épines............	27^{27-31}	15^{16-20}		19^{2-3}
Ecce homo......................				19^{4-5}
Sentence de condamnation........	37^{26}	14^{16}	23^{25}	19^{6-16}
Sur le chemin du Calvaire........	27^{32}	15^{21}	23^{26-32}	19^{17-22}
Crucifiement. Partage des habits...	27^{33-43}	15^{22}	23^{33}	
Le bon et le mauvais larron........	27^{44}		23^{34-43}	
Marie et Jean au pied de la croix..				19^{25-26}
Mon Dieu, mon Dieu... J'ai soif.....	27^{46-49}	15^{34-36}	23^{39-42}	19^{28-29}
Mort de Jésus. Prodiges divers.....	27^{50-54}	15^{37-39}	23^{46-48}	19^{30}
Le côté ouvert....................				19^{31-37}
Ensevelissement de Jésus..........	27^{57-61}	15^{42-47}	23^{50-56}	
Les gardes autour du tombeau....	27^{62-66}			
Désespoir et mort de Judas........	27^{3-10}		Act.1^{16}	

Section xiv. — Jésus-Christ ressuscité.

	Matth	Marc	Luc	Jean
Résurrection de Jésus.............	28^{2-4}			
Les saintes femmes au tombeau vide...........................	28^{5-10}	16^{1-8}	24^{1-11}	20^{1}
Pierre et Jean au sépulcre.........				20^{2-10}
Apparition à Marie-Madeleine......		16^{9-11}		20^{11-18}
Les gardes endoctrinés par les prêtres............................	28^{11-15}			
Les deux disciples d'Emmaüs.......		16^{12-13}	24^{13-35}	
Apparition du Christ au Cénacle...			24^{36-43}	20^{19-23}
Nouvelle apparition 8 jours après..				20^{24-29}
Sur les bords du lac de Tibériade..				21^{1-23}
Sur une montagne de Galilée......	26^{16-20}	16^{14-18}		
Ascension.......................		16^{19}	24^{44-52}	

On trouvera des synopses partielles dans les notes complémentaires. Ainsi Note I : *Analyse du Sermon sur la montagne ;* Note K: *Liste des paraboles et des similitudes ;* Note L: *Liste des miracles racontés dans l'Évangile ;* Note X : *Apparitions du Christ ressuscité.*

L'examen des *doublets* — discours ou récits revenant deux fois dans le même Évangile — n'est pas sans intérêt pour l'étude de la question synoptique. Nous avons traité ce sujet dans la *Revue biblique,* 1898, p. 541-553. Un travail remarquable et plus récent est celui de Hawkins, *Horae Synopticae,* Oxford, 1909, p. 80-107.

TABLE DES MATIÈRES

DU PREMIER VOLUME

INTRODUCTION

LIVRE PREMIER

LES ANNÉES DE PRÉPARATION

CHAPITRE PREMIER

Le mystère de Nazareth.

CHAPITRE IV

Jésus et Jean.

CHAPITRE V

La manifestation graduelle de Jésus.

LIVRE DEUXIÈME

L'ÉVANGILE EN GALILÉE

CHAPITRE PREMIER

Le choix des Apôtres.

NOTES COMPLÉMENTAIRES

Note L. — **Miracles de l'Évangile.**

APPENDICE

Partie I. — **Ordre chronologique des faits.**

Partie II. — **Synopse des quatre Évangiles.**

ACHEVÉ   D'IMPRIMER   LE
17 AVRIL MCMXLVII PAR
FIRMIN-DIDOT AU MESNIL
POUR BEAUCHESNE ET
SES FILS A PARIS

5057/47

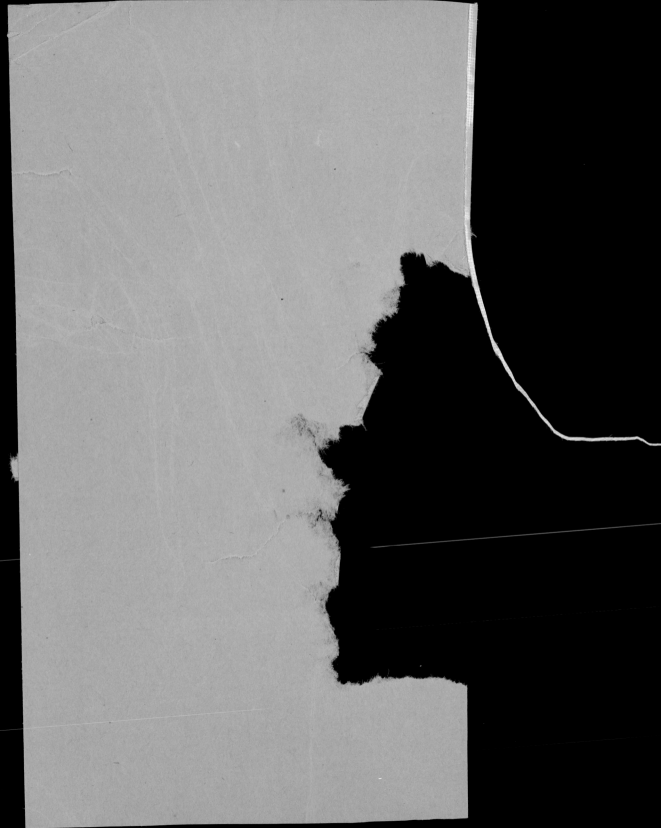